Les chemins
de la mémoire

Les chemins de la mémoire

Monuments et sites historiques du Québec

TOME I

LES
PUBLICATIONS
DU QUÉBEC

Le contenu de cette publication a été préparé
par la Commission des biens culturels
du Québec

Directeurs du projet:
Paul-Louis Martin, Jean Lavoie

*Révision, correction, recherche iconographique
et rédaction des légendes:*
Les Éditions Cap-aux-Diamants inc.

Photographies:
Luc-Antoine Couturier, Mia & Klaus,
Marc Lajoie, Louise Leblanc, Daniel Lessard,
Renée Méthot, Bernard Vallée

Direction artistique:
Michel Tremblay

Conception de la couverture et mise en pages:
Gilbert Bochenek enr.

Révision linguistique:
Claude Frappier
Dominique Johnson

La présente édition a été produite par
Les Publications du Québec
1279, boulevard Charest Ouest
Québec (Québec)
G1N 4K7

FC
2912
C44
1990
Vo 1

Dépôt légal — 2e trimestre 1990
Bibliothèque nationale du Québec
Bibliothèque nationale du Canada
ISBN 2-551-14145-1
©Gouvernement du Québec, 1990

Préface

Ils sont là, quelques centaines tout au plus, dispersés le long des routes, à défier le temps et les œuvres à la mode. Ce sont nos monuments et sites historiques, autrement appelés biens culturels.

Reliques et vestiges pour les uns, présence active du passé pour les autres, ces traces et ces immeubles caractérisent nos paysages humanisés et participent à la définition des impressions multiples que peut susciter un lieu: la familiarité, la continuité, la profondeur d'une origine.

Comme autant de repères, de rappels concrets des faits et des gens qui ont précédé, ils jalonnent une trajectoire humaine plus que millénaire pour les Amérindiens et plusieurs fois centenaire dans le cas des Euro-Américains. Mais leur présence seule ne suffit pas à éveiller nos mémoires; encore faut-il savoir les lire, apprendre leurs significations et les intégrer à la trame vivante de notre développement culturel.

Persuadée que les lectrices et les lecteurs de cet ouvrage y trouveront un enrichissement, je leur souhaite une bonne lecture.

La ministre des Affaires culturelles,
Lucienne Robillard

Présentation

Mémoire de notre histoire culturelle, *Les chemins de la mémoire* nous rappelle non seulement le langage des pierres, mais celui des hommes et des femmes qui nous ont transmis leur savoir-faire, leur manière d'être. À travers les multiples nécessités de la vie d'un dur pays — nourriture, maison, mobilier, chauffage, outils de travail, etc. — se sont développés une maîtrise, un courage à toute épreuve, un génie qui émerveille encore.

En retour, des générations ont conservé cet héritage que l'État est venu, au cours des ans, préserver par un statut public qui en proclame la valeur historique, esthétique et culturelle. Il en découle certaines dispositions, mesures, restrictions et compensations techniques et financières qui encadrent le régime usuel de propriété et visent à garantir en permanence le maintien des principaux caractères et de l'intégralité de l'objet au bénéfice des générations actuelles et futures. En cela le Québec s'est associé à près de 80 pays dans le monde qui se sont pourvus d'un système juridique soucieux de favoriser la conservation et la transmission de leur héritage.

Dans cette perspective, ce premier itinéraire que vous propose avec fierté la Commission des biens culturels du Québec se justifie parfaitement par la nécessité de créer un outil de synthèse des monuments et sites classés depuis 1922 jusqu'à nos jours par le gouvernement du Québec, car depuis la parution des ouvrages de Pierre-Georges Roy dans les années 1930, devenus des raretés bibliographiques, il semble qu'aucun ouvrage scientifique de l'ensemble du domaine bâti reconnu d'intérêt public n'ait été produit, à l'exception notamment du répertoire sommaire publié en 1978 par le ministère des Affaires culturelles du Québec, le numéro 10 des «Cahiers du patrimoine», intitulé *Monuments et sites du Québec*.

Il était donc temps que les connaissances acquises depuis une vingtaine d'années deviennent accessibles au plus grand nombre, un effort considérable et un intérêt significatif ayant marqué l'approfondissement des sciences historiques, techniques et ethnologiques dans ce domaine. En ce moment privilégié où le Québec reçoit, à Montréal, du 27 mai au 1er juin 1990, le XVIIe Congrès mondial de l'Union internationale des architectes, l'occasion est toute rêvée de publier un tel ouvrage qui stimulera à la fois la curiosité et l'intérêt de nos visiteurs en présentant un passé architectural digne de nos ancêtres et relativement bien conservé. Il questionnera et inquiétera sans doute ces bâtisseurs de notre génération, responsables en grande partie de l'état actuel de nos villes et de nos villages, quand il s'agira de faire le bilan architectural du cadre environnant construit par nos professionnels de l'environnement.

Pour votre propre découverte, la Commission des biens culturels du Québec vous présente un premier itinéraire de dix circuits du Centre et de l'Est du Québec, regroupant plus de 250 monuments et sites classés par l'État sur les routes de Maskinongé à Blanc-Sablon. Cette réalisation a été rendue possible grâce à la collaboration du ministère des Affaires culturelles et de sa ministre, madame Lucienne Robillard, qui, en plus du soutien financier, a réuni ses meilleurs professionnels et techniciens pour soutenir le projet. L'instigateur du projet, le précédent président de la Commission, monsieur Paul-Louis Martin, a travaillé pendant quelque deux années à coordonner ce projet ambitieux. Il fut assisté par le vice-président, monsieur Jean Lavoie, qui, depuis plus d'un an, a assuré la relève avec détermination et réalisme. Nous les remercions.

À tous les auteurs qui les ont supportés, et ils sont 82 spécialistes, nous leur adressons nos remerciements pour leur contribution professionnelle à la rédaction de cet ouvrage. En tout temps l'intégrité des textes et la personnalité des auteurs ont été respectées tout en assurant la cohérence nécessaire. Ce travail de synthèse et de cohérence a été réalisé en deux phases importantes. D'abord par le comité de lecture et d'encadrement formé de spécialistes bien connus: messieurs Claude Paulette, Michel Dufresne, Georges-P. Léonidoff, Georges Leahy, John R. Porter, Luc Noppen, Guy-André Roy et Paul-Louis Martin. Puis, dans une seconde étape, des spécialistes de l'édition ont été invités à harmoniser l'ensemble du manuscrit en collaboration avec notre dévoué personnel. Pour cette étape délicate, nous avons profité de l'expérience de l'équipe de la revue *Cap-aux-Diamants*, représentée par madame Alyne Le Bel et monsieur Yves Beauregard.

Le travail d'édition a été entièrement réalisé par la Direction générale des publications du Québec du ministère des Communications. Nous sommes reconnaissants à son directeur de l'édition, monsieur Maurice Sabourin, et aux chargés de projet, messieurs Philippe Côté et Michel Tremblay. Par ailleurs, la couverture photographique a été assurée par la Direction de l'audiovisuel avec la contribution des photographes professionnels Daniel Lessard, Marc Lajoie et Bernard Vallée. D'autres photographes ont complété l'équipe: Louise Leblanc, Renée Méthot ainsi que Mia et Klaus. Le graphisme a été assuré par monsieur Gilbert Bochenek.

Nous remercions tous ces collaborateurs au nom de tous ceux qui aimeront ce livre.

Ce répertoire constitue un portrait d'époque qui doit stimuler notre imagination et notre créativité pour continuer à créer de nouvelles traditions, à ouvrir des chemins nouveaux. Il semble bien que seul l'épuisement de nos passions pourrait éteindre cette mémoire vivante, là où nos mains et notre cœur ont déjà puisé l'expression de notre spécificité et de notre liberté.

Le président de la Commission des biens culturels du Québec,
Cyril Simard, Ph.D.

Table des matières

La conservation du patrimoine culturel: origines et évolution

LA notion commune de patrimoine est connue depuis plusieurs siècles. Elle s'est toutefois enrichie avec le temps, ajoutant par analogie des sens nouveaux au concept initial limité à l'héritage familial. Ainsi, au XXᵉ siècle, des qualificatifs peu employés précédemment sont venus préciser divers types d'héritages correspondant à des préoccupations ou à des réalités également nouvelles: patrimoine artistique, génétique, naturel et culturel. Dans la plupart des cas, ces nouveaux sens traduisent la propriété commune d'un groupe, d'un peuple, voire de plusieurs nations. Ne parle-t-on pas aujourd'hui de productions de l'art ou de sites naturels appartenant au patrimoine mondial?

Le patrimoine culturel d'un peuple comprend un vaste héritage, non seulement de biens matériels mobiliers et immobiliers, mais aussi de biens immatériels tels que les traditions littéraires, orales et artistiques, savantes ou populaires, les savoir-faire et les savoirs techniques. L'ensemble de ce fonds culturel constitue une réserve dynamique qui, dans un processus d'échange, contribue à définir et à caractériser la culture actuelle. Fait d'emprunts et d'adaptations, d'inventions et de répétitions, ce fonds s'accumule au fil des générations jusqu'à constituer un ensemble particulier et différencié, dont l'émergence et la reconnaissance en tant que telles participent au sentiment d'identité collective.

À quel moment de notre histoire se fait jour ce sentiment d'identité? À quel moment commence-t-on à reconnaître une valeur collective à l'héritage culturel, plus particulièrement aux objets matériels légués par les prédécesseurs? Pour y répondre, il faut d'abord souligner la relation fondamentale qui semble exister avec la conscience historique nationale. Née et développée en étroite corrélation avec elle, la reconnaissance de notre héritage culturel est probablement une partie, sinon une manifestation de cette conscience. À tout le moins, il y a une coïncidence dans le temps, laquelle remonte au premier tiers du XIXᵉ siècle.

Les antécédents

Les années 1830 sont fertiles en événements politiques. Couvant depuis le changement de régime colonial et inspirée par les révolutions américaine et française, la volonté d'autonomie des Canadiens éclate au grand jour: en 1834, adoption des 92 résolutions par la Chambre d'assemblée du Bas-Canada, fondation aussi par Ludger Duvernay de la Société Saint-Jean-Baptiste; puis survient la Rébellion de 1837-1838, suivie du rapport de Lord Durham qui qualifie les Canadiens de «peuple sans histoire» et qui recommande leur assimilation progressive.

La publication de l'Histoire du Canada de François-Xavier Garneau contribue à développer le sentiment nationaliste des Canadiens français. Un monument en l'honneur de celui que l'on considère comme le premier historien national orne l'esplanade de l'Assemblée nationale. (Archives nationales du Québec à Québec, collection initiale).

À titre de gouverneur général du Canada, Lord Dufferin joint sa voix à ceux qui s'opposent à la démolition des fortifications de la ville de Québec. Il propose un plan de mise en valeur de l'enceinte qui préserve le caractère pittoresque de la ville. (Archives nationales du Québec à Québec, collection initiale).

Ce commentaire célèbre agit comme un coup de fouet sur la conscience des élites qui, dès lors, découvrent tout l'intérêt et toute la richesse d'une expérience collective déjà vieille de quelques siècles. Citons certains faits qui, au cours des années suivantes, contribuent à développer un véritable courant nationaliste, à éveiller une culture historique populaire et à susciter le sentiment profond d'une identité particulière:

c'est d'abord François-Xavier Garneau qui publie son *Histoire du Canada*, entre 1845 et 1849, la fondation ensuite de l'École littéraire de Québec en 1860, puis la publication du roman de Philippe Aubert de Gaspé en 1863, *Les Anciens Canadiens*, qui dénote par sa consignation soignée des mœurs l'atteinte de plusieurs niveaux de conscience. La recherche d'identité culturelle ne se confine pas seulement à la littérature, elle déborde aussi du côté de la photographie, des beaux-arts, de l'architecture et de l'ethnographie: en 1865 Ernest Gagnon publie ses *Chansons populaires du Canada*.

C'est enfin au même moment qu'apparaissent les premières volontés manifestes de conserver certains témoins du patrimoine immobilier du Québec. En 1862, les religieuses hospitalières de Québec renoncent à démolir leur moulin à vent de l'Hôpital Général. Elles invoquent la valeur symbolique qu'il représente, «quoique ce bâtiment ne serve aujourd'hui à aucun usage», relate

En 1862, les religieuses de l'Hôpital Général de Québec décident de conserver leur moulin à vent pour sa valeur symbolique. Le bâtiment, photographié par Fred C. Wurtèle en 1905, se dresse toujours aujourd'hui en bordure du boulevard Langelier. (Archives nationales du Québec à Québec, fonds Wurtèle).

l'annaliste de la communauté. Quelques années plus tard, en 1875, le gouverneur général, Lord Dufferin, s'objecte à l'arasement des murs de fortifications du Vieux-Québec. Il parvient à faire rétablir trois des portes déjà démolies, en proposant toutefois un concept qui réponde davantage aux nouveaux besoins de circulation. Lord Dufferin aurait aussi commandé à l'architecte irlandais W. H. Lynn une proposition de mise en valeur du Vieux-Québec, qui en accentuait le caractère pittoresque.

C'était la première fois que l'on considérait la vieille ville comme un ensemble monumental, doté d'un cachet et de caractères particuliers, méritant une approche globale. Dufferin s'inspirait probablement de Viollet-le-Duc qui, en 1848-1849, avait assuré la sauvegarde de la grande cité fortifiée de Carcassonne dans le Sud-Ouest de la France.

En fait, il se dessine alors un courant d'idées largement favorisé par un contexte politique centré sur le nationalisme, qui tend vers l'appropriation d'un passé et d'un héritage jugés jusque-là de peu d'intérêt. Ce courant puise également aux sources du romantisme et du pittoresque, qui nourrissent une grande partie des peuples occidentaux dont la vision du monde est en évolution. Et, tranquillement, voit le jour la notion de valeur symbolique collective, celle d'un intérêt général à rappeler par des objets concrets le cheminement d'un peuple. C'est précisément le sens de la protestation du rédacteur du journal *Le Patriote* de Sorel, le 20 septembre 1887. S'élevant contre la démolition du vieux moulin à vent de Sorel, dont la compagnie locale de navigation utilisait les pierres pour prolonger ses quais, le journaliste écrit: «Je regrette de voir nos gouvernements ne pas plus s'occuper qu'ils ne le font de nos ruines historiques, qui seules peuvent rappeler à l'avenir, aux générations futures, les gloires du passé.»

Et l'auteur, le jeune avocat Arthur-Aimé Bruneau (plus tard député à la Chambre des communes, de 1892 à 1907, puis juge de la Cour supérieure du Québec de 1907 à 1928), poursuit son plaidoyer en évoquant les intellectuels de France (René de Chateaubriand, Victor Hugo) qui appuyèrent Prosper Méri-

Le notaire Gustave Beaudoin attire l'attention de ses contemporains sur la préservation des vieilles églises du Québec. (Ville de Québec, division du Vieux-Québec).

mée dans la présentation de la première loi française de conservation des monuments: «Un député ne pourrait jamais faire meilleur acte de patriotisme pour éviter la démolition de semblables souvenirs historiques, que de demander la loi que Victor Hugo demandait en France, en 1832, lors de la destruction de la tour de Louis d'Outremer.»

Cette attitude éclairée et cet engagement personnel pour la défense de l'héritage, Arthur-Aimé Bruneau les conserva durant toute sa carrière. Et il aura de nouveau l'occasion de les affirmer, comme nous le verrons plus loin, au cours des événements qui entourèrent la présentation de la Loi sur les monuments historiques et artistiques du Québec en 1921-1922.

1890-1920: des événements, des idées, des acteurs

Cette découverte de la richesse du patrimoine culturel national prend vite l'allure d'un «vaste mouvement intellectuel teinté de patriotisme», pour reprendre l'expression de Jean-René Lassonde, auteur de la récente (1986) monographie consacrée aux origines de la Bibliothèque nationale. Ainsi, c'est la Société de numismatique et d'archéologie de Montréal, qui occupe le château de Ramezay en 1891 et qui inaugure une activité didactique destinée à connaître une longue vie, soit la pose de plaques commémoratives dans le Vieux-Montréal. Elle sera imitée en 1892 par la Société historique de Montréal puis, après 1923-1924, par la Commission des monuments et sites historiques du Québec.

On ne s'étonnera pas de retrouver un noyau d'intellectuels qui animent la plupart de ces sociétés: les Victor Morin, Aegidius Fauteux, Olivier Maurault, E.-Z. Massicotte, Gérard Malchelosse et M. Boucher de la Bruère.

Du côté des anglophones, un mouvement semblable se dessine autour de Percy Nobbs, de Cecil Burgess et surtout de Ramsay Traquair, professeur d'architecture à l'université McGill, qui commença dès 1920 à s'intéresser activement à l'architecture ancienne du Québec. Avec l'un de ses assistants, W.E. Carless, il collaborera régulièrement aux travaux et aux enquêtes des Marius Barbeau, E.-Z. Massicotte et P.-G. Roy.

Au tournant des années 1920, paraissent enfin deux textes importants qui ont pu influencer les opinions et l'attitude des autorités: le notaire montréalais Gustave Beaudoin publie, en 1919, dans *La Revue Nationale*, un article consacré à la désolation des monuments historiques canadiens, en particulier aux vieilles églises du Québec. Par la suite, Émile Vaillancourt, dans *Une maîtrise d'art au Canada (1800-1823)*, attire l'attention sur les riches traditions des sculpteurs et ornemanistes issus de l'école de Louis-Amable Quévillon.

L'un et l'autre contribuent à renouveler l'intérêt pour l'héritage concret et à faire ainsi évoluer une conception de l'histoire cantonnée jusque-là dans la célébration festive.

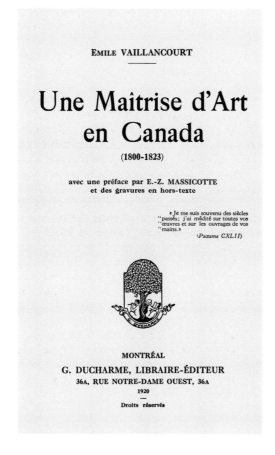

L'ouvrage publié par Émile Vaillancourt paraît deux ans avant la création de la Commission des monuments historiques.

La redécouverte de l'histoire se traduisait le plus souvent par des activités de commémoration qui ont stimulé la mémoire nationale. Ce fut le cas des fêtes du tricentenaire de Québec, en 1908, qui fournirent l'occasion de toucher une profondeur historique, de révéler la richesse et l'intérêt d'événements et de personnages du passé.

venant d'Europe centrale et méridionale commençaient à déferler aux États-Unis, et il importait de les intégrer, de les «américaniser», rapporte Michael Kammen dans *La mémoire américaine et sa problématique*.

Le Canada d'après la Confédération et le Québec du tournant du XXᵉ siècle affrontèrent progressivement le même défi. Bien

Les fêtes du tricentenaire de Québec, en 1908, donnent lieu à la reconstitution d'événements marquants de l'histoire de la ville. La scène recréée ici souligne le rôle du gouverneur Louis de Buade, comte de Frontenac, qui repousse l'attaque de l'amiral William Phipps en 1690. (Photo: H.O. Dodge, Archives nationales du Canada).

Il est intéressant de noter que le représentant officiel du Québec aux cérémonies commémoratives de Honfleur, lieu d'embarquement de Samuel de Champlain, fut l'honorable Adélard Turgeon, celui-là même qui deviendra, quinze ans plus tard, le premier président de la Commission des monuments historiques. Par diverses manifestations, dont un spectacle historique de grande envergure, pour lequel le peintre Charles Huot dessina une centaine de costumes, et à l'occasion duquel une remise de certificats à des familles terriennes de vieille souche était prévue, on y célébra l'enracinement et la continuité.

En cela, le Québec s'inscrivait dans un mouvement identique à celui que les Américains vivaient depuis le premier centenaire de la révolution, en 1876, qui avait été suivi d'une série de célébrations: centenaire de la Constitution en 1887, quatrième centenaire de la découverte de l'Amérique par Christophe Colomb en 1892, troisième centenaire de l'exploration d'Henry Hudson en 1909. Ces fêtes populaires constituaient en quelque sorte un appel au nationalisme, mais elles furent aussi utilisées dans un but d'assimilation: des vagues de nouveaux arrivants

que l'état des connaissances sur cette période ne nous permette pas de l'affirmer de façon probante, il se peut que les efforts de recherche et de diffusion d'une culture historique nationale aient été accélérés et confirmés peu après l'arrivée d'importants groupes d'immigrants nouveaux au Canada, tant à Montréal que dans l'Ouest du pays. La quête d'identité collective, visible à plusieurs niveaux politiques et perceptible dans la plupart des champs d'activités culturelles, procéderait alors d'une réaction apparentée sur plusieurs points aux réflexes de la société américaine. Une telle indication, parmi d'autres, reste la création en 1919 de la Commission canadienne des lieux et monuments historiques, suivie en 1922 de son équivalent provincial, la Commission des monuments historiques: l'une et l'autre prirent en charge la commémoration et la diffusion — notamment par des plaques de bronze — des événements et personnages de l'histoire.

Mais arrêtons-nous un instant sur un autre phénomène, de plus grande envergure encore, qui commençait à modifier les attitudes et les perceptions des gens: appelons-le, pour le moment, «le passage à l'ère de la grande industrie».

En 1925, la fabrication domestique du pain constitue une pratique très répandue à Saint-Pierre, à l'île d'Orléans, comme dans toute la campagne québécoise. Mais le mode de vie traditionnel disparaît peu à peu sous la pression de l'industrialisation. (Archives nationales du Québec à Québec, collection initiale).

La conservation du patrimoine et l'industrialisation: les interactions

Au lendemain de la Première Guerre mondiale, le Québec accélère son passage à l'ère industrielle. La mutation de la société traditionnelle, amorcée dans la seconde moitié du siècle précédent, connaît alors une extension plus importante: les grands capitaux américains et européens commencent à affluer et les progrès technologiques s'accélèrent, notamment en hydroélectricité, en génie civil et en télécommunications. L'exode rural et les vagues d'immigrants d'Europe commencent à produire leurs effets sur l'urbanisation: la province de Québec devient majoritairement urbaine en 1901, et Montréal atteindra presque le million d'habitants en 1931. Dès 1800, un début d'urbanisation était déjà perceptible à Montréal et, à Québec, dans une mesure un peu moindre; mais le phénomène intensif et généralisé ne se confirme qu'au XXᵉ siècle. Des usines, des quartiers complets voient le jour dans la métropole; des villes nouvelles ont surgi récemment du sol, telles que Shawinigan, Arvida, Asbestos. Le nombre d'automobiles augmente considérablement, les routes et les communications s'améliorent, les distances s'atténuent.

Bien entendu, il ne faut pas croire que ces changements se sont produits nécessairement en cascade et dans un court laps de temps. Toutefois, mesurés à l'échelle des deux siècles qui les précèdent, il est justifié de parler de «révolution industrielle», c'est-à-dire de bouleversements vécus par une ou deux générations consécutives.

On peut retenir trois conséquences, parmi d'autres bien sûr, qui découlent de l'industrialisation et qui semblent avoir affecté l'attitude des gens à l'égard de leur environnement matériel. Mentionnons d'abord le sentiment très net de l'achèvement d'un mode de vie traditionnel, lent à réagir, majoritairement rural, et son remplacement par un mode de vie encore hésitant et inconnu, aux valeurs différentes, laïc, perméable, urbain. Les contemporains assistent en fait à l'éclatement de la civilisation traditionnelle.

En deuxième lieu, l'industrialisation progressive de presque tous les modes de production de biens matériels introduit des dimensions jusque-là marginales: la désuétude planifiée, la primauté du fonctionnalisme et du rendement, la standardisation intensive. Appuyée par la publicité qui véhicule les modes, la grande industrie contribue à mettre en place la société de consommation.

Finalement, en corollaire des deux phénomènes précédents, on voit très nettement se dégager un sentiment d'aliénation: les modes de vie et les modèles viennent d'ailleurs, ils ne puisent plus au fonds commun, à l'héritage accumulé. C'est un monde nouveau qui s'édifie, avec une logique autre, et qui a vite fait d'abandonner les traditions. De là à se sentir dépossédé, il n'y a qu'un pas que franchissent d'ailleurs les autorités en place — et pas seulement les intellectuels —, qui invoquent dès lors le patriotisme et l'histoire pour préserver une identité nationale qui ne leur paraît pas vouloir s'exprimer à travers le changement.

Le manoir Louis-Joseph-Papineau, à Montebello. (Photo: Edgar Gariépy, Archives nationales du Québec à Québec, collection initiale).

1922   *Monuments historiques et artistiques*   Chap. 30   149

CHAP. 30

Loi relative à la conservation des monuments et des objets d'art ayant un intérêt historique ou artistique

(Sanctionnée le 21 mars 1922)

ATTENDU que la conservation des monuments et Préambule. objets d'art historiques ou artistiques est d'un intérêt national;

Attendu qu'il existe dans la province des monuments et des objets d'art dont le caractère historique ou artistique est incontestable;

Attendu que le classement est la première condition de la conservation des monuments et des objets d'art ayant un intérêt historique ou artistique;

Attendu que le classement de ces monuments et de ces objets d'art s'impose;

En conséquence, Sa Majesté, de l'avis et du consentement du Conseil législatif et de l'Assemblée législative de Québec, décrète ce qui suit:

Préambule de la Loi sur les monuments historiques. (Statuts du Québec, *12 Georges V, 1922*).

Dès la fin du XIXᵉ siècle, la plupart des sociétés occidentales commencent à réagir au changement et élaborent petit à petit des mesures de conservation de l'environnement matériel. Marc Guillaume signale que les efforts de conservation du patrimoine matériel ont été accélérés à partir de l'entrée dans l'ère industrielle; ces efforts lui apparaissent dérisoires dans leurs effets, n'étant pas «à l'échelle des mécanismes des sociétés industrielles, vouées par nature au déracinement, à l'obsolescence et à la destruction». Les pratiques de conservation de l'héritage seraient à son avis une réaction, une «protestation contre une évolution économique et technique qui impose sa loi à tous [...], une pratique contre-dépendante de la consommation et de la logique de l'éphémère, [et finalement] une réserve... une tentative pour conjurer la perte de l'histoire propre d'un espace national qui se dilue dans le système capitaliste mondial.»

C'est donc sur cette toile de fond, tramée par une recherche d'identité, que se joue le premier acte de l'intervention légale de l'État en matière de conservation du patrimoine.

Un déclic: l'affaire du manoir Louis-Joseph-Papineau

Les esprits et les attitudes des hommes publics ont beau évoluer et devenir de plus en plus réceptifs aux manifestations des besoins ou de l'intérêt publics, il faut parfois un événement externe, un fait provocant pour enclencher une réaction qui réponde aux attentes. Ce déclic, cette occasion d'agir, survient au mois d'août 1921, lors de la vente aux enchères du manoir Louis-Joseph-Papineau, situé à Montebello. L'alerte est donnée par la petite-fille de l'historien François-Xavier Garneau qui, dans une lettre ouverte publiée dans *La Presse* du 24 août 1921, attire l'attention du premier ministre Louis-Alexandre Taschereau sur l'urgence et l'absolue nécessité de protéger les objets et les immeubles rappelant la mémoire du grand patriote. Véritable plaidoyer contre l'indifférence et l'irrespect, la lettre de madame Marmette-Brodeur invoque la valeur intrinsèque de ce monument d'histoire et de son contenu, qu'elle qualifie de patrimoine national. Il faut le préserver et le transmettre aux générations futures, écrit-elle encore.

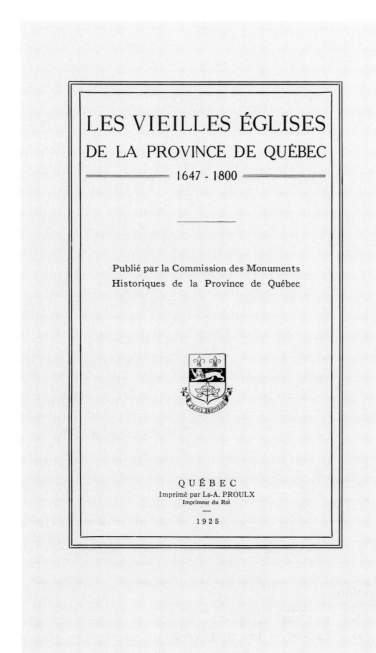

LES VIEILLES ÉGLISES
DE LA PROVINCE DE QUÉBEC
1647 - 1800

Publié par la Commission des Monuments
Historiques de la Province de Québec

QUÉBEC
Imprimé par Ls-A. PROULX
Imprimeur du Roi

1925

Premier secrétaire de la Commission des monuments historiques, Pierre-Georges Roy entreprend d'inventorier les trésors du patrimoine de la province de Québec. Il publie cet ouvrage sur les églises en 1925.

Le lendemain de cette publication, Arthur-Aimé Bruneau, dont on a parlé précédemment, alors juge à la Cour supérieure du Québec, écrit à son tour au premier ministre du Québec. Appuyant les propos de madame Marmette-Brodeur, le juge Bruneau réclame avec force «une loi identique ou à peu près, à celle de la France, classifiant nos monuments historiques et les mettant en la possession, sous la garde et le contrôle de l'État afin d'en assurer la conservation.» C'est une question d'importance nationale, dit-il enfin, tout comme celle de la conservation des archives qui éclairent l'histoire de notre pays.

Les propos du juge sont clairs. Et on peut croire que cette double interpellation, à quelques jours d'intervalle, a pu influencer le gouvernement. Du moins, la suite le laisse entendre puisque le projet de loi sur les monuments historiques est présenté en Chambre quelques mois après, pour être finalement sanctionné le 23 mars 1922.

Le Québec devenait ainsi la première province canadienne à protéger par voie législative son patrimoine culturel. La loi québécoise s'inspirait largement de la loi française de 1913; elle instituait le classement comme mesure de conservation d'un immeuble ou d'une œuvre d'art. La première Commission des monuments historiques voyait aussi le jour, présidée par l'honorable Adélard Turgeon, également président du Conseil législatif.

Les premiers pas:
30 années difficiles

De 1922 à 1930, la Commission réalise un nombre impressionnant de travaux sous l'impulsion dynamique du premier secrétaire, l'archiviste Pierre-Georges Roy: élaboration des premiers inventaires des richesses «historiques et artistiques», comprenant les monuments commémoratifs, les églises et chapelles, les forts, les moulins à vent, les calvaires et croix de chemin, les inscriptions commémoratives et, finalement, les vieilles maisons. Trois de ces inventaires furent publiés: *Les monuments commémoratifs* (1924), *Les vieilles églises* (1925), *Vieux manoirs, vieilles maisons* (1927), auxquels s'ajouta en 1928 la belle monographie de *L'Île d'Orléans*.

La Commission s'occupa aussi de réanimer le programme d'ornementation par des statues de personnages historiques de l'Hôtel du parlement; elle entreprit de jalonner les routes du Québec avec plus d'une centaine de plaques de bronze rappelant certains événements et personnages de l'histoire. Finalement, elle procéda en 1929 au classement des premiers monuments historiques: le château de Ramezay, à Montréal, l'église Notre-Dame-des-Victoires, à Québec,

OEuvre de Philippe Hébert, la statue du marquis de Montcalm fait partie de la galerie de personnages historiques qui décorent la façade de l'Assemblée nationale. (Archives nationales du Québec à Québec, fonds Office du film du Québec).

Professeur d'architecture à l'université McGill, Ramsay Traquair publie de nombreux plans de bâtiments anciens de la province de Québec. (The Old Architecture of Quebec, p. 44).

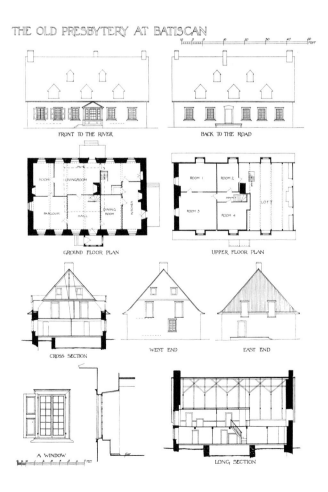

Plaque commémorative placée par la Commission des monuments historiques à l'endroit où Jean de Lauson fut tué par les Iroquois à l'île d'Orléans. (Archives nationales du Québec à Québec, fonds Office du film du Québec).

et la maison des Jésuites, à Sillery. D'autres immeubles firent l'objet de travaux de restauration ou de conservation préventives sans pour autant recevoir un statut légal: la chapelle Cuthbert, à Berthier, et les moulins à vent de Bécancour et de Cap-Saint-Ignace. Un début prometteur, en somme, que l'on doit mesurer par l'envergure de la tâche et par l'effort considérable que nécessitaient la confection des inventaires et leur publication.

Les deux décennies suivantes furent marquées par des événements majeurs qui vinrent ralentir les efforts si bien engagés des premiers conservateurs du patrimoine. Il y eut d'abord la crise économique des années 1930, qui entraîna un réalignement des budgets gouvernementaux. Le Secrétariat de la province distribua autrement ses ressources, notamment vers des travaux publics, comme la construction du Musée du Québec en 1933-1934. Il n'oublie pas pour autant la mission d'inventaire: il crée, en 1935, à l'instigation de l'historien de l'art Gérard Morisset, le service officiel de l'Inventaire des œuvres d'art. Première entreprise vraiment professionnelle d'étude et d'analyse du patrimoine artistique et archi-

tectural, ce service va s'activer sans discontinuité durant les 30 années qui suivent; il constitue une banque de données fondamentales dont les fruits seront récoltés un peu plus tard, à partir du milieu des années 1950.

Entre-temps survient la Deuxième Guerre mondiale, qui vient aussi diminuer les activités de protection officielle du patrimoine: aucun classement n'est fait durant ces deux décennies, malgré quelques interventions ponctuelles et marginales sur des églises, des moulins et quelques maisons. La Commission des monuments historiques n'a pas de moyens financiers suffisants, reconnaît son président dans une causerie donnée en 1952, et elle n'a surtout pas le pouvoir de classer les immeubles sans l'accord des propriétaires. Voilà, semble-t-il, le véritable frein à la conservation d'un héritage que le développement incontrôlé de l'après-guerre menaçait de plus en plus.

Héritage mal aimé, pourrait-on dire, parce que l'architecture ancienne continuait de crouler devant le «progrès» — les routes et l'explosion des villes — parce que les trésors d'art sacré, d'art populaire et d'objets mobiliers continuaient de sortir du pays et de passer chez nos voisins des États-Unis et de l'Ontario, plus sensibles que nous à leur valeur. Heureusement, un courant de pensée de plus en plus fort invitait les créateurs artistiques et les intellectuels à assumer leur propre identité pour mieux exprimer leur modernité.

Aux yeux de plusieurs, il appartenait d'abord à l'État de protéger convenablement les richesses culturelles et de procéder pour ce faire au rajeunissement de la loi de 1922. L'un des défenseurs de cette solution fut Paul Gouin, qui exposa la situation au premier ministre Maurice Duplessis en 1951, lui arrachant la promesse d'agir sans délai. L'automne suivant, un projet de loi était déposé devant le Parlement, adopté en fin de session et finalement sanctionné le 23 janvier 1952.

1952-1972: le réveil

La nouvelle loi sur les monuments et sites historiques apportait certains correctifs et comblait les lacunes de la loi précédente. Les nouvelles mesures n'étaient pas nombreuses, mais lourdes de conséquences: la Commission pouvait dorénavant acquérir des immeubles de gré à gré pour mettre en valeur un monument, elle pouvait classer un site historique ou archéologique, ainsi que tout objet mobilier, sans l'accord de son propriétaire. Finalement, le gouvernement lui accordait du personnel rémunéré et un budget d'opération voté par la législature. Cette injection de fonds allait enfin permettre de lutter contre la dilapidation des objets mobiliers et contre les démolitions. De 25 000 $ en 1952, le budget de la Commission s'accrut d'année en année jusqu'à 300 000 $ en 1959 et 900 000 $ en 1965. Il lui permit de classer 192 bâtiments, dont une centaine de maisons privées, une vingtaine d'édifices publics, 46 églises, 9 moulins, 2 cimetières et 1 four à pain. Tel était du moins le bilan que présentait le président Paul Gouin devant la Société des historiens, réunis à Québec en 1966. Il n'indique cependant pas comment ce résultat avait pu être atteint.

L'église Notre-Dame-des-Victoires fait partie des premiers bâtiments classés par la Commission des monuments historiques en 1929. (Archives nationales du Québec à Québec, collection initiale).

Toutefois, l'examen des procès-verbaux de l'organisme nous permet de constater l'impressionnante activité du secrétaire, Gérard Morisset, et l'habileté autant que la conviction du président Paul Gouin. Morisset, s'appuyant sur les données et les connaissances qu'il accumulait à l'Inventaire des œuvres d'art, quadrille littéralement toute la province et parvient à inciter les curés et les fabriques des plus anciennes églises du Québec à se prévaloir de la loi, c'est-à-dire à faire classer quelques monuments et trésors d'art sacré. Il suscite, il convainc, il promet des fonds pour les travaux, il est partout: à l'île d'Orléans, sur la Côte-du-Sud, à Châteauguay, à Repentigny, dans Portneuf. Il obtient protection pour plus de 40 églises et pour des centaines d'œuvres d'art.

Et quand ce pouvoir moral ne suffit pas, reste une nouvelle stratégie que la Commission a mise au point grâce à un amendement apporté à la loi de 1956: l'acquisition de gré à gré ou par expropriation. S'appuyant sur cet article, la Commission utilise de plus en plus sa capacité d'agir en achetant simplement les immeubles qu'elle entend classer, lorsqu'ils sont menacés de disparaître sous le pic des démolisseurs: l'église de Saint-Pierre à l'île d'Orléans, l'hôtel Chevalier, la chapelle Cuthbert, la maison Honoré-Mercier, la maison Jacquet, la maison Routhier et des dizaines d'autres qui s'ajoutèrent au fil des années, au point de constituer, avec les 40 immeubles acquis autour de la place Royale, un ensemble de 85 immeubles à la fin des années 1960.

Cette «action positive», qu'on peut associer à celle d'une fondation du patrimoine, aura été déterminante à plus d'un titre, servant à la fois d'exemple et de laboratoire pour les premiers professionnels de la restauration et de la muséologie au Québec.

Du monument isolé à l'ensemble urbain

Mieux armée pour affronter les cas isolés, c'est-à-dire les biens individuels menacés de démolition ou d'exportation, la Commission rencontre néanmoins un problème

Gérard Morisset consacre une grande partie de sa vie à la conservation et à l'étude du patrimoine artistique et architectural québécois. (Ville de Québec, division du Vieux-Québec).

de taille au milieu des années 1950: la conservation des ensembles urbains. Comme s'il fallait une catastrophe pour secouer l'opinion publique et réveiller les consciences endormies, le choc surgit en 1955 avec la construction, en plein cœur du Vieux-Québec, de la tour de l'Hôtel-Dieu. Les protestations fusent de partout, des citoyens, des sociétés historiques, des associations professionnelles, des touristes et de quelques journalistes, qui rapportent ce cri d'alarme: «Le vieux Québec constitue sûrement un des meilleurs actifs de notre héritage national. [...] Depuis quatre ou cinq ans, plus spécialement, on s'acharne à le détruire, tantôt à petit feu, tantôt à grands coups de pic. De très vieilles maisons ont disparu sans bruit. [...] La construction en cours d'un certain hôpital à l'intérieur des «murs», consacre la ruine de près d'un tiers du «vieux Québec».»

Lentement émerge l'idée d'une protection d'ensemble pour la vieille ville, d'une mesure de contrôle de l'évolution désordonnée que subit la cité fortifiée: urbanistes, sociétés historiques et chambres de commerce entament la réflexion sur l'avenir de cet héritage urbain et tentent de proposer la conciliation difficile des objectifs de conservation et d'évolution dynamique.

Le débat durera au moins huit ans, tantôt porté par une tendance à la muséification, tantôt appuyé par une vision moderne de l'aménagement que des villes historiques étrangères offrent en exemple. L'improvisation et la complaisance des autorités municipales s'ajoutent aux ravages du temps et à l'insensibilité des concepteurs: dans son *Autopsie du Vieux-Québec*, publiée en 1959

Les bureaux de l'Inventaire des œuvres d'art au Musée du Québec en 1961. Pendant plus de 30 ans, ce service gouvernemental recense les bâtiments et objets d'art présentant une valeur patrimoniale. (Inventaire des biens culturels du Québec).

dans *Cités et villes*, l'urbaniste Jean Cimon résume une déplorable situation. Ce n'est finalement qu'en 1963, lassé par tant d'inertie et d'hésitations, que le ministre des Affaires culturelles, Georges-Émile Lapalme, fait à nouveau amender la Loi sur les monuments historiques en y incluant la notion d'arrondissement, un peu comme l'avait fait André Malraux en France quelque temps auparavant.

Vient aussitôt le décret gouvernemental fixant les limites de l'arrondissement historique du Vieux-Québec, suivi peu après des ensembles du Vieux-Montréal, du Vieux-Trois-Rivières et des noyaux anciens de Charlesbourg, Sillery, Beauport et Chambly-Carignan.

En 1961, la création du ministère des Affaires culturelles marque une étape décisive en matière de conservation du patrimoine au Québec. Progressivement, les tâches autrefois dévolues à la Commission des monuments historiques sont reprises par le Service des monuments historiques et divers autres services du ministère dont les ressources et les effectifs s'accroissent régulièrement. C'est aussi à ce moment (1964) qu'est mis en œuvre le projet de restauration de la place Royale, dont le programme se poursuit encore après 25 ans, et qui servira de chantier moteur, de laboratoire et de terrain d'exercice à plusieurs générations d'architectes, d'historiens et de praticiens de la conservation et de la mise en valeur de l'héritage matériel.

Pendant ce temps, et parallèlement à une intervention de plus en plus professionnelle et structurée de la part du ministère des Affaires culturelles, la société québécoise vivait une période de modernisation intensive. Les grands projets d'équipements publics, de réseaux routiers et de développements immobiliers mettaient à rude épreuve le tissu bâti, les espaces verts et les quartiers du centre des villes, alors en pleine mutation. Par la force des choses, il fallut reconnaître l'élargissement de la notion de patrimoine, inclure des champs de sauvegarde négligés jusque-là (archéologie, patrimoine naturel, biens ethnographiques, archives audiovisuelles), et favoriser l'arrivée de nouveaux partenaires (associations volontaires, gouvernements locaux). La loi de 1972, désormais appelée Loi sur les biens culturels, confirmait une part importante de la responsabilité de l'État en matière de connaissance et de sauvegarde des héritages culturels en plus de lui attribuer de nouveaux pouvoirs dans l'intérêt public, entre autres celui de classer sans l'accord du propriétaire. Outil moderne et bien adapté au contexte culturel, la loi de 1972, dont les principes s'appliquent toujours, est encore perçue comme l'une des plus rigoureuses en Amérique. Elle réaffirmait une volonté ferme de préserver une identité culturelle particulière.

En 1952, l'ex-politicien Paul Gouin obtient des modifications à la Loi sur les monuments et sites historiques. Dès lors, la Commission qu'il préside dispose des moyens financiers qui lui permettent de mener une action plus efficace. (J.H. Lemay, Mille-têtes*, p. 128).*

Vers un développement culturel intégré

De 1972 à aujourd'hui, la mission de conservation et de mise en valeur du patrimoine se développe de façon irréversible; elle accède au rang des tâches obligatoires sinon encore systématiques de l'État. Outre l'amélioration sans cesse croissante de son intervention et l'institutionnalisation de ses pratiques de conservation, le ministère des Affaires culturelles réussit à étendre son approche à d'autres secteurs névralgiques de l'activité socio-économique: en vertu de la Loi sur la qualité de l'environnement, les grands constructeurs doivent dorénavant vérifier les impacts de leurs projets sur les divers héritages naturels, archéologiques et paysagers; en vertu aussi de la Loi sur l'aménagement et l'urbanisme, une vaste opération d'aménagement du territoire a permis

La construction en 1955 de la tour de l'Hôtel-Dieu suscite un long débat sur l'avenir du Vieux-Québec. La réflexion aboutit à la création de l'arrondissement historique de Québec en 1963, à la suite d'un amendement à la Loi sur les monuments historiques. (Archives nationales du Québec à Québec, fonds Office du film du Québec).

à des intervenants variés, régionaux et locaux, d'intégrer à leur planification diverses ressources de leurs patrimoines particuliers; enfin, un nombre croissant de municipalités, dont les plus populeuses, assurent la responsabilité concrète, voire la maîtrise d'œuvre, d'entreprises de reconnaissance et de mise en valeur du patrimoine architectural.

Entreprise en 1964, la restauration de la place Royale mobilise les énergies de nombreux spécialistes de la sauvegarde et de la mise en valeur du patrimoine. L'orientation de départ visait à accentuer le caractère ancien du quartier, en reconstruisant au besoin des maisons dans le style des XVIIᵉ et XVIIIᵉ siècles. (Archives nationales du Québec à Québec, fonds Office du film du Québec).

À la faveur de luttes ponctuelles contre des projets de démolition inconsidérés, des citoyens ont formé depuis 1973 des groupes de pression bien structurés, dont l'action s'est révélée, et demeure encore, indispensable: Sauvons Montréal, Héritage Montréal, le Conseil des monuments et sites du Québec, les sociétés historiques, les comités locaux de sauvegarde du patrimoine, tous jouent un rôle fondamental et irremplaçable de gardiens et d'éveilleurs de conscience.

Leur présence active et les rappels parfois bruyants qu'ils exercent sur des comportements trop souvent mécaniques d'intervenants, tant publics que privés, contribuent à développer une sensibilité et une attitude plus respectueuse, autant chez les décideurs que dans le grand public. Il est juste de croire qu'on invoque de plus en plus rarement l'ignorance absolue des valeurs patrimoniales des lieux ou des objets. En quelques générations, la conservation du patrimoine s'est imposée comme dimension fondamentale de la construction du présent. Le débat porte maintenant davantage sur les modalités de l'utilisation et sur la place que la société est prête à lui consentir dans l'avenir: la difficile conciliation du progrès, les dynamismes et la logique impérative d'un système économique largement orienté vers la rentabilité directe et immédiate forcent néanmoins tous les conservateurs à la vigilance.

Autant qu'hier, la conservation de l'héritage culturel reste une lutte de tous les instants.

Paul-Louis Martin, ethnologue

VAILLANCOURT, Émile. *Une maîtrise d'art en Canada (1800-1823)*. Montréal, Éditions G. Ducharme, 1920. 114 p.

KAMMEN, Michael. *La mémoire américaine et sa problématique*. Le Début, 30 (1984). n.p.

GUILLAUME, Marc. *La politique du patrimoine*. Paris, Éditions Galilée, 1980: 12.

CHAPITRE PREMIER

Région Mauricie — Bois-Francs

Arrondissement historique de Trois-Rivières

Décrété arrondissement historique en 1964

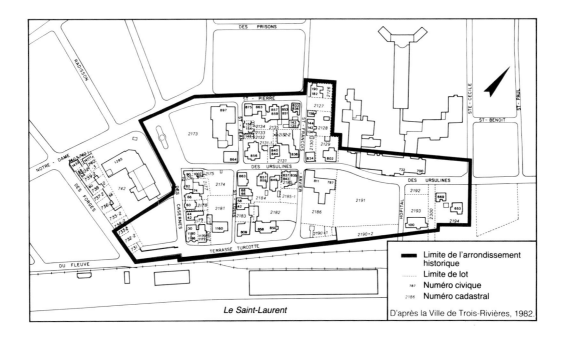

Le Saint-Laurent

D'après la Ville de Trois-Rivières, 1982.

Situé au confluent de la rivière Saint-Maurice et du fleuve Saint-Laurent, Trois-Rivières constitue l'une des plus anciennes agglomérations urbaines du Canada et de l'Amérique du Nord. Après une course folle de plus de 500 kilomètres à travers les immenses forêts de la Haute-Mauricie, trois îles (Saint-Quentin, Saint-Christophe et de la Potherie) obstruent l'estuaire à l'endroit où la rivière se jette dans le fleuve.

Ce caprice de la nature donne l'impression aux premiers explorateurs européens d'être en présence de trois rivières distinctes. Sur la plus avancée de ces îles, Jacques Cartier s'arrête et plante une croix en 1535. À ce même endroit, au siècle suivant, Samuel de Champlain souhaite établir un avant-poste pour contrôler l'entrée du lac Saint-Pierre. Le danger évident d'inondation modifie toutefois son projet. En 1634, le sieur de Laviolette construit plutôt son habitation fortifiée sur la rive du fleuve, au sommet d'un monticule de sable baptisé Platon. Un bureau de poste occupe l'endroit aujourd'hui.

Au fil des ans, l'ouverture et le nivellement des rues Notre-Dame et du Fleuve, l'érosion des rives et les nombreux glissements de terrain réduisent les dimensions du Platon. Après avoir servi de parc public à la fin du XIXe siècle, il se présente aujourd'hui comme une mince bande de terre, s'étendant du bureau de poste à la terrasse Tur-cotte. Au centre, le monument Laviolette, érigé en 1934 lors des fêtes du tricentenaire de la ville de Trois-Rivières, rappelle la présence du premier fort et le fondateur de la ville.

Naissance de la ville

Au milieu du XVIIe siècle, les murs du fort de Trois-Rivières tombent en ruine. À l'exemple de Québec, les autorités songent alors à aménager un véritable bourg. La nouvelle enceinte est érigée au nord-est du Platon. Entouré d'une palissade de pieux, le territoire, surnommé la Table par les Amérindiens, s'étend du nord au sud, de la rue Saint-Pierre au fleuve, et d'ouest en est, du Platon au ravin situé en face de l'actuel couvent des Ursulines. Ces frontières correspondent aux limites de l'arrondissement historique.

En 1649, les responsables subdivisent la nouvelle bourgade en damier: deux rues, Saint-Pierre et Notre-Dame (aujourd'hui des Ursulines) parallèles au fleuve, croisent les rues Saint-Jean et Saint-Louis à l'ouest, Saint-Michel et Saint-Joseph (aujourd'hui Saint-François-Xavier) à l'est. Depuis la création du bourg, le tracé de ces premières voies de communication n'a pratiquement pas varié.

Au début du XVIIIe siècle, un petit faubourg d'une vingtaine de maisons se développe à l'extérieur de l'enceinte du côté ouest du Platon, le long des rues du Fleuve

Arrondissement historique de Trois-Rivières

et Notre-Dame. L'agglomération abrite alors l'église paroissiale et un presbytère sur la rue Saint-Pierre; le couvent, la chapelle des Récollets et le monastère des Ursulines sur la rue Notre-Dame; la résidence du gouverneur sur le Platon; une trentaine de maisons et une «cabane à sauvages» sur le fief Pachirini, plus tard la place d'Armes. En 1704, l'ingénieur français Jacques Levasseur de Néré propose d'élargir l'enceinte pour favoriser l'installation de nouveaux habitants et englober les propriétés des Ursulines.

Peu après la Conquête, Trois-Rivières compte environ 600 habitants, regroupés dans 110 maisons dont une quarantaine dans la vieille partie. Par la suite, la ville se développe surtout à l'extérieur des murs, incendiés en 1752. Le noyau initial du Vieux-Trois-Rivières conserve à peu près ses dimensions de la fin du XVIIIᵉ siècle.

Depuis trois siècles, l'ancien couvent des Récollets et son église abritent successivement des moines, des militaires, des juges, des prisonniers, des geôliers et finalement les fidèles de l'église anglicane.

La faible étendue du bourg initial et les contraintes imposées par les frontières naturelles (le fleuve et la rivière Saint-Maurice) font de l'arrondissement historique de Trois-Rivières le lieu de résidence privilégié de la bourgeoisie trifluvienne. Les militaires de passage, les fonctionnaires et une grande partie du clergé de la ville, recherchent la proximité du fleuve. Le Régime anglais perpétue ce modèle. Tous les commerçants de bois de la ville, la quasi-totalité des membres du clergé et la moitié de la fonction publique y résident. Vers le milieu du XIXᵉ siècle, les Anglo-Saxons représentent la moitié de la population habitant à l'intérieur de l'actuel arrondissement historique.

À la fin du XVIIIᵉ siècle, la famille Hart s'installe à Trois-Rivières en même temps que les troupes britanniques. Elle construit une petite brasserie face au couvent des Ursulines. Rapidement, ces immigrants d'origine juive contrôlent une grande partie du commerce trifluvien.

Au milieu du XIXᵉ siècle, le gouvernement érige sur la rivière Saint-Maurice un grand nombre de glissoires et d'estacades pour favoriser la flottaison des billes de bois jusqu'à Trois-Rivières. Avec ces travaux, la ville entre dans une nouvelle ère. Dès 1854, une importante compagnie américaine, la Norcross & Philipps, érige à l'embouchure de la rivière une scierie à vapeur qui emploie plus de 200 travailleurs. Aujourd'hui occupé par la Compagnie internationale de papier (C.I.P.), l'emplacement forme la limite est de l'arrondissement historique. L'industrialisation se poursuit avec la construction en 1865 d'une fonderie spécialisée dans la production de roues de wagons de chemin de fer. Les installations se trouvent entre la scierie des Américains et la brasserie Hart.

L'implantation de ces entreprises, à quelques pas du couvent des Ursulines, favorise la naissance, le long des rues Sainte-Cécile, Saint-Paul et Hertel, d'un premier quartier ouvrier. Au cours des premières décennies du XXᵉ siècle, la venue des usines de pâtes et papier provoque l'étalement du secteur jusqu'à la rue Saint-Maurice et l'usine Wabasso.

Le style traditionnel de l'aile ouest du monastère des Ursulines construite au XVIIIᵉ siècle, contraste avec la chapelle au dôme caractéristique érigée en 1897.

Arrondissement historique de Trois-Rivières

Tout en contribuant à développer le secteur industriel, les citoyens de l'arrondissement se préoccupent de leur environnement. Une lecture attentive des cartes historiques et des récits de voyage permet de croire que plusieurs habitants du bourg possèdent de grandes surfaces où ils aménagent d'agréables jardins.

La terrasse Turcotte

Au milieu du XIXe siècle, Joseph-Édouard Turcotte, député et maire de Trois-Rivières, cède à la ville le chemin des remparts devant sa résidence. Il espère ainsi convaincre les édiles municipaux de construire une promenade de bois pour relier les propriétés surplombant la rive du fleuve, entre les rues du Château et Saint-François-Xavier, et la rue du Fleuve au pied ouest du Platon. Durant tout le XIXe siècle, d'illustres représentants de la bourgeoisie d'affaires trifluvienne occupent les magnifiques demeures bordant la terrasse. L'incendie de juin 1908 n'épargne toutefois pas l'endroit. Aujourd'hui, seule la résidence de l'initiateur du projet, Joseph-Édouard Turcotte, témoigne de cette époque. Construite vers 1850, la maison Turcotte abrite pendant de longues années C.R. Whitehead, le fondateur de la Wabasso Cotton Co. et de la Wayagamack Pulp and Paper.

L'aménagement de la terrasse Turcotte crée rapidement un nouveau lieu de rencontre pour les citoyens de la ville. Malheureusement, la progression des activités portuaires et la construction de nombreux hangars sur les quais, l'exode de la population vers le nord du quartier, les méfaits du temps et le vandalisme grugent graduellement les charmes de la terrasse.

Au début des années 1980, elle se trouve en piteux état. Les autorités s'interrogent alors sur la pertinence d'une restauration et optent finalement pour sa démolition, puis procèdent au réaménagement des lieux. En chantier depuis plusieurs années, le projet prévoit l'érection d'une nouvelle terrasse et l'ouverture d'un centre d'interprétation de l'industrie des pâtes et papiers.

À l'extrémité est de la terrasse, un monument érigé en 1943, lors du 200e anniversaire de la découverte des

Cette maison de style victorien voisine le manoir de Tonnancour dans l'arrondissement historique de Trois-Rivières.

Arrondissement historique de Trois-Rivières

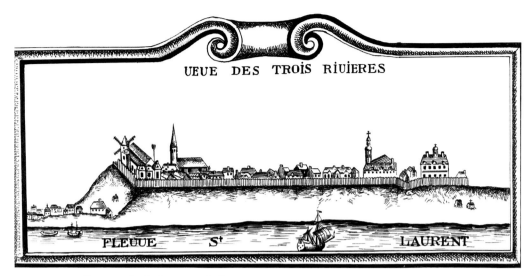

Cette copie de la carte de Jean-Baptiste de Couagne montre la ville de Trois-Rivières avec sa palissade de pieux en 1709. L'enceinte est érigée sur un promontoire surnommé la Table *par les Amérindiens. De gauche à droite, on remarque les clochers de l'église paroissiale, de la chapelle des Récollets et du couvent des Ursulines. (Archives nationales du Québec à Québec).*

Rocheuses, révèle encore au visiteur ce lieu chargé d'histoire. Ce monument honore Pierre Gaultier de Varennes, sieur de la Vérendrye, un fils de Trois-Rivières.

Une architecture de bois

En plus de bénéficier d'un environnement agréable, l'arrondissement historique de Trois-Rivières renferme les principales richesses architecturales de la ville. Le cadre trifluvien a toujours été marqué par le bois. Les Européens et les Américains, qui visitent la ville aux XVIIIe et XIXe siècles, la décrivent unanimement comme une concentration de petites maisons de bois, plutôt mal construites. Peu de vestiges témoignent aujourd'hui de l'importance de ce type d'habitation. Les incendies trop fréquents, les nombreuses démolitions et les transformations majeures les ont pratiquement éliminées du paysage.

La restauration récente de l'une d'entres elles, située sur la rue Saint-François-Xavier et datant du milieu du XVIIIe siècle, illustre ce genre de résidence, longtemps caractéristique de Trois-Rivières.

Noblesse de la pierre

Un certain nombre de bâtiments en pierre s'y trouvent également. Plutôt rare, ce matériau sert presque exclusivement à la construction d'églises, de couvents et quelquefois aux résidences de notables. Au milieu du XVIIIe siècle, l'arrondissement historique compte seulement trois ou quatre demeures en pierre. En 1851, on en recense huit et tout au plus une douzaine à la fin du XIXe siècle.

La plupart de ces bâtiments longent la rue Notre-Dame, longtemps l'artère principale du bourg. Au milieu du XVIIIe siècle, les voyageurs se rendant à Québec ou à Montréal empruntent le chemin du Roy. La rue s'étend alors de l'embouchure de la rivière Saint-Maurice aux limites ouest de la ville. Au début du XVIIIe siècle, elle représente un sixième de l'ensemble du réseau routier du bourg et abrite plus de 40 pour cent des résidences. En 1947, pour souligner le 250e anniversaire de l'arrivée des Ursulines, la municipalité rebaptise en leur honneur la partie de la rue Notre-Dame qui traverse l'arrondissement historique.

Des institutions marquantes

Deux ans seulement après leur arrivée à Trois-Rivières, en 1697, les Ursulines quittent le Platon et s'installent dans la maison de Claude de Ramesay sur la rue Notre-Dame. En 1714, les religieuses doublent la largeur du bâtiment et ajoutent une chapelle et un corps de logis. Incendiés à deux reprises en 1752 et en 1806, à chaque fois les édifices sont reconstruits par la communauté à partir des murs originels. Au fil des ans, d'autres bâtiments apparaissent sur la propriété des Ursulines: l'aile du pensionnat en 1835, une annexe couverte d'un toit mansardé en 1873, le pensionnat de brique en 1885 et l'école normale en 1908. Pour souligner le bicentenaire de leur implantation, les religieuses refont, en 1897, la façade du couvent, agrandissent la chapelle et la coiffent d'un dôme.

À peu de distance se trouvent l'ancien couvent et la chapelle des Récollets, aujourd'hui l'église St. James. À la fin du

Arrondissement historique de Trois-Rivières

XVIIᵉ siècle, les Récollets entreprennent la construction de leur monastère auquel ils ajoutent une chapelle quelque temps après. Au milieu du siècle suivant, les bâtiments de bois tombent en ruine et la communauté les reconstruit en pierre des champs recouverte d'un crépi. Après la Conquête, l'édifice sert à plusieurs fins: palais de justice, prison, hôpital, entrepôt et autres. En 1823, d'importantes rénovations donnent à l'ensemble son allure actuelle. Le presbytère et l'église St. James, consacrés sous ce nom en 1830, deviennent la propriété de l'évêque anglican de Québec et le «rectory» est confié au pasteur de Trois-Rivières.

Face à l'église St. James s'élèvent deux magnifiques résidences de pierre: la maison de Gannes, construite vers 1756, et la maison Hertel-de-la-Fresnière érigée en 1824 par François Lafontaine. Depuis 1961, elles sont classées monuments historiques.

Des bâtiments exceptionnels

À quelques pas de là, toujours en direction du centre-ville, se dresse le manoir de Tonnancour qui, avec la place d'Armes, constitue la porte d'entrée au Vieux-Trois-Rivières. Le manoir est classé monument historique depuis 1966. La ville de Trois-Rivières l'achète en 1976 et procède alors, en collaboration avec le ministère des Affaires culturelles, à sa restauration.

À proximité du territoire de l'arrondissement historique, quelques éléments du patrimoine trifluvien sont aussi classés monuments historiques. Situé sur la rue

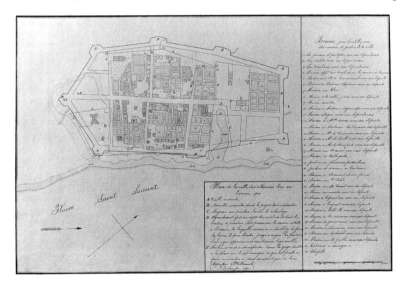

En 1704, l'ingénieur Jacques Levasseur de Néré trace un plan de fortification pour la ville de Trois-Rivières. Le projet ne sera cependant jamais réalisé. L'espace délimité correspond à l'arrondissement historique. (Archives nationales du Québec à Québec).

La ville de Trois-Rivières vue de l'ancien champ de course en 1844. On remarque, au centre, le monastère des Ursulines et, à l'extrême-droite, l'église paroissiale de l'Immaculée-Conception. (Archives nationales du Canada).

Arrondissement historique de Trois-Rivières

*La terrasse Turcotte en 1933. La
résidence du promoteur du projet, le maire Joseph-Édouard Turcotte, est la seule du secteur qui
échappe à l'incendie de 1908.
(Archives du Séminaire de
Trois-Rivières).*

Bonaventure, le manoir Boucher de Niverville fut construit au XVIIe siècle et modifié
vers 1730. Classé en 1960, il est restauré en
1972. Bâtie, entre 1816 et 1822, d'après les
plans de l'architecte François Baillairgé, la
prison est également classée monument historique depuis 1978. Elle se trouve à l'intersection des rues Hart et Saint-François-
Xavier. Non loin de là, se trouve le cimetière
St. James, classé lieu historique en 1962 et
réaménagé en 1980. Le visiteur peut compléter sa randonnée dans le Vieux-Trois-
Rivières en se rendant à la cathédrale, érigée
en 1858 par l'architecte Victor Bourgeau
dans le style néo-gothique.

L'arrondissement historique a beaucoup souffert du développement de la ville.
L'implantation de la Compagnie internationale de papier à l'embouchure de la Saint-
Maurice et l'accroissement des activités portuaires isolent l'arrondissement des cours
d'eau situés en bordure. Le Vieux-Trois-
Rivières a graduellement perdu son charme.

Toutefois, la déclaration du secteur
comme arrondissement historique, la restauration de plusieurs bâtiments, l'aménagement du jardin des Ursulines, face au couvent, la réhabilitation de la terrasse Turcotte
et le projet de reconstruction de la zone portuaire suscitent de nouveaux espoirs quant
à sa mise en valeur.

Alain Gamelin, historien

DOUVILLE, Raymond. *Visage du vieux Trois-Rivières*.
Trois-Rivières, Édition du Bien public, 1955. 203 p.

GAMELIN, Alain et autres. *Trois-Rivières illustrée*. Trois-
Rivières, Comité des fêtes du 350e anniversaire de fondation, 1984. 228 p.

TRÉPANIER, Guy. *Arrondissement historique. Étude de
potentiel archéologique*. Trois-Rivières, ministère des
Affaires culturelles et ville de Trois-Rivières, 1981.
181 p.

Maison de Gannes

Trois-Rivières
834, rue des Ursulines

Fonction: maison d'habitation
Classée monument historique en 1961

Située dans le voisinage immédiat du couvent des Ursulines, de la maison Hertel-de-La-Fresnière, de l'ancien couvent des Récollets et du manoir de Tonnancour, la maison de Gannes se trouve au cœur même du Vieux-Trois-Rivières.

Le terrain occupé par ce bâtiment a d'abord été concédé à Antoine Desrosiers en 1650. Par la suite, on y construit une première habitation en bois. Installé à Trois-Rivières depuis deux ans, l'officier Georges de Gannes achète la maison et le terrain du maître menuisier Jean-Baptiste Bériaux en 1754. Après plusieurs transactions qui lui permettent d'agrandir son terrain, il décide d'y faire bâtir une maison en pierre vers 1756.

La maison possède aussi de nombreuses ouvertures du côté cour.

Né en Touraine en 1705, Georges de Gannes vient poursuivre au Canada, à compter de 1732, une carrière militaire déjà amorcée en France. Nommé aide major en 1750, il épouse l'année suivante Marie-Françoise de Couagne, la fille d'un capitaine d'infanterie. Il ne profite pas longtemps de sa nouvelle demeure puisqu'il retourne en France au lendemain de la Conquête. Toutefois, sa femme et ses deux enfants continuent d'y habiter jusqu'en 1764. Georges de Gannes décède en France trois ans plus tard. Parmi les propriétaires subséquents se trouvent un maître fondeur aux forges du Saint-Maurice, un chanoine, un juge, un marchand et un journaliste, aussi secrétaire de la province.

Même si la maison de Gannes pose encore certaines énigmes, les archives renseignent sur la demeure et son environnement. En 1768, un document atteste l'existence d'un bâtiment en pieux de travers, qui sert de hangar et d'étable à la fois. Un inventaire de 1795 décrit ce qui semble être une cuisine, une salle d'entrée, un cabinet, une chambre et son cabinet, un autre cabinet, le grenier et la cave. Il précise également le contenu d'une bibliothèque, vraisemblablement celle que l'on trouve toujours encastrée dans le mur sud-ouest.

Au grenier, la charpente présente certains éléments qui semblent d'origine. Elle fut toutefois modifiée à une date indéterminée pour changer la pente du toit. La compagnie Wayagamack Pulp and Paper, propriétaire de la maison de 1920 à 1940, avait effectué certains travaux. Selon un article publié en 1957, ces modifications respectaient, dans leur ensemble, le caractère historique de la maison. Aussi, il est possible que la charpente ait été touchée à cette occasion.

Le sous-sol de la maison suscite d'autres interrogations. Il est, en effet, divisé au centre par un mur de pierre, probablement de refend, et l'on constate une différence marquée entre les solives des deux sections du plancher. La partie est semble avoir été partiellement incendiée.

Aujourd'hui, la maison de Gannes reflète l'influence du néo-classicisme. Ceci est notamment visible dans l'organisation symétrique de ses ouvertures en façade principale. Ce style se traduit également dans le type d'encadrement des fenêtres, dans les faux pilastres et le fronton de la porte d'entrée et le retour des corniches en pignons. Ces divers éléments permettent de croire qu'elle a subi plusieurs transformations au cours de la première moitié du XIXe siècle afin de la mettre au goût du jour.

Alain Gamelin, historien

DOUVILLE, Raymond. *La maison de Gannes à Trois-Rivières.* [s.l.], Éditions des Dix, 1957. 31 p.

GAMELIN, Alain et autres. *Trois-Rivières illustrée.* Trois-Rivières, Comité des fêtes du 350e anniversaire de fondation, 1984. 228 p.

Georges de Gannes fait construire cette résidence vers 1756. Épargnée par le feu de 1908, elle montre un visage d'inspiration néo-classique.

Maison Hertel-de-La-Fresnière

Trois-Rivières
802, rue des Ursulines

Fonction: commerciale
Classée monument historique en 1961

La maison Hertel-de-La-Fresnière se trouve dans l'arrondissement historique de Trois-Rivières, entre la maison de Gannes et le couvent des Ursulines. Concédé à Mathurin Baillargeon en 1650 puis à Pierre Dandonneau deux ans plus tard, le terrain où se trouve la maison actuelle passe à Joseph-François Hertel de La Fresnière en 1668. Jean-François Hertel de La Fresnière et son père sont deux des premiers héros de Trois-Rivières. Dès 1633, Jacques Hertel s'installe à Trois-Rivières, après que la compagnie des Cent-Associés lui ait concédé une terre, en récompense des bonnes relations qu'il entretient avec les Amérindiens. De son côté, son fils François se rend célèbre en 1661 par suite d'une sortie imprudente du fort de Trois-Rivières au cours de laquelle il est fait prisonnier par les Iroquois.

La petite maison de 10 mètres sur 6 appartient à plusieurs propriétaires avant que François Lafontaine n'en fasse construire une autre, trois fois plus grande, sur le même emplacement. Le marché de construction mentionne des murs de maçonnerie, un mur de refend qui monte jusqu'au plancher du rez-de-chaussée, deux murs coupe-feu et une cheminée à chaque pignon. Il s'agit de la

La galerie arrière témoigne d'une ouverture vers l'extérieur et vers la nature recherchée par les citadins du XIXᵉ siècle.

maison que l'on peut encore voir aujourd'hui. Selon un bail daté de 1829, il y avait des jalousies peintes en vert à toutes les fenêtres, le sous-sol était divisé en deux parties et l'on retrouvait à l'extérieur une écurie, un hangar à bois, une remise pour loger trois voitures, une double latrine, une glacière et un puits.

Des avocats, un commerçant de bois, un curé, un gazier américain et les Ursulines sont tour à tour propriétaires de cette maison avant que la ville de Trois-Rivières en fasse l'acquisition à la fin de la décennie 1970. Restaurée avec l'aide du ministère des Affaires culturelles, le bâtiment est maintenant utilisé comme Maison des vins par la Société des alcools du Québec.

La maison Hertel-de-La-Fresnière se caractérise par un carré bas en pierre et des murs coupe-feu aux corbeaux sculptés. D'autres éléments de son architecture rappellent cependant la mode néo-classique qui connaît une grande vogue à compter de la décennie 1820. En témoignent tout particulièrement la disposition régulière de ses ouvertures en façade, ses cheminées et ses encadrements de bois aux portes et fenêtres sculptées, ornées de cannelures, de frontons et de pilastres stylisés. La porte-fenêtre qui donne accès à une galerie à l'arrière témoigne d'une ouverture vers la nature recherchée par les citadins du XIXᵉ siècle.

Située dans l'arrondissement historique de Trois-Rivières, la maison Hertel-de-la-Fresnière rappelle le souvenir d'une célèbre famille de la Nouvelle-France. Le bâtiment actuel remonte à 1824.

À l'intérieur, la charpente aux pièces chevillées présente une facture traditionnelle; la décoration illustre également le goût néo-classique noté à l'extérieur. Ainsi, les chambranles identiques des portes-fenêtres, de la porte-arche et des armoires encastrées, les plinthes et les corniches moulurées, les plafonds de planches embouvetées formant des caissons et l'escalier tournant rappellent ce courant. Le manteau de cheminée en bois sculpté, aux motifs de rinceaux, guirlandes et demi-colonnes engagées, recouvre un âtre traditionnel en pierre. De plus, plusieurs ouvertures de fenêtres se ferment par des volets à battants. Ce type de fermeture se rencontre très rarement au Québec et ajoute à l'originalité de la maison.

Jean-Charles Lefebvre, historien

GAMELIN, Alain et autres. *Trois-Rivières illustrée*. Trois-Rivières, Comité des fêtes du 350ᵉ anniversaire de fondation, 1984. 228 p.

GAUTHIER, Raymonde. *Trois-Rivières disparue, ou presque*. Québec et Montréal, Éditeur officiel du Québec/Fides, 1978. 189 p.

Manoir de Tonnancour

Trois-Rivières
864, rue des Ursulines

Fonction: galerie d'art
Classée monument historique en 1966

À proximité de l'arrondissement historique de Trois-Rivières, l'œil est attiré par le plus imposant bâtiment en maçonnerie des environs, le manoir de Tonnancour. Recouvert de crépi blanc, ses murs sont en moellons. Il possède un rez-de-chaussée et un étage coiffé d'un toit mansardé. Ce dernier, d'un type particulier, est d'origine anglaise. On le retrouve aux XVIIe et XVIIIe siècles en Nouvelle-Angleterre. Il a été introduit au Québec après la Conquête, principalement par les loyalistes. Il en subsiste encore quelques spécimens remontant à cette époque. À titre d'exemple, la maison Allaire-Langan, sur la rue des Grisons, dans le Vieux-Québec, possède le même type de lucarnes.

Acquis par la ville de Trois-Rivières en 1976, le manoir a été restauré avec l'aide du ministère des Affaires culturelles. Connu aujourd'hui sous le nom de de Tonnancour, il a d'abord servi de résidence au juge Pierre-Louis Deschenaux, qui le fait construire, entre 1795 et 1797, à partir des ruines du manoir de Tonnancour, incendié en 1784.

Le terrain où s'élève ce bâtiment fut concédé en 1650 à Jean Sauvaget, procureur fiscal de la compagnie des Indes occidentales à Trois-Rivières. Lors de son mariage avec Marguerite Seigneuret, en 1661, Louis Godefroy de Normanville acquiert le terrain sur lequel il fait construire plusieurs bâtiments dès 1668. À son mariage, Louis Godefroy hérite aussi de deux fiefs. Son fils, René Godefroy de Tonnancour, les réunira pour former la seigneurie de Tonnancour ou Pointe-du-Lac. Né le 12 mai 1669 à Trois-Rivières, René Godefroy succède à son père comme lieutenant général en matière civile et criminelle de la juridiction de Trois-Rivières. À 45 ans, il obtient le poste de procureur du roi. Anobli en 1718, René Godefroy de Tonnancour décède en 1738.

Un premier manoir

Entre 1723 et 1725, le seigneur de Tonnancour fait construire un manoir. À l'extérieur, cette résidence présente les mêmes dimensions que la maison actuelle. Cons-truite en moellons au rez-de-chaussée et à l'étage, elle est ornée de pierres de taille à l'encadrement des fenêtres, aux trois cheminées et au chaînage des coins. À la mort de René Godefroy, son fils Louis-Joseph lui succède comme seigneur de Pointe-du-Lac.

Outre son titre de seigneur et ses fonctions de garde-magasin du roi, Louis-Joseph exerce les mêmes charges que son père dans l'administration du gouvernement de Trois-Rivières: celle de lieutenant général civil et criminel, puis celle de procureur du roi. Il conserve l'immeuble jusqu'à son décès, survenu le 15 mai 1784. Quelques mois auparavant, un incendie endommage gravement le manoir. Entre 1795 et 1798, l'honorable Pierre-Louis Deschenaux se porte acquéreur de la résidence incendiée. Fils de Joseph Brassard Deschenaux et de Marie-Madeleine Vallée, Pierre-Louis Deschenaux, seigneur de Saint-Michel, naît en 1759. Notaire à Québec jusqu'en 1794, il s'installe dans la ville de Trois-Rivières lors de sa nomination comme juge.

Face à la place d'Armes, ce bâtiment dont les origines remontent au Régime français, a été restauré en 1978. Son aspect actuel le montre tel qu'il était à la fin du XVIIIe siècle.

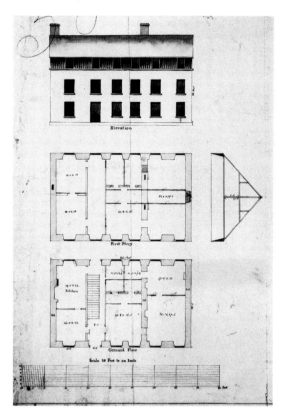

Plan dressé en 1812 par les ingénieurs militaires pour le transformer en résidence d'officiers. (Archives nationales du Canada).

Le manoir tel qu'il apparaissait à l'époque de la famille de Tonnancour. (Dessin de Vianney Guindon).

Construite entre 1775 et 1797 à partir des vestiges de la résidence de Tonnancour, la maison du juge Deschenaux et son aménagement intérieur conservent encore aujourd'hui les caractéristiques de cette époque.

Trois mois après le décès du juge, survenu le 31 décembre 1802, le notaire Joseph Badeaux procède à l'inventaire des biens de la communauté entre feu Pierre-Louis Deschenaux et Marie-Josephte Perrault, son épouse. Cet acte contient une très bonne description de l'utilisation des pièces de la maison et des objets qui s'y trouvent. Le rez-de-chaussée comporte une vaste salle d'entrée, deux chambres, deux cabinets, la cuisine avec une autre chambre adjacente. Le premier étage se compose d'une chambre principale et de deux autres plus petites, de deux cabinets et d'une grande bibliothèque. L'étage des combles semble réservé à l'entreposage.

Un propriétaire érudit

L'inventaire de ses biens révèle que le magistrat est un homme érudit, amateur d'astronomie et de mathématiques autant que de littérature et de musique. Sa bibliothèque compte plus de 1 500 volumes et constitue l'une des plus imposantes de la ville.

Le 17 mars 1812, le gouvernement acquiert la maison des héritiers de Marie-Josephte Perrault, décédée à Montréal le 1er novembre 1810. L'armée utilise la maison comme résidence des officiers de la garnison de Trois-Rivières. L'intérieur subit des transformations qui touchent surtout le premier étage.

Dix ans plus tard, les autorités vendent la maison à l'évêque de Québec, mgr Joseph-Octave Plessis. Dès lors, l'ancienne maison du juge Deschenaux devient le presbytère de Trois-Rivières. En 1837, le bâtiment fait l'objet de travaux qui modifient son aspect extérieur. Le pignon nord-est et la façade de la rue des Ursulines reçoivent un lambris. Cette intervention dissimule le brisis du toit mansardé et le bâtiment présente dorénavant l'aspect d'une maison à deux étages recouverte d'un toit à doubles versants droits. À l'arrière, le bâtiment conserve toutefois sa mansarde. La même année, des bardeaux peints de couleur ardoise apparaissent sur la couverture et les murs coupe-feu. Enfin, des châssis blancs et des jalousies vertes viennent agrémenter le mur de la façade avant.

En 1852, le curé Thomas Cook est nommé évêque du nouveau diocèse de Trois-Rivières. Le presbytère se transforme alors en palais épiscopal. Après le décès de mgr Cook, en 1870, son successeur, mgr Louis-François Laflèche, occupe la maison jusqu'en 1874, année de construction de l'évêché actuel. La demeure retrouve dès lors sa fonction presbytérale et la conserve jusqu'au début du XXe siècle.

En 1902, mgr François-Xavier Cloutier, désireux de favoriser l'installation de communautés religieuses à Trois-Rivières, offre le bâtiment aux filles de Jésus, qui s'y installent et fondent, en 1903, une école primaire pour garçons, appelée Jardin de l'enfance. La conflagration de 1908, qui rase tout le centre de la ville, épargne la nouvelle institution, mais détruit l'église paroissiale voisine. En 1966, les filles de Jésus déménagent leur école au Cap-de-la-Madeleine.

Aujourd'hui restauré comme à l'époque où le juge Deschenaux l'habitait, le manoir de Tonnancour, par son architecture et son importance historique, constitue un élément majeur du patrimoine trifluvien.

Jean-Charles Lefebvre, historien

En collaboration. *Le manoir de Tonnancour*. Québec, ministère des Affaires culturelles, 1981. 44 p. (Coll. «Les Retrouvailles», n° 10).

LEFEBVRE, Jean-Charles. *La maison Deschenaux (dit manoir de Tonnancour)*. Québec, ministère des Affaires culturelles. 39 p.

Place d'Armes (ou fief Pachirini)

Trois-Rivières
Angle des rues des Ursulines et Saint-Louis

Fonction: parc public
Classée site historique en 1960

Comme ailleurs en Nouvelle-France, les fondateurs du bourg trifluvien ont toujours souhaité voir les Amérindiens s'installer en permanence et pratiquer l'agriculture à proximité des habitants français. Fidèle à cette politique de sédentarisation, le gouverneur Charles Huault de Montmagny concède, en 1648, au chef algonquin Charles Pachirini, un emplacement à proximité du fort.

L'année suivante, la vétusté de la première habitation fortifiée, construite en 1634 par le sieur de Laviolette, oblige les autorités à aménager à l'est du Platon un petit emplacement ceinturé d'une palissade de pieux. La nouvelle bourgade englobe le fief Pachirini, auquel le gouverneur ajoute en plus 244 mètres carrés. Le fief est alors délimité par la rue Notre-Dame (aujourd'hui des Ursulines) au nord, la concession des Jésuites au sud, la rue Saint-Louis à l'est et par le Platon à l'ouest.

L'historien Benjamin Sulte écrit que, de 1640 à 1660, les Algonquins de l'Outaouais et les Piskitanks occupent occasionnellement les lieux pour pratiquer la traite avec les Attikameks du Haut-Saint-Maurice. La gestion du fief relève toutefois des Jésuites qui, dès 1656, commencent à le subdiviser en distribuant de petits lots à divers occupants français. En 1663, on retrouve une demi-douzaine de maisons de bois construi-

tes le long des rues Saint-Louis et du Château (aujourd'hui des Casernes). Il semble que la proximité des habitations françaises fasse graduellement fuir les tribus amérindiennes, qui installent plutôt leur campement sur les rives de la rivière Saint-Maurice.

En 1699, l'état d'abandon d'une grande partie du fief amène la Compagnie de Jésus à se faire attribuer l'emplacement. Monsieur de Callières, gouverneur général, mentionne dans sa réponse à la communauté que les Amérindiens ont abandonné l'endroit depuis dix ou douze ans. Les autochtones conservent toutefois certains privilèges puisque la carte de la ville, dressée en 1704 par Jacques Levasseur de Néré, indique la présence d'un emplacement réservé aux «cabanes des sauvages» au centre du fief Pachirini.

En 1722, René Godefroy, sieur de Tonnancour demande à l'intendant Michel Bégon de convertir les terrains du fief en un marché public pour les résidents de la bourgade. Ce premier marché n'est pas utilisé très longtemps. Le développement de la ville vers l'ouest, au pied du Platon, le long des rues du Fleuve et des Forges, déplace le centre des activités économiques. Peu à peu, le fief Pachirini est abandonné comme place de marché. Au milieu du XVIIIe siècle, les autorités baptisent l'endroit place d'Armes et font démolir une partie des résidences qui la bordent vers 1770.

La place d'Armes sert de lieu de rassemblement occasionnel pour les militaires et la milice trifluvienne jusqu'au début du XXe siècle. En juin 1908, un incendie majeur détruit une grande partie du centre-ville et le gouvernement fédéral doit ériger un bureau de poste temporaire au centre du parc. En 1918, la communauté des filles de Jésus achète l'édifice, le déménage et l'annexe au manoir de Tonnancour. La place d'Armes retrouve sa vocation de parc et la municipalité réalise alors un aménagement en hémicycle, encore visible aujourd'hui.

La place d'Armes présente un intérêt particulier pour l'histoire de la ville de Trois-Rivières en raison de son riche passé. C'est l'un des rares endroits de l'arrondissement historique qui demeure encore libre d'habitation.

Alain Gamelin, historien

SULTE, Benjamin. «Le fief Pachirini». *Revue Canadienne*, 55 (1908): 491-496, 565-571.

SULTE, Benjamin. «Les marchés de Trois-Rivières», dans *Mélanges historiques*. Montréal, Éditions Édouard Garand, 1933, tome 3: 93-113.

TRÉPANIER, Guy. *Arrondissement historique. Étude de potentiel archéologique.* Trois-Rivières, ministère des Affaires culturelles et ville de Trois-Rivières, 1981. 181 p.

Tour à tour campement amérindien, lieu d'habitation française, marché public et terrain d'exercice pour les militaires, la place d'Armes sert aujourd'hui d'espace récréatif.

Manoir de Niverville

Trois-Rivières
168, rue Bonaventure

Fonction: édifice à bureaux
Classé monument historique en 1960

Vraisemblablement érigé en trois étapes, aux XVIIᵉ, XVIIIᵉ et XIXᵉ siècles, ce manoir échappe à la conflagration de 1908.

Situé sur la rue Bonaventure, au cœur de Trois-Rivières, le manoir de Niverville rappelle aux passants que la ville conservait encore, avant la fameuse conflagration de 1908, une allure française. Depuis longtemps, les Trifluviens reconnaissent dans le manoir de Niverville un joyau unique du patrimoine immobilier hérité du Régime français. Lorsque l'on s'y attarde, l'architecture de cet édifice permet de retracer les grandes étapes de l'histoire locale.

La compagnie des Cent-Associés concède en 1646 l'emplacement du manoir au gouverneur de Trois-Rivières, le sieur François de Champflour. Trois ans plus tard, il vend cette concession à Jacques Leneuf, sieur de la Potherie, qui y construira, avant 1668, le premier «logis consistant en quatre chambres avec plusieurs retranchements, cave et grenier, cour et jardin, avec une boulangerie».

Le bâtiment possède alors un rez-de-chaussée, un étage et un sous-sol. Il semble que les murs étaient en colombage «pierroté», torchis ou encore en brique française. Des vestiges permettent de penser que la maison possédait un avant-toit recouvrant une galerie.

À la fin du XVIIᵉ siècle, la ville de Trois-Rivières ressemble plutôt à un gros village. La plupart des habitations du bourg sont regroupées à l'intérieur de l'enceinte, sur le Platon qui domine le fleuve. Légèrement en retrait, la résidence seigneuriale, tournée vers le fleuve, est entourée d'un jardin.

Après deux changements de propriétaire, en 1683 et en 1712, un officier de la marine royale et seigneur de Sainte-Marguerite, François Châtelain, acquiert en 1729 le fief de la Potherie et la maison. Le nouveau propriétaire entreprend des travaux majeurs qui donneront au bâtiment l'aspect qu'on lui connaît. Il allonge la vieille maison qui atteindra 23 mètres de longueur sur 6,7 mètres de largeur. Ces travaux ramènent la maison à un seul étage et les anciens murs de colombage cèdent la place à des murs de pierre provenant de la rive sud du fleuve. La charpente de la première maison est cependant conservée et, encore aujourd'hui, elle compte parmi les plus anciennes au Québec.

À la mort de François Châtelain en 1761, sa fille Josephte, épouse de Claude-Joseph Boucher, sieur de Niverville, hérite de la maison et du fief.

Né en 1715, Boucher de Niverville, militaire de carrière, s'illustre aux quatre coins de la Nouvelle-France. Entre 1750 et 1760, il établit nombre de postes et de forts dans l'Ouest, aujourd'hui la région de Calgary. Peu avant la Conquête, il épouse Josephte Châtelain avec qui il s'installe dans le manoir en 1757.

Trois ans plus tard, la Nouvelle-France capitule devant l'armée britannique et Claude-Joseph Boucher de Niverville retourne en France. En 1763, il revient au pays. Les autorités britanniques lui confient alors le commandement de la milice locale qui aura l'honneur de vaincre les troupes américaines au moment de l'invasion de 1776.

Dans la seconde moitié du XVIIIᵉ siècle, le commerce des fourrures occupe encore une place importante dans l'économie coloniale nord-américaine. Comme Claude-Joseph Boucher de Niverville connaît la langue des Abénaquis, les autorités le nomment surintendant de cette nation amérindienne. À certaines périodes de l'année, les Abénaquis descendent à Trois-Rivières et établissent leur campement dans les jardins du manoir de Niverville.

Un témoin de la Nouvelle-France

Après la mort du sieur Boucher, en 1804, le manoir demeure encore pendant une quarantaine d'années la propriété de la famille. En 1845, il est vendu à Pierre Vézina, premier avocat né à Trois-Rivières.

Situé au cœur de la ville, le manoir est épargné lors de la conflagration de 1908 qui détruit une grande partie de Trois-Rivières. L'église paroissiale, datant du Régime français et construite à quelques pas du manoir, est toutefois la proie des flammes.

À compter du milieu du XIXᵉ siècle, le manoir change à trois reprises de propriétaire avant que le comité du troisième centenaire de Trois-Rivières n'entreprenne de le sauver d'une démolition certaine. Le comité l'acquiert en 1940 et le revend onze ans plus tard à la ville de Trois-Rivières.

Le ministère des Affaires culturelles assure la restauration du manoir en 1972. Les architectes remplacent alors le toit à deux pignons asymétriques par des croupes comme le bâtiment en possédait à l'origine. Avec ses larges cheminées en brique française, ses foyers en pierre de taille, ses murs intérieurs blanchis et ornés de plinthes noircies à la suie, son recouvrement extérieur de crépi, il retrouve son cachet ancien.

Lors de ces travaux, on a pu établir que le manoir de Niverville a été construit en trois étapes successives. La première maison fut vraisemblablement érigée entre 1649 et 1683. Un ajout ultérieur donne au bâtiment l'aspect monumental qu'on lui connaît en 1729 ou 1730. Entre 1767 et 1940, la seconde maison est élargie de quelques mètres pour lui redonner un toit en croupe qui sera camouflé par la suite derrière un mur-pignon. Les ouvertures en façade subissent également des modifications au cours du XIXᵉ siècle.

Le passant qui déambule dans la rue Bonaventure au centre de la ville de Trois-Rivières ne peut manquer le manoir de Niverville. Son regard est attiré par la statue que le gouvernement a érigée près du manoir en l'honneur de Maurice Duplessis, premier ministre de la province pendant dix-huit ans. Comme bon nombre de notables de la ville, il habitait sur la rue Bonaventure.

Yves Bergeron, ethnologue

GAMELIN, Alain et autres. *Trois-Rivières illustrée*. Trois-Rivières, Comité des fêtes du 350ᵉ anniversaire de fondation, 1984. 228 p.

GAUTHIER, Raymonde. *Trois-Rivières disparue, ou presque*. Québec et Montréal, Éditeur officiel du Québec/Fides, 1978. 189 p.

«Le manoir de Niverville», dans *Trois-Rivières, des témoins de son évolution*. Trois-Rivières, Comité des fêtes du 350ᵉ anniversaire de la ville de Trois-Rivières, 1984: 26.

Éléments de la charpente de 1668, considérée comme l'une des plus anciennes au Québec.

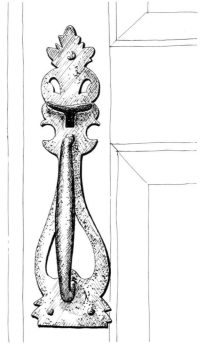

Bel exemple de la quincaillerie d'architecture d'époque conservée dans le manoir.

Moulin à vent

Trois-Rivières
3351, boulevard des Forges

Fonction: centre d'interprétation
Classé monument historique en 1961

Dès 1650, le petit bourg de Trois-Rivières, qui compte à peine 70 habitants, se dote d'un moulin en bois pour moudre la farine. Très vite il ne peut suffire à la demande et les habitants en construisent un autre.

Un plan de Trois-Rivières, dressé par Jacques Levasseur de Néré en 1704, situe le premier moulin à l'intérieur de la palissade sur un promontoire appelé Platon. Le document indique un deuxième moulin en pierre aux abords de la commune, construit par les deux frères Fafard dit Longval et dit Laframboise en 1699.

Lors du partage des biens de la société formée par les deux frères, Jean-Baptiste Fafard dit Laframboise hérite du nouveau moulin. En 1752 le conseiller et procureur du roi Joseph Godefroy de Tonnancour l'acquiert. Après 1749, seul ce dernier moulin dessert la ville car le moulin de la pointe du Platon a été sérieusement endommagé par la foudre au cours de l'année. Cinq ans plus tard, il est vendu à Antoine Laguerche. Le gouverneur de la ville ordonne la démolition du moulin à l'époque de la Conquête pour permettre aux militaires d'utiliser le terrain. À ce moment-là seul le moulin en pierre subsiste, comme en témoigne un document de 1777.

Nathaniel Day fait construire ce moulin près du fleuve à la fin du XVIIIᵉ siècle. En 1975, la tour trouve refuge sur les terrains de l'université du Québec à Trois-Rivières et attend toujours sa restauration.

Dessin du moulin de la commune d'après une aquarelle de James Peachy conservée aux Archives nationales du Canada.

Le moulin à vent de la commune tel qu'il apparaissait au début du siècle au moment de son acquisition par la ville de Trois-Rivières. (Archives nationales du Québec à Québec, fonds Magella-Bureau).

Incendié à son tour en 1781, il est acheté peu après par Nathaniel Day. Seuls la tour et le rouet survivent à l'incendie. La proximité de bâtiments nuit au bon fonctionnement du moulin et amène Day à échanger son terrain contre un autre situé plus près du fleuve. Vers la fin du XVIIIᵉ siècle, il construit un nouveau moulin à cet endroit et une aquarelle de J. Peachy nous le montre sur cet emplacement.

Nathaniel Day décède en Angleterre, entre 1793 et 1799, et lègue son moulin à John Crickton, citoyen britannique comme lui. Ce dernier le cède à Louis Gouin, de Baie-Saint-Antoine.

Remis à neuf

Vers 1830, le moulin est doté de deux paires de meules. Cependant, la concurrence des autres moulins se fait sentir et, en 1854, il cesse de moudre. Une décennie plus tard, au cours d'un violent orage, les rouages en bois prennent feu. L'incendie anéantit toutes les pièces du mouvement et détruit la toiture; seule la tour en maçonnerie reste debout.

En 1869, la ville de Trois-Rivières en revendique la possession, mais n'en devient officiellement propriétaire qu'en 1906. En 1934, à l'occasion des fêtes du tricentenaire de la ville, le vieux moulin est réparé et reçoit des ailes et un toit neufs.

De plus en plus coincé par des constructions qui l'entourent, il se détériore rapidement à compter de la décennie 1960. En 1975, la tour est reconstruite sur le terrain de l'université du Québec à Trois-Rivières.

Aujourd'hui, le moulin constitue un important témoin du patrimoine architectural trifluvien. Avec ses quatre étages, il est le plus élevé de la vingtaine de moulins à vent qui subsistent encore au Québec. Il mérite d'être restauré et mis en valeur de façon à rappeler sa fonction originelle.

Pierre-Yves Dionne,
ingénieur et ethnologue

Desjardins, Pierre. *Les moulins à vent du Québec*. Québec, ministère des Affaires culturelles, 1982. 42 f.

Maisonneuve, Ronald. *Onze moulins à vent*. Recherche historique. Québec, ministère des Affaires culturelles, 1980. 145 f.

Prison

Trois-Rivières
842, rue des Prisons

Fonction: centre d'interprétation
Classée monument historique en 1978

À la limite nord de l'arrondissement historique s'élève la vieille prison de Trois-Rivières. Par son caractère imposant et par son style, elle s'apparente aux bâtiments administratifs érigés à Québec et à Montréal au début du XIXe siècle.

Peu après la Conquête, l'ancien couvent des Récollets est réquisitionné pour répondre aux besoins des militaires et de la nouvelle communauté anglophone naissante. Les autorités aménagent alors une salle d'audience et des cellules dans les bâtiments conventuels, tandis que l'église troque son nom pour celui de St. James Anglican Church.

Lente adaptation

Au début du XIXe siècle, les plaintes concernant les prisons communes dans le Bas-Canada se multiplient. Des bâtiments mal adaptés au régime pénitentiaire font cohabiter prévenus et condamnés, criminels et débiteurs, adultes et enfants. Soucieuse des droits et libertés de la personne, l'opinion publique accepte de moins en moins ces pratiques. En 1804, la législature du Bas-Canada adopte donc une loi qui autorise la construction de prisons communes à Québec et à Montréal. Les citoyens de Trois-Rivières réclament également un tel établissement. Ils obtiennent gain de cause en 1811.

Nommés la même année, les commissaires responsables de ce projet se mettent à l'œuvre. Quatre ans plus tard, en 1815, les plans et devis sont déposés et les travaux de maçonnerie et de menuiserie débutent l'année suivante. L'établissement accueille ses premiers prisonniers en 1819. Cependant, il faut attendre 1822 avant que les dépendances et le mur d'enceinte soient complétés.

Construite d'après les plans de François Baillairgé, un architecte de Québec, la prison de Trois-Rivières lui fut sans doute confiée parce qu'il avait déjà réalisé les plans de la prison de Québec (1808-1811).

Ce sont des artisans de la région environnante qui érigent la prison de Trois-Rivières. La maçonnerie du gros œuvre est entreprise par Olivier Larue; la menuiserie et l'exécution de la charpente sont supervisées par Michel Robitaille dès 1816. Joseph et Louis Lassiserai assurent les travaux de forge et Dominique Robert couvre la toiture en fer-blanc.

À l'époque de sa construction, la prison de Trois-Rivières était située en retrait du centre-ville. À partir de 1850, l'expansion de l'espace urbain réduit cet isolement.

Érigée en 1816 d'après les plans de François Baillairgé, la prison a conservé presque intégralement son aspect d'origine.

De style classique

De style palladien, la prison de Trois-Rivières propose un ensemble de formes et une composition qui témoignent de l'influence de l'architecture classique anglaise du XVIIIe siècle. Haut de trois étages et marqué d'un avant-corps central surmonté d'un fronton, l'édifice présente un volume massif. Sa façade se signale par ses proportions et sa composition articulée dans un schéma où domine le module trois. Le répertoire décoratif est limité: un portique d'entrée, une forte corniche, une fenêtre circulaire qui perce le fronton avant, des pierres d'angle qui marquent les encoignures et des bandeaux en pierre de taille délimitant les étages.

Les murs extérieurs mesurent 90 centimètres d'épaisseur à la base. À l'origine, la pierre brute des murs devait être recouverte d'un crépi, comme nous le révèlent les encadrements des portes et des fenêtres. La toiture à quatre versants recèle une structure constituée d'une poutraison impressionnante; elle est percée de neuf cheminées dont huit servaient au chauffage.

Une image stable

Depuis sa construction, les modifications les plus importantes apportées au bâtiment obéissent aux recommandations des inspecteurs de prison. En 1835, des grilles de fer apparaissent aux fenêtres du rez-de-chaussée. La même année, les autorités élèvent le mur de la cour arrière et clôturent la cour avant. En 1898 et 1899, l'éclairage électrique remplace les lampes à pétrole et la plomberie est refaite. Au XXe siècle, les poêles cèdent la place au chauffage central et la cave reçoit un pavage. D'autres travaux altèrent également l'allure du bâtiment: le clocheton à deux lanternes ajourées surmontant l'avant-corps et l'ancien mur d'enceinte disparaissent, de même que les fenêtres étroites du rez-de-chaussée.

Mais ce type de construction lourde, renforcée de nombreux murs porteurs, ne permet pas d'effectuer d'importants changements à l'intérieur. Ainsi, les divisions actuelles correspondent à peu près aux descriptions originales du devis. Même si, en 1883, la prison porte déjà le qualificatif d'ancienne, 100 ans plus tard elle conserve toujours son usage premier. À maintes reprises les autorités sont accusées de mal entretenir le bâtiment, ce qui ne doit pas être confondu avec la propreté des lieux qu'on disait acceptable. La facilité légendaire avec laquelle les détenus s'en échappent permet à cet inspecteur de prison d'écrire:

«...la bonne vieille prison des temps anciens. Portes de fer partout, ayant profusion de chaînes et de verrous, propre à décourager un porte-clefs tant soit peu timide, les murailles de quatre pieds d'épaisseur et croisées servent plutôt à intercepter la lumière qu'à retenir les détenus un peu malins...»

Récemment, la prison de Trois-Rivières a fait l'objet de travaux destinés à rafraîchir son apparence. La fenestration du rez-de-chaussée a été rétablie avec ses ouvertures en forme de guichets; l'imposant balcon qui, à l'étage supérieur, marquait depuis la fin du XIXe siècle le logement du directeur de la prison a été supprimé. Jusqu'à sa récente désaffectation, la prison de Trois-Rivières constituait le plus ancien établissement carcéral en usage au Québec et au Canada. Elle demeure aussi l'une des rares œuvres architecturales encore debout de François Baillairgé et, de surcroît, la seule à subsister hors des murs de Québec.

Danielle Larose, ethnologue

De style palladien, l'édifice possède un portique d'entrée monumental.

LAROSE, Danielle. «Un monument historique: la prison de Trois-Rivières». *Le Coteillage*, 4, 1 (1986): 19-20.

NOPPEN, Luc. *Dossier d'inventaire architectural de la prison de Trois-Rivières*. Québec, ministère des Affaires culturelles, 1977. 110 p.

ROBERT, Jacques. *Les prisons de Trois-Rivières et Sherbrooke, valeur historique et architecturale*. Québec, ministère des Affaires culturelles, 1979. Paginations diverses.

Cimetière protestant St. James

Trois-Rivières
Rue Saint-François-Xavier

Fonction: parc public
Classé monument historique en 1962

Sis à l'angle des rues De Tonnancour et Saint-François-Xavier, le cimetière St. James, qui compte parmi les plus anciens au Canada, a traversé nombre d'épreuves depuis sa création.

À la fin du XVIIIᵉ siècle, la communauté protestante de Trois-Rivières manque d'espace pour inhumer ses morts. Le premier cimetière à l'usage des anglophones, situé à l'extrémité de la rue Notre-Dame (aujourd'hui rue des Ursulines) du côté du fleuve, est vendu. En quête d'un nouvel emplacement, les anglicans achètent un terrain de 32 mètres sur 65, à l'angle des rues Saint-François-Xavier et De Tonnancour. Ainsi, grâce à la générosité de Louis Gugy et de son épouse Juliana Connors, les membres de l'Église unie d'Angleterre et d'Irlande acquièrent leur cimetière le 29 novembre 1808.

Nouveau cimetière

À compter de cette date, les défunts de confession chrétienne, dont la cérémonie d'inhumation se déroule sous la présidence d'un pasteur de la paroisse anglicane ou de son substitut, peuvent être ensevelis dans le nouveau cimetière St. James.

Jusque-là, rien n'avait troublé véritablement la paix des âmes. Cependant, au mois de septembre 1891, l'inspecteur sanitaire de la ville de Trois-Rivières recommande dans son rapport que le cimetière St. James, qui se trouve au cœur de la ville, soit déménagé afin de ne pas nuire à la santé publique.

Un an plus tard, la chambre de commerce de Trois-Rivières dépose une pétition au conseil municipal réclamant la fermeture du cimetière. Des raisons d'hygiène et surtout la crainte de la contagion (choléra, picotte) motivent leur geste. Aussitôt, les notables et les paroissiens anglicans et méthodistes manifestent leur désaccord et réussissent à faire échouer le projet.

Mais il s'agit d'une victoire temporaire. En effet, la petite communauté ne parvient pas à subvenir aux frais d'entretien du cimetière. La menace de fermeture refait surface. À compter de 1917, le conseil de ville refuse toute inhumation et le 27 septembre la dernière dépouille est portée en terre.

À nouveau menacé

Quatre décennies s'écoulent... Le temps pour les âmes de retrouver la paix; le temps pour les inscriptions tombales de s'estomper. Vers 1960, le site est de nouveau menacé par un projet de construction, qui n'a cependant pas de suite.

En 1980, on procède à l'aménagement du cimetière: nettoyage des pierres tombales, embellissement du terrain, rénovation de la clôture et du charnier, restauration des monuments de fonte. L'éclairage électrique et des bancs à l'intention des promeneurs complètent le nouveau décor. Désormais propriétaire, la ville veille à son entretien. Ainsi, après tant de remous, le cimetière St. James et ses vénérables sépultures (Matthew Bell, membre du Conseil législatif du Bas-Canada et propriétaire des forges du Saint-Maurice de 1793 à 1846; James Sinclair, premier gouverneur militaire de Trois-Rivières sous le régime britannique ainsi que plusieurs familles célèbres dans l'histoire de la ville) y reposent en paix.

Yves Bergeron, ethnologue

«Le cimetière St. James», dans *Trois-Rivières, des témoins de son évolution*. Trois-Rivières, Comité des fêtes du 350ᵉ anniversaire de la ville de Trois-Rivières, 1984: 30.

GAMELIN, Alain et autres. *Trois-Rivières illustrée*. Trois-Rivières, Comité des fêtes du 350ᵉ anniversaire de fondation, 1984. 228 p.

GAUTHIER, Raymonde. *Trois-Rivières disparue, ou presque*. Montréal et Québec, Éditeur officiel du Québec/Fides, 1978. 189 p.

Comme plusieurs autres, le cimetière protestant sert aujourd'hui de lieu de repos pour les vivants aussi!

Entrée du cimetière avec ses structures de métal.

De Trois-Rivières à Maskinongé

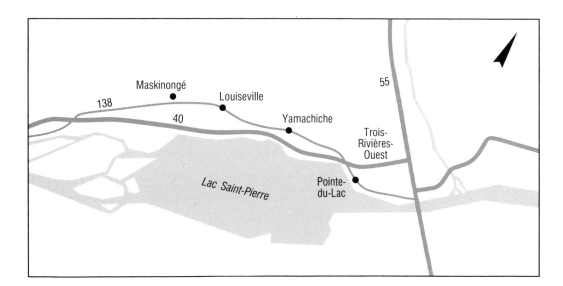

DE Berthier à Pointe-du-Lac, sur la rive nord du lac Saint-Pierre, une plaine s'étale en terrasses successives, pendant une quinzaine de kilomètres, jusqu'au pied des Laurentides. Plusieurs rivières descendent du Bouclier laurentien et convergent vers le lac. Peu profondes, certaines sont navigables sur de courtes distances. Leur rôle a été primordial dans la colonisation de cette région, car les crues printanières empêchaient l'établissement des colons sur les rives du lac. Les pionniers érigent donc leurs habitations aux abords de ces rivières d'où ils atteignent le Saint-Laurent. Le fleuve fait le trait d'union entre les localités riveraines. Jusqu'à la fin du XIXᵉ siècle, il sert d'unique voie commerciale entre ces paroisses, les marchés de la vallée laurentienne et l'extérieur.

Lente croissance

La plupart des seigneuries sont concédées dans le dernier tiers du XVIIᵉ siècle. Au début du siècle suivant, la signature du traité de paix avec la nation iroquoise donne le coup d'envoi à l'occupation du territoire. Jusqu'à la Conquête, le peuplement progresse lentement. La chasse, la pêche et la traite des fourrures retardent le défrichement et la mise en culture. En 1760 la région comprend quatre paroisses qui comptent à peine 1 489 habitants. Le peuplement s'accélère ensuite, sous l'effet conjugué d'un fort accroissement naturel et de la venue d'importants contingents d'Acadiens et de loyalistes. Entre 1760 et 1790, la population triple. Les défrichements avancent vers l'intérieur du territoire où de nouvelles paroisses se forment.

La culture du blé reprend et produit des surplus qui font surgir plusieurs moulins à farine et entrepôts à grain. Le moulin de Tonnancour à Pointe-du-Lac illustre cette reprise.

La construction du réseau routier accompagne le peuplement. Les premières routes longent le cours des rivières et les relient entre elles. Dès 1733, le chemin du Roy, raccorde Maskinongé à Trois-Rivières. Au début du XIXᵉ siècle, l'extension de l'activité forestière dans l'arrière-pays favorise la construction de quelques routes en direction des Laurentides. L'une d'elles s'étend sur 25 kilomètres entre la scierie de l'Américain Truman Kimpton, établie en 1825 à Hunterstown, et la paroisse de Rivière-du-Loup (aujourd'hui Louiseville). Aux communications routières s'ajoutent deux voies ferrées: la première, inaugurée en

Le moulin de Tonnancour est construit dans la seconde moitié du XVIIIᵉ siècle pour faire face à la croissance de la production de blé. Intégré à part entière dans la vie communautaire, le moulin accueille les invités lors des célébrations du bicentenaire de la municipalité, en 1938. (Archives du Séminaire de Trois-Rivières).

De Trois-Rivières à Maskinongé

L'exploitation forestière entraîne la construction de vastes scieries dans les paroisses riveraines du fleuve; de plus modestes apparaissent également le long des rivières comme celle de Tourville, à Louiseville. (Carte postale, Pinsonneault, édit., vers 1900, Archives du Séminaire de Trois-Rivières).

1878, dessert les paroisses riveraines entre Québec et Montréal; la seconde, construite à la toute fin du siècle, suit le tracé dessiné par les contreforts des Laurentides.

Revenus d'appoint

L'exploitation commerciale de la forêt favorise le peuplement de la région en fournissant des revenus d'appoint aux colons de l'arrière-pays. À Maskinongé, le magasin des Lebrun témoigne de cette pénétration. Cette nouvelle activité fournit aussi un marché à l'agriculture qui se réoriente dans la production de certaines denrées comme le foin, l'avoine et les pois. À compter de la décennie 1880, la culture du foin se développe grâce au marché américain et à la spécialisation de l'agriculture québécoise et régionale dans l'industrie laitière. De nombreuses fabriques de beurre et de fromage apparaissent dans les paroisses. On en compte généralement une par rang, parfois plus, comme à Saint-Justin où les recenseurs en dénombrent sept en 1891. Avec le XXᵉ siècle, le nombre de ces petits établissements diminue par suite de l'amélioration du réseau routier et du transport par camion. L'industrie laitière demeure encore de nos jours une spécialisation de l'agriculture régionale.

L'exploitation forestière entraîne aussi une diversification des activités industrielles.

Aux moulins à farine érigés au siècle précédent s'ajoutent quelques grandes scieries dans les paroisses riveraines du fleuve et de plus modestes, le long des rivières. Ces moulins à carder, fabriques de potasse et de perlasse, briqueteries, tanneries, boutiques de forge et autres établissements répondent à la demande locale. L'activité commerciale se développe également et contribue à la croissance des villages.

Au milieu du XIXᵉ siècle, celui de Rivière-du-Loup prend les allures d'une petite ville et s'impose comme le chef-lieu du comté de Maskinongé. Le village hérite ainsi des fonctions administratives et abrite le bureau d'enregistrement et la Cour de circuit. Deux monuments, la maison Nérée-Beauchemin à Yamachiche et la maison J.-L.-L.-Hamelin à Louiseville, rappellent cette période prospère par les caractères franchement urbains de leur architecture. Rivière-du-Loup obtient le statut de ville en 1879, et prend alors le nom de Louiseville. Mais la présence de ces quelques agglomérations ne modifiera pas le caractère essentiellement rural de cette région avant le milieu du XXᵉ siècle.

René Hardy, historien
Benoît Gauthier, historien

5. - Pâturage. - YAMACHICHE, P. Q. (Canada)

À compter de 1880, la région se spécialise dans la culture du foin, de l'avoine, des pois et dans l'industrie laitière, une spécialité qu'elle conserve encore de nos jours. (Archives du Séminaire de Trois-Rivières).

Pinsonneault, phot.-édit., Trois-Rivières, P. Q.

Calvaire

Trois-Rivières-Ouest
Rue Notre-Dame

Fonction: lieu de culte
Classé monument historique en 1983

Plusieurs croix de chemin et calvaires balisent les routes du Québec et témoignent de l'importance passée de la religion. Parmi les quelque 350 œuvres inventoriées du Christ en croix qui survivent encore aujourd'hui, le calvaire de Trois-Rivières-Ouest retient l'attention par la qualité de sa sculpture et par son ancienneté.

Son histoire repose en partie sur des informations plus ou moins légendaires. Il aurait été érigé à la demande d'un père dont les trois enfants périrent dans l'incendie de la maison familiale. L'auteur de ce monument, construit en 1820, demeure inconnu: certains historiens d'art reconnaissent l'œuvre de Thomas Baillairgé, d'autres celle de Louis-Thomas Berlinguet, tous deux sculpteurs et architectes de Québec. Quoi qu'il en soit, l'artiste répond aux attentes de la foi populaire et contribue magnifiquement à l'art du statuaire. À l'origine, ce calvaire se situait à environ 300 mètres de son emplacement actuel, au coin du boulevard Mauricien et de la rue Notre-Dame Ouest. En mai, les fidèles venaient y réciter la prière du soir et les litanies de la Vierge. Il était l'objet d'un profond respect et les promeneurs ne manquaient jamais de le saluer dignement au passage.

L'édicule en bois, de 4 mètres de côté sur 7 mètres de hauteur, se compose d'une plate-forme carrée délimitée par quatre poteaux reliés au sommet par des arcs en anse de panier. Une petite croix métallique surmonte la toiture à l'impériale. Autour du calvaire, une clôture ajourée assure la protection contre les bêtes. L'édicule abrite une croix en bois peint reposant sur un socle d'une hauteur approximative de 4 mètres. Les extrémités de la croix sont en forme de fleur de lys. La croix porte un corpus en bois sculpté, polychrome, grandeur nature, mesurant environ 1,70 mètre. Selon toute vraisemblance, ce corpus aurait été repeint vers 1910. Comme dans la plupart des versions au Québec, le Christ est représenté mort. Une inscription, placée à l'intérieur, sous le toit près d'un poteau, porte l'année 1820.

Le calvaire appartient à la municipalité de Trois-Rivières-Ouest qui en assure la sauvegarde.

Danielle Larose, ethnologue

Propriété de la municipalité de Trois-Rivières-Ouest, ce calvaire remonte à 1820. Il illustre bien les dévotions de l'époque.

PORTER, John et Léopold DÉSY. *Calvaires et croix de chemins du Québec*. Montréal, Éditions Hurtubise HMH, 1973. 145 p. (Coll. «Ethnologie québécoise», n° 15).

ROY, Guy-André. *Le calvaire de Trois-Rivières-Ouest*. Québec, ministère des Affaires culturelles, 1983. 1 p.

Moulin seigneurial de Tonnancour

Pointe-du-Lac
2930, rue Notre-Dame

Fonction: galerie d'art et centre d'interprétation
Classé monument historique en 1975

LE moulin seigneurial de Tonnancour se trouve à Pointe-du-Lac, à proximité du centre du village. Il appartient à la congrégation des Frères de l'instruction chrétienne.

De forme rectangulaire, assez massif, le moulin épouse la pente du sol à son niveau inférieur. Un toit à deux versants surmonte son carré en moellons. Six lucarnes à pignon percent sa toiture en tôle à baguettes.

Un mur de brique, datant de 1881, divise l'intérieur en deux parties distinctes. Le logement du meunier occupait le côté sud, l'autre abritait les mécanismes du moulin: turbine, rouet et lanterne, moulange, bluteau aujourd'hui hors d'usage. Adossée à l'extrémité nord-ouest du moulin subsiste une petite scierie, encore utilisée de nos jours. Le moulin tire son nom de la seigneurie de Tonnancour, constituée par René Godefroy de Tonnancour, en réunissant cinq fiefs hérités de sa mère, Marguerite Seigneuret.

Vraisemblablement, un premier moulin apparaît sur l'emplacement vers 1720-1721. Ses fondations ainsi que sa chaussée auraient été en pierre et le carré de pièce sur pièce couvert de planches. Aucun renseignement ne permet d'apprécier le fonctionnement. Maurice Déry aurait été le meunier de 1732 à 1760.

La seigneurie de Tonnancour et le moulin demeurent la propriété de la famille Godefroy de Tonnancour jusqu'à la fin du XVIIIe siècle. Divers indices nous incitent à croire que le moulin actuel date de la période comprise entre 1765 et 1788, probablement après 1775. Il aurait été construit pour Louis-Joseph Godefroy de Tonnancour, fils de René.

Nouveau seigneur

En 1795, Nicolas Montour achète la seigneurie aux enchères. Ancien coureur des bois, le nouvel acquéreur a fait fortune avec la compagnie du Nord-Ouest. En 1790, le nouveau seigneur est nommé juge de paix pour le district de Trois-Rivières. Nicolas Montour personnalise et réorganise plusieurs composantes du domaine seigneurial. D'abord il lui donne le nom de Woodlands et y érige des entrepôts. Puis il fait effectuer des réparations majeures au moulin, en faisant creuser des canaux d'une longueur de 9,7 kilomètres pour y amener plus d'eau. Le moulin demeure la propriété de la famille

Divers documents incitent à croire que ce moulin de pierre aurait été érigé entre 1765 et 1788 pour le seigneur Louis-Joseph Godefroy de Tonnancour.

Montour jusqu'en 1873. Thomas Cook, Michel Robitaille et William Seaton, originaire de Kirton en Angleterre, l'exploitent tour à tour pour le compte de la famille Montour. La tradition orale rapporte que Thomas Cook père aurait sauvé son fils, futur évêque de Trois-Rivières, d'une noyade certaine dans l'étang près du moulin.

En 1927 les Frères de l'instruction chrétienne acquièrent le moulin. Pour en assurer la conservation, ils y effectuent plusieurs réparations et l'utilisent comme atelier de travaux pratiques pour leur œuvre pédagogique.

Aujourd'hui, le moulin est ouvert au public durant la saison touristique. L'artiste bien connue, Mariette Cheney, habite le logement du meunier et anime les visites guidées. Plusieurs événements culturels s'y déroulent: petits concerts, expositions, soirées de poésie. Tout près du moulin, les visiteurs peuvent contempler le magnifique panorama du lac Saint-Pierre.

Jean-Charles Lefebvre, historien

Le public peut voir aujourd'hui une partie des mécanismes du moulin. Turbine, rouet et lanterne, moulange et bluteau sont malheureusement hors d'usage.

BRISSETTE, F. Emmanuel. *Pointe-du-Lac. Au pays des Tonnancour*. Pointe-du-Lac, Imprimerie Saint-Joseph, [s.d.]. 152 p.

Maison Nérée-Beauchemin

Yamachiche
711, rue Sainte-Anne

Fonction: maison d'habitation
Classée monument historique en 1978

Sur la rive nord du Saint-Laurent, à la sortie du lac Saint-Pierre, se profile le village de Yamachiche, avec ses maisons de brique rouge inspirées du style néo-classique datant du XIXᵉ siècle. Sur la rue principale, l'une d'entre elles a abrité l'un des plus célèbres poètes québécois: Charles-Nérée Beauchemin.

Construite en 1867 et d'abord habitée par le député Charles Gérin-Lajoie, la maison passe au docteur Hyacinthe Beauchemin une dizaine d'années plus tard. À sa mort, le médecin la lègue à son fils Charles-Nérée. À la fois refuge et source d'inspiration pour le poète, il conserve cette maison jusqu'à sa mort en 1931.

Charles-Nérée voit le jour le 20 février 1850 à Yamachiche, à quelques pas de l'actuelle demeure historique. En 1939, un incendie rase complètement cette dernière.

De 1863 à 1870, le jeune Beauchemin fait ses études classiques au séminaire de Nicolet, puis s'inscrit à la faculté de médecine de l'université Laval. Attaché à sa petite patrie, il revient à Yamachiche où il pratique son métier pendant plus d'un demi-siècle. Là, au cœur de la vie rurale de la vallée du Saint-Laurent, il s'adonne à la poésie. L'auteur publie notamment deux recueils, *Patrie intime* et *Les floraisons matutinales*,

où il aborde avec sensibilité les thèmes de la patrie, de la nature et de la religion. Son œuvre marque la littérature canadienne-française.

Double influence

Dans son état actuel, la maison Nérée-Beauchemin reflète deux influences stylistiques dominantes. La première, néo-classique dans son interprétation néo-grecque, se traduit notamment par l'organisation symétrique des ouvertures en façade, sa toiture à deux versants à faible pente et sans lucarne, ses deux souches de cheminée aux extrémités ainsi que par les retours de corniches en pignon. Ces divers éléments, ainsi que la brique des murs extérieurs, s'apparentent à l'architecture domestique néo-classique de la Nouvelle-Angleterre. Par contre, les arcs surbaissés de la partie supérieure des fenêtres ainsi que les corniches de même forme qui les surmontent et le porche central doté d'un balcon, démontrent l'influence du style néo-Renaissance.

Appuyée au corps principal, une annexe de brique se distingue du reste de la maison. Construite en 1915, elle servait jadis de pharmacie et comporte peu d'ornementation.

La maison exhibe les caractéristiques architecturales typiques de Yamachiche.

Notons à ce sujet l'important apport des frères Joseph C. et Georges-Félix Héroux qui ont contribué à donner un aspect décoratif particulier à plusieurs résidences du village, que les habitants qualifient souvent de «dentelle à la Héroux».

Les anciens plafonds, richement ornés, les murs de plâtre recouverts de papier peint ou les boiseries aux couleurs d'origine conservent leur aspect d'époque. Une bonne partie du mobilier s'y trouve encore.

En 1977, la dernière survivante des filles de Nérée Beauchemin donne à la fondation Maison de la francophonie tous les biens de son père pour les rendre accessibles au public. La municipalité, qui s'enorgueillit d'être la patrie de Nérée Beauchemin, rebaptise en l'honneur du poète l'ancienne rue Saint-Pierre qui borde la maison du côté ouest.

Yves Bergeron, ethnologue

LA GRENADE-MEUNIER, Monique. *La Maison de Nérée Beauchemin, 711, rue Ste-Anne. Histoire, relevé et analyse.* Québec, ministère des Affaires culturelles, 1978. 31 p.

PELLERIN, J.-Alide. *Yamachiche et son histoire, 1672-1978.* Trois-Rivières, Bien public, 1980. 555 p.

Construite en 1867, cette résidence de brique conserve le souvenir du poète Nérée Beauchemin. La fondation Maison de la francophonie gère et anime cette propriété ouverte aux visiteurs.

Maison Joseph-Louis-Léandre-Hamelin

Louiseville
11, avenue Saint-Laurent Ouest

Fonction: maison d'habitation
Reconnue monument historique en 1987

À Louiseville, la maison Joseph-Louis-Léandre-Hamelin occupe un emplacement stratégique en bordure de la rivière du Loup, à l'angle des deux plus anciens chemins, aujourd'hui les rues Saint-Laurent et Notre-Dame. Depuis la construction du chemin du Roy (rue Saint-Laurent), cet emplacement se trouve au cœur des activités commerciales de la paroisse Saint-Antoine-de-la-Rivière-du-Loup.

Cette construction de l'époque victorienne doit son nom au docteur Joseph-Louis-Léandre Hamelin (1851-1910), originaire de Saint-Barthélémy. Après ses études en médecine, il épouse Anaiste Vadeboncœur et s'installe à la Rivière-du-Loup, chez son beau-père, alors marchand. En cadeau de mariage, Eugène Vadeboncœur lègue sa propriété, y compris un magasin général, à sa fille unique. À la place de l'ancien magasin, le couple Hamelin fait ériger une résidence et l'occupe à partir de novembre 1898. Médecin consciencieux, J.-L.-L. Hamelin se taille une réputation enviable dans tout le comté. Très engagé sur la scène politique locale, il est élu échevin puis devient maire entre 1904 et 1910.

De style néo-reine-Anne, cette maison illustre bien l'époque victorienne. Construite pour Joseph-Louis-Léandre Hamelin en 1898, elle possède un registre d'ornementation fort élaboré.

Lanternon dominant la résidence Hamelin.

Résidence de notables

La maison J.-L.-L.-Hamelin est associée à la vie et aux activités de personnes qui ont joué un rôle important dans la municipalité et la région. Outre le docteur Avelin Dalcourt, mentionnons un autre notable, le notaire J.-A. Ferron, longtemps secrétaire-trésorier de la ville et du comté, greffier de la Cour de circuit et organisateur du Parti libéral.

En plus de son utilisation comme lieu d'habitation, la maison loge des cabinets de médecins et une étude de notaires avant de devenir une résidence pour personnes retraitées.

De style néo-reine-Anne, la maison J.-L.-L.-Hamelin, avec son volume imposant, son plan irrégulier et son ornementation recherchée, témoigne de l'architecture éclectique de la fin de l'époque victorienne.

À l'intérieur, des pièces spacieuses dotées de hauts plafonds tout comme le décor et l'ameublement traduisent l'ambiance somptueuse de certaines maisons bourgeoises de l'époque.

En excellent état, la maison conserve presque tous ses matériaux et ses caractéristiques d'origine. D'anciens ajouts cadrent bien avec l'ensemble. L'adaptation des divisions intérieures aux besoins des divers occupants respecte l'intégrité du bâtiment dans son ensemble.

Le belvédère et les lucarnes de la toiture, traits ornementaux dominants de la maison, sont uniques dans la région. Elle possède toutefois des traits communs à l'ensemble du comté comme le balcon-lucarne au décor menuisé, caractéristique de ce style, et des consoles intégrées au garde-corps.

Gisèle Beaudet,
diplômée en ethnographie traditionnelle

HAMELIN, Caroline Martin. «Généalogies Martin et Hamelin», dans *Mémorial de Familles*. Louiseville, 1910.

LESAGE, Germain. *Histoire de Louiseville, 1665-1960*. Hull, Fabrique de Louiseville, 1961. 450 p.

Maison Doucet

Maskinongé
184, chemin du Pied-de-la-Côte

Fonction: maison d'habitation
Classée monument historique en 1978

Plus ancien bâtiment de la région de Maskinongé, la maison Doucet longe le chemin du Pied-de-la-Côte, autrefois le chemin du Roy.

Cette maison aurait été construite au début du Régime anglais, entre 1765 et 1794, par l'Acadien Charles Doucet, exilé comme ses compatriotes lors de la Déportation de 1755.

En 1765, le gouverneur James Murray accorde la permission aux Acadiens de s'établir au Canada. Plusieurs familles d'origine acadienne s'installent alors le long de la côte du lac Saint-Pierre, dans la région de Maskinongé et de Yamachiche. La légende veut que les Acadiens construisirent eux-mêmes la goélette qui les amena dans la vallée du Saint-Laurent.

À peine âgé de dix neuf ans à l'époque de la guerre de Sept ans, Charles Doucet abandonne tous ses biens à Port-Royal. Avec sa famille, cet Acadien s'implante d'abord à Sorel où il épouse Marguerite Landry en 1762. Trois ans plus tard, à Maskinongé, il achète de Jean-Baptiste Drolet une terre en bordure du chemin du Roy. Elle appartiendra à la famille Doucet pendant un peu plus de deux siècles.

Au pied du coteau, Charles Doucet érige sur sa terre une petite maison en pièce sur pièce surmontée d'un toit à deux eaux comme on en retrouve en Nouvelle-France, dans la vallée du Saint-Laurent et en Acadie. À l'intérieur, ces petites maisons comportent souvent une seule pièce.

Une tradition

En 1794, Charles Doucet et sa femme lèguent leur propriété à leur fils Michel, mais s'y réservent une chambre chauffée. Plus tard, la veuve de Michel Doucet, née Geneviève Généreux, lègue à son tour ses biens à son fils François-Xavier, à condition pour ce dernier de les transmettre à son premier enfant mâle. Cette tradition se perpétue pendant cinq générations.

Assemblée à queue d'aronde aux retours d'angles, la maison Doucet est construite suivant un plan carré. Les murs reposent sur une fondation de pierre de faible profondeur et sont revêtus de planches verticales, blanchies autrefois à la chaux. La charpente du toit appartient au type à chevrons portant fermes, avec poutre faîtière, contreventement et pannes intermédiaires. Une cheminée centrale perçait autrefois la

toiture; elle a depuis été déplacée dans l'axe du mur pignon ouest.

À l'origine, le toit comportait un recouvrement de planches chevauchées à l'horizontale. Au début du XIXᵉ siècle, des bardeaux de cèdre remplacent les planches. Trois chevrons supplémentaires viennent alors renforcer la toiture.

Avec le temps, cette habitation se transforme. Quelques ouvertures dans les murs latéraux s'ajoutent aux trois ouvertures des façades, sans souci de symétrie. L'aménagement intérieur s'adapte également aux besoins des occupants.

Du haut de ses deux siècles, la maison Doucet se dresse toujours fièrement au détour du chemin sinueux du Pied-de-la-Côte. Aujourd'hui restaurée, elle témoigne de l'architecture rurale du XVIIIᵉ siècle et de l'histoire régionale.

Yves Bergeron, ethnologue

Anonyme. «Maskinongé». *Bulletin des recherches historiques*, XXXIII, 3 (mai 1927): 219.

PLANTE, Clément. *Notes historiques sur la maison Doucet*. Québec, ministère des Affaires culturelles, 1972. n. p.

Entre 1765 et 1794, l'Acadien Charles Doucet construit cette maison considérée comme la doyenne des bâtiments de la région de Maskinongé.

Vieux presbytère de Maskinongé

Maskinongé
167, chemin du Pied-de-la-Côte

Fonction: maison d'habitation
Classé monument historique en 1977

L'ancien presbytère de Maskinongé se trouve en bordure du chemin du Roy, aujourd'hui chemin du Pied-de-la-Côte. Avec la maison Doucet et les magasins Lebrun, il forme un ensemble historique qui témoigne de l'occupation originelle du territoire en bordure du lac Saint-Pierre.

Érigée canoniquement en 1720, la paroisse de Saint-Joseph-de-Maskinongé doit attendre jusqu'en 1785 la construction d'une église. Érigé vers 1780, le premier presbytère est démoli en 1808 à cause de son délabrement. En 1811, Michel Latour, maître maçon de Lavaltrie, Jean Fleury, maître menuisier de Maskinongé, et le cultivateur Étienne Fleury (pour la couverture en bardeaux) entreprennent la construction d'un nouvel édifice en pierre. Surplombant le coteau, à proximité de l'église paroissiale, le nouveau presbytère domine ce plat pays. Sur ces riches terres d'alluvion de la vallée du Saint-Laurent, les colons et les agriculteurs s'enracinent rapidement.

Un artisan renommé

Quelques années plus tard, le presbytère, alors en piètre état, nécessite des rénovations. Amable Gauthier (1791-1876), un artiste et artisan parmi les plus habiles de son époque, accepte de réaliser les travaux. Cet architecte-sculpteur, habitant de Maskinongé, formé à l'école d'Amable Quévillon, participe à la décoration de plusieurs églises. Il exerce son art tout particulièrement dans les villages riverains du Saint-Laurent, entre Trois-Rivières et Montréal. Cependant, on le connaît surtout comme sculpteur de mobilier religieux. Ainsi, en 1850, Amable Gauthier s'engage à agrandir le bâtiment et à «refaire tout le mur y compris les fondations, cheminées du nouveau presbytère [...] de continuer la couverture de la longueur additionnelle à la couverture du presbytère actuel en fesant [sic] saillir la couverture et continuer la galerie telle que convenu dans le plan ci-devant exposé, de faire le nombre d'ouverture, portes que requerra la nouvelle construction et d'en finir les ouvrages de menuiserie dans le même goût que réglé [...].»

Cette habitation de pierre présente plusieurs des caractéristiques de la maison dite néo-classique du milieu du XIXᵉ siècle. On y retrouve notamment une organisation symétrique des ouvertures, un toit à deux versants avec des avant-toits aux égouts retroussés et, à chacune de ses extrémités, du côté sud de la ligne faîtière, s'élèvent deux cheminées recouvertes de tôle. Une galerie-perron s'étend sur toute la longueur de la façade principale et des esses consolident la structure.

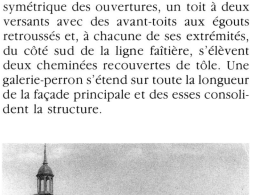

Au début du siècle, une carte postale montre le presbytère auprès de l'ancienne église (1785). (Archives du Séminaire de Trois-Rivières).

À l'intérieur de la maison, des corniches et des moulures assez élaborées témoignent de l'habileté d'Amable Gauthier. Fidèle aux goûts de l'époque, le décor comporte des lucarnes, murs et crépis, planches larges au sol, pignons de bois, cheminées de brique et manteau de cheminée mouluré.

Lors de la relocalisation de l'église dans l'actuel village de Maskinongé, la fabrique se départit du presbytère. Toutefois, les vestiges de l'ancienne église reposent encore dans le sous-sol de la maison.

Ce bâtiment, caractéristique de l'architecture du milieu du XIXᵉ siècle, connaît de nombreuses transformations dont l'ajout d'une cuisine d'été, aujourd'hui disparue. Il conserve cependant la plus grande partie de ses éléments anciens.

Sa structure de pierre distingue l'ancien presbytère de l'architecture régionale.

Yves Bergeron, ethnologue

Sis sur un petit coteau, à proximité de l'église, le presbytère de Maskinongé remonte à 1811. Cette habitation de pierre présente plusieurs caractéristiques de la maison néo-classique du XIXᵉ siècle.

SALOMON DE FRIEDBERG, Barbara. *Vieux presbytère, Maskinongé*. Québec, ministère des Affaires culturelles, 1977. n.p.

Magasins des Lebrun

Maskinongé
192, chemin du Pied-de-la-Côte

Fonction: maison d'habitation et atelier
Reconnus site historique en 1981

En remontant de Trois-Rivières vers Montréal par le chemin du Roy — aujourd'hui appelé chemin du Pied-de-la-Côte —, le voyageur découvre un ancien carrefour commercial à la hauteur de Maskinongé. Au milieu du XIXe siècle, un presbytère, une église, une école de rang et une forge côtoyaient sur ce site une tannerie, un moulin à scie, une boulangerie et une fromagerie. Le magasin général des Lebrun, qui abrite de 1827 à 1975 plusieurs générations de commerçants, s'y trouve toujours.

En 1827, le marchand Eugène Trudeau fait construire une maison en bois et se réserve une pièce comme magasin général. Œuvre des menuisiers Emmanuel Maçon et François Labonne, cette maison possède un rez-de-chaussée surmonté d'un comble. Ses murs sont en pièce sur pièce avec assemblage à queue d'aronde aux retours d'angles. Le toit à deux versants, revêtu de tôle à baguettes, masque une toiture de bardeaux de cèdre. Vers 1916 on ajoute les galeries, l'avant-toit aux égouts retroussés et la lucarne-pignon centrale. Les fenêtres, les portes et les lucarnes subissent également des modifications.

À l'intérieur, les plafonds du rez-de-chaussée et des combles de même que les cloisons sont à couvre-joints. Du plâtre posé sur des lattes croisées recouvre les murs et des planches parfois moulurées masquent les solives apparentes.

Des usages multiples

Autour de 1870, une allonge s'ajoute à la maison; elle sert à la fois de magasin général et de bureau de poste. Il s'agit d'un simple petit carré en pièces recouvertes de madriers verticaux, surmonté d'un toit à deux versants, sans cheminée. Construit en annexe, ce vieux magasin aurait été déménagé à plusieurs reprises, ce qui permet de consacrer l'ancienne structure à l'habitation. En 1952, la maison reçoit un revêtement de brique pour s'harmoniser au grand magasin. De plus, les frères Lebrun aménagent la véranda à l'arrière et élargissent les fenêtres en façade.

En 1916, les propriétaires font construire un nouveau magasin d'un étage en brique, recouvert d'un toit à deux versants à faible pente. Le retour des corniches en pignons rappelle un fronton inspiré de l'architecture néo-classique, comme le suggère l'interprétation de certaines versions du style néo-colonial au tournant du siècle.

Une grande partie de l'ameublement commercial se retrouve encore à l'intérieur du magasin: comptoirs, étagères, lustres, escaliers et boiseries.

Par son architecture, ses dimensions importantes, ses vitrines et ses fenêtres, le magasin des Lebrun offre un bel exemple de l'architecture commerciale rurale. Dans ses diverses composantes, la maison témoigne d'une occupation à la fois domestique et marchande.

L'ensemble du site présente un intérêt historique certain. Les bâtiments abritent trois magasins successifs et permettent de reconstituer l'évolution d'un magasin général, longtemps lieu de ravitaillement de la population locale.

Yves Bergeron, ethnologue

MARTIN, Gisèle et Serge MARTIN. *Le site des Lebrun, 192, Pied-de-la-Côte, Maskinongé*. Trois-Rivières, ministère des Affaires culturelles, 1981. 109 p.

Deux bâtiments principaux composent l'actuel magasin. À droite, celui construit en 1827 par Eugène Trudeau; à gauche, l'édifice érigé en 1916 par la famille Lebrun.

Le petit bâtiment à lucarnes, à droite sur cette photographie, a été construit vers 1870 pour servir de magasin général et de bureau de poste.

De Trois-Rivières à La Pérade

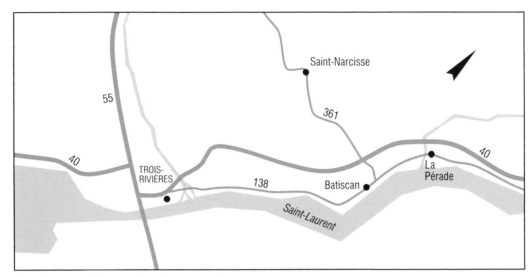

Mis à part les légers escarpements aux abords du fleuve et de ses affluents, la rive nord du Saint-Laurent, de Trois-Rivières à La Pérade, frappe par son absence de relief. Cette plate-forme de terres basses, plutôt étroite, s'étend sur 27 kilomètres au nord de Trois-Rivières et se rétrécit à moins de 10 kilomètres à l'arrière de Batiscan. De là, on aperçoit les moraines de Saint-Narcisse et de Saint-Prosper, premiers massifs de la chaîne des Laurentides. Sur la rive sud du fleuve, à la même hauteur, 45 kilomètres séparent la berge des premières croupes appalachiennes.

Croissance lente

Concédées pour la plupart dans la seconde moitié du XVIIe siècle, les seigneuries du comté de Champlain (Cap-de-la-Madeleine, Champlain, Batiscan, Sainte-Anne) se trouvent à l'origine de plusieurs paroisses qui comptent parmi les plus anciens foyers de colonisation de la province. L'accès facile au fleuve, alors seule voie de communication, joue un rôle déterminant. Ainsi, à Batiscan, un ancien presbytère, classé monument historique, se retrouve à proximité de la rive du fleuve. Comme dans l'ensemble du gouvernement de Trois-Rivières, la population de cette zone s'accroît lentement. En 1760, les deux plus importantes paroisses, Sainte-Anne et Sainte-Geneviève, comptent à peine plus de 500 habitants chacune. Au même moment le bourg de Trois-Rivières renferme seulement 528 habitants.

Au début de la décennie de 1810, l'arpenteur Joseph Bouchette traverse la région en empruntant le chemin du Roy et constate une certaine diversité des activités économiques. Les agriculteurs cultivent alors le blé, l'avoine et le tabac pour la consommation locale et pour les marchés acces-

Construite en 1714, cette église se trouve sur le site de l'important sanctuaire du Cap-de-la-Madeleine et témoigne de l'ancienneté du peuplement de cette région du Québec. (Archives du Séminaire de Trois-Rivières).

sibles par le fleuve. Les activités de navigation occupent des pilotes à Champlain, Batiscan et Sainte-Anne-de-la-Pérade. Ici et là, quelques scieries et moulins à farine répondent aux besoins de la population. Deux villages sont un peu plus considérables que les autres. Celui de Sainte-Anne compte une trentaine de résidences et quelques boutiques, dont la maison Baribeau, monument classé, constitue un bel exemple. L'autre village se situe près des forges de Batiscan, aux abords de la rivière du même nom, à quelques kilomètres au nord de Sainte-Geneviève. En 1814, la fermeture de l'entreprise provoque l'abandon de ce bourg ouvrier d'une quinzaine d'habitations.

De Trois-Rivières à La Pérade

En hiver, la pêche aux petits poissons des chenaux fournit un revenu d'appoint aux habitants du village de Saint-Anne-de-la-Pérade. (Archives du Séminaire de Trois-Rivières).

Démarrage industriel

Le comté de Champlain est particulièrement riche en fer des marais et en bois. L'exploitation de ces ressources fournit aux colons de l'emploi saisonnier et contribue à l'extension rapide des défrichements jusqu'aux contreforts des Laurentides. Une demi-douzaine de paroisses naissent entre 1850 et 1875. Le commerce du bois avec la Grande-Bretagne et la colonisation du territoire stimulent l'industrie du sciage. Au cours de la seconde moitié du XIXᵉ siècle, quelques grandes scieries à Sainte-Anne et à Saint-Stanislas produisent pour le marché occidental, et plus d'une vingtaine d'autres

L'industrie des pâtes et papier s'implante le long de la rivière Saint-Maurice et entraîne le développement de quelques municipalités, dont celle du Cap-de-la-Madeleine. (Archives du Séminaire de Trois-Rivières).

répondent à la demande régionale. À la même époque, les forges Radnor (Saint-Maurice), L'Islet (Mont-Carmel) et Saint-Joseph (Saint-Tite) transforment le fer des marais en divers produits, surtout en gueuses de fonte et en roues de wagon.

Les activités industrielles stimulent également le développement des agglomérations villageoises où convergent les services et le commerce. Au recensement de 1871, près de 40 pour cent de la population se concentre dans les cinq paroisses riveraines du fleuve. Sainte-Anne abrite déjà 1 400 habitants, soit un peu plus du double de la population des autres villages en bordure du fleuve.

Deux types d'agriculture caractérisent cette zone au XIXᵉ siècle. Avant l'arrivée du chemin de fer dans l'arrière-pays à la fin des années 1880, l'éloignement des marchés urbains confine les habitants à une agriculture de subsistance.

À proximité du Saint-Laurent, où le chemin de fer est introduit en 1878, les agriculteurs s'adaptent plus facilement aux exigences du marché car chaque village dispose d'un quai pour l'accostage des goélettes. Cependant, à la fin du siècle, la modernisation des moyens de transport entraîne une spécialisation des agriculteurs dans l'industrie laitière, sur l'ensemble du territoire du comté de Champlain. Entre 1881 et 1901, le nombre de fabriques de beurre et de fromage passe de 2 à 57.

Au tournant du siècle, l'exploitation du potentiel hydro-électrique des rivières de la région modifie le paysage du comté. L'ancienne centrale électrique de Saint-Narcisse, aujourd'hui classée monument historique, illustre ce changement. L'industrie des pâtes et papier s'implante à proximité de la rivière Saint-Maurice où poussent les villes de Cap-de-la-Madeleine, Grand-Mère et La Tuque. Cette caractéristique donne à la population du comté une prédominance urbaine.

René Hardy, historien
Claire-Andrée Fortin, historienne

Site du vieux presbytère

Batiscan
340, rue Principale

Fonction: centre d'interprétation
Classé site historique en 1984

En 1816, les paroissiens de Batiscan construisent une nouvelle habitation pour leur prêtre. Ce bâtiment de pierre perd sa fonction de presbytère en 1866 pour servir de résidence familiale.

Loin du clocher paroissial, en retrait du village, la localisation du vieux presbytère intrigue. Autrefois, l'église se trouvait à proximité de ce dernier. Aux XVIIᵉ et XVIIIᵉ siècles, le premier village de Batiscan s'organise autour de ces deux bâtiments. En 1866, l'église et le presbytère sont relocalisés plus à l'est, suivant le noyau villageois déplacé à proximité de l'embouchure de la rivière Batiscan. En 1874, les flammes consument l'ancienne église, dont il ne reste aucune trace aujourd'hui.

Concédée aux Jésuites en 1639, la seigneurie de Batiscan accueille ses premiers colons, originaires du Cap-de-la-Madeleine, 27 années plus tard. Avant la construction de la première chapelle, au début de la décennie 1670, le curé chantait la messe dans la résidence du lieutenant de milice, Nicolas Rivard de la Vigne.

Située à proximité du site, l'île Saint-Éloy sert alors de lieu de traite et constitue un relais important entre la Mauricie et Québec. Des Amérindiens campent régulièrement à cet endroit. Bâtie sur un terrain fréquemment inondé, la chapelle est abandonnée et remplacée en 1708 par une église de pierre sur un site un peu plus au nord.

Quelques années plus tôt, en 1696, le curé Nicolas Foucault avait fait construire à ses frais un presbytère en pierre. Victime, comme la première église, de plusieurs inondations, il nécessite en 1734 des réparations importantes. Jusqu'en 1809, il sert de résidence au curé. À compter de cette date et jusqu'en 1835, le pasteur de Champlain dessert la paroisse de Batiscan.

Une personnalité clé

Afin d'obtenir de nouveau un curé résident, les paroissiens décident en 1816 de remplacer leur vétuste presbytère par une demeure plus convenable. Le contrat de démolition stipule que la pierre, le granite, le mortier, les clous, les vitres, les ferrures, le bois, les planches et les planchers devront être réutilisés dans la construction du nouveau presbytère. Le marché précise également que Pierre Marcot, de Cap-Santé, doit ériger un bâtiment de pierre de 17 mètres de longueur sur 10,5 mètres de largeur. Ses pignons devaient être également en pierre. Outre le logement du curé, le projet prévoit l'aménagement d'une salle pour les habitants. En dépit de ces efforts, les paroissiens ne parviennent pas à obtenir un curé résident avant 1835. Pendant ce temps, l'édifice semble avoir été occupé par une veuve et sa fille.

En 1836, quelques réparations à l'intérieur et à l'extérieur nécessitent un déboursé de 25 livres. En 1855, le presbytère exige de nouveaux travaux dont les coûts s'établissent alors à 100 livres. À cette époque, une cuisine d'été (aujourd'hui disparue) vient s'accoler à la façade nord. Des avant-toits aux égouts retroussés ainsi que les encadrements et les entablements des ouvertures s'ajoutent à l'ensemble. Le porche, situé sur la façade principale, du côté du fleuve, semble lui aussi remonter à cette période de transformations. Ces travaux contribuent à donner une apparence néo-classique à l'extérieur de la maison, ainsi plus conforme au goût de l'époque.

Nouvelle fonction

En 1866, le presbytère perd définitivement sa fonction au profit d'un bâtiment construit plus à l'est, tout près de la nouvelle église. Joseph Deveau, un cultivateur de Batiscan, acquiert l'ancien presbytère en 1876 puis le cède à son fils qui s'y installe après son mariage, en 1878. Vers 1920, Albert R. Décary l'achète à son tour et l'uti-

lise comme maison d'été. Il le restaure en 1926. Des photographies prises peu de temps avant sa restauration le montrent avec sa cuisine d'été. Il possède alors une lucarne en façade postérieure et deux en façade principale. Des deux souches de cheminée, situées originellement à chacune des extrémités de la toiture, il ne reste que celle du centre, sur le versant de la façade postérieure. On remarque que le pignon ouest possédait initialement un lambris, comme celui de l'est. La maison comptait également une porte à l'extrémité est de la façade principale.

Lors de la restauration, Albert Décary ajoute des lucarnes de chaque côté de la toiture et rétablit les cheminées au-dessus des pignons. Il perce et agrandit des fenêtres sur les deux façades latérales et transforme en fenêtre la porte située à l'extrémité de la partie est de la façade principale. Des plans et relevés ainsi que des photographies intérieures et extérieures réalisés entre 1920 et 1930 par le professeur Ramsay Traquair, de l'université McGill, nous permettent de voir en détail l'état des lieux à cette époque.

La restauration de 1926 touche surtout l'extérieur du bâtiment. Depuis le milieu du XIXᵉ siècle, l'intérieur n'a subi que des rénovations mineures. Certains éléments remontent donc à cette époque et quelques autres à l'origine de la construction. Parmi ceux-ci, mentionnons les cloisons en madriers embouvetés, les plafonds à couvrejoints à l'étage, des moulures et plinthes, l'escalier tournant, plusieurs portes et pièces de quincaillerie, sans oublier la charpente du type à chevrons portant fermes avec faîte, sous-faîte, poinçons et entraits retroussés.

Aujourd'hui propriété de la municipalité de Saint-François-Xavier-de-Batiscan, l'ancien presbytère est accessible au public pendant la saison estivale. L'exceptionnelle qualité et l'état de préservation de son aménagement intérieur lui confèrent une valeur patrimoniale exceptionnelle.

Danielle Larose, ethnologue

Le presbytère avant sa restauration de 1926. (Archives nationales du Québec à Québec, collection initiale).

BERGEVIN, Hélène. *Le vieux presbytère de Batiscan. Étude historique et analyse architecturale.* Québec, ministère des Affaires culturelles, 1982. 188 p.

TRAQUAIR, Ramsay et G.A. NEILSON. *The Old Presbytary at Batiscan Quebec.* McGill University Publications, n° 36 (1933): 12 p.

Ancienne centrale électrique

Saint-Narcisse

Fonction: aucune
classée monument historique en 1963

À Saint-Narcisse, la rivière Batiscan subit une dénivellation en quatre chutes d'environ 49 mètres. L'une d'elles, la Grande Chute, haute de 15 mètres, a été harnachée en 1895 pour fournir de l'électricité à la ville de Trois-Rivières.

En 1897, Charles C. Colby, Édouard-Alfred Lacroix et J.-B. Frégeau fondent la North Shore Power Company et acquièrent le droit d'utiliser une partie des eaux de la rivière Batiscan à la hauteur de la Grande Chute, près de Saint-Narcisse. Un contrat leur garantit le marché de la ville de Trois-Rivières. Dès la formation de leur compagnie, Lacroix et Frégeau entreprennent la construction d'une petite centrale. Ils obtiennent les droits de passage pour l'installation d'une ligne à courant triphasé. Première de l'empire britannique, cette ligne à haute tension d'une capacité de 12 000 volts s'étend sur 27 kilomètres jusqu'à Trois-Rivières.

La centrale comprend un barrage et un bâtiment pour loger l'équipement. À l'emplacement choisi, une île divise la rivière en deux bras. Le bras droit accueille le barrage haut de 30,5 mètres et long de 12 mètres. Avec sa structure de maçonnerie, il est l'un des derniers exemples à subsister encore au Québec. Deux ouvertures sont aménagées pour les conduites d'eau. Une seule sert à alimenter la centrale. Le bras gauche de la rivière demeure libre de toute construction afin de laisser un passage pour le flottage du bois. Les pierres nécessaires à la construction du barrage et de la centrale proviennent du lit de la rivière. Elles sont taillées sur place et des chevaux les transportent jusqu'au chantier. Jusqu'en 1905, l'électricité produite sert essentiellement à l'éclairage. L'usine fonctionne seulement le soir. Des récits rapportent que l'absence de parafoudre force l'arrêt des machines durant les orages.

Ce bâtiment de 1904 témoigne de l'importance de l'ancienne centrale électrique. L'annexe représente environ le tiers de l'ensemble originel.

Agrandissement des installations

La demande croissante d'électricité incite la compagnie à agrandir ses installations. En 1904, elle ajoute une génératrice contrôlée par un régulateur de vitesse. En 1914, la centrale de Saint-Narcisse fournit l'énergie nécessaire à la ligne de tramway liant Trois-Rivières au Cap-de-la-Madeleine.

En 1926, la Shawinigan Water and Power Company construit une nouvelle centrale d'une puissance de 18 000 kilowatts. L'ancienne centrale cesse ses opérations deux ans plus tard. Elle sera démolie en 1950 et son équipement vendu pour du vieux fer, raconte-t-on.

Le bâtiment subsistant, soit l'annexe de 1904, représente environ le tiers de l'ensemble originel. Construction en maçonnerie d'à peu près 16 mètres sur 13, elle est surmontée d'un toit à faible pente. Avec son plancher de madriers, le rez-de-chaussée est un espace complètement libre. Au sous-sol, trois murs de maçonnerie soutiennent les génératrices installées à l'étage. Ces murs comportent des arches par lesquelles l'eau circule avant d'actionner les turbines.

Propriété d'Hydro-Québec, les vestiges de l'ancienne centrale de Saint-Narcisse se trouvent dans un environnement privilégié au cœur du parc de la Batiscan. Ils illustrent une page de l'histoire industrielle de la Mauricie.

Danielle Larose, ethnologue

La centrale de Saint-Narcisse au début du siècle. (Archives d'Hydro-Québec).

GAMACHE, René et Colette LABONTÉ. *Ancienne centrale électrique Saint-Narcisse (Comté Champlain). Relevé et analyse.* Québec, ministère des Affaires culturelles, 1980.

HAMELIN, Georges et Romain BARIL. *Le premier barrage de Saint-Narcisse (1897-1928).* s.l., Les Éditions du Spectre, 1987. n.p.

HOGUE, Clarence. *Québec: un siècle d'électricité.* Montréal, Libre Expression, 1979.

Maison Rivard-Lanouette

La Pérade
791, rue Sainte-Anne

Fonction: maison d'habitation
classée monument historique en 1988

Lᴀ maison Baribeau s'élève en bordure de l'ancien chemin du Roy, à la limite est du village sur un terrain contigu à l'ancien domaine seigneurial.

Le 17 janvier 1669, Pierre Pinot dit Laperle se fait concéder par Michel Gamelin, premier seigneur de la seigneurie de Sainte-Anne, le terrain sur lequel sera plus tard érigée la maison actuelle. Face à l'île Saint-Ignace, il mesure quatre arpents de front. Quelques années après sa mort, survenue en 1708, ses héritiers vendent leurs terres et les bâtiments qui s'y trouvent à Pierre Rivard dit Lanouette. La vente s'effectue par une série de transactions qui prennent fin en 1721. Cultivateur et capitaine de milice, le nouveau propriétaire acquiert, en 1723, une terre située sur l'île Saint-Ignace. Celle-ci sera désormais intimement liée à l'histoire de la maison qui reste dans la famille jusqu'en 1903. À cette date, Théophile Lanouette, qui n'a pas d'enfant, en fait don à Cyprien Baribeau. Sa famille la conservera jusqu'en 1984.

Divers documents permettent de croire que la maison aurait été construite entre 1759 et 1771 par Joseph Rivard dit Lanouette. Cependant, le premier acte notarié qui en donne une description détaillée et prouve, hors de tout doute, qu'il s'agit bien de l'actuelle maison, date de 1821.

De pierre, le bâtiment mesure 12 mètres sur 9 mètres. Du crépi protège ses murs et des bardeaux recouvrent sa toiture. Il possède une cheminée double et sept fenêtres. Son intérieur se divise alors en quatre pièces dont deux principales. Cette répartition correspond sensiblement à la description d'une autre maison située à cet endroit en 1771.

Joseph Rivard dit Lanouette érige vraisemblablement cette maison entre 1759 et 1771.

Carte postale de l'éditeur Pinsonneault de Trois-Rivières montrant la maison Baribeau au début du XXᵉ siècle. (Archives du Séminaire de Trois-Rivières).

Exception faite de quelques modifications mineures, la maison subit peu de transformations. Ainsi, vers 1920, une cheminée de brique remplace celle de pierre, et l'on ajoute un revêtement de tôle sur la toiture. La charpente, probablement à croupes autrefois, a aussi été modifiée.

La maison possède une cave et un rez-de-chaussée surmonté d'un comble partiellement aménagé. La toiture comporte deux versants. Trois lucarnes la percent sur la façade principale. Un revêtement de tôle à la canadienne d'un côté et de tôle ondulée de l'autre, complète l'aspect extérieur du toit. La charpente est du type à chevrons, porte-fermes avec pannes, poinçons, entraits retroussés, faîtes et sous-faîtes.

Le rez-de-chaussée se divise en six pièces. À l'avant, le salon et la cuisine occupent deux vastes espaces tandis qu'à l'arrière d'un couloir central se trouvent quatre chambres.

Ces divisions correspondent sensiblement à celles de 1821. Détail très rare, des plinthes au noir de fumée, plusieurs éléments menuisés et pièces de quincaillerie semblent d'origine.

Par la qualité et l'ancienneté de ses éléments, la maison Baribeau constitue l'un des spécimens d'architecture domestique du XVIIIᵉ siècle les mieux conservés de la région.

Danielle Larose, ethnologue

Lᴀʀᴏsᴇ, Danielle. *La maison Baribeau de Sainte-Anne-de-la-Pérade. Étude historique et architecturale*. Trois-Rivières, ministère des Affaires culturelles, 1986.

Mᴀʀᴄʜᴀɴᴅ, M. *L'évolution historique et juridique des maisons Baribeau, Brouillette, Dorion, Du Tremblay et Gouin Bureau de Sainte-Anne-de-la-Pérade*. Trois-Rivières, ministère des Affaires culturelles, 1985. 49 p.

De Saint-François-du-Lac à Deschaillons

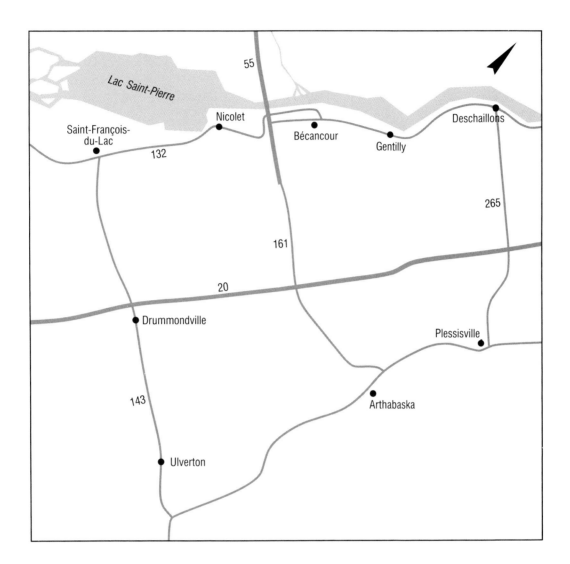

Depuis toujours, la rive sud du fleuve Saint-Laurent constitue la principale source d'approvisionnement alimentaire de Trois-Rivières. Les agriculteurs de cette région écoulent une grande partie de leur production sur les marchés de Québec, Montréal et Trois-Rivières. Jusqu'à ces dernières années, le fleuve Saint-Laurent opposait cependant un obstacle de taille aux communications avec la rive nord. L'ouverture du pont Laviolette, en 1967, règle toutefois définitivement la question.

Depuis quelques décennies, la rive sud connaît un essor économique remarquable au détriment de Trois-Rivières et de sa région. Le dynamisme de certaines villes comme Arthabaska, Victoriaville et Drummondville, et l'immense potentiel du parc industriel et des installations portuaires de Bécancour, attirent les nouveaux investissements. La concentration d'industries lourdes (fonderie, chimie, verre) y est déjà marquée et entraînera vraisemblablement des modifications importantes pour l'avenir des deux rives.

Les premières seigneuries de la rive sud sont concédées au milieu du XVIIᵉ siècle. Les noms de plusieurs d'entre elles (Nicolet, Roquetaille, Godefroy, Bruyère, Bécancour, Gentilly) subsistent encore et identifient quelques villages. À cette époque, le territoire n'offre toutefois pas les avantages de la rive nord et les colons tardent à s'y installer. À la fin du XVIIᵉ siècle, à peine quelques centaines d'individus y habitent alors que la rive opposée en compte déjà plusieurs milliers. Il faut attendre le début du XVIIIᵉ siècle avant que les premiers noyaux d'habitations à l'origine des villages de Gentilly, Bécancour, Nicolet, Baie-du-Febvre, Saint-François-du-Lac se forment à l'embouchure de la plupart des rivières. Au moment de la Conquête anglaise, la rive sud compte 2 116 habitants.

Les premiers foyers de peuplement

L'une des premières concentrations d'habitations se dessine à l'embouchure de la rivière Saint-François. Concédée en 1635 à Jean de Lauson, la seigneurie de Saint-

De Saint-François-du-Lac à Deschaillons

François-du-Lac mesure une lieue et demie de front sur le lac Saint-Pierre par une lieue de profondeur sur la rivière Saint-François. Sitôt acquise, le seigneur s'empresse de la vendre à Pierre Boucher. Les deux premiers propriétaires se désintéressent du développement de leur propriété. Jean Crevier l'achète en 1673 et devient le premier seigneur résident. En 1687, il fait construire un fort sur une île de l'estuaire qui deviendra le noyau du futur bourg de Saint-François-du-Lac. Au début du XVIIIe siècle, Marguerite Hertel, la veuve de Jean Crevier, cède quelques terrains au centre de sa seigneurie pour la création d'une réserve amérindienne. Dans le but de freiner les nombreuses attaques iroquoises, les autorités souhaitent que les Abénaquis du Maine, alliés indéfectibles des Français, s'installent dans la région. En 1760, la réserve d'Odanak compte 700 habitants et constitue la plus importante concentration d'Amérindiens dans le gouvernement de Trois-Rivières.

L'île du Fort se révèle inadéquate comme foyer de colonisation. Installés à l'extrémité nord de la paroisse, les riverains redoutent la traversée de la rivière et du chenal Tardif pour se rendre à la chapelle. Au début du XIXe siècle, plusieurs habitants désertent les environs du lac pour s'installer en amont de la rivière. C'est là, dans le rang de la Grande-Terre, que Joseph Courchesne construit vers 1812 une magnifique résidence de pierre. Elle sera reconnue monument historique en 1968.

Déménagement

Après une lutte acharnée, les habitants de l'île acceptent, en 1849, le déplacement du village sur la rive ouest de la rivière face à la mission abénaquise. L'église construite à ce moment est aujourd'hui classée monument historique. En 1894, le territoire de l'île du Fort devient une paroisse distincte sous le vocable de Notre-Dame-de-Pierreville.

Durant plus d'un siècle, les riverains s'accrochent à ces terres fertiles. Ils y trouvent de la pierre à bâtir en abondance et une riche forêt. Toutes ces conditions favorisent le développement d'une économie rurale relativement prospère qui s'accorde à l'évolution générale du Québec. Vers la fin du XIXe siècle, les agriculteurs se tournent vers l'industrie laitière; chaque village se dote alors d'une beurrerie ou d'une fromagerie. Ces modestes entreprises s'ajoutent aux scieries, tanneries, carderies qui emploient déjà une partie des surplus de la main-d'œuvre agricole.

Au XXe siècle, la diversification économique se poursuit. Les petites agglomérations de jadis deviennent des centres urbains qui regroupent commerces et services. En 1909, le Quebec, Montreal and Southern Railway relie les paroisses de la rive sud entre Longueuil et Lévis, ce qui favorise le mouvement d'urbanisation. Les agriculteurs et les industriels des comtés de Yamaska, Nicolet et Arthabaska accèdent ainsi plus facilement aux grands marchés de Montréal et de la Nouvelle-Angleterre.

De Nicolet à Deschaillons, le paysage offre une succession de villages opulents qui présentent parfois des bâtiments d'une architecture exceptionnelle. Ici, le village de «Saint-Jean Deschaillons» au début du siècle. (Carte postale, Pinsonneault, édit., Archives du Séminaire de Trois-Rivières).

De Saint-François-du-Lac à Deschaillons

Construit vers 1785, le moulin de la seigneurie de Godefroy domine une faible élévation de la plaine. Ce bâtiment se trouve aujourd'hui dans la paroisse Saint-Grégoire-le-Grand, fondée par les Acadiens en 1802. (Carte postale, vers 1900, Pinsonneault, phot., Archives du Séminaire de Trois-Rivières).

Des monuments marquants

De Nicolet à Deschaillons, la route 132 offre un panorama qui témoigne de la richesse architecturale sur la rive sud. Aux enfilades de maisons ancestrales succèdent parfois une église exceptionnelle ou un presbytère digne d'intérêt. À Nicolet, on peut voir l'ancien séminaire, construit entre 1829 et 1833 et partiellement détruit par un incendie en 1973. Sur la rive ouest de la rivière, à Nicolet-Sud, dans le rang Saint-Alexis, se trouve la maison-atelier du célèbre peintre Rodolphe Duguay. Plusieurs municipalités du comté de Nicolet comptent des familles d'Acadiens parmi leurs pionniers. Un grand nombre d'entre eux s'installent près de la petite rivière Godefroy où ils fondent, en 1802, la paroisse de Saint-Grégoire-le-Grand.

Entre 1803 et 1806, les habitants érigent une église et une sacristie, aujourd'hui classées monuments historiques. Il en va de même pour les vestiges de l'un des derniers moulins à vent de la région. Construit en 1785, le moulin de Saint-Grégoire est difficilement accessible et malheureusement laissé à l'abandon. La municipalité de Saint-Grégoire fait actuellement partie, comme les paroisses de Sainte-Angèle-de-Laval, Précieux-Sang, Sainte-Gertrude, Gentilly et Bécancour, de la ville de Bécancour. À Gentilly, quelques kilomètres plus à l'est, s'élève la magnifique église Saint-Édouard et le moulin Michel. Ce dernier, construit vers 1739 sur la petite rivière Gentilly, permet aux visiteurs de se familiariser avec la technique des moulins à eau.

Par Saint-François-du-Lac, le visiteur peut accéder à l'intérieur des terres. À la fin du XVIIIᵉ siècle, la rivière Saint-François permet de découvrir ce territoire. Une grande partie des loyalistes américains s'implantant dans les Cantons-de-l'Est, le long de la rivière au parcours parfois difficile. Au lendemain de la guerre de 1812, une nouvelle vague d'immigration anglophone amène le major général Frédéric-George Heriot en compagnie d'un contingent de soldats. En 1832, l'agglomération de Drummondville compte déjà une quarantaine de familles qui tirent leur subsistance des deux moulins à farine, du moulin à carder, du moulin à fouler, des trois scieries, des quatre tanneries et des quatre fabriques de potasse.

Instrument de prospérité

Au début du XXᵉ siècle, l'exploitation de l'énergie hydraulique de la rivière Saint-François fait de Drummondville un important centre industriel régional. Quelques bâtiments témoignent de cette prospérité comme le manoir Trent, construit entre 1837 et 1848 et situé près du parc des Voltigeurs. La maison Mitchell-Marchessault, à l'angle des rues Lindsay et Saint-Georges, marque également l'histoire de Drummondville, tout comme un moulin à tisser et à carder la laine, datant de 1868, sur le cours de la petite rivière Ulverton. Abandonné depuis 1945, le site a été classé avec le moulin en 1975 et restauré depuis.

À l'exemple de Drummondville, plusieurs communautés d'anglophones ont essaimé le long de la rivière Saint-François. Si toutes n'ont pas connu un développement aussi marqué, elles partagent un isolement relatif du reste du Québec. L'ouverture de la première route pour relier Drummondville, Saint-François-du-Lac et le lac Saint-Pierre remonte à 1816. À la recherche d'une

De Saint-François-du-Lac à Deschaillons

La source Abénaquis, à Saint-François-du-Lac, évoque l'établissement des Amérindiens sur les terres de la seigneurie Marguerite-Hertel au début du XVIIIᵉ siècle. (Carte postale, vers 1900, Pinsonneault, phot., Archives du Séminaire de Trois-Rivières).

voie plus directe pour écouler leur production de potasse et de perlasse et avec l'aide du gouvernement, les habitants des Cantons construisent alors plusieurs routes qui vont incidemment favoriser l'immigration. Ces chemins, souvent de simples sentiers battus inutilisables durant une grande partie de l'année, partent de Drummondville et se rendent à Saint-Antoine-de-la-Baie-du-Febvre, Nicolet et Saint-Grégoire. La première route carrossable reliant l'ensemble des villages situés sur les rives du Saint-Laurent date du début du XIXᵉ siècle. En 1891, ce réseau routier se double d'un tracé de chemin de fer entre Saint-Hyacinthe et le quai de Nicolet, à l'embouchure de la rivière. Déjà, en 1834, la British American Land Company y avait construit un important débarcadère qui deviendra le port Saint-François. À cet endroit débarquaient les immigrants anglophones recrutés par la compagnie chargée de coloniser les Cantons-de-l'Est.

Nouveaux développements

Vers le début du XIXᵉ siècle, la fragmentation des terres de la zone seigneuriale oblige les fils de cultivateurs à émigrer vers les vastes espaces libres des Cantons-de-l'Est. Au cours de la décennie 1830, quelques habitants des vieilles paroisses de Nicolet, Saint-Grégoire, Gentilly et Bécancour s'aventurent par la rivière du même nom au-

delà de l'immense savane de Standford. Ils veulent «squatteriser» les lots du piémont des Appalaches. Les premiers colons de la région des Bois-Francs restent toutefois longtemps prisonniers de cette savane.

Le premier chemin entre Gentilly et Arthabaska, qui rejoint le chemin Gosford en direction de Sherbrooke, s'ouvre en 1845. Une décennie plus tard, la construction du chemin de fer du Grand Tronc insuffle à la région un dynamisme nouveau. Tout le long du parcours, qui va de Lévis à Richmond, plusieurs agglomérations comme Victoriaville naissent à proximité d'une gare ferroviaire. Entre 1850 et 1860, la population des Bois-Francs double, passant de 7 656 à 14 642 habitants. Un embranchement entre Sainte-Angèle-de-Laval et Arthabaska, inauguré en 1864, permet de relier la région au fleuve. Un système de traversiers assure la navette entre la station Doucet's Landing (Sainte-Angèle-de-Laval) et Trois-Rivières. Arthabaska et Victoriaville deviennent alors les principaux centres urbains de la région.

À Arthabaska, il est possible de visiter la maison du peintre Suzor-Côté et celle de l'ancien premier ministre du Canada, sir Wilfrid Laurier. Une incursion plus poussée, le long de la voie ferrée, permet d'atteindre la maison Cormier de Plessisville qui rappelle l'esprit d'entreprise et la prospérité des gens de la région.

Alain Gamelin, historien

En collaboration. *Macro-inventaire des comtés de Nicolet, Drummond et Arthabaska*. Québec, ministère des Affaires culturelles, 1982. Paginations diverses.

MAILHOT, Charles-Édouard. *Les Bois-Francs*. Arthabaska, Imprimerie d'Arthabaska inc., 1969. 491 p.

Église Saint-François-Xavier

Saint-François-du-Lac
440, rue Notre-Dame

Fonction: lieu de culte
Classée monument historique en 1957

Œuvre des entrepreneurs-sculpteurs Alexis et Michel Milette, la chaire fait partie du décor originel exécuté entre 1853 et 1860.

Vers 1839, l'architecte Thomas Baillairgé dresse les plans de l'église Saint-François-Xavier. La construction débute en 1845 et prend fin quatre ans plus tard.

Érigée canoniquement en 1714, la paroisse de Saint-François-du-Lac connaît deux chapelles de bois et deux églises de pierre, toutes localisées à des endroits différents. La première chapelle est bâtie vers 1684 sur l'île du Fort. Construite à la fin du XVIIe siècle, la deuxième sert au culte jusqu'à son remplacement en 1735 par une église de pierre. La construction de l'église actuelle débute, en 1845, selon les plans de l'architecte Thomas Baillairgé, et se termine quatre ans plus tard.

De style néo-classique, cette église ne comporte pas de transept. Son plan appartient au type dit à la récollet. Elle possède une nef à trois vaisseaux, réunis sous un même toit. Celui du centre se prolonge par un chœur de même largeur, une abside en hémicycle et enfin par la sacristie. La composition de sa façade reflète le mode de division intérieure: la partie centrale, couronnée d'un fronton de bois revêtu de tôle, correspond à la nef principale. Les deux vaisseaux latéraux se poursuivent chacun en façade principale par une tour-porche surmontée d'un clocher. Ce type de composition se rencontre dans d'autres églises conçues par Thomas Baillairgé, notamment dans celles de Pierrefonds et de Baie-du-Febvre (aujourd'hui disparue). À quelques détails près, cette dernière possédait une façade identique à celle de Saint-François-du-Lac. Le couronnement de la partie centrale a été réalisé en bois pour alléger la façade. Ce procédé se répète également dans d'autres églises de la région construites sur un sol argileux.

Véritable coffre à trésors

Lors des travaux de construction de l'église Saint-François-Xavier, la maçonnerie a été confiée à Paschal Dauplaise, la charpente et la menuiserie à Jean-Baptiste Hébert et Alexis Milette. L'essentiel du décor intérieur originel a été exécuté entre 1853 et 1860 par Alexis et Michel Milette, des entrepreneurs sculpteurs de Yamachiche liés à l'école de Quévillon. Parmi les éléments les plus significatifs de ces artisans, signalons les colonnes, les parties d'entablements situées au-dessus de celles-ci ainsi que la chaire. La plupart des meubles, objets et tableaux qui ornent l'ancienne église, tels bancs, confessionnaux, tableaux ou le tabernacle, ont été déménagés dans le nouveau temple. Le tabernacle, aujourd'hui disparu, avait été réalisé en 1721 par Jean-Jacques Bloem dit Leblond, sur le modèle de celui de la chapelle des Récollets de Trois-Rivières. De tous les objets provenant de l'ancienne église et faisant partie du décor actuel, seuls subsistent un chandelier pascal orné de chérubins réalisé en 1825-1826 et quatre tableaux

anonymes exécutés au XVIIIe siècle. L'un de ceux-ci domine le maître-autel et représente *Saint François Xavier ressuscitant un mort*. Un autre surplombe l'autel latéral droit et montre *Saint Joseph tenant l'Enfant Jésus*. Les deux derniers ornent les bas-côtés et représentent *L'ange gardien* et le *Baptême du Christ*.

Entre 1856 et 1861, l'architecte Thomas Allard, entrepreneur et sculpteur de Saint-Pierre de Durham, exécute les fausses voûtes et les fonts baptismaux. Ces derniers sont placés dans la sacristie comme à Saint-Denis-sur-Richelieu. Il effectue également certains travaux dans la sacristie. En 1871, il refait les murs des longs pans de l'église et leurs enduits; Thomas Allard répare aussi la charpente des clochers suivant les plans de Victor Bourgeau, architecte de Montréal.

En 1881, Joseph Héroux répare le clocher. En 1883, les fabriciens renouvellent le bardeau de la toiture et commandent divers autres travaux dans l'église et la sacristie. L'année suivante, les toitures de l'église et de la sacristie reçoivent un recouvrement de tôle galvanisée.

Suivant les plans de l'architecte montréalais Louis-Zéphirin Gauthier, Delphisse-

Adolphe Beaulieu entreprend, en 1885, d'importants travaux de rénovation à l'intérieur de l'église. Il pose entre autres un nouvel enduit, construit une tribune afin d'y placer un nouvel orgue, restaure une partie des voûtes du chœur et de la nef, leurs entablements, la peinture et le décor peint.

D.-A. Beaulieu a également réalisé les trois fresques de la fausse voûte du chœur qui représentent *Saint François Xavier évangélisant un Indien*, *La mort de saint François-Xavier* et *Le Bon Pasteur*. Une statue de la Vierge en carton-pâte, exécutée vers 1850 par les sœurs Grises de Montréal, décore la partie supérieure de l'autel latéral droit.

Gisèle Beaudet,
diplômée en ethnographie traditionnelle

CHARLAND, Thomas-Marie. *Histoire de Saint-François-du-Lac*. Ottawa, Collège dominicain, 1942. 364 p.

NOPPEN, Luc. *Les églises du Québec (1600-1850)*. Montréal et Québec, Éditeur officiel du Québec/Fides, 1978. 298 p.

RUEL, Andrée. *Dossier d'inventaire sur l'église de Saint-François-du-Lac*. Trois-Rivières, ministère des Affaires culturelles, 1977. n.p.

Maison Courchesne

Saint-François-du-Lac
208, rue Notre-Dame

Fonction: maison d'habitation
Classée monument historique en 1968

Sise dans le rang de la Grande-Terre à Saint-François-du-Lac, le long de la rivière Saint-François, cette maison aurait été construite vers 1812 par Joseph Courchesne. Une légende circule à son propos dans la région. Chef de bataillon des patriotes, Courchesne fut pourchassé par les forces de l'ordre au moment de la Rébellion de 1837. Terré dans la cave de sa maison jusqu'au départ des troupes, il gagna ensuite Trois-Rivières en patins de bois, par la rivière Saint-François et le lac Saint-Pierre.

La maison Courchesne possède une cave, un rez-de-chaussée et un comble aménagé sous une toiture à deux versants. Ses murs ainsi que ses pignons sont en moellons équarris, laissés apparents du côté extérieur. Dans son état actuel, elle se rattache au style néo-classique. On le remarque notamment par les avant-toits aux égouts retroussés de sa toiture, dans la répartition symétrique des ouvertures en façade principale et par ses cheminées coordonnées. Certains éléments de l'intérieur, comme les plafonds à couvre-joints formant caissons et plusieurs portes

à deux panneaux verticaux, traduisent la même influence.

Une porte et trois fenêtres percent la façade postérieure. Une autre fenêtre, aujourd'hui murée, existait également avant 1970. Les façades latérales présentent deux fenêtres en pignons: un des murs pignons possède deux fenêtres, et l'autre, une seule.

En 1979, des bardeaux d'asphalte remplacent la tôle ondulée de la toiture. Le bardeau de cèdre composait vraisemblablement le recouvrement d'origine. Une lucarne centrale a été ajoutée récemment du côté de la façade postérieure. De type à chevrons portant fermes, la charpente ne possède ni entraits, ni pannes ou poinçons. Plusieurs chevrons-arbalétriers portent toutefois la trace d'un assemblage, ce qui permet de croire que certaines fermes possédaient jadis un entrait retroussé. En dépit des nombreuses transformations subies depuis l'époque de sa construction, la maison possède un foyer surmonté d'un épais linteau constitué d'un seul morceau de pierre calcaire.

Vers 1812, Joseph Courchesne, futur chef d'un bataillon de patriotes, fait construire cette maison de pierre aux allures néo-classiques.

À ce jour, la maison Courchesne n'a fait l'objet d'aucune étude approfondie. Aussi nombre de questions sur son évolution ou ses propriétaires successifs demeurent-elles encore sans réponse. Même si la maison conserve certains secrets, elle représente déjà un témoin majeur du patrimoine architectural de la région.

Jacques Dorion, ethnologue

LEAHY, Georges et Pierre LAGUEUX. *La maison Courchesne: relevé et analyse.* Québec, ministère des Affaires culturelles, 1980. n.p.

Manoir Trent

Drummondville
Parc des Voltigeurs

Fonction: centre d'interprétation
Classé monument historique en 1964

Le manoir Trent se situe près de Drummondville dans le parc des Voltigeurs, sur la rive est de la rivière Saint-François, en bordure de l'autoroute 20. Octroyé en franc et commun soccage à Michel Chapdeleine en 1804, le terrain sur lequel s'élève le manoir passe ensuite à Marie Deland. À sa mort, elle le cède à son fils Henry Menut. En 1837, le nouveau propriétaire le vend à George Norris Trent, un ancien officier de la marine anglaise, nouvellement arrivé au pays avec deux enfants mineurs. Une maison de bois existe alors sur le site. Trent s'y installe et, en tant que «gentleman farmer», entreprend l'exploitation de ses terres. Il baptise alors son nouveau domaine du nom de Wolly Cap Hall. Cette appellation conduit à qualifier improprement de manoir l'habitation qu'il se fait construire. En effet, celle-ci se trouve à l'extérieur de l'aire seigneuriale.

De 1837 à 1842, George Norris Trent, aidé de ses employés, érige une maison de pierre adjacente à celle de bois. À compter de ce moment, il occupe le nouveau corps de logis et ses employés demeurent dans l'habitation précédente. En 1848, une construction en pierre remplace l'ancienne section en bois. Celle-ci conserve son aménagement intérieur d'origine qui se compose d'une salle à manger, d'un garde-manger, d'une bibliothèque, d'un salon avec foyer et d'un escalier cloisonné permettant d'accéder aux combles où se trouvent les cham-

bres. Le rez-de-chaussée comporte deux ou trois chambres et une salle commune avec foyer servant également de cuisine. Inhabité, l'étage sert de grenier.

De père en fils

En 1854, George Norris Trent retourne en Angleterre où il meurt en 1857. Son fils Henry hérite alors de la propriété et poursuit le travail amorcé par son père. Outre l'élevage et l'exploitation du bois, il diversifie la production agricole et s'adonne à divers types de culture tels que le lin, le tabac, la vigne, les pommes et les framboises. Il exploite également une érablière.

Au cours des années 1860, il apporte des transformations aux deux corps de logis, mais la majorité d'entre elles touchent la maison de 1848. En façade, il remplace une fenêtre par une porte double qui devient l'entrée principale des deux maisons. À l'intérieur, il déplace certaines cloisons afin de combiner la cuisine et la salle à manger et former le dégagement central. Henry Trent meurt en 1906 et lègue sa propriété à son fils Frédéric.

Au début du siècle, Frédéric cloisonne les combles de la nouvelle section et hausse le toit au même niveau que celui de l'autre corps de logis. Il ajoute deux lucarnes sur chacun des versants et remplace le recouvrement en bardeaux de la toiture par de la tôle à baguettes.

Érigé en deux phases par George Norris Trent, ce bâtiment, d'abord connu sous le nom de Wolly Cap Hall, domine la rivière Saint-François.

En 1964, le gouvernement du Québec acquiert la propriété et aménage l'année suivante un vaste terrain de camping et de récréation, connu depuis sous le nom de parc des Voltigeurs. En 1973, des architectes restaurent le manoir dans l'état où il se trouvait dans les années 1860. Ils reconstituent également plusieurs de ses dépendances telles une menuiserie, une forge, une grange-étable et une sucrerie. Des puits et un four à pain complètent le décor. Accessible au public et utilisé à des fins d'interprétation, le manoir et ses dépendances présentent l'évolution agraire de 1815 à 1975. Les visiteurs peuvent admirer sur place près de 1 200 instruments aratoires et de nombreux outils.

Gisèle Beaudet,
diplômée en ethnographie traditionnelle

VERRIER, Claude. *Recherches historiques sur le «Domaine Trent» et le «Manoir Trent»*. Trois-Rivières, ministère des Affaires culturelles, 1973. Paginations diverses.

Maison Mitchell-Marchessault et écurie

Drummondville
131, rue Saint-Georges

Fonction: maison d'habitation
Classée monument historique en 1981

Œuvre de l'architecte Louis Caron (1894), la
maison Mitchell-Marchessault se dresse sur la
rue Saint-Georges, à proximité du centre
hospitalier George-Frederic.

LA maison Mitchell-Marchessault occupe un vaste terrain boisé à l'angle des rues Saint-Georges et Newton, à Drummondville. Avec la maison Montplaisir, située sur la rue Brock, elle représente un des rares exemples d'architecture domestique du XIXᵉ siècle.

Après l'incendie de sa demeure de bois, en 1893, William Mitchell fait ériger la maison actuelle sur un terrain acquis de John Johnson en 1888. Selon une pierre datée en façade principale, la maison aurait été construite en 1894. Même si l'on ne possède aucune preuve formelle, tout porte à croire que les plans seraient l'œuvre de l'architecte Louis Caron de Nicolet. En effet, les Caron, père et fils, construisent plusieurs résidences dans la région et la résidence Laurier à Arthabaska présente une certaine ressemblance avec la maison Mitchell-Marchessault.

Le 1ᵉʳ septembre 1917, William Mitchell vend sa propriété à Bernadette Bélisle, épouse de Joseph-Louis Marchessault, un marchand de Drummondville. La maison appartient à cette famille jusqu'en 1978 et ne subit aucune transformation importante au cours du XXᵉ siècle.

Le style Eastlake

La résidence Mitchell-Marchessault traduit l'influence du mouvement éclectique qui caractérise l'architecture de la fin du XIXᵉ siècle. Ce mouvement trouve sa pleine expression dans le style néo-reine-Anne qui, d'une façon assez libre, emprunte à différentes époques ou pays. Une variante de ce style, appelée Eastlake, connaît une popularité certaine aux États-Unis entre les années 1880 et le début du XXᵉ siècle.

Diffusé par l'intermédiaire de nombreux catalogues de modèles, le style Eastlake vient des idées émises, en 1868, dans *Hints on Household Taste* par l'architecte anglais Charles Lock Eastlake. Populaire aux États-Unis, l'ouvrage est réédité à six reprises après 1872.

À la même époque, ce style connaît un certain engouement au Canada. Les encadrements de portes et de fenêtres de la maison Mitchell-Marchessault, les parties menuisées et les tuiles vernissées des foyers, les papiers peints embossés qui recouvrent les murs du corridor du rez-de-chaussée et celui de l'étage, et certains plafonds décorés de motifs au pochoir, témoignent de cette influence. Plusieurs meubles du dernier tiers du XIXᵉ siècle s'inspirent aussi du style Eastlake.

L'extérieur de la maison s'inspire du style Renaissance à l'italienne dans son interprétation néo-reine-Anne. Cette dernière se retrouve également dans les éléments de décor qui ornent les pignons de l'écurie. Situé à l'arrière de la maison, ce bâtiment se trouve dans un excellent état de conservation et l'on peut encore y voir les stalles d'origine à poteaux tournés et sculptés.

Nicole Cloutier, historienne de l'art

CLOUTIER, Nicole. *Maison Mitchell, 131, Saint-Georges, Drummondville. Historique et analyse architecturale.* [s.l.], ministère des Affaires culturelles, 1980. 40 p.

CHARLAND-RAJOTTE, Ernestine. *Drummondville 150 ans de vie quotidienne au cœur du Québec.* Drummondville, Éditions des Cantons, 1972. 153 p.

Plusieurs éléments de décoration illustrent le style Eastlake, notamment les tuiles vernissées du foyer et les papiers peints embossés.

À l'arrière de la maison, l'écurie possède des pignons inspirés du style néo-reine-Anne.

Moulin de la rivière Ulverton (Blanchet)

Ulverton
210, chemin Porter

Fonction: centre d'interprétation
Reconnu monument historique en 1977

Petit village enchanteur des Cantons-de-l'Est, Ulverton se trouve sur la route 143 entre Drummondville et Sherbrooke. Un peu à l'écart, le moulin de la rivière Ulverton se situe sur le lot 10 du sixième rang. Les visiteurs peuvent y accéder facilement par l'autoroute 55, au sud du village.

Jusqu'à récemment, plusieurs personnes croyaient que le moulin avait été construit en 1868 par John Porter pour William Dunkerly, un opérateur de moulin originaire d'Angleterre. Cependant, des documents attestent l'existence d'un moulin en 1849 sur cet emplacement. Des artisans y sciaient le bois et cardaient la laine. En 1851, le canton de Durham, dans lequel se trouve Ulverton, se distinguait pour la production d'étoffes et le seul moulin à carder connu appartenait à W. Dunkerly.

En 1906, Joseph Blanchette signe une promesse d'achat du moulin. Il verse 200 dollars comptant et s'engage à payer le reste des 3 000 dollars requis en couvertures de laine, soit 1 600 pièces pesant près de deux kilogrammes chacune. Le 9 janvier 1914, il en devient propriétaire et le restera pendant 25 ans.

Le moulin, connu sous le nom de Ulverton Woolen Mills, fonctionne à plein régime pendant cette période. La laine arrive de partout: des environs, de la province et même de la Nouvelle-Zélande. Les ouvriers lavent, teignent, cardent et filent la laine avec laquelle ils confectionnent des couvertures, des châles, des tissus et de la flanelle. En 1939, Joseph Blanchette cède son moulin à des commerçants de Kamouraska qui l'exploitent jusqu'en 1944, puis abandonnent le bâtiment.

Construit en charpente lambrissée de bardeaux à l'extérieur, le moulin repose sur des fondations de pierre. Sa toiture, couverte de bardeaux, se divise en trois parties correspondant à des charpentes différentes. La plus haute, à deux versants, est flanquée sur chacun de ses côtés d'une toiture en appentis, située plus bas et de même pente. Cette disposition résulte de la grande largeur du moulin et de la nécessité de diviser la charpente en trois sections afin de pouvoir la couvrir. Le moulin possède de vastes espaces intérieurs éclairés par de nombreuses fenêtres. Chaque pignon possède des fenêtres en forme de losange. Ce modèle se retrouve fréquemment dans des granges de la Nouvelle-Angleterre, notamment au Vermont.

Des fouilles archéologiques menées sur le site révèlent l'existence d'autres activités, notamment une teinturerie, située près du moulin. Un pont couvert, construit en 1885 par John Porter, s'élevait également à proximité jusqu'en 1958. Depuis 1982, le moulin connaît une nouvelle vocation. Des guides y expliquent les méthodes artisanales et industrielles de production et de traitement de la laine à l'aide de machines diverses. Les visiteurs peuvent y admirer une impressionnante fileuse (un des rares spécimens au Québec), une échiffeuse, un moulin à carder, un vieux métier à tisser, tous en état de fonctionner. Aux alentours, des sentiers pédestres permettent d'apprécier cet environnement enchanteur.

Hélène Deslauriers, archéologue

Construit au milieu du XIX *siècle sur la rivière Ulverton, le moulin Blanchet et son site servent de halte routière et de centre d'interprétation.*

Pluram. *Étude du patrimoine architectural sitologique et archéologique d'Ulverton*. Québec, ministère des Affaires culturelles, 1982. 243 p. 2 tomes.

Maison Wilfrid-Laurier

Arthabaska
16, rue Laurier Ouest

Fonction: musée
Classée monument historique

LA rue Laurier, à Arthabaska, abrite une maison de brique rouge à deux étages, particulièrement remarquable. Elle s'élève devant un boisé, au bout d'une entrée en demi-cercle bordée d'érables. Il s'agit bien sûr de la maison de Wilfrid Laurier, «l'homme à la parole d'argent» dont la gloire demeure liée à Arthabaska.

Né à Saint-Lin en 1841, Wilfrid Laurier ouvre un bureau d'avocat à Arthabaskaville en 1869. L'année suivante, il épouse Zoé Lafontaine, jeune professeure de piano qui se distingue par sa douceur, sa simplicité et surtout sa générosité. D'ailleurs, le jeune couple s'intéresse de façon marquée aux carrières de plusieurs jeunes artistes.

Deux de leurs protégés, Alfred Laliberté et Marc-Aurèle De Foy Suzor-Côté, artistes originaires de la région, sculptent un buste de Wilfrid Laurier en guise de remerciements; cette œuvre se trouve toujours sur le terrain en face de la résidence.

Passionné par la politique, Laurier se fait élire comme conseiller puis accède à la mairie d'Arthabaska en 1881; député de sa circonscription provinciale en 1871, puis fédérale en 1874, il entre au cabinet d'Alexander Mackenzie trois ans plus tard. En 1887, il prend la tête du Parti libéral et devient, en 1896, le premier Canadien français à diriger le gouvernement du Canada.

La maison Laurier...

Œuvre de l'architecte Louis Caron, cette villa à l'italienne reflète la réussite sociale de Wilfrid Laurier. De forme carrée, les quatre coins du bâtiment sont soulignés par un chaînage en brique peint en blanc, imitant la pierre de taille. Un arc en plein cintre contournant un oculus agrémente la corniche du toit à denticules et consoles. D'autres éléments contribuent à lui donner son allure victorienne: la balustrade qui entoure le terrasson du toit, les fenêtres cintrées, les oriels, le superbe porche rehaussé de colonnes à chapiteaux et surmonté d'un balcon. À l'arrière, une véranda couverte s'adosse à la maison.

Malgré son départ d'Arthabaska pour Ottawa en 1896, Wilfrid Laurier demeure propriétaire de la résidence et y séjourne tous les étés jusqu'à son décès en 1919. Durant les automnes et les hivers, entre 1910 et 1920, le juge Joseph-Camille Pouliot et sa famille habitent la maison. À la mort de lady Laurier, en 1921, sa nièce Pauline Laurier-Harvey hérite de la propriété. En 1928, elle la vend à deux hommes d'affaires canadiens-anglais, messieurs Cameron et Timmins, qui la remettent au gouvernement du Québec à la condition d'en faire un musée à la mémoire de Wilfrid Laurier.

...transformée en musée

Grâce au député de Drummond-Arthabaska, Joseph-Édouard Perreault, et à son épouse, Madeleine Richard, la maison Laurier ouvre ses portes au printemps 1929 et devient un musée provincial dès 1934. Les pièces principales ont retrouvé leur mobilier originel. En pénétrant dans le vestibule, l'œil s'attarde sur la grandeur des pièces, la hauteur des plafonds et la beauté du décor, traits qui témoignent davantage de l'aisance et du confort que de la richesse.

Le vaste salon, reconstitué avec un souci du détail évident, contient encore les fauteuils, les causeuses et le piano des Laurier. Le décor, marqué par l'opulence, recrée l'ambiance qui régnait à la Belle Époque: la cheminée de marbre blanc surmontée d'un immense miroir, les rideaux en dentelle suspendus sur des tringles de cuivre conformes aux originales, le grand tapis rouge sur un plancher de bois franc, les plafonniers, les sculptures ici et là et les tableaux accrochés sur les murs couverts de papier peint au motif ancien comptent parmi les éléments les plus intéressants.

La salle à manger, au bout du corridor, date de 1914 et traduit les goûts des années d'après-guerre avec les plinthes et les cadrages en bois vernis ainsi que le plafond à faux caissons. La chambre à coucher des maîtres se trouve aussi au rez-de-chaussée. À l'étage, les chambres ont été transformées en salles d'exposition. Le petit bureau conserve les

Construite en 1876 par l'architecte-entrepreneur Louis Caron, cette maison victorienne présente plusieurs caractéristiques des villas à l'italienne.

meubles de l'étude d'avocat de Laurier, des livres, divers documents originaux et un immense album contenant toutes les adresses présentées à Laurier.

Le musée Laurier garde aussi des œuvres du peintre Marc-Aurèle De Foy Suzor-Côté, des sculpteurs Alfred Laliberté et Philippe Hébert. L'institution offre depuis plus de dix ans un programme d'expositions très varié.

Il faut un jour passer par Arthabaska, ce chef-lieu du comté du même nom situé à mi-chemin entre Québec et Sherbrooke. Une simple promenade avec un œil braqué sur l'architecture et une conscience ouverte sur l'histoire suffira à vous ramener magiquement au siècle passé. Il vous restera à suivre l'élan proposé par ce site.

Gisèle Beaudet,
diplômée en ethnographie traditionnelle

BEAUDET, Gisèle et autres. *Le patrimoine architectural dans les Bois-Francs. Victoriaville — Arthabaska.* Tome I. Arthabaska, Société du Musée Laurier, 1984. 332 p.

BÉLANGER, Réal. *Wilfrid Laurier, quand la politique devient passion.* Québec et Montréal, Les Presses de l'université Laval/Les entreprises Radio-Canada, 1986. 484 p.

Maison Suzor-Côté

Arthabaska
846, boulevard des Bois-Francs Sud

Fonction: maison d'habitation
Reconnue monument historique en 1975

Intimement liée à l'histoire d'Arthabaska, la maison Suzor-Côté se dresse en face de l'hôtel de ville. Au milieu du XIXᵉ siècle, la construction d'un palais de justice à Arthabaskaville attire plusieurs professionnels comme des notaires et des avocats qui contribuent au développement d'un milieu bourgeois. Quelques demeures cossues du village témoignent encore de cette époque.

À l'âge de 21 ans, le notaire Théophile Côté, père de l'illustre peintre, s'établit à Arthabaskaville. Après son mariage avec Cécile-Adèle Suzor, il fait construire en 1859 une maison de brique par François Gaudet. Le peintre y voit le jour le 6 avril 1869.

Baptisé Marc-Aurèle, celui-ci fait plus tard ajouter au nom de famille de son père, ceux de sa mère et de sa grand-mère maternelle. Marc-Aurèle De Foy Suzor-Côté manifeste dès son jeune âge des aptitudes pour la peinture et le chant.

À l'âge de 18 ans, il travaille sous la direction du peintre Maxime Rousseau à la décoration de différentes églises du Québec, dont celle d'Arthabaska. En 1891, il part pour la France avec son ami Joseph Saint-Charles. Il s'inscrit à l'École des beaux-arts de Paris et au Conservatoire, où il suit des cours de chant. Malheureusement, une opération à la gorge lui enlève toute possibilité de poursuivre une carrière à l'opéra. Dès lors, il s'adonne exclusivement à la peinture et à la sculpture. Il passe par les académies Julian et Colarossi où il se mérite le premier prix de composition et de dessin ainsi que deux médailles, une d'argent et une de bronze. Vers 1907, il revient au pays et s'installe à Montréal, où il conserve un atelier jusqu'à sa mort.

Il retourne chaque été dans son village et s'y fait aménager un atelier où il peint et sculpte nombre de ses œuvres. Certaines d'entre elles se trouvent encore à Arthabaska, notamment à l'église Saint-Christophe et au musée Laurier. À la suite d'une attaque d'hémiplégie qui le laisse paralysé du côté gauche, Suzor-Côté se retire en Floride, à Daytona Beach, où il meurt le 27 janvier 1937 à l'âge de 67 ans. Il repose dans le cimetière de sa paroisse natale. La famille hérite alors de la maison d'Arthabaska et l'habite jusqu'en 1955.

Construite en brique, dans le style néo-classique, la demeure possède un rez-de-chaussée et un étage sous les combles. Au fil du temps, elle subit quelques transformations. Vers 1950, les propriétaires ajoutent un oriel sur un des murs pignons. En 1974, du bardeau d'asphalte remplace la tôle à baguettes sur la toiture et l'annexe, réservée aux domestiques, reçoit un revêtement de tôle. En 1956, la ville d'Arthabaska ouvre la rue Côté, ainsi nommée en souvenir du grand peintre. À cette occasion, les autorités municipales déménagent son atelier, situé dans l'axe de la nouvelle rue, et le transforment en habitation.

Gisèle Beaudet,
diplômée en ethnographie traditionnelle

BEAUDET, Gisèle, et autres. *Le patrimoine architectural dans les Bois-Francs. Tome 1: Victoriaville — Arthabaska*. Victoriaville, Société du musée Laurier inc., 1984. 332 p.

Anonyme. *Maison Suzor-Côté*. Arthabaska, Société d'histoire d'Arthabaska, 1979. n.p.

Construite par François Gaudet en 1859, cette maison de brique voit naître le 6 avril 1869 le peintre Marc-Aurèle De Foy Suzor-Côté.

Maison Cormier

Plessisville
1353, rue Saint-Calixte

Fonction: édifice à bureaux
Reconnue monument historique en 1978

Construite en 1885 et 1886 par l'architecte Elzéar Charest, la maison appartient d'abord à Charles Cormier qui joue, avec son fils Napoléon-Charles, un rôle de premier plan à Plessisville et dans la région.

Revêtue de brique rouge avec des chaînages d'angle, la maison Cormier possède des ouvertures en pierre de taille avec linteaux. Ces détails architecturaux expriment l'influence du style Second Empire dans une de ses interprétations à l'italienne, très en vogue à l'époque. Elle compte alors 23 pièces dont plusieurs à l'usage des domestiques. Même si l'intérieur connaît de nombreux changements au fil des ans, certaines de ses composantes, tels l'escalier central, les foyers, les riches boiseries, les moulures et les corniches de plâtre de certaines pièces reflètent la richesse de son aménagement initial. Longtemps le théâtre de réceptions, la maison accueille l'élite de Québec, de Montréal ou de la région de Plessisville.

Natif de Bécancour, Charles Cormier (1813-1887) s'installe à Montréal en 1821. D'abord simple commis dans un commerce, il acquiert un magasin en 1839. Pendant cette période, il milite activement dans l'association des Fils de la Liberté et défend avec ardeur les intérêts des francophones à Montréal.

Vers 1850, il s'installe à Plessisville, alors appelé Sommerset, avec son épouse Lucille Archambault et son fils Napoléon, où il ouvre un autre magasin. À cette époque, Plessisville ne compte que quinze maisons, deux magasins et trois moulins. Il y fonde la première société Saint-Jean-Baptiste des Bois-Francs et occupe diverses fonctions politiques: maire de Plessisville, conseiller législatif (1862-1867) et sénateur (1867-1887) de la division Kennebec. En 1873, il met sur pied avec son fils la fonderie de Plessisville, devenue aujourd'hui la compagnie Forano.

Un digne successeur

Napoléon-Charles (1844-1915) suit l'exemple de son père. Après de solides études au collège Sainte-Marie, à Montréal, il rentre à Plessisville où il joue un rôle actif au sein de la société Saint-Jean-Baptiste et de l'Institut canadien, dont il est, avec son père, cofondateur. En 1872, il achète le magasin familial. Au cours des 25 dernières années de sa vie, il occupe successivement les postes de maire de Plessisville, préfet du comté de Mégantic, conseiller législatif et bras droit du premier ministre du Canada, sir Wilfrid Laurier, son ami intime. Une dizaine d'années auparavant, Laurier, alors chef de l'opposition, avait prononcé à la maison Cormier un de ses discours les plus importants. Outre ses nombreuses fonctions politiques, Napoléon-Charles assume la direction de la fonderie de Plessisville et met sur pied, en 1900, la Compagnie électrique. Il s'intéresse aussi aux arts et paie les études du sculpteur Alfred Laliberté dont il se veut le protecteur.

À sa mort, il laisse sa fortune à sa nièce, madame Arthur Berthiaume, propriétaire du journal *La Presse*. La maison reste aux mains de la famille jusqu'en 1918. À cette date, elle est vendue à prix modique puis convertie en hôpital, sous le nom d'hôpital du Sacré-Cœur de Plessisville. Une annexe s'ajoute à l'ensemble en 1926. En 1978, la maison abrite le siège de l'administration du Centre local de services communautaires (CLSC) de l'Érable et l'annexe est rasée. En 1986, le ministère des Affaires sociales, propriétaire de la maison, restaure l'extérieur et met en valeur certaines pièces du rez-de-chaussée, comme le hall d'entrée et le grand salon.

Gisèle Beaudet,
diplômée en ethnographie traditionnelle

En 1885-1886, l'architecte Elzéar Charest réalise les plans de cette habitation victorienne en brique rouge. Les chaînages d'angle et les linteaux en pierre de taille au-dessus des ouvertures évoquent le style Second Empire.

BEAUDET, Gisèle et autres. *Le patrimoine architectural dans les Bois-Francs, II: Princeville — Plessisville — Warwick.* Arthabaska, Société du musée Laurier inc., 1984. 441 p.

La maison Cormier. Québec, ministère des Affaires culturelles, 1977. Paginations diverses.

SALOMON DE FRIEDBERG, Barbara. *Analyse comparative de la maison Cormier à Plessisville.* Québec, ministère des Affaires culturelles, 1982. Paginations diverses.

Église Saint-Édouard

Bécancour
1920, boulevard Bécancour

Fonction: lieu de culte
Classée monument historique en 1962

Entreprise en 1845, d'après les plans de Thomas Baillairgé, la construction de l'église de Saint-Édouard se termine en 1857 par la mise en place de son clocher.

L'établissement des premiers colons à Gentilly remonte à la fin de la décennie 1670. En 1781, on entreprend la construction d'une première église en pierre. Terminée en 1784, elle se trouve près du fleuve et servira jusqu'en 1849, année où l'église actuelle ouvre ses portes.

Lors de sa visite pastorale de 1836, l'évêque de Québec, mgr Joseph Signay, exhorte les habitants de Gentilly à construire une nouvelle église et à en changer le site. Trop exiguë pour contenir tous les fidèles, l'église menaçait également ruine par suite des nombreux dommages causés à chaque printemps par la crue du fleuve. Trois ans plus tard, après s'être mis d'accord sur le choix d'un nouveau site plus à l'intérieur des terres, les paroissiens adressent une requête à l'évêque. Dans sa réponse, mgr Signay rend son accord conditionnel au recours à un architecte. Bien que les documents soient muets sur ce point, il ne fait aucun doute que les paroissiens se tournent alors vers l'architecte attitré du diocèse de Québec, le célèbre Thomas Baillairgé.

Un plan type

Construite de 1845 à 1849, à l'exception du clocher ajouté en 1857, l'église fut réalisée d'après un plan type élaboré par Baillairgé. Il a notamment été repris à Lauzon (1830) et à Saint-Anselme (1845). À l'instar de la célèbre église de l'abbé Pierre Conefroy à Boucherville, qui donne le ton à l'architecture religieuse à compter de 1801, l'église de Gentilly comporte un plan en forme de croix latine et se termine par une abside en hémicycle à laquelle s'adosse la sacristie. Aujourd'hui disparue, la façade d'origine s'apparentait à celles de nombreuses autres églises érigées par Baillairgé. Ce modèle est toutefois identique à celui que l'architecte québécois dessine en 1832 pour l'église de la paroisse voisine, Saint-Pierre-les-Becquets.

L'apparence originelle de l'église se modifie grandement en 1907 alors qu'on l'allonge d'environ 4,6 mètres du côté de la façade. Exécutés d'après les plans de l'architecte Louis Caron de Nicolet, ces travaux augmentent le nombre de bancs dans les tribunes arrière et permettent d'aménager un spacieux vestibule et d'ériger une façade beaucoup plus imposante, adaptée au goût du jour. Fait inusité, Caron conserve le clocher construit en 1857 d'après le modèle de celui de Saint-Romuald (1855), mais le fait déplacer vers l'avant.

La décoration intérieure fut entreprise en 1857 par Damase Saint-Arnaud, un entrepreneur de Bécancour. Suivant un marché passé le 6 avril, il s'engage à faire la fausse

Cette photo ancienne montre le décor peint en trompe-l'oeil par Joseph-Thomas Rousseau en 1891. (Inventaire des biens culturels du Québec).

En 1907, l'architecte Louis Caron dresse les plans pour l'agrandissement et la nouvelle façade du temple. (Inventaire des biens culturels).

voûte, l'entablement, les retables, les stalles, les trônes et la balustrade, «le tout semblable à ceux et celles de l'église de Saint-Anselme», réalisés à partir de 1845 par André Pâquet suivant les plans de Thomas Baillairgé. Les travaux s'échelonnent sur cinq ans et se terminent en 1862.

Un décor unique

À l'exemple de celui de Saint-Anselme qui sert également de modèle à Saint-Isidore-de-Dorchester en 1855, le décor à caractère monumental met l'accent sur la verticalité. Point névralgique du temple, le maître-autel est mis en valeur par un imposant retable composé de deux colonnes qui supportent un fronton cintré brisé. De chaque côté du retable, des pilastres subdivisent les murs du chœur en travées, coupées en raison de leur grande élévation par une ligne horizontale, correspondant à l'imposte des fenêtres. Les retables des chapelles placées dans les bras du transept reçoivent un traitement beaucoup plus sobre; seul un léger ressaut de l'entablement supporté par deux pilastres les compose. Une fausse voûte ornée de doubleaux et reposant sur un entablement continu domine l'ensemble.

Des reliefs historiés ornent les murs du chœur. On ne trouve l'équivalent dans aucune autre église. Ils apparaissent comme les éléments les plus remarquables de ce décor exécuté avec soin mais peu novateur. Le plus intéressant relief historié se trouve à droite du maître-autel: il représente la Foi, l'Espérance et la Charité. Son pendant illustre les armoiries du saint patronyme de la paroisse, le roi Édouard (1003-1066), dernier

monarque anglo-saxon avant la conquête normande et fondateur de l'abbaye de Westminster. Au-dessus des trônes situés à l'entrée du chœur, des trophées représentant des objets et des vêtements liturgiques différencient les places réservées à l'évêque et au curé.

La tradition orale attribue ces reliefs à Adolphe Rho, un artiste à la fois peintre et sculpteur, originaire de la paroisse. À l'appui de ces dires, il convient de signaler que l'entrepreneur des travaux, Damase Saint-Arnaud, n'a pu en être l'auteur, n'étant qu'un habile menuisier. Il a probablement confié la réalisation du décor architectural à un sculpteur. Celui-ci pourrait bien être Raphaël Giroux qui excellait d'ailleurs dans l'exécution de motifs architecturaux. Bien qu'il ait réalisé certains travaux à l'église quelques années plus tard, sa participation à ce chantier demeure probable mais purement hypothétique.

Le 5 mai 1868, les paroissiens confient à Raphaël Giroux le soin de renouveler les principales pièces de mobilier de l'église. Outre les trois autels, la chaire et le banc d'œuvre, il s'engage à réaliser les cadres des trois tableaux ainsi que d'autres menus travaux. Il décède cependant en 1869 sans avoir exécuté la totalité de son contrat, lequel sera complété par deux de ses fils, Alfred et Eugène. Proches de l'esthétique de Thomas Baillairgé, dont Giroux fut d'ailleurs l'élève, ces pièces de mobilier rappellent celles du maître. Elles évoquent aussi les œuvres d'André Pâquet, son plus fidèle disciple.

Des tableaux, acquis au cours de cette période, surmontent les autels. Celui du

maître-autel fut exécuté en 1869 par Eugène Hamel lors d'un séjour à Rome. Il représente le trait le plus populaire de la légende de saint Édouard le Confesseur, patron de la paroisse, soit le miracle de l'anneau. On y voit saint Jean l'Évangéliste qui, pour éprouver la charité d'Édouard, aborde le roi déguisé en mendiant. Faute de pouvoir lui faire l'aumône parce que sa bourse est vide, ce dernier lui donne son anneau d'or.

En 1871, Eugène Hamel réalise également une copie d'un célèbre tableau peint vers 1625 par Rubens, *L'Éducation de la Vierge*. Un dernier tableau représentant la Sainte Famille, peint vers 1870 par un artiste non identifié, orne un des autels.

En 1891, la décoration intérieure de l'église est rehaussée d'un décor peint en trompe-l'œil par Joseph-Thomas Rousseau, artiste peintre-décorateur de Saint-Hyacinthe. Outre des motifs ornementaux et architecturaux, l'artiste exécute aussi, notamment dans le chœur, plusieurs imitations de marbrure. Une restauration effectuée dans la décennie 1960 a cependant fait disparaître toutes les traces de ce décor, d'une qualité remarquable.

Guy-André Roy, historien de l'art

GROUPE HARCART. *Fabrique Saint-Édouard, Gentilly, comté Nicolet: inventaire des œuvres d'art et des pièces de mobilier religieux*. Québec, ministère des Affaires culturelles, 1982. 135 f.

NOPPEN, Luc. *Les églises du Québec (1600-1850)*. Québec et Montréal, Éditeur officiel du Québec/Fides, 1978: 106-107.

RIVARD, Marcelle. *Gentilly 1676-1976*. [s.l.], [s. éd.], 1976. 351 p.

Église Saint-Grégoire et sacristie

Bécancour   Fonction: lieu de culte
4200, boulevard Port-Royal   Classée monument historique en 1957

Augustin Leblanc complète entre 1850 et 1855 l'actuelle façade de style néo-classique.

L'influence palladienne

Construite en pierre, son plan en forme de croix latine avec une abside en hémicycle prolongée par une sacristie, s'inspire de celui de l'église de Boucherville. Mis au point par l'abbé Pierre Conefroy, le plan sert de modèle à plusieurs autres églises de l'époque. En façade, l'église de Saint-Grégoire reprend certains éléments du temple de Boucherville, comme les fenêtres et les encadrements des portes latérales de la façade en pierre rustiquée. Les pilastres et le couronnement de la porte centrale ressemblent à ceux de l'ancienne église presbytérienne autrefois située près du Champ-de-Mars à Montréal. Ces éléments traduisent l'influence de l'architecture palladienne anglaise. Pour le reste, la première église de Saint-Grégoire s'inscrit dans la continuité de l'architecture religieuse du Régime français.

Selon les spécifications contenues dans le marché de construction, l'église doit mesurer 37 mètres de longueur sur 16 de largeur et la sacristie 8 mètres sur 7. Le contrat de maçonnerie est confié à Louis Bouillereau dit Comtois, maître maçon de Sainte-Geneviève-de-Berthier, également entrepreneur de l'église de Boucherville. L'artisan Jean-Baptiste Hébert réalise la charpente. Alexis Blais et Pierre Prince se chargent de la menuiserie des portes et des fenêtres. À la fin des travaux, l'église possède un intérieur très simple: murs enduits et plafond constitué d'une fausse voûte de planches installée en 1806.

Un décor à compléter

En 1808, les marguilliers décident de parfaire le décor intérieur par l'installation d'une corniche, de retables et par d'autres pièces de mobilier liturgique. Ils font d'abord appel à Louis-Amable Quévillon mais, occupé à l'église Notre-Dame de Montréal, il refuse l'invitation. Un événement change toutefois le programme projeté pour la décoration intérieure. Le frère Louis Demers, dernier Récollet du couvent de Montréal et curé de Bécancour de 1764 à 1767, offre à la fabrique de Saint-Grégoire le retable et le tabernacle de l'ancienne église de sa communauté. Le retable aurait été exécuté par Jean-Jacques Blœm dit Leblond vers 1713, et le tabernacle par Charles Chaboulié en 1703. La fabrique les acquiert en 1811 et confie à Urbain Brien dit Desrochers le soin de les installer dans l'église. Les fabriciens lui demandent aussi d'exécuter le reste du décor en harmonie avec le retable.

Celui-ci se compose de deux colonnes et de quatre pilastres supportant un fronton cintré. Brien poursuit l'entablement autour du chœur et des chapelles latérales. Il ajoute

Fuyant la répression anglaise, un groupe d'Acadiens originaires de Beaubassin fonde en 1757-1758 la paroisse de Saint-Grégoire-de-Nicolet. La majorité d'entre eux s'installent dans les fiefs de Godefroy et Roquetaille. Jusqu'à la construction d'un presbytère-chapelle, en 1797, les habitants se rendent à Nicolet pour entendre la messe. En 1802, l'évêque de Québec érige canoniquement la paroisse et, à la suite des demandes répétées des paroissiens, il accorde finalement la permission de construire une première église. Les travaux commencent en 1803 et se terminent deux ans plus tard; l'église est bénite en 1806.

ainsi dix pilastres, conçus également selon le modèle de ceux du retable, et les répartit autour du chœur, au-dessus des lambris d'appui placés à l'arrière des stalles. Ce lambris rappelle celui de l'église Saint-Michel-de-Vaudreuil. Brien complète également la décoration intérieure en exécutant le tombeau du maître-autel, les deux autels latéraux et le banc du chœur avec des ornements inspirés du tabernacle. Quoique redevable sur le plan de sa richesse à l'école de Quévillon, le décor ne connaît pas les excès associés au «quévillonnage».

À l'étroit

En 1837, la fabrique agrandit la sacristie et, en 1840, les paroissiens songent à réaménager l'église devenue trop petite. Toutefois, l'évêque consent à cette expansion en 1850 seulement. La nef s'élargit par les côtés

Le retable et le tabernacle de l'église de Saint-Grégoire proviennent de l'église des Récollets de Montréal. Urbain Brien dit Desrochers fabrique le tombeau du maître-autel après 1811.

et les murs sont haussés jusqu'à la hauteur de l'extrémité des bras des transepts où se trouvent les chapelles latérales. La nef se prolonge également de 7 mètres du côté de la façade principale, un procédé courant à l'époque.

Érigée dans le style néo-classique entre 1850 et 1855 par Augustin Leblanc, la nouvelle façade existe toujours. L'entrepreneur de la paroisse refait également la toiture de l'église. La façade se divise en trois parties: celle du centre se compose d'un soubassement à trois arcades parées de pierre en bossages continus. Le soubassement est surmonté d'un faux portique à quatre colonnes ioniques et d'un fronton. Cette partie est flanquée sur chacun de ses côtés d'une tour dotée d'un clocher à deux lanternons, eux-mêmes coiffés de petits dômes. Certains historiens d'art attribuent la conception de cette façade à Thomas Baillairgé. D'autres reconnaissent une œuvre de Victor Bourgeau dans la forme caractéristique des clochers. Il pourrait aussi s'agir d'une addition de Bourgeau à l'œuvre de l'architecte Baillairgé. Des colonnes en tôle permettent d'alléger le poids de la façade. Pour cette même raison, le couronnement de la partie centrale a été construit en bois, recouvert de tôle, puis peint de façon à imiter la pierre de taille. Bâties sur un sol argileux peu propice à supporter de lourdes charges, plusieurs autres églises de la région recourent à ce procédé.

Parallèlement à l'agrandissement de l'église, le décor intérieur se modifie. Les anciens murs latéraux de la nef font place à des piliers qui supportent des galeries latérales. Des colonnes servant à soutenir la fausse voûte prennent appui sur ces galeries. Les anciennes tribunes trouvent refuge contre la nouvelle façade.

Un intérieur soigné

En 1858, la fabrique demande aux entrepreneurs Dussault et Vézina de Québec de compléter le décor intérieur. À cette occasion, une fausse voûte de plâtre à caissons, œuvre de l'architecte montréalais Victor Bourgeau, s'ajoute dans la nef et le chœur. Tout à fait caractéristique du travail de Bourgeau, ce type de voûte se retrouve sous différentes variantes dans plusieurs églises où il œuvre. Entre 1891 et 1909, l'intérieur connaît plusieurs rafraîchissements.

Au début des années 1960, d'autres travaux effacent un décor peint imitant le marbre et le vernis des bancs du chœur. L'église possédait autrefois trois tableaux de Louis Dulongpré. En 1910, ils sont remplacés par des œuvres de Joseph Uberti, un artiste de Paris. Les médaillons ornant le retable et le sanctuaire datent également de cette époque.

Par la richesse de son décor intérieur, l'église de Saint-Grégoire constitue un des plus beaux temples du Québec. Elle se compare avantageusement à ceux du Sault-aux-Récollets dans la région de Montréal ou de Saint-Joachim de Montmorency près de Québec.

Jean Lamothe, architecte

CORMIER, François. «Saint-Grégoire-de-Nicolet, une paroisse, une église». *Les Cahiers Nicolétains*, 2, 4 (1980): 86 p.

NOPPEN, Luc. *Les églises du Québec (1600-1850)*. Québec et Montréal, Éditeur officiel du Québec/Fides, 1978. 298 p.

Moulin Michel

Bécancour
675, boulevard Bécancour

Fonction: centre d'interprétation
Classé monument historique en 1985

Blotti au creux d'un vallon, le moulin Michel de Gentilly occupe avantageusement un méandre de la rivière du Moulin et témoigne d'une importante activité économique traditionnelle.

Dès 1734, l'intendant Gilles Hocquart émet une ordonnance pour contraindre la seigneuresse de Gentilly à construire le moulin réclamé par les censitaires et les habitants. À l'échéance, non respectée, d'une seconde ordonnance, l'intendant accorde aux censitaires la permission d'ériger eux-mêmes le moulin; cette construction se réalise entre 1739 et 1769 et appartient à François Rivard.

Gaspard-Joseph Chaussegros de Léry, fils de l'ingénieur des fortifications de Québec, acquiert le moulin en 1774 de la veuve Rivard; son fils Louis-René le vend en 1860 au meunier Cyrille Grindler qui l'exploite déjà. L'établissement est alors connu comme le Moulin Grindler. En 1868, les biens de Grindler sont saisis et vendus à l'enchère; Charles Côté, marchand de bois, se porte acquéreur du moulin.

Sur avis judiciaire, le nouveau propriétaire cède le bâtiment à trois nouveaux acquéreurs en 1875. Une querelle de succession débouche sur une nouvelle vente à une famille de meuniers, les Lebœuf, qui conservent le moulin jusqu'en 1937, après quoi ils le vendent à Alfred Michel.

Durant plus de deux cents ans, le moulin banal de Gentilly joue un rôle essentiel dans la communauté. Jusqu'au milieu du XXᵉ siècle, on y moud du blé, une céréale remplacée graduellement par le sarrasin, l'orge et l'avoine; vers 1970, on y crible même les grains de semence. Jusqu'à la fermeture, en 1972, le meunier Michel annonce sa farine de sarrasin et s'attire ainsi des clients des localités voisines.

De plan rectangulaire, le moulin est coiffé d'un toit à pignon. Les murs sont fabriqués d'une maçonnerie de moellons grossièrement équarris. Des ouvertures inscrites de façon asymétrique reflètent la fonction du bâtiment: d'un côté le logis du meunier, et de l'autre le moulin avec son système de moyeux et de roues d'engrenage.

Les lucarnes interrompent l'avant-toit et s'inscrivent dans le prolongement des murs: leur forme et leurs dimensions témoignent de l'évolution du bâtiment et des besoins des divers propriétaires. On y décèle des retouches dans la maçonnerie et des lucarnes transformées en portes lors de l'aménagement d'un logis dans les combles.

Une petite écluse ferme une réserve d'eau et alimente une chaussée jusqu'au bâtiment. Le débit d'eau pour actionner la grande roue se contrôlait à l'entrée du moulin. De la roue, une succession d'arbres, d'engrenages et de poulies permettent d'activer la meule et le tamis du bluteau. En 1920, les propriétaires remplacent la grande roue par une turbine d'origine américaine.

Construit à la suite des démarches réitérées des habitants de Gentilly, ce moulin revêt d'autant plus d'intérêt qu'il a été en activité pendant plus de deux siècles. Encore doté de ses mécanismes, il illustre les transformations technologiques des moulins à eau et permet de reconstituer l'ensemble des étapes de la fabrication de la farine.

François Varin, architecte

DE CARUFEL, Hélène. *Le Moulin Michel à Gentilly*. [s.l.], ministère des Affaires culturelles, 1982. Paginations diverses.

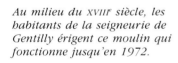

Au milieu du XVIIIᵉ siècle, les habitants de la seigneurie de Gentilly érigent ce moulin qui fonctionne jusqu'en 1972.

Moulin à vent

Bécancour
19250, boulevard des Acadiens

Fonction: aucune
Classé monument historique en 1957

Le peuplement du fief Godefroy commence dès 1722. Il s'accélère après 1758 avec l'arrivée des déportés acadiens. Ceux-ci entreprennent la mise en valeur des terres planes et fertiles. À la fin du XVIIIᵉ siècle, la seigneurie Godefroy possède déjà deux moulins à vent, dont celui de Saint-Grégoire. Caché dans un petit bocage à la sortie ouest du village, le moulin domine une faible élévation assez éloignée du fleuve. Cette situation l'écarte de la tradition selon laquelle les moulins à vent se trouvent dans le voisinage des grandes surfaces planes, donc le plus souvent en bordure du fleuve. À Saint-Grégoire, la région remplit cette condition: la topographie présente peu d'accidents de terrain.

Comme la plupart des moulins à farine de l'époque, celui-ci appartient au seigneur qui impose à l'usager une redevance appelée banalité. Construit selon la tradition, il compte trois niveaux. Les deux portes du rez-de-chaussée se situent dans l'axe nord-est — sud-ouest. La tour est percée de quatre fenêtres, trois superposées orientées franc sud et une autre au deuxième étage, juste au-dessus de la porte nord-est. La muraille ne recèle aucun foyer ou cheminée, ni aucun vestige permettant d'imaginer le moyen de chauffage, pourtant indispensable en hiver.

À l'abandon dès le début du XXᵉ siècle, le moulin perd sa machinerie et son toit en 1924. La première Commission des monuments historiques décide d'intervenir: elle fait poser un toit plat et bouche toutes les ouvertures. En 1958, le gouvernement du Québec l'acquiert et y effectue des rénovations.

Aujourd'hui, un toit conique couvert de bardeaux de bois chapeaute le moulin; des blocs de béton et des panneaux masquent toutes les ouvertures. Réparties suivant les points cardinaux, quatre fissures majeures lézardent profondément la muraille. Pire encore, la tour penche dangereusement vers le nord; le renflement du sol du côté sud révèle l'importance du déplacement et la gravité du danger. Le quartier nord de la tour dépasse la position d'équilibre naturel et s'incline par plus de huit degrés au-delà de la verticale. Sans une prompte et judicieuse intervention pour obturer les fissures et stabiliser les fondations, tout le pan nord de la tour risque de s'effondrer lors des prochaines gelées.

Jadis, une nombreuse clientèle fréquentait ce lieu, mais aujourd'hui ce monument semble sombrer dans l'oubli. Il paraît bien tard pour le sauver. Une solution déjà utilisée ailleurs s'appliquerait pourtant bien ici: déménager la tour dans un lieu propice, la restaurer convenablement, lui redonner un peu de ses caractéristiques d'origine, l'entourer d'un parc planté d'arbres et meubler le site de quelques tables et bancs afin d'y attirer passants et visiteurs. Ce moulin à vent le mérite bien.

Pierre-Yves Dionne, ingénieur et ethnologue

Classé monument historique depuis 1957, le moulin à vent de Saint-Grégoire présente aujourd'hui ce triste visage.

Desjardins, Pierre. *Les moulins à vent du Québec.* Québec, ministère des Affaires culturelles, 1982. 42 f.

Maisonneuve, Ronald. *Onze moulins à vent. Recherche historique.* Québec, ministère des Affaires culturelles, 1980. 145 f.

Séminaire de Nicolet

Nicolet
350, rue D'Youville

Fonction: aucune
Reconnu monument historique en 1973

En mars 1973 un incendie détruit la moitié de la façade et une aile latérale. Classé monument historique le 24 octobre de la même année, le séminaire attend encore sa restauration.

Confiantes en l'avenir, les autorités du Séminaire de Nicolet entreprennent de 1961 à 1964 des travaux de rénovation et d'agrandissement considérables. Mais la réforme de l'enseignement et les bouleversements sociaux entraînent la fermeture de cette institution d'enseignement, l'une des plus renommées du Québec. En 1969, le ministère des Travaux publics acquiert le séminaire pour y loger l'Institut de police du Québec. En mars 1973, un incendie détruit une des ailes latérales et le tiers de la façade.

Après ceux de Québec et Montréal, le séminaire de Nicolet occupe le troisième rang par son ancienneté. Fondé en 1803, il offre l'enseignement du cours classique complet.

La fondation de ce séminaire, tout comme celle des collèges de Saint-Denis-sur-Richelieu (1803), Saint-Hyacinthe (1811), Sainte-Thérèse (1825), Chambly (1825), La Pocatière (1829) et L'Assomption (1830), témoigne d'abord de la volonté de l'Église du Bas-Canada de s'assurer la maîtrise de l'éducation. Cette initiative s'inscrit dans les tentatives infructueuses du Canada-Uni pour instaurer un système d'enseignement public. L'avènement de ces institutions s'explique encore par une période de prospérité économique sans précédent. L'accroissement spectaculaire du volume des transactions commerciales en milieu rural favorise en effet l'émergence d'une classe sociale nou-

velle: les marchands de campagne. Autour de cette nouvelle bourgeoisie terrienne évoluent des notables et des professionnels qui transposent en milieu rural les standards d'éducation jusque-là réservés aux enfants des citadins. Le choix de Nicolet vient de l'évêque de Québec, mgr Joseph-Octave Plessis, qui décide d'installer un séminaire en région pour combattre la stagnation du recrutement religieux à Québec et à Montréal. Selon ce prélat, l'isolement relatif serait favorable aux candidats; elle les tiendrait à l'abri des tentations de la vie urbaine.

Agrandissement nécessaire

D'abord logée dans un bâtiment modeste d'un seul étage, l'institution commande rapidement une construction plus vaste. En 1826, le nouvel évêque de Québec, mgr Bernard-Claude Panet, détermine l'emplacement du nouveau collège et reçoit plusieurs plans. Deux projets concurrents s'affrontent: l'un préparé par l'abbé Jérôme Demers, supérieur du Séminaire de Québec, et l'autre par l'abbé Antoine Belcourt, qui travaille sous la supervision du supérieur du collège-séminaire de Nicolet. Finalement, la proposition de Demers l'emporte. L'édifice proposé est de type palais avec un plan ouvert, en forme de H, qui dégage une cour d'honneur en façade et permet d'agrandir au besoin vers l'arrière.

*Œuvre de Jérôme Demers et
Thomas Baillairgé en 1826,
l'édifice du séminaire de Nicolet
s'apparente au type «palais».*

Jérôme Demers prépare les plans des divers étages pour la distribution des espaces; Thomas Baillairgé, un des architectes les plus renommés de l'époque, dresse quant à lui les plans des élévations et des détails qui distinguent le bâtiment sur le plan stylistique. Il opte pour un style néo-classique à ordres absents afin de diminuer les coûts engendrés par une ornementation élaborée.

Les plans de Jérôme Demers décrivent les divers étages et en précisent la distribution. Le rez-de-chaussée accueille les services (cuisine, réfectoire, salle de récréation) et la chapelle. Le premier étage regroupe les classes, la salle d'études et les appartements du supérieur et de l'évêque. Le troisième étage abrite les chambres des ecclésiastiques et les dortoirs. À chaque étage, le corps de logis principal est parcouru par un couloir qui longe le mur donnant sur la cour arrière, ce qui facilite l'accès aux ailes perpendiculaires occupées par les espaces communs.

La construction du collège-séminaire débute en 1827. Un entrepreneur de Saint-Grégoire, Jean-Baptiste Hébert, se charge de la maçonnerie et de la charpenterie. François Lafontaine exécute la menuiserie. Une série de plans détaillés et un imposant devis préparé par Jérôme Demers guident les entrepreneurs; le supérieur du Séminaire de Québec surveille personnellement le progrès du chantier. Les travaux prennent fin en 1836, mais l'édifice accueille ses premiers occupants dès 1831.

Plus tard, l'évêque de Québec commande à Thomas Baillairgé un plan pour l'architecture intérieure de la chapelle qui occupe deux étages dans l'aile nord du collège-séminaire. Cet espace sera toutefois aménagé d'après les plans de Victor Bourgeau.

En 1903, 1955 et 1961, une série d'ajouts agrandit le collège par l'arrière. La plus importante addition consiste en une nouvelle chapelle extérieure, surmontée d'une grande coupole, érigée en 1903 d'après les plans de l'architecte nicolétain Louis Caron. Tout comme le collège-séminaire qui subit dès sa construction un tassement important des murs, très visible sur la façade de l'aile nord, la chapelle s'élève sur un sol argileux. Celui-ci entraîne à long terme une déformation importante de la structure, et force l'abandon de la chapelle en 1969. Dix-huit ans plus tard, elle tombe sous le pic des démolisseurs.

Avenir incertain

Cette perte majeure s'ajoute à celle d'autres œuvres des architectes Caron, détruites en 1955 par l'important glissement de terrain survenu à Nicolet. Cette catastrophe naturelle entraîne encore la démolition de la célèbre cathédrale, chef-d'œuvre de cette famille d'architectes.

L'avenir du collège-séminaire demeure incertain. L'installation définitive de l'Institut de police ne semble pas encore assurée. Les dégâts importants causés par l'incendie de 1973 laissent les murs de la moitié de l'historique bâtiment exposés aux intempéries. Il s'agit pourtant de l'œuvre majeure de l'équipe Demers-Baillairgé, celle qui illustre le mieux l'originalité d'un néo-classicisme québécois. Le séminaire de Nicolet est le seul collège classique du début du XIXᵉ siècle dont l'ensemble architectural reste presque intact.

Luc Noppen, historien d'architecture

DOUVILLE, J.-A. *Histoire du collège-séminaire de Nicolet (1803-1903)*. Montréal, Beauchemin, 1903. 2 vol. 455 p. et 126 p.

NOPPEN, Luc. «Le rôle de l'abbé Jérôme Demers dans l'élaboration d'une architecture néo-classique au Québec», *Les Annales de l'histoire de l'art canadien*, 2, 1 (1975): 19-33.

NOPPEN, Luc. «Le séminaire de Nicolet: un chef-d'œuvre du néo-classicisme québécois». *SIC*, 2 (décembre 1985): 4-5.

Maison et atelier Rodolphe-Duguay

Nicolet-Sud
195, rang Saint-Alexis

Fonction: maison d'habitation et galerie d'art
Reconnue monument historique en 1977

Eɴ bordure du rang Sud-Ouest de la rivière Nicolet, la maison Duguay, légèrement en retrait de la route, abrite toujours l'atelier et le souvenir du peintre paysagiste Rodolphe Duguay.

Construite vers le milieu du XIXᵉ siècle par son grand-père, Calixte Duguay, la maison devient en octobre 1888 la propriété de son père, Jean-Baptiste. Rodolphe hérite finalement en 1917 de la maison familiale et d'un magnifique terrain d'environ trois hectares en bordure de la rivière Nicolet. Certains comparent Rodolphe Duguay à un «autre Nérée Beauchemin, mais broyant de la couleur». Les scènes quotidiennes du terroir peintes par l'artiste pendant près d'un demi-siècle dénotent une poésie certaine.

Né le 27 avril 1891 à Nicolet, Duguay passe son enfance sur la terre paternelle, puis entreprend sa carrière artistique en 1910. L'année suivante, il quitte sa ville natale pour Montréal et s'inscrit aux cours du soir donnés au Monument national. Dans cette école, il côtoie des artistes tels que Charles Gill, Joseph Saint-Charles, Edmond Dyonnet et Alfred Laliberté. Il rencontre également Marc-Aurèle De Foy Suzor-Côté, qui imprègne un tournant décisif à sa vie. Tel un père, Suzor-Côté le guide, lui apprend le métier et finalement l'oriente vers l'École des beaux-arts de Paris où il passera sept années capitales.

Calixte Duguay fait bâtir cette maison au milieu du XIXᵉ siècle. Son petit-fils, le peintre Rodolphe Duguay, hérite de la propriété en 1917.

De retour d'Europe en 1927, Rodolphe Duguay construit cet atelier, semblable à celui qu'il occupait à Paris.

Ne rêvant que de paysages québécois, Duguay rentre au pays en 1927. Il s'installe à demeure à Nicolet et entreprend la construction d'un atelier en retrait de la maison familiale, semblable à celui qu'il occupait à Paris. Très simplement aménagé, il comporte une fournaise haute, quelques sièges et, accrochés aux murs, des toiles sur lesquelles la lumière semble s'être réfugiée. Il se dégage encore aujourd'hui de ce décor une chaude intimité à l'image de la nature même de son propriétaire.

Le paysage champêtre de Nicolet, en bordure du coteau de la rivière, inspire Duguay et lui permet de réaliser son rêve: peindre des scènes paysannes dans le calme et la sérénité. Dès le printemps 1929, il expose à la bibliothèque Saint-Sulpice de Montréal où il obtient un succès immédiat. En dépit de cette réussite, il reste à l'écart du monde jusqu'à la fin de sa carrière en 1973, préférant l'atmosphère paisible de son atelier où il puise l'essentiel de son inspiration.

La maison Duguay comprend un corps principal constitué de quatre pièces et une cuisine d'été. Construite en bois au milieu du siècle dernier dans l'esprit du style néoclassique, elle connaît de nombreuses transformations. Ainsi, lors de l'aménagement de la ligne de chemin de fer, l'arrière de la maison fait face à la nouvelle route. L'atelier adjacent communique avec le corps principal par un passage couvert. En 1967, le peintre fait supprimer l'escalier intérieur pour aménager un logement au premier étage.

Dix ans plus tard, la famille Duguay restaure la demeure afin de lui redonner un peu de son apparence originale: tôle à baguettes sur la toiture, planches à clins sur les murs arrière et sur ceux de l'atelier. Celui-ci demeure tel que l'artiste l'a aménagé et décoré.

Depuis 1977, le public peut visiter l'atelier et y admirer une exposition permanente des œuvres de l'artiste. La maison évoque également la présence de sa femme, Jeanne L'Archevêque-Duguay, journaliste et poète.

Yves Bergeron, ethnologue

Bᴇʟʟᴇᴍᴀʀᴇ, Joseph-Elzéar. *Histoire de Nicolet 1669-1924. Première partie: La seigneurie*. Arthabaska, Imprimerie d'Arthabaska, 1924. XIII-410 p.

Bᴏᴜᴄʜᴀʀᴅ, René. «Rodolphe Duguay (1891-1973) graveur des traditions populaires à Nicolet», dans *Culture et Tradition*, Québec, université Laval, vol. 2, 1977: 75-90.

Mɪɴɪsᴛèʀᴇ ᴅᴇs Aғғᴀɪʀᴇs ᴄᴜʟᴛᴜʀᴇʟʟᴇs. *La maison et l'atelier de Rodolphe Duguay*. Direction de l'inventaire, 1977.

CHAPITRE II

Régions: Québec et Chaudière — Appalaches

Arrondissement historique du Vieux-Québec

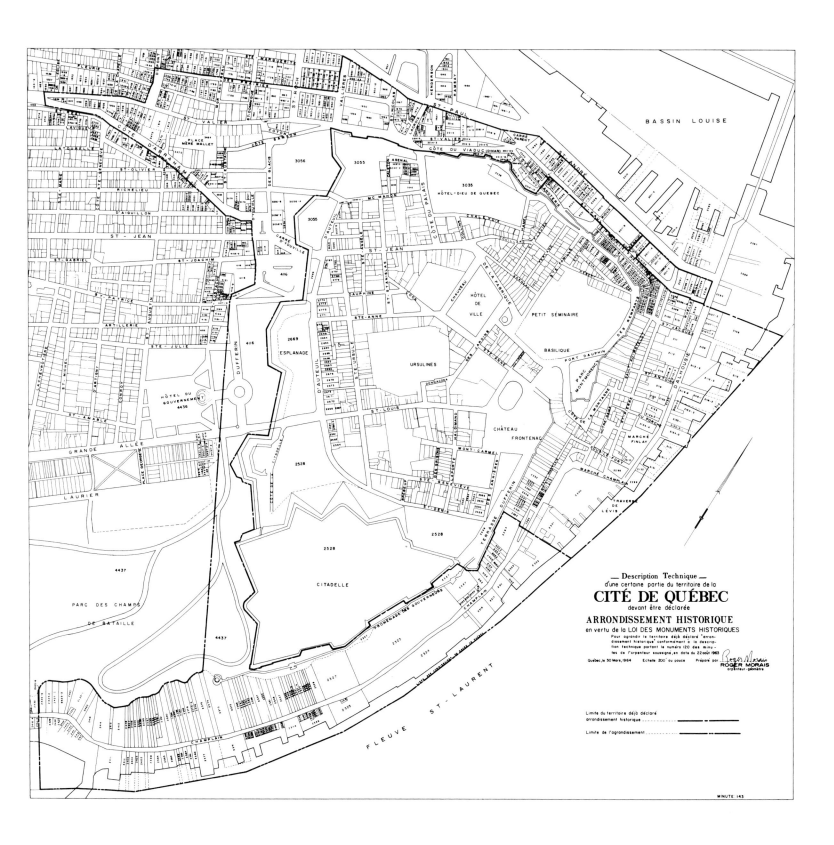

Arrondissement historique du Vieux-Québec

L'arrondissement historique du Vieux-Québec a été créé le 10 juillet 1963 par un amendement à la Loi des monuments historiques. Le périmètre définitif de l'aire protégée, fixé le 6 mai 1964, inclut la ville *intra-muros* et la basse-ville qui l'enveloppe avec les rues Saint-Vallier, Saint-Paul, Saint-Pierre et du Petit-Champlain. La zone ainsi définie couvre une superficie de quelque 135 hectares. Les limites fixées à l'arrondissement historique du Vieux-Québec par le législateur permettent un premier constat: on cherchait certes à protéger la vieille haute-ville, mais on voulait aussi en sauvegarder les approches par la falaise et la basse-ville originelle, soit le quartier de la place Royale.

Québec, c'est d'abord un site, celui qu'a choisi Samuel de Champlain en 1608. Ce dernier devenait ainsi, aux yeux de l'histoire, le fondateur. Sur ce site naît une capitale formée de deux ensembles urbains: une ville portuaire sur les rives du Saint-Laurent et de la rivière Saint-Charles et une ville institutionnelle — mais aussi place forte — sur les hauteurs du cap aux Diamants.

Cette capitale, ses fondateurs l'ont établie à la française; sa trame urbaine l'illustre éloquemment. C'est sur cette fondation que notre siècle a recréé une image cohérente: celle d'une ville francophone bien vivante malgré une histoire mouvementée et un paysage architectural qui n'a cessé d'évoluer pendant plus de trois siècles.

Recueil inépuisable

Cette superposition des traces de la vie urbaine a fait du Vieux-Québec un recueil

Le 3 décembre 1985, l'Unesco déclarait l'arrondissement historique du Vieux-Québec site du patrimoine mondial. Seule ville du continent nord-américain entourée d'une enceinte fortifiée complète, la ville de Québec est également considérée comme le berceau de la civilisation française en Amérique. (Service canadien des parcs).

unique d'architectures exemplaires. La persistance de certaines pratiques, les efforts de synthèse et de renouveau, l'influence tantôt française, tantôt britannique, enfin nord-américaine, ont créé cet ensemble harmonieux.

Habité et visité, le monument est cependant bien vivant; chaque année qui passe laisse désormais des traces visibles. Restauration et mise en valeur ont permis de rattraper le temps perdu.

Un site pour un port et une forteresse

Le site sur lequel fut fondé ce qu'on appelle aujourd'hui le Vieux-Québec joue un rôle de premier plan dans la définition de la vieille ville. Québec est d'abord un site stratégique, une pointe rocheuse qui, à la rencontre du fleuve et de la rivière Saint-Charles, s'avance vers l'estuaire et fait face à l'île d'Orléans. Du choix de ce site par Champlain, en 1608, découlent tout naturellement les fonctions militaire et portuaire qui guideront le développement de la ville

Arrondissement historique du Vieux-Québec

jusqu'au XIXe siècle. Les qualités particulières du lieu, un cap entouré d'une bande de
terres basses, créeront aussi la distinction
entre la haute et la basse-ville, hiérarchisation qui continue de marquer les quartiers
respectifs de la ville aujourd'hui.

Jusqu'au milieu du XIXe siècle, le site
de Québec, avec sa colline forteresse précé-
dée d'un débarcadère naturel, n'a cessé de
susciter l'admiration des visiteurs et d'inspirer les artistes. Aux descriptions grandioses
des gens de lettres correspondent les estam-
pes et les aquarelles qui représentent la ville
selon deux points de vue privilégiés: le
panorama observé depuis les hauteurs de la
Pointe-Lévy ou celui observé depuis
l'embouchure de la rivière Saint-Charles.
Cependant, la campagne d'embellissement
qui transforme le visage de la capitale à la
fin du XIXe siècle va contribuer à inverser
l'image projetée par le site. Désormais, Québec n'est plus seulement le site que l'on voit
d'en face ou de loin, mais c'est aussi un lieu
d'où l'on observe les environs. L'abaisse-
ment des murs le long de la rue des Remparts et l'édification de la terrasse Dufferin
s'inscrivent dans le mouvement pittoresque.
Ce dernier favorise la mise en valeur du paysage en fonction de points de vue privilégiés,
alors que l'idéologie classique se satisfait
d'offrir la ville comme un tout, au regard de
l'observateur externe. En même temps que
s'opère cette transformation — la ville observée devenant en quelque sorte le point
d'observation — l'urbanisme pittoresque va
développer une ville de paysages. Après
1875, la reconstruction d'édifices publics,

*Ce médaillon d'une carte
géographique présente Québec à
la toute fin du XVIIe siècle, non
pas comme elle est, mais comme
on voudrait qu'elle soit vue à la
cour du roi de France. Sous le
Régime français, les artistes ne
représentent jamais l'intérieur de
la ville, Québec sous la neige et,
chose intéressante, tant que le
chantier des fortifications ne
progresse pas, la ville est
défendue, en images, par une
flotte de navires. (Collection
privée).*

*Ce plan de Québec
conservé au musée
du Louvre remonte
aux années 1690. Il
montre le projet
d'enceinte de
l'ingénieur Jean-
Maurice-Josué
Dubois Berthelot,
sieur de Beaucours
et, tout en bas, un
remarquable profil
depuis la redoute du
cap aux Diamants
(projetée) jusqu'à la
redoute Saint-
Nicolas. (Collection
privée).*

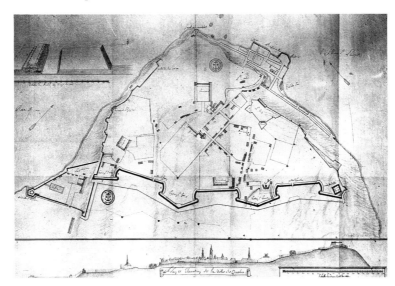

Arrondissement historique du Vieux-Québec

La citadelle de Québec, dont rêvait Samuel de Champlain et que Gaspard Chaussegros de Léry dessine à maintes reprises durant la première moitié du XVIIIe siècle, sort finalement des cartons de l'ingénieur irlandais Elias Walker Durnford, en 1825-1830. (Éditeur officiel du Québec).

l'aménagement de places, la correction du tracé de certaines rues et l'adoption de styles architecturaux plus variés vont correspondre à cette volonté de mise en scène de Québec, mais cette fois à partir de l'intérieur de la ville.

De haut en bas

C'est le site choisi par Champlain qui a déterminé l'existence de la haute et de la basse-ville situées dans l'arrondissement historique. En premier lieu, lorsque Champlain érige son «Abitation» sur la Pointe-aux-Roches — l'actuelle place Royale — il choisit un embarcadère naturel, un site boisé et alimenté en eau potable. De la transformation de cette habitation en magasin et de la construction de maisons sur des lots voisins naît la bourgade de Québec, à la basse-ville. Mais, dès 1620, Champlain explore ce qui deviendra la haute-ville en établissant le fort Saint-Louis sur la partie du cap aux Diamants qui surplombe l'établissement primitif. Ce rocher cahoteux et marécageux est rapidement jugé peu propice pour un établissement hospitalier, et Champlain rêve plutôt de Ludovica, grande ville qu'il songe à établir sur les rives de la Saint-Charles. En 1685, l'intendant Jacques De Meulles pense lui aussi que «la haute-ville de Québec est une petite montagne qui ne s'habitera jamais».

La basse-ville de Québec se développe donc d'abord comme un lieu privilégié d'habitation et de commerce. Inévitablement, les échanges commerciaux vont consacrer la vocation portuaire de cette portion du territoire. Aux chantiers maritimes de la rivière Saint-Charles et du Cul-de-Sac (à partir de 1747), il faut ajouter les nombreux quais qui se développent au XVIIIe siècle et qui assurent une expansion graduelle du parcellaire par la récupération des berges. Ce phénomène s'accentue au début du XIXe siècle à la suite du blocus continental décrété par Napoléon en 1806. Québec devient alors la plaque tournante du commerce du bois avec l'Angleterre. En 1850, un réseau serré de quais qui s'avancent dans le fleuve et l'estuaire de la rivière Saint-Charles enveloppent toute la rade de Québec. Le remblayage de quais plus anciens et l'espace dévolu à la construction d'entrepôts permettent l'ouverture de nouvelles rues; la basse-ville, dont la superficie a ainsi doublé, s'étend désormais des limites de Près-de-Ville à celles du faubourg Saint-Roch, qui connaît, avec l'avènement de l'ère industrielle, une croissance spectaculaire.

Tourné vers la mer

Jusqu'en 1860, la construction navale et le commerce du bois occupent plus de la moitié de la population active de Québec. Après cette date, ces activités déclinent rapidement. La modernisation tardive du port — la jetée et le bassin Louise sont terminés en 1879 — servira seulement une activité économique régionale. Pendant ce temps, les activités d'envergure nationale se sont déplacées vers l'ouest. Parallèlement, le progrès de la société industrielle impose un modèle urbain fondé sur la spécialisation des

Arrondissement historique du Vieux-Québec

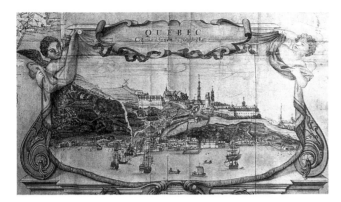

«Québec, comme il se voit du côté de l'Est». Cartouche d'une carte de Jean-Baptiste-Louis Franquelin, 1688. La haute-ville institutionnelle – la ville symbolique où siège le pouvoir – et la basse-ville marchande à l'habitat très dense y sont représentées. (Archives nationales du Québec à Québec, fonds Office du film du Québec).

quartiers. La basse-ville de Québec retient surtout des activités commerciales et portuaires de plus en plus denses, et l'habitation se trouve repoussée au nord et à l'ouest, ce que permet l'expansion du territoire municipal qui se multiplie par cinq entre 1889 et le début de la Première Guerre mondiale.

C'est la haute-ville qui semble plutôt vouée à assumer l'image de la capitale. Les administrateurs qui se sont succédé à la tête de la colonie vont tenter de tirer profit de la configuration de son site au profit de la place forte. Les Français, puis les Britanniques, font ériger dans cette partie de la ville un ensemble d'ouvrages militaires qui, tout en contraignant son développement, lui imprimeront un schéma classique, similaire à celui mis au point en France aux XVIe et XVIIe siècles. En effet, depuis la Renaissance, la fortification est au cœur de la définition de la ville, et elle marque de façon non équivoque le passage du monde rural au monde urbain, organisé et formel. La ville

idéale, dotée d'une enceinte régulière, n'est donc rien d'autre qu'une spéculation formelle où l'urbanité se traduit dans un langage architectural. Mais le site de Québec, plutôt que de faciliter, fait obstacle à un développement régulier du système défensif et toute l'histoire de sa fortification est faite de compromis et d'adaptation au lieu.

Tirer profit du site

L'«Abitation» de Champlain était entourée d'une palissade et de fossés, tandis que le premier fort Saint-Louis de Champlain et Charles Huault de Montmagny (1647) prenait avantage de son site élevé. Champlain d'abord, l'ingénieur Gaspard Chaussegros de Léry ensuite, vont prendre conscience que les hauteurs du cap aux Diamants peuvent être fortifiées. De cette façon, bien sûr, on contrôlera l'environnement du site de Québec, mais surtout on assurera la sécurité d'un empire français d'Amérique dont le fleuve Saint-Laurent demeurait la seule voie

Vue de la rue Sainte-Ursule en 1842. L'habitation bourgeoise envahit la haute-ville au début du XIXe siècle. (Musée du Québec).

Arrondissement historique du Vieux-Québec

Vue actuelle de la ville de Québec. La fonction historique de la basse-ville a guidé l'effort de mise en valeur du secteur dans les années 1970. Quant à la haute-ville, elle a conservé sa vocation première. (Photo: Paul Laliberté).

d'accès. Cette citadelle, entreprise par la construction de la redoute du cap aux Diamants érigée en 1693, ne sera finalement réalisée qu'entre 1819 et 1832 d'après les plans d'Elias Walker Durnford, ingénieur militaire britannique. C'est du haut de ses murs qu'on saisit la dimension véritable du choix de Québec comme site stratégique dans la vallée du Saint-Laurent. Cependant, il faut contempler Québec du haut des airs — à partir de l'observatoire Anima 2000 du complexe parlementaire par exemple — pour voir la citadelle elle-même et prendre conscience de la complexité de son articulation qui expose les principes de l'architecture militaire tels que codifiés au XVIIe siècle par Vauban, ingénieur militaire et maréchal de Louis XIV.

L'édification de la capitale va également susciter un programme de fortification destiné à clore la ville. Dans cette perspective, l'utilisation du site de Québec s'est révélée difficile; il n'y a guère que l'accès à l'ouest, vers le plateau, qui puisse recevoir une enceinte digne de ce nom. Ailleurs, la falaise et les dénivellations réduisent l'art de la fortification à sa plus simple expression.

Comme c'est toujours le cas, la forme et l'emplacement de cette enceinte vont nécessairement limiter le territoire de la ville et de ce fait hypothéquer son expansion future. Voilà la raison pour laquelle il faut attendre l'année 1700 et l'augmentation des dangers liés aux rivalités franco-britanniques, qui risquent d'entraîner les colonies dans leur sillage, pour que la métropole envisage effectivement de faire de Québec une place forte. On avait bien érigé à la hâte une première enceinte à l'ouest en 1690, mais elle n'était formée que de vagues retranchements et d'une palissade de pieux. En 1693, une deuxième enceinte formée d'ouvrages de terre surmontés d'une palissade, est élevée d'après les plans de l'ingénieur Josué Dubois Berthelot de Beaucours. Son implantation déplaît, car on juge qu'elle restreint trop les possibilités d'expansion de la haute-ville. De 1700 à 1706, l'ingénieur Jacques Levasseur de Néré entreprend la construction d'une troisième enceinte plus à l'ouest. Abandonné lors de la signature du traité d'Utrecht qui, en 1713, établit une paix temporaire entre les métropolitains belliqueux, ce projet est revu et corrigé en 1745 par Gaspard Chaussegros de Léry. Cette fois, une enceinte revêtue de maçonnerie voit le jour. Mais faute de soulever l'intérêt des autorités françaises — et en conséquence faute de moyens — l'ensemble prévu par de Léry n'est pas entièrement achevé lorsque Québec tombe aux mains des Britanniques en 1759. La Conquête va démontrer aux vainqueurs la nécessité de terminer la fortification de la ville; les remparts de Québec sont réparés et les travaux menés à leur terme entre 1786 et 1812. Des murs apparaissent au sommet de la falaise du cap aux Diamants, des portes sont construites ou réaménagées et plusieurs édifices viennent parachever l'image de la place forte. Sauvée *in extremis* par l'intervention du gouverneur général, sir Frederick Temple Blackwood, marquis de Dufferin, en 1876, les fortifications de Québec sont en quelque sorte devenues le cadre qui délimite le monument. Mais à l'intérieur de l'enceinte subsistent redoutes, poudrières, batteries et casernes qui évoquent une activité militaire ininterrompue du XVIIe au XIXe siècle.

Arrondissement historique du Vieux-Québec

La place forte

Ainsi, en 1830, Québec se présente comme une ville de garnison; les quelque 1 500 hommes de troupe constituent le quart de sa population et ils occupent environ 43 pour cent de sa superficie.

Au cours de la deuxième moitié du XVIIᵉ siècle, Québec devient une capitale digne de ce nom. Lorsqu'en 1672, le gouverneur Louis de Buade, comte de Frontenac, arrive pour prendre en main les destinées de la Nouvelle-France, il décrit la ville pour laquelle il envisage un bel avenir: «Rien ne me parut si beau et si magnifique que la situation de la ville qui ne pourrait pas être mieux postée si elle devait devenir un jour la capitale d'un grand empire.»

Dès 1685, un médaillon sur une carte de Jean-Baptiste-Louis Franquelin montre le progrès accompli. La haute-ville est devenue le socle qui met en évidence la fonction institutionnelle d'une véritable capitale, imaginée par le gouverneur Frontenac. À côté de son château Saint-Louis reconstruit, se retrouvent la cathédrale Notre-Dame et le palais épiscopal. Autour de ce centre se développe la haute-ville institutionnelle, avec le séminaire, l'Hôtel-Dieu, le collège des Jésuites et le monastère des Ursulines; les Récollets s'ajouteront au groupe à partir de 1690, avec une église et un couvent faisant face au château Saint-Louis, sur la place d'Armes. Mais le dessin de Franquelin peut prêter à confusion, puisque l'iconographie de la Nouvelle-France urbaine est toute empreinte des règles de la représentation qui font que ce qui est illustré est bien plus ce que l'on souhaite être vu que ce qui existe réellement; si Louis XIV engage beaucoup de fonds pour construire une capitale digne de ce nom, il n'est que normal qu'on lui adresse des images qui répondent à ses attentes.

La fonction résidentielle

Quoi qu'il en soit, toutes les vues anciennes nous montrent qu'aux XVIIᵉ et XVIIIᵉ siècles, l'habitation bourgeoise n'envahit pas encore une haute-ville clairsemée. Par contre, dès le début du XIXᵉ siècle, celle-ci se transforme à tel point qu'elle devient le quartier résidentiel des marchands, des officiers et des hauts fonctionnaires britanniques. À ceux-là vont se joindre bientôt les bourgeois et les notables de la communauté francophone. Mais, en 1871, le départ de la garnison laisse un vide considérable dans le secteur de la haute-ville qui devra alors se réorganiser. Dès lors la fonction de capitale provinciale va servir de moteur au développement de la ville. Aux yeux de ses promoteurs, celle-ci se limite à cette haute-ville qu'on tente de remodeler en ouvrant la Grande Allée. Cette percée monumentale vers l'ouest permet aux bourgeois et aux notables de s'éloigner des miasmes et des désagréments d'une basse-ville élargie, laissée au commerce et à l'industrie.

Vers 1880, la basse-ville de Québec offrait encore une image d'ensemble assez homogène, où persistaient certains types architecturaux consacrés par les pratiques traditionnelles. On voit ici, à droite et à l'avant-plan, les maisons que les restaurateurs modernes ont transformées en «Hôtel Chevalier». (Inventaire des biens culturels du Québec).

Arrondissement historique du Vieux-Québec

Mais cette haute et cette basse-ville n'existent pas indépendamment l'une de l'autre. Ce qui qualifie Québec dans le temps et dans l'espace, c'est aussi la façon dont les gens occupent le site, et notamment les relations qu'ils établissent entre ces deux lieux d'établissement. Ainsi, Québec est une ville construite sur une série de dénivellations et, par conséquent, les rues sont bien plus souvent des côtes que des allées reposantes. Le long de ces rues règne une architecture qui, tout en prenant appui sur ce profil accidenté, tente d'en régulariser l'apparence. Ce qui explique ces maisons dont l'étagement varie selon qu'on observe l'une ou l'autre des façades, les nombreux escaliers qui relient les deux parties de la ville, les côtes à palier, avec toujours l'omniprésence de la falaise et la menace constante d'éboulis qu'elle comporte.

L'effort de mise en valeur de l'arrondissement du Vieux-Québec s'est en quelque sorte laissé guider par les fonctions historiques de ces deux secteurs qui le composent. En effet, si le chantier de restauration de la place Royale, amorcé en 1970, a tenté de reconstituer l'habitat domestique du Régime français, la haute-ville a eu droit à une résurrection du cadre militaire grâce à des efforts considérables du Service canadien des parcs. Enfin, la fonction portuaire de la basse-ville a été évoquée plus récemment par la reconstitution d'un «waterfront» très nord-américain. Les activités développées autour de ce Vieux Port, même s'il évolue en dehors des limites de l'arrondissement lui-même, et celles du secteur de la rue du Petit-Champlain, rajeunie grâce à l'entreprise privée, contribuent à l'animation de la basse-ville historique de Québec.

La maison du Chien d'Or (ancien bureau de poste) et l'escalier menant à la basse-ville, vers 1860. (Archives nationales du Canada).

Arrondissement historique du Vieux-Québec

Une ville française en Amérique: l'empreinte et l'image

Si les qualités du site expliquent déjà bien des atouts de l'arrondissement historique du Vieux-Québec, la trame urbaine et le parcellaire (ou mode de lotissement) de l'ensemble constituent la plus importante trace ancienne de l'occupation française qui nous soit parvenue aujourd'hui. Dès qu'on s'aventure dans les rues de Québec, on est en effet frappé par le tracé quelquefois irrégulier des rues, leur relative étroitesse et le mode d'implantation des habitations sur les lots riverains. Tout ceci diffère à un point tel des trames urbaines orthogonales qui ont uniformément marqué le développement de l'Amérique du Nord que Québec est souvent décrite comme une cité plutôt européenne.

Le bourg de Québec est apparu timidement, sans plan directeur. De ce fait, l'aire occupée par le Vieux-Québec actuel n'est pas d'abord le fait d'un plan préétabli, comme c'est souvent le cas des villes européennes créées au XVIIᵉ siècle, par exemple; elle résulte plutôt d'un développement initial libre. Tous les projets avancés par les ingénieurs militaires, les arpenteurs-géomètres, les architectes et les urbanistes n'ont en fait réussi qu'à nuancer les grandes lignes d'un développement initial de type organique, lié à la topographie du site.

Une ville à organiser

En 1636, lorsque la gouverneur de Montmagny arrive à Québec, il découvre un bourg peu structuré; il entreprend donc d'établir un plan de la ville dont on commence à prévoir l'émergence. Mais, très logiquement, les rues dont il propose le tracé se soumettent aux contraintes physiques du lieu, déjà appréhendées par les habitants qui y ont tracé les premiers sentiers. Ainsi, à partir du fort Saint-Louis, une rue du même nom longe le coteau qui s'élève vers les hauteurs du cap aux Diamants pour devenir le chemin menant vers Cap-Rouge. La rue Saint-Jean, quant à elle, permettra d'aller vers le coteau Sainte-Geneviève en longeant la dénivellation qui distingue les parties hautes et basses de la ville. À cause de ces accidents naturels, établir une ville selon le modèle géométrique qui a cours en Europe est une opération impossible. À la basse-ville, une assiette régulière aurait autorisé un schéma de départ plus rigoureux. Ce ne fut cependant pas le cas; le Jésuite Paul Ragueneau signale qu'en 1650, Québec est un misérable bourg ne comptant que trente maisons disposées sans aucun ordre.

Un premier document qui permet de confronter le Vieux-Québec d'aujourd'hui à ses origines est le *Vray Plan du Haut et Bas*

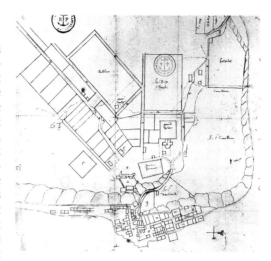

On doit ce Vray Plan du Haut et Bas de Québec comme il est en l'an 1660 *à Jean Bourdon. Il montre une haute-ville occupée par les institutions; les limites des terrains qui leur sont concédés épousent la topographie du site et donnent naissance aux premières rues de la ville. (Archives nationales du Canada).*

de Québec comme il est en l'an 1660. La haute-ville a déjà fait l'objet de concessions importantes aux Ursulines, aux Jésuites, à l'Hôtel-Dieu et à Louis Hébert, auquel succède son gendre Guillaume Couillard. Au cœur du site, l'emplacement de l'église Notre-Dame est précédé d'une grande place (place de l'Hôtel-de-Ville) et devant le fort Saint-Louis se profile la place d'Armes. Les rues Saint-Louis, Sainte-Anne et des Jardins, tout comme les côtes de la Montagne, de la Fabrique et du Palais, dessinent les contours de ces concessions, qui respectent elles-mêmes le profil du site en tirant le meilleur parti des plages les moins accidentées ou inclinées du plateau.

Le quartier de la place Royale se développe tout autrement. En prenant pour centre, d'abord l'«Abitation», ensuite le magasin, et finalement l'église et la place du marché, un axe principal suit la falaise: la rue Champlain tourne à angle droit et devient la rue Sous-le-Fort pour contourner le havre du Cul-de-Sac puis, de nouveau à angle droit, devient la rue Notre-Dame. Ce premier sentier, corrigé par quelques constructions qui viennent en accentuer les angles, est rapidement doublé de voies parallèles. L'espace gagné sur les battures, soit par la construction de quais, soit par des remblais, permet d'ouvrir les rues du Sault-au-Matelot, Saint-Pierre et du Cul-de-Sac selon un système assez simple: le sentier qui se développe le long des façades arrière, sur la grève, devient la rue nouvelle.

Arrondissement historique du Vieux-Québec

C'est seulement après 1660 que les autorités tenteront de mieux ordonner le développement de Québec. D'abord, à la basse-ville, les projets d'extension par le remblayage des berges vont se succéder à partir de 1670, et proposer la réalisation d'une trame orthogonale. Celle-ci sera à peu près terminée vers 1830, au terme de l'expansion de cette partie de l'arrondissement. L'incendie qui détruisit complètement le secteur en 1682 contribua grandement à cet effort de régularité, puisqu'il permit de rectifier les alignements des lots, précisément en vue de l'extension des rues.

À la haute-ville, le développement organique originel va continuer à dominer. Si au XVIIIᵉ siècle, on enjoint aux grands propriétaires fonciers de lotir leur domaine pour permettre de densifier l'habitat — la paroisse Notre-Dame, les Ursulines, les Jésuites, le Séminaire et l'Hôtel-Dieu se livreront tour à tour à cet exercice —, ce morcellement des lots initiaux ne fera que détailler la trame déjà existante. Les efforts les plus soutenus visant à davantage d'ordre remontent aux décennies 1740 et 1750, époque de la reprise des travaux de l'enceinte ouest. Dans le plan de Québec dressé par Gaspard Chaussegros de Léry en 1752, apparaît pour une première fois un projet réaliste pour le Vieux-Québec. On voit cependant que les espaces à développer sont dessinés selon le modèle géométrique orthogonal, tandis que la trame ancienne qui définit le cœur de la haute-ville demeure inchangée.

Comme tous les édifices conventuels et la plupart des maisons bourgeoises importantes, l'Hôtel-Dieu de Québec a été construit sur des voûtes en pierre. Cette pratique se trouve au cœur de la définition du classicisme français. La voûte à profil en anse de panier établit la compétence de l'architecte et du maître d'œuvre puisqu'elle laisse une imposante masse de pierre en surplomb. (Éditeur officiel du Québec).

Québec en 1759. Gravure d'après les dessins de Richard Short. (Musée du Québec).

Arrondissement historique du Vieux-Québec

La sympathique ruelle Sous-le-Fort, avec ses galeries passant par-dessus la voie, illustre la survivance de l'implantation traditionnelle. La galerie permet le passage entre les corps de logis situés de chaque côté de la rue. (Ville de Québec division du Vieux-Québec).

Le plan se précise

Les rues Sainte-Geneviève et Saint-Denis, D'Auteuil, Sainte-Ursule, Sainte-Angèle et Saint-Stanislas sont nées de cet exercice, même si, dans plusieurs cas, il a fallu attendre les années 1800 pour les voir apparaître en entier sur les cartes de la ville. Ces nouveaux axes témoignent certes d'une volonté de systématiser le développement de la ville, mais, dans bien des cas cependant, sans tenir compte des caractéristiques du site. Ainsi, parfois, le lotissement de quelques propriétés a pu créer quelques difficultés. Par exemple, la rue Couillard, dont le tracé sinueux semble bien typique, résulte d'un compromis entre deux tracés amorcés indépendamment, un à l'est et l'autre à l'ouest et qui, pour se rejoindre, ont dû contourner le cimetière de l'Hôtel-Dieu.

Le plan d'ensemble du Vieux-Québec, né au XVIIᵉ siècle des contraintes du lieu et d'initiatives éparses, est donc poursuivi selon un schéma de ville classique. Mais cet héritage ancien, dont on peut dire qu'il est d'origine française, même si dans plusieurs cas les tracés esquissés avant la Conquête n'ont été réalisés qu'autour de 1800, va subir des modifications importantes dans la seconde moitié du XIXᵉ siècle. Une première série de projets urbains aurait pu détruire à jamais l'organisation spatiale du Vieux-Québec, si elle avait été menée à son terme. À partir de 1856, on vient très près de démolir l'enceinte fortifiée qui défend la trame urbaine originelle contre l'envahissement. Ces idées «modernes», bien défendues par l'ingénieur municipal Charles Baillairgé, ne sont heureusement pas toutes mises en œuvre. Si on ne démolit que les portes et les retranchements de l'enceinte ouest, plusieurs rues sont néanmoins élargies: la rue Saint-Jean perd sa façade sud, la rue Saint-Paul, celle du nord, la côte du Palais, son côté est; plusieurs autres sections de rues du Vieux-Québec sont aussi démolies pour les mêmes raisons.

Arrondissement historique du Vieux-Québec

Le pittoresque l'emporte

Mais les projets d'embellissement de Lord Dufferin, responsable de ces transformations, ont un impact positif sur la survie de la structure urbaine du Vieux-Québec. La conservation de l'enceinte confirme l'originalité d'un circuit *intra-muros* que l'aménagement de quelques parcs et de plusieurs places articule, en le dotant de perspectives qui se transforment lorsqu'on évolue dans la ville. Dotée d'édifices à forte puissance d'évocation, tels que le palais de justice (1883), le Château Frontenac (1892) et l'hôtel de ville (1895), la haute-ville devient un paysage architectural pour lequel le goût du pittoresque est une garantie de survie du tracé étroit et irrégulier des artères les plus anciennes. Les photographes et les chroniqueurs apprécient ce paysage, riche en ruelles et en escaliers, qui rompt avec la monotonie géométrique des trames urbaines créées par des arpenteurs-géomètres au service des promoteurs.

Si l'urbanisme victorien s'est plutôt bien arrimé à la ville existante, surtout à la haute-ville, c'est parce que celle-ci recelait un potentiel pittoresque initial. En Europe, à la même époque, ce sont les villes médiévales qui retiennent l'attention. On y observe les mêmes qualités de pittoresque, largement

Vue de la rue des Remparts vers 1830. La ruelle située derrière la cour arrière du presbytère de la cathédrale abrite alors des maisons bourgeoises qui seront démolies pour faire place à l'évêché. (Royal Ontario Museum).

fondées sur une structure urbaine de type organique, mise en place bien avant que le Moyen Âge, d'abord, et la Renaissance, ensuite, ne viennent proposer les schémas orthogonaux et radiocentriques.

Outre le tracé des rues, le parcellaire du Vieux-Québec témoigne lui aussi de l'héritage français. Les lots concédés à des particuliers sont de forme plutôt carrée. Ceci tient au fait qu'en l'absence de ruelles secondaires, chaque lot n'est accessible de la rue que par sa façade principale; c'est là, à côté du bâtiment principal, qu'il faut sauvegarder un passage vers la cour.

Arrondissement historique du Vieux-Québec

*Stéréogramme de Louis-Prudent Vallée vers 1876-1877 montrant la rue Sainte-Anne avec le «Russell House», aujourd'hui l'hôtel Clarendon. On remarque au centre la maison Vanfelson avec ses quatre lucarnes et ses écuries en fond de cour.
(Archives nationales du Canada).*

Ce genre de parcellaire donne lieu à une implantation assez particulière que décrit Pierre Le Muet dans *Manière de bien bastir pour toutes sortes de personnes*, publié à Paris en 1664. Sur l'alignement de la rue et parallèle à celle-ci, on trouve un corps de logis. Le rez-de-chaussée est occupé par une boutique ou un atelier, l'époque voulant que tout travail artisanal, activité commerciale ou service professionnel soit exercé à domicile. Ces deux bâtiments parallèles sont, dans la plupart des cas, reliés par une troisième structure: un appentis adossé à l'un des côtés du lot. Cette structure sert aussi de galerie joignant les deux corps de logis et elle abrite souvent l'escalier unique qui dessert l'ensemble depuis la cour intérieure.

Des solutions originales

La densification de la basse-ville pose très tôt le problème de l'accès à cet espace arrière. Sur les dessins les plus anciens, on observe encore l'enclos latéral ouvert par une porte cochère; mais, dès le début du XVIIIe siècle, toutes les constructions sont devenues mitoyennes. Apparaissent alors les corps de passage ou portes cochères suivies d'un couloir, plus ou moins large selon le cas — n'oublions pas qu'aux XVIIe et XVIIIe siècles, l'usage des voitures à chevaux est peu répandu —, qui traverse la maison au rez-de-chaussée.

Sur la rue du Sault-au-Matelot, on trouve encore des traces de ce genre d'implantation, qui demeure en vigueur à Québec jusque vers 1800-1830, alors que l'avènement de la voiture à cheval particulière et l'évolution des notions d'hygiène vont démembrer l'ensemble traditionnel. Mieux, la sympathique rue Sous-le-Cap, avec ses galeries passant par-dessus la voie, n'est autre

Arrondissement historique du Vieux-Québec

Lorsque le mouvement romantique suggère aux Québécois d'admirer les environs de Québec, un front d'édifices commerciaux sépare déjà la basse-ville du fleuve. En 1872, l'ingénieur municipal Charles Baillairgé dresse les plans de la terrasse Dufferin, vaste promenade publique qui permet de découvrir le panorama des environs. Complété par la construction du Château Frontenac, entreprise en 1892, cet ensemble forme aujourd'hui une composante essentielle de l'image du Vieux-Québec. (Ville de Québec, division du Vieux-Québec).

chose que la survivance de l'implantation traditionnelle; les propriétaires riverains étant souvent les mêmes de part et d'autre de la rue, la galerie permet le passage entre les corps de logis et, à l'occasion, permet l'économie d'escaliers.

Ce type d'implantation est très intimement lié au mode de lotissement qui, encore aujourd'hui, caractérise la majorité des villes françaises; l'usage de ces cours intérieures permet d'atteindre de fortes densités d'habitation. Par contre, la ville «georgienne» se caractérise par des rues principales doublées de ruelles secondaires (ou «mews») qui permettent une entrée de service par l'arrière. C'est un nouveau mode de vie

fondé sur un usage plus répandu de la voiture à cheval particulière, qui est à l'origine de ce nouveau genre de parcellaire en Angleterre et dans les colonies britanniques dès le XVIIIe siècle. Il évite notamment de traverser le corps de logis, tout en hiérarchisant les fonctions en profondeur sur le lot, notamment pour des raisons d'hygiène.

L'adaptation aux voitures

Dans le Vieux-Québec, on va suivre le mouvement et, dès le début du XIXe siècle, on va adopter ces nouveaux types d'habitat qui nécessitent des lots plus profonds que larges, et qui n'utilisent le fond de la cour que pour les écuries.

Cependant, les habitants restent tributaires du parcellaire établi sous le Régime français. On va donc continuer à percer les demeures de portes cochères, qui grandissent avec la dimension des voitures. Il y a bien quelques cas, comme pour la ruelle Panet, où, à partir d'un coin de rue, on tentera d'amorcer la percée d'une ruelle, mais l'attachement séculaire des propriétaires à leurs lots fera obstacle à l'effort de mise en commun nécessaire à la réussite de cette percée.

Les types architecturaux qui apparaissent au XIXe siècle ne sont donc pas nécessairement conçus pour le parcellaire en vigueur à l'époque de la Nouvelle-France; leur adaptation s'impose et produit des résultats assez particuliers. Aucune autre ville

Arrondissement historique du Vieux-Québec

d'Amérique du Nord n'a ouvert d'aussi larges portes cochères dans des façades de maison plus étroites que jamais. Même en France, où les portes cochères sont choses fréquentes, on n'en trouve pas qui desservent des édifices aussi bas et aussi peu larges que les maisons construites à Québec entre 1830 et 1860.

Le caractère particulier du tracé de certaines rues a aussi créé un certain nombre de lots de forme irrégulière, dont les plus évidents sont ceux qui occupent les coins de rues. La forme complexe et souvent très articulée des bâtiments érigés sur de tels lots se retrouve aussi dans les quartiers les plus anciens des villes européennes et contribue au cachet particulier du Vieux-Québec. À Québec, chaque époque utilisera les coins de rue pour marquer le paysage architectural de façon bien particulière.

Mille et une images

Si la physionomie du Vieux-Québec s'est considérablement modifiée, au fil des ans, l'image que les habitants et les visiteurs s'en font s'est elle aussi transformée. Lorsqu'en 1963 l'arrondissement est proclamé, quelques clichés permettent la reconnaissance de la vieille ville. Par exemple, la porte Saint-Louis et le Château Frontenac ornent la plupart des cartes postales de l'époque. À ces images familières, encore redevables au projet d'embellissement proposé par Lord Dufferin en 1876, vont s'en ajouter d'autres; dès 1970, on voit apparaître la place Royale redécouverte. Mais, comme le signale une enquête sur la perception du Vieux-Québec menée auprès de ses visiteurs en 1974-1975, une importance très variable est accordée à certaines images en accord avec le lieu d'origine des répondants. Ainsi,

pour les résidents, l'image du Vieux-Québec englobe les maisons, églises et bâtiments conventuels de l'arrondissement, tandis que, pour les Montréalais, c'est l'enceinte fortifiée qui est omniprésente. Les visiteurs de l'Ontario et des États-Unis retiennent de Québec l'image de l'Hôtel du parlement, de la citadelle et du Château Frontenac; ce sont eux aussi qui s'intéressent le plus à la basse-ville, dominée par l'église Notre-Dame-des-Victoires, sise au centre de la place Royale restaurée.

Lorsque le 3 décembre 1985 l'arrondissement historique du Vieux-Québec est officiellement inscrit sur la prestigieuse liste du patrimoine mondial de l'Unesco, deux motifs sont invoqués pour lui octroyer ce statut recherché. D'abord, Québec est la seule ville du continent nord-américain à posséder une enceinte fortifiée complète. Ensuite, Québec est le berceau de la civilisation française en Amérique.

S'il ne fait aucun doute que Québec est une ville fortifiée — les murs de l'enceinte ouest et la citadelle en témoignent de façon fort éloquente —, son statut de berceau de la civilisation française en Amérique est plutôt un fait d'histoire qu'une réalité bien évidente et objectivement quantifiable. En effet, à première vue, le paysage architectural ne porte plus de traces de la naissance de la ville. Au contraire, plus de 90 pour cent des bâtiments de l'arrondissement historique ont été, soit construits, soit considérablement remaniés au cours des XIXe et XXe siècles. De plus, le Vieux-Québec a connu à la fin du siècle dernier, dans la foulée des projets de Lord Dufferin, des travaux d'aménagement suffisamment importants pour que sa morphologie soit imprégnée d'un caractère proprement «victorien».

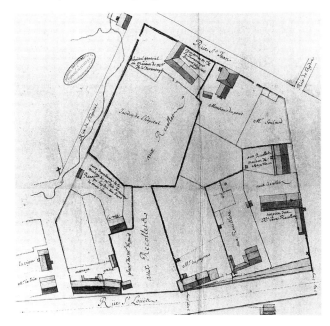

En 1692, l'îlot délimité par les rues Saint-Louis, des Jardins (de l'Hôpital) et Sainte-Anne (Saint-Jean) regroupe une forte concentration d'artisans de la construction (de la Jouë, Lavigne, Ménage, Gatien, Renault et Soulard). (Archives nationales du Québec à Québec, fonds Office du film du Québec).

Arrondissement historique du Vieux-Québec

Réalisé en 1686 par Pierre Ménage, l'escalier Saint-Augustin du monastère des Ursulines illustre bien l'art des menuisiers du XVIIᵉ siècle. (Éditeur officiel du Québec).

Pourtant, les habitants de la ville et les nombreux visiteurs qui le fréquentent s'entendent pour affirmer que le Vieux-Québec a un cachet particulier, qui rappelle les vieilles villes d'Europe. Ses maisons et ses murs de pierre, le parcours sinueux de certaines de ses rues et sa situation privilégiée sur le cap aux Diamants sont autant d'éléments qui évoqueraient cette image de ville française en Amérique. En fait, cette image qui permet aujourd'hui d'évoquer les débuts de l'Amérique francophone s'est façonnée au fil des ans et se superpose à l'ensemble construit, dont elle enrichit les significations. Elle procède bien plus d'une perception globale du lieu que de l'observation détaillée des architectures.

Québec est d'abord une ville qui parle français et qui vit en français, ce qui étonne et charme ses visiteurs et ce dont ses habitants sont particulièrement fiers. Noms de rues et de places, affiches et enseignes identifient un espace culturel francophone, ce qui en soi est unique en Amérique du Nord. De plus, la toponymie s'inspire largement de l'histoire du lieu, dont elle exploite de façon privilégiée les temps forts, en particulier ceux de l'époque de la Nouvelle-France.

C'est là une situation qui contraste fortement avec la réalité que nous présentent les textes et les photographies des années 1860-1920, qui révèlent une ville où les habitants s'expriment plutôt en anglais. En 1871, par exemple, la basse-ville compte 4 000 habitants irlandais anglophones pour 3 000 francophones, tandis qu'à la haute-ville, 50 pour cent des habitants sont anglophones. C'est à l'intérieur de cette société où la langue anglaise domine, que se retrouve l'élite culturelle et économique de la ville, et c'est là qu'on donne le ton à l'ensemble des activités de la capitale.

Québec n'a donc pas été continuellement une ville française. Pour qu'elle le redevienne, il aura fallu que s'exerce, dès les années 1920, mais surtout après 1960, une volonté de «refrancisation» rendue possible par la concertation entre les autorités municipales et provinciales. Seule cette volonté a permis à Québec de projeter une image de capitale qui soit conforme aux idéaux d'originalité et de souveraineté culturelle auxquels s'identifie la communauté québécoise.

Le paysage architectural: trois siècles d'histoire

La variété des architectures du Vieux-Québec peut s'expliquer de différentes manières. On peut opposer les systèmes urbains: à la ville classique succède en effet un ensemble pittoresque. L'architecture du Vieux-Québec permet aussi de dresser une fresque évolutive de catégories stylistiques significatives. Mais toutes ces considérations ne doivent pas nous faire oublier que l'ensemble qui nous est parvenu résulte de la superposition de plusieurs époques d'occupation, ce qui lui confère sa densité historique.

Arrondissement historique du Vieux-Québec

En 1727, une ordonnance promulguée par l'intendant Claude-Thomas Dupuy constitue un premier code du bâtiment. Elle prévoit notamment la construction de murs coupe-feu pour éviter les risques de conflagration.

Arrondissement historique du Vieux-Québec

Vue d'ensemble du nord-ouest du monastère des Ursulines et de ses jardins, au cœur du Vieux-Québec. L'édifice, construit autour d'une cour intérieure sur le modèle des châteaux français du début du XVIe siècle, porte encore aujourd'hui les traces du classicisme. (Ville de Québec, division du Vieux-Québec).

Le premier bourg de Québec était assez peu structuré, composé de modestes constructions, d'environ 5 mètres sur 5, de un ou deux étages. Le bois et le colombage «pierroté» semblent avoir été les techniques privilégiées pour l'habitation jusqu'en 1682, alors qu'un incendie détruit l'ensemble de la basse-ville. Ce premier établissement était dominé par quelques édifices plus importants: le château Saint-Louis et l'église Notre-Dame, tous deux reconstruits en pierre à partir de 1647, le premier collège des Jésuites, les monastères des Ursulines et de l'Hôtel-Dieu à la haute-ville, le magasin de Champlain à la basse-ville. Dans cette ville où les teintes sombres du bois vieilli se mêlent au noir de la pierre du cap, quelques taches plus claires ressortent: ce sont quelques édifices dont les murs de pierre ou de colombage ont été crépis. C'est l'habitude en France depuis le XVIe siècle, où l'architecture classique valorise les finis. De cette première bourgade il ne reste rien, sinon des vestiges archéologiques, des fragments de murs et des témoignages écrits.

La ville qui se développe à partir des années 1670-1685, et qui atteint un état complet vers 1720, est dotée d'une architecture dont le programme formel est celui du classicisme français. Ce style est transposé en Nouvelle-France avec l'arrivée des ingénieurs militaires, architectes et hommes de métier qui apportent avec eux un certain nombre de traités. Or, à cette époque, ces livres exposent la théorie architecturale comme théorie de l'ordre, ce qui place l'architecture au centre d'un programme de rayonnement culturel. On comprend alors l'importance qu'attache la métropole à cette affirmation nationale en terre d'Amérique, par le biais du projet architectural.

Si les ingénieurs du roi, tels Robert de Villeneuve et Josué Dubois Berthelot de Beaucours s'affairent surtout aux fortifications, les architectes, dont Claude Baillif et François de la Joüe, vont plutôt se consacrer à l'édification des monuments nécessaires à l'affirmation du pouvoir royal (le château Saint-Louis, 1692), du pouvoir de l'Église (la cathédrale Notre-Dame, 1684; le palais épiscopal, 1692) tout en construisant aussi les ensembles conventuels (le séminaire, 1678; le monastère des Ursulines, 1686; l'Hôtel-Dieu, 1695). Mais ces architectes qui œuvrent pour le roi et l'Église vont travailler aussi comme architectes bourgeois, suivant en cela l'exemple de leurs confrères métropolitains qui agissent à la fois comme concepteurs et comme constructeurs de l'habitat urbain. Avec les artisans de métier, venus comme eux de France ou formés sur les grands chantiers de Québec, ils vont donc ériger toutes les habitations de la ville, dont les demeures prestigieuses des bourgeois Charles Aubert de la Chesnaye (1678) et François Hazeur (1684), véritables hôtels particuliers.

Arrondissement historique du Vieux-Québec

L'architecture domestique

Plus vastes qu'au début du siècle, les maisons sont aussi plus souvent érigées en pierre et, dans bien des cas, dotées des attributs visibles du classicisme: toits mansardés, ouvertures cintrées et fenêtres en forme de croisées. Sur les édifices publics, dont le répertoire formel est encore plus explicite, les constructeurs tentent, sans trop de succès, de rivaliser en qualité avec les monuments de la métropole. Mais le coût élevé des constructions, dû au manque de main-d'œuvre qualifiée et à la rareté des matériaux — plusieurs sont importés de France — et la relative inadaptation de cette architecture au contexte local du point de vue de la technologie et du chauffage, vouent toute l'entreprise à l'échec. Les édifices publics demeurent inachevés, les maisons érigées à grand frais sont encore trop rares; parfois, elles disparaissent même au gré des nombreux incendies qui les détruisent trop facilement.

Le XVII⁰ siècle laisse cependant à Québec un type architectural assez particulier: les édifices conventuels. En effet, les monastères, couvents et collèges sont construits autour d'une cour carrée sur le modèle des châteaux du début du XVI⁰ siècle français, alors qu'à Montréal les mêmes édifices adoptent le plan du palais, plus tardif et dont la façade s'ouvre sur une cour d'honneur. Le monastère des Ursulines, celui des Augustines de l'Hôtel-Dieu et le séminaire de Québec portent encore aujourd'hui les traces de ce premier type d'architecture conventuelle du classicisme français. À l'intérieur de ces monuments subsiste la trace du grand art des maîtres d'œuvre: la stéréotomie (l'art de construire des voûtes en pierre), domaine dans lequel la France excelle et innove aux XVI⁰ et XVII⁰ siècles, et que ne pouvait donc ignorer une des provinces de France.

La ville de Louis XIV, construite avec de la pierre de couleur gris sombre extraite des carrières de Beauport, va pourtant apparaître revêtue de blanc. C'est que, pour rejoindre l'idéal classique et pour protéger la maçonnerie des intempéries, on va substituer un fini lisse aux surfaces rugueuses, en recouvrant les murs du gros œuvre d'un crépi blanchi à la chaux. Ces murs blancs sont rehaussés par les couleurs du toit (le bleu de l'ardoise, par exemple) et par celles des boiseries extérieures (contrevents, fenêtres, escaliers).

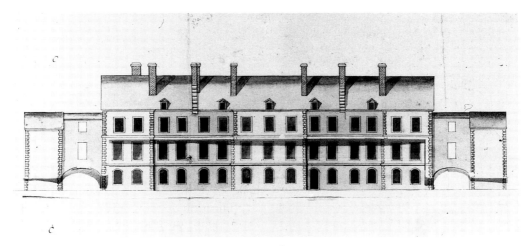

Reconstruite après l'incendie de 1726, la façade arrière du palais de l'intendant devient le modèle du type de maison urbaine en usage à Québec au XVIII⁰ siècle; peu enclins à lire les ordonnances, les hommes de métier retrouvent là une image autorisée de ce qu'il convient de faire. (Archivves nationales de France).

Arrondissement historique du Vieux-Québec

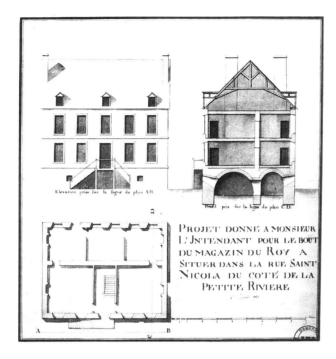

PROJET DONNE A MONSIEUR
L'INTENDANT POUR LE BOUT
DU MAGAZIN DU ROY A
SITUER DANS LA RUE SAINT
NICOLA DU COTÉ DE LA
PETITE RIVIERE

Gaspard Chaussegros de Léry dresse lui-même les plans de quelques édifices qui respectent le texte de l'ordonnance de 1727, comme cette maison située à proximité du palais de l'intendant, dans le faubourg Saint-Nicolas. Conscient de l'implantation, l'architecte ne propose pas de murs coupe-feu, attributs utiles en situation de mitoyenneté seulement. (Archives du Séminaire de Québec).

Les nécessaires adaptations

Au XVIIIe siècle, le paysage architectural de la ville devient plus uniforme. L'insuccès des formules coûteuses de la fin du XVIIe siècle est la cause principale d'un effort d'adaptation qui voit naître à Québec un type original de maison, qui va refléter avec un certain bonheur la réalité socio-économique de la vie urbaine en Nouvelle-France. En effet, la pénurie de terrain à bâtir et les risques de plus en plus grands d'incendie obligent les autorités à émettre des règlements plus précis pour régir la construction en ville.

En 1721, après l'incendie qui ravage Montréal, l'intendant Michel Bégon émet une première *Ordonnance portant règlement pour la reconstruction des maisons*. En 1727, quelques mois après l'incendie de son palais, l'intendant Claude-Thomas Dupuy y va de son *Ordonnance portant Règlement pour la construction des maisons en matériaux incombustibles dans les Villes de la Colonie*. Ce deuxième document est très intéressant parce qu'il résume un ensemble de mesures déjà appliquées ou qui le seront par la suite, par une population à la recherche d'une architecture adaptée à ses besoins.

L'ordonnance de 1727, préparée par l'ingénieur Gaspard Chaussegros de Léry et promulguée par l'intendant Dupuy, interdit de construire en bois dans les villes. Elle ordonne de bâtir des maisons d'au moins deux étages au-dessus d'une cave voûtée en dur. Pour les toitures, défense est faite d'ériger des toits mansardés ou à «combles brisés qui sont, en fait, des maisons de bois

Dressée au centre du parc de l'Artillerie, la redoute Dauphine est l'édifice de l'arrondissement historique de Québec qui a le plus retenu l'attention des architectes et restaurateurs. (Ville de Québec, division du Vieux-Québec).

Arrondissement historique du Vieux-Québec

À la rencontre de la côte de la Fabrique et de la rue Sainte-Famille, le Séminaire de Québec fait ériger cette superbe maison en 1838, d'après les plans de l'architecte Thomas Baillairgé. Selon les canons de l'esthétique néo-classique, la façade est arrondie, alors que la maison précédente qui occupait le même lot depuis la fin du Régime français arborait une façade à trois pans et coupée. (Photo: Michel Bourassa).

posées sur des carrés de pierre». Quant à la couverture des toits à deux versants, elle devra être faite de planches chevauchées en attendant la tuile ou l'ardoise, au lieu du bardeau de cèdre, jugé trop dangereux. Toujours en vue de limiter les dégâts causés par le feu, de Léry suggère de remplacer les grosses charpentes par des assemblages plus légers, démontables rapidement, et de prolonger les murs pignons ou les murs de refend au-dessus des toitures, pour créer des coupe-feu qui séparent les maisons ou les sections d'un édifice plus important. Les cheminées doivent être placées dans des cloisons de pierre ou être isolées de toute menuiserie, et le sol des greniers ou galetas sera couvert de chaux et de sable pour éviter que le feu de la toiture ne se communique à la maison. Enfin l'ordonnance interdit toute boiserie apparente à l'extérieur des maisons.

Quand les singularités s'estompent

Cette ordonnance révèle deux autres faits intéressants. En premier lieu, on passe de la protection individuelle des maisons à celle d'un ensemble urbain. En effet, au XVIIᵉ siècle, les couvertures en ardoise, les escaliers extérieurs, la distance qui séparait chaque bâtiment et les échelles disposées près des cheminées étaient des précautions qui visaient à protéger chaque maison et ses habitants. L'ordonnance de 1727 cherche plutôt à protéger l'ensemble urbain, au détriment de l'apparence et du caractère individuel de chaque habitation. Dans un deuxième temps, on assiste à une uniformisation du paysage architectural; la disparition des ornements — attributs stylistiques — réduit la maison à sa forme essentielle, c'est-à-dire au type architectural. Une fois cette ordonnance appliquée, que reste-t-il en effet au maître maçon pour distinguer la maison qu'il vient de construire de celle du voisin, sinon les dimensions, le nombre des cheminées et, éventuellement, l'aménagement intérieur?

Mais cette uniformisation de l'architecture domestique n'est pas le seul fait d'une ordonnance, loin de là: s'y ajoute l'influence des maîtres maçons formés sur le chantier, chez qui l'innovation formelle est inexistante et pour lesquels les grands édifices de la haute-ville et les maisons bourgeoises de l'époque précédente sont des modèles à rejeter. Ces maîtres vont se tourner vers d'autres sources. Or, avec la reconstruction

Arrondissement historique du Vieux-Québec

Les trois types de maisons les plus courants à Québec entre 1800 et 1850. (Dessin: André Cloutier).

Vers 1875, Québec apparaît comme une ville classique avec des architectures peu variées. Ces maisons seront démolies à la fin du XIXe siècle pour faire place au Château Frontenac. (Inventaire des biens culturels du Québec).

du palais de l'intendant en 1726 et l'édification des nouvelles casernes en 1749, l'ingénieur Chaussegros de Léry leur offre un exemple à suivre. En effet, si l'on considère les façades de ces bâtiments, on peut y retrouver l'équivalent d'une série de maisons juxtaposées. Les murs coupe-feu, l'implantation des cheminées dans ces murs ou dans les pignons, la charpente à filières (ou à pannes) et la couverture en fer-blanc sont autant d'innovations qui surviennent au bon moment. La maison Estèbe, construite en 1752, demeure aujourd'hui l'exemple le plus achevé de ce type architectural.

La singularité s'affirme

L'analyse des marchés de construction et l'étude des cas démontrent, de façon convaincante, que l'apparition de cette architecture urbaine originale, particulière au Québec, se fait entre 1720 et 1760; de 1760 à 1790, elle connaît un grand essor, et on assiste à un accroissement spectaculaire du nombre d'exemplaires qui reproduisent cette architecture. Le signal du départ est donné immédiatement après la Conquête, alors que les citoyens procèdent à la reconstruction des quelques centaines de maisons détruites. Les gravures de Richard Short nous renseignent sur l'effort qu'il fallait déployer pour mettre à l'abri la population de la ville. Considérons, par exemple, la basse-ville; généralement, on se contente de remettre les bâtiments dans leur état ancien.

Cependant, plusieurs nouvelles constructions remplacent les maisons trop endommagées ou occupent les terrains vacants. C'est le cas des maisons Louis-Beaudoin (1764), Dupont-Renaud (1769), Le Picard (1763) et Saint-Amand (1761-1769). Telles qu'elles apparaissaient vers 1800, ces maisons ne diffèrent que peu de l'architecture du Régime français: la tradition architecturale se perpétue.

Quelques maisons de la haute-ville nous renseignent aussi sur cette architecture traditionnelle qui reproduit un modèle connu, qui va de soi. Au 17, rue Saint-Louis, la maison Maillou, même si elle a été construite en 1738, surhaussée d'un étage vers 1770 et allongée par la suite, conserve une image cohérente avec la référence au type architectural du début du XVIIIe siècle. Plusieurs autres maisons sont ainsi agrandies pour répondre à une densité plus grande de la population. Avec la construction de nouvelles habitations, elles vont donc contribuer à implanter à la haute-ville un paysage architectural en conformité avec l'image de celui qui est déjà présent dans la basse-ville avant la Conquête. La maison Vanfelson, dans la rue des Jardins, restituée à son état originel en 1972, est un exemple de cette mutation de la haute-ville en lieu plus densément peuplé: la hauteur des maisons augmente, et les bâtiments comptent en général au moins deux étages.

Arrondissement historique du Vieux-Québec

Changement de paysage

Dessins et aquarelles du début du XIXᵉ siècle témoignent de ce nouveau paysage urbain, rétabli ou reconstruit après la Conquête. Il demeure blanc, mais la polychromie qui l'égayait a disparu; les cadres en pierre de taille des portes et des fenêtres sont peints en brun foncé pour imiter le bois des chambranles, et les toitures en bardeaux de cèdre sont tout aussi sombres.

Ce paysage architectural, normalisé par une pratique de type traditionnel, est dominé par la relation maître d'ouvrage-maître d'œuvre, sans intervention de l'architecte qui serait spécifiquement chargé de la conception formelle. Quelques noms ressortent cependant de la masse anonyme des hommes de métier du XVIIIᵉ siècle. Celui de Jean Maillou, par exemple: successivement tailleur de pierre, maçon et maître maçon, il finit par se déclarer architecte. Son habileté à dessiner l'élève à ce rang: elle lui permet de représenter la solution qu'il propose en réponse à un problème précis. C'est le cas aussi de Jean Baillairgé, maître charpentier qui devient architecte par nécessité, étant à peu près le seul à maîtriser le dessin à Québec vers 1770. À ceux-ci on réserve les chantiers les plus difficiles, les cas particuliers pour lesquels il faut imaginer des solutions nouvelles ou différentes de celles que véhicule le savoir-faire traditionnel. Les coins des rues sont assez révélateurs à cet égard. Pour l'homme de métier, la maison en coin est une structure comme les autres. Mais lorsque la forme irrégulière du lot impose une solution différente, on peut fort bien imaginer qu'un architecte ait été appelé à intervenir.

La porte Kent en construction en 1879. Ce monument constitue un des éléments tangibles du plan de sauvegarde du Vieux-Québec élaboré par le gouverneur général Lord Dufferin, dès 1875. Il contribue puissamment à doter Québec de cette architecture de style château que l'architecte Eugène-Étienne Taché voulait imposer comme style d'architecture pour l'État québécois, durant les années 1880-1900. (Archives nationales du Québec à Québec).

Le XIXᵉ siècle naissant va insuffler une nouvelle vie à ce paysage architectural formé «de constructions grossières et dénuées d'art», aux dires d'une nouvelle élite habituée à une architecture plus achevée et mieux définie en termes stylistiques: le classicisme anglais. Telle que développée en Grande-Bretagne dès le début du XVIIIᵉ siècle, cette architecture va servir de référence aux nouveaux gouvernants. La ville est d'abord réanimée par la construction de quelques nouveaux édifices publics, tels que le palais de justice et la cathédrale anglicane (1799-1804), l'hôtel Union (1804) et la prison de la rue Saint-Stanislas, aujourd'hui connue sous le nom de Morrin College (1808-1811). Dans un deuxième temps, des édifices plus anciens, dont l'image est jugée par trop vieillotte, notamment à cause de leur reconstruction sommaire au lendemain de la Conquête, sont remis au goût du jour; c'est le cas du château Saint-Louis (1811), des églises Notre-Dame-de-Québec et Notre-Dame-des-Victoires (1816 et 1818).

Arrondissement historique du Vieux-Québec

La ville, dont la référence classique est confirmée par la reconstruction de l'enceinte et l'édification de quelques portes nouvelles (porte Hope, 1786, et porte Prescott, 1797), est dotée d'édifices publics dignes de ce nom, pour bien marquer sa nouvelle fonction de symbole du pouvoir britannique en Amérique du Nord.

Place aux notables

L'effort de renouvellement va aussi porter sur l'habitat. De façon générale, la ville pré-industrielle d'origine française, où se mêlent les classes sociales, va faire place à un centre-ville réservé aux bourgeois et aux notables, tandis que des faubourgs de plus en plus étendus accueillent désormais artisans et ouvriers. Rien d'étonnant donc à ce que les maisons de l'Ancien Régime soient jugées vieillottes et impropres au nouveau mode de vie. La ville georgienne va plutôt suggérer le modèle d'un nouveau type d'habitation.

Dans un premier temps, la maison traditionnelle est réaménagée et redécorée en termes stylistiques, de façon à illustrer à nouveau son appartenance à l'architecture. La porte d'entrée placée au centre de la façade s'orne d'un portail sculpté, et les fenêtres disposées symétriquement de part et d'autre sont garnies de chambranles moulurés. Toujours érigées en pierre, à un ou deux étages (avant 1830), les structures sont couvertes d'un crépi tantôt blanc crème, tantôt gris. Sur plusieurs d'entre elles, l'enduit est orné de faux joints pour bien marquer la préférence pour une pierre de taille lisse et posée à joints perdus que les carrières des environs ne sont toutefois pas encore en mesure de produire. Quant aux toitures, la tôle à la canadienne devient la règle; elle se substitue aux bardeaux de cèdre, dont elle conserve cependant la forme.

La seule transformation structurale subie par le paysage architectural de la ville, entre 1800 et 1830, a trait à l'échelle. Les édifices publics du Bas-Canada sont en effet beaucoup plus monumentaux que ceux de la fin du XVIIe siècle. Cette caractéristique vaut pour les nouvelles demeures, plus vastes qu'auparavant, mais la forme générale de l'habitat ne varie guère. Les modèles anglais sont assimilés par les hommes de métier, qui les inscrivent dans une silhouette familière, avec toit à deux versants hauts et murs coupe-feu.

Le bureau de poste construit en 1871 d'après les plans de l'architecte Pierre Gauvreau (probablement secondé par Joseph-Ferdinand Peachy) marque le début d'un retour de l'influence française dans l'architecture de la ville. (Archives nationales du Canada).

Arrondissement historique du Vieux-Québec

Érigé en 1854 d'après les plans de l'architecte Charles Baillairgé, le pavillon central de l'université Laval, de style moderne et fonctionnel, adopte un air très nord-américain avec son toit plat contourné d'une imposante balustrade. En 1875, les autorités de l'université confient à l'architecte Joseph-Ferdinand Peachy le soin de coiffer l'édifice d'un toit français dans le dessein de l'embellir, mais surtout pour affirmer plus clairement l'identité de la première université francophone d'Amérique du Nord. (Archives nationales du Québec à Québec, collection initiale).

L'héritage britannique

Ce nouvel habitat présente par ailleurs plusieurs autres caractéristiques originales. Ainsi en est-il du portail très haut qui abrite l'escalier intérieur, forme née de cette adaptation du modèle anglais au contexte du Vieux-Québec. Le rez-de-chaussée de ces maisons étant élevé — notamment à cause de la présence des cuisines en sous-sol — il est d'usage d'y accéder par un escalier et un perron extérieurs. Or, à Québec, la forme des lots incite plutôt les propriétaires à élever le pas-de-porte sur la ligne de la rue. Dès lors, comme on ne peut pas empiéter sur la voie publique — une ordonnance de 1800 vient le rappeler de façon précise —, il ne reste plus qu'à faire entrer l'escalier à l'intérieur de la maison et à étirer la porte d'entrée et son ornementation vers le bas, comme pour aller chercher le visiteur sur le trottoir. Ouvrant vers l'extérieur à cause de l'emmarchement intérieur, le battant va rapidement être ajouré pour permettre de voir sur le trottoir et éviter de blesser les passants.

Après 1830, ce modèle de maison proprement londonienne s'implante à Québec. Avec ses trois étages et son plan plus profond que large, elle permet une densification considérable de la ville. Les lots anciens se divisent alors pour faire place à ces maisons plus étroites et plus hautes, qui imposent à la ville un rythme différent. Mais la silhouette globale des rues ne varie guère, le modèle nouveau étant à son tour inscrit dans le gabarit traditionnel par l'usage des matériaux, la forme des toitures et des lucarnes, le nombre et la forme des souches de cheminée et les murs coupe-feu. Néanmoins, il reste que les couleurs de la ville vont se modifier sensiblement à cette époque, à cause de l'usage plus répandu de la pierre de taille. Par ailleurs, les travaux à la citadelle et aux fortifications ayant permis l'ouverture des carrières de Cap-Rouge, la pierre de grès d'un vert brunâtre qui en est extraite devient disponible pour tous les chantiers, et la ville, généralement claire jusque-là, va donc s'assombrir rapidement. Un peu plus tard, la construction d'édifices publics importants suscite l'ouverture des carrières de Deschambault, dont la pierre calcaire d'un gris clair et finement bouchardée permet enfin d'obtenir des surfaces égales aux angles bien découpés. On observe alors l'apparition d'une ornementation architecturale plus développée, avec, entre autres, ces tableaux et arcades qui rythment les surfaces des édifices néo-classiques des années 1840-1860.

Arrondissement historique du Vieux-Québec

Le courant néo-classique

En effet, c'est aussi en ce milieu du XIXe siècle que la ville s'enrichit de monuments néo-classiques achevés, dont la façade de la cathédrale Notre-Dame (1843) et le palais épiscopal (1849), œuvres de l'architecte Thomas Baillairgé, sont des exemples. Élève de son père, François Baillairgé, et influencé par les architectes anglais qui arrivent nombreux à Québec après 1830, Thomas Baillairgé devient le premier architecte professionnel né à Québec. Ses édifices publics et les nombreuses maisons dont il livre les plans vont modeler l'image de la ville classique en misant sur la continuité. Parce que l'état complet existant alors dans le Vieux-Québec et le nombre restreint d'espaces vacants encore disponibles interdisent les changements majeurs, l'apparition de modèles nouveaux et l'arrivée d'architectes formés à l'étranger ne peuvent que réanimer la ville de cette époque. Pendant que, graduellement, quelques édifices neufs sont élevés, le milieu traditionnel s'ouvre sur la nouveauté. Apparaît ainsi un néo-classicisme québécois, véritable synthèse de l'héritage français et de l'influence nouvelle, dont Thomas Baillairgé se fait l'ardent promoteur.

Encore ici, les maisons érigées au coin des rues témoignent de pratiques architecturales qui ont assuré la survie de l'héritage. L'édifice Livernois, bâti en 1842 d'après les

Cette photo aérienne montre la ville de Québec en 1926. Avec le palais de justice, construit en 1884, l'Hôtel du parlement, érigé de 1877 à 1886, et le Château Frontenac, dont il a dressé l'avant-projet, Eugène-Étienne Taché imprime à l'architecture de la ville un caractère français, à l'instigation du gouvernement de la province de Québec qui cherche à se distinguer par une architecture témoignant de la présence française en Amérique.

plans de l'architecte Frederick Hacker, propose une façade arrondie qui transpose à Québec l'esthétique néo-classique.

Thomas Baillairgé connaissait déjà cette formule lorsque, en 1838, le Séminaire de Québec lui commande un édifice de plan irrégulier pour marquer le coin de la rue Sainte-Famille et de l'entrée de l'institution; il l'interprète cependant à la lumière des acquis locaux. Ainsi, la fenestration, l'appareil de pierre et le mode de recouvrement du toit s'inscrivent dans la tradition, même si la forme est nouvelle. Ailleurs, les hommes de métier vont continuer d'orner les coins de rue de maisons qui ne tirent pas parti de cette situation privilégiée, comme si la rue latérale n'existait pas. Chaque fois que la deuxième façade est développée, on retrouve en effet la trace de l'intervention

Arrondissement historique du Vieux-Québec

d'un architecte. Au coin des rues Mont-Carmel et des Grisons, ainsi que des rues Saint-Louis et D'Auteuil, un système complexe de fenêtres en trompe-l'œil expose l'effort de composition de certains architectes qui tentent d'adapter un type traditionnel à la réalité urbaine.

Retour aux sources

C'est cette ville classique, déjà connue et fréquentée en raison de ses monuments, que l'ère industrielle va considérablement modifier. Mais alors que partout dans la province, et surtout à Montréal, l'architecture dite victorienne triomphe, les architectes de Québec, en particulier Joseph-Ferdinand Peachy et Eugène-Étienne Taché, vont plutôt s'inspirer de modèles français.

Ce retour aux sources s'opère au lendemain de la naissance de la Confédération, le gouvernement de la province de Québec cherchant à se distinguer par une architecture qui témoignerait de la présence française en Amérique. Ainsi, lorsque la législature adopte les plans d'un nouvel Hôtel du parlement, elle retient ceux d'Eugène-Étienne Taché, notamment parce qu'il propose un style truffé de références au palais du Louvre. En fait, Taché épouse la cause de l'éclectisme français, mouvement du milieu du XIXe siècle qui préconise la création d'un style national fondé sur des emprunts à l'architecture des XVIe, XVIIe et XVIIIe siècles.

Si, de façon générale, l'Amérique du Nord tout entière s'intéresse aux grandes réalisations du Second Empire, il n'en demeure pas moins que le style Second Empire, volontiers utilisé pour des hôtels, des édifices publics et des maisons connues, n'y est considéré que comme un style parmi tant d'autres. Les éclectiques nord-américains puisent en effet dans tous les styles du passé. Dans cette perspective, l'Hôtel du parlement, construit de 1877 à 1886, est un bâtiment tout à fait original: Taché s'est inspiré non pas des réalisations du Second Empire, mais plutôt de l'esthétique qui a présidé à leur genèse, en prenant comme modèle l'édifice qui incarne à lui seul un classicisme proprement français depuis le milieu du XVIe siècle: le Vieux Louvre.

À Québec, l'intention de Taché a été bien comprise. La plupart des chroniqueurs des années 1880 ont en effet souligné le caractère français du nouvel immeuble, sans pour autant manquer de noter que sa présence sur la Grande Allée confirmait le caractère typique de ce nouveau boulevard, que d'aucuns se hasardaient même à nommer «les Champs-Élysées de Québec». Bientôt bordée de somptueuses villas suburbaines,

Ces maisons en rangée érigées en 1900 en face du jardin des Gouverneurs rompent avec le monolithisme stylistique des époques antérieures. (Archives nationales du Québec à Québec, fonds Wurtële).

empruntées aux dessins de l'architecte parisien César Daly, la Grande Allée devient rapidement le quartier le plus en vue de Québec, et ses architectures imposent à l'ensemble de la ville le répertoire formel de l'éclectisme français.

Pendant que Taché poursuit sa recherche personnelle en édifiant le palais de justice (1884) et le manège militaire (1885), Joseph-Ferdinand Peachy dote le Vieux-Québec de plusieurs maisons et édifices qui s'inspirent tous de l'architecture française du XIXe siècle. En témoignent encore aujourd'hui, le pavillon central de l'université Laval, que Peachy rehausse d'un toit mansardé coiffé d'élégants lanternons empruntés aux hôtels de ville des départements du Nord, ainsi que l'architecture intérieure de la chapelle du séminaire, référence explicite à une œuvre remarquable de l'architecte Théodore Ballu: l'église de la Trinité de Paris.

Arrondissement historique du Vieux-Québec

Le XIXe siècle s'achève avec la construction du Château Frontenac, hôtel somptueux dont Eugène-Étienne Taché a dressé l'avant-projet en prenant modèle sur les châteaux de la Loire. Même si l'Américain Bruce Price est venu imprimer un cachet plus pittoresque à la silhouette monumentale de l'édifice, la référence aux modèles français demeure explicite.

Le XIXe siècle voit s'accroître substantiellement la contribution de la France à l'architecture du Québec. D'abord, du fait de l'influence de l'École des beaux-arts de Paris, qui accueille les architectes du Québec; ensuite, par la venue au Québec d'architectes français. Un de ceux-ci, Maxime Roisin, donne à la ville plusieurs édifices importants; il dresse aussi les plans de monuments commémoratifs retraçant les grands moments de l'histoire de la Nouvelle-France, et dont les personnages en bronze ont été coulés dans des ateliers parisiens.

Présence de l'Amérique

Mais, à côté de ces édifices et monuments qui se souviennent de la France, il en est un certain nombre qui nous signalent que le Vieux-Québec évolue en Amérique du Nord. Même si elle a été largement décimée, l'œuvre architecturale de Charles Baillairgé demeure suffisamment présente pour témoigner de la survie tardive d'un néo-classicisme américain, comme c'est le cas de la maison Cirice-Têtu, sise au numéro 25 de la rue Sainte-Geneviève. Plus varié est le répertoire formel des œuvres attribuées aux architectes Staveley qui, de père en fils et pendant trois générations, vont concevoir et réaliser des édifices pour la communauté anglophone de Québec.

Rompant avec le monolithisme stylistique des époques antérieures, le dernier quart du XIXe siècle transforme le paysage architectural de la ville en y introduisant une variété de formes et de couleurs jusque-là inconnues. La pierre rustique et à bossage, la brique, la tôle, le cuivre et l'ardoise dans quelques cas, offrent de nouvelles possibilités aux architectes, dont les immeubles exposent désormais bien plus leur «manière» que le style d'une époque. La ville classique cède ainsi la place à un ensemble urbain plus diversifié, qui rejoint les attentes d'une clientèle déjà impressionnée par le site et les panoramas qu'il permet d'entrevoir.

Par la construction d'édifices nouveaux, mais aussi par l'aménagement de parcs et de jardins, le Vieux-Québec se transforme à la fin du XIXe siècle. La place du marché Notre-Dame devient la place de l'Hôtel-de-Ville lorsque les étals des commerçants quittent l'endroit pour s'installer au marché Montcalm, aujourd'hui la place D'Youville. (Photo: W. Notman, collection privée).

Arrondissement historique du Vieux-Québec

Vers 1895, la rue Saint-Pierre demeure la principale artère commerciale de la ville. Au cours du XXᵉ siècle, cette fonction se déplacera vers d'autres secteurs de la ville. (Archives nationales du Canada).

Un monument vivant

Si le monument qu'est le Vieux-Québec peut être analysé dans le temps et donner lieu à une interprétation de ses significations, il n'en reste pas moins que l'intérêt suscité par l'arrondissement naît surtout de l'animation créée dans ces vieux murs par l'activité des habitants et des visiteurs.

Québec a d'abord été un point d'arrivée, ensuite un port d'entrée, pour enfin devenir un lieu visité. Le Vieux-Québec a été la ville, puis le centre-ville, avant d'endosser plus récemment l'étiquette de «centre-ville historique». Depuis toujours monument actif et visité et, par conséquent, vivant, il a peu de points communs avec le statut de certains ensembles architecturaux, désaffectés à un moment de leur histoire puis consacrés comme villes musées (Provins, Aigues-Mortes et Carcassonne, par exemple) et ce, souvent après des efforts de reconstruction considérables (Williamsburg et Louisbourg, par exemple).

Le Vieux-Québec vit plutôt avec les contraintes que connaissent les centres-villes historiques européens et nord-américains, qui doivent assurer la conservation d'un patrimoine architectural. Celle-ci, d'une part, empêche la densification urbaine et, d'autre part, exige que soit maintenu l'équilibre entre les fonctions d'habitation et de commerce et que soient réglés des problèmes de circulation et de stationnement à peu près insolubles, puisque les points de vue des habitants et des visiteurs — tant les touristes que ceux qui travaillent en ville — sont la plupart du temps inconciliables. À tout cela s'ajoute le fait que si un centre-ville historique provoque d'énormes retombées économiques sur la périphérie, il est par contre souvent à la charge d'une population limitée, et dont le nombre ne cesse de diminuer. En effet, l'habitat restauré loge des familles moins nombreuses dans des espaces plus vastes. Par ailleurs, la clientèle et les activités touristiques éloignent les résidents permanents. En outre, on constate souvent que, dans les centres anciens, la grande mobilité des résidents devient la norme.

Nouvel habitat

L'arrondissement historique demeure cependant un lieu qui se prête bien à l'habitation. En effet, à côté des rues historiquement marchandes (rue Saint-Jean, côte de la Fabrique, par exemple) se développe un réseau de petits quartiers d'habitation (îlots Sainte-Ursule, Mont-Carmel, Sainte-Geneviève, par exemple). L'habitat du Vieux-Québec, majoritairement composé de maisons des années 1830-1860, de type londonien, où prédomine la position latérale de l'escalier et des vestibules, favorise tout naturellement la division de ces maisons en trois ou quatre logements, sans occasionner de bouleversements majeurs. Déjà amorcée au début du XXᵉ siècle dans bien des cas, la transformation de ces résidences unifamiliales se fait aujourd'hui grâce à la formule du condominium, qui caractérise de plus en plus le mode actuel d'habitation dans le Vieux-Québec.

Les nombreuses et intéressantes écuries qui accompagnaient ces maisons ont malheureusement pour la plupart été démolies, et les portes cochères ne donnent maintenant accès qu'à des cours intérieures majoritairement transformées en stationnement. Mais d'une certaine manière, l'espace ainsi perdu est en partie regagné par l'aménagement de terrasses qui, à l'arrière, augmentent la superficie de l'espace occupé, tout en permettant de doubler les issues par un escalier arrière extérieur, comme l'exige impérativement la sécurité.

Arrondissement historique du Vieux-Québec

Le parc des Gouverneurs d'aujourd'hui occupe les lieux où se trouvait jadis le jardin du château Saint-Louis. Le site offre un magnifique panorama sur le fleuve. (Éditeur officiel du Québec).

La citadelle, base militaire active, recèle un bon nombre de bâtiments d'un grand intérêt. On voit ici l'intérieur du réduit Jebb. (Inventaire des biens culturels du Québec).

La transformation d'édifices institutionnels et commerciaux n'a pu se faire que grâce à l'apport de programmes gouvernementaux — les ensembles luxueux d'initiative privée étant l'exception —, à cause des bouleversements que cette reconversion en logements apportait à la structure existante. Les logements apparus dans cette catégorie d'immeubles n'ont donc généralement pas le cachet des appartements qui n'ont fait que diviser l'habitat existant.

Le Vieux-Québec a heureusement conservé un certain nombre de fonctions institutionnelles. Les plus anciennes sont reliées à l'éducation: le Séminaire et les Ursulines sont demeurés des institutions d'enseignement et attirent une clientèle régionale. La fonction militaire est encore très présente; grâce à elle survit la définition de place forte du début du XIXᵉ siècle. La citadelle demeure une base active; c'est d'ailleurs le lieu le plus fréquenté par les touristes, en partie à cause de la célèbre relève de la garde.

Des fonctions en perte de vitesse

La ville symbolique, à laquelle on identifiait la fonction de capitale, s'est toutefois démembrée. Il ne reste plus que quelques édifices institutionnels occupés par l'État: le palais de justice, récemment restauré pour loger le ministère des Finances, semble témoigner de la volonté du gouvernement du Québec de redevenir un citoyen actif de l'arrondissement historique. À ce sujet, il serait d'ailleurs fort souhaitable que le secteur historique de la Grande Allée soit inclus dans l'arrondissement qu'il contribue largement à expliquer dans l'histoire et dont il constitue la voie d'accès privilégiée.

Quant à la fonction commerciale, elle a évolué avec la vocation historico-touristique qui s'est imposée à l'arrondissement. On ne retrouve plus guère de commerces assurant un service à l'habitation dans le Vieux-Québec. L'hôtellerie, la restauration, les cafés, les bars et les boutiques pour visiteurs dominent par leurs enseignes les principales rues de l'arrondissement. Si la restauration domiciliaire opérée depuis quelques années s'est accompagnée de l'ouverture de quelques commerces, ceux-ci appartiennent à une catégorie destinée à toucher seulement une clientèle aisée. Ils témoignent, par leur présence dans le paysage architectural, que l'ère du Quartier latin habité par les étudiants et le Vieux-Québec des logements familiaux à prix abordable est bel et bien révolue.

Arrondissement historique du Vieux-Québec

Le Vieux-Québec institutionnel ou Quartier latin des années 1950. (Archives du Canadien Pacifique).

C'est évidemment la fonction commerciale qui hypothèque le plus lourdement l'avenir de l'arrondissement historique, puisqu'elle tend vers une rentabilité immédiate, alors que la notion même de patrimoine implique le long terme. L'exploitation à des fins commerciales d'édifices ou d'ensembles anciens a souvent pour conséquence de les amputer de plusieurs éléments significatifs — c'est notamment le cas des aménagements intérieurs — et de ne valoriser que l'apparence. Il suffit de se promener à l'arrière des boutiques, bars et restaurants pour se rendre compte à quel point le Vieux-Québec n'est qu'une façade.

Derrière les façades

De façon générale, d'ailleurs, les visiteurs sont saisis par cette seule dimension de façade de l'arrondissement. Rares sont en effet les lieux où le Vieux-Québec peut se visiter de l'intérieur, si on fait exception des commerces qui répètent inlassablement les mêmes stéréotypes en mariant le bois rustique aux murs de pierre décapés. Pourtant, le Vieux-Québec conserve encore quelques intérieurs typiques de demeures bourgeoises, et la reconstitution de quelques autres permettrait de retracer une histoire de «l'habité» à travers les siècles. Entre les modestes habitations du XVIIᵉ siècle qui ne comportaient que deux pièces — la salle et la chambre — et le logement d'aujourd'hui,

quelques maisons anciennes permettraient d'exposer le mode de vie conventionnel de «l'appartement» français, avec ses pièces disposées en enfilade, où l'on continue de recevoir, dans les grandes demeures de Québec, jusqu'à la fin du XVIIIᵉ siècle. Puis, dès le début du XIXᵉ siècle, on passe au mode de vie hiérarchisé importé d'Angleterre, qui se traduit par un plan où le hall central donne accès à toutes les pièces distribuées autour. Enfin, la fin du siècle voit apparaître un plan plus libre, axé sur la vie privée et les besoins particuliers des familles. Il serait pour le moins regrettable d'avoir à visiter un musée tout neuf pour retrouver quelques vestiges de la société urbaine dont seule l'enveloppe aurait été jugée digne d'être conservée, alors que demeurent des éléments authentiques de cette vie passée.

Par ailleurs, la mise en valeur de l'ensemble historique pose un défi à la créativité des architectes, urbanistes et designers d'aujourd'hui. La conservation d'un centre-ville historique va en effet bien plus loin que la simple maintenance ou la restauration des immeubles existants. Elle doit prévoir que ceux-ci peuvent être détruits par le feu, que certains devront être réaménagés pour répondre à des besoins nouveaux, et elle doit aussi intégrer des réalisations nouvelles destinées à imprimer la marque de l'époque dans le paysage architectural.

Arrondissement historique du Vieux-Québec

Œuvre controversée, le Colosse de Québec, *du sculpteur français Jean-Pierre Raymond, imprime la marque de notre époque dans le paysage de l'arrondissement historique. (Ville de Québec, division du Vieux-Québec).*

Choix déchirants

Depuis quelques années, le Vieux-Québec a ainsi vu apparaître plusieurs nouvelles constructions destinées à rétablir la continuité de la trame urbaine, là où des incendies ou des démolitions l'avaient brisée. Cet effort d'intégration d'architectures nouvelles à un ensemble ancien ne laisse personne indifférent; certains souhaiteraient que l'on n'accepte que le pastiche des formes anciennes, comme cela s'est fait dans la ville française de Saint-Malo par exemple, tandis que d'autres prônent une franche exploration du vocabulaire moderne, comme ce fut le cas à Oxford entre autres, ceci pour bien marquer l'apport de notre époque. On ne peut pas dire que Québec ait opté pour l'une ou l'autre de ces tendances; jusqu'ici, l'intégration architecturale porte plutôt le sceau d'une neutralité un peu décevante...

Plus intéressantes ont été les initiatives en matière d'urbanisme. Le réaménagement de la place d'Armes, de la place de l'Hôtel-de-Ville et de la place D'Youville sont des contributions majeures à la mise en valeur de l'arrondissement. On peut cependant regretter que ces projets n'aient pas donné lieu à l'ouverture de concours publics, ce qui aurait sans doute permis d'introduire quelques idées nouvelles dans un arrondissement dont le poids historique semble un peu figer l'imagination des créateurs. Dans cette voie, on ne peut qu'applaudir à l'arrivée récente du *Colosse de Québec*, œuvre du sculpteur français Jean-Pierre Raymond, qui établit clairement que l'arrondissement historique est bien vivant et que notre siècle peut aussi y laisser des traces.

Le Vieux-Québec est depuis quelques années le siège de manifestations importantes, qui attirent l'attention du monde entier. Le festival d'été, les visites de personnalités et les conférences internationales sont des outils de promotion touristique qui portent fruit: chaque été les visiteurs se font plus nombreux. Mais la reconnaissance de l'arrondissement comme site du patrimoine mondial comporte aussi une mise en garde pour l'avenir. Il a fallu des siècles d'efforts pour construire cette ville unique, et cent ans de vigilance pour éviter qu'elle ne soit détruite par ignorance. Il ne faudrait pas que quelques dizaines d'années de spéculation et de succès éphémères la réduisent à un monument vidé de sa substance. De ceci, les Québécois ne sont désormais plus les seuls juges...

Luc Noppen,
historien de l'architecture

HARE, John et autres. *Histoire de la ville de Québec (1608-1871)*. Montréal et Ottawa, Boréal/Musée canadien des civilisations, 1987. 395 p.

LAFRANCE, Marc et autres. *Québec, ville fortifiée*. Québec, Éditions du Pélican, 1982. 490 p.

NOPPEN, Luc et autres. *Québec, trois siècles d'architecture*. Montréal, Libre Expression, 1979. 440 p.

École du Cap-Diamant

Québec
477, rue Champlain

Fonction: privé
Classée monument historique en 1967

À la suite de plusieurs transactions effectuées en 1817 et 1818, le curé de la paroisse Notre-Dame-de-Québec, Joseph Signay, acquiert des terrains situés en bordure du fleuve au lieu-dit Près-de-Ville. Il souhaite y construire une école. Érigé en 1821, l'établissement est détruit par un incendie en novembre 1839. Deux ans plus tard, Joseph Signay, évêque de Québec depuis 1836, commande une nouvelle construction pour loger son école. Ce bâtiment subsiste encore de nos jours.

Il s'agit d'une construction en pierre coiffée d'une toiture à deux versants, dotée d'un coupe-feu et d'un campanile. L'édifice possède deux étages du côté de la rue Champlain et quatre du côté du fleuve, en tenant compte de la déclivité du terrain. Mgr Signay passe deux marchés pour réaliser son projet. Le premier (24 avril 1841) avec Pierre Gauvreau, maître maçon, pour exécuter des ouvrages de maçonnerie ainsi que les enduits. Le deuxième (27 avril 1841) avec Jacques Vézina, maître menuisier, pour la réalisation de travaux de menuiserie, de charpenterie et la couverture.

Des plans et élévations, vraisemblablement dressés par l'architecte Thomas Baillairgé, complètent les devis. Mgr Signay apporte certains changements au contrat touchant les ouvrages de maçonnerie prévus. Le coût de ces travaux supplémentaires, de nature inconnue, s'établit à plus de 230 livres.

L'école du Cap-Diamant construite en 1841. La façade donnant sur le fleuve comporte quatre étages alors que celle faisant face à la rue Champlain en compte deux.

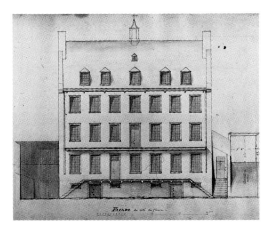

Plan de l'école avant les modifications de 1851. (Archives de l'archidiocèse de Québec).

Les élévations dessinées par l'architecte permettent de constater que, du côté de l'actuelle rue Champlain, les ouvertures suivent un plan symétrique, conforme aux critères de l'architecture néo-classique alors en vogue. Une porte centrale, dotée d'un perron, permettait d'accéder au premier étage situé de ce côté. Des fenêtres, disposées au-dessous, ont été murées à la suite d'un exhaussement de la rue. La porte et l'ancien passage cocher situé du côté est, qui menait à l'entrée, disparaissent également. Le long de l'autre mur pignon, joignant la maison voisine, une clôture en bois surmontait un mur de soutènement. Des latrines se trouvaient en contrebas.

Deux galeries traversaient entièrement la façade face au fleuve. L'une d'elles se trouvait au-dessus de l'étage inférieur. Des escaliers, situés à chacune des extrémités, permettaient d'accéder à la cour arrière et de communiquer avec l'intérieur. Une autre galerie située à l'étage supérieur permettait d'accéder à une porte centrale. Une autre porte, dont la trace subsiste toujours, se trouvait vraisemblablement à l'extrémité est de ce niveau. Elle ne figure toutefois pas sur l'élévation dessinée par l'architecte; tout porte à croire que mgr Signay l'avait fait ajouter lors de la construction de l'école.

Les transformations les plus importantes apportées à l'intérieur et à l'extérieur remontent à 1851. L'un des étages de l'école se transforme alors en chapelle. En 1885, les propriétaires cèdent le bâtiment à la Congregation of Catholics of Quebec Speaking the English Language. À ce moment, les galeries auraient été enlevées, les portes sur les deux façades transformées en fenêtres et la cage d'escalier intérieure déplacée vers l'extérieur du bâtiment, le long du mur pignon est. L'édifice connaît encore plusieurs autres propriétaires par la suite. À la fin de la décennie 1960, le ministère des Affaires culturelles en assure la restauration.

Michel Gaumond, archéologue

GRIGNON, Marc et Luc NOPPEN. *L'art de l'architecte. Trois siècles de dessin d'architecture à Québec.* Québec, Musée du Québec/Université Laval, 1983: 216-217.

PROVOST, Honorius. «L'École Joseph Signay», dans *Notre-Dame-de-la-Garde de Québec 1877-1977.* Québec, Société historique de Québec, 1977: 107-122.

Maison Fornel

Québec
21, 25, rue Saint-Pierre et
9, 11, place Royale

Fonction: public
Classée monument historique en 1964

Au début de la décennie 1960, un incendie détruit de fond en comble une maison de brique du XIXᵉ siècle à proximité de l'église Notre-Dame-des-Victoires à la place Royale. Le ministère des Affaires culturelles fait alors procéder à des fouilles archéologiques. Sous le pavé de la place Royale, les archéologues mettent au jour deux magnifiques caves voûtées construites en 1735 par le marchand Louis Fornel, ainsi que le carré initial de la petite maison érigée par Louis Rouer de Villeray, en 1658.

En 1723, Louis Fornel, celui qui deviendra l'un des principaux négociants de la ville de Québec, reçoit de son père la maison de la place Royale. En 1737, il forme avec Charles Bazire une société pour exploiter un poste de traite sur la côte du Labrador. Peu après, son partenaire se désiste et Fornel exploite seul son territoire pour la pêche à la morue et la chasse au phoque. En 1741, il reçoit de l'intendant et du gouverneur une seigneurie de trois lieues sur deux lieues et trois quarts située à l'arrière de celle de Neuville. Il nomme sa nouvelle propriété Bourg Louis. Non satisfait de ces propriétés et de son titre de seigneur, Fornel explore, en 1743, la côte du Labrador et fait connaître la baie des Esquimaux (aujourd'hui baie de Hamilton), appelée Kessessakiou par les Amérindiens.

La résidence Fornel présente, au sous-sol, des caves voûtées et un puits dont les assises se composent de brique dite «française» et qui s'enfonce de quelques centimètres dans le rocher sous-jacent. Aujourd'hui encore, il fournit de l'eau qu'une pompe électrique doit évacuer. Ce puits remonte au XVIIᵉ siècle et témoigne du souci des habitants de cette maison de s'assurer un ravitaillement en eau tout au long de l'année. Considérées comme une extension du terrain originel, les caves voûtées de la maison Fornel s'étendent en partie sous la place Royale. L'intendant Antoine-Denis Raudot exige lors de la construction une couverture «d'au moins deux pieds de terre pour être en état de supporter la pesanteur des harnois et artillerie qui pourront passer dessus». Leur implantation semble avoir été orientée en fonction des vestiges de l'aile nord du magasin de Samuel de Champlain, incorporés à la maçonnerie de la petite cave voûtée. À eux seuls, ces sous-sols méritent une visite, tant pour leur état de conservation que pour leur technique de construction.

Après la mort de Louis Fornel en 1745, sa famille et surtout sa veuve, Marie-Anne Barbel, continuent de brasser d'importantes affaires durant tout le XVIIIᵉ siècle. Elle exploite entre autres le poste de traite de Tadoussac et fabrique de la poterie sur sa propriété de la rivière Saint-Charles.

Si les spécialistes du ministère reconstruisaient la maison Fornel aujourd'hui, ils lui donneraient un étage supplémentaire, car tout porte à croire que le bâtiment érigé en 1723 possédait deux étages du côté de la place Royale tout comme ses voisines, les maisons Barbel et de la Gorgendière. Au début de la décennie 1960, les restaurateurs ont sans doute suivi de trop près la maquette Duberger (de 1810) qui montre une maison d'un étage seulement du côté de la place. Cette résidence moins élevée est vraisemblablement reconstruite après les bombardements sévères de la basse-ville en 1759. À ce moment, le feu et les bombes détruisent 255 habitations.

En dépit de ses infortunes, la maison Fornel constitue un témoignage d'un type d'intervention par le Ministère, tout comme la maison Chevalier reste un prototype de la restauration pratiquée durant cette période. En reconstruisant la maison Fornel en 1962, le ministère des Affaires culturelles se lance dans une entreprise de restauration qui, 25 ans plus tard, demeure toujours inachevée.

Michel Gaumond, archéologue

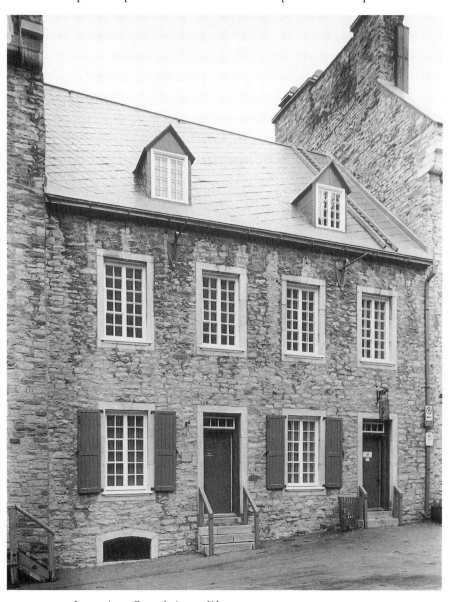

La maison Fornel, incendiée au début des années 1960, fut restaurée d'après la maquette Duberger et non d'après son état en 1723.

GAUMOND, Michel. *La maison Fornel*. Québec, ministère des Affaires culturelles, 1965. 38 p.

Maison Dupont-Renaud

Québec
18, 22, rue Saint-Pierre

Fonction: semi-public
Classée monument historique en 1964

Dans le quartier de la place Royale, la maison Dupont-Renaud occupe un site privilégié au bord du fleuve. Ses galeries couvertes aux étages attirent l'attention des visiteurs. Son nom rappelle deux de ses anciens propriétaires: Nicolas Dupont, seigneur de Neuville, et Jean Renaud, négociant de Québec.

En 1662, Nicolas Dupont se porte acquéreur d'un terrain situé entre la rue Saint-Pierre et le fleuve. Vingt-quatre ans plus tard, il s'y fait construire une maison. Haut de trois étages, ce bâtiment en pierre possède une galerie du côté du fleuve; l'intérieur comporte des caves voûtées et un escalier de merisier avec des balustres en bois tourné.

À la même époque, les habitants du quartier reconstruisent en pierre les maisons à colombage détruites lors de l'incendie de 1682.

Avant 1759, la maison Dupont-Renaud change de propriétaires à maintes reprises.

Une succession de marchands et de négociants l'achètent et la revendent. Néanmoins, son architecture change très peu au cours de cette période.

Victime de la guerre

Voisine de la batterie Royale, la maison s'effondre lors du siège de Québec sous les boulets tirés par les troupes du général James Wolfe. Seules subsistent les voûtes et les fondations, sous un amas de murs en ruine. En 1768, Jean Renaud prend possession de ces ruines, lors d'enchères. Il y fait construire une résidence de pierre de quatre étages, dont un sous les combles. Cette nouvelle maison déborde légèrement le carré de la précédente. Une aquarelle de James Pattison Cockburn de 1829 la montre avec cinq fenêtres par étage, plus quatre lucarnes au premier grenier et deux autres au second. L'intérieur se compose d'un grand décor néo-classique: pilastres ioniques en relief, portes d'arches et menuiseries fines qui disparaîtront au début des années 1970. La maison subit peu de transformations jusqu'en 1870. À ce moment, le propriétaire la fait rehausser de deux étages et coiffer d'un toit mansardé.

Entre 1850 et 1915, la maison sert à de multiples usages: des grossistes en épicerie et en matériel de bateau, une taverne, un hôtel, une quincaillerie, une librairie, ainsi que des bureaux d'avocats et de notaires s'y succèdent. Des bouteilles de whisky, de gin et de bière, des contenants de médicaments, de nourriture et de cosmétiques, des encriers et des cruches en grès retrouvés lors des fouilles archéologiques témoignent de la vie quotidienne de ses habitants.

La maison Dupont-Renaud retrouve, lors du projet de restauration de la place Royale, les anciens murs de façade et les encadrements de fenêtre originels en pierre de taille. Les architectes ont profité de cette mise en valeur pour rabaisser la maison à ses proportions d'après la Conquête. À l'intérieur, un très beau plafond à poutrelles et, dans la pièce centrale du rez-de-chaussée, un foyer aux jambages et linteau en pierre de taille subsistent.

Hélène Deslauriers, archéologue

La maison Dupont-Renaud doit son nom à deux de ses anciens propriétaires: Nicolas Dupont, seigneur de Neuville et Jean Renaud, négociant de Québec. Lors de sa restauration dans les années 1960, la maison est ramenée de six étages à quatre.

DÉCARIE-AUDET, Louise. *La maison Dupont-Renaud à Québec*. Québec, ministère des Affaires culturelles, 1977. 86 p.

GAUMOND, Michel. *Place Royale — Maisons Dupont-Renaud, (lot 2130)*. Travail inédit. Québec, ministère des Affaires culturelles, 1970. 53 p.

HÉBERT, Jean-Claude. *Place Royale — Maisons des Jésuites et Dupont-Renaud*. Québec, ministère des Affaires culturelles, 1973-1974. n. p.

Hôtel Jean-Baptiste-Chevalier

Québec
60, rue du Marché-Champlain

Fonction: semi-public
Classé monument historique en 1956

L'ensemble architectural s'ouvrant sur la place du marché Champlain connu sous l'appellation «hôtel Chevalier» marque les débuts d'une histoire institutionnelle de la conservation architecturale d'où naîtront la place Royale et l'arrondissement historique du Vieux-Québec.

Composé de quatre corps de logis ou habitations, l'hôtel Chevalier couvre trois lots de la division cadastrale Champlain. Le lot 2289, le plus à l'ouest, occupé par deux corps de logis perpendiculaires, constitue la maison Chevalier proprement dite; le lot 2290 est occupé par une maison avec toit mansardé, connue comme la maison Pagé ou Frérot; enfin, un immeuble reconstruit en partie en 1958-1959 dans le style des édifices voisins s'élève sur le lot 2291.

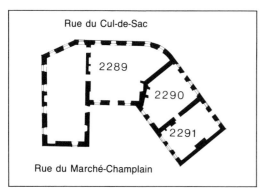

Plan de l'hôtel Chevalier

L'ensemble est construit au Cul-de-Sac, autrefois une sorte de bassin naturel délimité sur la rive du Saint-Laurent par la rencontre du cap et de la Pointe-aux-Roches. Depuis l'époque de Champlain, les habitants utilisent ce plan d'eau comme petit port pour les barques. Ce «bassin ouvert qui est à sec à chaque marée», selon les termes de Joseph Bouchette (1815), cède sa place au marché Champlain au XIXe siècle. Aussi, jusque vers 1800, seule la rue du Cul-de-Sac donne accès aux bâtiments formant l'hôtel Chevalier, où se dressent leurs façades; la cour d'honneur, qui met en valeur l'entrée actuelle, constitue en réalité la façade arrière de ces quatre corps de logis où, vraisemblablement, des galeries s'élevaient à l'origine.

La maison Chevalier proprement dite résulte d'une série de campagnes de travaux successifs sur le lot 2289. En 1675, Jean Sou-lard, arquebusier du roi, s'y fait construire une maison de deux étages mesurant 14 mètres sur 6. L'incendie de la basse-ville, en 1682, rase cette structure, et l'année suivante Soulard rebâtit une maison plus vaste. Deux ans avant son décès, survenu en 1710, il effectue encore d'importants travaux. Jean Gastin dit Saint-Jean acquiert la maison peu après. Elle mesure alors 9,8 mètres sur 15,3.

Il y fait construire une rallonge à l'ouest, en 1719, et loue une partie de la maison à un aubergiste.

En 1735, la maison appartient à François-Étienne Cugnet, avocat de Paris, marchand et entrepreneur en Nouvelle-France. Habitant la rue Saint-Pierre, Cugnet utilise l'immeuble pour ses nombreuses activités commerciales. Sociétaire des forges du Saint-Maurice et armateur, il possède des intérêts importants dans le commerce des fourrures et l'exportation du tabac canadien. Mis en faillite en 1741, Cugnet conserve la garde de ses biens jusqu'à sa mort (1751), mais semble négliger la maison située au Cul-de-Sac, zone réaménagée de 1748 à 1750 pour recevoir les chantiers maritimes du roi. Aussi, en 1752, Jean-Baptiste Chevalier acquiert-il un terrain sur lequel se retrouvent uniquement «des murs en ruine». Il se peut que la maison ait été la proie d'un incendie quelque temps auparavant, mais aucun document ne permet de l'attester.

Marchand et armateur, Jean-Baptiste Chevalier possède une fortune relativement considérable au moment où il acquiert cette propriété, à l'âge de 37 ans. Il retient les services de Pierre Renaud dit Canard, maître maçon et entrepreneur, pour assurer la construction d'une nouvelle habitation, formée de deux corps de logis. Renaud doit utiliser une partie de la maçonnerie existante, notamment les fondations et les murs pignons. Jean-Baptiste Chevalier ne profite guère de sa nouvelle demeure, achevée en 1753. Lors du siège de Québec, un incendie la ravage. Installé pour ses affaires à La Rochelle avant la Conquête, Chevalier s'occupe cependant de faire rétablir sa maison. Il confie cette tâche à Pierre Delestre dit Beaujour, architecte, maître maçon et entrepreneur, qui organise le chantier avec l'aide de Charles Gignac, menuisier, et Jean Janson dit Dauphiné, charpentier. Le nouvel édifice se dresse à peu près identique au précédent. Les portes intérieures et l'armoire

L'hôtel Chevalier vers 1865.
(Musée McCord, Archives
photographiques Notman).

Le London Coffee House en 1830, d'après une aquarelle de James Pattison Cockburn. (Royal Ontario Museum).

encastrée ornée de motifs chantournés qui rappelle la popularité tardive (1760-1780) du style Louis XV, datent de cette période.

À la mort de Jean-Baptiste Chevalier, survenue à La Rochelle en 1760, Jean-Louis Frémont se porte acquéreur de la maison et de tout son contenu. En 1780, la demeure avec «ses caves voûtées, bien commodes et très bonnes pour la conservation des effets et à l'abri du feu» est vendue aux enchères, à la suite de la faillite du marchand réfugié à Paris. En 1807, George Pozer, grand propriétaire immobilier de Québec, surnommé «the first Quebec millionaire», achète la maison Chevalier devenue immeuble de rapport. Tout au long du XIXe siècle, les gens de Québec la connaissent comme le London Coffee House, et plusieurs aquarelles de James Pattison Cockburn réalisées en 1829-1830 l'illustrent ainsi.

Sur le lot 2290, à côté de la maison Chevalier, s'élève en 1662 une première maison à deux étages, construite en bois. Elle est rasée par l'incendie de la basse-ville en 1682. Thomas Frérot, agissant au nom de la succession de Bertrand Chesnaye de la Garenne, s'occupe de sa reconstruction l'année suivante. Reconstruit en pierre peu après avoir été occupé par l'orfèvre Joseph Pagé dit Quercy, le bâtiment passe aux mains du navigateur Joseph Chabot, qui y effectue des travaux en 1758. Au lendemain de la Conquête, le propriétaire fait à nouveau rebâtir

la maison. Mis à part des réparations effectuées par Guillaume Roi en 1811, aucune autre trace de travaux ultérieurs ne subsiste. Pourtant, sur les murs de 1761, se trouve un toit mansardé qui remonte à la décennie 1880 par sa forme et aussi par la technologie utilisée.

L'histoire de l'occupation du troisième lot suscite moins d'intérêt puisqu'il reste peu de traces des bâtiments originels. Déjà, en 1662, une maison se dresse sur ce terrain. En 1683, Étienne Thivierge se fait reconstruire une maison et, en 1713, une belle demeure en pierre avec toit mansardé apparaît au nom de Dolbec. Après la Conquête, la maison, appartenant alors à une dame Urquhard, subit probablement certaines modifications. À partir des murs mitoyens de ce bâtiment, visible sur des photographies de 1865-1870, une construction nouvelle de quatre étages en brique apparaît en 1901. L'année suivante, un second immeuble est érigé sur le même lot, mais il s'avance davantage vers le marché Champlain. Propriétaire des trois lots, Pierre Godbout utilise ses immeubles à des fins commerciales et d'entreposage.

En 1949, le directeur de l'Inventaire des œuvres d'art, Gérard Morisset, s'intéresse à cet ensemble architectural. Son ouvrage, *Architecture en Nouvelle-France*, signale que la maison Chevalier date du Régime français, qu'elle a été reconstruite vers 1770 et que

son architecture est «d'esprit roman». Utilisant les recherches faites par Morisset pour un *Mémoire* adressé au Secrétariat de la province, Jean Bruchési attire l'attention de l'opinion publique sur ce monument. En 1955, agissant comme secrétaire de la Commission des monuments historiques, Morisset revient à la charge et défend la cause de ce qu'il appelle l'hôtel Chevalier; à ce moment, il a en main le marché de construction établi au nom de Jean-Baptiste Chevalier en 1752 et vante les qualités architecturales du bâtiment original à partir d'un cliché du photographe Louis-Prudent Vallée.

La Commission des monuments historiques, maintenue et renouvelée par la loi de 1952, siège pour la première fois le 10 mai 1955 et entreprend de débroussailler les nombreux dossiers accumulés pendant ces trois années. Le 13 septembre 1955, elle recommande au premier ministre Maurice Duplessis d'acquérir la maison Chevalier et de la restaurer; elle souhaite y établir un «musée de l'artisanat et de la petite industrie», succursale du Musée du Québec. Cette acquisition se fait le 11 mai 1956 en vertu d'un amendement à la loi constitutive de la Commission, adopté le 22 février précédent.

Établi en 1956, le programme d'occupation envisagé par la Commission prévoit que le musée logera au rez-de-chaussée et à l'étage des deux corps de logis de la maison Chevalier, que la maison Pagé abritera le siège de la Commission et qu'un gardien demeurera dans l'immeuble neuf qui doit compléter l'ensemble.

Ce programme ambitieux s'articule autour du concept de l'hôtel particulier, emprunté à l'histoire de l'architecture française des XVIIe et XVIIIe siècles par Gérard Morisset. Ignorant que la maison Chevalier constituait une habitation double occupée

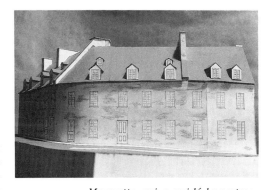

Maquette qui a guidé la restauration. Vue de la façade le long de la rue du Cul-de-Sac. (Inventaire des biens culturels du Québec).

Vue de l'hôtel Chevalier avec ses quatre corps de logis: les deux bâtiments plus à l'ouest constituent la maison Chevalier proprement dite.

par trois familles, Morisset y voit un hôtel particulier, immeuble composé de plusieurs corps de logis et divisé en appartements — enfilades hiérarchisées de plusieurs pièces d'apparat et de commodités — et pièces de service. L'hôtel parisien étant érigé autour d'une cour d'honneur, il préconise donc d'utiliser la façade arrière donnant sur le fleuve à cette fin; il suffit de réorienter les façades vers le marché Champlain où l'installation d'une entrée principale permet de créer l'effet monumental recherché.

Chargé de la restauration, l'architecte André Robitaille soumet une maquette le 7 juin 1957: celle-ci respecte les plans de Morisset. Les travaux débutent et très rapidement les édifices des lots 2290 et 2291 posent un problème. La Commission décide de conserver la maison Pagé avec son toit de la fin du XIXᵉ siècle, pour permettre de reconstruire en partie l'édifice voisin (lot 2291). La Commission doit néanmoins attendre cinq ans avant que le propriétaire de l'immeuble commercial situé en avant du lot 2291 n'accepte de vendre de plein gré.

Le concept d'hôtel particulier et le mode de restauration envisagé — le retour à l'état originel — témoignent de l'omniprésence du modèle français pour cette première incursion de l'État québécois dans le domaine de la conservation architecturale. Déjà, dans plusieurs textes antérieurs, Gérard Morisset se définissait comme un adepte des restaurations de Viollet-le-Duc,

père de la restauration stylistique pour qui «restaurer un édifice c'est le rétablir dans un état complet qui peut ne jamais avoir existé à un moment donné». Cet état d'esprit explique la résurrection de la maison du lot 2291, maison d'accompagnement — ou architecture de courtoisie selon le vocabulaire utilisé en France —, et la réorganisation des façades, le tout en vue de créer l'hôtel Chevalier. Cette opération évoque, bien sûr, l'exemple de l'hôtel de Sully à Paris, restauré à la même époque pour servir de siège à la Commission des monuments historiques de France.

Déjà décrite en détail par André Robitaille, la restauration de l'hôtel Chevalier constitue un moment capital de l'histoire de la conservation architecturale au Québec. Elle marque une étape importante dans la reconnaissance du patrimoine bâti du Vieux-Québec. L'intérêt suscité par la restauration de l'hôtel Chevalier, entre 1955 et 1962, a véritablement permis à la basse-ville de Québec d'échapper au pic des démolisseurs. Dès 1960, la Commission des monuments historiques se déclarait satisfaite des répercussions de ce chantier; la maison Fornel et l'église Notre-Dame-des-Victoires suivront, et dès lors, le projet de restaurer l'ensemble de la place Royale et des rues voisines voit le jour.

L'hôtel Chevalier occupe une place avantageuse dans l'histoire de l'architecture au Québec. On y retrouve bien sûr les

caractéristiques formelles issues d'une pratique traditionnelle établie au contact de monuments importants: large pignon, grosse charpente et caves voûtées; mais il s'agit surtout d'un monument qui, malgré les ordonnances et les règlements, échappe à l'uniformité caractéristique de l'habitat des années 1740-1780 par son implantation sur un emplacement tout à fait particulier, ce qui explique le pignon ajouré et les multiples corps de logis.

L'hôtel Chevalier doit son prestige à son emplacement, à ses constructions originales et aux nombreuses reprises dont le dossier historique témoigne, à la qualité des divers occupants autant qu'à l'épisode de la renaissance du monument entre 1955 et 1962. L'édifice paraît aisément plusieurs fois séculaire, et ce pouvoir d'évocation lui confère à juste titre le statut de monument historique, au sens réel du terme.

Luc Noppen, historien de l'architecture

LABERGE, André. «Gérard Morisset, restaurateur», dans *À la découverte du Patrimoine avec Gérard Morisset*. Québec, Musée du Québec, 1981: 79-130.

MORISSET, Gérard. «L'Hôtel Chevalier à Québec». *La Patrie*, 1ᵉʳ mars 1953: 36-37.

ROBITAILLE, André. «La restauration de l'Hôtel Chevalier... vingt ans après». *Bulletin*, Commission des monuments et sites du Québec, 8 (printemps 1979): 48-56; 9 (automne 1979): 55-62.

Maison Demers

Québec
28, 30, boulevard Champlain

Fonction: public
Classée monument historique en 1966

Délimitée sur trois de ses côtés par la rue Petit-Champlain, l'escalier du Cul-de-Sac et le boulevard Champlain, la maison Demers constitue l'un des rares témoignages de l'architecture du Régime français à subsister dans un secteur où la majorité des bâtiments connaît des transformations majeures vers la fin du XIXᵉ siècle.

En effet, exception faite des deux niveaux inférieurs de la façade donnant sur le boulevard Champlain, modifiés en 1870, le carré de la maison construite en 1689 par Jean Lerouge demeure presque intégral. Il résiste, entre autres, à l'incendie majeur qui ravage la résidence lors du siège de Québec en 1759. Un marché de construction daté de 1764 atteste que seules les parties en bois ont été refaites. En raison de la topographie particulière de son site, la maison, à l'instar de ses voisines longeant le côté est de la rue Petit-Champlain, s'élève à une hauteur exceptionnelle en façade arrière. À l'époque, la rue De Meulles, aujourd'hui Petit-Champlain, constitue un axe principal de circulation. La façade arrière des maisons donne sur la grève dans l'anse dite du Cul-de-Sac.

L'intérieur, comme il arrive souvent, subit davantage de modifications au rythme des besoins de ses occupants successifs. Ainsi, les cloisonnements et le décor actuels témoignent d'aménagements récents; par contre, quatre des six foyers d'origine, les poutres coordonnées de certains plafonds et, surtout, la charpente à pannes du toit, reconstruite en 1764, subsistent toujours.

Querelle d'héritiers

Conçue pour abriter la famille de Jean Demers, qui l'occupe dans sa totalité pendant une quinzaine d'années, la maison connaît un destin plutôt inusité. En 1714, à la suite d'une mésentente sur le partage des biens, les héritiers de Jean Demers divisent la résidence sur la hauteur en deux parties égales. Incidemment, les archives et certains vestiges indiquent que la maison abritait deux fours à pain. Les occupants partageaient les entrées et assumaient en commun le coût des réparations importantes, comme l'atteste un marché daté de 1764 entre les propriétaires et un entrepreneur.

Vers 1900, la maison passe aux mains d'un seul propriétaire. Ce dernier supprime la cloison centrale et utilise tout l'espace à des fins commerciales. Récemment encore figurait l'inscription «Jos E. Lemieux entrepôt» sur la façade à l'est. Au cours des vingt dernières années, la maison abrite successivement le théâtre Petit-Champlain et divers restaurants. Le plus récent, L'Anse-aux-Barques, rappelle l'époque où la résidence de Jean Demers se mirait dans les eaux du Saint-Laurent lorsque la marée haute venait lécher les assises des constructions de la rue Cul-de-Sac.

Jean-Louis Boucher, architecte

LESSARD, Michel et Gilles VILANDRÉ. *La maison traditionnelle au Québec*. Montréal, Les Éditions de l'Homme, [s.d.]. 493 p.

MINISTÈRE DES AFFAIRES CULTURELLES. *La maison Demers*. Québec, Direction générale du patrimoine, 1971. n. p.

La maison Demers représente l'un des rares témoignages de l'architecture du Régime français. Érigée en 1689, la maison résiste aux bombardements de 1759. L'intérieur par contre a subi de nombreuses modifications.

Mur de pierre et emplacement de l'école Notre-Dame-des-Victoires

Québec   Classés monuments historiques en 1962
58, rue Sous-le-Fort

Érigé en 1962, ce mur de pierre rappelle l'existence des bâtiments qui se succèdent sur l'emplacement.

À l'angle de l'escalier de la rue Petit-Champlain et de la côte de la Montagne s'élève un mur de pierre construit en 1962 pour rappeler les anciennes constructions érigées à cet endroit et disparues aujourd'hui.

Depuis le XVIIᶜ siècle, plusieurs maisons se sont succédé sur les deux lots de l'emplacement. Concédés pour la première fois en 1655 et 1668 à Simon Denis de la Trinité, ils sont vendus par lui quelques années plus tard à Romain Becquet, notaire. En 1672, le tabellion entreprend la construction d'une maison du côté de la falaise. L'habitation possède trois chambres avec foyer, plusieurs cabinets, deux greniers dans la mansarde, un jardin et une cour close par un mur.

En 1682, la maison subit des dégâts lors de la conflagration qui détruit la majorité des bâtiments de la basse-ville. Elle sera remplacée par une maison de colombage «pierroté» de deux étages, avec une façade orientée vers la côte de la Montagne. Construite à la fin du XVIIᶜ siècle, cette maison disparaît à son tour vers 1754 et fait place à une demeure plus grande en pierre à trois étages. Les bombardements de 1759 touchent cette dernière.

Au XIXᶜ siècle, l'emplacement comporte une maison en pierre de trois étages et demi avec un toit en bardeaux. La construction de l'école Notre-Dame-des-Victoires, au XXᶜ siècle, entraîne sa démolition.

Madeleine Gobeil-Trudeau,
historienne de l'architecture

Cette maison en pierre occupait le site à la fin du XIXᶜ siècle. (Archives nationales du Canada).

C·W·JEFFERYS 1889

Maison Delage (ou des Jésuites)

Québec
14-16, rue Saint-Pierre

Fonction: maison d'habitation
Classée monument historique en 1964

Sises à proximité de la plate-forme de la batterie Royale, à l'angle des rues Saint-Pierre et Sous-le-Fort, les deux maisons actuelles présentent un aspect identique à celui qu'elles avaient à la fin du Régime français. Elles furent restaurées au cours des années 1970 dans le cadre du projet de place Royale.

En 1683, les Jésuites obtiennent la concession du terrain où ces maisons se trouvent aujourd'hui. Au printemps suivant, les religieux érigent une maison en pierre comportant une cave, un rez-de-chaussée surmonté d'un étage, et coiffée d'un toit à deux versants.

En 1713, la maison nécessite des réparations importantes. Les pères décident de la vendre avec un terrain contigu à Charles Guillemin. Un inventaire des biens du nouvel acquéreur dressé en 1724 indique la nature et l'ampleur des travaux apportés à la maison. Doté d'une toiture à la Mansart, le bâtiment a été haussé d'un étage. Guille-

min a également construit, du côté de la rue Sous-le-Fort, une allonge en pierre de même hauteur que la maison. Elle se termine en rond-point et possède une cave voûtée qui communique avec celle du corps de logis principal. Ces bâtiments ont été restaurés.

En 1741, Charles Guillemin cède le tout à son fils Guillaume qui le revend à son tour à Étienne Charest en 1757. Lors du siège de Québec par les Anglais en 1759, ces bâtiments subissent de lourds dommages. En 1763, Étienne Charest les vend à William Grant, vraisemblablement dans l'état où ils se trouvaient après la chute de la ville. L'année suivante, Grant acquiert un terrain adjacent à celui de l'allonge et y construit deux maisons.

Onze ans plus tard, Jacques Lampure Marret se porte acquéreur de l'ensemble. Le 10 septembre 1836, un vapeur, amarré au quai à l'arrière, provoque un incendie dans les hangars situés à proximité et détruit plusieurs maisons dont celles de Marret.

De cette date jusqu'au milieu des années 1960, époque où le gouvernement du Québec l'acquiert pour le projet de la place Royale, la maison Delage passe aux mains de plusieurs propriétaires qui y effectuent des transformations, surtout à l'intérieur. Dans la seconde moitié du XIXᵉ siècle, les ouvertures situées en façade s'adaptent au goût du jour par l'ajout d'encadrements et de frontons de style néo-Renaissance. Inspirée par ce même style, une large lucarne-fronton à l'ornementation recherchée trône au centre de la toiture, du côté de la rue Saint-Pierre. Ces éléments, aujourd'hui disparus, existaient encore au moment d'entreprendre la restauration de la maison au cours des années 1970. De l'allonge, rasée quelques années auparavant, il ne subsiste plus que sa cave voûtée.

Gino Gariépy, historien de l'architecture

La maison Delage a conservé son aspect du Régime français. Propriété des Jésuites de 1683 à 1713, ces derniers s'en départissent avec une partie du terrain contigu en faveur de Charles Guillemin.

Maison Roy (ou Canac dit Marquis)

Québec
64, côte de la Montagne

Fonction: privé
Classée monument historique en 1968

LE plan de l'habitation de Champlain et de ses environs, réalisé par Jean Bourdon en 1635, montre l'emplacement de la maison Canac dit Marquis occupé par une petite redoute. Cette fortification, à mi-chemin dans la côte de la Montagne, protégeait l'habitation du côté des terres depuis 1620. Ainsi, le site de la maison Canac dit Marquis serait l'un des plus anciens de Québec.

Au moment où Simon Denis, sieur de la Trinité, reçoit ce terrain en concession de monsieur de Lauzon en 1658, la redoute semble avoir disparu. Quelques années plus tard, André De Chaume achète ce terrain de Romain Becquet et y fait construire une maison en 1679. Ce petit bâtiment de colombage, enduit de mortier, comprend une cave, une chambre basse à feu, une chambre haute avec un petit appentis derrière et une galerie devant. Une petite cour existe du côté est de la maison. Sur le terrain restant, un sentier relie la côte de la Montagne à la rue Sous-le-Fort, dans la basse-ville.

Après le décès d'André De Chaume, en 1693, la maison passe entre les mains de plusieurs propriétaires. Déjà passablement endommagée en 1711, «elle menace [...] ruine par derrière» au moment où le couple Le Comte-Chamberlan l'acquiert en 1727. Ce couple se fait construire une nouvelle maison en pierre à un étage, coiffée d'un toit à deux versants et dotée d'une cave. Au cours du siège de Québec, en 1759, la maison subit des dommages importants.

En 1768, Joseph Canac dit Marquis l'acquiert à son tour. Le contrat de vente stipule qu'il s'agit alors d'une masure. Canac dit Marquis la remet en état ou la reconstruit et achète, de son voisin Jean-Baptiste Dufour, un petit terrain contigu qui surplombe le cap.

Les propriétaires se suivent

La famille Canac dit Marquis conserve la maison jusqu'en 1806. Au cours du XIX siècle, la propriété fait l'objet de sept transactions. Vers 1867, une allonge apparaît sur la pointe rocheuse à l'est du bâtiment. Dès lors, l'habitation occupe tout le terrain disponible.

Au XX siècle, cette propriété fait l'objet de six autres transactions avant que le ministère des Affaires culturelles s'en porte acquéreur en 1975.

La maison Canac-Marquis possède trois niveaux en façade, sur la côte de la Montagne, et cinq à l'arrière. À cause de la rallonge construite au milieu du XIX siècle, le bâtiment épouse les contours du cap, ce qui lui donne une forme trapézoïdale. À l'arrière, les fondations se prolongent vers le bas du cap et forment une muraille de presque 20 mètres. De la pierre de taille peignée à la française ceinture les ouvertures du XVIII siècle, tandis que celles datant du XIX siècle possèdent un encadrement en bois.

L'intérieur du bâtiment connaît de nombreuses modifications, surtout au XX siècle. Un premier curetage révèle quatre foyers murés, un grand nombre de poutres, dont certaines moulurées, des plafonds de planches embouvetées formant caissons et des cloisons, non originelles pour la plupart.

La charpente du toit, du type à chevrons portant fermes avec entraits et ponçons, date probablement de 1768. Dans le sens longitudinal, on remarque des pannes, dont une faîtière, ainsi que des aisseliers ou des liens obliques.

Claude Reny, aménagiste-géographe

BLANCHET, Johanne. *La maison Canac dit Marquis, étude historique*. [s.l.], [s. éd.], juin 1980. 33 p.

GAUMOND, Michel. *La maison Le Comte*. Québec, [s. éd.], 1971. 44 p.

La maison Canac dit Marquis repose sur l'un des plus anciens sites de Québec. Joseph Canac dit Marquis l'acquiert en 1768 et la remet en état. Sa famille l'occupe jusqu'en 1806. (Inventaire des biens culturels du Québec).

Maison Garon

Québec
54-56, côte de la Montagne et
2-4, rue Petit-Champlain

Fonction: public
Classée monument historique en 1964

En avril 1683, Anne Aubert, fille du notaire royal Claude Aubert, acquiert un terrain situé au pied de la falaise, où débouche la rue Sous-le-Fort. Elle y érige sa demeure, près de celle de Louis Jolliet, à l'emplacement occupé aujourd'hui par le funiculaire. Anne Aubert fait également construire deux autres maisons sur son terrain: l'une donnant sur l'escalier Casse-cou et l'autre le long de la côte de la Montagne.

Après la mort de cette femme d'affaires, son fils, le chirurgien Gervais Beaudoin, prend la relève. Il hérite du terrain en 1741 et fait construire sa première maison sur le terrain situé à l'angle de l'escalier Casse-cou et de la côte de la Montagne. La même année, il loue, au perruquier Charles Venelle, une chambre, un cabinet et une cuisine au rez-de-chaussée de la maison. Le bail mentionne la présence d'une boutique située en dessous. Durant cette période, de nombreux artisans, forgerons, orfèvres, serruriers, quincailliers et tailleurs occupent les habitations bordant l'escalier. Le recensement de 1744, effectué par Mathurin Jacrau, révèle que Gervais Beaudoin, alors âgé de 59 ans, habite la maison et y reçoit ses malades.

Lors du bombardement de la ville par l'armée anglaise, en 1759, la maison est en grande partie détruite. Sept ans plus tard, son nouveau propriétaire, Étienne Griault, la remet en état. Une aquarelle anonyme, datant du début du XIXᵉ siècle, représente la maison à cette époque. Elle possède alors un étage sur rez-de-chaussée donnant sur l'escalier Casse-cou. La façade, de style néoclassique, se compose de trois ouvertures à chaque niveau, disposées symétriquement. Deux lucarnes situées du côté de la rue, dont l'une à potence, percent la toiture à deux versants avec coupe-feu. Le parement de pierre était recouvert d'un enduit sur lequel on avait tracé des lignes imitant la pierre de taille.

La maison subit peu de changements jusqu'au début du XXᵉ siècle, à l'exception du rez-de-chaussée, modifié afin de recevoir un commerce. En 1923, le propriétaire la rehausse de deux étages et la couvre d'un toit plat.

Restaurée en 1966, la maison Garon retrouve partiellement son aspect du début du XIXᵉ siècle. Elle comporte toutefois un étage de plus et les ouvertures du rez-de-chaussée donnant sur la côte de la Montagne diffèrent.

Gino Gariépy, historien de l'architecture

Occupée par divers artisans jusqu'aux bombardements de 1759, la maison Garon est reconstruite en 1763 par Étienne Griault. Actuellement, la maison conserve son aspect du XIXᵉ siècle à l'exception des ouvertures du rez-de-chaussée et de l'étage ajouté.

Maison Euloge-Girard

Québec
52, rue Saint-Nicolas et
353 à 361, rue Saint-Paul

Fonction: semi-public
Classée monument historique en 1965

Restaurée au début des années 1980, la maison Girard sise à l'angle des rues Saint-Paul et Saint-Nicolas récupère des éléments du XIXᵉ et du XXᵉ siècle comme la porte cochère et les ouvertures du rez-de-chaussée. Au XXᵉ siècle, la maison abrite le célèbre cabaret Chez Gérard.

Sise aujourd'hui dans l'îlot Saint-Nicolas, la maison Euloge-Girard comprend deux résidences. L'une occupe l'angle des rues Saint-Paul et Saint-Nicolas, et l'autre s'insère entre cette dernière et le bâtiment à l'encoignure des rues Saint-Paul et de l'Ancien-Chantier. Restaurées au début des années 1980, ces maisons se situent au sein d'un îlot sauvegardé et mis en valeur par l'entreprise privée.

Construite en 1831 par le marchand Georges Larouche, la maison à deux façades située au coin des rues Saint-Paul et Saint-Nicolas remplace une vieille demeure en pierre érigée sur le même emplacement. En 1843, la maison brûle et son propriétaire la fait reconstruire. L'incendie du faubourg Saint-Roch, deux ans plus tard, touche le bâtiment qui doit subir de nouveau des réparations. La maison passe ensuite à Simon Bédard, qui en demeure propriétaire pendant de nombreuses années.

En 1875, l'édifice est occupé par l'hôtel Lévesque, fréquenté par les voyageurs du North Shore Railway. Cette vocation hôtelière se poursuit au XXᵉ siècle; la maison accueille alors le fameux cabaret Chez Gérard, où se produisent les Charles Trenet, Edith Piaf, Charles Boyer et autres célébri-

tés françaises. Vendue en 1977, la propriété est à nouveau la proie des flammes en 1978. Demeuré vacant durant quelques années, le bâtiment restauré abrite maintenant des bureaux et des logements.

La restauration remet en état des éléments importants que le bâtiment avait perdus durant les XIXᵉ et XXᵉ siècles. Ainsi, les architectes rétablissent la porte cochère, qui communique de la rue à la cour intérieure, et les ouvertures au niveau du rez-de-chaussée. La maçonnerie, mise à nu au XXᵉ siècle, se couvre à nouveau de crépi sur la façade donnant sur la cour, et l'ornementation en bois reprend toute sa place. Par son volume et son style, cette maison appartient au courant néo-classique, très populaire à Québec entre 1820 et 1850.

La seconde maison se rattache au style Second Empire. Construite en 1843 par le menuisier Charles Marier et le maçon Jean-Baptiste Diotte, elle appartient d'abord à l'armurier Félix Bidégaré. À cette époque, le marché de construction la décrit comme une maison de pierre de deux étages.

Elle fut vraisemblablement touchée, comme sa voisine, par un incendie en 1845, mais les chercheurs ignorent si le proprié-

taire la rétablit selon les plans originels où si elle subit des modifications par la suite. En 1868, le shérif du comté saisit la maison et la fait vendre aux enchères.

En 1881, Samuel Bédard, horloger-bijoutier, achète la maison. Sa famille en demeure la propriétaire pendant plusieurs années. Contrairement à sa voisine, gravement touchée par un incendie en 1978, cette maison subit peu de dommages. Aussi se trouve-t-elle dans un bon état de conservation lorsque, en 1979, les architectes entreprennent la restauration des bâtiments de l'îlot Saint-Nicolas.

Madeleine Gobeil-Trudeau,
historienne de l'architecture

GROUPE HARCART. *Les maisons situées aux nᵒˢ 347, 351, 353, 355, rue Saint-Paul.* Québec, Ville de Québec, 1981. 136 p.

Maison Morency-Lamarche

Québec
133-135, rue Saint-Paul

Fonction: semi-privé
Classée monument historique en 1965

Ces deux maisons, aujourd'hui très différentes l'une de l'autre, possèdent pourtant une origine commune. En mai 1753, Jean-Étienne Jayac, négociant de la rue Saint-Pierre, confie la construction d'une seule et longue maison aux maîtres maçons Pierre Marcou et Vital Maillou. Le contrat précise qu'il s'agit d'une structure en pierre de deux étages, de 80 pieds sur 40, avec encadrements en pierre de taille.

Cette description rejoint la forme d'ensemble évoquée par le plan-relief conçu en 1810 par Jean-Baptiste Duberger. Mais à cette époque, la maison apparaît déjà divisée en deux sections, comme l'indiquent un mur coupe-feu saillant et deux portes d'entrée distinctes.

Aujourd'hui très différentes, les maisons Morency et Lamarche possèdent pourtant une origine commune. Leur division en deux entités distinctes illustre une phase caractéristique du phénomène de densification urbaine au XVIIIᵉ siècle. (Inventaire des biens culturels du Québec).

Dans le recensement du curé Joseph-Octave Plessis, en 1798, deux numéros civiques désignent la maison, alors propriété de Joseph Drapeau.

La demeure se transforme considérablement au début du XIXᵉ siècle. Motivés par l'ouverture de la rue Saint-Paul en 1817 et le développement rapide du quartier Saint-Roch, plusieurs propriétaires modifient leurs édifices. On voit apparaître des boutiques, tavernes et magasins avec leurs devantures commerciales tournées vers la nouvelle rue, qui relie l'ancienne basse-ville (place Royale) à la nouvelle (Saint-Roch).

Le marchand Benjamin Tremain, nouveau propriétaire de la maison, veut en exploiter tout le potentiel et morcèle davantage sa propriété. En 1831, il en vend le quart, puis, graduellement, entre 1832 et 1851, se départit des autres sections. Désormais subdivisé sur le plan horizontal, le bâtiment abrite un commerce au rez-de-chaussée. L'accroissement de l'activité dans le secteur entraîne une diversification des lieux, notamment à l'arrière où tous les espaces sous le cap accueillent des constructions. Conformément à la tradition française, les propriétaires aménagent des passerelles par-dessus la ruelle, ce qui permet à l'escalier de la maison de desservir l'étage des maisonnettes situées à l'arrière. Les aquarelles de James Pattison Cockburn vers 1830 et d'innombrables photos et cartes postales de la fin du XIXᵉ et du début du siècle présent témoignent de cet âge d'or de la rue Sous-le-Cap.

Entre juillet 1863 et juillet 1864, un incendie ravage la vieille maison édifiée en 1753. Les flammes détruisent la partie sud, mais épargnent, semble-t-il, la section nord. Débute alors l'histoire de deux structures différentes.

Anne Hamilton acquiert le terrain laissé vacant par l'incendie et fait ériger une maison en brique par l'entrepreneur André Gingras, d'après les plans de l'architecte Edward Staveley. Apparaît alors la maison Lamarche, ainsi appelée du nom de son propriétaire lors du classement.

Sur le terrain voisin, le propriétaire Philip Thomas fait rétablir ou partiellement reconstruire les murs, sauvegardant ainsi un gabarit et un registre d'ouvertures anciennes. Cette maison de deux étages au toit mansardé s'appelle aujourd'hui la maison Morency, du nom du propriétaire au moment du classement.

Plan de la maison Lamarche en 1864, attribué à Edward Staveley et montrant une élévation de la façade. (Archives nationales du Québec à Québec, fonds Fisher-Langlois).

La maison Lamarche, dont les Archives nationales du Québec conservent le plan, rappelle l'architecture des faubourgs Saint-Jean et Saint-Roch, avec un rez-de-chaussée dévolu au commerce et deux étages (plus les combles) occupés par l'habitation. Les lots étroits et profonds de la rue Saint-Paul et la dénivellation d'un étage, qui existe entre cette rue et la ruelle Sous-le-Cap, nécessitèrent jadis l'intervention d'un architecte. Cette situation particulière explique aussi le pignon très haut qui confère à la maison un caractère distinctif sur la rue.

La maison Morency demeure une structure plus archaïque que sa voisine, à cause du remploi de murs anciens: la forme et l'espacement des ouvertures et les corbeaux en pierre de taille renvoient à l'édifice initial. Mais celui-ci a été mis au goût du jour à l'aide d'un mur de façade en brique supporté par une devanture commerciale et, surtout, grâce au remplacement du toit à deux versants par une toiture mansardée. Avec ces travaux, la maison adopte le style des architectures à la mode durant les années 1880-1900.

Récemment restaurées, les maisons Morency et Lamarche témoignent de façon éloquente de deux phénomènes importants en histoire de l'architecture. Le démembrement du parcellaire constitue une phase caractéristique de la densification urbaine. La valeur des maisons ne cessant d'augmenter sous la pression de la demande, les propriétaires initiaux doivent diviser leur domaine. Ce phénomène, typique du XVIIIe siècle dans l'ancienne basse-ville de Québec, s'observe actuellement dans les proches banlieues de Sillery et Sainte-Foy. Les propriétaires successifs transforment selon leurs besoins des bâtiments d'abord identiques, ce qui amène la variété des paysages urbains.

Ces deux phénomènes expliquent en grande partie le «cachet» du Vieux-Québec, qui s'est développé sans plan directeur. Les maisons Lamarche et Morency expriment cette diversité qui fait la richesse d'un paysage urbain.

Gino Gariépy, historien de l'architecture

Maison Giguère

Québec
137, rue Saint-Paul

Fonction: semi-public
Classée monument historique en 1963

Dès 1800, la croissance des activités portuaires à Québec liées au commerce du bois nécessite de nouvelles voies de communication afin d'améliorer l'accès aux quais. Ainsi, en 1817, les juges de paix autorisent l'ouverture de la rue Saint-Paul, à proximité de l'étroite rue du Sault-au-Matelot. Cette nouvelle artère intéresse très tôt les «promoteurs» immobiliers.

En 1820, le marchand Benjamin Tremain acquiert de Joseph Drapeau plusieurs terrains s'étendant de la falaise jusqu'au fleuve. Le 27 juin 1820, il engage le maçon James Stewart pour y construire quatre maisons en rangée d'un étage en pierre noire et pierre de Beauport. Une esquisse des bâtiments projetés accompagne le marché de construction. Attribué à Tremain, ce document montre quatre résidences adjacentes quasi identiques, possédant chacune trois baies de largeur, avec, à une extrémité, une porte cochère qui relie les rues Sous-le-Cap et Saint-Paul. L'architecture de ces résidences s'apparente au style néo-classique. La maison adjacente au passage, exhaussée et passablement modifiée, est la maison Giguère.

À la fin de la même année, Benjamin Tremain met ses propriétés en vente et précise que «le bas des quatre maisons neuves sera distribué en ateliers et boutiques, avec moyen de les chauffer pour la commodité de peintres, menuisiers, cordonniers et autres dont les boutiques ont besoin de l'être». Cependant, il ne parvient à s'en départir qu'une dizaine d'années plus tard; la maison où se situe la porte cochère, occupée alors par William Robinson, passe aux mains de Patrick Commerford le 14 novembre 1831.

Transformations majeures

En 1860, l'ensemble fait l'objet d'un litige en rapport avec la succession Tremain et se retrouve, deux ans plus tard, entre les mains de Beniah Samuel Prior. Ce dernier vend la section constituant la maison Giguère à l'hôtelier Jean-Baptiste Thibault. À ce moment, l'habitation est décrite comme une construction de pierre. Toutefois, le 7 juillet 1862, Thibault revend le terrain avec une maison en brique. L'atlas *Hopkins* de 1875 de même que des photographies prises avant 1863 confirment cette information. Ainsi, en 1862, la maison Giguère aurait reçu un revêtement de brique en façade. Par la même occasion, le propriétaire a pu modifier la façade en augmentant le nombre d'ouvertures de trois à quatre. Enfin, vers 1963, on aurait ajouté un étage et enduit le mur de ciment.

L'intérieur actuel diffère complètement de celui mis en place à l'origine. Seule la trace d'une ouverture condamnée sur le mur arrière rappelle le passage. Au sous-sol subsiste une fenêtre identifiée comme le «cellar door» dans le marché de construction. Sur le mur mitoyen ouest, on voit en saillie les conduits de cheminée percés de trous pour les poêles. Deux portes récupérées complètent l'inventaire des éléments anciens que conserve encore la maison Giguère.

À travers toutes ces transformations, la vocation commerciale de la maison Giguère demeure une constante. Elle abrite les marchands généraux Leclerc et Letellier pendant le dernier quart du XIXᵉ siècle. En 1910, un ferblantier l'occupe. Aujourd'hui, un antiquaire tient boutique au rez-de-chaussée tandis que le reste de la maison a été subdivisé en appartements.

Barbara Salomon de Friedberg, historienne

GRIGNON, Marc et Luc NOPPEN. *L'art de l'architecte: trois siècles de dessin d'architecture à Québec*. Québec, Musée du Québec/Université Laval, 1983. 293 p.

MINISTÈRE DES AFFAIRES CULTURELLES. *Inventaire architectural, maison Giguère, 137, Saint-Paul, Québec*. Québec, Direction régionale de Québec, [s. d.].

Depuis sa construction en 1820, la maison Giguère a subi plusieurs modifications internes et externes. Toutefois, au cours de ces nombreuses années, une seule constante demeure: sa vocation commerciale.

Maison Mercier

Québec
117, rue Saint-Paul

Fonction: privé
Classée monument historique en 1963

Reconnue comme l'un des plus anciens édifices de la rue Saint-Paul, la maison Mercier semble avoir été construite en deux temps: la partie de gauche daterait de 1727-1730 alors que celle de droite remonterait à 1805-1840.

Lᴇ 3 août 1727, le boucher Romain Dolbec convoque le grand voyer de la ville de Québec afin qu'il dresse le procès-verbal d'alignement de la maison qu'il projette de construire le long de la rivière Saint-Charles à Québec. Le document stipule que: «Sera tenu ledit Dolbec de laisser trois pieds au bout de sa maison du costé du Rocher pour contribuer à une ruette du costé de l'emplacement du Sr Maillou architecte qui sera tenu de sa part d'en laisser autant pour un passage public et laissera aussi ledit Dolbec un chemin par derrière sa dite maison en quatre pieds de largeur entre sa maison et le cap [...].»

De telles servitudes, imposées aux habitants du secteur, donnent naissance à la rue Sous-le-Cap et aux passages qui mènent sur les berges de la rivière Saint-Charles où se développent les chantiers maritimes. Le 11 octobre 1730, Romain Dolbec agrandit sa propriété en achetant quinze pieds de terrain de son voisin, l'architecte Jean Maillou.

Un titre de propriété, daté de 1786, établit la présence sur le site «d'une maison de pierre à deux étages du côté de la rue proposée sous le nom de Saint-Paul et à un étage du côté de la rue ou passage du Sault au Matelot (Sous-le-Cap)». Cette maison, dotée d'une porte cochère, apparaît clairement sur le plan-relief de Jean-Baptiste Duberger en 1810.

Même si un dossier historique assez complet a été établi, aucun marché de construction de cette maison n'a pu être retracé. Le navigateur Michel Sauvageau l'acquiert en 1764 et ses héritiers la conservent jusqu'en 1805. À ce moment, Alexander Morison, «tonnelier et commis au poste du nord», en devient propriétaire. Son inventaire après décès, dressé en 1838, indique la présence sur le site d'une maison de trois étages.

La maison Mercier, qui tire son nom de la famille propriétaire des lieux entre 1918 et 1974, paraît avoir été construite en deux temps. La partie gauche, la plus ancienne, compte quatre travées et, vers la droite, une section importante en compte trois; la cheminée centrale délimite clairement les deux corps du bâtiment.

On peut établir que la section gauche de la maison Mercier a été construite, vers 1727-1730, pour Romain Dolbec et comportait deux étages. En 1794, Michel-Flavien Sauvageau fait reconstruire la maison, ravagée par un incendie. Le bâtiment initial est exhaussé d'un étage, en même temps que sont rétablis la charpente et les ouvrages de menuiserie. De cette époque datent donc les boiseries sculptées qu'on retrouve au dernier étage de cette section.

Quant à la partie droite de la maison, elle a pu être construite entre 1805 et 1830-1840 par Alexander Morison, père ou fils. Sa structure et ses ouvertures de même facture, encadrées de pièces de bois, indiquent l'érection des trois étages en une seule campagne de travaux.

Restaurée à grands frais en 1984 et 1985, notamment pour pallier quelques sérieux problèmes de structure, la maison Mercier resplendit aujourd'hui. Son gabarit, son crépi blanc et sa toiture de tôle à la canadienne établissent clairement qu'il s'agit de l'édifice le plus ancien de cette portion de la rue Saint-Paul.

Gino Gariépy,
historien de l'architecture

Maison François-Gourdeau

Québec
40-42, rue Saint-Nicolas

Fonction: privé
Classée monument historique en 1965

En 1685, sur une carte dressée par l'ingénieur Robert de Villeneuve, le tracé de la rue Saint-Nicolas est à peine visible: il est parcouru par un ruisseau qui va depuis le bas de la côte du Palais jusqu'à la rivière Saint-Charles. À la fin du XVIIe siècle, six ou sept maisons bordent la rue Saint-Nicolas, fermée à son extrémité et donnant sur la grève par une porte. Non loin de là, du côté est de la rue, se trouve la maison François-Gourdeau.

Au XVIIIe siècle, grâce à l'expansion des chantiers maritimes, le quartier prend de l'essor. Toutes les maisons de la rue Saint-Nicolas, côté est, servent alors d'enclos pour le chantier. L'ingénieur Gaspard Chaussegros de Léry veille à ce que tout accès direct soit supprimé afin d'assurer la sécurité des matériaux. Au fil des ans, le nombre de constructions passe à quatorze entre les rues Saint-Nicolas et Lacroix et des maisons en pierre remplacent graduellement celles de bois.

En 1808, des maisons à deux étages occupent entièrement la rue Saint-Nicolas. L'incendie du faubourg Saint-Roch, en 1845, détruit la plupart d'entre elles, mais la reconstruction s'effectue rapidement.

Maisons mitoyennes

La maison François-Gourdeau se compose en réalité de deux résidences mitoyennes en pierre de deux étages, construites en 1843 par Simon Bédard. Celui-ci acquiert le terrain en octobre 1841 de François Gourdeau, lui-même acquéreur lors d'une vente par le shérif John Sewell, un mois auparavant. Cette construction survient probablement après un incendie, car le site contenait déjà une maison monumentale à deux étages avec trois lucarnes à l'arrière et une à l'avant. L'incendie de 1845 touche certainement ces maisons, mais aucun marché n'atteste leur reconstruction.

En 1889, Simon Bédard cède à son fils Joseph une partie de sa propriété, soit la maison située à l'extrémité sud, ainsi que le hangar érigé à l'arrière. L'ensemble change de mains en 1977. Un an plus tard, un incendie endommage ces immeubles, abandonnés par la suite. Une société québécoise se porte alors acquéreur des édifices et assure leur restauration, les sauvant d'une démolition certaine.

À l'extérieur, les maisons François-Gourdeau conservent leur apparence d'origine. Vers 1965, le crépi disparaît et la pierre mise à nu révèle les arcs de décharge au-dessus des vitrines centrales de chacune des maisons. La restauration redonne aux bâtiments leur revêtement initial côté cour et remet en état les encadrements en bois des ouvertures. À l'intérieur, les divers réaménagements engendrés par l'établissement, à partir de 1938, du célèbre café Chez Gérard et l'incendie de 1978 altèrent l'ensemble des pièces.

Sur le plan formel, les maisons François-Gourdeau se ressemblent. Elles possèdent un nombre égal d'ouvertures, une toiture à deux versants, et un mur coupe-feu en brique délimite les bâtiments. L'emplacement des vitrines au centre des deux portes, dont l'une donne accès à la boutique et l'autre au logement de l'étage, caractérise les maisons urbaines du XIXe siècle à double fonction.

Appartenant au courant néo-classique dans une de ses interprétations québécoises, les maisons François-Gourdeau s'intègrent parfaitement aux résidences voisines de l'îlot Saint-Nicolas et forment avec celles-ci un ensemble architectural d'un grand intérêt. Le passant qui emprunte les rues Saint-Nicolas et Saint-Paul ne pourra ignorer ce quartier qui reprend vie après plusieurs années d'abandon.

Madeleine Gobeil-Trudeau,
historienne de l'architecture

GROUPE HARCART. *Les maisons situées aux n°s 347, 351, 353, 355, rue Saint-Paul.* Ville de Québec, Service de l'urbanisme, 1981. 136 p.

De style néo-classique, la maison François-Gourdeau construite en 1843 se compose en réalité de deux résidences présentant plusieurs similitudes: nombre égal d'ouvertures, toiture à deux versants et mur coupe-feu.

Maison Simon-Bédard

Québec
12, rue de l'Ancien-Chantier

Fonction: privé
Classée monument historique en 1965

LA maison Simon-Bédard occupe un emplacement sur la rue de l'Ancien-Chantier et fait partie de l'îlot Saint-Nicolas. Parallèle à la rue Saint-Nicolas, cette petite rue apparaît pour la première fois sur un plan, postérieur à 1746, sous le nom de «Rue du Vieux Chantier du Roy».

Ce site abritait le chantier naval ouvert quelques années plus tôt par les autorités coloniales. Dans la seconde moitié du XVIIIᵉ siècle, le tracé de la rue de l'Ancien-Chantier se précise. Des constructions nouvelles apparaissent au nord pour rejoindre l'extrémité de la rue Saint-Nicolas. Des maisons d'un étage ou deux, avec façade sur la rue de l'Ancien-Chantier, occupent en 1808 la plupart des espaces.

Cette rue loge surtout des résidences. Peu fréquentée à cause de sa situation à l'intérieur de l'îlot, de sa forme et de ses dimensions restreintes, la rue de l'Ancien-Chantier conserve un caractère ancien malgré un abandon de plusieurs années.

En 1843, le menuisier Charles Marier et le maçon Jean-Baptiste Diotte construisent la maison Simon-Bédard pour Charles Bidégaré, armurier. Le devis donne des détails sur cette construction et précise, entre autres, que les murs seront de «maçonnerie et de brique enduits». Chaque étage doit comporter quatre ouvertures, et la toiture trois lucarnes en façade et deux à l'arrière.

Ce bâtiment appartient au même propriétaire que la seconde maison Euloge-Girard. Le marché stipule que les entrepreneurs «démoliront les vieux murs». Les documents anciens précisent qu'en 1742 Joseph Corbin, forgeron employé aux travaux du Roy, occupe le lot et qu'une maison basse, d'un seul étage, y est érigée.

L'incendie de 1845 a possiblement endommagé la maison. Néanmoins, celle qui subsiste actuellement semble conforme au modèle initial. En 1868, Simon Bédard se porte acquéreur de la propriété et il la lègue, vingt ans plus tard, à son fils Joseph.

La maison Simon-Bédard comprend deux étages avec une façade en pierre de L'Ange-Gardien, recouverte de crépi. Avant sa restauration, certaines ouvertures du rez-de-chaussée, comme la porte cochère, étaient murées par des blocs de béton et la disparition du crépi accélérait la dégradation de la pierre laissée à nu. La façade du côté de la cour intérieure conservait néanmoins son crépi. Vers la fin du XIXᵉ et au XXᵉ siècle, son environnement immédiat se transforme. Les bâtiments avoisinants reçoivent des étages supplémentaires. Ainsi le gabarit moyen des maisons de l'îlot, de deux ou trois étages qu'il était, passe à quatre ou cinq étages. À la fonction résidentielle s'ajoute une fonction commerciale qui isole davantage la maison Simon-Bédard des bâtiments de la rue de l'Ancien-Chantier.

Tout comme pour les autres maisons de l'îlot Saint-Nicolas, la valeur extrinsèque de l'ensemble donne de l'intérêt à la maison Simon-Bédard. Sa conservation redonne vie à un quartier jadis abandonné et témoigne de l'architecture urbaine du début du XIXᵉ siècle. Les maisons de l'îlot Saint-Nicolas possèdent une grande valeur et leur restauration accroît leur potentiel.

Madeleine Gobeil-Trudeau,
historienne de l'architecture

Possiblement endommagée par l'incendie de 1845 qui ravage une partie du quartier Saint-Roch, l'actuelle maison Simon-Bédard conserve son aspect d'origine.

GROUPE HARCART. *Les maisons situées aux nᵒˢ 347, 351, 353, 355, rue Saint-Paul.* Ville de Québec, Service de l'urbanisme, 1981. 136 p.

Maison Estèbe

Québec
92, rue Saint-Pierre

Fonction: public
Classée monument historique en 1960

Entre 1750 et 1751, Guillaume Estèbe reçoit en concession deux terrains sis du côté sud de la rue Saint-Pierre dans la basse-ville de Québec et, en 1752, érige l'actuelle maison. À cette époque, les eaux du Saint-Laurent à marée haute immergent partiellement ses terrains. Estèbe construit donc un quai faisant également office de digue, à mi-chemin environ de l'estran du fleuve. Par remblayage, il récupère ensuite l'espace compris entre la rue et le quai. Des fouilles archéologiques effectuées sur le site en 1975 permettent de retrouver une partie de cet ancien quai situé à 44 mètres de la rue.

Guillaume Estèbe occupe, entre autres fonctions, celles de conseiller au Conseil supérieur, de directeur et d'administrateur des forges du Saint-Maurice, de garde-magasin du Roy à Québec, d'entrepreneur en pêcheries, de marchand-négociant et de seigneur de la Gauchetière. Français de naissance, il épouse Élizabeth-Cécile Thivierge, la fille d'un marchand de Beaumont, à proximité de Québec. De ce mariage naissent quatorze enfants.

Durant son séjour en Nouvelle-France, il amasse, notamment pendant la guerre de Sept Ans, une importante fortune évaluée à 1 800 000 livres. Avec des partenaires tels Jacques-Michel Bréard et Pierre Claverie, et sous la protection de l'intendant François Bigot, il réalise diverses spéculations et opérations commerciales. Après la Conquête, il retourne en France où on l'emprisonne quelques mois à la Bastille pour malversations avec d'autres membres de l'ancienne administration coloniale.

La maison Estèbe vers 1945. Restauré une première fois en 1961, cet édifice subit de nouveaux remaniements au moment de son intégration au Musée de la civilisation en 1987. (Inventaire des biens culturels du Québec).

Les boiseries de la maison Estèbe d'après un croquis de Ramsay Traquair. (Inventaire des biens culturels du Québec).

Autrefois l'une des plus importantes demeures bourgeoises de Québec au cours du Régime français, la maison Estèbe abrite aujourd'hui différents services du Musée de la civilisation.

Une résidence imposante

Le 16 janvier 1751, Guillaume Estèbe passe un marché avec les maîtres maçons Nicolas Dasilva dit Portuguais, Pierre Delestre dit Beaujour et René Paquet pour des travaux de maçonnerie à sa maison de la rue Saint-Pierre. Construite en pierre, elle mesure 19,6 mètres de longueur sur 14,3 mètres de largeur. Elle possède un étage de soubassement en caves voûtées, un rez-de-chaussée surélevé et un premier étage surmonté d'un comble à deux versants doté de murs coupe-feu en pignons. Des bandeaux horizontaux en pierre de taille délimitent les étages. À l'extrémité est de l'habitation, une porte cochère relie la maison au quai. Un escalier divisé en deux volées et empiétant sur la rue permet d'atteindre la porte d'entrée de l'étage noble, à la hauteur de la deuxième rangée de fenêtres du côté ouest.

Pour cette construction, Estèbe obtient un permis du grand voyer en 1753. En 1800, à la suite d'une ordonnance interdisant toute saillie sur la rue susceptible de nuire à la circulation des voitures, l'escalier disparaît et l'entrée prend place au centre du niveau inférieur. L'ancienne porte est transformée en fenêtre.

Le gros œuvre est réalisé en grès de L'Ange-Gardien pour les dalles de plancher et en pierre de Château-Richer pour les murs. La pierre nécessaire aux encadrements des ouvertures, des foyers, des corbeaux, des bandeaux ainsi que pour les chaînages d'angles des murs provient de Pointe-aux-Trembles (Neuville).

Outre les voûtes, l'intérieur comporte 21 pièces chauffées par huit foyers. Un mur de refend sépare la maison dans le sens longitudinal et plusieurs divisions apparaissent lors des travaux de restauration. Un colombage briqueté façonne ces divisions. Le sol de plusieurs pièces se trouve garni de carreaux de terre cuite du type dit de Marseille. Les plafonds à solives apparentes et moulurées supportent les planchers des étages. Une cage d'escalier, relocalisée au début du XIXᵉ siècle, monte du rez-de-chaussée à l'étage des combles. La charpente du type à chevrons portant fermes avec pannes, faîte, sous-faîte et croix de Saint-André existe encore aujourd'hui.

Dans ses grandes lignes, la maison Estèbe correspond au type d'architecture urbaine postérieure aux ordonnances de 1721 et de 1728. Ces ordonnances codifient l'architecture en édictant une série de normes auxquelles les propriétaires doivent se conformer pour réduire les risques d'incendie. La maison témoigne de l'architecture classique française adaptée au contexte local. Elle représente une des plus importantes demeures bourgeoises de la ville du Régime français.

Les propriétaires se succèdent

En 1757, Guillaume Estèbe vend sa maison de la rue Saint-Pierre à Joseph-Michel Cadet, munitionnaire du roi, pour la somme de 50 000 livres. En 1759, elle est une des rares résidences de la basse-ville épargnées par le bombardement avant la prise de Québec. En 1766, elle passe à Benjamin Comte, un grand commerçant de fourrure. En 1774, Comte la revend à Pierre Fargues, un marchand huguenot établi à Québec et enrichi par le commerce des fourrures et des boissons alcooliques. Après sa mort, survenue en 1780, sa veuve se remarie avec Thomas Dunn, le président du Conseil exécutif et membre du Conseil législatif. En 1789, Thomas Dunn cède la maison à son associé, Peter Stuart, un des plus importants négociants de l'époque, actif dans le commerce des fourrures et des pêcheries.

Ce dernier relocalise la porte d'entrée sur la rue Saint-Pierre. Cette entrée, construite au centre de la façade et au niveau de la rue, amène le déplacement de la cage d'escalier. Stuart fait vraisemblablement exécuter les lambris de hauteur pour revêtir les murs de neuf pièces de la maison ainsi que six manteaux de cheminée de style Régence et Louis XV. Des relevés et des photographies effectués par le professeur Ramsay Traquair de l'université McGill, à la fin des années 1920, illustrent ces travaux. À cette époque apparaissent également les lambris de plafond ajoutés sous les solives. Certaines des divisions intérieures subissent des remaniements.

Grand propriétaire terrien, baron du commerce du bois et receveur général du Canada, John Caldwell acquiert la maison en 1810 et la conserve jusqu'en 1830. À ce moment, des accusations de malversations contre Caldwell entraînent la saisie, puis la vente de la maison aux enchères. La même année, il obtient le titre de baronnet de Castle Caldwell en Irlande. L'argent recueilli lors de l'enchère sert à combler une partie du déficit accumulé dans son administration du Bas-Canada.

Durant son occupation, Caldwell effectue certains changements à la maison. Ainsi, en 1818, il loue l'étage de soubassement à la Banque de Montréal, qui désire y établir une succcursale. À cette époque, on perce les parties ouest et est du mur de refend pour l'installation des coffres-forts. Caldwell ajoute également quelques éléments de style Adam, aujourd'hui disparus.

Nouvelle vocation

En 1838, la maison devient la propriété de James Gibb, un important négociant dans les domaines de l'alimentation, des transports et du commerce du bois. Gibb habite

Cette reconstitution des boiseries de la maison Estèbe orne aujourd'hui le bureau du directeur du Musée de la civilisation.

le domaine Bellevue en banlieue de Québec. Afin de tirer profit du bâtiment de la rue Saint-Pierre, il réaménage chacun des étages en espaces à bureau. En 1847, onze locataires occupent les lieux et la maison en compte 34 en 1891. La propriété appartient à la famille Gibb jusqu'en 1910. Des marchands, des notaires, des avocats, des courtiers, des commis se partagent les bureaux avec la compagnie Quebec and Lake St.John Railway.

La demande sans cesse croissante pour les espaces à bureau entraîne divers remaniements internes. Deux nouvelles portes sont aménagées aux extrémités de la façade sur la rue Saint-Pierre. La porte à l'est correspond à l'emplacement de l'ancienne porte cochère et l'espace récupéré permet d'augmenter la surface locative de l'étage de soubassement. Jusqu'à son acquisition en 1959 par la Commission des monuments historiques, la maison conserve la même fonction. Par la suite, elle passe sous la juridiction du ministère des Affaires culturelles. En 1961, l'extérieur est restauré et les ouvertures ajoutées au XIXᵉ siècle cèdent la place à des fenêtres inspirées du modèle ancien et

à une porte cochère. À l'exception de l'entrée du côté de la rue Saint-Pierre, la maison reprend l'apparence qu'elle avait à l'époque où Guillaume Estèbe la possédait. Hormis des sondages et des travaux de consolidation, l'intérieur reste intact et la maison demeure inoccupée jusqu'à son intégration au Musée de la civilisation. Aujourd'hui restaurée, la maison loge une partie de l'administration du musée.

Béatrice Chassé, historienne

CHASSÉ, Béatrice. *L'hôtel de monsieur Estèbe à Québec*. Québec, ministère des Affaires culturelles, 1978. 55 p.

LANGLOIS, Jacques. *L'hôtel Guillaume-Estèbe: la vie de ses occupants*. Québec, ministère des Affaires culturelles, 1975. n. p.

TRAQUAIR, Ramsay. *No. 92, St. Peter, Quebec*. Reprints from The Journal, Royal Architectural Institute of Canada, mai et juillet 1930. 15 p.

Église Notre-Dame-des-Victoires

Québec
43, rue Sous-le-Fort

Fonction: lieu de culte
Classée monument historique en 1929

Dominant la place Royale, l'église Notre-Dame-des-Victoires est souvent présentée comme l'église la plus ancienne de Québec. Si cette affirmation ne se révèle pas tout à fait exacte, le monument a néanmoins joué un rôle primordial dans l'histoire de l'architecture religieuse et dans l'évolution de la ville. Construite en milieu urbain, Notre-Dame-des-Victoires entraîne un des premiers gestes d'aménagement des autorités du temps: la création de la place du marché de la basse-ville, nommée place Royale en 1686 à la suite de l'installation par l'intendant Jean Bochart de Champigny d'un buste de Louis XIV.

L'église Notre-Dame-des-Victoires occupe le site du premier établissement de Québec: l'habitation construite par Samuel de Champlain en 1608. Rebâti par le fondateur en 1624, le bâtiment sert ensuite de «magasin du roy» jusqu'à sa destruction par un incendie en 1682. L'année suivante, le gouverneur, Joseph-Antoine Lefebvre de la Barre, et l'intendant Jacques de Meulles concèdent à l'évêque une partie de l'emplacement du «Vieux Magasin» pour y construire une chapelle et un presbytère. Un des murs du magasin entre dans la construction de l'église. Des fouilles archéologiques récentes ont permis de retrouver, devant la façade, les fondations d'une des tourelles, des sections de murs et plusieurs objets provenant du «Vieux Magasin».

Après maintes tergiversations, un premier projet voit le jour en 1685, mais demeure sans lendemain. Les travaux de construction de la chapelle, dédiée à l'Enfant Jésus et desserte de la paroisse Notre-Dame, commencent en 1687. L'architecte et maître maçon Claude Baillif dresse les plans et érige l'édifice. Il entreprend d'abord la construction des deux longs pans et du chevet plat. Une partie des pierres provenant de la démolition du «Vieux Magasin» sert aux travaux. Les murs s'avancent vers la place, et leur course s'interrompt, selon les termes du contrat, à 50 pieds du chevet; là «au bout des dites murailles, seront laissé (sic) des pierres d'attentes» en vue d'une éventuelle reprise des travaux. Des difficultés de deux ordres viennent cependant contrecarrer l'achèvement de l'édifice: le manque de fonds et un terrain insuffisant pour ériger le portail. Les obstacles surmontés, l'année suivante surgit un nouveau problème: le droit de vue d'un propriétaire voisin empêche la réalisation de la façade. À ce moment, l'édifice est allongé de trois mètres pour porter sa longueur totale à dix-neuf mètres. Les travaux s'arrêtent là. Une couverture et une façade

Vue d'ensemble de l'église, située à la place Royale. (Service des ressources pédagogiques, université Laval. Photo: Paul Laliberté).

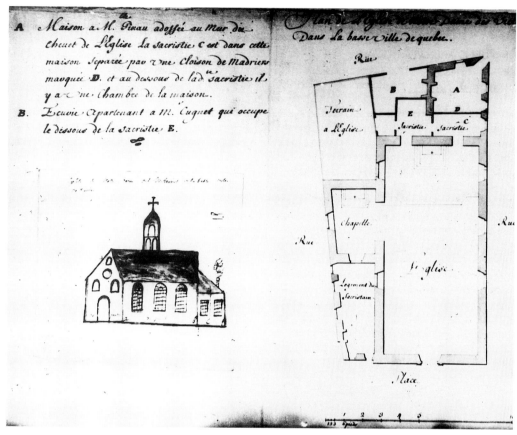

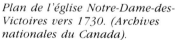

Plan de l'église Notre-Dame-des-Victoires vers 1730. (Archives nationales du Canada).

Reconstitution de l'église telle qu'elle était de 1723 à 1759.

temporaires complètent l'ouvrage jusqu'à son parachèvement en 1723.

Entre-temps, l'église subit deux changements de nom. D'abord placée sous la protection de l'Enfant Jésus en 1687, lors de la pose de la première pierre, la chapelle de la basse-ville adopte le nom de Notre-Dame-de-la-Victoire après la déroute de l'amiral sir William Phipps devant Québec en 1690. Vingt et un ans plus tard, le naufrage de la flotte anglaise commandée par l'amiral sir Hovenden Walker entraîne un nouveau changement de nom: l'église reçoit alors son appellation définitive de Notre-Dame-des-Victoires.

En 1723, l'architecte et maître maçon Jean Maillou conclut un marché pour la construction du portail. Il complète la nef en portant sa longueur à 72 pieds et érige un portail sur la nouvelle ligne de façade. L'année suivante, s'ajoutent la chapelle Sainte-Geneviève et une maison pour le bedeau. Le programme s'achève en 1733 par la construction d'une sacristie, située à l'angle des rues Sous-le-Fort et Sainte-Geneviève. Cette dernière cède la place à la sacristie érigée en 1873, d'après les plans de l'architecte Louis Amiot.

La nouvelle façade de Jean Maillou comporte un œil-de-bœuf, un portail sculpté et des niches. Maillou conçoit une architecture simple et ne retient que les éléments significatifs et faciles d'exécution, telles les niches en encadrement du portail. Assez curieusement, Maillou laisse le clocher, à double lanterne, au centre de l'édifice au lieu de le ramener en façade. Ainsi, au début du XVIIIᵉ siècle, Notre-Dame-des-Victoires continue d'afficher ses origines académiques.

Le 9 août 1759, la basse-ville de Québec subit le bombardement anglais. Comme les maisons avoisinantes, l'église est détruite. Seuls les murs calcinés restent debout. L'architecte Jean Baillairgé, d'une célèbre lignée d'architectes, premier à s'établir au Québec, s'intéresse au sort des ruines. Il rétablit la sacristie en 1762 et s'attaque à l'église l'année suivante. La reconstruction s'échelonne sur plusieurs années et s'achève en 1766.

Réalisés dans des conditions difficiles, ces travaux n'embellissent guère l'édifice. Aussi, vers 1800, Notre-Dame-des-Victoires fait-elle piètre figure sur la place Royale. Cédant aux nombreuses pressions des paroissiens de la basse-ville, la fabrique de

Québec décide, en 1816, de procéder à une réfection totale. L'architecte François Baillairgé obtient le contrat, et les travaux s'engagent sous sa surveillance. Il réduit d'abord la pente du toit en abaissant l'angle du pignon. La hauteur des murs latéraux diminue, le pignon est à nouveau maçonné dans sa partie supérieure, et toute la charpente, refaite. Ainsi abaissée, la façade s'orne d'un œil-de-bœuf supplémentaire, et les niches latérales du portail sont percées pour assurer un meilleur éclairage intérieur. Pour compléter la nouvelle façade, l'architecte installe, en 1762, un petit clocher sur le chevet.

Dans l'ensemble, ces travaux témoignent du goût nouveau dont l'architecte tente d'accommoder l'édifice ancien en utilisant, entre autres, le pignon comme rappel du fronton classique. Il s'agit visiblement d'une interprétation québécoise du palladianisme anglais qui se retrouve en maints endroits avant 1820 (cathédrale Notre-Dame de Québec, chapelle de la Congrégation des hommes de la haute-ville, chapelle de l'Hôtel-Dieu de Québec).

Après avoir résisté à trois reprises aux assauts des tenants de sa démolition (en 1824, 1833 et 1854), l'église de la basse-ville devient à nouveau le théâtre d'un chantier important de 1858 à 1861. L'architecte Joseph-Ferdinand Peachy conçoit les plans. L'édifice accueille un nouveau clocher et son parvis recouvert d'un pavé s'orne d'une clôture en fonte.

En 1967, Notre-Dame-des-Victoires subit une nouvelle restauration. La maçonnerie perd alors son crépi. Le portail est refait, et la porte remplacée. Deux sections de la corniche dessinant le triangle du fronton disparaissent également. Le parvis et sa grille intérieure n'échappent pas non plus à l'intervention des restaurateurs.

Raphaël Giroux et quelques autres élèves de Thomas Baillairgé réalisent le décor intérieur de Notre-Dame-des-Victoires. Complété entre 1854 et 1857, il succède à des ensembles plus anciens.

Ainsi, sous le Régime français, les frères Levasseur réalisent, de 1725 à 1730, le premier véritable décor intérieur. Il s'agit vraisemblablement d'un retable en arc de triomphe adossé au chevet plat, et de même type, quoique vraisemblablement moins orné, que celui des Ursulines de Québec. Détruit à la Conquête, ce retable ne semble pas avoir été remplacé immédiatement. En 1816, alors que débutent les travaux à l'extérieur, le sculpteur montréalais Pierre Séguin s'engage à installer une nouvelle voûte «à compartiments de carreaux» et une corniche. Ces ouvrages disparaissent en 1854 au moment de la mise en place du décor actuel.

La voûte d'aujourd'hui diffère de celle construite en 1816-1817 par Pierre Séguin. L'actuelle est en fait une fausse voûte en bois, traitée à la manière d'une voûte de plâtre ou de maçonnerie. Les motifs de sculpture cèdent la place aux éléments architecturaux, tels les doubleaux. Immédiatement en dessous, l'entablement joue un rôle de véritable support. Le retable présente également un intérêt certain. Parcourue par la corniche, l'arcade principale de l'arc de triomphe s'élève très haut et dégage un effet monumental, cher à Raphaël Giroux, également auteur des décors intérieurs des églises de Cap-Santé et de Gentilly.

Lors du deuxième centenaire de sa construction, en 1888, l'église subit plusieurs réparations. Une nouvelle chaire et un nouveau banc d'œuvre remplacent ceux de 1854; le décor peint est rafraîchi. Un peintre décorateur de Québec, Jean-M. Tardivel, entreprend les travaux et retrace par une série de fresques, sur la voûte et le retable, l'histoire de l'église et de la ville.

En 1929, les planchers font place à une dalle de béton, et les murailles subissent des réfections. Enfin, en 1986-1987, l'église fait l'objet de nouvelles restaurations. La structure est d'abord consolidée puis rendue étanche après la réfection des toitures et un rejointoiement des murs de pierre. Les fenêtres sont remplacées. À l'intérieur, un nouveau plancher de bois recouvre la dalle de béton, la nef et la chapelle sont repeintes, les ornements redorés et un éclairage plus satisfaisant installé.

Gravure d'après un dessin de Richard Short montrant l'église après la prise de Québec en 1759. (Musée du Québec).

L'intérieur de l'église.

L'église Notre-Dame-des-Victoires conserve plusieurs œuvres d'art intéressantes. Parmi les tableaux, il faut signaler:
— *L'Annonciation*, de Louis-Augustin Wolff, peintre d'origine allemande, venu au Canada avec l'armée anglaise. Peint en 1765-1766 d'après une gravure d'une œuvre du peintre français François Lemoine;
— *L'ex-voto de l'Aimable Marthe*, œuvre anonyme réalisée en 1747 selon le vœu du capitaine Maurice Simonin;
— *Sainte Geneviève*, œuvre anonyme au-dessus de l'autel de la chapelle Sainte-Geneviève, probablement importée de France;
— *L'Élévation de la Croix*, provenant de la collection Desjardins. Œuvre européenne acquise en 1817, et restaurée en 1834 et 1851. Copie d'après Pierre-Paul Rubens;

— *La montée au Calvaire*, provenant de la collection Desjardins. Œuvre européenne acquise en 1817, et agrandie par François Baillairgé. Copie d'une gravure de Bénézit Huret, graveur français.

Réalisé en 1878 par l'architecte et sculpteur David Ouellet, le tabernacle du maître-autel rappelle, par sa parure, une architecture militaire. Le tabernacle de la chapelle Sainte-Geneviève date des années 1724-1730 et serait une œuvre des Levasseur. Un ex-voto suspendu dans la nef commémore le Brézé, un navire venu au Canada en 1664. Avant l'incendie de 1759, ce modèle réduit ornait la nef de la cathédrale de Québec.

L'église Notre-Dame-des-Victoires possède une puissante force d'évocation pour les artistes et le monde des arts. L'officier britannique Richard Short la représente en ruines en 1759 et James Pattison Cockburn la peint à l'aquarelle en 1830. Depuis, on ne

compte plus les artistes inspirés par ce monument. Depuis des siècles, un véritable lien organique unit cette église à son quartier. Aujourd'hui, la revitalisation du quartier contribue pour une bonne part à sa survie.

Luc Noppen, historien de l'architecture

NOPPEN, Luc. *Notre-Dame-des-Victoires à la place Royale de Québec*. Québec, ministère des Affaires culturelles, 1974. 118 p.

NOPPEN, Luc. *Les églises du Québec (1600-1850)*. Québec et Montréal, Éditeur officiel du Québec/Fides, 1977: 178-181.

Maison Légaré (Vanfelson)

Québec
13-17, rue des Jardins

Fonction: semi-public
Classée monument historique en 1960

Construite vers 1780 pour le marchand Antoine Vanfelson, la maison Légaré présente les caractéristiques de la demeure urbaine de la fin du XVIII⁰ siècle.

Lambris d'inspiration Louis XV situés au premier étage du côté de la rue des Jardins.

Construite vers 1780 pour le marchand Antoine Vanfelson, cette maison de pierre de la rue des Jardins, dressée en face de l'église des Jésuites, occupe l'emplacement d'une petite boucherie érigée par Georges Hips en 1775. Antoine Vanfelson se trouve à l'origine d'une importante lignée d'hommes de loi; entre 1805 et 1856, son fils Georges occupe successivement les fonctions d'avocat, de député, d'avocat général, d'inspecteur de police et de juge. Au XIXᵉ siècle, la maison Vanfelson abrite l'atelier de l'orfèvre Laurent Amiot, une auberge et une taverne. Trois générations de Légaré y tiennent successivement une boutique de barbier, jusqu'à l'acquisition de la maison par le ministère des Affaires culturelles en 1965.

Bien conservée, la maison Vanfelson illustre la demeure urbaine de la fin du XVIIIᵉ siècle. Les vestiges de sa cour avec son écurie datent du temps de l'auberge et permettent de mieux imaginer l'environnement. De plus, les fouilles archéologiques des latrines en pierre, adjacentes à l'écurie, ont mis au jour de nombreux verres à pied lourds, souvent utilisés dans les débits de boisson du XIXᵉ siècle.

Certains détails architecturaux lui donnent un caractère particulier. En témoignent les arêtes horizontales correspondant aux trois rangs de planches de recouvrement de la charpente maintenant revêtues de tôle à la canadienne, les corbeaux de pierre taillée supportant le débord des coupe-feu, les jambages en pierre de taille peints en brun et les deux portes de sa façade. À l'intérieur, de remarquables lambris d'inspiration Louis XV, datant de la fin du XVIIIᵉ siècle, ornent plusieurs pièces. Les escaliers, plus tardifs, ont été reconstruits lors de la restauration. On remarque aussi des linteaux de pierre de foyers. Le passage latéral du pignon sud permettait de mener les montures à l'écurie.

La maçonnerie recouverte d'un «enduit à vive arête», selon les termes des marchés de construction de l'époque, permet de sentir les aspérités des pierres, par opposition à l'«enduit plein». Ce recouvrement sert encore aujourd'hui à imperméabiliser.

La restauration du bâtiment a permis de sauvegarder et de mettre en valeur toutes les particularités architecturales conservées jusqu'à maintenant.

Michel Gaumond, archéologue

GAUMOND, Michel. *Maison Légaré*. Québec, ministère des Affaires culturelles, [s.d.]. n.p.

Maison Bédard

Québec
18, rue du Mont-Carmel

Fonction: public
Classée monument historique en 1965

Dès 1740, une maison appartenant à François Tinon dit Desrochers dresse sa façade sur la rue Mont-Carmel. Pierre More achète ce terrain vers 1780, peu après l'ouverture de la rue Haldimand, tracée pour faciliter l'accès au cap. L'Écossais Malcolm Fraser (1733-1815), lieutenant d'infanterie à la retraite, seigneur de La Malbaie et homme d'affaires prospère, l'un des plus importants propriétaires fonciers de la haute-ville de Québec, acquiert la propriété en 1785. Entre 1779 et 1785, une maison est érigée sur un rez-de-chaussée.

En 1800, Fraser vend sa résidence de la rue Mont-Carmel à Pierre-Stanislas Bédard (1762-1829), chef du Parti canadien à l'Assemblée législative du Bas-Canada. La maison apparaît sur la maquette de Québec réalisée vers 1808 par Jean-Baptiste Duberger. En 1815, le maître maçon Guillaume Jourdain, à la demande de Bédard, reconstruit et agrandit la demeure en y ajoutant un étage.

En 1830, après le décès de son père, Elzéar Bédard (1799-1848) hérite de la propriété. Il ajoute un deuxième étage pour rehausser sa demeure voisinée par les monumentales maisons Gugy-Primerose, œuvre de l'architecte George Brown. Un passage cocher, mitoyen à la maison Bédard, permet d'accéder aux écuries, de nos jours restaurées en bibliothèque et en salle de réunion. À l'instar de ses voisines, la maison Bédard revêt alors l'apparence d'une maison néoclassique.

En 1832, Elzéar Bédard érige sur le côté sud de la propriété parternelle une nouvelle résidence (lot 2610) avec façade sur la rue Haldimand (au numéro 12), laissant l'usufruit

La maison Bédard aujourd'hui. (Service des ressources pédagogiques, université Laval. Photo: Paul Laliberté).

Cette cheminée en marbre noir ornerait la maison Bédard depuis 1830.

Le poêle de faïence du rez-de-chaussée ainsi que la rampe d'escalier, avec poteau d'arrêt orné d'un castor font partie du décor originel de la maison Bédard.

de la maison paternelle à sa mère, Luce Lajus.

Élu premier maire de Québec en 1833, Elzéar Bédard accède à la magistrature en 1836, année où il se défait de ses propriétés des rues Mont-Carmel et Haldimand. Il cède sa nouvelle demeure de la rue Haldimand à Thomas Cushing Aylwin, avocat, et la maison familiale de la rue Mont-Carmel avec sa cour arrière à Jean Chabot (1806-1860), ancien avocat de son cabinet et plus tard membre du Parlement du Canada-Uni. Vers 1850, une troisième maison, peu profonde, vient s'insérer entre les deux précédentes, au numéro 14 de la rue Haldimand.

L'incendie de 1860 a probablement ravagé les trois maisons, car leur menuiserie intérieure date visiblement du début des années 1860.

En 1869, en attendant la construction de l'Hôtel du parlement, le gouvernement provincial, à court d'espace, installe le Département du Trésor dans ces trois maisons dont deux appartiennent à J.-B.-C. Hébert.

En 1877, le gouvernement effectue des réparations à la «maison Hébert» et engage des dépenses pour réparer les fameux poêles russes dont un exemplaire subsiste encore dans la maison Bédard. Ces appareils de chauffage recouverts de tuiles en céramique étaient fabriqués à Québec par deux poêliers-tuiliers, Smolenski et Mederschein, établis depuis 1846. Les journaux de l'époque vantaient largement les qualités et l'efficacité de leurs produits.

La vocation administrative de ces maisons s'affirme encore plus lorsque la Société de construction permanente de Québec y installe ses bureaux en 1886.

Recouverte entièrement de planches à clins dès 1830, la maison Bédard a été restaurée en 1866 avec un crépi en façade principale et de la planche à clins sur celle donnant sur la rue Haldimand. Quant à l'intérieur, il a été refait. Outre le poêle de faïence d'origine situé au rez-de-chaussée, il subsiste un manteau de cheminée ainsi qu'une rampe d'escalier dont le poteau d'arrêt en forme de volute est orné d'un castor.

Luc Noppen, historien de l'architecture

La cour arrière. (Service des ressources pédagogiques, université Laval. Photo: Paul Laliberté).

CAMERON, Christina et Monique TRÉPANIER. *Vieux-Québec, son architecture intérieure*. Ottawa, Musée national de l'Homme/Parcs Canada, 1986: 185-188.

NOPPEN, Luc. «Les trois maisons du Protecteur du Citoyen». (*SIC*) 7 (août-septembre 1985): 3.

Maison Feldman et ancienne écurie

Québec
24 et 24A, rue Mont-Carmel

Fonction: privé
Classées monuments historiques en 1972

Lors de sa construction, en 1820-1821, cette maison sise sur la rue Mont-Carmel, à l'intersection de la rue Laporte, appartient à Thomas Hunt. Le terrain, qui fait partie d'un espace plus vaste dont un des côtés donne sur la rue Saint-Louis, revient par concession en 1659 à Charles Palentin dit Lapointe. Au fil des ans, cet emplacement se développe du côté de la rue Saint-Louis. Vers le début du XIXᵉ siècle, plusieurs maisons se construisent sur le chemin menant à l'arrière du terrain, en direction de la redoute du Mont-Carmel.

Thomas Hunt naît vers 1780. D'abord menuisier, charpentier et ébéniste, il devient par la suite architecte. Débarqué à Québec peu avant 1810, il participe à plusieurs chantiers de construction. Plus tard, il semble agir comme promoteur immobilier. Vers la fin de sa carrière, il concentre ses activités dans le port de Québec où il possède de nombreux quais, maisons, bureaux et hangars. Il meurt à Québec en 1837.

Six ans après sa construction, la résidence de la rue Mont-Carmel accueille un nouveau propriétaire, le docteur Thomas Fargues (1777-1847), lequel procède à une reconstruction partielle. Fils du marchand huguenot Peter Fargues, de la rue Saint-Pierre, Thomas, déjà diplômé de Harvard, obtient de l'université d'Édimbourg un diplôme de médecine en 1811.

Les anciennes écuries. (Service des ressources pédagogiques, université Laval. Photo: Michel Bourassa).

La maison Feldman aujourd'hui. (Service des ressources pédagogiques, université Laval. Photo: Paul Laliberté).

L'architecture intérieure de la maison Feldman avec ses corniches de plafond en plâtre s'inspire du néo-classicisme anglais.

Manteau de cheminée à motifs décoratifs néo-grecs.

Au goût du jour

La maison de Hunt se rattache au courant du classicisme anglais ou «palladianisme» apparu au Québec peu avant 1800. Son plan presque carré s'articule autour d'un vestibule par où résidents et visiteurs accèdent aux différentes pièces et à l'escalier menant à l'étage. Son toit, de style «comble à l'anglaise», comporte une terrasse ou «promenade de veuve» pour éviter un profil trop élevé. Les croupes du toit des maisons isolées comme celle-ci remplacent les pignons traditionnels.

Vers 1832-1833, l'édifice est partiellement réaménagé. D'abord, la construction, à proximité, des maisons Gugy-Primerose (20 et 22, rue Mont-Carmel), œuvre de l'architecte George Browne, nécessite l'exhaussement des souches de cheminées. Ensuite, le décor intérieur de ces deux nouvelles demeures déclasse celui de la maison de Thomas Hunt, qui fait alors appel à Browne, récemment arrivé de Londres, pour concevoir une nouvelle architecture intérieure inspirée du néo-classicisme anglais. Il

subsiste plusieurs éléments de ce décor tels les manteaux de cheminée, les corniches et les plafonds en plâtre aux motifs décoratifs néo-grecs. L'avant-toit retroussé d'inspiration Regency et le portail d'entrée datent vraisemblablement de cette époque. Un dessin de James Pattison Cockburn, réalisé en 1831 et montrant une toiture différente, confirme cette hypothèse.

Cette maison se caractérise par son faux appareil sur enduit, imitant le tracé de la pierre de taille. En 1821, les plâtriers John Laing et John Flemming posent cet enduit pour suppléer à l'absence de pierre de taille à assises régulières dont l'usage se généralise vers 1840-1850 à Québec. La maison connaît certaines transformations vers la fin du XIXᵉ siècle, notamment de son décor intérieur.

Sur le même lot, à l'arrière de la résidence, se retrouvent d'anciennes écuries converties en logements à la fin des années 1960. Celles-ci ont été construites par le docteur Fargues. L'édifice actuel, mansardé et en brique, subit une reconstruction durant

les années 1900, tout en conservant partiellement ses murs anciens.

La maison Feldman, ou Fargues, témoigne encore aujourd'hui de l'architecture des premières décennies du XIXᵉ siècle. La partie haute du Vieux-Québec, longtemps mise en réserve par la présence d'ouvrages défensifs, se développe à cette époque par l'apport de quelques maisons détachées (Feldman, Bowen, Bédard), notamment sur la Grande Allée.

Luc Noppen, historien de l'architecture

CAMERON, Christina et Monique TRÉPANIER. *Vieux-Québec, son architecture intérieure*. Ottawa, Musée national de l'Homme/Parcs Canada, 1986: 194-196.

A.J. RICHARDSON et autres. «Thomas Hunt», dans *Quebec City: Architects, Artisans and Builders*. Ottawa, Musée national de l'Homme/Parcs Canada, 1984: 316-317.

ROY, Pierre-Georges. «Thomas Fargues», dans *Fils de Québec*. Lévis, 1933. deuxième série: 187-189.

Ancien palais de justice

Québec
12, rue Saint-Louis

Fonction: public
Classé monument historique en 1984

Depuis les débuts de la Nouvelle-France, la justice s'exerce sur le site bordé par la place d'Armes et la rue Saint-Louis.

L'histoire de l'édifice actuel débute au lendemain de l'incendie qui détruit, le 2 février 1873, le premier palais de justice construit entre 1799 et 1804. Pour parer aux besoins les plus urgents, le gouvernement fédéral met à la disposition des autorités provinciales l'hôpital militaire, situé en contrebas du Cavalier du moulin, entre les rues Sainte-Geneviève et Saint-Louis. Les autorités y aménagent à grand frais un palais de justice temporaire pendant que des projets de reconstruction s'ébauchent.

Les architectes au travail

Après avoir envisagé quelque temps le site de l'ancien collège des Jésuites, le gouvernement décide de reconstruire le palais de justice sur la place d'Armes. En septembre 1877, un arrêté en Conseil autorise la confection des plans et l'expropriation de la maison Panet qui jouxte le site à l'ouest, sur la rue Saint-Louis, agrandissant ainsi le terrain disponible. Sans tarder, Pierre Gauvreau (1813-1884), l'architecte en chef du Département des travaux publics, soumet deux projets pour la nouvelle construction. Finalement, l'architecte Eugène-Étienne Taché (1836-1912), auteur des plans de l'Hôtel du

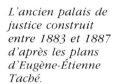

L'ancien palais de justice construit entre 1883 et 1887 d'après les plans d'Eugène-Étienne Taché.

L'escalier d'honneur.

Un couloir.

parlement, définit le style architectural du nouvel édifice. Taché retient néanmoins l'implantation suggérée par les projets de Gauvreau: l'édifice possède deux façades et l'accent mis sur le coin de rue par un avant-corps central doté d'une tour souligne l'entrée principale.

Les élévations et le décor architectural proposés s'inspirent de l'architecture française du XVIe siècle. Taché se révèle un adepte de l'éclectisme classique français, mouvement qui sous le Second Empire préconise la création d'un style propre au XIXe siècle inspiré de l'héritage architectural.

Le 23 mai 1883, le contrat de construction du palais de justice est accordé à la société J.P. Whelan & Co., formée de John Patrick Whelan et David Ford de Montréal, et de William John Piton de Québec. Un volumineux devis imprimé, accompagné de 24 plans généraux, décrit l'ensemble des travaux que l'entrepreneur s'engage à compléter pour le 1er novembre 1885, au coût de 135 000 $.

Nouvelles normes

Le Département des travaux publics prend possession de l'édifice le 21 décembre 1887. À ce moment le coût de construction total s'élève à 675 000 $. Ce délai et l'augmentation des coûts tiennent à la complexité de l'édifice à construire et aux nombreux changements apportés au devis initial. En 1883, les membres du Barreau obtien-

nent l'arrêt des travaux, le temps de doter l'édifice d'une structure intérieure incombustible. L'année suivante, les responsables remplacent la charpente des combles, initialement prévue en bois, par un assemblage de fermes métalliques commandées en Belgique. Ainsi, suivant les normes de l'époque, la palais de justice représente le premier édifice public construit à l'épreuve du feu à Québec.

À la tête du Département des travaux publics depuis la mort de Pierre Gauvreau, survenue en 1882, l'ingénieur Jean-Baptiste Derome (1837-1910) dresse les plans de cette structure nouvelle. Il planifie également la distribution intérieure fonctionnelle et originale. L'édifice se développe autour d'un hall central où se trouve l'escalier d'honneur; un couloir transversal, éclairé aux deux extrémités, parcourt chaque aile. Les services au public se répartissent principalement au rez-de-chaussée, les cours au premier étage et les services aux divers tribunaux au second.

L'architecte Derome réalise également le décor intérieur, disparu en 1927-1928. Largement influencé par celui de l'Hôtel du parlement, il est néanmoins plus sobre. Les boiseries des cours rappellent aussi l'architecture de la Renaissance française, mais les bancs des juges, ornés de tours et de créneaux, évoquent déjà le «style forteresse» que le Département des travaux publics tentera d'implanter au Québec comme image de marque de l'État vers 1900.

Le 21 décembre 1887, Honoré Mercier, agissant comme procureur général, procède à l'inauguration de l'édifice. Dès ce moment, le palais de justice nécessite des travaux de parachèvement et, les progrès technologiques aidant, il subit quelques transformations. Mais le problème qui se pose aux architectes des travaux publics se rapporte à la détérioration très rapide du grès verdâtre de La Malbaie, utilisé pour les pilastres et certaines parties des murs des étages supérieurs. Après avoir tenté, sans trop de succès, de durcir la pierre selon un procédé français, il faut se résoudre, en 1906, à ouvrir un nouveau chantier: toute la pierre de taille des pilastres et des chapiteaux des façades principales cède la place au calcaire de Deschambault.

À l'étroit

Dès 1895 le manque d'espace oblige l'entrepreneur à creuser le sous-sol là où il s'était contenté d'appuyer les murs sur le roc, ce qui, en 1905-1906, ajoute un étage au-dessous du soubassement. En 1909, des ouvriers aménagent l'étage des combles, jusque-là laissé inachevé, pour loger les Archives de la province. Enfin, en 1917, un arrêté en Conseil autorise la rénovation d'édifices voisins afin de répondre aux besoins d'espace. La construction d'une annexe solutionne ce problème.

En février 1922, les architectes Tan-guay, Beaulé et Morissette de Québec reçoivent le mandat de préparer les plans et devis pour l'agrandissement et la rénovation du palais de justice, et d'en surveiller les travaux.

Utilisant le terrain des propriétés acquises dès 1888 pour permettre l'accès à l'arrière de l'édifice par la rue des Jardins, l'architecte Raoul Chênevert dessine un bâtiment de plan irrégulier dont la forme cherche à prolonger le style du palais de justice. L'originalité de cette annexe tient en grande partie à sa structure d'acier permettant de grandes portées, ouvrant de vastes espaces sans supports ni cloisons. Au premier étage de l'annexe, on aménage cinq cours, tandis que le second abrite la Cour d'appel et son personnel. Au troisième loge la bibliothèque, et les combles accueillent les Archives de la province. Le bureau d'enregistrement, celui du shérif et le greffe occupent le rez-de-chaussée et le soubassement.

Quoique modernes et relativement sobres, les aménagements intérieurs de l'an-nexe, encore visibles aujourd'hui, subissent l'influence des dispositions de l'édifice principal. On y retrouve des salles d'audience avec boiseries en forme de panneaux à mi-hauteur; les plafonds, avec leurs corniches et motifs en plâtre, sont cependant nettement plus recherchés que ceux imaginés par Jean-Baptiste Derome en 1885-1886. L'ancienne Cour d'appel constitue l'espace le plus remarquable de cette annexe. Ses somptueuses boiseries et son plafond voûté en arc de cloître rappellent au visiteur que les architectes Beaulé et Morissette, responsables du décor intérieur, ont commencé leur carrière en érigeant des édifices religieux, d'où cette similitude avec un intérieur de sacristie des années 1920.

Des rénovations s'imposent

À peine achevée, cette aile neuve laisse paraître l'âge de l'édifice originel déjà cinquantenaire. Le déménagement d'une partie des effectifs dans l'annexe va permettre la rénovation de l'ancien palais de justice: les travaux débutent en 1927 sous la direction

Le bureau du juge en chef.

La bibliothèque du Barreau.

La salle des délibérations.

d'un nouvel architecte de Montréal, Sylva Frappier (1874-1951). Assisté de Léopold Fontaine (1899-1975), fraîchement diplômé de l'École des beaux-arts de Montréal, Frappier consolide, agrandit et rénove le palais de justice de 1883.

Il creuse d'abord le roc pour augmenter l'espace de soubassement et enfoncer profondément l'étage du sous-sol. Il propose l'occupation des combles en y ajoutant des lucarnes et redresse le profil des toitures afin d'assurer l'écoulement des eaux par un drain central. Toutes les fenêtres de l'édifice sont aussi remplacées par celles que l'on voit aujourd'hui, dotées de guichets à ventilation. Pour faciliter la circulation, l'architecte Frappier installe un escalier monumental à chaque bout du corridor central. Pour des raisons de sécurité, il établit à l'arrière, du côté de la cour criminelle, une tour d'escalier destinée au public. À côté, un deuxième escalier permet aux détenus d'accéder au banc des accusés sans rencontrer le public.

Dans un deuxième temps, Frappier fait démolir l'intérieur de l'édifice. La dalle du plancher est reconstruite, des escaliers et des ascenseurs neufs sont installés et plusieurs divisions intérieures reconstruites. Tout cela

La Cour d'appel.

pour doter l'édifice de systèmes électriques et mécaniques modernes afin de respecter des normes de sécurité plus strictes.

Dans un troisième temps, l'ensemble des finis et du décor intérieur est repris. L'ornement principal est bien sûr cet escalier d'honneur en forme d'ellipse dont l'idée est empruntée à un projet pour la construction du Musée du Québec déposé par l'architecte français Maxime Roisin (1871-1951) en 1925. Tous les espaces accessibles au public sont dotés de plafonds à caissons moulurés et polychromes; le marbre et le bronze des couloirs rivalisent avec la richesse des boiseries et de l'ameublement. La réalisation de ce décor conçu par les architectes du Département des travaux publics a nécessité la collaboration de nombreux artistes et artisans. Les sculpteurs Louis Sorbonne et Alyre Prévost ont fourni les modèles pour le plâtre, le marbre et le travail de bronze, tandis que le studio Louis White a vu au décor peint. Les boiseries sont l'œuvre de l'atelier Jos Villeneuve de Saint-Romuald.

Le chantier du palais de justice se termine en 1931 avec le début d'un programme d'ameublement, clos cinq ans plus tard lorsque le gouvernement libéral de Louis-Alexandre Taschereau perd le pouvoir. Les travaux réalisés de 1922 à 1936 ont coûté quelque 2,5 millions de dollars. La rénovation des années 1927-1934 n'a guère altéré l'aspect extérieur du palais de justice; le style imprimé à l'édifice par Eugène-Étienne Taché a été maintenu et affirmé. Par contre, l'architecture intérieure a été radicalement modifiée.

En 1979, la décision de relocaliser le palais de justice dans un nouvel immeuble à la basse-ville met en branle un plan de conservation et de reconversion de l'édifice séculaire de la place d'Armes. L'objectif est d'assurer la conservation de l'immeuble historique et de ses qualités architecturales, tant à l'intérieur qu'à l'extérieur, tout en permettant une nouvelle occupation conforme aux besoins d'aujourd'hui. Les travaux de restauration débutent en 1983. Depuis février 1987, l'édifice est occupé par le ministère des Finances. Certains travaux de restauration touchant le mobilier s'y poursuivent encore.

Luc Noppen, historien de l'architecture

Le palais de justice et sa nouvelle annexe en 1926. (Archives nationales du Québec à Québec, collection initiale).

CARTER, Margaret et autres. *Les premiers palais de justice au Canada*. Ottawa, Parcs Canada, 1983. 264 p.

CHABOT, Line. «Ancien palais de justice de Québec». *Comptes rendus de certains bâtiments dans la ville de Québec et dans les municipalités avoisinantes*. Ottawa, Parcs Canada, 1978: 19-30.

NOPPEN, Luc. *L'ancien palais de justice de Québec*. Québec, Société immobilière du Québec, 1987. 40 p.

Morrin College

Québec
44, rue Saint-Stanislas

Fonction: semi-public
Classé monument historique en 1981

L'édifice connu sous le nom de Morrin College occupe le quadrilatère formé par les rues Saint-Stanislas, Sainte-Anne, Sainte-Angèle et Dauphine. Érigé entre 1808 et 1811, d'après les plans de l'architecte François Baillairgé, il sert de prison commune à la ville de Québec. Sa construction entraîne la démolition de l'ancienne redoute royale se trouvant à cet endroit depuis le début du XVIIIᵉ siècle.

Un souffle réformiste

La construction d'un édifice pénitentiaire sur ce site correspond à une nette évolution de la société face au phénomène de l'emprisonnement. Ce mouvement s'amorce durant la seconde moitié du XVIIIᵉ siècle en Grande-Bretagne. Il émane de la critique d'un système judiciaire jugé inhumain, car il utilise les prisons exclusivement à des fins de détention temporaire.

Préoccupée par les droits de l'homme, la société britannique se met à l'écoute du philanthrope John Howard qui propose une réforme du système pénitentiaire. La prison devient alors un mode de punition doublé d'une école de réforme. Howard considère que la privation de la liberté s'avère punitive en soi et bénéfique pour la réhabilitation, si elle est réalisée dans certaines conditions. La classification des détenus selon l'âge, le sexe et la gravité de leur délit s'impose. Pour éviter la promiscuité et la formation dans l'enceinte de la prison d'une véritable école du crime, il faut séparer les enfants des adultes, les hommes des femmes, les criminels des débiteurs. La prison doit être salubre et sécuritaire, c'est-à-dire spécifiquement conçue pour la détention. Enfin, les autorités doivent y proscrire l'inactivité, propice au vice et donc incompatible avec l'objectif de réhabilitation.

De nombreuses prisons nord-américaines adoptent le concept carcéral développé par Howard. La construction de la prison de Québec s'inscrit dans un mouvement global de réforme du système pénitentiaire canadien amorcé au début du XIXᵉ siècle. Les plans de la nouvelle prison s'inspirent en partie du modèle de Howard.

François Baillairgé imagine un édifice composé de quatre blocs cellulaires par étage; chaque bloc contient cinq ou six cellules, distribuées autour d'une salle commune. Occupant trois étages, ces blocs cellulaires contiennent 54 cellules de qualité variable destinées à réunir 108 prisonniers. Ainsi, selon qu'elles accueillent prévenus ou condamnés, criminels ou débiteurs, les cellules possèdent ou non des fenêtres donnant vers l'extérieur, mais toutes s'ouvrent sur une salle éclairée, dotée d'un poêle et communiquant avec des latrines par un étroit couloir.

L'actuel Morrin College.

L'édifice, de style palladien, se trouve isolé de la ville, ce qui permet une bonne ventilation et un éclairage adéquat. Le site est particulièrement bien choisi pour éviter le refoulement des eaux usées; la forte pente permet même de développer un système de latrines tout à fait ingénieux, comme en fait foi le plan de François Baillairgé. L'édifice contient aussi une vaste citerne d'eau potable alimentée par une source souterraine, permettant aux autorités de dresser une fontaine publique devant la façade. Un système de circulation interne assez raffiné assure la sécurité du bâtiment. Les couloirs étroits, menant aux latrines et aux portes des blocs cellulaires, permettent à un seul détenu de s'y engager à la fois. Enfin, les blocs cellulaires comportent des plafonds voûtés pour les protéger d'un risque d'incendie.

Une entreprise coûteuse

L'entrepreneur maçon Édouard Cannon dirige la construction du bâtiment en 1808. Les travaux de charpenterie se font sous la surveillance de Jean-Baptiste Bédard. La menuiserie revient à Charles Marié et les travaux de forge à Pierre Lefrançois et Louis Cérat. La pierre de Beauport sert pour l'ensemble de l'édifice, mais les enduits, tant à l'intérieur qu'à l'extérieur, ne laissent apparaître que la pierre de taille de la Pointe-aux-Trembles (Neuville). Les murs intérieurs de division sont faits de briques et les planchers sont en chêne. La charpente de bois, isolée du corps du bâtiment par un plancher de grès de L'Ange-Gardien, fournit une protection supplémentaire.

Les travaux sont interrompus en 1811 pour procéder à une révision des coûts. L'inflation et des omissions importantes dans le devis original nécessitent un investissement supplémentaire de 6 500 livres. Les autorités votent les crédits en 1812 et l'année suivante la prison commune reçoit ses premiers détenus. Elle coûte finalement 19 500 livres, soit plus du double du budget initial.

Dès 1815, des rapports soulignent «l'insuffisance des matériaux employés et le mauvais ouvrage». L'architecte soumet un devis en 1817 et, pour remettre l'édifice en état, le gouvernement accepte de débourser 3 000 livres supplémentaires. En 1823, la construction dans la cour arrière d'un moulin à pédales, actionné par les détenus, permet de moudre l'avoine et le chanvre.

En 1868, la bibliothèque de la Quebec Literary and Historical Society emménage au Morrin College.

Intérieur montrant les anciennes voûtes de la prison.

Gros plan du Morrin College d'après la maquette Duberger. (Service canadien des parcs).

Aquarelle de James Pattison Cockburn datant de 1830. Le balcon métallique servait pour les pendaisons publiques. (Archives nationales du Canada).

Jusque-là occupés dans la cour et dans les chambres de jour à déchiqueter l'étoupe, la laine et le crin, à filer et à tricoter, les détenus pourront ainsi faire un peu plus d'exercice. Un édifice de 17,4 mètres sur 10,7 mètres s'élève dans le coin nord-ouest de la cour arrière. Les autorités pénitentiaires décident d'y loger les femmes jusqu'alors détenues dans l'édifice de la prison. Cette nouvelle fonction entraîne une division de la cour arrière: la moitié sud est déjà utilisée comme cour à bois, l'autre partie est réservée aux hommes. Au centre, un passage mène de la prison des hommes à celle des femmes et aboutit à une petite cour destinée aux détenues pour qu'elles puissent y prendre l'air à l'abri des regards masculins. L'érection, dans le coin sud-ouest de la cour arrière, d'un pavillon de plan carré à deux étages servant de corps de garde et de magasin, achève le complexe en 1845.

Mais, dès avant 1830, s'amorcent à la Chambre d'assemblée du Bas-Canada de nouveaux débats sur le système pénitentiaire. Les prisons de Québec, Montréal et Trois-Rivières s'avèrent insuffisantes pour recevoir le nombre toujours grandissant de détenus qu'entraînent l'urbanisation rapide et l'immigration. À cette époque, tous les yeux se tournent vers les États-Unis où une réforme pénitentiaire vient de donner naissance à d'immenses prisons à Philadelphie et à Auburn près de New York. Apparaît alors la distinction entre prison commune, où les détenus purgent de courtes peines, et pénitencier, où des installations plus vastes permettent de recevoir un grand nombre de détenus emprisonnés à vie ou pour plusieurs

années. Faute de moyens, les autorités politiques doivent cependant se contenter des prisons déjà existantes, moyennant quelques réparations et aménagements. En 1858-1859, le gouvernement de l'Union autorise la construction de la nouvelle prison des plaines d'Abraham, d'après les plans de l'architecte Charles Baillairgé, arrière-petit-cousin de l'architecte de l'édifice de la rue Saint-Stanislas.

Nouvelle vocation

Prévoyant occuper un nouvel immeuble, le gouvernement vend l'ancienne prison à la corporation du Morrin College en 1861. Ce collège, affilié à l'université McGill, s'installe dans les locaux libres en 1868 après le réaménagement de l'intérieur par l'architecte Joseph-Ferdinand Peachy. On y loge les classes et les bureaux du Morrin College, puis la bibliothèque de la Quebec Literary and Historical Society, la plus ancienne société savante du Québec, fondée en 1824. Ces travaux conservent la section nord du rez-de-chaussée, occupée par deux blocs cellulaires. Cependant, les ouvriers transforment les édifices de la cour arrière — la maison du geôlier au sud et la prison des femmes du côté nord — en logements et y insèrent deux maisons mitoyennes.

Lors de la reconversion du bâtiment principal, les pilastres de la façade s'allongent vers le bas pour corriger l'apparence sévère de l'édifice. Un fronton surmonte le portail d'entrée. À l'arrière, l'édifice perd les quatre tourelles abritant les latrines. L'aquarelle réalisée par James Pattison Cockburn en 1830 donne l'image la plus complète de

l'édifice à l'époque où il servait de prison. On y voit notamment, au-dessus de la porte d'entrée, le balcon métallique utilisé pour les pendaisons publiques dont le spectacle, maintes fois décrié pour sa barbarie par l'élite anglophone, attirait régulièrement une foule de spectateurs. En 1876, l'échafaud se transporte dans la cour arrière.

Une des figures de proue du groupe progressiste s'opposant aux exécutions publiques, le docteur Joseph Morrin, médecin d'origine écossaise et citoyen émérite, dirige les destinées de la ville à titre de premier maire élu entre 1855 et 1858. Fondateur de l'hôpital de la Marine et de l'École de médecine, le docteur Morrin fut aussi le médecin de la prison de Québec et un des présidents de la Quebec Literary and Historical Society. Le Vieux-Québec abrite bien peu d'édifices portant une désignation aussi judicieuse.

Luc Noppen, historien de l'architecture

BOISSONNAULT, Charles-Marie, «Joseph Morrin», dans *Dictionnaire biographique du Canada*. Québec, Presses de l'université Laval, 1977, vol. IX: 631-632.

NOPPEN, Luc et autres. *François Baillairgé et son œuvre (1759-1830)*. Québec, Musée du Québec, 1975: 67-84.

NOPPEN, Luc et Madeleine GOBEIL-TRUDEAU. *La prison de Québec (Morrin College)*. Dossier inventaire architectural, ministère des Affaires culturelles, 1978.

Maison Jacquet

Québec
34, 36, rue Saint-Louis
46, rue des Jardins

Fonction: public
Classée monument historique en 1957

Au cœur du Vieux-Québec, au coin des rues Saint-Louis et des Jardins, se trouve la petite maison Jacquet, mieux connue des habitants du quartier comme la maison des Anciens Canadiens.

Cette appellation courante fait allusion au restaurant qui prête vie au monument depuis plusieurs années, mais témoigne aussi d'un fait historique: en 1815 et 1816, cette maison appartenait à Philippe Aubert de Gaspé, avocat et seigneur de Saint-Jean-Port-Joli, mais surtout connu comme l'auteur des *Anciens Canadiens*, roman tissé sur un fond de légendes et publié à Québec en 1863.

Si la maison Jacquet sert aujourd'hui de support à l'image du terroir que dégage cette œuvre littéraire, elle a par ailleurs longtemps évoqué la légende de l'héroïque marquis de Montcalm. Tout au long du XIXᵉ siècle, en effet, les gens de Québec la désignent comme la «maison Montcalm». En 1902, Philippe-Baby Casgrain établit, preuves à l'appui, que le vaincu de la bataille des plaines d'Abraham avait expiré en d'autres lieux. Par la même occasion, il signale le passage dans ces murs de Philippe Aubert de Gaspé. Ce dernier possède la maison pendant un an — à l'époque le numéro 43 de la rue Saint-Louis —, mais habite vraisemblablement le numéro 39, plus à l'ouest.

Aujourd'hui, la maison Jacquet se compose d'un ensemble de quatre bâtiments et occupe la totalité du lot cadastral 2647. Il faut retracer l'histoire de ces constructions pour dégager l'intérêt de ce bien culturel.

Érigée sur un petit terrain de forme irrégulière, la maison Jacquet mesure environ 45 pieds de côté. Ce lot fait partie d'un emplacement d'un arpent de front concédé du côté nord de la rue Saint-Louis au prêtre Guillaume Vignal en 1651, lequel le donne aux Ursulines quatre ans plus tard. Le 30 novembre 1674, c'est un emplacement morcelé que les Ursulines concèdent au couvreur d'ardoise François Jacquet dit Langevin.

Langevin se fait aussitôt construire une maison par le maître charpentier Pierre Ménage (1645-1715), son voisin sur le coin est de la rue des Jardins. À son décès, en 1677, sa filleule Anne-Marie Ménage hérite de la maison. En 1688, le maître maçon et architecte François de la Joüe (1656-1719) arrive à Québec: il loge d'abord chez Pierre Ménage, puis, après avoir épousé la fille de ce dernier, il s'installe dans la maison Jacquet. En mars 1699, de la Joüe et son épouse Anne-Marie échangent leur maison pour celle, plus vaste, des parents Ménage, sise sur le coin de rue opposé. Lors de cet échange, l'acte notarié la décrit comme une maison «[...] de pierre à deux étages et feux avec dépendance [...] contenant vingt-cinq pieds de front en longueur et vingt pieds en largeur, avec cave dessous et grenier par dessus les dits deux étages [...] un escalier au dehors pour y monter, et une galerie couverte en appentis au derrière de la dite maison [...] le terrain qui consiste en la petite cour qui est derrière [...] et un petit jardin à côté d'ycelle [...]».

Cette description confirme le carré de maison visible sur le coin du lot: la maisonnette mitoyenne à l'ouest occupe l'espace du jardin, et l'annexe longeant la rue des Jardins s'élève sur l'emplacement de la cour et de la galerie arrière, conformément à une description de 1699.

Dessin au lavis d'Edwin Whitefield montrant la maison Jacquet en 1851. (Musée du Québec).

Dessin de Lucie Tétreault rappelant le plan au sol de la maison Jacquet: les croquis 1 et 2 correspondent respectivement aux ajouts de 1690 et 1795. Le troisième illustre le second corps de bâtiment construit vers 1818-1820. Enfin, le dessin numéro 4 évoque la structure en bois érigée en 1957 pour loger la cuisine du restaurant Aux Anciens Canadiens.

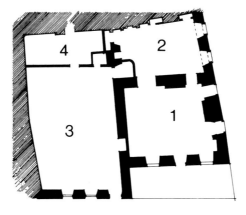

Rue Saint-Louis

La maison décrite en 1699 n'est toutefois pas celle de Jacquet. Le contrat d'échange mentionne que la maison léguée en 1677 par son premier occupant a été «accrue, exaucée (sic) et augmentée» par de la Joüe. Rien d'étonnant à cela puisque l'architecte constructeur décroche d'importants contrats qui lui assurent une certaine prospérité: l'Hôtel-Dieu de 1691 à 1698, le château Saint-Louis de 1692 à 1700, les portes Saint-Jean en 1693. Vraisemblablement construite en colombage «pierroté», la petite maison de François Jacquet ressemble à la majorité des modestes habitations du secteur occupé par les artisans du bâtiment dont de la Joüe cherche à se démarquer.

Reconstruite vers 1690 d'après les indications de François de la Joüe, la maison Jacquet apparaît déjà avec sa galerie arrière et avec ses dimensions nouvelles sur un plan des terrains de l'hospice des Récollets, levé vers 1692. Cela permet d'affirmer, dans l'état actuel des connaissances, que ce monument historique constitue effectivement l'habitation la plus ancienne de Québec; elle est la seule à offrir encore une image cohérente de la fin du XVIIᵉ siècle.

Après le départ des de la Joüe qui s'installent d'abord en face puis dans le quartier du Palais après 1700, la maison Jacquet revient à Pierre Ménage puis à sa veuve et à ses héritiers jusqu'en 1758. Parmi ceux-ci, signalons Pierre-Noël Levasseur, gendre de François de la Joüe, et son fils François Borgia Levasseur, qui acquittent la rente aux Ursulines entre 1747 et 1758.

En 1761, la maison Jacquet passe à Joseph-Gaspard Chaussegros de Léry (1721-1797), qui en tire un revenu de location. En 1795, il entreprend des travaux considérables. À ce moment, la maison est probablement agrandie vers l'arrière pour former cet ensemble décrit en 1800 dans un rapport d'experts: «[...] la maison est bâtie en pierre à un étage, divisée en trois appartements, salle, chambre et cuisine, — trois cheminées, des mansardes au grenier, cave [...] une cour dans laquelle il y a un puits, une écurie bâtie en bois et privé [toilettes]; un vestibule pour entrer dans la maison [...].»

Cette annexe, avec son grand âtre de cuisine, existe en 1801 lorsque sur le lot voisin à l'arrière se construit une maison qui s'y appuie. Quant à l'autre maison qui se trouve sur la partie ouest du lot, elle date vraisemblablement des années 1818-1820 et remplace une écurie plus ancienne, construite

en bois. L'agrandissement en maçonnerie forme un pavillon en soi et serait le fait de William Miller, maître d'école qui occupe l'ensemble des bâtiments, au moins jusqu'en 1824, et y dirige une école.

La plus ancienne représentation connue de la maison Jacquet date de 1851; il s'agit d'un dessin au lavis d'Edwin Whitefield, conservé au Musée du Québec, montrant l'annexe vers l'arrière et la maison neuve à l'ouest. L'étape suivante survient en 1898 lorsque la corporation municipale exproprie une lisière de 1,4 mètre en façade pour permettre l'élargissement de la rue Saint-Louis. Marie-Louise Stafford, propriétaire des immeubles, cède cette lisière et charge l'architecte Harry Staveley de construire une nouvelle façade, plus en retrait. En même temps, l'architecte reçoit le mandat de revoir tout l'aménagement intérieur des trois bâtiments. À cette occasion, les ouvriers consolident la charpente calcinée de la maison initiale par des poinçons et chevrons modernes.

Cette maison, déjà presque trois fois séculaire, est menacée de démolition au début de l'année 1956. Saisie du dossier, la Commission des monuments historiques offre d'abord au propriétaire d'acquérir la

La maison Jacquet vers 1930. À l'époque la légende voulait que le marquis de Montcalm y ait expiré après la bataille des plaines d'Abraham en 1759, d'où l'appellation «maison Montcalm». (Inventaire des biens culturels du Québec).

La maison Jacquet vers 1900. (Archives nationales du Canada).

seule maison Jacquet tout en laissant la possibilité de reconstruire la maison de 1818-1820. Devant le refus de la ville de subdiviser le lot, la Commission propose d'acquérir l'ensemble du lot et des immeubles et procède, en 1957, au classement du tout comme monument historique.

Aussitôt, la Commission retient les services de l'architecte André Robitaille pour restaurer l'édifice désigné désormais du toponyme maison Jacquet. Les travaux débutent en 1958 et, dès la fin de l'année, deux locataires occupent l'immeuble: un restaurant dans la partie ouest et une boutique de la Centrale d'artisanat dans la maison Jacquet elle-même. Outre une consolidation nécessaire, notamment du pignon est, et un réaménagement fonctionnel de l'intérieur, la restauration visait à redonner une image cohérente de l'ensemble, fondée sur les

informations alors disponibles. Un beau lambris à caissons ornés de panneaux soulevés à fort relief, rappelant celui de la chambre de mgr de Saint-Vallier à l'Hôpital Général de Québec, a été conservé et mis en valeur. L'allure fin XIXe siècle de la seconde maison a cependant été modifiée. Aujourd'hui, peu de gens sont en mesure d'affirmer que plus de deux cents ans séparent les deux structures.

La maison Jacquet illustre un moment intéressant de l'histoire de la conservation architecturale au Québec. Mais elle projette surtout l'image de la maison la plus ancienne du Vieux-Québec. Ses dimensions restreintes (6,1 × 7,6 mètres), son étage unique et son toit très haut constituent autant de facteurs qui accréditent ses origines lointaines.

Luc Noppen, historien de l'architecture

La maison Jacquet loge aujourd'hui le restaurant Aux Anciens Canadiens, une appellation inspirée du roman de Philippe Aubert de Gaspé, propriétaire de la maison entre 1815 et 1816.

CAMERON, Christina. «Housing in Quebec before Confederation». *Annales d'histoire de l'art canadien*, VI, 1, 1982: 1-34.

CASGRAIN, P.-B. «Une autre maison Montcalm à Québec». *Bulletin des recherches historiques*, VIII, (novembre 1902): 329-340.

LEBEL, Jean-Marie. «La maison des Anciens Canadiens». *Cap-aux-Diamants*, 4, 4 (hiver 1989): 65.

Maison Murray-Adams

Québec
1078, 1080, rue Saint-Jean

Fonction: semi-public
Classée monument historique en 1963

À l'angle des rues Saint-Stanislas et Saint-Jean se dresse la maison Latouche, érigée en 1829 par le maître maçon Louis Latouche.

En 1753, François Daine vend à Jacques De Guise dit Flamand un terrain de 50 pieds de front sur 80 de profondeur. Une maison en pierre comportant un rez-de-chaussée de maçonnerie coiffé d'un toit occupe l'emplacement. Dix ans plus tard, James Murray, colonel d'infanterie et gouverneur de la province de Québec, se porte acquéreur de cette propriété et, en 1801, ses héritiers la cèdent à Henry Caldwell. Celui-ci la revend trois ans plus tard à John Reinhart.

À la mort de Reinhart, en 1823, le shérif met l'emplacement aux enchères et Louis Latouche se l'approprie. Il la fait démolir et une résidence de deux étages mesurant 15,5 mètres sur 13,4 mètres s'élève sur le site.

À la fin du XVIIIe siècle, la rue Saint-Jean prend l'allure d'une artère commerciale. La proximité du marché de la haute-ville lui attire une clientèle régulière. L'augmentation de la population intra-muros favorise cette tendance qui s'accentue au siècle suivant. Ce contexte explique le choix de Latouche d'ériger un bâtiment aux dimensions imposantes, augmentant ainsi les espaces à louer pour les commerces et les logements. Tout au cours de son existence, la maison Latouche conserve cette double fonction. Les nombreux locataires successifs pratiquent divers métiers ou professions: épicier, cordonnier, avocat, confiseur, médecin, notaire, hôtelier, tapissier, ferblantier, modiste, tailleur, sellier, marchand de musique, pharmacien.

De style néo-classique, à l'instar de centaines de résidences érigées à cette époque, la maison Latouche voit le jour entre 1820 et 1850. Son propriétaire et constructeur connaît bien les règles du néo-classicisme. Comme entrepreneur et architecte, il collabore à plusieurs chantiers de construction. Louis Robin dit Latouche réalise entre autres les plans et l'exécution des travaux d'une aile au grand séminaire de Québec en 1829 et veille à la construction de plusieurs maisons dans le quartier Saint-Roch, sur les rues Couillard et Sainte-Geneviève. Avec le maître menuisier Joseph Binet, il érige la maison de la rue Saint-Jean. Le marché de construction souligne leur collaboration et stipule que «les portes et vitraux sur les rues seront garnis en pilastres, unies, revêtues de doucine [...] Il [Robin] posera les dalles, celle de devant sera suivant l'ordre Dorique [...]».

L'esthétique néo-classique exige un portail d'entrée de bois sculpté, un bel étage sur un rez-de-chaussée, la réduction en attique des fenêtres du second étage et un revêtement extérieur uniforme. Respectant ces règles, la maison Latouche répond aux ordres classiques, mais demeure traditionnelle par son toit à deux versants, ses murs coupe-feu supportés par des corbeaux et ses souches de cheminée reliées entre elles par un muret.

En 1962, un incendie endommage considérablement la maison Latouche. Après de nombreuses tergiversations au sujet de sa démolition ou de sa reconstruction, le bâtiment est finalement restauré suivant le modèle extérieur original. L'aménagement intérieur subit toutefois plusieurs modifications.

La maison Murray-Adams après sa restauration. (Inventaire des biens culturels du Québec).

Madeleine Gobeil-Trudeau,
historienne de l'architecture

Maison Cureux

Québec
86, rue Saint-Louis

Fonction: public
Classée monument historique en 1965

En 1968, la maison Cureux subit une restauration majeure. Néanmoins, quelques éléments du décor d'origine subsistent toujours comme la mouluration des solives du rez-de-chaussée et un manteau de cheminée en pierre. De résidence privée, elle est devenue un édifice à vocation commerciale.

Vers 1716, la famille Cureux dit Saint-Germain acquiert un terrain du jardinier Gabriel du Chesné. Plus tôt, au XVIIᵉ siècle, Mathieu Huboust dit des Longchamps, un riche citoyen de Québec, y avait construit une étable et une écurie. La maison et ses dépendances se trouvaient alors en retrait de la rue Saint-Louis et «un beau jardin» les entourait. En 1709, l'ingénieur militaire Jacques Levasseur de Néré les fait démolir en apprenant «la nouvelle que les Anglais arrivaient à Québec». Le marquis de Vaudreuil et les intendants Antoine et Jacques Raudot approuvent l'ordre de démolition afin d'empêcher toute tentative de l'ennemi de s'emparer de propriétés situées à proximité du mur de fortification de la ville.

Entre 1712 et 1714, un jardinier nommé René Fournier loue le terrain et écoule ses produits sur les marchés locaux. Deux ans plus tard, Michel Cureux achète cette propriété. À sa mort, ses fils Louis et Michel héritent du terrain où ils se font chacun construire une maison en bordure de la rue Saint-Louis. Ces deux habitations voisines et contiguës ressemblaient à ce que l'on appelle aujourd'hui des maisons jumelées. Les mar-

chés de maçonnerie de Louis et Michel Cureux spécifient l'emploi de la pierre pour la construction de leurs résidences. Mesurant 35 pieds français sur 30, les habitations possèdent également un rez-de-chaussée coiffé d'un comble. Quatre fenêtres et une porte percent la façade; des cheminées se dressent aussi le long des murs pignons. Des planches embouvetées et chevauchées recouvrent le toit à deux versants. À l'intérieur, un hall central donne accès aux pièces et un escalier tournant conduit à l'étage; les murs sont lattés et enduits de plâtre.

Une aquarelle de James Pattison Cockburn, datée de 1830, montre la maison Cureux avec de larges cheminées qui camouflent la pente du toit d'où émergent des lucarnes sur deux niveaux. Vers la fin du XIXᵉ siècle, la vogue du style Second Empire incite les propriétaires de la maison à changer leur toiture d'origine pour un toit de type Mansart. Au même moment, ils font démolir la maison de Louis Cureux.

En 1968, la maison Cureux subit une restauration majeure. Autrefois crépie, la pierre des murs extérieurs perd son revêtement tout comme celle des murs porteurs

à l'intérieur. Les cloisons séparant les pièces subissent aussi des modifications et le bâtiment devient un local commercial. Quelques éléments du décor intérieur subsistent toujours, tels la mouluration en quart de rond des importantes solives du rez-de-chaussée de même qu'un manteau de cheminée en pierre bouchardée dans l'une des pièces de l'avant.

Madeleine Gobeil-Trudeau,
historienne de l'architecture

RICHARDSON, A.J.H. *86, Saint-Louis, Québec.* Ottawa, Canadian Historic Sites Division, 1967. 4 p.

Maison Gagné

Québec
24, rue Saint-Ursule

Fonction: privé
Classée monument historique en 1963

L'histoire de la maison Gagné commence le 12 janvier 1831. À ce moment, Robert Jellard, maître menuisier et charpentier, originaire du comté de Devon en Angleterre, achète un terrain sur le côté ouest de la rue Sainte-Ursule. Le 23 mars suivant, il engage le maçon François Fortier; celui-ci doit construire la maçonnerie de deux maisons contiguës de deux étages en pierre grise. Elles font partie des nombreuses «terraces» ou maisons en rangée construites à Québec pendant la période 1820-1850. Jellard loue l'une de ses habitations à madame Robert Dunn et l'autre aux messieurs Juschereau-Duchesnay.

Construite entre 1820 et 1850, la maison Gagné fait partie des nombreuses «terraces» ou maisons en rangée de l'époque.

Robert Jellard décède vers 1851. Ses nombreux héritiers, partagés entre l'Angleterre et le Canada, prennent plusieurs années pour régler la succession. Finalement, ils vendent les deux propriétés. La future maison Gagné passe entre les mains de Joseph Archer, gendre de Robert Jellard, en 1859. Charpentier-menuisier originaire du Devonshire, Archer reprend l'entreprise de son beau-père et utilise également la maison comme immeuble de rapport.

Un plan de la maison, attribué à Thomas Baillairgé, présente une organisation symétrique des ouvertures et montre un deuxième étage en attique, caractéristique du style d'inspiration néo-classique.

Le marché de maçonnerie stipule que les murs seront recouverts de crépi, à l'extérieur et à l'intérieur, et que les cheminées auront des jambages en brique. Les murs actuellement mis à nu révèlent ce détail tout en découvrant des arcs en brique au-dessus des âtres.

Il se peut que Jellard ait lui-même réalisé la menuiserie de cette maison. L'escalier comporte des balustres carrés, un poteau emboîté et des limons décorés de volutes caractéristiques de l'époque et du travail de Jellard. De belles moulures symétriques agrémentent les manteaux de cheminée, les encadrements des portes et des niches, les corniches des plafonds et une porte d'arche divisant le salon double. À l'extérieur, les fenêtres possèdent des encadrements en bois. Soulignée par un encadrement en bois plus recherché, la porte d'entrée comporte des pilastres cannelés sur des socles qui supportent un entablement. La subdivision de la maison en sept logements vers 1965 et le décapage du mur mitoyen modifient néanmoins son allure.

La maison Gagné constitue un exemple typique des constructions et des réparations réalisées par François Fortier et Robert Jellard, notamment sur la rue Sainte-Ursule dans les résidences portant les numéros civiques 22, 24, 26 et 50. Jellard réalise également, avec John Phillips, architecte et maître maçon, plusieurs maisons de la rue Saint-Louis.

Barbara Salomon de Friedberg, historienne

CAMERON, Christina et Monique TRÉPANIER. *Vieux-Québec, son architecture intérieure.* Ottawa, Musée national de l'Homme/Parcs Canada, 1986. 537 p. (Coll. «Mercure», nº 40).

RICHARDSON, A.J.H. et autres. *Quebec City: Architects, Artisans and Builders.* Ottawa, Musée national de l'Homme/Parcs Canada, 1984. 589 p. (Coll. «Mercure», nº 37).

Maison Crémazie (William-Smith)

Québec
60, rue Saint-Louis

Fonction: semi-public
Classée monument historique en 1961

Dans l'enfilade de la rue Saint-Louis, en direction de la place d'Armes, s'élèvent à gauche une série de résidences érigées entre 1820 et 1850. Elles se distinguent par un bel étage et un rez-de-chaussée traité quelquefois en soubassement. La réduction en attique des fenêtres du second étage et un portail d'entrée de bois sculpté d'ordre ionique caractérisent la maison Crémazie (William-Smith). Son revêtement extérieur uniforme est obtenu par l'emploi de pierre à l'appareillage régulier et enduit. Construite en 1830, cette maison s'apparente au modèle de ces résidences aux caractéristiques néo-classiques.

Dans la première moitié du XIXᵉ siècle, Québec prend graduellement un air de ville anglaise; des centaines de maisons de style néo-classique apparaissent. Introduite au Canada par des architectes formés en Angleterre, cette nouvelle forme architecturale prend son origine dans le classicisme de l'Antiquité gréco-romaine. Elle représente un retour aux sources du bon goût et de la rigueur formelle des anciens. L'adoption de l'architecture néo-classique s'explique en partie par l'augmentation de la population de langue anglaise à Québec, qui passe de 20 à 40 pour cent de la population totale de la ville entre la fin du XVIIIᵉ siècle et 1861.

Né vers 1789 dans le comté de Hampshire en Angleterre, l'architecte, maître maçon et entrepreneur John Phillips émigre au Canada en 1812. Sa carrière débute dès son arrivée à Québec. Il achète dans le quartier Saint-Louis de nombreux terrains et y construit plus d'une vingtaine de maisons en l'espace de trois décennies. Très actif, il dirige également de nombreux chantiers à la basse-ville, sur les rues Sault-au-Matelot et Saint-Pierre. John Phillips acquiert les emplacements de la rue Saint-Louis en 1828; il partage ces propriétés avec Robert Jellard, maître menuisier. Ils construisent d'abord trois maisons, portant les numéros civiques 62, 64 et 66, puis érigent les résidences situées aux 56 et 58 rue Saint-Louis. Le chantier du 60, rue Saint-Louis s'ouvre au mois de mai 1830.

Encore aujourd'hui, la maison Crémazie conserve plusieurs éléments de l'époque de sa construction: porte cochère, portail de bois à l'entrée, fenêtres et revêtement en pierre de taille.

Terminée un an plus tard, la maison coûte à son propriétaire 1 230 livres, 15 schellings et 2 pences. Entre-temps, l'avocat William Smith se porte acquéreur de la résidence. La maison subit peu de modifications au cours des ans. Ses propriétaires et locataires successifs, surtout des hommes de loi, s'efforcent de protéger l'apparence originelle du bâtiment, à l'extérieur comme à l'intérieur. Sa façade conserve la porte cochère donnant accès à la cour arrière, où se trouvaient autrefois les dépendances (une remise et une écurie). Elle conserve aussi la porte d'entrée ornée d'un portail de bois composé de pilastres ioniques surmontés d'un entablement. Les fenêtres et le revêtement en pierre taillée de Montréal demeurent intacts; seul l'enduit d'origine a disparu.

Conçue d'abord pour servir de résidence, la maison William-Smith accueille aujourd'hui un commerce au rez-de-chaussée et des appartements aux étages. Le décor intérieur comporte des éléments très intéressants: l'escalier, sa rampe et les poteaux en acajou; des foyers aux manteaux de cheminée en bois mouluré; les encadre-ments des portes de l'étage ornés de pilastres cannelés et d'une clef de voûte; les corniches en plâtre de la salle à manger et du grand salon décorées de motifs floraux et végétaux. Cette ornementation témoigne de la qualité des travaux des artisans comme Robert Jellard et de son associé, l'architecte et entrepreneur John Phillips. Ces deux hommes ont contribué à l'implantation et à l'engouement pour ce type d'habitation à Québec.

Madeleine Gobeil-Trudeau,
historienne de l'architecture

CAMERON, Christina et Monique TRÉPANIER. *Vieux Québec, son architecture intérieure*. Ottawa, Musée national de l'Homme/Parcs Canada, 1986. 537 p. (Coll. «Mercure», nᵒ 40).

NOPPEN, Luc, Claude PAULETTE et Michel TREMBLAY. *Québec, trois siècles d'architecture*. Montréal, Libre Expression, 1979. 440 p.

RICHARDSON, A.J.H. et autres. *Quebec City: Architects, Artisans and Builders*. Ottawa, Musée national de l'Homme/Parcs Canada, 1984. 589 p. (Coll. «Mercure», nᵒ 37).

Maison Letellier

Québec
41, rue des Remparts

Fonction: privé
Classée monument historique en 1966

À l'angle des rues des Remparts et Ferland dans le Vieux-Québec, on découvre une maison à deux étages sur rez-de-chaussée avec galeries superposées le long du mur pignon. L'occupation du lot remonte vraisemblablement au début du XVIIIᵉ siècle. Des cartes dressées par Gaspard Chaussegros de Léry, en 1722, montrent une construction également représentée sur le plan du fief du Sault-au-Matelot exécuté par l'arpenteur Lemaistre-Lamorille en 1750. Ce dernier plan indique la présence des héritiers Lajus, successeurs de Noël Levasseur sur la propriété. Enfin, un plan de la ville de Québec en 1804 signale une construction en bordure de la rue Ferland à cet endroit. Toutefois, le plan-relief de Jean-Baptiste Duberger montre un terrain vacant.

Le bâtiment actuel a probablement été érigé entre 1824 et 1834. En 1861, dame Paul Lepper vend l'immeuble à S.J. Shaw. La famille Shaw occupe la maison jusqu'à la fin du XIXᵉ siècle. De 1901 à 1917, l'édifice appartient à des communautés religieuses: les sœurs du Bon-Pasteur (1901 à 1908), les Pères blancs missionnaires d'Afrique (1903 à 1908) et les religieuses missionnaires de Notre-Dame-d'Afrique (1908 à 1917). Cette dernière vente restreint le droit de vue sur la propriété voisine de la rue Ferland. Cette condition oblige le propriétaire à construire deux galeries superposées de 2 mètres de largeur sur la partie de l'immeuble s'étendant du pignon est à la rue Ferland, soit 14 mètres sur 6 mètres. Une clôture doit rester à 3,5 mètres du sol. Les arbres compris sur le terrain vague peuvent être remplacés, mais leur nombre ne peut augmenter. Ces dispositions expliquent les particularités actuelles.

En 1917, dame Alphonse Letellier se porte acquéreur de la propriété. La famille Letellier de Saint-Just l'habite jusque vers 1970. Depuis, plusieurs propriétaires se sont succédé.

De style néo-classique, la maison Letellier comprend, en comptant le sous-sol, cinq niveaux d'occupation aujourd'hui divisés en quatre logements. Elle possède des murs de pierre calcaire avec un parement de grès sur lesquels on a ajouté un crépi sur le mur pignon et à l'arrière. À l'intérieur, plusieurs éléments du décor d'origine, d'inspiration néo-classique, subsistent. Les plafonds aux moulurations de plâtre ou en planches embouvetées formant caisson s'élèvent parfois à plus de trois mètres. L'ancien salon s'ouvre sur une arche dont l'abondante ornementation comprend notamment des pilastres en bois cannelé aux sommets couronnés de chapiteaux ioniques richement sculptés. L'intérieur comporte aussi deux âtres et deux foyers avec leurs grilles.

Claude Reny, aménagiste-géographe

Habitée pendant plus d'un demi-siècle par la famille Letellier de Saint-Just, la maison abrite aujourd'hui quatre logements. Plusieurs éléments du décor intérieur datent de l'époque de sa construction, soit entre 1824 et 1834.

Maison Montcalm

Québec
45 à 51, rue des Remparts

Fonction: privé
Classée monument historique en 1973

Sis aux numéros civiques 45 à 51 de la rue des Remparts, cet ensemble architectural représente une richesse patrimoniale indéniable. Ces trois constructions incarnent le résultat d'une longue évolution du paysage urbain.

En juillet 1724, le seigneur du fief du Sault-au-Matelot, le Séminaire de Québec, concède un terrain à François Hérault, sieur de Courcy et de Saint-Michel de Courville, lieutenant d'une compagnie des troupes de la marine. Ce terrain, de 65 pieds (français) sur 65 pieds, s'agrandit lors d'une deuxième concession faite par le Séminaire, le 3 mai 1765. L'augmentation comprend 121 pieds de front (sur la rue des Remparts) sur 65 pieds de profondeur en montant vers la rue Saint-Flavien.

Un mois plus tard, François Hérault entreprend la construction d'une maison en pierre comportant un rez-de-chaussée. Il fait appel au maître maçon Jacques de Guise dit Flamand qui travaille à partir d'un plan fourni par Gaspard Chaussegros de Léry. Important ingénieur militaire arrivé au Canada en 1716, Chaussegros de Léry acquiert une certaine notoriété en collaborant à l'élaboration des fortifications de Québec sous le Régime français.

Le 29 décembre 1725, Hérault passe un autre marché de construction pour un plafond en lattes enduites de mortier et pour des cloisons de pieux, lattées et enduites des deux côtés. Une allonge s'ajoutera à la maison plus tard. Pour construire cette demeure, Hérault emprunte 4 500 livres à

Nicolas Lanouiller de Boisclerc, l'un des membres du Conseil supérieur de la Nouvelle-France. Incapable de faire face à ses obligations à l'échéance, il remet sa maison à son créancier hypothécaire le 1er octobre 1726. Cette demeure, située au centre de l'ensemble, porte aujourd'hui le numéro civique 47 de la rue des Remparts.

En octobre 1727, Lanouiller achète des marguilliers de la paroisse un petit terrain triangulaire. Le 20 mai suivant, il se procure un emplacement plus vaste et y fait ériger deux autres maisons, de chaque côté de la première et en forme de pavillon, puis ajoute une glacière. En décembre 1730, il a complètement remboursé le maçon Jacques de Guise pour sa première maison. Sept ans plus tard, un grand bâtiment construit en

Habitée par Montcalm de 1758 à 1759, la maison sert ensuite de refuge aux officiers anglais, puis entre 1775 et 1777 de caserne pour les matelots et les soldats.

Croquis de A.J. Russell illustrant la maison Montcalm avec son porche à la chinoise en 1834. (Inventaire des biens culturels du Québec).

pierre et mesurant 130 pieds de long sur 40 pieds de large occupe les lieux où se trouvent aussi un hangar, une écurie et une étable.

Selon un document du 24 septembre 1752, la maison possède 16 pièces et 27 croisées, dont 12 du côté des Remparts. Une seule porte donne accès du côté des Remparts, et dix âtres chauffent ce bâtiment. Le 28 novembre suivant, Joseph Brassard Deschenaux, secrétaire de l'intendant François Bigot, acquiert la maison. Quatre ans plus tard, il l'offre au général Louis-Joseph de Montcalm, qui l'habite de décembre 1758 à juin 1759.

Après la capitulation de Québec, cette demeure sert de refuge aux officiers anglais, qui l'occupent en partie avec le propriétaire, Deschenaux. De l'automne 1775 au mois de mai 1777, la maison se transforme en caserne pour les matelots et les soldats. L'occupation par les militaires d'origine anglaise et allemande est la cause de nombreux dommages, mais des travaux effectués en 1779 et 1780 rendent à nouveau la demeure habitable.

Vers 1810, la partie centrale de la maison est surélevée d'un étage. Après 1834, tout le bâtiment présente une façade uniforme avec un étage au-dessus du rez-de-chaussée ainsi que trois portes et 26 croisées. En 1851, des ouvriers construisent la petite

maison du coin, aujourd'hui située au 51, rue des Remparts. La charpente de la partie centrale de la maison Montcalm s'apparente au type à chevrons portant fermes avec pannes, croix de Saint-André, poinçons et entraits. Partiellement incendiée, elle résiste à la destruction. Vers 1810 des ouvriers la démontent et la replacent intégralement sur l'étage nouvellement construit.

Les voûtes occupent le sous-sol de la partie droite, érigée en 1727. La partie centrale du rez-de-chaussée comporte des éléments menuisés tels les portes, les plinthes et les manteaux de cheminée de style néo-classique, réalisés lors de transformations au cours des années 1830; les âtres originels ont également été remaniés. Deux foyers au bois, convertis au charbon, possèdent de magnifiques grilles en fonte remarquablement ornées. L'un d'eux, à pointe à diamant, paraît exceptionnel. Une magnifique verrière décorée des armoiries de Montcalm orne la cage de l'escalier. Vers 1850, les propriétaires font recouvrir l'extérieur en planches à clins. Fruit de plusieurs remaniements, les trois édifices de la maison Montcalm constituent en fait des résidences en rangée et se rattachent au style néo-classique. La composition et l'ornementation menuisée des portes d'entrée, le revêtement en planches à clins imitant la pierre de taille en façade, datent des années 1830.

Réalisé au tournant du siècle dans le style néo-classique, le porche devant la porte de la section centrale de la maison remplace celui érigé au cours des années 1830. Les avant-toits de ce dernier, retroussés à la chinoise dans l'esprit Regency, apparaissent sur une aquarelle de James Pattison Cockburn de 1831 et sur un croquis de Russell, daté de 1834, représentant les trois maisons. Le même porche figure également sur une photographie du tournant du siècle.

Témoins d'une page importante de l'histoire de la Nouvelle-France, ces trois résidences, à l'instar de la plupart des maisons construites sous le Régime français, illustrent aussi l'évolution architecturale de la première moitié du XIXᵉ siècle. Son apparence actuelle en fait également un des témoignages parmi les plus remarquables de l'architecture domestique de style néo-classique du Vieux-Québec.

Michel Gaumond, archéologue

CASGRAIN, Philippe-Baby. «La maison Montcalm sur les remparts à Québec». *Bulletin des recherches historiques*, 8 (août 1902): 225-237; 8 (septembre 1902): 257-267.

Canadian Antiquarian and Numismatic Journal. Troisième série, 4 (mai 1902): 1-26.

GAUMOND, Michel. *La maison Montcalm*. [s.l.], [s. éd.], 1973. 8 p.

Maison Daigle

Québec
22-24, rue Garneau

Fonction: privé
Classée monument historique en 1963

Plus calme que la côte de la Fabrique, sa voisine du côté sud, la rue Garneau dans le Vieux-Québec ne bénéficie pas pour autant de la tranquillité du secteur résidentiel plus au nord. Au milieu du XIXᵉ siècle, cette rue, alors nommée Saint-Joseph, se trouve à proximité de l'université Laval, des institutions et des commerces de la haute-ville. Professionnels et artisans l'habitent. La maison Daigle, aux numéros 22-24, rappelle ce passé.

Le notaire Joseph Petitclerc s'installe sur la rue et s'y fait construire une maison de pierre d'un étage surmontée d'un comble. En 1862, il acquiert de la succession Morin un emplacement voisin du sien et en vend la moitié à son neveu, le tailleur Félix Fortier. Les deux parents y construisent une maison double en pierre et en brique, haute d'un étage au-dessus du rez-de-chaussée. Ce bâtiment existe encore aujourd'hui.

Quatre ans plus tard, Fortier revend sa partie à son oncle. Par suite du décès du notaire, ses héritiers cèdent l'ensemble de la propriété à un créancier, sir Narcisse-Fortunat Belleau (1808-1894), homme politique bien connu et premier lieutenant-gouverneur de la province de Québec. Dès 1876, Belleau revend l'immeuble à Zéphirin Charron, allié des Petitclerc. La famille Charron conserve la maison jusqu'en 1947.

La construction de 1862 a aujourd'hui l'allure d'une seule maison divisée en deux parties d'un étage chacune. Des pierres de taille recouvrent les murs du soubassement et les appuis des fenêtres. Des briques jaunes parent les niveaux supérieurs. Un enduit imitant la pierre de taille tapisse la façade latérale. Un des deux versants du toit possède un corbeau mouluré, percé de deux souches de cheminée aux extrémités, l'une en brique et l'autre en pierre. Quatre lucarnes sur chaque versant éclairent les combles.

L'imitation de la pierre de taille, la distribution rigoureusement symétrique de toutes les ouvertures, les deux portes identiques en façade et les consoles supportant la gouttière traduisent l'influence du style néo-classique. D'autres éléments conservent à cette maison son cachet ancien, notamment les imposes et les fenêtres latérales des deux portes et les volets intérieurs. Divisée de nos jours en trois logements, la maison érigée par Félix Fortier et Joseph Petitclerc perpétue, malgré les transformations, sa vocation de résidence urbaine.

Barbara Salomon de Friedberg, historienne

PÉTROSSI, Liana et Barbara SALOMON DE FRIEDBERG. *Inventaire architectural, maison Daigle, 22-24, rue Garneau, Québec*. Québec, ministère des Affaires culturelles, 1987.

La construction de la maison Daigle remonte à 1862. Certaines caractéristiques telles l'imitation de la pierre de taille, la distribution symétrique des ouvertures et les deux portes identiques en façade la rattachent au style néo-classique.

Maison Audet

Québec
14, rue Hébert

Fonction: privé
Classée monument historique en 1963

LA maison Audet occupe le centre d'un ensemble de trois maisons en rangée, semblables et construites en même temps sur un lot de forme trapézoïdale, à la jonction des rues Hébert et Laval. Érigée pour le docteur Joseph Morrin, il ne l'habitera pourtant jamais.

Homme politique, Morrin joue un rôle considérable dans l'histoire de la ville de Québec au milieu du XIXᵉ siècle. Il occupe le poste d'échevin du quartier du Palais puis devient maire de Québec en 1855. Médecin très actif, il assume la présidence du Collège des médecins et participe à la fondation de l'École de médecine qui, en 1852, devient l'une des facultés de l'université Laval. Un prix portant son nom y est décerné chaque année. Il fonde en 1862 le Morrin College.

En 1853, Joseph Morrin acquiert un emplacement dans le fief Sault-au-Matelot, sur lequel s'élève une maison en pierre d'un étage. Cette habitation démolie, les ouvriers en récupèrent certains matériaux. En 1856,

Érigée en 1856 pour le docteur Joseph Morrin, personnalité importante de la ville de Québec, la maison Audet a su conserver la plupart de ses caractéristiques d'origine.

Morrin engage le maître maçon Louis Fournier dit Larose pour la construction de trois maisons contiguës sur ce terrain. L'architecte Charles Baillairgé fait les plans et les maîtres menuisiers associés Charles et Simon Peters exécutent la charpenterie, la menuiserie, la peinture et la vitrerie. Le 6 février 1857, l'épouse du maçon Louis Fournier engage le plâtrier Miles Cavanagh pour réaliser la décoration des plafonds.

La construction des maisons comporte les éléments suivants: la toiture à baguettes en zinc, la pierre de taille, les parements de brique rouge et blanche à double épaisseur, les vénitiennes en bois aux fenêtres et les fosses septiques; à l'intérieur, les «water-closet», l'éclairage au gaz, le cellier au soubassement, les murs lattés et plâtrés et les rosaces de différents formats pour orner les plafonds. Des éléments d'origine tels l'escalier, certaines plinthes, le recouvrement des murs, une rosace au rez-de-chaussée existent toujours.

En 1852, Morrin épouse Maria Orkney, veuve de Frost Ralph Grey. Les enfants (Grey) et petits-enfants (Chapman) de cette dernière et de son premier mari héritent de tous leurs immeubles de la rue Hébert. Par succession, la maison Audet demeure dans la famille de Maria Orkney jusqu'en 1920. À cette époque, Marie-Louise Lemoyne l'acquiert et la loue en résidence. La maison Audet, en pierre avec un étage au-dessus d'un rez-de-chaussée, abrite aujourd'hui quatre logements. Des parements de brique jaune depuis la hauteur du plancher du rez-de-chaussée jusqu'à celui des corniches de la toiture revêtent ses deux façades. La pierre de taille de Deschambault garnit l'étage du soubassement sur ses deux façades et les appuis de fenêtres. Les murs mitoyens, dotés de coupe-feu, se terminent par des corbeaux de pierre de taille.

Seule des trois maisons à avoir conservé la plupart de ses caractéristiques stylistiques d'origine à l'extérieur, la maison Audet se rattache à la dernière phase du courant néoclassique dans une de ses interprétations québécoises.

Line Chabot, historienne

BOISSONNAULT, Charles-Marie, «Morrin, Joseph», dans *Dictionnaire biographique du Canada*. Québec, Les Presses de l'université Laval, 1977, vol. IX: 631-632.

«Charles Fournier dit Larose», «Charles et Simon Peters», dans A.J.H. RICHARDSON et autres. *Quebec City: Architects, Artisans and Builders*. Ottawa, Musée national de l'Homme/Parcs Canada, 1984: 72-77, 457-461.

Maison Beaudet (Bouchaud)

Québec
17, 17 1/2, rue Couillard

Fonction: privé
Classée monument historique en 1967

Cette maison constitue depuis longtemps un des points forts de l'image pittoresque qu'offre la rue Couillard aux passants et visiteurs. À l'honneur durant les belles années du Quartier latin comme boîte à chansons, café et restaurant, elle se distingue par ses murs bombés et son crépi quelque peu délabré. Elle a été récemment rénovée par une coopérative d'habitation.

En 1623, Louis Hébert obtient le fief du Sault-au-Matelot où s'élèvera la maison Beaudet. Trois ans plus tard, la concession est instituée en fief et seigneurie du Sault-au-Matelot. En 1666, les autorités étendent cette seigneurie jusqu'aux limites des terres de l'Hôtel-Dieu.

Jean-Baptiste Couillard de Lespinay, fils de Guillemette Hébert, concède le lot en 1727 au serrurier André Bouchaud. Ce dernier, tout comme son voisin Jean Legris dit Lépine, forgeron, habitait auparavant dans le faubourg Saint-Nicolas, aux limites des chantiers maritimes. Vers 1720, sous la pression des autorités du Séminaire de Québec, s'ouvre la rue Saint-Joachim, amorçant ainsi un lotissement dans le secteur. Vers 1740, l'Hôtel-Dieu développe la partie ouest, qui s'appellera désormais rue Couillard. D'un tracé moins régulier, cette section contourne le cimetière des pauvres.

Dès 1728, une habitation s'élève sur le site de la maison Beaudet. En 1754, l'acte de vente de Bouchaud à Jean-Baptiste Roy mentionne la présence d'une résidence en pierre d'un étage au niveau du sol. Après la Conquête, en 1776, la propriété vendue comprend une maison en pierre d'un étage au-dessus du rez-de-chaussée. D'après la maquette Duberger et les cartes de la ville, cette maison de plan rectangulaire dresse sa façade principale sur la rue Saint-Flavien jusque vers 1815. Le pignon nord se dresse au coin de la rue Couillard et un hangar occupe la partie ouest du lot.

L'édifice comporte deux parties: un corps de logis et une section de bâtiment. Le corps de logis fait le coin, étroit sur la rue Couillard et profond sur la rue Saint-Flavien. Le rez-de-chaussée date de 1728 et l'étage remonte aux années 1770. À côté, vers l'ouest, une deuxième section de bâtiment a vraisemblablement été érigée entre 1815 et 1820. Les deux parties ont à cette époque été réunies sous une même et nouvelle toiture, dont la forme, en croupe comme celle des lucarnes, annonce l'architecture des années 1800-1820.

Cette reconstruction avec agrandissement date probablement d'un peu après 1815, quand Nicolas Prussien, poissonnier, acquiert la propriété. Vers 1820, la maison voisine sur la rue Saint-Flavien, faisant partie de l'habitation coopérative actuelle, a été reconstruite en entier.

Utilisée à diverses fins depuis le milieu du XIX⁰ siècle, la maison Beaudet (Bouchaud) semble avoir été réaménagée à différentes reprises. En témoignent la large travée aveugle sur la façade de la rue Saint-Flavien, abritant un escalier, et la grande fenêtre du rez-de-chaussée sur la rue Couillard, indiquant la présence d'une boutique ou d'un magasin vers 1880-1900. Les autres fenêtres furent percées vers la même époque, sauf celles de la façade sur la rue Saint-Flavien, apparues lors de la dernière intervention, avec leurs jambages et linteaux en pierre de taille. Ceux-ci n'ont toutefois pas été replacés lors de la restauration.

En 1959, un incendie ravage l'essentiel des boiseries, n'épargnant pas le grand âtre.

Luc Noppen, historien de l'architecture

CAMERON, Christina et Monique TRÉPANIER. *Vieux-Québec, son architecture intérieure*. Ottawa, Musée national de l'Homme/Parcs Canada, 1986. 537 p. (Coll. «Mercure», n⁰ 40).

DUMAS, Caroline. *Historique du lot 1916 du quartier du Palais*. Québec, université Laval, 1983.

Boîte à chansons, café et restaurant, la maison Beaudet témoigne des belles années du Quartier latin. La construction de ce bâtiment remonte néanmoins à 1728.

Maison Théonas

Québec
31-33, rue Garneau et
50 à 54, côte de la Fabrique

Fonction: semi-public
Classée monument historique en 1963

L E 1ᵉʳ mars 1715, le procureur de la Compagnie de Jésus concède à Jean-Baptiste Larchevêque, maître tailleur de pierre de Québec, un lot de forme triangulaire situé dans la haute-ville. Les Jésuites, alors propriétaires des terrains depuis le début du XVIIIᵉ siècle, subdivisent leur possession de la côte de la Fabrique.

L'emplacement de la maison Théonas, au pied de la côte de la Fabrique, fait l'angle avec la rue Garneau (autrefois rue Saint-Joseph). En 1725, Marie-Joseph Larchevêque, fille de Jean-Baptiste, et son mari, le chirurgien Jean-Baptiste Lelièvre dit Duval, signent un marché avec Joseph Morin et Louis Pépin, maçons et entrepreneurs, pour l'érection d'une maison de pierre à cet endroit.

Une gravure d'après un dessin de Richard Short, datée de 1761 et réalisée après le bombardement de Québec, confirme l'existence d'un bâtiment à cet endroit. La façade latérale de la maison Théonas y apparaît avec une galerie de bois adossée à son mur pignon. Sa toiture à deux versants recouvre un étage sur rez-de-chaussée.

En 1787, la propriété qui appartient alors au négociant James Sinclair passe aux mains d'un autre commerçant de Québec. La maison de deux étages, construite en pierre, comporte une annexe semblable d'un étage occupée par un magasin; celui-ci remplace l'ancienne galerie. À cette époque, les magasins les plus huppés de la ville se trouvent sur la côte de la Fabrique.

En 1820, le propriétaire, John MacNider, loue la maison pour une période de dix ans, à deux frères marchands. Le bail précise la location «d'un petit bâtiment construit en pierre attenant à la dite maison et servant de magasin». Au cours de la même année, les locataires offrent «d'élever à leurs frais d'un étage le bâtiment servant de magasin, attenant du côté ouest à la maison». Deux aquarelles de James Pattison Cockburn, datées de 1830 et 1831, illustrent le surhaussement du magasin, recouvert d'une toiture à croupe.

Depuis le XIXᵉ siècle, l'apparence extérieure de la maison Théonas a peu changé. Certaines ouvertures, notamment celles du mur pignon sud-ouest et du rez-de-chaussée, subissent des modifications. À l'intérieur, la charpente et l'escalier tournant existent toujours.

Madeleine Gobeil-Trudeau,
historienne de l'architecture

La maison Théonas vers 1965.
(Inventaire des biens culturels du
Québec).

Vue de la maison en 1831 depuis
l'intersection des rues Collins
et Saint-Jean. (Archives du
monastère des Ursulines à
Québec).

CAMERON, Christina et Jean TRUDEL. *Québec au temps de James Patterson Cockburn*. Québec, Éditions Garneau, 1976: 120-121.

CAMERON, Christina et Monique TRÉPANIER. *Vieux-Québec, son architecture intérieure*. Ottawa, Musée national de l'Homme/Parcs Canada, 1986: 125-126.

Maisons Price et du Fort

Québec
5, rue du Fort
10, rue Sainte-Anne

Fonction: public
Classées monuments historiques en 1964

LES maisons Price et du Fort s'élèvent près du Château Frontenac, sur un site développé à partir du XVIIᵉ siècle. En 1620, Samuel de Champlain érige non loin de là, sur le bord du cap, le fort Saint-Louis pour assurer la défense des bâtiments érigés en contrebas et abriter la population en cas d'attaque iroquoise. Peu après, les Hurons, harcelés par les Iroquois, viennent chercher refuge près du fort Saint-Louis. Ils construisent leur propre fort sur un vaste terrain entouré d'une palissade correspondant aujourd'hui à la rue du Fort et à la majeure partie du bureau de poste. En 1648, le gouverneur Charles Huault de Montmagny établit sa résidence au château Saint-Louis et fixe la place d'Armes près de ce dernier.

Lors du recensement de la ville de Québec en 1818, le site appartient à la famille Black: Jacques, Henry et leurs sœurs. Henry Black en devient par la suite propriétaire et le conserve jusqu'à sa mort en 1873. Margaret Black Stuart, sa nièce, hérite alors de la propriété et la lègue en 1893 à parts égales aux demoiselles Clapham. La compagnie Grand Trunk Railway loue d'abord une partie de l'emplacement des demoiselles Clapham, puis en 1916 achète l'ensemble de la propriété. Les Placements professionnels inc. s'en portent acquéreurs en 1964 et y établissent leur siège social.

Nombreuses transformations

Depuis leur construction, les maisons Price et du Fort ont connu des modifications majeures. Au XIXᵉ siècle, un seul édifice occupe cet emplacement et sa fonction diffère des deux bâtiments en place aujourd'hui. Une gravure tirée du *Canadian Illustrated News* du 3 décembre 1862 reproduit une maison néo-classique de deux étages sur rez-de-chaussée, coiffée d'une toiture à croupes. Le portail d'entrée sur la rue Sainte-Anne possède alors deux colonnes doriques surmontées d'un fronton et les fenêtres sont fermées par des persiennes. Cette maison aurait été érigée entre 1836 et 1846.

En 1898, ce même bâtiment est enregistré sur des relevés exécutés par l'architecte montréalais Edward Maxwell. Les demoiselles Clapham font exécuter des travaux aux frais de la ville afin d'élargir la rue du Fort et d'en rectifier l'alignement. Elles sacrifient à cette fin une partie de la maison située sur une bande de terrain de 6,5 mètres de largeur sur 25,6 mètres de longueur.

Devant l'ampleur des travaux à effectuer sur le bâtiment, l'architecte Maxwell opte pour une transformation radicale. De style néo-classique qu'il était, avec un plan en forme de L comprenant une résidence avec façade sur la rue Sainte-Anne, un bureau avec façade sur la rue du Fort, une cour intérieure à laquelle on accède de la rue du Fort par une porte cochère conduisant aux écuries et aux chambres des domestiques, il devient un édifice de style château coiffé de deux échauguettes en poivrière et d'une corniche à mâchicoulis. L'aménagement intérieur, également modifié, permet

l'utilisation du rez-de-chaussée à des fins commerciales. Les étages supérieurs abritent des locataires. Lors des transformations de 1898, l'architecte Maxwell conserve et réutilise plusieurs éléments de la maison originelle comme les installations pour le gaz, l'appareil de chauffage, une cheminée et un placard en acajou, des fenêtres, le métal de la toiture. La restauration de la maison, en 1964, lui conserve presque intacte son apparence extérieure, mais l'intérieur est réaménagé.

Madeleine Gobeil-Trudeau,
historienne de l'architecture

Dictionnaire biographique du Canada. Québec, Presses de l'université Laval, vol. X et XI.

NOPPEN, Luc, Claude PAULETTE et Michel TREMBLAY. *Québec, trois siècles d'architecture*. Montréal, Libre Expression, 1979. 440 p.

Les maisons Price et du Fort occupent un site du XVIIᵉ siècle. Depuis, les bâtiments ont connu de profondes modifications, notamment au XIXᵉ siècle alors qu'une seule maison occupe l'emplacement.

Cathédrale Notre-Dame

Québec
20, rue Buade

Fonction: public
Classée monument historique en 1966

LE 22 décembre 1922, la basilique-cathédrale Notre-Dame de Québec est dévastée par un incendie. Le lendemain, devant les ruines encore fumantes, les autorités religieuses décident de reconstruire le monument «d'après les anciens plans, sur les mêmes bases et sur les mêmes murs».

En histoire de l'architecture, Notre-Dame de Québec représente une construction érigée et renouvelée à plusieurs époques. Elle joue un rôle déterminant dans l'évolution architecturale, inspirant la plupart des églises paroissiales du Québec par son plan, son décor intérieur ou l'un ou

La façade de la basilique.

l'autre des éléments de ses élévations extérieures.

Les origines de Notre-Dame de Québec remontent à l'époque de la fondation de la ville. En 1629, après la prise de Québec par les frères Kirke, Samuel de Champlain multiplie les démarches en France pour récupérer le territoire perdu. Il aurait alors fait le vœu de construire une église à Québec si le Canada était rendu à la France. De retour au Canada en 1633, Champlain remplit sa promesse et entreprend la construction d'une chapelle dédiée à Notre-Dame-de-la-Recouvrance. Ce premier édifice occupe le site de la cathédrale. En 1636, le gouverneur Charles Huault de Montmagny fait ériger au même endroit la chapelle de Champlain pour honorer la mémoire du fondateur de Québec. Cette première église disparaît le 15 juin 1640, réduite en cendres en même temps que la résidence contiguë des Jésuites.

En 1647 s'ouvre le chantier d'une nouvelle église, Notre-Dame-de-la-Paix. Les travaux s'échelonnent sur plusieurs années et, en 1650, le père Joseph-Antoine Poncet y célèbre la messe dans un édifice encore inachevé. L'église de pierre, en forme de croix latine, de 24 mètres sur 12, se termine par une abside en hémicycle orientée vers l'est. Deux chapelles latérales coupent le vaisseau principal à l'entrée du chœur, à la manière d'un transept au vaisseau transversal. L'élévation de l'édifice comporte un seul étage doté de murs épais percés de fenêtres et coiffé d'une toiture en pignon. Un clocher surmonte la croisée.

Une église cathédrale

En 1669, mgr François de Laval entreprend une campagne de construction d'édifices religieux. Avant 1700, une quinzaine d'églises en pierre inspirées du modèle de Notre-Dame-de-la-Paix s'élèvent dans les paroisses rurales.

Église paroissiale en 1664, connue sous le vocable de Notre-Dame-de-l'Immaculée-Conception, elle fut choisie pour cathédrale en 1674 par mgr de Laval, peu après sa nomination comme premier évêque de l'Amérique septentrionale. Le prélat entreprend des démarches en vue de reconstruire la petite église. Il obtient des fonds du roi Louis XIV en 1683 et retient les services de l'architecte Claude Baillif pour élaborer un projet grandiose. Faute de moyens, l'évêque doit cependant se contenter d'un édifice beaucoup plus modeste. Il réduit l'ampleur de la façade projetée et fait construire une seule des deux tours. Quant à l'église elle-même, elle sera reliée à l'ancien bâtiment par un allongement des murs d'une dizaine de mètres en 1697.

En 1742, l'intendant Gilles Hocquart ordonne une inspection de l'église cathédrale de Québec où d'importantes réparations s'imposent. L'année suivante, il entreprend «d'ériger la bâtisse d'une nouvelle église sur le même emplacement que la première, suivant les plans et devis de M. Chaussegros de Léry, ingénieur en chef de cette colonie». La reconstruction est vraisemblablement motivée par des travaux du même genre réalisés à l'église des Jésuites où l'on entreprend, vers 1730, de repenser l'ornementation de la façade. Les nombreuses rénovations apportées à l'église Notre-Dame de Montréal entre 1722 et 1725 ainsi qu'entre 1734 et 1739 semblent également influencer la décision de construire un édifice plus digne de l'immense diocèse. En 1744, Gaspard Chaussegros de Léry (1682-1756) présente deux plans pour la reconstruction. Le premier, très simple, concerne le gros œuvre du bâtiment, le deuxième, le «plan riche», comporte une ornementation à faire lorsque la fabrique en aura les moyens.

Des plans grandioses

Le premier plan propose la reconstruction de l'édifice, par-dessus l'église de 1647, modifiée en 1684. L'ingénieur suggère un allongement du chœur, l'érection de deux bas-côtés et l'exhaussement de la nef, pour permettre un éclairage direct par une claire-voie.

La façade prévue par de Léry reprend le modèle des œuvres du milieu du XVIIe siècle: deux étages d'ordre classique super-

Dessin de l'élévation intérieure d'après un plan de Gaspard Chaussegros de Léry de 1743. (Archives de l'université Laval).

posés, l'étage du haut, plus étroit, étant relié au bas par de larges consoles. Ce genre de façade, dite «à l'italienne», développée en France sous le règne de Louis XIII, notamment par l'architecte Jacques Lemercier, devient le modèle des ingénieurs militaires qui en apprécient la sobriété et la sévérité.

La reconstruction de Notre-Dame de Québec s'effectue entre 1744 et 1748. Détruit lors des bombardements de la ville, en 1759, l'édifice ne reçoit pas la riche ornementation prévue par de Léry. Deux gravures réalisées d'après les dessins de Richard Short montrent l'imposante église éventrée, dressant ses murs nus au-dessus des constructions voisines.

Croquis de l'élévation «riche» de la façade également conçue par Chaussegros de Léry en 1743. (Archives de la paroisse Notre-Dame-de-Québec).

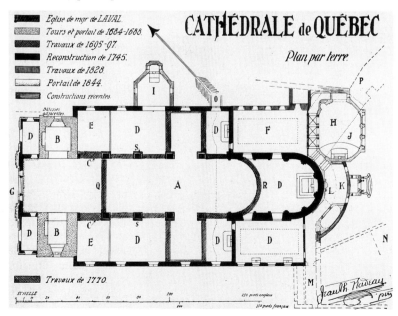

Les différentes étapes de la construction de l'église Notre-Dame de Québec d'après un dessin de Gérard Morisset. (Inventaire des biens culturels du Québec).

Vue de Notre-Dame de Québec après les bombardements de 1759. Gravure d'après un dessin de Richard Short. (Musée du Québec).

Plan du clocher, d'après le menuisier charpentier devenu architecte par nécessité, Jean Baillairgé, vers 1770. (Archives de la paroisse Notre-Dame-de-Québec).

Une reconstruction s'impose

Au lendemain de la Conquête, la reconstruction de la cathédrale Notre-Dame constitue un problème politique. Le sort de cette église est lié à la reconnaissance par le gouvernement de Londres de mgr Jean-Olivier Briand comme chef de l'Église catholique. Las des atermoiements qui obligent les paroissiens à fréquenter les chapelles et les églises des communautés religieuses, les marguilliers de la paroisse prennent les choses en main. En 1766, ils soumettent un plan de rétablissement dessiné par Jean Baillairgé (1726-1805), menuisier-charpentier devenu architecte par nécessité.

Le projet de Baillairgé prévoit l'utilisation des murs existants, mais réduit l'ampleur de l'édifice en couvrant la nef et les bas-côtés d'une même toiture. Fenêtres hautes et tribunes disparaissent avec la luminosité intérieure. En rejetant les traits caractéristiques de l'académisme français, ce projet ramène la cathédrale au rang d'église paroissiale. Les habitants de la ville refusent le plan de Baillairgé et optent plutôt pour une reconstruction de l'église selon les plans de Chaussegros de Léry. Le clocher subit toutefois une diminution en comparaison de celui dressé avant la Conquête. Reconstruit en entier après l'incendie de 1922, ce clocher sud de la cathédrale conserve la forme que lui avait donnée Jean Baillairgé vers 1770.

Dans l'ensemble, l'édifice reconstruit entre 1766 et 1771 ressemble à la cathédrale de 1749. Cependant, en prenant modèle sur le gros œuvre proposé par de Léry, sans chercher un achèvement plus complet, les artisans réduisent l'ampleur du monument.

Ainsi, les fenêtres hautes et les tribunes ne sont pas aussitôt construites qu'on entreprend de les fermer par des cloisons de bois. Les vues de la cathédrale après sa reconstruction proposent donc une faible réplique du modèle original.

Le décor intérieur

Les étapes de l'évolution du décor intérieur de Notre-Dame de Québec avant la fin du XVIIIe siècle sont moins connues. L'architecture intérieure proposée par Chaussegros de Léry est assez dépouillée. La longue élaboration du décor reconstitué après l'incendie de 1922 débute véritablement en 1786.

Au mois d'avril 1786, l'assemblée des marguilliers fait entreprendre l'ornementation intérieure de la cathédrale. Le curé demande aussitôt aux menuisiers et entrepreneurs de la ville de soumettre plans et devis. À ce moment-là, seuls Jean Baillairgé et son fils François (1759-1830) paraissent intéressés à entreprendre un projet aussi vaste. L'année suivante, l'assemblée accepte les plans des Baillairgé «pour le fond du chœur ou retable et le contour, y compris le trône de l'évêque»; le travail doit être réalisé en cinq ans, au coût de 25 000 livres, somme considérable pour l'époque.

L'ensemble du décor proposé par les Baillairgé comprend d'abord le retable du chœur, formé de boiseries, d'après les plans de Jean. Devant cet ouvrage, François Baillairgé place des socles pour recevoir des statues, elles-mêmes surmontées d'un baldaquin dont les branches s'appuient sur des cariatides ailées dressées en forme de consoles. François Baillairgé signe le dessin de cet ouvrage et le devis descriptif accompagnant les deux plans.

Étudiant à Paris de 1778 à 1781, François Baillairgé se fait remarquer par un ensemble très avant-gardiste, mis en place à L'Islet à partir de 1784. Le décor de la cathédrale, complété en 1793, éclipse toutes les œuvres faites jusqu'à ce jour au Québec, tant par son ampleur que par la qualité de l'exécution.

*Photographie prise vers 1880
montrant le décor intérieur
conçu par François Baillairgé.
(Inventaire des biens culturels
du Québec).*

*Après l'incendie de 1922, le
baldaquin de la cathédrale a été
reconstitué à partir de
photographies anciennes.*

Un architecte novateur

Encouragé par le succès de l'entreprise, la fabrique confie d'autres commandes à François Baillairgé. En 1797, il livre le maître-autel de la cathédrale, pièce innovatrice composée comme une œuvre d'architecture alors que la plupart des tabernacles réalisés jusque-là exposaient plutôt le talent des sculpteurs. L'artiste livre, deux ans plus tard, un banc d'œuvre (banc de marguilliers) conçu dans le même esprit.

Ce passage du décor à l'architecture intérieure, François Baillairgé l'assume en proposant en 1819 des plans pour la construction d'une fausse voûte en plâtre dans la cathédrale. Cette surface d'un profil très aplati, rythmée par de larges doubleaux et percée de hautes fenêtres, constitue l'une des innovations marquantes de l'époque. La fausse voûte, traitée largement au lieu d'être compartimentée par des caissons étoilés, crée un véritable espace intérieur. L'usage du plâtre a l'avantage, du point de vue de Baillairgé, de permettre une réalisation uniforme et surtout conforme aux plans, dans la mesure où le talent particulier d'un sculpteur ne vient pas entraver l'idée de l'architecte. Sur le plan de l'esthétique, la surface lisse permet une recherche de finis impeccables.

Au-delà des voûtes de la nef et de celles des bas-côtés, réalisées en 1819 et 1822, François Baillairgé parachève le décor du chœur sur les murs de la nef, comme en témoigne un plan déposé à cette fin en 1823. Là encore, les boiseries sculptées font place au plâtre, matériau plus noble et surtout plus moderne à l'ère du néo-classicisme naissant.

Les voûtes terminées, le travail se poursuit dans les chapelles latérales. Thomas Baillairgé (1791-1859), fils de François, prend la relève avec le contrat d'exécution des deux retables latéraux dont il a préalablement fait adopter les plans.

L'apport de Thomas Baillairgé

Admis comme architecte de la cathédrale, l'héritier de Jean et de François Baillairgé dépose en 1829 un grandiose projet de reconstruction pour la façade. Déjà, en 1818, cette élévation a été retravaillée: des corniches repliées pour suggérer la forme triangulaire des frontons à la mode après la construction de la cathédrale anglicane de Québec (1799-1804) y sont apposées. Mais l'édifice conserve à l'extérieur ce petit air colonial et vétuste dont on affuble à l'époque toutes les structures issues de la pratique traditionnelle. Thomas Baillairgé projette d'y installer une grande façade précé-

dée d'un portique monumental, en prenant modèle sur l'église Sainte-Geneviève de Paris, aujourd'hui le Panthéon.

En 1843, les marguilliers acceptent l'un des projets de l'architecte qui en avait développé trois, dont deux en deçà de son idée initiale. Finalement, c'est le projet mitoyen qui est retenu. Celui-ci ajoute à la façade un avant-corps et un clocher de chaque côté. Or le soubassement de la tour nord ne supportant pas le poids d'une nouvelle structure, les ouvriers interrompent le travail. En 1922, l'église à la façade inachevée, avec le clocher de Jean Baillairgé au sud, est ravagée par les flammes.

L'œuvre de Thomas Baillairgé constitue la façade d'église néo-classique la plus élaborée connue au Québec. L'architecte se soucie de créer une structure monumentale, parfaitement géométrique, qui reflète l'espace intérieur. Thomas Baillairgé rompt avec la tradition de l'ornementation réduite. Les façades rarement érigées en pierre de taille lisse sont généralement conçues comme des écrans destinés à masquer une nef généralement beaucoup plus basse.

La basilique et la place de l'Hôtel-de-Ville. (Service des ressources pédagogiques, université Laval. Photo: Paul Laliberté).

Projet de façade conçu en 1843 par Thomas Baillairgé. (Archives de la paroisse Notre-Dame-de-Québec).

En 1858, Charles Baillairgé (1826-1906), petit cousin de Thomas, livre les plans de la clôture de fonte bronzée délimitant le parvis de la cathédrale, un des premiers éléments de mobilier urbain dont Québec se dote dans la seconde moitié du XIXᵉ siècle.

D'une transformation à l'autre

Le monument fait l'objet de maints travaux par la suite. Le chantier le plus important comprend la construction, en 1888, de la chapelle du Sacré-Cœur d'après les plans de l'architecte François-Xavier Berlinguet. L'idée de cette chapelle revient à Eugène-Étienne Taché. En 1872, deux ans avant la consécration de l'église en basilique, lors des célébrations marquant le deuxième centenaire de l'érection du diocèse de Québec, il soumet les premières esquisses.

En 1890, l'architecte Georges-Émile Tanguay (1858-1922) pose un revêtement de pierre de taille sur le long pan sud de la basilique, rue Buade, pour donner un caractère plus achevé au monument, du côté exposé à la vue du public. Entre 1914 et 1916, des travaux importants sont entrepris sous la direction des architectes Tanguay et Lebon. Plusieurs parties du chevet sont alors reconstruites, dont le chemin couvert et la chapelle Saint-Louis, particulièrement destinée à la célébration des mariages. L'église subit aussi une restauration générale entre 1920 et 1922; les architectes Tanguay et Chênevert déposent les plans de réfection du décor

intérieur; il s'agit en fait de compléter dans la nef le décor du chœur, selon l'idée émise, en 1743, par Gaspard Chaussegros de Léry et reprise, en 1824, par François Baillairgé. Ces travaux sont complétés en 1922 quelques semaines avant l'incendie. Alors disparaît l'œuvre majeure à laquelle trois générations de Baillairgé avaient consacré une grande partie de leur carrière. Même inachevée, Notre-Dame de Québec était leur chef-d'œuvre.

L'équipe Chênevert-Roisin

L'architecte Raoul Chênevert obtient le projet de la reconstruction sous la même forme de basilique-cathédrale. Il retient les services de l'architecte parisien Maxime Roisin (1871-1960), déjà engagé dans la reconstruction de la basilique de Sainte-Anne-de-Beaupré, également détruite par le feu en 1922.

L'équipe Chênevert-Roisin recrée le monument disparu à l'aide des photographies et des plans originaux des Chaussegros de Léry, Baillairgé et Tanguay. Le plan de François Baillairgé étant peu explicite pour le baldaquin, les deux architectes font agrandir de vieux clichés. Ce procédé permet à un atelier parisien de réaliser une maquette pour ensuite mouler en plâtre un nouveau baldaquin.

L'intérieur restauré.
(Service des
ressources
pédagogiques,
université Laval.
Photo: Paul
Laliberté).

À l'occasion de la
visite du pape, en
1984, l'intérieur de
la cathédrale a été
repeint et la dorure
refaite à neuf.

Les architectes profitent toutefois de la reconstruction pour mettre l'édifice à l'abri du feu, par l'utilisation de béton et de fer. Ainsi, une charpente métallique soutient le clocher de Jean Baillairgé et le béton compose les fondations et les planchers.

Si, dans l'ensemble, le visiteur d'aujourd'hui note très peu de changements entre les photographies anciennes et le décor intérieur réalisé en 1923-1924, il n'en demeure pas moins que les architectes ont cru bon de parachever l'édifice. Ainsi, la voûte de la nef subit un nouveau traitement; Maxime Roisin y intègre de larges panneaux peints, véritables «ciels» encadrés par de larges moulures, attendant toujours un artiste apte à représenter les figures de l'au-delà. Ailleurs, les retables latéraux, les diverses chapelles et les sacristies reçoivent un traitement typique de l'architecture Beaux-Arts caractérisant partout l'œuvre des architectes Chènevert ou Roisin, de la colline parlementaire à l'ancien palais de justice ou au projet de musée du Québec, déposé en 1925 par cette équipe.

Une nouvelle cathédrale

Terminés peu avant la crise économique des années 1930, les travaux de restauration rendent à Québec sa cathédrale-basilique et du même coup leur église aux paroissiens de Notre-Dame.

Un dernier chantier important commence à la cathédrale en 1959, lorsque le cardinal Maurice Roy fait construire au sous-sol une vaste crypte pour loger les tombeaux de ses prédécesseurs à la tête du diocèse. À cette époque, les tombes des évêques Pontbriand et Mariauchau d'Esgly sont rapatriées de Montréal et de Saint-Pierre de l'île d'Orléans. Seuls les restes de mgr de Laval et de mgr de Saint-Vallier, conservés par le Séminaire et l'Hôpital Général, manquent à ce panthéon de l'Église canadienne. Le visiteur aperçoit dans la crypte les épitaphes des gouverneurs Frontenac, Callières, Vaudreuil et Jonquière ainsi que le rappel de plusieurs autres noms.

Malgré l'incendie de 1922, qui a détruit plusieurs œuvres de grande valeur, la basilique-cathédrale recèle encore de véri-tables trésors. Nombre de pièces ont survécu et sont conservées dans des voûtes. C'est le cas notamment de plusieurs tableaux tels le *Saint Jérôme* de Jacques-Louis David, peint en 1780 et offert à la cathédrale par la famille Cramail, un chef-d'œuvre de l'art français du XVIIIe siècle.

En 1984, la visite du pape entraîne des travaux de restauration à la basilique-cathédrale. L'intérieur est alors repeint et la dorure refaite à neuf.

Luc Noppen, historien de l'architecture

NOPPEN, Luc. *Notre-Dame de Québec, son architecture, son rayonnement (1647-1922).* Québec, Éditions du Pélican, 1974. 283 p.

NOPPEN, Luc. *Les églises du Québec (1600-1850).* Québec et Montréal, Éditeur officiel du Québec/Fides, 1977: 162-165.

NOPPEN, Luc et Marc GRIGNON. *L'art de l'architecte. Trois siècles de dessin d'architecture au Québec.* Québec, Musée du Québec. 293 p.

Séminaire de Québec

Québec
1, côte de la Fabrique

Fonction: semi-public
Classé monument historique en 1968

Un prélat sans résidence (1659-1662)

Débarqué à Québec le 16 juin 1659, alors qu'on ne l'y attendait pas, mgr François de Laval, vicaire apostolique en Nouvelle-France, ne trouva pas où s'installer chez lui avec son petit clergé. Après avoir logé successivement chez les Jésuites, chez les Augustines et chez les Ursulines, il retourna vivre chez les Jésuites, d'où il partit pour la France, le 12 août 1662.

À ce moment, on se hâtait, sous la direction de l'abbé Henri de Bernières, d'achever la construction du premier presbytère de Québec, décidée en 1661. Les collaborateurs du vicaire apostolique y emménagèrent — à peu près sur l'emplacement de l'actuel presbytère de la rue Buade — au début d'octobre 1662.

La fondation du Séminaire de Québec (1663)

En entreprenant son premier voyage en France, mgr de Laval n'avait nullement l'intention d'y fonder un séminaire pour son Église. Mais à Paris, les circonstances de la création du Séminaire des missions étrangères et la nécessité urgente où l'on se trouva de donner quelque commencement à cette institution naissante pour ne pas perdre une «donation» qui, autrement, eût bénéficié à une autre œuvre de charité, incitèrent mgr de Laval à précipiter la fondation du Séminaire de Québec, lequel, du reste, serait par la suite «uni» au Séminaire des missions étrangères de Paris. Que le prélat n'ait pas eu, au départ de Québec, l'intention de fonder un séminaire ne signifie pas qu'il n'avait point réfléchi à l'organisation éventuelle de son Église. Il avait été frappé par la faible densité de la population canadienne, disséminée sur un vaste territoire, par la rudesse du climat et la difficulté des communications, et aussi par l'extrême pauvreté de la plupart des colons, qui seraient longtemps incapables d'entretenir des curés résidents. Par ailleurs, il ne se faisait pas d'illusion sur la possibilité d'obtenir des prêtres de France en grand nombre, surtout qu'il ne pouvait leur offrir une certaine sécurité. Il faudrait donc recruter au pays les candidats au sacerdoce.

La maquette Duberger montre l'édifice du séminaire au début du XIXe siècle. L'ensemble comporte alors trois ailes: celle de la Congrégation, avec sa chapelle et son porche qui donne accès à la cour intérieure, celles des Parloirs et de la Procure. (Service canadien des parcs).

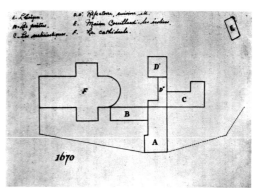

Plan du séminaire de Québec en 1670. (Archives du Séminaire de Québec).

Mgr François de Laval. (Archives nationales du Québec à Québec, collection initiale).

C'est pourquoi, non content de jeter tout bonnement les bases d'un grand séminaire pour la formation des futurs prêtres selon l'esprit du concile de Trente, mgr de Laval innova hardiment et conçut une institution fort bien adaptée aux besoins de son Église et de la Nouvelle-France. Il voulut, en effet, que son séminaire servît aussi «de clergé à cette nouvelle Église», qu'il fût «un lieu de réserve d'où nous puissions tirer, écrit-il, des sujets pieux et capables pour les envoyer à toutes rencontres et au besoin dans les paroisses, et tous autres lieux du dit pays, afin d'y faire les fonctions curiales et autres auxquelles ils auront été destinés, et les retirer des mêmes paroisses quand on le jugera à propos». Mgr de Laval identifiait Séminaire de Québec et clergé séculier. Le séminaire serait la maison commune des prêtres, qui en recevraient leur subsistance et s'y arrêteraient entre deux courses apostoliques, et qui, malades ou vieillis, y seraient entretenus et soignés.

Le Séminaire de Québec deviendrait le cœur même de l'Église canadienne. C'est par une ordonnance du 26 mars 1663, confirmée par le roi au mois d'avril suivant, que mgr de Laval fonda le Séminaire de Québec.

Le presbytère-séminaire (1663-1681)

Au retour de mgr de Laval, le 15 septembre 1663, le presbytère tout neuf de Québec dut accueillir, outre l'évêque qui y fit sa résidence, cinq grands séminaristes, dont trois, originaires de France, avaient fait la traversée avec le vicaire apostolique. Si, dès lors, le Séminaire de Québec était officiellement établi, l'espace faisait cruellement défaut, et l'on dut, pendant quelques années, recourir à des solutions de fortune.

Après entente avec les marguilliers de Québec, les directeurs du Séminaire entreprirent d'agrandir le presbytère par l'arrière, afin d'y loger les grands séminaristes. La construction s'étendit, semble-t-il, sur une période de trois ans, de 1664 à 1667. L'édifice existant était en pierre; les ailes nouvelles étaient vraisemblablement en bois. L'ensemble, qui apparaît sur un plan au sol de 1670, «affectait d'assez près la forme d'une croix gammée», et les dimensions en étaient «vraiment considérables: environ 110 pieds dans les deux sens». C'est dans cette construction hybride que les directeurs du Séminaire de Québec et les grands séminaristes allaient résider de 1667 à 1681.

Sault-au-Matelot et petit séminaire (1666-1668)

«Voyant que l'emplacement du presbytère était trop petit pour l'établissement [définitif] du Séminaire qui devait servir à former les ecclésiastiques [...], et [pour] y établir un petit séminaire d'enfants», écrit mgr de Laval, le prélat «se vit obligé d'acheter l'emplacement de madame Couillard pour le joindre à l'emplacement du presbytère».

«L'emplacement» de madame Couillard, c'est le fief du Sault-au-Matelot, de dix-sept arpents environ, que le vicaire apostolique acquit, par-devant le notaire Romain Becquet, le 10 avril 1666.

C'est en 1668 que le Séminaire de Québec allait, pour la première fois, prendre pied dans l'ancien fief de Louis Hébert. Mais il convient ici de considérer les choses d'un peu plus loin.

Dès 1663, puis en 1665, cette fois dans une lettre au pape, mgr de Laval avait exprimé son désir de fonder un petit séminaire pour les enfants qui se destineraient au sacerdoce. Mais, vers 1667, il songeait encore à «l'établissement» du grand séminaire plus qu'à une nouvelle fondation. Or voici que Colbert, dans une lettre du 7 mars 1668, pressait l'évêque, de la part du roi, de «travailler» à civiliser les nations indiennes en procurant «l'éducation [...] à leur enfants».

De nouveau, mgr de Laval précipita une décision que personnellement il eût retardée de quelques années au moins, et, sitôt la lettre reçue, il «form(a) exprès» son petit séminaire, qui ouvrit officiellement ses portes le 9 octobre 1668, accueillant treize écoliers, dont six Amérindiens. Son petit séminaire, mgr de Laval l'installa dans l'ancienne maison de Guillaume Couillard, laquelle s'élevait tout près de ce qui est aujourd'hui l'aile de la Procure du séminaire de Québec, juste au pied du perron qui donne sur les anciens jardins à la française, du côté du fleuve.

Les grandes constructions (1675-1681)

En octobre 1671, mgr de Laval s'embarqua à nouveau pour la France, afin d'y travailler à l'érection du diocèse de Québec; ayant reçu ses bulles de Rome à la fin de 1674, il reprit la mer en mai 1675. Il avait en tête un grand projet, et c'est pourquoi il avait fait traverser une quinzaine d'artisans. Peu après son retour à Québec le 30 septembre, il en fit recruter d'autres dans la colonie.

L'évêque, en effet, avait décidé de faire construire un nouvel édifice, pour loger le petit séminaire, dont les occupants étouffaient dans l'ancienne maison Couillard, bien que les écoliers, comme du reste les grands séminaristes, suivissent leurs cours au collège des Jésuites.

Avant d'examiner ces premiers grands travaux dans le fief du Sault-au-Matelot, notons, une fois pour toutes, la rareté des documents écrits relatifs aux bâtiments du séminaire de Québec aux XVIIᵉ et XVIIIᵉ siècles, et la rareté plus grande encore des plans et cartes, qui, pour la plupart, se révèlent hautement fantaisistes.

Cette rareté complique la tâche de l'historien. Ainsi, on a affirmé que les plans du petit et du grand séminaires étaient du frère Luc; on a encore affirmé que Claude Baillif, engagé en France par l'évêque en 1675, avait été, sur les deux chantiers, l'entrepreneur responsable de la construction, ou du moins le contremaître chargé de la maçonnerie. Or, s'il paraît certain qu'il dirigea en tout ou

en partie les travaux de construction du petit séminaire, lesquels durèrent environ 26 mois, il demeure incontestable que Baillif mit fin à son contrat après 16 mois (la maçonnerie étant peut-être achevée), et absolument rien n'indique qu'il ait travaillé au grand séminaire. Quant aux «plans» du frère Luc, il n'en reste pas de trace; on ne saurait dire s'il s'agit de plans ou d'un simple «dessin», ni préciser si, outre le petit séminaire, ce «dessin» comprenait le grand séminaire.

Les travaux de construction du petit séminaire débutèrent à l'automne 1675. On peut imaginer qu'ils se déroulèrent de la même façon qu'à l'Hôtel-Dieu de Québec en 1695: «Dès le mois d'octobre [...], on creusa les fondements de cet édifice. [L'architecte] prit soin de faire tailler la pierre pendant l'hiver et de faire amasser tous les matériaux dont on avait besoin pour bâtir promptement et solidement dès que la saison permettrait de travailler.» Aussi, le 15 octobre 1675,

l'abbé Dudouyt, procureur du Séminaire de Québec, avait-il signé, par-devant le notaire Romain Becquet, un contrat avec Pierre Parent, qui s'engageait à fournir cinquante toises de pierre de Beauport, dont dix seraient livrées dès l'automne.

Les fondations furent probablement terminées à l'automne 1675; dès le printemps, on aura été en mesure de se mettre à la maçonnerie, qu'on acheva probablement avant l'hiver, comme le suggère le départ subséquent de Baillif. Peut-être, encore, avait-on procédé comme on le fit à l'Hôtel-Dieu en 1695: «On travailla en-dedans de la maison dès que les murailles furent assez hautes et que les poutres furent placées: ainsi tout avançait également.» Pendant l'hiver 1676-1677, on s'activa à l'intérieur de l'édifice, qu'on avait non moins certainement couvert avant les neiges. On progressa si bien que, le 8 décembre 1677, les écoliers emménageaient dans le nouveau petit séminaire.

Lors de l'attaque de la ville par William Phipps en 1690, les caves voûtées du séminaire servent de refuge à une partie de la population de Québec.

Cette photographie montre le foyer des anciennes cuisines. La plaque de fer a été mise au jour lors des travaux de restauration.

Le bâtiment, entièrement en pierre et d'un seul étage, s'élevait sur l'emplacement de l'aile sud actuelle (aile des Parloirs), et son orientation est-ouest était la même qu'aujourd'hui; toutefois, il était beaucoup moins étendu, couvrant la partie ouest seulement de l'aile que nous connaissons. Au rez-de-chaussée, outre le parloir, devaient se trouver la cuisine, le réfectoire, la lingerie et autres services communs; à l'étage, les chambres des prêtres et une grande salle; enfin, sous les combles, les chambrettes des écoliers, chacun ayant la sienne.

L'hiver 1677-1678 fut probablement employé à amasser et à préparer les matériaux nécessaires à la construction du nouveau grand séminaire (l'aile de la Procure), car, dès le mois de mai 1678, mgr de Laval en bénissait la première pierre.

Cette fois, les travaux durèrent trois ans, puisqu'ils ne furent complétés qu'à l'été 1681. Il est vrai que cet édifice était beaucoup plus grand que le petit séminaire: 64 mètres de longueur, dans l'axe nord-sud, sur 10,7 mètres de largeur avec, du côté du fleuve, deux avant-corps latéraux d'environ 6 mètres chacun. Du côté ouest, le bâtiment ne laissait voir qu'un étage, cependant qu'on en comptait deux, à cause de la déclivité du terrain, du côté est. Aux étages, on avait aménagé les chambres des prêtres et des grands séminaristes; au rez-de-chaussée (les fameuses «caves voûtées» du séminaire), la cuisine, la boulangerie, le réfectoire, le quartier des domestiques et peut-être une chapelle; sous les combles, de vastes greniers, auxquels donnaient accès les deux escaliers construits par le menuisier René Alarie pendant l'hiver 1678-1679.

Petit et grand séminaires avaient fière allure, avec leur crépi immaculé, leurs fenêtres cintrées à jambage de pierre, leurs toits de bardeaux en mansarde, à double rangée de lucarnes, et leurs rassurantes cheminées. Le «grand corps de logis» était en outre surmonté, au centre, par un élégant clocheton.

Déjà, ces deux bâtiments, «dont l'architecture [était] un chef-d'œuvre», consti-

Cartouche d'une carte de Jean-Baptiste-Louis Franquelin, 1688. Le séminaire apparaît à l'extrême droite. (Archives nationales du Québec à Québec, fonds Office du film du Québec).

tuaient «le plus beau et le plus grand logis du pays»; aux yeux de mgr de Laval, pourtant, l'ensemble n'était pas achevé. Le 6 octobre 1684, l'évêque donnait 8 000 livres au Séminaire de Québec, à la condition que celui-ci fît construire le plus tôt possible une chapelle «joignant les bâtiments du séminaire».

Les travaux commencèrent en 1692. Hilaire Bernard de La Rivière fut chargé de la maçonnerie; il lui restait, en janvier 1694, à achever la chapelle et les cheminées, et à «maçonner la mansarde»; au printemps et à l'été, il reçut l'aide d'un autre maçon, Jean Poliquin. Au début de la belle saison, en avril 1694, le recouvrement du toit en bardeaux était terminé, et, en 1695, le clocher de la chapelle était couvert à son tour.

L'aile de la Procure abrite la partie la plus ancienne du séminaire.

Quant à l'intérieur, on y avait travaillé dès l'automne 1692; en 1695, les travaux de menuiserie se poursuivaient dans la chapelle; l'année suivante, Denis Mallet et Jacques Leblond de Latour commencèrent à y exercer leurs talents de sculpteurs; finalement le 29 septembre 1697, mgr de Saint-Vallier, successeur de mgr de Laval, officiait dans la chapelle du séminaire.

Bacqueville de La Potherie en a laissé une bonne description: «La chapelle avec la sacristie a quarante pieds de long. La sculpture [...] en est très belle [...]. Le maître-autel est un ouvrage d'architecture à la corinthienne; les murailles sont revêtues de lambris et de sculpture, dans lesquelles sont plusieurs grands tableaux; les ornements qui les accompagnent se vont terminer sous la corniche de la voûte qui est à pans, sur lesquels sont des compartiments en losange, accompagnés d'ornements de sculpture peints et dorés.»

Un rôle restreint pour le Séminaire (1692)

À la suite de la démission de mgr de Laval, de vives tensions surgirent entre les directeurs du Séminaire de Québec et le nouvel évêque, mgr de Saint-Vallier. Celui-ci n'acceptait pas que les cures fussent unies au Séminaire, et que les dîmes fussent versées à cette institution pour être redistribuées selon les besoins; il n'acceptait pas davantage que les directeurs du Séminaire eussent le droit de nommer et de rappeler les curés et desservants. Là où mgr de Laval voyait une adaptation nécessaire, mgr de Saint-Vallier voyait une atteinte à ses droits épiscopaux.

Le différend fut porté à la cour de France, et le roi trancha en faveur de mgr de Saint-Vallier: l'évêque rentrerait dans ses droits et privilèges, et le Séminaire de Québec s'en tiendrait à son rôle de maison de formation pour les futurs prêtres. Mgr de Laval et ses collaborateurs furent très touchés par cette décision, à vrai dire prématurée.

L'escalier Saint-Joseph date vraisemblablement de la fin du XVIIᵉ siècle.

D'une épreuve à l'autre (1701-1708)

Au début du XVIIIᵉ siècle, des épreuves d'un autre ordre attendaient mgr de Laval et les directeurs du Séminaire de Québec.

Le 15 novembre 1701, vers une heure de l'après-midi, un incendie se déclara dans le grand corps de logis; en moins de cinq heures, il détruisit le grand séminaire, la chapelle, le petit séminaire; et c'est à grand peine que l'on sauva l'église de la paroisse de Québec, reliée au petit séminaire par un corridor couvert (comme elle l'est encore aujourd'hui).

L'on décida de reconstruire à l'intérieur des murailles, jugées «très bonnes», mais en modifiant les toits, qui seraient dès lors à deux versants, avec, comme auparavant, une double rangée de lucarnes. On était aussi convenu de rétablir d'abord le grand séminaire. Les prêtres, des ecclésiastiques et des écoliers paraissent y avoir emménagé vers la fin de l'été ou à l'automne 1703. Et, au moment où le séminaire reprenait vie, on érigeait, sur le grand corps de logis, l'indispensable «petit clocher». En 1704, les travaux ralentirent, puis furent presque suspendus en 1705, par manque de ressources.

Or voici que le 1ᵉʳ octobre 1705, par la négligence d'un fumeur, le feu s'attaqua une deuxième fois au grand séminaire. En deux heures, il consuma tout, sauf «les étages [...] voûtées». La chapelle n'ayant pas été relevée après 1701, l'incendie s'arrêta à l'extrémité sud du grand corps de logis. Il fallait de nouveau reconstruire. Le 10 octobre 1705, le Séminaire payait à Cognac, menuisier, quatorze livres dix sols «pour réparations de l'incendie». Le 24 novembre 1706 et le 22 novembre 1707, Antoine Carpentier s'engageait envers le Séminaire à tailler (au total) la pierre pour dix-huit fenêtres et quatre cheminées. Les fenêtres devaient être «taillées de la même manière et proportion [que] celles du Séminaire, savoir cinq pieds de hauteur et deux pieds et huit pouces entre deux tableaux», chaque tableau devant «être de sept pouces». Quant au toit, on paraît l'avoir entièrement couvert en 1707. Le 11 janvier de cette année, en tout cas, Charles Le Normand promettait de recouvrir de bardeaux, à l'été, tout le côté sud-ouest du grand corps de logis, «entre les deux pavillons, à mesure que l'on couvrira[it] en planches le dit corps de logis».

Le 6 mai 1708, mourut le créateur du séminaire, mgr de Laval.

L'aile des Parloirs.

Le tombeau de mgr de Laval situé dans la chapelle extérieure. (Éditeur officiel du Québec).

La chapelle extérieure. (Photo: Eugen Kedl).

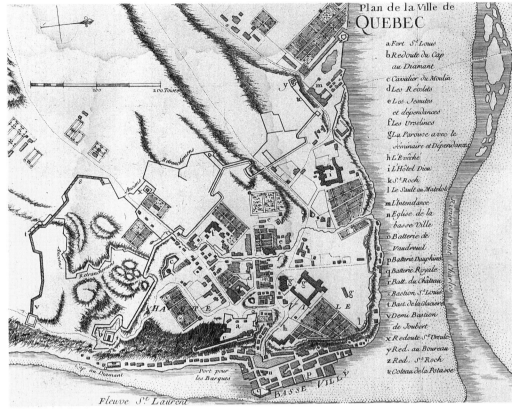

Plan de la Ville de
QUEBEC

a Fort S.ᵗ Louis
b Redoute du Cap
au Diamant
c Cavalier du Moulin
d Les Récolets
e Les Jésuites
et dépendances
f Les Urselines
g La Paroisse avec le
séminaire et Dépendances
h L'Evêché
i L'Hôtel Dieu
k S.ᵗ Roch
l Le Sault au Matelot
m L'Intendance
n Eglise de la
basse Ville
o Batterie de
Vaudreuil
p Batterie Dauphine
q Batterie Royale
r Batt. du Château
s Bastion S.ᵗ Louis
t Bast. de la Glacière
v Demi Bastion
de Joubert
x Redoute S.ᵗ Ursule
y Red. au Boureau
z Red. S.ᵗ Roch
&. Coteau de la Potasse

*Ce plan de Québec,
publié dans l'*Atlas de
Bellin*, situe les
principaux édifices
de la ville vers 1710.
(Archives nationales
du Canada).*

Un difficile rétablissement (1708-1734)

Sur le chantier permanent du séminaire, les réparations se poursuivaient, mais à un rythme presque désespérant. L'énorme dette dont était chargée l'institution explique le fait qu'en octobre 1730, et le grand et le petit séminaires n'étaient qu'en partie relevés: selon le procureur, il y avait «nécessité indispensable de faire rétablir [la] maison, qui, dans l'état où elle est, n'est pas suffisante pour loger les prêtres et ecclésiastiques du pays, moins encore le nombre de jeunes pensionnaires» que les habitants voudraient qu'on y reçoive.

Au début, on avait concentré tous ses efforts sur le grand corps de logis, se contentant de couvrir le petit séminaire et la chapelle, dont on avait aussi refait les fenêtres, pour empêcher la dégradation de la maçonnerie.

Vers 1712, l'on entreprit des travaux qui s'étalèrent sur trois ans: la restauration du «pavillon et petits lieux de la cuisine», aussi appelé «bâtiment du côté du Nord» ou tour des nords. Situé dans l'angle nord-ouest du grand séminaire, qu'il excède sur les deux faces, ce «pavillon» est formé de deux tours contiguës, celle de l'est abritant un escalier, celle de l'ouest, des latrines.

Les rares aperçus qu'en donnent les documents laissent deviner d'autres travaux d'une certaine envergure. En 1724, par exemple, le maître charpentier François

Charlery avait construit deux escaliers, déplacé des cloisons et posé des poutres au grand séminaire. En 1734, ou peu avant, des ouvriers construisirent un parloir «à la principale porte» du séminaire, soit sur l'emplacement de l'aile actuelle de la Congrégation.

Le séminaire en 1737

Dans l'aveu et dénombrement de 1737, le supérieur du Séminaire de Québec fournit une bonne description des bâtiments et de l'enclos du séminaire, 32 ans après le deuxième incendie.

Le grand corps de logis, dont la façade — quoi qu'on en ait dit — donne sur la cour intérieure, et l'arrière sur les jardins, contient, au rez-de-chaussée, la chapelle, le réfectoire, les offices, la cuisine, la boulangerie et les chambres des domestiques; les deux étages servent de logement aux ecclésiastiques.

Le petit séminaire mesure 61 mètres sur 9. Le parloir de l'entrée principale, «en pierre et couvert de planches», contient «quarante pieds de long sur vingt pieds de large».

Donnant aussi sur la cour intérieure, dans laquelle il y a un «grand puits», se trouve «un vieux hangar en bois de charpente, aussi couvert en planches», de 30,5 mètres sur 6, construit en 1713.

Dans la basse-cour, on aperçoit un bâtiment en pierre, de 36,6 mètres sur 7,6, couvert en planches. Il contient une ménagerie, une boucherie, une brasserie, une écurie et

une étable. À proximité, du côté du fleuve, un jardin potager et un verger couvrent une superficie d'environ quatre arpents. Le tout est enclos, «partie en muraille [...], partie en pieux debout».

Accélération des travaux (1735-1749)

Manifestement, de grands travaux étaient en cours, dont on ignore tout, cependant. Il faut croire qu'on acheva la restauration du grand séminaire, et qu'on poussa celle du petit séminaire, assez négligée jusque-là. Sur leur lancée, les messieurs du Séminaire de Québec firent équarrir le bois pour la charpente de l'ancienne chapelle, qui fut «posée» en 1742. Les débuts des travaux — qui n'eurent pas de suite immédiate — dans cette partie de l'aile sud donnent à penser que la restauration du petit séminaire était alors en bonne voie.

Les réparations se poursuivaient, quand les directeurs du Séminaire des missions étrangères de Paris intervinrent en 1749: «Quant aux réparations que vous pensez devoir faire au séminaire, si ce qu'on dit est vrai, que le bâtiment ne peut pas se soutenir, ayant été mal fait, pensez à en bâtir nécessairement un autre dans peu de temps. Dans ce cas, il paraîtrait fort inutile de faire actuellement de la dépense pour des réparations qui ne serviraient de rien dans une maison qu'on doit abattre, à moins que ce ne soit pour l'empêcher de crouler.»

Le séminaire complété (1749-1759)

Si l'on ignore l'origine de ce «on-dit», il n'était pas sans fondement. Le «bâtiment du côté du Nord», par exemple, «dépéri[ssait] de jour en jour et ne [pouvait] manquer de tomber en ruine s'il n'[était] bientôt réparé»; pis encore, une partie des voûtes du grand séminaire «menaç[ait] une ruine prochaine», et celles de la cuisine, en particulier, étaient «sur le point de tomber». Les voûtes de la cuisine et du réfectoire furent entièrement démolies en 1749; celles de la cuisine furent refaites et appuyées sur un gros pilier central; celles du réfectoire furent remplacées par des poutres. On solidifia par en dessous le plancher de la cuisine, que l'on pava à neuf, si bien qu'il ne resta rien de la cuisine primitive.

En 1748, on décida de doter au plus tôt le séminaire d'une chapelle décente et, en 1750, de «rétablir le bâtiment touchant le petit séminaire», pour l'y loger, «auprès du parloir»; puis l'on s'avisa que, «étant contiguë au parloir», la chapelle serait «fort irrégulièrement placée» et l'on convint, en conséquence, de «changer les [...] parloirs et [de] les mettre entre le petit séminaire et la grande porte». Ces extraits du registre du conseil nous apprennent deux choses: qu'en 1750, la partie de l'aile sud où se trouvait l'ancienne chapelle n'était pas restaurée; et que, entre 1737 et 1750, on avait aménagé

Vue générale de Québec après le siège de 1759. (Archives nationales du Canada).

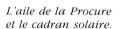

L'aile de la Procure et le cadran solaire.

des parloirs au rez-de-chaussée du petit séminaire, rendant inutile celui des années 1730, situé près de la grande porte — bâtiment provisoire que sans doute l'on avait aussitôt démoli.

Finalement, l'on choisit de construire la chapelle sur l'emplacement et dans la même orientation (nord-sud) que la chapelle extérieure actuelle. Construite en pierre, surmontée d'un clocher, elle comprenait un jubé et une sacristie, et mesurait 31 mètres, environ, sur 11. Inaugurée en décembre 1752, elle fut détruite par le feu le 1er janvier 1888.

À partir de 1750, outre la construction de la chapelle, on mena de front la restauration du «bâtiment incendié» (l'ancienne chapelle), l'érection de nouveaux murs de pierre autour et à l'intérieur de l'enclos, et la construction du parloir. Ce dernier comprenait

un rez-de-chaussée et un étage; il était en pierre et faisait corps avec l'extrémité ouest du petit séminaire, dans l'axe nord-sud. Il mesurait une trentaine de mètres, semble-t-il, sur sept et demi. Les cloisons étaient en brique, vraisemblablement recouvertes de bois. À l'étage, un corridor donnait accès au jubé de la chapelle, au-dessus de la porte cochère.

Toutes ces constructions furent terminées en 1752 ou 1753. Le maçon François Moreau, le charpentier Joseph Delorme et le menuisier Pierre Duval en avaient été les principaux artisans.

Le vieux séminaire était dès lors complété, du moins sous sa forme primitive. Mais, en 1758, à cause de la disette provoquée par les guerres, il fallut renvoyer les pensionnaires; l'année suivante, Wolfe assiégeait Québec...

Dévastations et bouleversements (1759-1772)

Le bombardement de la ville commença le 12 juillet. À l'avant-scène sur la hauteur de Québec, le séminaire offrait une cible de choix. Les dégâts furent considérables: toits crevés, charpentes effondrées, fenêtres défoncées, maçonnerie ébranlée; bref, le 20 février 1762, le conseil constatait qu'il n'y avait, «dans tout le séminaire, [...] que deux chambres de logeables», et qu'encore elles avaient «besoin d'être recouvertes»; pour le reste, on n'y trouvait «aucune commodité, ni pour cave, ni pour réfectoire, ni pour décharge». C'était la désolation. Si, par miracle, aucun incendie ne s'était déclaré, tout, cependant, avait été écrasé — ou presque — par les boulets ennemis.

À l'automne 1760, on avait entrepris de réparer la charpente de la partie nord-est du grand corps de logis, au-dessus de la cuisine et de la boulangerie (elle-même située au-dessus de la cuisine), et de recouvrir le «bâti-ment du côté Nord». En 1761, l'on avait procédé, ici et là, à diverses réparations de maçonnerie, de charpente, de portes et de fenêtres; malgré cette restauration fort partielle, dont on voit mal le plan conducteur, les directeurs du Séminaire retournèrent, le 29 septembre de cette année 1761, vivre dans les bâtiments abandonnés depuis la capitulation de Québec. En 1762, l'on accéléra les travaux, couvrant, en particulier, la partie nord du grand séminaire, jusqu'à la procure inclusivement; quant au reste, comme l'année précédente, l'on releva certaines parties de la charpente, refit des fenêtres, posa des vitres. L'année suivante, on sent un ralentissement dans les travaux; fait intéressant toutefois, le charpentier François Charlery s'engageait, le 18 novembre, à ériger la charpente de la partie encore à ciel ouvert du grand corps de logis, selon un plan dessiné par le procureur Jacrau — le plus ancien plan relatif à l'architecture du séminaire.

Entre-temps, le 15 octobre 1762, on avait rouvert le grand séminaire, avec six jeunes candidats au sacerdoce: trois ecclésiastiques et trois étudiants en théologie. Il durent trouver refuge dans la partie nord du grand corps de logis, couverte cette même année.

En 1764, l'on fit réparer «la partie du bâtiment qui regarde le jardin, à cause des planchers et voûtes qui périclit[aient]», après être restés près de cinq ans sans protection aucune contre la pluie, la neige et le vent; on restaura aussi la charpente de ce bâtiment; et, entre autres travaux, on répara murs et croisées, l'on refit les planchers et les escaliers, de même que les cheminées aux étages du grand séminaire, dont on avait crépi le mur est. Et puis l'on en couvrit le toit, revêtu de bardeaux, pendant qu'on posait, dans toutes les ailes, des vitres qui se comptèrent par milliers. Puis, en 1765, ce fut la restauration — charpente et couverture — de l'ancien parloir et du petit séminaire. En 1766, l'on s'affairait encore à l'aile sud et, en avril 1767, l'on décidait d'en achever «les appartements du haut [...] dès qu'on aura[it] du bois»; mais elle était déjà en partie habitable à l'automne 1765.

Le 7 octobre 1765, en effet, l'on y avait rouvert le petit séminaire, y accueillant 28 élèves, dont 13 externes. Sans trop qu'il y paraisse, le petit séminaire venait, non point de changer de vocation, mais de l'élargir. Jusqu'à sa fermeture, à la fin du Régime français, il reçut et forma les «enfants» qui se destinaient au sacerdoce; à sa réouverture, au début du Régime anglais, il reçut sans distinction, pour les former et les instruire, tous les écoliers désireux d'entreprendre un cours d'études classiques, qu'ils fussent pensionnaires ou externes. Ce changement d'orientation s'explique par la suppression du collège des Jésuites, dont le petit séminaire prenait la relève.

Cette nouvelle vocation du Séminaire de Québec, obligé désormais d'offrir lui-même les cours à ses étudiants, tant petits que grands séminaristes, se traduisit dans le nouvel aménagement intérieur des bâtiments, que l'on peut entrevoir pendant le cours des réparations qui se poursuivirent jusqu'en 1769.

Considérée comme le joyau du vieux séminaire, la chapelle de mgr Olivier Briand a été construite en 1784-1785 par le sculpteur et artisan Pierre Émond.

Les réparations à peu près complétées, le Séminaire de Québec — dès lors indépendant du Séminaire des missions étrangères de Paris — avait repris la vie normale, quand un nouvel incendie, plus restreint que les précédents, heureusement, fit trembler tout le personnel de l'institution. Le 11 août 1772, «par inadvertance des ramoneurs», un incendie «arriv[a] [...] au bâtiment du séminaire [...] depuis le pavillon du Nord-Ouest jusqu'au mur de refend, près du clocher du règlement», c'est-à-dire de la tour des nords (ou pavillon de la cuisine) à l'actuelle chapelle de mgr Briand, dans le grand corps de logis. Les dommages s'élevaient à 12 000 livres. L'on dut faire «abattre et démolir les anciens murs devant la cuisine», et restau-

rer — pour la quatrième fois depuis sa construction — la partie nord du bâtiment, sur une longueur de quelque 27 mètres.

C'est à l'occasion de ces nouvelles restaurations que l'on installa, pour la première fois, en 1773, le cadran solaire qui orne la façade de l'aile de la Procure.

La «chapelle intérieure» (1784-1785)

Quand survint l'incendie de 1772, il y avait déjà plusieurs années que mgr Jean-Olivier Briand, septième évêque de Québec, logeait au séminaire. Grand bienfaiteur de l'institution, il fit aménager à ses frais, dans ses appartements de l'aile de la Procure, une «chapelle plafonnée», dont un document de

1794 énumère les éléments décoratifs et le mobilier, dus à la générosité du prélat.

On y reconnaît la «chapelle de mgr Briand», construite par le menuisier Pierre Émond en 1784 et 1785, et considérée à juste titre comme le joyau du vieux séminaire. Le retable, en particulier, est une remarquable réussite: au centre, deux branches d'olivier sculptées encadrent la gravure du mariage de la Vierge, et, à chaque extrémité de l'autel, une colonne à la corinthienne, appuyée sur un pilastre, va rejoindre la corniche sculptée du plafond; au demeurant, le retable se prolonge des deux côtés de l'autel, orné d'une statue de la Vierge à gauche et d'une statue de saint Joseph à droite. L'ensemble de la chapelle est à la hauteur de cette belle réalisation, et vaut tant par la simplicité que par la finesse de l'exécution.

Nouveaux chantiers (1815-1828)

En 1815, le Séminaire entreprenait de nouveaux travaux, cette fois au grand corps de logis: en cette seule année, on lambrissa la façade qui donne sur le jardin, pour la protéger contre le «nordet», on renouvela les croisées des corridors et des dortoirs, on refit la tête des cheminées, qu'on couvrit en tôle, et, par la même occasion, on recouvrit le toit en fer-blanc.

La chapelle de la Congrégation est l'œuvre de l'architecte Thomas Baillairgé. De plus, nous lui devons la sculpture du tabernacle, du retable, de la statue de l'Assomption et des colonnes ioniques.

L'autel de la chapelle de la Congrégation.

La chapelle de la Congrégation vers 1910. (Archives du Séminaire de Québec.)

À peine ces travaux terminés, on songea à agrandir le petit séminaire, où les écoliers se trouvaient beaucoup trop à l'étroit.

Cet agrandissement, réalisé, semble-t-il, d'après les plans de l'abbé Jérôme Demers, consistait à élargir l'aile sud d'à peu près 3 mètres sur toute sa longueur (55 mètres environ), et à l'exhausser d'un étage. L'élargissement se faisant du côté de la cour intérieure, il fallut démolir entièrement la façade nord; quant au mur opposé, on le conserva, mais, avant de le hausser, on défit les arcades de chacune des croisées de l'étage et l'on en ôta la pierre de taille pour la remplacer par de la pierre neuve. Il va sans dire que toute la charpente du bâtiment en fut retirée et refaite; on réutilisa le bois qu'on put retailler, sauf pour les filières, toutes de bois neuf.

Le petit séminaire ayant été reconstruit dans le cours de l'été et de l'automne 1822, on s'attaqua, en 1823, à l'agrandissement du parloir de 1752, qui devint dès lors l'aile de la Congrégation, laquelle doit son nom à la chapelle de la Congrégation (de la Sainte Vierge), œuvre de Thomas Baillairgé, qui, en plus d'en dessiner les plans, en sculpta, de 1824 à 1826, le tabernacle, le retable, la statue de l'Assomption et les colonnes ioniques. Cette aile fut, elle aussi, élargie de quelque 5 mètres et exhaussée d'un étage sur une longueur de 20 mètres environ. Bien que,

selon les plans de l'abbé Demers (à ce qu'il semble), l'élargissement se fît du côté de la cour intérieure, on dut démolir le mur de la façade opposée, parce que «les eaux du cimetière» Sainte-Anne, qui le bornait du côté de la rue de la Fabrique, l'avaient «fatigu[é] considérablement».

L'aile de la Congrégation et le petit séminaire — depuis lors appelé l'aile des Parloirs — présentaient des murs crépis à l'extérieur, et enduits de trois couches de plâtre à l'intérieur. En général, les plafonds étaient lattés et plâtrés. Les cloisons, de brique, mesuraient de 20 à 23 centimètres d'épaisseur, les autres de 26 à 29; elles étaient elles-mêmes lattées et enduites de plâtre. Des murs coupe-feu avaient été élevés à la jonction du petit séminaire et du grand corps de logis, de même qu'au premier tiers de chaque extrémité du petit séminaire; la muraille nord-est de ce dernier, sur laquelle prenait appui l'aile de la Congrégation, servait aussi de mur de refend. Dans les deux bâtiments, des «masses de cheminées» avaient été construites, «avec les tuyaux pour les poêles».

En 1824, l'ensemble des bâtiments du séminaire avait perdu sa belle harmonie de naguère: le grand corps de logis paraissait dès lors quelque peu écrasé, à côté du petit séminaire et de l'aile de la Congrégation, qui le dominaient de quelques mètres. Or, l'ordonnance générale des édifices serait

beaucoup modifiée, en 1827 et 1828, par la construction d'un nouveau grand séminaire, en pierre, comprenant caves, rez-de-chaussée et trois étages, et mesurant 39 mètres sur 12, que l'on situa au nord de la cour intérieure et parallèlement au petit séminaire, comme ou aurait pu s'y attendre, mais dans le prolongement de l'avant-corps nord-est de l'aile de la Procure. L'avant-corps et son agrandissement devinrent une aile de quelque 46 mètres qui, incendiée en 1865, fut ensuite ramenée au tiers de sa longueur.

Nouveaux projets, nouveau désastre (1864-1866)

Il est assez évident qu'en cette première moitié du XIXe siècle, on manquait d'espace au séminaire. Mais si l'on construisit encore beaucoup dans les années 1850 et 1860, ce fut dans la partie inférieure de l'enclos, et pour les besoins de l'université Laval, fondée par le Séminaire de Québec en 1852. Vers 1864, on était tellement à l'étroit dans le vieux séminaire que l'on songea à le réaménager entièrement, et même à le démolir pour le reconstruire à neuf. Divers plans furent proposés; l'on hésitait sur le parti à prendre quand, le 25 mars 1865, entre minuit et une heure du matin, un autre incendie se déclara, cette fois dans le nouveau grand séminaire.

Le feu prit dans le bas de l'aile neuve, qu'en peu de temps il réduisit en cendres. Les flammes brûlèrent tout jusqu'à l'angle de la cuisine, et endommagèrent sérieusement la partie nord de l'aile de la Procure, ne s'arrêtant, comme en 1772, qu'au mur de refend situé près du clocheton. Les greniers et les toits de cette section, consumés, s'écroulèrent à l'intérieur des murs; le feu risquant de s'étendre à l'autre partie du bâtiment, les pompiers, pour l'arrêter, crevèrent largement la partie encore intacte du toit, sauvant ainsi le reste du bâtiment, y compris la chapelle de mgr Briand.

Ce nouveau désastre modifia le cours des réflexions sur l'avenir des bâtiments dans le fief du Sault-au-Matelot. D'une part, il fallait se reloger au plus tôt: pour remplacer l'aile du grand séminaire de 1827-1828, on démolit sur presque toute sa longueur,

on convint de hausser l'aile de la Procure d'un étage et d'allonger l'avant-corps sud de l'édifice, pour en faire une aile à peu près symétrique avec celle du nord-est. D'autre part, on se remit à préparer des plans, cette fois pour un petit séminaire qu'on élèverait sur un terrain de 42 arpents, acheté le 10 avril 1865 et situé en face de l'asile Sainte-Brigitte, près de la nouvelle prison, sur la Grande Allée. Ce projet fut bientôt abandonné.

L'architecte Ferdinand Peachy fut chargé de restaurer l'aile de la Procure. La décision de rehausser ce bâtiment d'un étage posait un problème de taille: le raccordement du nouveau toit avec celui du petit séminaire de façon à obtenir, au niveau des avant-toits, une ligne continue. Peachy s'en tira fort bien, en concevant un toit asymétrique, avec, du côté ouest, des lucarnes à

demi engagées dans la muraille, et, du côté est, des lucarnes sur versants, comme celles du petit séminaire. Toutes ces lucarnes sont à la verticale des fenêtres et du rez-de-chaussée, à l'est, et des étages, à l'ouest, où le rez-de-chaussée ne présente d'ouvertures qu'à la verticale d'une fenêtre sur deux.

En 1868, les travaux à l'aile de la Procure terminés, le vieux séminaire avait pris l'apparence qu'il a aujourd'hui, d'autant plus que, cette année-là, on avait installé la grande grille de fer forgé qui donne sur la rue de la Fabrique. L'entrée du séminaire était plus étroite que maintenant, il est vrai; elle fut élargie après que la fabrique de la paroisse de Québec eut cédé au Séminaire une lisière de terrain de 3 mètres, le 16 juin 1927.

En 1823, l'agrandissement du parloir construit en 1752 créa l'aile de la Congrégation.

Construite en 1880, la résidence des prêtres du Séminaire a été le premier bâtiment à l'épreuve du feu à Québec. Ici, le hall d'entrée et le corridor du rez-de-chaussée.

Le jardin du grand séminaire au début du siècle. (Carte postale, collection privée).

La construction de l'escalier représentait un défi pour ses artisans en raison de la hauteur inégale des étages.

Le dernier siècle (1880-1987)

Que le vieux séminaire n'ait point changé extérieurement depuis plus d'un siècle, cela ne signifie pas que le Séminaire de Québec ait cessé de bâtir ou d'évoluer. De 1879 à 1882, en effet, on construisit un nouveau grand séminaire (aujourd'hui la résidence des prêtres), qui vint couper le jardin et la vue unique que l'on avait, de l'aile de la Procure, sur le fleuve. Puis, le 1er janvier 1888, le feu détruisait la chapelle extérieure, dont les murs crépis se mariaient bien avec les pavillons qui donnent sur la cour intérieure; la chapelle actuelle, terminée en 1900, abrite, depuis 1950, les restes du fondateur du Séminaire, mgr François de Laval.

En 1920-1921 fut construite la «maison neuve» (ou pavillon des classes), qui occupe le côté est de la rue Sainte-Famille, de la chapelle extérieure à la rue de l'Université. Le petit séminaire était dès lors en mesure de recevoir plus d'un millier d'élèves. Pourtant, en 1926, à la demande de l'archevêque de Québec, les directeurs du Séminaire étudièrent la possibilité de s'établir, du moins en partie, dans la paroisse de Notre-Dame-du-Chemin ou dans celle du Saint-Sacrement. Toutes les hypothèses furent envisagées pendant deux ans; finalement, le coût de l'opération fit abandonner le projet.

Le Séminaire de Québec resterait dans l'ancien fief du Sault-au-Matelot; c'est l'université Laval, qu'il avait fondée, qui partirait, sous la pression du nombre croissant d'étudiants. Au début des années 1960, toutes les facultés et écoles de l'ancien enclos partirent pour la cité universitaire de Sainte-Foy, à la suite du grand séminaire (1960). Il était temps pour le Séminaire, toujours responsable juridiquement de l'université, de donner à cette dernière une pleine autonomie, ce qui fut fait en 1971.

En ces années 1960 et 1970, du reste, beaucoup de choses changeaient au Québec et au séminaire. Après le *Rapport Parent*, le Séminaire de Québec devint une institution privée avec une section secondaire et une section collégiale, le collège accueillant des filles et des garçons. Sur un autre plan, l'intérêt marqué pour le patrimoine, depuis un quart de siècle, s'est fait sentir au séminaire; dans ces mêmes années 1960 et 1970, on libéra le terrain de toutes les dépendances qui s'y étaient entassées au cours des ans; à l'intérieur des bâtiments, on restaura la cuisine voûtée et quelques autres pièces de l'aile de la Procure, et, au rez-de-chaussée de l'aile des Parloirs, on rétablit du côté de la cour intérieure (où il se trouvait sur les plans de 1822) le grand corridor qui longeait la muraille sud du bâtiment.

Depuis, le Séminaire a réparti toute son activité dans les anciens locaux de l'université et dans le pavillon des classes de la rue Sainte-Famille, et les prêtres vivent dans le grand séminaire de 1882. Le vieux séminaire, entièrement libéré à l'été 1987, a été loué à l'université Laval qui, en y installant au moins une de ses écoles, revient en quelque sorte à son berceau.

André Vachon, Société royale du Canada

Les sources manuscrites se trouvent aux Archives du Séminaire de Québec et, à un moindre degré, aux Archives nationales du Québec. Parmi les études sur l'institution et les bâtiments du Séminaire de Québec, on retiendra surtout les articles de l'abbé Honorius Provost, publiés dans la *Revue de l'Université Laval* et dans *L'Abeille*, et le grand ouvrage de l'abbé Noël Baillargeon sur le Séminaire de Québec, en cours de publication aux Presses de l'université Laval.

Maison Marchand

Québec
1-3, rue Sainte-Famille

Fonction: privé
Classée monument historique en 1963

La maison Marchand, sise à l'angle des rues Sainte-Famille et des Remparts, a abrité trois générations de Marchand au XVIIIe siècle. En 1781 ou 1782, Antoine Franchère devient propriétaire de cette maison érigée sur un terrain ayant appartenu au Séminaire de Québec.

Le 16 août 1721, les messieurs du Séminaire vendent à Étienne Marchand un emplacement sur la rue Sainte-Famille. Ce dernier doit y bâtir une maison logeable dans un délai d'un an. Maître charpentier, Étienne Marchand construit probablement lui-même ce bâtiment.

Une maison jumelée apparaît, appartenant à Nicolas et Pierre Marchand. Nicolas vend sa moitié en 1746; son frère se défait de la sienne en 1778. Trois ans plus tard, Antoine Franchère les achète l'une et l'autre et, en 1802, Jean-Baptiste Corbin prend possession de l'entière propriété. La maison jumelée d'Étienne Marchand évolue vers la résidence unifamiliale à la suite des remaniements attribuables aux besoins de ses propriétaires successifs. Entre 1810 et 1815, une cage d'escalier en bois s'ajoute en annexe du côté sud.

Élevée sur un carré de pierre, la maison Marchand se conforme au modèle rencontré à Québec au XVIIIe siècle: un étage sur rez-de-chaussée, des ouvertures aux encadrements en pierre de taille peignée, un toit à deux versants recouvert de fer-blanc et d'importantes souches de cheminée disposées aux extrémités de la toiture. Isolée des autres bâtiments de la rue, elle est dépourvue de murs coupe-feu comme l'exigent les règles de mitoyenneté.

Avant la restauration de 1971, des planches à clins recouvrent la maison sur toutes ses faces, et le bois constitue le matériau des encadrements et de la corniche des ouvertures. Ces modifications, qui datent vraisemblablement de la première moitié du XIXe siècle, rendent la maison plus conforme aux canons de l'esthétique néo-classique alors à la mode. À l'intérieur, la maison Marchand conserve plusieurs éléments intéressants: des portes d'armoires encastrées de style Louis XV, une quincaillerie de fer forgé et sa charpente rendue visible au cours de la dernière restauration.

Madeleine Gobeil-Trudeau,
historienne de l'architecture

CAMERON, Christina et Monique TRÉPANIER. *Vieux-Québec, son architecture intérieure*. Ottawa, Musée national de l'Homme/Parcs Canada, 1986: 391-393.

CAMERON, Christina et Jean TRUDEL. *Québec au temps de James Patterson Cockburn*. Québec, Éditions Garneau, 1976: 128.

RICHARDSON, A.J.H. «Guide to the architecturally and historically most significant buildings in the old city of Quebec with a biographical dictionary of architects and builders». *Bulletin of the Association for Preservation Technology*, 2 3-4, (1970): 55.

La maison Marchand se conforme au modèle spécifique d'architecture rencontré à Québec au XVIIIe siècle. Restaurée en 1971, la maison conserve des éléments intéressants tels des portes d'armoires encastrées de style Louis XV.

Maison Poirier

Québec
18, rue Ferland

Fontion: privé
Classée monument historique en 1963

Vers 1826, le marchand François Durette fait construire l'actuelle maison en pierre de deux étages, coiffée d'une toiture à deux versants et dotée de murs coupe-feu. Les murs de sa façade principale, revêtus de planchettes de bois imitant la pierre de taille, son étage supérieur en attique et le décor menuisé de la porte d'entrée flanquée de pilastres surmontés d'un entablement rattachent cette maison au style néo-classique, très en vogue à Québec entre les années 1820 et 1850.

Ce style, encore plus élaboré dans la décoration intérieure, se retrouve dans plusieurs éléments toujours existants, notamment dans les chambranles de portes constitués de pilastres à chapiteaux ioniques, leurs entablements, les arches et le manteau de l'ancien salon de même que les corniches et les rosaces de plâtre ornant les plafonds de plusieurs pièces.

Le sculpteur et menuisier Louis Thomas Berlinguet aurait exécuté ce décor d'après les plans de l'architecte Thomas Baillairgé. Aucun document n'étaye cette hypothèse, sinon le voisinage du sculpteur et de l'architecte dans la même rue.

François Durette fit aussi construire, en 1832, deux maisons sises au 37, rue des Remparts présentant certaines analogies entre le traitement de leur décor intérieur et celui de la maison de la rue Ferland.

Madeleine Gobeil-Trudeau,
historienne de l'architecture

La maison Poirier, construite vers 1826, reflète bien le courant néo-classique très en vogue à Québec au milieu du XIXᵉ siècle.

CAMERON, Christina et Monique TRÉPANIER. *Vieux-Québec, son architecture intérieure.* Ottawa, Musée national de l'Homme/Parcs Canada, 1986: 127-129.

RICHARDSON, A.J.H. «Guide to the architecturally and historically most significant buildings in the old city of Quebec». *Bulletin of the Association for Preservation Technology*, 2 3-4, (1970): 46.

Maison Bégin

Québec
10, rue Saint-Stanislas

Fonction: privé
Classée monument historique en 1960

Construite en 1752, la maison Bégin subit peu de modifications jusqu'au début du XXᵉ siècle. Elle est acquise en 1902 par A. J. Messervey, qui lui donne son allure actuelle et réaménage complètement l'intérieur.

Eɴ 1752, le conseiller du roi et lieutenant-général François Daine possède la maison Bégin, construite la même année, mais ne l'habite pas; il demeure sur la rue Saint-Pierre. En 1753, il vend cette résidence située du côté ouest de la rue Saint-Stanislas, à l'angle de la rue Elgin, au maître maçon Jacques DeGuise dit Flamand. À cette époque, la maison de pierre comprend une cave et un rez-de-chaussée surmonté d'un grenier.

En 1770, lors du partage des biens de Jacques DeGuise, sa fille Marie-Marthe hérite de la maison. L'aménagement intérieur comporte alors une division en deux appartements: une chambre et une cuisine.

Une aquarelle de James Patterson Cockburn représentant la rue Saint-Stanislas en 1830, montre la maison Bégin. Depuis le Régime français, son apparence extérieure se modifie peu, à l'exception des ouvertures.

En 1902, A. J. Messervey, alors propriétaire, y fait exécuter des travaux importants lui donnant son apparence actuelle. Harry Staveley, architecte de Québec, en conçoit les plans. La maison est coiffée d'une toiture à la Mansart, percée de quatre fenêtres néo-Renaissance et dotée d'un pignon central orné d'une fenêtre palladienne surmontée d'un œil-de-bœuf. L'architecte érige sur un des côtés de la façade postérieure une annexe en pierre, de même hauteur que le corps de logis principal et possédant également une toiture à la Mansart.

L'intérieur est complètement réaménagé et redécoré. Les pièces des deux étages se répartissent de chaque côté d'un hall central où se situe la cage d'escalier.

Staveley a opté pour l'éclectisme en ce qui regarde les décors intérieurs et extérieurs de la maison, méthode particulièrement utilisée dans les styles néo-reine-Anne et Eastlake, à la mode vers la fin du XIXᵉ siècle. Plusieurs styles agrémentent cette demeure: le néo-Renaissance, le Second Empire et le néo-classique (Adam).

Madeleine Gobeil-Trudeau,
historienne de l'architecture

CAMERON, Christina et Jean TRUDEL. *Québec au temps de James Patterson Cockburn*. Québec, Éditions Garneau, 1976. 176 p.

CAMERON, Christina et Monique TRÉPANIER. *Vieux-Québec, son architecture intérieure*. Ottawa, Musée national de l'Homme/Parcs Canada, 1986: 339-341.

GROUPE HARCART. *La maison Josephte et Marie Duplessis, 29, rue Saint-Stanislas*. Québec, Service de l'urbanisme, 1981. 51 p.

Maison Le Foyer

Québec
1044-1046, rue Saint-Jean

Fonction: public
Classée monument historique en 1967

Vers 1910, la maison Le Foyer, située du côté nord de la rue Saint-Jean, non loin de la porte du même nom, abrite un restaurant. Dans les années 1920, le Child's Café et plus tard le Café Manhattan sont illustrés sur certaines photographies ou cartes postales d'époque.

Cette maison de pierre à deux étages sur rez-de-chaussée possède un toit à deux versants avec coupe-feu. Sa façade, restaurée, se rattache au style néo-classique, exception faite du rez-de-chaussée transformé au milieu des années 1960.

La brasserie occupe le rez-de-chaussée et le sous-sol, dont les voûtes remontent au XVIIIe siècle; les étages supérieurs et le comble servent au logement.

D'une maison à l'autre

L'Hôtel-Dieu de Québec concède au maître taillandier Augustin Gilbert un emplacement correspondant au site de la maison Le Foyer. En 1746, une demeure en pierre s'y érige. Presque cent ans plus tard, soit en 1829, la veuve Campbell vend à Rémi Rinfret dit Malouin et Louis Massue une partie du terrain avec la maison construite par Augustin Gilbert. Cependant, vers 1840, l'immeuble actuel est rebâti sur la partie de l'ancienne résidence Gilbert, comprenant les voûtes érigées au XVIIIe siècle.

En 1830, les maçons associés Étienne Dumont et Édouard Malouin s'engagent à faire les ouvrages de maçonnerie pour les maisons de Rémi Rinfret et de Louis Massue sur la rue Saint-Jean. Il s'agit vraisemblablement de la maison Le Foyer et de sa voisine appartenant alors à Louis Massue, ce qui permet de dater plus précisément sa reconstruction.

Tout au long du XIXe siècle, la maison demeure la propriété de la famille Rinfret dit Malouin. Rémi Rinfret, entrepreneur et maître maçon né en 1789, incarne le représentant initial de cette famille. Pendant un certain temps, il s'associe à Édouard Malouin (son frère) et Étienne Dumont, deux autres maçons. Par la suite, un de ses fils, Rémi-Ferdinand, médecin et membre du Parlement provincial, acquiert l'immeuble et le lègue ensuite à ses enfants, médecins et pharmaciens, qui ne semblent pas occuper les lieux. En 1889, Charles Côté loue cet immeuble. Devenu propriétaire en 1900, il pratique à cet endroit pendant plusieurs années les fonctions d'émouleur et de serrurier. Ses fils et petit-fils conservent l'immeuble jusqu'en 1963, date de la vente à Marcel Jobidon.

En 1966, la restauration rafraîchit la façade principale de la maison; la toiture et les murs rajeunissent. Toutefois, la fausse façade du rez-de-chaussée amoindrit l'intégrité de cette demeure.

Line Chabot, historienne

RICHARDSON, A.J.H. et autres. *Quebec City: Architects, Artisans and Builders*. Ottawa, Musée national de l'Homme/Parcs Canada, 1984: 492, 494-495.

L'immeuble actuel construit en 1840 vient remplacer une première construction de pierre érigée en 1746. Sise près de la porte Saint-Jean, la maison Le Foyer abrite différents cafés et restaurants au cours des années.

Maison Hamel

Québec
14, rue Saint-Flavien

Fonction: privé
Classée monument historique en 1966

La rue Saint-Flavien se trouve dans l'ancien fief noble du Sault-au-Matelot, propriété du Séminaire de Québec au XVIIᵉ siècle. Un plan de 1750 indique le tracé des rues et les emplacements du fief concédés par le Séminaire. La rue Saint-Flavien y apparaît depuis la rue des Remparts jusqu'à la rue Saint-Joseph (Garneau) avec une partie haute et une partie basse. À cette époque, le Séminaire conserve encore plusieurs lots vacants dans la partie basse, entre la rue Saint-Joachim (Couillard) et la rue des Remparts.

Les lots disponibles diminuent peu à peu et, au début du XIXᵉ siècle, seuls quelques emplacements ne comportent pas de bâtiments. Entre 1830 et 1850, le secteur connaît un nouveau développement; des maisons plus grandes se construisent à la place des premières habitations et elles couvrent entièrement les terrains libres, laissant parfois une petite cour à l'arrière. La densité du tissu urbain augmente de façon considérable.

En 1862, le marchand Abraham Hamel achète de la fabrique Notre-Dame-de-Québec un des derniers lots vierges de la rue Saint-Flavien, à l'angle de la rue Couillard. L'acte de vente oblige l'acheteur à «faire construire immédiatement une maison sur l'emplacement».

Deux ans plus tard, Hamel signe avec le maître maçon David Dussault un marché pour la maçonnerie, les enduits et le plâtrage d'une maison à deux étages en pierre et en brique sur la rue Saint-Flavien. Il passe également un marché avec Joseph et Paul Breton, maîtres menuisiers et entrepreneurs, pour la charpenterie, la menuiserie, la peinture, le vitrage, les ouvrages en plomb et en fer-blanc. L'architecte de Québec Joseph-Ferdinand Peachy exécute les plans du bâtiment connu sous le nom de maison Hamel.

La maison se rattache au style néo-classique par ses deux étages sur rez-de-chaussée, son toit à deux versants percé de lucarnes et doté de coupe-feu. La façade en pierre de taille possède trois ouvertures par étage, disposées de façon symétrique. Le rez-de-chaussée représente l'étage noble: seuls éléments décoratifs de cette façade, des frontons en pierre de taille rehaussent la porte et les fenêtres.

La décoration et l'aménagement de la maison Hamel relèvent également du néo-classicisme. Un hall central divise la résidence en deux. Des pilastres et un entablement accentuent les moulures de portes. Un décor semblable orne les différents manteaux de cheminée.

Conçue à l'origine comme maison de location, elle a probablement logé l'historien François-Xavier Garneau pendant quelques mois en 1866.

Madeleine Gobeil-Trudeau,
historienne de l'architecture

CAMERON, Christina et Monique TRÉPANIER. *Vieux-Québec, son architecture intérieure*. Ottawa, Musée national de l'Homme/Parcs Canada, 1986. 537 p. (Collection «Mercure», nᵒ 40).

GROUPE HARCART. *Les maisons situées aux numéros 7 et 9, rue Saint-Flavien*. Québec, Service de l'urbanisme, 1981. 51 p.

RICHARDSON, A.J.H. et autres. *Quebec City: Architects, Artisans and Builders*. Ottawa, Musée national de l'Homme/Parcs Canada, 1984. 589 p. (Collection «Mercure», nᵒ 37).

Les plans de la maison Hamel furent conçus par l'architecte Joseph-Ferdinand Peachy. Son décor intérieur tout comme son aspect extérieur lui donnent une allure néo-classique. Pendant quelques mois, cette maison servit de résidence à l'historien François-Xavier Garneau.

Maison Malenfant

Québec
37, rue Sainte-Ursule

Fonction: privé
Classée monument historique en 1960

L<small>E</small> maître carrier Richard Goldsworthy naît vers 1760 à Redruth, dans le comté de Cornwall en Angleterre. Assistant contremaître aux travaux du Roi, Goldsworthy vient au Canada en 1779 afin de collaborer à la construction des fortifications de Québec. Son séjour au pays le conduit également près de Montréal, aux Cèdres, à Coteau-du-Lac, aux Cascades, au Petit-Rocher et au Trou-du-Moulin, où il travaille au creusage du premier canal du Saint-Laurent, sous la direction du lieutenant William Twiss.

Entre 1783 et 1785, Goldsworthy séjourne en Angleterre. De retour au Canada, il poursuit son travail aux fortifications et, en 1794, les autorités le nomment assistant contremaître des travaux de génie militaire à Québec. Cette nomination lui assure les fonds suffisants pour qu'il fasse entreprendre, vers 1802, la construction d'une maison sur la rue Sainte-Ursule. Jusqu'à sa mort,

survenue en 1836, il occupe le poste d'assistant contremaître des travaux du Roi. Plusieurs générations de Goldsworthy vivent dans la maison de leur ancêtre, vendue en 1952 à monsieur Malenfant.

À l'origine, la maison en pierre crépie comportait un rez-de-chaussée et un étage sous les combles mesurant 18 mètres de longueur. Une aquarelle exécutée par madame M.M. Chaplin en 1838 la représente. Le rez-de-chaussée comprend alors quatre fenêtres et une porte centrale dont le portail est surmonté d'un décor palladien comportant une imposte en hémicycle, des pilastres ioniques et des triglyphes. Une double rangée de lucarnes disposées symétriquement percent le toit à deux versants. Les murs pignons, qui comportent de larges souches de cheminée, se poursuivent au-delà de la toiture et forment des coupe-feu.

La maison Goldsworthy subit peu de modifications à l'extérieur. Seules les ouvertures à petits carreaux fermant à guillotine ont été remplacées par des fenêtres à six carreaux à battants. Des modifications s'imposent cependant à l'intérieur: l'escalier est refait vers 1880 et, après un incendie en 1959, les propriétaires procèdent à une restauration complète du bâtiment. La maison conserve encore des éléments de décoration remarquables, notamment un manteau de cheminée en bois orné de pilastres à cannelures et de denticules, des plaques de foyer et des grilles en fonte en forme de panier. De plus, certaines portes d'assemblage composées de six caissons aux panneaux soulevés utilisent la quincaillerie ancienne.

L'intérêt de la maison Goldsworthy tient à sa valeur intrinsèque, notamment à son apparence extérieure. Elle représente une demeure de type traditionnel du début du XIX<small>e</small> siècle influencée par l'architecture anglaise. La symétrie des ouvertures et le décor classique de son portail s'inspirent du style palladien, fort populaire à Québec à cette époque.

Madeleine Gobeil-Trudeau,
historienne de l'architecture

Construite vers 1802, la maison Malenfant fut habitée par plusieurs générations de Goldsworthy, dont l'ancêtre Richard travailla à l'érection des fortifications. L'intérêt de cette maison réside dans son aspect extérieur, influencé à la fois par l'architecture anglaise et quelques détails de style palladien.

CAMERON, Christina et Monique TRÉPANIER. *Vieux-Québec, son architecture intérieure*. Ottawa, Musée national de l'Homme/Parcs Canada, 1986. 537 p. (Coll. «Mercure», n° 40).

RICHARDSON, A.J.H. et autres. *Quebec city: Architects, Artisans and Builders*. Ottawa, Musée national de l'Homme/Parcs Canada, 1984. 589 p. (Coll. «Mercure», n° 37).

RICHARDSON, A.J.H. «Guide to the architecturally and historically most significant buildings in the old city of Quebec». *Bulletin of the Association for Preservation Technology*, 2 3-4 (1970): 33-34.

Maison Bélisle

Québec   Fonction: privé
42, rue Sainte-Geneviève   Classée monument historique en 1964

Entre 1790 et 1820, l'îlot Sainte-Geneviève, situé entre les terrains du château Saint-Louis (aujourd'hui terrasse Dufferin) et du Mont-Carmel, prend peu à peu l'allure d'un quartier huppé. La progression des installations militaires, la construction de nouveaux bâtiments institutionnels et l'implantation d'équipements culturels font grimper le prix des emplacements domiciliaires. Les avocats, les hommes d'affaires et les autres professionnels fortunés s'installent dans le secteur à proximité de la résidence du gouverneur et du palais de justice. L'îlot Sainte-Geneviève domine toute la ville et les résidents de Québec le surnomment «le cap» ou «the cape».

D'après une carte de 1752, le tracé de la rue Sainte-Geneviève longe le jardin des Gouverneurs et s'arrête à la rue des Grisons. Au tournant du XIXᵉ siècle, son parcours s'étend jusqu'à la rue Sainte-Ursule. Quelques maisons s'élèvent en face du jardin des Gouverneurs.

Entre 1830 et 1840, ce secteur connaît une importante expansion. En 1848, Jean Langevin passe un marché de construction avec le maître menuisier et entrepreneur Toussaint Vézina pour l'érection de deux maisons en pierre. L'architecte de Québec Pierre Gauvreau établit les plans et devis.

Maisons jumelées

Gauvreau conçoit deux résidences jumelées d'apparence similaire et obéissant au même plan d'ensemble. À cette époque, les maisons en rangée, inspirées du style néo-classique anglais, jouissent d'une grande popularité à Québec.

La maison Bélisle possède un étage en façade principale et deux étages à l'arrière. Des lucarnes percent le toit à deux versants. Un mur coupe-feu la sépare de la maison voisine érigée au même moment. Son intérêt tient surtout au traitement de sa façade formée de renfoncements et de ressauts qui circonscrivent les ouvertures.

Le rez-de-chaussée se caractérise par sa hauteur importante ainsi que par les arcs surmontant la porte et la fenêtre. L'étage, traité en attique, comporte des fenêtres moins hautes, dont la base s'appuie sur un bandeau horizontal en pierre de taille qui délimite les deux niveaux. Le devis des ouvrages précise que, en façade, «les arrêts des ressauts seront aussi bien travaillés que ceux de la maison de Sieur Charles Audy, située à Saint-Roch».

À l'intérieur, la maison Bélisle conserve la plus grande partie de son décor d'origine. L'escalier de merisier, placé le long du mur pignon, possède une volute. Une arche, flanquée de deux portes, orne une des pièces, probablement l'ancienne salle à manger, et les manteaux de cheminée supportent des moulures semblables à celles des portes.

À l'extérieur, aucune transformation majeure n'afflige la maison Bélisle. Hormis quelques détails mineurs, le bâtiment actuel correspond à celui décrit dans le marché de construction de 1848.

Madeleine Gobeil-Trudeau,
historienne de l'architecture

GROUPE HARCART. *Les maisons Gugy, 20-22, rue Mont-Carmel.* Québec, Ville de Québec, 1981. 66 p.

RICHARDSON, A.J.H. et autres. *Quebec City: Architects, Artisans and Builders.* Ottawa, Musée national de l'Homme/Parcs Canada, 1984. 589 p. (Coll. «Mercure», nᵒ 37).

CAMERON, Christina et Monique TRÉPANIER. *Vieux-Québec, son architecture intérieure.* Ottawa, Musée national de l'Homme/Parcs Canada, 1986. 537 p. (Coll. «Mercure», nᵒ 40).

La maison Bélisle en 1946. L'apparence extérieure de la maison correspond sensiblement à la description du marché de construction de 1848. De style néo-classique, comme plusieurs bâtiments de l'époque, la maison Bélisle se dresse dans ce que l'on considérait alors comme le quartier huppé de Québec. (Inventaire des biens culturels du Québec).

Maison Thompson-Côté

Québec
47, rue Sainte-Ursule et
4, ruelle des Ursulines

Fonction: public
Classée monument historique en 1961

En 1760, le militaire écossais James Thompson arrive à Québec. À l'âge de 28 ans, il devient contremaître des travaux militaires et, plus tard, sergent de ville.

Sa tâche l'amène à surveiller l'ensemble des travaux à caractère militaire dans la ville de Québec et à négocier avec plusieurs artisans de la construction. Ses relations avec les ingénieurs et le commandant le placent dans une position privilégiée pour connaître les projets de développement urbain.

Durant cette période, les militaires, les notables et les bourgeois aisés érigent leurs maisons en haute-ville, au sud de la rue Saint-Jean. Vers 1789, Thompson achète des Ursulines un emplacement sur lequel il construit une maison en pierre. Toutes les voies de

Sise sur la ruelle des Ursulines, la maison Thompson rappelle l'importance passée de ce chemin. La maison, propriété de la famille Thompson pendant plus de 150 ans, possède quelques caractéristiques de l'architecture anglo-britannique.

circulation convergent alors vers un point central où se trouve notamment le château Saint-Louis. Cela confère au chemin Saint-Louis une importance considérable. Parallèlement à cette voie, la ruelle des Ursulines se développe rapidement. Plus discrète, la rue Sainte-Ursule connaît une croissance domiciliaire moins intensive. Elle demeure pendant longtemps une voie d'accès aux fortifications à partir du marché de la haute-ville.

Traversant d'est en ouest le complexe immobilier des Ursulines, dans la partie réservée aux serviteurs et aux ouvrières, la ruelle des Ursulines, chemin à caractère public, est fermée à la suite d'un malentendu entre la ville et les sœurs. Cette situation contribue à marginaliser cette voie au profit de la rue Sainte-Ursule. L'implantation de la maison Thompson, entre 1791 et 1795, rappelle donc aujourd'hui l'importance passée de ce chemin.

James Thompson, contremaître à la construction du château Haldimand, emprunte à ce bâtiment certaines innovations caractéristiques de l'architecture britannique: l'organisation symétrique du plan, le surhaussement du rez-de-chaussée, le type de cheminées en pignons et certains éléments de décor intérieur. La maison, aux murs crépis, est coiffée d'une toiture à deux versants. Elle comprend un sous-sol, un rez-de-chaussée faiblement surélevé et deux étages dont l'un se trouve sous les combles, où la lumière pénètre par cinq lucarnes. La façade antérieure comporte cinq ouvertures par niveau. À l'origine, la porte principale était située au centre, se conformant ainsi à une distribution symétrique des ouvertures. Toutefois, lors de travaux de restauration de la maison au cours des années 1960, les architectes la déplacent.

Avec son hall central et ses quatre pièces réparties de part et d'autre, le plan représente l'un des plus anciens qu'on ait conservé de la période anglaise. Vers 1830, des travaux de rénovation partagent la maison Thompson en deux lieux d'habitation distincts.

Dans son testament, en 1828, le sergent-major Thompson exprimait le souhait que la maison demeure aux mains de la famille. Son vœu fut exaucé car ses héritiers l'ont habitée jusqu'en 1957. Entre 1964 et 1970, elle est entièrement restaurée.

Gino Gariépy, historien de l'architecture

Maison Leclerc

Québec
20, rue Saint-Flavien

Fonction: privé
Classée monument historique en 1967

L A maison Leclerc est située sur la petite rue Saint-Flavien, dans le secteur du Vieux-Québec connu sous le nom de Quartier latin.

L'occupation de cet emplacement remonte au milieu du XVIIIe siècle. Le plan du fief du Sault-au-Matelot, dessiné par François Lemaistre-Lamorille pour le Séminaire de Québec en 1750, indique deux propriétaires pour ce lot: Jean Montari et le maçon François de Guise dit Flamand. Le père présumé de ce dernier, le maître maçon, tailleur de pierre et entrepreneur Jacques de Guise, construit plusieurs maisons du Vieux-Québec au XVIIIe siècle, notamment l'une des premières de la rue Saint-Flavien en 1721. À cette époque, nombre d'artisans de la construction résident dans ce quartier.

Dans le sous-sol de la résidence Leclerc se trouvent les fondations, la base d'une cheminée et les traces du premier niveau de plancher d'une petite maison de 4 mètres de façade sur 7,7 mètres de profondeur. Ces dimensions correspondent à la première construction sur le lot de Jean Montari. Une partie des fondations d'une autre maison appartient au lot voisin, celui de François de Guise dit Flamand.

En comparant les plans de 1750 avec ceux de 1879 et la carte du cadastre officiel, on voit apparaître des modifications au lotissement initial. La maison actuelle occupe la totalité du lot de Jean Montari et la moitié de celui de François de Guise dit Flamand. Ces changements interviennent probablement au début du XIXe siècle, alors que l'on reconstruit sur les deux emplacements. En effet, en 1819, une maison de pierre avec un rez-de-chaussée s'élève sur le site; 24 ans plus tard, une maison de pierre à un étage occupe tout l'espace de l'actuelle résidence Leclerc. Le patriote Eugène Trudeau est propriétaire de l'immeuble entre 1843 et 1845.

Une habitation de brique, construite vraisemblablement entre 1870 et 1890, remplace par la suite cette maison. La chaîne des titres de propriété mentionne entre autres la famille du peintre Eugène Hamel.

La résidence Leclerc, bâtiment constitué d'un étage sur rez-de-chaussée et d'un étage sous comble, appartient au style Second Empire. La brique d'Écosse recouvre les façades antérieure et postérieure et les murs mitoyens et les fondations, vestiges des bâtiments anciens, sont en pierre. L'édifice est coiffé d'un toit mansardé recouvert de tôle à baguettes. À l'arrière, les ouvertures des appentis sont en partie obstruées.

Claude Reny, aménagiste-géographe

De style Second Empire, la maison Leclerc, initialement construite en pierre, fut remplacée par une construction de brique entre 1870 et 1890.

THIBEAULT, Marie-Thérèse. *Monuments et sites historiques de Québec*. Québec, ministère des Affaires culturelles, 1978. (Coll. «Les Cahiers du patrimoine, n° 10).

«Jacques Deguise, dit Flamand (Flamant)», dans *Dictionnaire biographique du Canada*, vol. IV: 219 et 220.

Maison Dion

Québec
38, rue Sainte-Angèle

Fonction: privé
Classée monument historique en 1962

LA maison Dion niche dans le quartier Saint-Louis à Québec. Liée non seulement par un mur mitoyen, mais aussi par son histoire et sa ressemblance avec la résidence voisine, la maison Dion s'élève sur la rue Sainte-Angèle entre 1821 et 1824. Construite par l'entrepreneur John Cannon, elle appartient à un menuisier bien connu: Charles Marié. Marié achète un terrain sur la rue des Anges (Angels Street), au coin d'une rue sans nom aujourd'hui appelée Dauphine, pour y faire construire une maison qu'il habitera toute sa vie. Cette résidence correspond au numéro 40 de la rue Sainte-Angèle.

La maison Dion en 1965.
Caractérisée par la symétrie de
ses ouvertures, la maison suit
également les règles du néo-
classicisme en raison de la
hauteur des fenêtres du second
étage. (Inventaire des biens
culturels du Québec).

En 1821, il se porte acquéreur du terrain contigu à sa propriété. Né à Sainte-Foy en 1775, Charles Marié devient maître menuisier et entrepreneur en menuiserie et charpenterie. Son nom se trouve sur plusieurs marchés de construction de cette période. Charles et Antoine Marié suivent les traces de leur père. Celui-ci possède des emplacements et des maisons dans la haute et la basse-ville de Québec. À son décès, en 1835, son épouse, Élizabeth Dorhen, vend aux enchères les immeubles de la rue Sainte-Angèle. Le marchand Georges Gauthier dit Larouche achète les deux maisons en pierre à deux étages («non compris la cave et le grenier»), avec une porte cochère et un passage menant à la cour arrière.

La symétrie caractérise les ouvertures de la maison. La hauteur des fenêtres du second étage, en attique, suit les règles du néoclassicisme. Le mur coupe-feu se termine par des corbeaux en pierre taillée. La maison possède un toit à deux versants, percé de trois lucarnes à fronton éclairant le grenier.

En 1858, Frédéric Gauthier dit Larouche, frère du marchand Gauthier, hérite de la propriété et la cède dès 1860 à son épouse, Anne-Marguerite Huot, laquelle demeure propriétaire jusqu'en 1885. Des locataires l'habitent pendant toute cette période, les Gauthier dit Larouche étant toujours domiciliés dans le quartier Saint-Roch. Depuis, la maison a connu plusieurs propriétaires.

En 1910, l'*Atlas Goad* indique deux numéros civiques à cet endroit, révélant la présence d'une deuxième entrée. Depuis le début du XXᵉ siècle, cette maison est divisée en plusieurs logements.

Line Chabot, historienne

RICHARDSON, A.J.H. et autres. «Charles Marié, père», dans *Quebec City: Architects, Artisans, and Builders.* Ottawa, Musée national de l'Homme/Parcs Canada, 1984: 393-394.

Chapelle de l'Hôtel-Dieu

Québec   Fonction: public
32, rue Charlevoix   Classée monument historique en 1961

Prise de vue actuelle de la chapelle de l'Hôtel-Dieu de Québec. (Service des ressources pédagogiques, université Laval. Photo: Paul Laliberté).

Dès 1658, l'Hôtel-Dieu de Québec ouvre une chapelle publique. En 1755, un incendie dévaste l'hôpital, le monastère et la chapelle. À la fin du siècle, les Augustines songent à reconstruire un temple. Après la Conquête, le nombre d'églises catholiques diminue, celle des Récollets disparaît dans un incendie en 1796 et celle des Jésuites passe aux mains des anglicans, peu avant 1800. De plus, tout près de la cathédrale Notre-Dame, les citoyens anglophones projettent la construction d'une cathédrale et, un peu partout à travers la ville, des chapelles et des églises de culte protestant surgissent.

À ce moment, Québec compte une paroisse catholique, Notre-Dame, et une desserte, Notre-Dame-des-Victoires. Devant l'opposition de la paroisse à toute division avant 1830, l'évêque encourage les communautés religieuses à construire et à entretenir des églises. Ainsi, le 29 septembre 1803, mgr Joseph-Octave Plessis consacre la chapelle de l'Hôtel-Dieu de Québec comme église ouverte au culte.

En décembre 1799, une campagne de souscription organisée par les religieuses rassemble les fonds et les matériaux nécessaires à l'érection de cette nouvelle chapelle. Elle bénéficie largement de matériaux provenant d'autres édifices. Ainsi, les ouvriers utilisent de la pierre prélevée sur les ruines du palais de l'intendant, situé en bas de la côte du Palais. Des hommes de métier

offrent leur temps et des matériaux: en 1802, Pierre Émond donne le grand oculus de la façade. La restauration de 1983 met à jour plusieurs panneaux des lambris d'appui provenant d'ailleurs, leur face cachée étant aussi moulurée. Lors de la démolition de l'église des Jésuites, les religieuses de l'Hôtel-Dieu recueillent des ornements et du mobilier comme le retable utilisé jusqu'en 1829 puis envoyé dans la Beauce et une balustrade en fer forgé qui orne toujours le tambour ajouré du clocher.

Mais la réalisation de cette église s'inscrit dans un projet plus vaste de reconstruction du chœur des religieuses et de l'aile de l'hôpital détruits en 1755. Depuis cette date, les malades occupent une partie du monastère. Trois personnalités jouent un rôle important dans la réalisation du projet de la chapelle et de l'hôpital à l'Hôtel-Dieu de Québec: d'abord sœur Saint-Martin, née Marie-Angélique Viger, originaire de Montréal, l'architecte de la communauté au début du XIXᵉ siècle, ensuite l'abbé Philippe Desjardins, prêtre français et aumônier de la communauté nommé architecte du projet de construction par mgr Pierre Denault, l'évêque de Québec, enfin Pierre Émond, menuisier et entrepreneur chargé de dessiner le plan au sol définitif des bâtiments à construire.

Le projet accepté par les religieuses et l'évêque comprend une chapelle de quelque 10 mètres sur 26 dont la nef s'avance vers

la rue, et le chevet sectionne un corps de bâtiment en deux ailes perpendiculaires. Du côté ouest, on prévoit la salle des malades (hommes), et du côté est le chœur des religieuses. Cette disposition générale s'inspire de celle de l'Hôtel-Dieu de Montréal en 1695. À Québec, la nef de la chapelle est cependant flanquée de deux structures latérales de plan polygonal.

Entrepris en 1800, ce projet d'ensemble est amputé de l'aile projetée pour l'hôpital pour des raisons financières. Entre 1816 et 1825, on bâtit la chapelle selon un plan plus vaste, en même temps qu'est érigé le chœur des religieuses. Cet ensemble chapelle-chœur apparaît sur la maquette de Québec dressée entre 1808 et 1810 par Jean-Baptiste Duberger. En 1931, la restauration de la sacristie et du chœur leur confère une dimension plus spacieuse. Seule la chapelle conserve les proportions initiales de 1800. Ouverte au culte en 1803, la chapelle est parachevée en 1809 par l'ajout d'un clocher. D'abord placé au-dessus de la sacristie, il apparaît en façade en 1931. Une aquarelle anonyme réalisée vers 1818 montre la première façade de la chapelle de l'Hôtel-Dieu. Ornée d'un portail formé d'éléments en bois sculpté, son ordonnance rappelle la chapelle de l'Hôtel-Dieu de Montréal. Par ailleurs, les grands pilastres supportant la corniche dépliée en guise de fronton s'inspirent visiblement de la cathédrale anglicane de Québec.

Vue intérieure. (Service des ressources pédagogiques, université
Laval. Photo: Paul Laliberté).

Aquarelle anonyme représentant
la chapelle vers 1818. (Musée
des beaux-arts du Canada).

Entre 1829 et 1835, l'intervention de Thomas Baillairgé, architecte de Québec, en modifie substantiellement la façade et l'intérieur. Il prépare les plans de la fausse voûte en bois et du retable de la chapelle en 1829, et signe en sa qualité de maître sculpteur et entrepreneur cette voûte et les trois retables. L'abbé Jérôme Demers, vicaire général du diocèse, recommande de détruire la voûte et les ouvrages déjà réalisés par Pierre Émond quelques décennies auparavant.

En 1829 et 1830, Thomas Baillairgé agit une dernière fois comme entrepreneur à l'Hôtel-Dieu, pendant que Louis-Thomas Berlinguet dirige son atelier sur la rue Ferland. Son contremaître Léandre Parent, sculpteur dans cet atelier, appose son nom au revers d'une des appliques du retable latéral. Baillairgé donne également à contrat une partie de l'ouvrage à Augustin Desroches, maître menuisier.

En 1839, Thomas Baillairgé produit un dessin pour le nouveau portail de la façade de la chapelle, plus conforme à l'esthétique néo-classique. En 1845 et 1846, Raphaël Giroux, un de ses élèves, termine le décor intérieur par les deux autels latéraux.

Ensemble tout à fait remarquable et unique, la chapelle de l'Hôtel-Dieu représente le plus ancien intérieur d'une église catholique de la ville. Cet intérieur a survécu aux incendies et aux reconstructions et il demeure la seule œuvre de Thomas Baillairgé conservée à Québec. La présence de tableaux dans la chapelle nous rappelle son utilisation à titre de salle d'exposition et de vente en 1817 et en 1821 par l'abbé Louis-Joseph Desjardins. Acquise de la faillite d'un banquier français, cette collection comprend des œuvres confisquées dans les églises de Paris lors de la Révolution. Le tableau d'un autel latéral, la *Vision de sainte Thérèse d'Avila*, œuvre de François-Guillaume Ménageot, provient du Carmel de Saint-Denis, près de Paris.

Antoine Plamondon peint en 1840 la *Descente de Croix* surplombant le maître-autel. Vraisemblablement offert par le Séminaire de Québec, un autre tableau représente *Saint Antoine de Padoue*. Enfin la série des

douze apôtres et des deux évangélistes, peinte en 1805 par Louis Dulongpré et retouchée par Louis-Hubert Triaud en 1830-1831, provient d'un don du docteur Jacques Dénéchaud, médecin à l'Hôtel-Dieu.

Au début des années 1960, des réparations s'imposent à la chapelle de l'Hôtel-Dieu et entraînent une première restauration. Toutefois, des travaux plus considérables effectués en 1983 respectent les origines, l'évolution et le décor du bâtiment.

Luc Noppen, historien de l'architecture

LABERGE, André. *L'église de l'Hôtel-Dieu de Québec. Formes et techniques.* Québec, université Laval, 1980. 28 p.

NOPPEN, Luc. *Les églises du Québec (1600-1850).* Québec et Montréal, Éditeur officiel du Québec/Fides, 1977: 170-171.

ROUSSEAU, François. «L'église», dans *Les Augustines, monastère de l'Hôtel-Dieu de Québec.* Pochette de textes publiés par le monastère de l'Hôtel-Dieu de Québec, 1984.

Maison Loyola

Québec
29 et 35, rue D'Auteuil

Fonction: privé
Classée monument historique en 1966

En 1822, la Society for Promoting Christian Knowledge (SPCK), une association anglaise anglicane à caractère religieux, passe trois contrats pour la construction du National School, un établissement bénévole pour l'éducation des orphelins et des orphelines. Firmin Lévesque, maître menuisier, Charles Touchet et Alexis Traversier dit Langlois, maîtres maçons, œuvrent sur ce chantier.

Une aquarelle de James Pattison Cockburn, datée de 1829, représente l'école en pleine activité, quelques années après sa construction en 1824. L'école apparaît sous la forme d'un bâtiment en pierre crépie possédant un étage de soubassement et un rez-de-chaussée surélevé, surmonté d'un comble à deux versants. Un porche, formant avant-corps, divise au centre cet édifice rectangulaire. Les ouvertures des étages supérieurs supportent des corniches à crossettes.

De petits créneaux de bois ornent les toitures du corps principal et du porche ainsi que leurs rives. Au centre de la toiture, un campanile carré possède des abat-son, des petites poivrières d'angle ainsi qu'une toiture aux égouts retroussés.

Sur le plan stylistique, la National School représente le premier bâtiment de style néo-gothique à Québec. Toutefois, le traitement de certains éléments, tels que les faux créneaux, son campanile avec ses poivrières d'angle et les égouts retroussés de sa toiture, est plutôt caractéristique du mouvement pittoresque propre au style Regency à la mode à cette époque. Ce dernier style utilise, entre autres, des éléments néo-gothiques, notamment pour le décor, qu'il traite de façon anecdotique et en les associant à d'autres courants stylistiques.

En 1842, la National School Society, propriétaire de l'immeuble, lui fait ajouter un étage et une aile. L'architecte Henry Musgrave Blaiklock élabore les plans, l'entrepreneur William Smith en exécute les travaux. Dans l'ensemble, l'architecte conserve les principaux éléments en place et les ouvertures du nouvel étage s'harmonisent stylistiquement à celles du rez-de-chaussée. Toutefois, le porche conserve sa hauteur initiale et l'entrée s'effectue désormais par une porte au centre de sa façade. Deux petites fenêtres remplacent alors les anciennes portes situées auparavant sur ses côtés. La toiture perd également ses faux créneaux ainsi que ses lucarnes.

En 1904, le bâtiment passe aux mains des Jésuites. Par la suite, il remplit diverses fonctions: salle de réunion, restaurant, café-terrasse, boutique, etc. Malgré plusieurs transformations altérant quelque peu son aspect originel, la National School conserve encore, notamment à l'extérieur, plusieurs éléments de l'époque de sa construction et de son surhaussement en 1842. Plusieurs vestiges anciens subsistent aussi à l'intérieur: des chambranles de portes et de fenêtres, des moulures, des plinthes et des portes d'assemblage à six panneaux.

Madeleine Gobeil-Trudeau,
historienne de l'architecture

CAMERON, Christina et Jean TRUDEL. *Québec au temps de James Patterson Cockburn*. Québec, Éditions Garneau, 1976: 77-78.

CAMERON, Christina et Monique TRÉPANIER. *Vieux-Québec, son architecture intérieure*. Ottawa, Musée national de l'Homme/Parcs Canada, 1986: 43-46.

RICHARDSON, A.J.H. et autres. *Quebec City: Architects, Artisans and Builders*. Ottawa, Musée national de l'Homme/Parcs Canada, 1984: 109-110.

Ce bâtiment, connu autrefois sous le nom de National School, fut construit en 1824 dans le but d'accueillir et d'éduquer de jeunes orphelins et orphelines. Il constitue le premier édifice de style néo-gothique à Québec.

Maison des Ursulines

Québec
12, rue Donnacona

Fonction: public
Classée monument historique en 1964

LA maison des Ursulines, construite en 1836 et rehaussée en 1868, s'élève sur des structures datant du XVIIIᵉ siècle. Ces premières constructions témoignent de faits et de personnages importants liés à l'histoire de la colonie.

En 1644, une maison de pierre de deux étages mesurant 9 mètres de longueur sur 6 mètres de largeur se dresse grâce à l'initiative de madame de la Peltrie sur les deux arpents qu'elle possède dans le voisinage du monastère des Ursulines. Deux incendies détruisent le monastère en 1650 et en 1686; cette maison sert alors de refuge temporaire aux Ursulines. Ces dernières l'utilisent également pour l'instruction des petites filles «sauvages» des tribus huronne, iroquoise ou inuit. Entre 1659 et 1661, la maison accueille mgr François de Laval et devient palais épiscopal provisoire. Les filles du roi l'occupent en 1666.

En 1759, lors de la prise de Québec par les Anglais, des boulets de canon endommagent la maison des Ursulines utilisée alors par les élèves externes. Un don de mgr Jean-Olivier Briand, en 1767, défraie le coût des réparations. L'année suivante, les Ursulines intègrent les petites Irlandaises à leur externat. Toutefois, ce supplément de pensionnaires occasionne certains problèmes de promiscuité résolus par la construction d'un autre bâtiment plus spacieux et fonctionnel.

Le 16 avril 1836, les religieuses passent un marché avec le maître maçon François Fortier et le maître menuisier Jacques Delorbaez pour la construction d'un bâtiment en pierre devant servir aux externes de l'école. Les entrepreneurs respectent les indications données par l'architecte Thomas Baillairgé. Les ouvriers recyclent les matériaux du bâtiment antérieur: la totalité des pièces de bois et une partie de la maçonnerie.

La réutilisation partielle des murs du bâtiment antérieur explique la disposition particulière de l'école, comparativement aux autres bâtiments des Ursulines, tous construits à angle droit les uns par rapport aux autres. Le caractère optionnel d'une partie du marché nous renseigne sur les moyens limités des Ursulines, qui pouvaient choisir entre un recouvrement de bardeaux et de fer blanc et qui pouvaient faire construire ou non une passerelle reliant l'école à l'avant-chœur de la chapelle.

En 1868, l'architecte responsable de la majorité des travaux chez les Ursulines, Joseph-Ferdinand Peachy, hausse le bâtiment d'un étage. La toiture demeure semblable; seules des lucarnes dans les combles s'ajoutent. En 1836, deux lucarnes se retrouvent à chaque bout de la toiture; en 1868, six nouvelles lucarnes apparaissent à l'est et à l'ouest. L'une des lucarnes d'origine, donnant sur la rue Donnacona, disparaît un peu plus tard. L'architecte J.-F. Peachy procède, entre 1865 et 1872, à la reconstruction de l'aile des parloirs et, en 1873, à l'exhaussement de l'aile Sainte-Angèle.

En 1857, l'externat des Ursulines devient une école modèle annexe, par suite de l'ouverture de l'école normale Laval. Plus tard, en 1930, l'école normale s'installe à Mérici et la maison des Ursulines sert successivement de maison provinciale, de juvénat et de centre Marie-de-l'Incarnation. Après la restauration de 1969, le musée des Ursulines s'y installe.

Gino Gariépy, historien de l'architecture

Vue à vol d'oiseau du monastère des Ursulines en 1879 (détail). L'école des externes apparaît à droite de la chapelle. (Archives nationales du Québec à Québec, collection initiale).

La structure actuelle de la maison des Ursulines remonte à 1836, suivie d'un rehaussement en 1868. Le site par contre connaît une occupation beaucoup plus ancienne, soit depuis le XVIIᵉ siècle. Elle servait initialement à l'éducation des jeunes filles. Le musée des Ursulines l'occupe depuis la restauration de 1969.

Théâtre Capitol

Québec
972, rue Saint-Jean

Fonction: public
Classé monument historique en 1984

Sa façade courbée, installée à côté de la porte Saint-Jean, identifie le théâtre Capitol. Depuis 1903, il marque la vocation à la fois commerciale et culturelle de la place D'Youville.

Proclamée capitale, Québec développe assez tôt une vie culturelle active. D'abord localisée autour des institutions religieuses et du château Saint-Louis, l'effervescence culturelle se transporte au mess des officiers de la garnison britannique pour enfin se retrouver autour de quelques salles publiques, comme celle de l'hôtel Union. La plus grande (1 500 places) et la plus élégante de ces salles, l'Académie de musique, rue Saint-Louis, disparaît dans un incendie le 17 mars 1900.

Extérieur du Capitol en 1904.
(Archives nationales du Québec,
à Québec, fonds Wurtële).

Vue plus contempo-
raine du Capitol.

En avril 1902, le maire de Québec, Simon-Napoléon Parent, préside la compagnie de l'Auditorium de Québec, formée pour la construction d'une nouvelle salle. L'entreprise privée, la municipalité et le gouvernement fédéral, propriétaire des fortifications, unissent leurs efforts pour la réalisation du projet.

Défi architectural

L'emplacement choisi sur la place D'Youville, tout près de la porte Saint-Jean, se révèle fort étroit. La composition d'une façade intéressante pose un défi considérable à l'architecte Walter S. Painter, de la firme Mason, Reed Hill & Walter S. Painter de Détroit. Painter lui donne de l'ampleur en dessinant un arc en quart de cercle avec une arcade au premier niveau, une colonnade d'ordre colossal sur les deux étages supérieurs et un attique surmonté d'un toit bombé, percé d'ouvertures ovales, le tout en un style Beaux-Arts dans une de ses interprétations des styles Second Empire français et baroque. La façade attire le regard des passants avec ses bandes en pierre pâle se découpant sur un fond de brique jaune. Derrière ce décor somptueux logent des commerces, dont un restaurant, et des bureaux. La riche salle de spectacle au décor baroque se cache derrière, dans une vaste annexe aux formes dépouillées.

Deux concerts de gala, le 31 août et le 1er septembre 1903, inaugurent l'Auditorium avant l'achèvement des travaux extérieurs. La Société symphonique, dirigée par son fondateur Joseph Vézina, figure au programme. Vers la même année, l'Auditorium et l'Orchestre symphonique de Québec s'assurent une promotion mutuelle.

L'administration de l'Auditorium incombe à Ambrose J. Small, de Toronto. Tous les genres de spectacles, allant du vaudeville et des variétés à l'opéra, s'y produisent. Des spectacles d'origine américaine présentés en anglais côtoient des pièces de troupes françaises comme celle du Théâtre de la Porte Saint-Martin. Des films accessoires y sont montrés au début des spectacles, avant que la nouvelle administration de Famous Players prenne la relève en 1927. Avec une toilette neuve, l'Auditorium accueille désormais des longs métrages accompagnés de musique d'orgue et devient le Capitol.

Une nouvelle salle

Un spécialiste américain en architecture des cinémas, Thomas W. Lamb, conçoit la transformation de 1927. L'architecte québécois Héliodore Laberge et le contremaître des travaux de 1903, Napoléon Paradis, exé-

La salle avec ses deux balcons. (Archives nationales du Québec à Québec, fonds Chênevert).

Le grand escalier.

La salle vue du balcon.

cutent les transformations. Le journal *Le Soleil* commente ainsi les modifications, le 21 septembre 1927:

«En préparant les plans de transformation et de restauration, monsieur Hél. Laberge [...] n'a pas voulu détruire le bel ensemble qu'offrait la vieille salle, par son architecture Louis XIV que tant de grands artistes ont admirée. Si les lignes varient dans les parties nouvelles, et dans les additions faites au théâtre, la salle est encore reconnaissable [...].

Le grand promenoir d'autrefois a été raccourci pour faire place à un superbe vestibule de style classique, qui aboutit à un foyer Renaissance dont les décorations vieil ivoire, vieux bronze et or sont d'une richesse merveilleuse. Le marbre blanc et le marbre rouge se mêlent aussi aux bois d'acajou et brilleront sous les feux du grand lustre dont les reflets se multiplieront encore par les innombrables pendants de verre taillé qui enrichissent cette pièce unique à Québec.

Le grand escalier de marbre conduisant au balcon est assurément une des parties de la construction qui sera la plus admirée pour ses gardes en fer forgé d'un travail artistique...»

La salle rénovée présente des films sonores, reçus avec méfiance par le public de Québec, habitué aux sous-titres français des films muets. Le cinéma parlant s'exprime au début exclusivement en anglais. Le Capitol accueille durant les années 1935-1940 les «Carabinades», carnavals des étudiants de l'université Laval. D'autres événements chers à la mémoire des Québécois s'y déroulent, tels que les Jeudis artistiques et littéraires. Avec son décor somptueux et ses 1 700 places, le Capitol accueille les spectacles internationaux jusqu'à l'avènement en 1970 d'une autre grande salle de spectacle, le Grand Théâtre de Québec.

Cette époque prestigieuse prend fin avec la présentation, en 1982, de la première du film *Les Plouffe*. Victime depuis cinq ans de l'humidité et du vandalisme, dépouillé de ses meubles, le Capitol a déjà perdu beaucoup de son cachet lorsqu'il trouve enfin preneur au printemps 1987. Ses nouveaux propriétaires auront-ils l'audace et les moyens de lui redonner ses forces d'antan? Les amateurs de spectacles et les défenseurs du patrimoine attendent impatiemment la levée du rideau.

Barbara Salomon de Friedberg, historienne

SALOMON DE FRIEDBERG, Barbara. *Inventaire architectural, Théâtre Capitol, 972, Saint-Jean, Québec.* Volume 1. Québec, ministère des Affaires culturelles, 1983. 113 p.

Hôtel du parlement

Québec

Fonction: public
Déclaré site historique national en 1985

Eugène-Étienne Taché (1836-1912), l'architecte de l'Hôtel du parlement. (Archives nationales du Québec à Québec, fonds Taché).

La façade principale.

Une large part de l'histoire politique du Québec s'est déroulée à l'intérieur des murs de ce bâtiment érigé entre 1877 et 1886. Toutefois, la genèse du monument et l'histoire de son architecture restent assez mal connues du public.

Au moment où la reine Victoria sanctionne l'Acte de l'Amérique du Nord britannique, le 31 mars 1867, les autorités politiques choisissent la ville de Québec comme capitale de la province du même nom. En tête de liste des priorités du nouveau gouvernement provincial sont inscrites l'érection d'un hôtel du parlement et l'installation des ministères dans des locaux adéquats.

L'instauration du régime parlementaire britannique dans le Bas-Canada, en 1792, entraîne la transformation de l'ancien palais épiscopal de mgr de Saint-Vallier en parlement. Érigé à partir de 1692 dans le parc Montmorency et reconstruit partiellement en 1830, cet édifice, terminé en 1850, sera détruit par les flammes quatre ans plus tard. Sous le gouvernement de l'Union, de 1841 à 1867, les deux chambres — le Conseil législatif et l'Assemblée législative — siègent tour à tour à Kingston, Montréal et Toronto, avant d'adopter en 1849 le système des «capitales alternatives»: Québec et Toronto. Ce Parlement itinérant parsème sa route d'édifices construits, loués ou aménagés pour recevoir la législature de la province du Canada. En 1857, la reine Victoria tranche la question en choisissant Ottawa comme capitale du Canada. Les édifices parlemen-

taires, que les autorités de Québec espéraient élever à Québec pour rehausser le prestige de la cité de Champlain et insuffler une vie nouvelle à son économie moribonde, se transforment en bureau de poste. Sobre et fonctionnel, ce bâtiment, érigé en 1860, devait accueillir une dernière fois le Parlement de l'Union avant que celui-ci ne s'établisse dans ses nouveaux quartiers outaouais, en 1866.

Le premier parlement

Le 27 décembre 1867, Québec hérite de ce petit parlement-bureau de poste, vidé de son contenu et aménagé à la hâte pour recevoir la première session de la première législature de la province de Québec sous le gouvernement conservateur de Pierre-Joseph-Olivier Chauveau. Dans les couloirs et les salons de cet édifice, qualifié d'usine à chaussures par l'architecte Charles Baillairgé, tant il le trouvait dépouillé, naît très tôt le projet de loger plus dignement les élus du peuple.

En 1869, la commission gouvernementale chargée d'étudier les problèmes de la fonction publique réclame la construction d'un nouvel édifice pour regrouper les départements et ministères. À partir de 1872, l'idée germe de rassembler sur un même site le Parlement et les ministères. De l'avis des observateurs, ce regroupement permettrait de «bâtir des édifices publics propres à faire honneur à la capitale». Les opposants au projet de reconversion de l'ancien collège des Jésuites — casernes désaffectées depuis

1871 — en édifice à bureaux profitent de cette occasion pour réclamer sa démolition.

Même si, dès 1874, les intervenants acceptent tous l'idée de regrouper les fonctions gouvernementales sur un seul site, une valse-hésitation s'engage entre deux projets diamétralement opposés. Le premier préconise la construction d'un seul édifice, tandis que la seconde approche privilégie un système pavillonnaire pour abriter chacune des juridictions: le législatif (le Parlement), l'exécutif (le lieutenant-gouverneur et le premier ministre) et la fonction publique (les divers départements et ministères). En 1876, le gouvernement opte pour un bâtiment unique, jugeant le modèle pavillonnaire d'Ottawa trop onéreux et peu fonctionnel.

Un programme architectural complexe

Le programme architectural parlementaire se complique fortement à cause de la nature des espaces requis et de l'image à transmettre. Le Québec hérite du système parlementaire britannique avec deux chambres et une alternance entre deux principaux partis politiques. Le personnage clef de l'institution, le lieutenant-gouverneur, représente le chef de l'État qui, au XIXᵉ siècle, domine encore le gouvernement. Le poids des «Orateurs» de chaque chambre est aussi considérable, comme en témoignent leurs sièges, véritables trônes d'où ils dirigent les débats. Dans ce contexte, le palais législatif doit compter deux salles de séances iden-

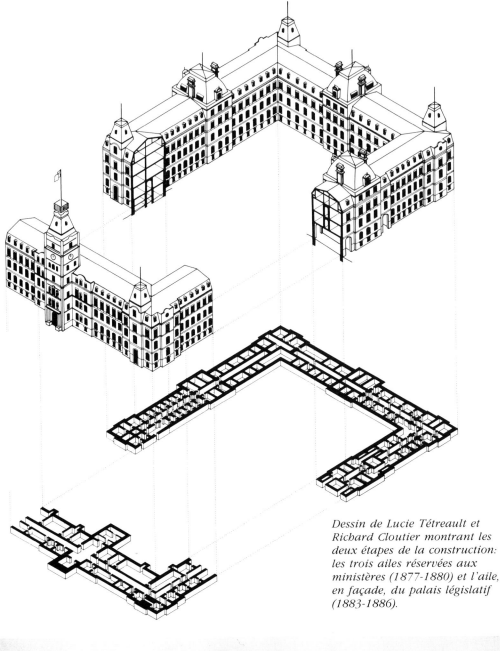

Dessin de Lucie Tétreault et Richard Cloutier montrant les deux étapes de la construction: les trois ailes réservées aux ministères (1877-1880) et l'aile, en façade, du palais législatif (1883-1886).

Esquisse d'Eugène-Étienne Taché en 1876. (Archives nationales du Québec, fonds Taché).

tiques, pour ne pas privilégier une assemblée au détriment de l'autre. Il doit également regrouper les appartements des deux présidents d'assemblée et un ensemble de pièces de service pour loger le personnel. La législature siège très peu de temps durant l'année. Ne disposant pas de bureaux fermés, les députés et les conseillers législatifs se contentent d'un pupitre à l'intérieur des salles de délibérations.

Après la conflagration qui dévaste le faubourg Saint-Louis, le 30 mai 1876, le gouvernement choisit un site *extra-muros*. Le lieutenant-gouverneur d'alors, René-Édouard Caron, demande et obtient le terrain du Cricket Field, près de la porte Saint-Louis. À son avis, la construction de vastes édifices publics sur ce terrain donnera «un élan vigoureux à l'agrandissement et à l'embellissement de la ville de Québec».

Le Skating Rink, édifice en bois abritant une patinoire intérieure, côtoie le Cricket Field, propriété militaire désaffectée depuis le départ de la garnison britannique en 1871.

À l'extérieur des murs, dont la sauvegarde vient d'être décrétée en 1875, le terrain du Cricket Field domine le Vieux-Québec. Cette situation élevée facilitera l'aération de l'édifice et l'écoulement des eaux usées, deux qualités non négligeables à l'époque. Plus vaste que le terrain du collège des Jésuites, initialement retenu, le site commande un projet plus imposant.

Deux architectes à l'œuvre

Dès 1874, le gouvernement confie la préparation des plans de l'édifice projeté à Eugène-Étienne Taché (1836-1912), assistant commissaire (ou sous-ministre) au Département des terres de la Couronne. Jean-Baptiste Derome (1837-1910), architecte et ingénieur au Département des travaux publics, collabore avec Taché. Celui-ci s'était fait entre autres connaître comme architecte lors de l'élaboration des plans d'une série d'arcs de triomphe élevés à l'occasion des célébrations du deuxième centenaire de la fondation du diocèse de Québec, en 1874.

Dès l'ébauche de son projet, Taché établit une référence explicite à l'école française, tant par le type architectural proposé — un vaste bâtiment développé autour d'une cour carrée — que par le vocabulaire formel qui fait référence à l'architecture classique des XVIe et XVIIe siècles. Le choix de ce parti architectural, nouveau à Québec, attire l'attention. Son projet traduit en effet une attitude d'ouverture envers la France et Paris, redevenue capitale culturelle de l'Occident sous le Second Empire de Napoléon III. Si les modes et les modèles de ce règne fastueux atteignent très rapidement l'Amérique du Nord tout entière, la jeune province de Québec renoue avec fierté des liens avec cette culture française. Cet héritage fait partie de son patrimoine et lui confère un statut particulier au sein de la nouvelle Confédération.

Taché ne se contente pas d'évoquer vaguement un style du passé; il choisit comme référence un monument qui incarne à lui seul le classicisme français du milieu du XVIe siècle: le Louvre. Ce palais, révélé au monde lors de sa restauration (1848-1852) et de son agrandissement (1852-1871), devient le modèle par excellence des tenants de l'architecture du Second Empire. Au cours d'un voyage en Europe, l'année même de la Confédération, Taché a eu l'occasion de visiter ce spacieux édifice.

Même si la plupart des architectes, en particulier ceux de l'Amérique du Nord, s'inspirent de la structure monumentale et très ornée des ailes qui agrandissent le Louvre initial, Taché s'inspire plutôt des parties plus anciennes du palais, notamment les ailes et pavillons dressés autour de la cour carrée, dont l'édification débuta au milieu du XVIe siècle.

Le chantier s'ouvre

Par souci d'économie, les autorités acceptent de mettre en chantier seulement trois ailes destinées aux ministères, et la construction de l'Hôtel du parlement débute au printemps de 1877. La société Piton et Cimon obtient le contrat de construction, au coût de 325 000 $. Le chantier s'organise autour du projet défini et corrigé par Taché entre 1874 et 1876; son associé de la première heure, l'ingénieur Jean-Baptiste Derome, se charge de la surveillance des travaux.

L'édifice est construit en pierre de taille posée en parement d'un mur de maçonnerie brute et de brique. Les ingénieurs des Travaux publics prévoient une construction à l'épreuve du feu, dans la mesure où cela s'avère possible à l'époque. Les divisions intérieures sont portantes et réalisées en brique; les murs reçoivent un recouvrement de plâtre et les planchers, constitués de poutrelles d'acier noyées dans du béton, possèdent une mince couche de bois en surface. La couverture en tôle galvanisée comprend des ornements en zinc; par souci d'économie, mais également pour garantir un niveau d'emploi acceptable dans la région de Québec, la charpente des combles, que Derome souhaitait en fer, sera faite de bois.

Taché soigne tout particulièrement l'apparence extérieure de ce bâtiment, par ailleurs assez sobre à l'intérieur. Il s'agit du premier édifice construit à Québec doté d'un important programme de sculpture en

L'escalier d'honneur.

pierre. L'absence de tradition en cette matière nécessite un travail considérable de l'architecte qui, avec l'aide des dessinateurs des Travaux publics, réalise des centaines de dessins et profils pour guider les artisans. Ceux-ci travaillent sur le chantier même, dans l'édifice du Skating Rink aménagé en atelier. Ils sculptent les bas-reliefs et autres ornements en taille directe, c'est-à-dire une fois la pierre mise en place.

Les travaux de ce premier chantier s'achèvent en novembre 1880, après une grève des tailleurs de pierre. Ravis de travailler désormais avec tout le confort moderne (chauffage, salle de toilette, éclairage, etc.), les fonctionnaires occupent aussitôt les trois ailes.

Le palais législatif

La volonté de maintenir suffisamment d'emplois dans la région incite le gouvernement conservateur de Joseph-Adolphe Chapleau à poursuivre le chantier par la construction du palais législatif.

Le Cabinet accorde le contrat de construction de cette dernière aile à l'entrepreneur général de Montréal, Alphonse Charle-

bois. Sa soumission de 185 000 $ ne constitue pas la meilleure offre; il réclame néanmoins plus d'un million de dollars au gouvernement au terme des travaux, en 1885. L'octroi de ce contrat crée «le scandale Mousseau», associé au nom du premier ministre conservateur forcé de démissionner en 1884. Plus tard, le Parlement institue une enquête sur le dépassement des coûts. Ces remous politiques représentent l'un des événements marquants de ce chantier.

La destruction par le feu du parlement-bureau de poste, en avril 1883, oblige l'entrepreneur à loger les deux chambres au rez-de-chaussée de l'édifice en construction, pour la session de 1884. Le 11 octobre de la même année, un attentat à la bombe secoue fortement la façade de l'ouvrage en construction.

En 1885-1886, l'érection de la tour centrale retient l'attention; avec ses huit étages, il s'agit de l'édifice le plus élevé de Québec. Même si le gouvernement prend possession du nouveau parlement en 1885, les travaux se poursuivent encore pendant quelques années. L'aménagement des parterres se termine en 1893 et la réalisation du programme iconographique traîne jusqu'en 1964!

Les boiseries du Salon rouge.

Le Salon bleu où siègent les députés.

Né dans des circonstances difficiles et construit dans la polémique, l'Hôtel du parlement ne connut jamais d'inauguration officielle; les tablettes destinées à honorer ses auteurs et à rappeler le travail de ses artisans demeurent vierges dans le vestibule de l'entrée principale.

Un riche décor

Dans l'aile du palais législatif, Taché développe un décor architectural qui rehausse la qualité des espaces: les portiques intérieurs et les halls d'entrée, le grand escalier, les vestibules attenants aux salles de séance et ces salles elles-mêmes se succèdent depuis l'entrée principale et composent en fait un couloir d'apparat menant aux lieux où siègent les deux chambres.

L'ornementation intérieure procède du même esprit que l'extérieur: elle poursuit, en l'amplifiant, le répertoire formel traité plus somptueusement par les plâtriers et les sculpteurs sur bois, en référence aux débuts du classicisme français.

À l'exception des deux salles de séances, parfaitement identiques, Taché élabore une architecture intérieure qui s'adapte à chaque espace et lui confère un caractère propre. À l'instar des architectes français de cette époque, il puise largement dans le répertoire formel de la Renaissance et des débuts du classicisme. Les formes utilisées sont cependant essentiellement décoratives et soumises au cadre architectural. Pour renouer davantage avec cette époque et s'inscrire dans la tradition française perpétuée au Québec depuis le XVIIᵉ siècle, Taché incorpore des boiseries finement sculptées par les ateliers de François-Xavier Berlinguet et de Philippe Vallière. Ces œuvres se retrouvent sur les lambris d'appui des vestibules et des escaliers, sur les escaliers eux-mêmes, et surtout sur les portes et les portails des salles de débats et les sièges des présidents d'assemblée. Guidés par les dessins de Taché, les sculpteurs procèdent par incision, comme cela se faisait au XVIᵉ siècle, plutôt que par applique.

Alors qu'un esprit victorien aurait créé des espaces plus variés, Eugène Taché fait preuve d'un éclectisme modéré en introduisant une unité dans l'ornementation qui rappelle l'ordonnance architecturale et les impératifs de la construction. Le volume extérieur guide l'organisation des dispositions intérieures, et non le contraire. Cette relation entre la façade principale et le décor intérieur, où la succession des espaces de représentation mène aux salles de débats, introduit ce caractère monumental, indispensable au rôle de premier plan qui revient à ce palais législatif.

*La salle du Conseil
législatif, aujourd'hui
le Salon rouge.*

Un nouveau noyau urbain

Le choix du site sur la Grande Allée s'inscrit dans un plan d'ensemble visant à développer une ville nouvelle en dehors de l'enceinte fortifiée. En effet, au moment où un incendie rase le faubourg Saint-Louis, la possibilité s'offre de remplacer un secteur habité par des artisans et un chemin de campagne bordé de résidences estivales par une ville nouvelle organisé autour d'un boulevard. Évoquant la ville d'Édimbourg du début du siècle ou, mieux encore, les Champs-Élysées du Second Empire, les promoteurs de cette idée tablent sur l'Hôtel du parlement pour devenir le moteur du premier grand projet urbain de Québec: la Grande Allée.

Cette Grande Allée, pavée en blocs de bois, dotée de trottoirs et de plantations en 1886, devient très rapidement l'artère prestigieuse tant souhaitée. Reliant en quelque sorte l'Hôtel du parlement à la résidence du Bois-de-Coulonge, elle est la voie qu'empruntent les cortèges officiels, défilés et parades, et chaque année, à l'automne, l'Exposition provinciale fait les manchettes en occupant le nouveau Skating Rink et le manège militaire.

L'architecture d'un goût nouveau proposée par Eugène Taché rencontre un certain écho dans la rue. La plupart des résidences construites tentent, chacune à leur manière, de se rattacher à ce style. Les archi-

tectes Joseph-Ferdinand Peachy et François-Xavier Berlinguet s'inspirent les premiers de l'architecture française à la mode. Une rue bordée d'habitations dont le style architectural s'apparente à celui de l'Hôtel du parlement naît en ce dernier quart du XIXᵉ siècle. Mais l'inauguration du pont de Québec, en septembre 1917, amorce le déclin de cette artère résidentielle, condamnée à devenir une voie de circulation très dense.

Au moment même où la corporation municipale s'intéresse à la Grande Allée, Eugène-Étienne Taché consacre ses efforts à l'aménagement d'un parc entre la façade du palais législatif et l'enceinte ouest du Vieux-Québec. Dès 1880, lui et son collègue Siméon Lesage, sous-ministre des Travaux publics, prennent l'initiative de créer un parc historique sur les plaines d'Abraham. Ce parc voit le jour en 1908.

Les parterres de l'Hôtel du parlement, aménagés par le jardinier Louis Chollet d'après les plans de Taché, comprennent à l'est du boulevard Dufferin un premier musée en plein air; il s'agit d'un «champ de sylviculture qui présente toutes les essences de la forêt canadienne». En 1911, Frédérick G. Todd, l'architecte du Parc des champs de bataille nationaux, revoit le plan original afin que les deux ensembles voisins s'harmonisent bien, notamment par l'alignement des voies d'accès et l'installation de monuments commémoratifs autour de l'Hôtel du par-

lement. Les monuments d'Honoré Mercier et de François-Xavier Garneau apparaissent sur le terrain environnant l'édifice en 1912.

En inscrivant son édifice dans la continuité historique de la ville, Taché se révèle un urbaniste de premier plan. Il fait de l'Hôtel du parlement un monument commémoratif. Adepte de l'éclectisme classique français, il invite nombre de peintres, sculpteurs et décorateurs à élever le monument à la qualité d'œuvre d'art, définissant ainsi le travail de l'architecte comme celui de chef d'orchestre des beaux-arts.

Ambitieux programme iconographique

Dès 1875, Taché imagine un ambitieux programme iconographique composé de statues, bas-reliefs, armoiries, tableaux et vitraux. Ce panthéon canadien, décrit par les chroniqueurs de la fin du siècle, ouvre de nouvelles perspectives aux artistes du Québec, jusque-là négligés par l'État.

La façade du palais législatif se présente d'abord comme un tableau qui réunit dans un même plan un ensemble de figures marquantes de l'histoire nationale. Les bronzes de Louis-Philippe Hébert, d'Alfred Laliberté et de quelques autres sculpteurs, installés entre 1890 et 1969, représentent les plus importants personnages de l'histoire du Québec, mis en valeur par une école historique quasi unanimement consacrée au culte

Vue de l'Hôtel du parlement et de ses environs en 1908. (Archives nationales du Canada).

des héros. Des trophées et des cartouches sculptés en bas-relief sur les trumeaux des ailes latérales et des façades évoquent des personnages moins importants.

Amorcé plus tardivement, le programme iconographique destiné aux espaces intérieurs demeure incomplet. En 1910, le peintre Charles Huot reçoit la commande du tableau ayant pour titre *La première séance de l'Assemblée législative du Bas-Canada en 1792*. Cette œuvre orne aujourd'hui le panneau placé au-dessus du fauteuil du président de l'Assemblée nationale. Le même artiste entreprend peu après la grande composition qui décore le plafond de la même salle: *Évocation*. Cette fresque, achevée en 1920, représente une allégorie des images évoquées par la devise «Je me souviens», inscrite en 1883 par Taché. Dans cette œuvre, Huot représente l'architecte de l'Hôtel du parlement, qui tient le dessin de son chef-d'œuvre à la main. Huot réalise aussi une grande toile ayant pour titre *Le Conseil souverain*. Accroché dans la salle du Conseil législatif — aujourd'hui le Salon rouge — ce tableau a été achevé par plusieurs artistes après la mort de Huot, survenue en 1930.

Secondé par le peintre Napoléon Bourassa, Eugène-Étienne Taché élabore ce vaste programme iconographique pour faire de l'Hôtel du parlement un lieu riche en signi-

fications, un discours sur l'histoire nationale. Comme on peut le constater aujourd'hui — même si tous les projets de Taché ne se sont pas réalisés — les figures et les images de l'Hôtel du parlement exposent la vision de l'histoire du Québec au XIXᵉ siècle. En ce sens, cet édifice constitue un monument complet puisque son architecture, son environnement et son iconographie font référence à l'histoire, ingrédients essentiels, selon Taché, pour assurer la modernité d'un langage architectural à la fois caractéristique du XIXᵉ siècle et digne de véhiculer la symbolique de l'État.

Naissance de la colline parlementaire

Le bâtiment qui abritait à l'origine tous les ministères et le Parlement devient rapidement trop exigu. En 1910, l'édifice de la bibliothèque voit le jour et, l'année suivante, débute la construction d'une nouvelle chaufferie qui loge à l'étage le Café du parlement. Ces deux bâtiments, œuvres de l'architecte J.-Omer Marchand, sont à l'origine du développement graduel vers le nord et l'ouest de la colline parlementaire, l'Hôtel du parlement étant réservé au seul usage des travaux de l'Assemblée nationale.

En 1975, les autorités décident d'entreprendre des travaux majeurs à l'Hôtel du parlement. L'opinion publique, largement ralliée à l'idée de la conservation du patri-

moine architectural, entrevoit ce projet davantage comme chantier de restauration que comme une entreprise de rénovation.

Dans un tel contexte, le chantier nécessite un ensemble d'opérations fort complexes, toutes soumises à la conservation et à la mise en valeur de ce que l'édifice recèle de plus précieux: son image publique. Bien au-delà de la fonction utilitaire de l'édifice, cette image véhicule des valeurs historiques et artistiques. Ces dernières étant étroitement liées aux qualités de la configuration générale, il importe d'accorder le plus grand respect et la plus grande attention à l'effort des concepteurs et des ornementistes initiaux.

Dans ses grandes lignes, le projet de restauration, toujours en cours, vise à consolider la structure, à l'adapter aux besoins d'une institution moderne en constante évolution et à mettre en valeur les qualités architecturales du monument.

Luc Noppen, historien de l'architecture

Noppen, Luc et Gaston Deschênes. *L'Hôtel du Parlement, témoin de notre histoire*. Québec, Les Publications du Québec, 1986. 204 p.

Église St. Matthew et cimetière protestant

Québec   Fonction: public
755, rue Saint-Jean   Classés monuments historiques en 1978

Surmontée de sa haute flèche néo-gothique, l'église St. Matthew constitue avec son cimetière pittoresque l'un des principaux points de repère du quartier Saint-Jean-Baptiste de Québec. Transformé en bibliothèque en 1979-1980, le temple offre un bel exemple d'adaptation d'un bâtiment historique à un nouvel usage.

Si les conversions de ce genre respectent en général le caractère historique de l'extérieur du bâtiment, l'intérieur subit souvent des rénovations importantes. Heureusement, l'église St. Matthew se prêtait parfaitement à sa nouvelle vocation et sa conversion en bibliothèque exigeait peu de travaux.

Transformé en jardin public, le cimetière conserve plusieurs de ses pierres tombales, soigneusement restaurées. L'un des plus anciens lieux de sépulture conservés au Québec, il forme un havre de paix où il est possible de contempler la beauté de la nature au sein même d'un quartier fortement peuplé. Grâce à ce remarquable effort de conservation, l'église et son cimetière continuent de jouer un rôle actif au sein de la vie communautaire.

D'abord cimetière

D'abord connu sous le nom de cimetière protestant de Québec ou Quebec Protestant Burial Ground, le cimetière St. Matthew apparaît bien avant l'église. Soucieux de fournir un lieu de sépulture aux protestants de la ville, le gouvernement de la province de Québec achète, en 1771, un terrain des héritiers de Denys de Saint-Simon. En 1778, ceux-ci lui cèdent un second terrain pour agrandir le cimetière, qui passe aux mains de la communauté anglaise de Québec en 1823. Le comte de Dalhousie, alors gouverneur du Bas-Canada, fait don du terrain aux Trustees of Quebec Protestant Burial Ground. Jusqu'en 1860, anglicans, presbytériens et autres protestants y trouvent leur dernier repos. Après cette date, les protestations des résidents du quartier font cesser les inhumations; ils croient leur santé menacée par la multiplication des sépultures à proximité des habitations.

À partir de 1822, des services religieux se déroulent une fois par mois dans la maison du fossoyeur. Ces premiers offices, présidés par le pasteur de la cathédrale anglicane, se déroulent en français pour les immigrants originaires des îles anglo-normandes Jersey et Guernesey. En 1827, le fossoyeur cesse d'habiter sur place et sa maison se transforme en chapelle. Munie de fenêtres en ogive, d'une coupole et d'une cloche, la chapelle St. Matthew sert alors aux offices

L'église et le cimetière St. Matthew.

L'intérieur de l'église transformé en succursale de la Bibliothèque municipale de Québec en 1979-1980. (Ville de Québec).

du soir, célébrés en anglais. En 1845, le terrible incendie du faubourg Saint-Jean-Baptiste détruit le bâtiment. Une chapelle de bois le remplace puis, en 1848-1849, l'entrepreneur maçon John Cliff construit une église en pierre.

La croissance de la communauté anglicane installée à Québec permet bientôt à la paroisse de soutenir un ministre du culte. Jusqu'alors à la charge de la cathédrale, l'église est confiée à une paroisse indépendante en 1855. Avec ses fenêtres en ogive, le petit édifice néo-gothique construit par John Cliff ne suffit plus aux besoins. En 1870, l'architecte William Tutin Thomas, chargé de l'agrandissement, fait abattre le mur est pour ajouter des transepts et un chœur se terminant par une abside à cinq pans. La nef, formée par la petite chapelle érigée en 1848-1849, cède la place à une nef plus grande dotée d'un bas-côté au sud. Une nouvelle aile destinée aux sacristies du clergé et des choristes s'ajoute également à l'angle sud ouest de l'église.

Suivant les plans de Thomas, des ouvriers édifient en 1882 un clocher-porche surmonté d'une flèche évoquant celles des églises anglaises des XIIIᵉ et XIVᵉ siècles. Enfin, en 1899-1900, l'abside à cinq pans fait place à un chevet plat plus spacieux, œuvre de l'architecte Arthur A. Cox. Celui-ci fait également ajouter une sacristie à l'angle du chœur et du transept sud.

L'église St. Matthew comporte divers éléments, distinctement séparés du corps central de l'édifice. La fonction identifie clairement chaque partie. Ainsi, le chœur suit l'axe de la nef, et le clocher-porche, de même que les sacristies, se dégagent de l'ensemble. L'église St. Matthew présente une ressemblance frappante avec le temple néo-gothique de St. Oswald, construit entre 1839 et 1842 à Liverpool, en Angleterre, selon les plans de l'architecte Augustus Welby Pugin. Au XIXᵉ siècle, cette église représente un modèle d'architecture religieuse; elle s'inspire d'un important mouvement de réforme de l'Église anglicane.

L'Ecclesiological Society, implantée à Oxford et à Cambridge, rejette l'architecture classique associée au matérialisme de l'époque moderne. Les ecclésiologistes préconisent le retour à la liturgie et à l'architecture de l'Église anglaise d'avant la Réforme du XVIᵉ siècle. D'inspiration médiévale, la nouvelle liturgie doit se dérouler dans un environnement architectural rappelant celui des églises médiévales. Un élément crucial de cette nouvelle liturgie consiste à remettre à l'honneur le sacrement de l'eucharistie. Au plan architectural, cette volonté s'exprime par un retour aux chœurs allongés du Moyen Âge, réduits ou même enlevés dans les églises anglicanes à la suite de la Réforme.

Avec l'addition de ce type de chœur en 1899-1900, l'église St. Matthew s'apparente au modèle proposé par les ecclésiologistes. La clôture du chœur, richement façonnée dans le chêne, est l'œuvre du sculpteur anglais Percy Bacon. L'artiste britannique Félix Morgan réalise pour sa part la chaire, faite de marbre, d'albâtre et de grès; l'autel de Purbeck et le tabernacle de Bath se composent de marbre et de grès importés d'Angleterre. Les beaux vitraux, dont plusieurs sont de l'artiste londonien Clutterbuck, et le décor de la voûte, richement sculpté dans un bois sombre, représentent autant d'éléments qui rappellent les églises paroissiales anglaises du Moyen Âge.

L'idée de transformer l'église St. Matthew en bibliothèque prend forme à la fin des années 1970. Confrontés à la baisse démographique, les paroissiens décident de se regrouper avec ceux de l'église St. Michael à Sillery. Ils cèdent l'église St. Matthew à la Ville de Québec pour la somme d'un dollar, à condition que le bâtiment soit transformé en bibliothèque. La ville s'engage en outre à rendre le cimetière entourant l'immeuble accessible au public.

Les travaux de reconversion de l'église débutent à l'été 1979, et les autorités municipales inaugurent la succursale Saint-Jean-Baptiste de la Bibliothèque de Québec le 27 mai 1980.

David Mendel, historien de l'art

BRAUN, Hugh. *Parish Churches: Their Architectural Development in England.* London, Faber, 1970. 225 p.

MENDEL, David. «Un écrin médiéval, l'église St. Matthew». *Cap-aux-Diamants*, 3,1 (printemps 1987): 49-52.

Maison Krieghoff

Québec
115, Grande Allée Ouest

Fonction: privé
Classée monument historique en 1975

Située du côté sud de la Grande Allée, dans l'axe de la rue Cartier, cette maison offre aux passants une image familière qui évoque tantôt l'habitat rural traditionnel, tantôt les scènes pittoresques des tableaux du peintre Cornélius Krieghoff.

Plusieurs données historiques relatives à cette construction manquent. La maison apparaît en 1849-1850 au moment où le marchand John Bonner cède le lot à Daniel Ray, entrepreneur et plâtrier. Il s'agit d'une des nombreuses maisons de location construites dans la banlieue de Québec. Instaurée dans les années 1820, cette pratique atteint son apogée vers 1850 avec les cottages parsemés le long de la section ouest de la Grande Allée et des chemins Saint-Louis et Sainte-Foy. Généralement construites en bois, ces petites maisons permettent à une classe moins fortunée d'accéder à la villégiature, jusque-là réservée aux propriétaires des grandes villas.

Un cottage rustique

Selon la typologie de l'architecture de villégiature établie au Royaume-Uni dès la fin du XVIIIᵉ siècle, la maison Krieghoff représente le concept de cottage rustique, sorte de réappropriation par le citadin de la maison de l'habitant. Au Québec, cette influence architecturale produit une synthèse nouvelle et originale, qualifiée volontiers de «maison québécoise».

Le concepteur de la maison Krieghoff emprunte une forme générale à la tradition architecturale du Québec. Cette maison typique se caractérise par des dimensions plus larges que profondes et par son toit à deux versants. À l'ère du néo-classicisme, divers changements se produisent: les ouvertures en façade et sur les pignons deviennent symétriques tandis que les dimensions des fenêtres et du portail obéissent à un système de proportions plus cohérent.

Le plan de la maison s'articule autour d'un hall d'entrée central et dispose les pièces avec symétrie, au rez-de-chaussée et à l'étage. Emprunté aux villas et maisons monumentales dotées d'un toit à quatre versants, ce modèle répartit les cheminées au centre des pièces adossées dans chaque moitié du plan. Cette disposition permet de placer leurs souches au sommet des versants du toit.

L'hiver réhabilité

Ainsi développé au Québec, le cottage rustique réconcilie les citadins avec l'hiver, en affirmant son potentiel pittoresque. Cette maison incarne la vie de l'habitant dans une contrée essentiellement hivernale, même si sa galerie et son avant-toit retroussé se souviennent d'un été quelquefois torride. De cette façon, la résidence projette une image globale soucieuse d'incorporer l'hiver québécois dans l'univers pittoresque au même titre que les coloris de l'automne ou de l'été de la Saint-Martin. Ce n'est donc pas par hasard si Cornélius Krieghoff (1815-1872), peintre pittoresque par excellence, loue cette maison en 1859 et 1860. Dans de nombreux tableaux, il associe l'image de la demeure de l'habitant aux rigueurs, mais aussi aux plaisirs de l'hiver.

Le site de la maison Krieghoff a été amputé de façon importante en 1862 et en 1889, ce qui explique son exiguïté actuelle. Rénovée — et peut-être déplacée — en 1879, elle repose sur une nouvelle fondation et reçoit une très décorative balustrade de balcon et d'escalier. Ses ornements intérieurs en bois et en plâtre caractérisent l'habitat de Québec des années 1850. Occupée jusque vers 1970, elle faillit connaître le pic des démolisseurs à quelques reprises. Ses trois façades visibles ont cependant été restaurées en 1984 et 1985.

Luc Noppen, historien de l'architecture

BLANCHET, Danièle, *Découvrir la Grande Allée.* Québec, Musée du Québec, 1984. 177 p.

RICHARDSON, A.J.H. «Daniel Ray», dans *Quebec City: Architects, Artisans and Builders.* Ottawa, Musée national de l'Homme/Parcs Canada, 1984: 487-488.

Cette maison, ayant un temps appartenu au peintre pittoresque Cornélius Krieghoff, s'inscrit dans une tradition bien particulière du milieu du XIXᵉ siècle. En effet, l'engouement pour les cottages rustiques amène les gens à louer une petite maison, généralement de bois, pour profiter des avantages de la villégiature.

Façade extérieure de la maison Houde

Québec
684, Grande Allée Est

Fonction: semi-public
Classée monument historique en 1964

Comme sa voisine de droite, la maison Houde fait partie du groupe de résidences mitoyennes appelées Clapham Terrace. Construite vers 1830 par John Greaves Clapham, elle comportait vraisemblablement trois étages à l'origine, comme l'indique un plan d'Adolphe Larue, exécuté en 1843. Ce document précise en outre les dimensions et le matériau utilisé pour la construction de chacune des résidences.

Malgré leurs dimensions différentes, les façades présentent une similitude qui donne une certaine unité à ces maisons. Plusieurs d'entre elles connurent d'ailleurs des modifications très importantes. Ainsi, à la fin du XIXe siècle, la maison Houde perd ses allures néo-classiques et se dote d'attributs empruntés au style Second Empire avec un toit mansardé et un nouveau mur de façade; des fenêtres à guillotine et un porche formé de deux colonnes supportant un balcon s'ajoutent également à l'ensemble.

Au début du XXe siècle, le médecin Lemesurier Carter, homme à la générosité proverbiale, occupe cette maison. Le bâtiment conserve sa fonction résidentielle jusqu'en 1961.

À cette époque, pour répondre au besoin croissant de l'administration publique en quête de locaux, la Grande Allée se transforme progressivement en annexe du parlement. La maison Houde subit alors des rénovations à l'intérieur comme à l'extérieur, mais conserve son style Second Empire. Les restaurations ajoutent un étage au bâtiment pour faire correspondre ses planchers avec ceux de la maison D'Artigny, à laquelle elle est reliée par un corridor intérieur. De plus, les architectes font abattre un grand nombre de cloisons, poser de nouveaux planchers et modifient considérablement les divisions originelles.

À l'instar des autres résidences de la Clapham Terrace, la maison Houde est fréquentée par les passants durant la saison estivale en raison de sa terrasse invitante.

Madeleine Gobeil-Trudeau,
historienne de l'architecture

La façade des maisons Houde et D'Artigny vers 1965. Les deux bâtiments font partie de l'ensemble Clapham Terrace, formé de maisons en rangée construites au début du XIXe siècle par l'entrepreneur John Greaves Clapham. (Inventaire des biens culturels du Québec).

Façade extérieure de la maison D'Artigny

Québec
690, Grande Allée Est

Fonction: public
Classée monument historique en 1966

Vers 1830, le notaire John Greaves Clapham fait construire six maisons en pierre, de un à trois étages, du côté nord de la Grande Allée. Vraisemblablement mitoyennes à l'époque, elles possèdent un portique en saillie à l'entrée.

Tout comme au château Saint-Louis, ces porches de bois en avancée comportent des fenêtres en imposte semi-circulaire et couronnées d'un entablement d'ordre classique.

Comme sa voisine, la maison D'Artigny a subi d'importantes modifications au cours des ans. Elle abrite aujourd'hui un café-terrasse.

L'une de ces résidences, la maison D'Artigny, contiguë à la maison Houde, s'élève maintenant sur trois étages à l'angle de la rue D'Artigny et de la Grande Allée.

Ces maisons en rangée apparaissent au début du XIXᵉ siècle avec la vogue de l'architecture néo-classique. Les spéculateurs anticipent l'engouement pour de tels immeubles résidentiels que les Britanniques nomment «terraces» et en construisent plusieurs. La Clapham Terrace inaugure ce courant architectural sur la Grande Allée.

Le secteur nord de la rue abrite de nombreux Écossais installés entre 1832 et 1836. Fuyant les épidémies de choléra à la basse-ville, ils se réfugient à la haute-ville, à l'écart des foyers de contamination. Au XXᵉ siècle, les premiers propriétaires des résidences de la Clapham Terrace cèdent graduellement le pas aux francophones.

Aujourd'hui, la Clapham Terrace se reconnaît difficilement, car plusieurs des bâtiments qui la composent ont subi des modifications importantes. Au fil des ans, la vocation résidentielle s'est effacée au profit de commerces, restaurants, bars, discothèques et boutiques situés au rez-de-chaussée et au premier étage. Depuis une décennie, des cafés-terrasses remplacent les espaces gazonnés plantés d'arbres et d'arbustes qui isolaient les maisons des trottoirs de la Grande Allée.

Parmi les résidences de la Clapham Terrace, la maison D'Artigny conserve en partie son apparence extérieure. Sa façade actuelle diffère toutefois de son apparence initiale.

Madeleine Gobeil-Trudeau,
historienne de l'architecture

BLANCHET, Danièle. *Découvrir la Grande Allée*. Québec, Musée du Québec, 1984. 177 p.

Mur de pierre à l'arrière du presbytère de Saint-Cœur-de-Marie

Québec
550, Grande Allée Est

Classé monument historique en 1962

Pour commémorer l'existence de la villa Bois-Jolliet, une partie du mur en pierre situé à l'arrière de la maison disparue a été intégrée au bâtiment actuel.

Construite en 1834 pour le compte de William Henderson, la villa Bois-Jolliet se compose d'une maison double de deux étages, avec des lucarnes et des portiques néoclassiques. En 1884, elle devient la propriété d'Ernest Gagnon et reçoit sur le mur est une addition à laquelle s'ajoute un solarium en 1921. Les pères eudistes achètent l'immeuble quatre ans plus tard et l'utilisent comme presbytère de l'église Saint-Cœur-de-Marie. La villa Bois-Jolliet conserve cette fonction jusqu'en 1961, alors que les religieux la font démolir. À ce moment, la Grande Allée perd un des témoins de l'architecture des grandes demeures du début du XIXe siècle. Un nouveau presbytère vient occuper le site de la villa. Rénové récemment, ce dernier abrite aujourd'hui un complexe d'habitation.

Madeleine Gobeil-Trudeau,
historienne de l'architecture

BLANCHET, Danièle. *Découvrir la Grande Allée*. Québec, Musée du Québec, 1984. 177 p.

GAGNON-PRATTE, France. *L'architecture et la nature à Québec au dix-neuvième siècle: les villas*. Québec, ministère des Affaires culturelles, 1980: 211-212.

Ce petit mur de pierre évoque le souvenir de la villa Bois-Jolliet construite en 1834 et démolie en 1961.

La villa Bois-Jolliet en 1946. (Inventaire des biens culturels du Québec).

Deuxième hôpital Jeffery Hale

Québec
250-300, boulevard Saint-Cyrille Est

Fonction: privé
Reconnu monument historique en 1977

Construit au tournant du siècle, l'hôpital anglophone Jeffery Hale, avec son toit de cuivre, se trouve en face du Grand Théâtre de Québec, sur le boulevard Saint-Cyrille.

Même si, en 1860, les citoyens protestants de Québec considèrent que les hôpitaux catholiques dispensent de bons soins, ils désirent néanmoins avoir leur propre hôpital. Œuvres de sociétés charitables religieuses ou laïques, les hôpitaux sont, à cette époque, réservés aux pauvres. Les citoyens mieux nantis se font soigner à la maison. Au XXᵉ siècle, les malades payants demanderont leur admission dans les hôpitaux dotés d'appareils spécialisés, surtout en chirurgie.

Capitaine et mécène

Le capitaine de marine royale Jeffery Hale consacre plusieurs années de sa vie aux bonnes œuvres de sa ville. À sa mort, en 1864, il lègue 36 000 $ pour la fondation d'un hôpital protestant. La maison sise au coin des rues Saint-Olivier et des Glacis est achetée et réaménagée à cette fin. Le Jeffery Hale's Hospital ouvre ses portes en 1867; ce bâtiment existe toujours, à l'arrière du couvent des Sœurs de la charité.

Une trentaine d'années plus tard, le besoin d'espace se fait sentir. La médecine d'alors préconise que les malades soient répartis, selon leurs affections, dans des pavillons séparés les uns des autres pour éviter la contagion. Le 1ᵉʳ mai 1895, la corporation du Jeffery Hale's Hospital achète donc un grand terrain situé dans la paroisse Saint-Jean-Baptiste des dames religieuses de l'Hôtel-Dieu. Sur ce terrain trône une des quatre tours Martello érigées au début du XIXᵉ siècle pour défendre la ville.

Le 12 juin 1901, une cérémonie inaugure le bâtiment principal du nouvel hôpital de 60 lits contenant une salle des hommes, une salle des femmes, une pouponnière, des salles d'opération et d'accouchement. À cette occasion, l'homme d'affaires William Price fait un don de 25 000 $ pour l'érection de ce bâtiment, évalué à 52 000 $, pour la construction du pavillon d'isolement des contagieux, construit l'année suivante au coût de 20 000 $. D'autres constructions s'ajoutent et font du Jeffery Hale's Hospital un exemple du type pavillonnaire. Ainsi, sur le site de la tour Martello, le McKenzie Memorial Building est érigé en 1906, à la suite d'un don de madame J.F. Turnbull. Le Doublas Building pour les tuberculeux voit le jour en 1918 d'après les plans de l'architecte T.R. Peacock, grâce à la générosité du docteur James Doublas.

En 1916, une centrale d'énergie conçue et réalisée par les ingénieurs MacMullen, Riley et Duley s'ajoute au complexe. Le bâtiment principal se voit adjoindre une chapelle et, en 1932, une résidence pour les infirmières complète l'ensemble.

Dans les années 1940, les installations sont jugées inadéquates selon les nouvelles normes de la médecine. La construction

Vue de l'ancien hôpital Jeffery Hale aujourd'hui converti en logements.

L'hôpital Jeffery Hale en 1904 et la tour Martello aujourd'hui disparue. (Archives nationales du Québec, fonds Wurtële).

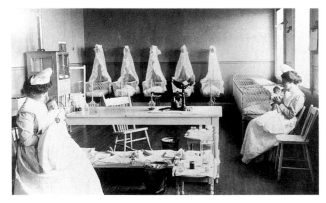

La pouponnière du Jeffery Hale. Encore aujourd'hui, cet hôpital est reconnu pour son service d'obstétrique. (Archives du Jeffery Hale).

d'un hôpital moderne, en hauteur, supplée au réaménagement des bâtiments existants. Frank Ross fait alors don d'un terrain situé à l'angle du chemin Sainte-Foy et de l'avenue Saint-Sacrement. L'actuel hôpital Jeffery Hale, dessiné par l'architecte Lucien Mainguy, est inauguré en 1956.

Réaffectation des bâtiments

Le complexe du boulevard Saint-Cyrille est alors acquis par le ministère des Travaux publics du Québec qui y loge la Sûreté du Québec. On ne connaît ni l'architecte ni le constructeur du premier édifice. Par contre, les architectes Cox et Amos, concepteurs du second hôpital, bien connus à Montréal (Brasserie Dow, Eastern Township Bank, Montreal Tramway), ont travaillé à la brasserie Boswell à Québec. L'entrepreneur des travaux, Walter Sharpe, œuvre de concert avec les deux architectes.

Différent du premier, cet édifice s'harmonise cependant avec son environnement. Les deux édifices possèdent le même schéma de base: de forme rectangulaire, ils disposent chacun d'un avant-corps central flanqué de deux tourelles et des avancées peu proéminentes à chaque extrémité soulignées par des frontons. Avec les ouvertures disposées de façon régulière, les deux bâtiments présentent aussi une façade symétrique. Les deux constructions s'apparentent également par l'utilisation de la brique rouge, des bandeaux de pierre et l'usage du cuivre. Le travail soigné de la brique et de la pierre est complété par des détails très raffinés.

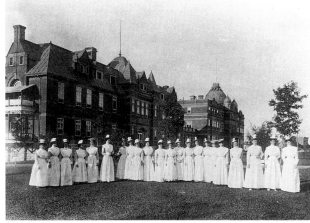

Groupe d'infirmières devant le bâtiment principal. En arrière-plan, le Mackenzie Building érigé en 1906 sur le site de la tour Martello. (Archives du Jeffery Hale).

Les deux bâtiments se distinguent cependant par leur toiture. Le plus ancien édifice, de style château, a sûrement subi l'influence des bâtiments prestigieux de Québec comme le manège militaire (1887), l'hôtel de ville (1896) et le Château Frontenac (1892 et 1897). Quant au style néo-baroque des coupoles du McKenzie Building, il fut moins utilisé à Québec. À Montréal, lieu de résidence des architectes, ce style était fort en vogue à cette époque, notamment pour les églises.

Ces deux bâtiments ainsi que la résidence des infirmières ont été recyclés en logements. Trois bâtiments sont disparus: le pavillon d'isolation, la chaufferie et le Doublas Building; ils ont été remplacés par des immeubles à vocation résidentielle qui dénotent un effort contemporain d'intégration à l'ensemble.

Encore aujourd'hui, les deux pavillons principaux de l'ancien Jeffery Hale's Hospital sont des éléments forts du paysage urbain. Ils ont certes perdu un peu de leur cachet ancien à cause des fenêtres nouvelles et des plantations encore jeunes. Les constructions récentes présentent un effort louable d'intégration aux anciens, même si on n'y retrouve pas d'aussi beaux détails architecturaux.

Suzanne Bernier, ethnologue

BAKER, Joseph et autres. *Édifices de l'ancien hôpital Jeffery Hale*. Québec, ministère des Affaires culturelles, 1976. 2 tomes.

Chapelle de la maison-mère des sœurs du Bon-Pasteur

Québec
1080, rue De La Chevrotière

Fonction: semi-public
Classée monument historique en 1975

Fondée en 1850 pour venir en aide aux jeunes filles délinquantes et abandonnées, la communauté des sœurs du Bon-Pasteur s'établit la même année dans le quartier du Bon-Pasteur, dépourvu d'église paroissiale à l'époque. Pour leur usage personnel aussi bien que pour desservir la clientèle locale, les religieuses commandent à l'architecte Charles Baillairgé une élégante chapelle. L'architecte s'est déjà signalé dans une pareille entreprise en 1850 pour les sœurs de la Charité de la place D'Youville. À cet endroit, il avait proposé une chapelle étroite mais haute, dotée de trois étages de galeries. Sur la rue De La Chevrotière, il reprend le même schéma avec deux étages de galeries. Bien des années séparent les deux œuvres. En fait, lorsque Charles Baillairgé entreprend de créer la chapelle du Bon-Pasteur, il s'agit d'une de ses dernières œuvres. La même année, il obtient le poste d'ingénieur municipal et abandonne la pratique privée.

Construite de 1866 à 1868, la chapelle du Bon-Pasteur se définit surtout par son espace intérieur. Le bâtiment se présente comme une église inscrite dans un ensemble plus vaste, agrandi et reconstruit à plu-

La chapelle renferme des œuvres d'art remarquables dont le maître-autel et son tabernacle de 1730.

Construite de 1866 à 1868, la chapelle du Bon-Pasteur représente l'une des dernières œuvres de Charles Baillairgé.

sieurs reprises. Dans ce tout, la façade signale la présence d'un lieu de culte, les dispositions du chevet, moins intéressantes, se profilent à l'arrière. La façade de Baillairgé, connue par des photographies anciennes — dont celle du couvent demeuré intact après l'incendie du faubourg Saint-louis en 1876 — a disparu lors d'un agrandissement par l'avant en 1909. L'architecte François-Xavier Berlinguet conçoit ce sombre pignon cantonné de deux tours et clochers. L'édifice permet une circulation plus aisée à l'arrière de la chapelle, mais en complique l'accès.

Un décor classique

Le décor architectural que crée Baillairgé est tout à fait remarquable à plusieurs égards. Ayant écarté le style gothique — probablement pour éviter trop de similitudes avec la chapelle des Sœurs de la charité —, l'architecte se replie sur le classique. Pour éviter un effet trop massif, il se refuse à utiliser l'ordre monumental, c'est-à-dire une colonnade couvrant tout l'étagement. Par contre, superposer des ordres différents, comme c'était l'usage jusque-là au Québec, aurait eu pour effet de créer une image fragile, le nombre d'étages réduisant la hauteur de chaque colonne et donc son diamètre, selon le système des proportions. Aussi utilise-t-il l'ordre attique pour réduire l'expansion en hauteur de l'étage des galeries de la nef. Plus trapu, ce genre de pilier demeure plus consistant lorsque disposé en étagement.

Ce décor, Baillairgé le fait exécuter en plâtre, matériau moderne de l'époque qui a l'avantage d'être à l'épreuve du feu, dans la mesure où il enveloppe une structure de bois. Rehaussé par quelques appliques également moulées et dorées, l'ensemble très sobre possède une élégance peu commune qui tient à la justesse des proportions et à l'équilibre entre les parties. La chapelle renferme aussi quelques œuvres d'art remarquables. Le tabernacle du maître-autel est une pièce rare de l'atelier des Levasseur, sculpteurs du Régime français. Il date probablement des années 1730 et ornait autrefois l'église Saint-Louis-de-Lotbinière. Sa forme, de façon très maniérée, évoque celle des premiers châteaux du classicisme français de la fin du XVIᵉ siècle. Au-dessus de ce maître-autel, on retrouve *L'Assomption de la Vierge*, tableau peint par Antoine Plamondon en 1869. Enfin, l'église contient de nombreux petits tableaux peints sur le piédestal des pilastres; il s'agit d'œuvres de l'atelier des sœurs du Bon-Pasteur, bien connu pour avoir livré des tableaux religieux dans la plupart des paroisses du diocèse de Québec à la fin du XIXᵉ siècle.

Luc Noppen, historien de l'architecture

CORRIVAULT, Louise. *La chapelle des Sœurs du Bon-Pasteur*. Québec, ministère des Affaires culturelles, 1975. n.p.

Hôpital Général et monastère

Québec
260, boulevard Langelier

Fonction: semi-public
Classé site historique en 1977

L E site de l'Hôpital Général, à la basse-ville de Québec, constitue l'un des rares endroits en Amérique du Nord habité sans interruption depuis plus de 350 ans. Il témoigne de l'évolution architecturale et des techniques de construction au cours des siècles. Les bâtiments connaissent de nombreuses transformations, même si aucun n'a été la proie d'un incendie.

En 1618, Samuel de Champlain soumet au roi de France un mémoire pour favoriser le peuplement de la Nouvelle-France; il y suggère entre autres d'aménager une ville (Ludovica) dans la vallée de la Saint-Charles et d'y installer 300 familles. Ces démarches restent vaines et, cinq ans plus tard, seul le couvent des Récollets occupe un terrain à proximité de la rivière Saint-Charles.

Le premier bâtiment

En 1620, après avoir passé l'automne et l'hiver à amasser des matériaux, les Récollets construisent leur couvent et le dédient à saint Charles. Le père Denis Jamay, commissaire de la communauté, décrit ce bâtiment comme un corps de logis de 10 mètres sur 7, d'un étage avec combles, construit en colombage maçonné avec une muraille de 20 centimètres d'épaisseur entre les pièces. Dans les pignons, au niveau du toit, trois échauguettes carrées d'un mètre cinquante de côté environ assurent la défense de l'habitation. Une pièce sert de chapelle.

Au cours des deux années suivantes, les Récollets transforment leur couvent en véritable forteresse avec des courtines, des remparts et des bastions en bois, autour desquels ils creusent des fossés. Une palissade de pieux ceinture le verger. Au-dessus de la porte de ce petit fort, ils construisent une église en pierre, bénite en 1621 sous le vocable de Notre-Dame-des-Anges. Il s'agit de la première église de pierre en Nouvelle-France. En 1625, les Récollets accueillent dans leur couvent les premiers Jésuites arrivés de France; la même année, ils enterrent Louis Hébert, dont la seigneurie se trouvait juste de l'autre côté de la rivière Saint-Charles. Il y faisait paître ses bestiaux, mais n'y construisit aucune habitation.

Après la prise de Québec par les frères Kirke, en 1629, les Récollets repartent en France; ils reviendront au Canada une trentaine d'années plus tard. Entre-temps, les Jésuites occupent l'habitation.

Dans les années 1670, les Récollets font construire une église, puis un nouveau couvent — le monastère de Notre-Dame-des-Anges — pour remplacer l'ancien tombé en ruine. La construction de l'église se termine en 1673. Deux ans auparavant, le frère Claude François, dit frère Luc, peint sur place le tableau du grand autel.

En 1677, le gouverneur Louis de Buade Frontenac fait ajouter une aile avec des murs à colombage au bâtiment des Récollets. Il s'y réserve un appartement au rez-de-chaussée pour ses cinq retraites annuelles de dix à quinze jours.

Les travaux achevés en 1682 comprennent un cloître en carré composé de sept et huit arcades par côté. Au sud-est, il longe le mur de l'église et au sud-ouest, il est en soubassement le long du réfectoire et de la cuisine, eux-mêmes sous le dortoir de 25 cellules. Au nord-ouest et au nord-est, il suit respectivement l'aile construite pour Frontenac et une simple allée. De cette époque,

Vue extérieure de l'Hôpital Général et du monastère.

La façade principale de l'Hôpital Général vue par le peintre Joseph Légaré vers 1850. (Archives de l'Hôpital Général de Québec).

il reste les murs et la plus grande partie de la charpente de l'église, les murs, la poutraison et les belles boiseries du réfectoire des Récollets et quelques petites cellules à l'étage.

Les Hospitalières entrent en scène

En 1672, mgr Jean-Baptiste de la Croix de Chevrières de Saint-Vallier, deuxième évêque de Québec, achète le couvent pour en faire un hôpital général. De telles institutions existent dans les grandes villes françaises depuis une trentaine d'années déjà. L'hôpital ouvre ses portes en octobre. Sœur Ursule, de la congrégation de Notre-Dame, s'occupe des malades avec l'aide de personnes charitables.

L'année suivante, l'évêque prie la première mère supérieure du monastère des Hospitalières de Notre-Dame-des-Anges de Québec, Louise Soumande de Saint-Augustin, de venir s'installer dans les locaux occupés précédemment par les pères récollets. Avec l'aide des dames hospitalières de la Miséricorde de l'Hôtel-Dieu, elle accepte de diriger cet hôpital destiné aux pauvres, aux invalides et aux vieillards. Les malades trouvent place dans l'ancienne aile de Frontenac.

En 1696, mgr de Saint-Vallier achète des héritiers de l'intendant la seigneurie d'Orsainville, acquise de Louis Hébert, et en

fait don aux pauvres de l'Hôpital Général. Les religieuses en assument la gestion. Ce domaine, appelé «la terre des Islets», assurera la subsistance des pensionnaires de l'hôpital pendant près de deux siècles et demi. Une fois rétablis, les patients participent aux travaux de défrichement et de culture avec les engagés. Ils cultivent le blé, l'orge et divers légumes; le foin des prés sert de pâturage aux bestiaux. L'emplacement de cette ferme, aujourd'hui démembrée, est occupé par les commerces alignés de part et d'autre du boulevard Hamel, entre l'avenue Plante et le parc de l'Exposition.

En 1697, les religieuses font peindre des tableaux sur les nouveaux lambris. Il s'agit d'œuvres d'art exceptionnelles au Québec, toujours conservées au monastère.

Forcées d'acheter du blé à prix fort l'hiver précédent, les religieuses décident, en 1702, de mettre à exécution un projet de moulin à eau conçu par mgr de Saint-Vallier avant son départ pour la France. L'évêque avait déjà fait construire de petits canaux qui récupéraient les eaux de ruissellement des environs et une digue pour les retenir. Le moulin entre en activité dès l'automne, mais trop souvent l'eau lui fait défaut. Aussi, en 1710, les religieuses font-elles construire un moulin à vent au sud de leur propriété. Fabriqué en bois, ce moulin laisse place à un autre érigé en pierre en 1731. Les passants

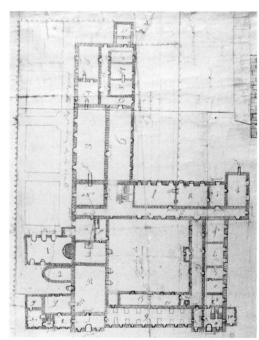

L'Hôpital Général à la fin du XVIIIe siècle. L'aile de la façade abrite la salle des hommes. (Archives de l'Hôpital Général de Québec).

peuvent encore l'admirer aujourd'hui, dans un petit parc pour enfants situé en retrait du boulevard Langelier.

L'hôpital s'agrandit

Entre 1710 et 1714, mgr de Saint-Vallier fait construire deux nouvelles ailes aux bâtiments: l'une pour son logement et le service de l'hôpital, au nord-est, et une seconde réservée à la pharmacie et à la communauté, qui remplace l'aile de monsieur de Frontenac, du côté nord-ouest. Dans la première aile, les planchers, les poutres, les plafonds et un foyer d'origine subsistent toujours. Dans l'autre aile, seuls les murs datent du XVIIIᵉ siècle.

En 1722, l'église, l'hôpital et les terres du monastère, soit un peu plus de 100 arpents, constituent une petite paroisse séparée de la cure Notre-Dame.

En 1724, des «loges» pour l'internement des «fous» s'ajoutent à l'avant de l'hôpital. De plus, l'année suivante, un pensionnat pour jeunes filles ouvre ses portes. Pendant près d'un siècle et demi, les religieuses y enseignent l'histoire, la musique, les travaux d'art, la lecture et l'écriture.

En 1725, mgr de Saint-Vallier avait érigé la chapelle du Saint-Cœur-de-Marie, qui donne dans la nef de l'église. Il y dépose le tombeau dans lequel il sera inhumé trois ans plus tard, quelques heures seulement après son décès. Il lègue tous ses biens aux Hospitalières et, avec lui, prend fin la période la plus riche en développement de l'histoire de l'Hôpital Général.

Au cours des 30 années suivantes, l'hôpital connaît peu de changements, à part la construction en 1737 et 1738 d'une autre aile de 120 pieds français. Grâce à cette construction, les religieuses peuvent profiter de cellules plus spacieuses. Les murs, les planchers et divers aménagements comme des armoires murales subsistent encore. Les planchers présentent une particularité de cette époque: faits de solives trapézoïdales, très solides, collées les unes sur les autres, ils constituent une excellente barrière coupe-feu.

En 1749, dans son *Journal du voyage au Canada*, le Suédois Pehr Kalm décrit sa visite à l'Hôpital Général en termes flatteurs pour les religieuses. Elles ont des attitudes et un charme qui manquent aux autres religieuses rencontrées à Québec. Selon lui, elles possèdent aussi plus de mobilier que les autres dans leurs cellules: un lit garni de rideaux bleus, deux petites commodes et une petite table au milieu de la pièce, deux sièges et quelques gravures au mur. Kalm remarque l'absence de poêle dans les chambres, mais les salles où elles travaillent et celles où elles mangent en sont pourvues. Il trouve l'emplacement du couvent agréable et, de loin, le bâtiment lui rappelle un petit palais.

Au moment de la Conquête, l'hôpital déborde de patients. Les religieuses installent des lits partout et y soignent indifféremment les Français ou les Anglais. L'aile construite en 1738 s'avère très utile pour abriter les nombreux blessés. L'institution accueille jusqu'à 600 malades simultanément. Les religieuses ensevelissent les morts dans le cimetière en face de l'hôpital et se réservent les emplacements situés dans les jardins intérieurs. Lors du siège de Québec, en juillet 1759, les Hospitalières de l'Hôtel-Dieu et les Ursulines trouvent refuge à l'Hôpital Général avec une partie de la population. Les greniers, les hangars et les étables regorgent de gens. En 1760, à cause de la position stratégique occupée par l'Hôpital Général, François Gaston, duc de Lévis, s'interroge sur la pertinence de sa destruction pour éviter qu'il ne serve de refuge aux Anglais. Heureusement, ce projet reste sans lendemain.

L'après-Conquête

De 1763 à 1770, les religieuses réparent les dégâts causés par les bombardements. Elles font démolir la dernière aile ouverte du cloître et entreprennent de nombreux travaux de réfection à l'église. Pierre Émond, menuisier-charpentier, effectue ces rénovations. Il répare le cintre et la corniche de la voûte endommagée lors du siège, remplace les ardoises de la couverture par des bardeaux, agrandit le sanctuaire et réaménage le retable. L'artisan déplace en outre la chapelle de mgr de Saint-Vallier de 2 mètres vers l'ouest, contre le chœur des religieuses. Ainsi, l'église prend peu à peu son aspect actuel.

L'Hôpital Général en 1937. Depuis 1960, un quatrième étage surmonté d'un toit plat couronne l'édifice. Seule la façade conserve son cachet «antique». (Carte postale, Archives nationales du Québec à Québec, collection initiale).

En 1792, Pierre-Louis Jobin, concessionnaire d'un arrière-fief dans la seigneurie d'Orsainville, se rend à l'Hôpital Général pour y prêter foi et hommage aux seigneuresses. Outre cette terre, les religieuses possèdent plusieurs autres seigneuries: celles de Saint-Vallier, de Berthier et même une partie de la seigneurie de Kamouraska, dot d'une postulante.

À la suite d'importantes difficultés financières, les religieuses vendent leur seigneurie de Saint-Vallier. Elles obtiennent cependant de l'aide de leur nouveau supérieur, le chanoine Charles Régis des Bergères de Rigauville, qui leur lègue en 1780 sa seigneurie de Berthier. À cette époque, le sculpteur François-Noël Levasseur se retire à l'Hôpital Général et s'engage à travailler de son art pour compléter le prix de sa pension. Une autre bienfaitrice des religieuses, mademoiselle de Saint-Ours, leur fait remise d'une importante dette en 1790. En 1824, la communauté acquiert neuf tableaux du peintre Joseph Légaré; cinq de ces tableaux se retrouvent encore dans l'église. Les religieuses complètent elles-mêmes la décoration, tout en faisant appel à des peintres et à des décorateurs.

Entre 1843 et 1850, les travaux de construction et d'agrandissement reprennent à l'Hôpital Général. Les religieuses font tout d'abord construire, du côté sud-ouest de leur monastère, une aile de 45 mètres de long, dans le prolongement de celle de 1737. Les religieuses peuvent ainsi transformer l'ancien dortoir des Récollets en infirmerie. Elles font aussi changer les fenêtres et ajouter un troisième étage à l'établissement. Le toit de bardeaux est alors remplacé par une couverture en fer-blanc. En 1859, la communauté ajoute l'aile de la procure pour héberger des hommes et des femmes invalides.

Pendant les 70 années subséquentes, les religieuses modifient peu l'aménagement intérieur de l'hôpital. Elles réservent les anciennes salles du pensionnat à des prêtres malades en 1878, puis à des dames pensionnaires à partir de 1907. En 1881, le chauffage central à l'eau chaude remplace les vieux poêles à bois. De plus, après de longues hésitations, les religieuses font installer l'électricité dans l'hôpital en 1908. Il faudra cependant attendre le début des années cinquante avant que les corridors des dortoirs et les chambres des religieuses soient pourvus d'éclairage électrique. En 1913, elles font aménager une salle de chirurgie et construire l'aile de l'Immaculée-Conception. En 1929, elles font bâtir l'aile Notre-Dame-des-Anges à l'extrémité sud du vieux chœur de 1726. Cet édifice étant à l'épreuve du feu,

Armoire de pharmacie.

les religieuses y installent le musée, la bibliothèque, les archives et les parloirs.

Changements profonds

Entre 1943 et 1960, l'hôpital connaît d'importants travaux de rénovation. La chaux disparaît des murs extérieurs et un quatrième étage avec un toit plat s'ajoute à tout l'établissement, sauf sur la façade de l'entrée à qui les religieuses souhaitent garder le cachet «antique». Les grandes salles se transforment en chambres et l'institution se dote d'ascenseurs et d'un système d'interphone. L'église est agrandie de 4 mètres en façade. Entre 1951 et 1953, les religieuses font construire une nouvelle annexe de 250 lits, appelée l'aile Saint-Joseph. Enfin, en 1960, des ouvriers refont le chœur et la chapelle du Saint-Cœur-de-Marie, entre l'église et l'aile Notre-Dame-des-Anges.

Une phase de laïcisation s'ouvre à l'Hôpital Général de Québec peu après. En

conformité avec la Loi des hôpitaux de 1962, les religieuses forment d'abord un conseil d'administration, puis, en 1966, elles engagent des directeurs laïcs, adjoints à l'administration. Enfin, en 1975, elles confient la direction générale de l'établissement à un laïc.

En 1965, les règles de la clôture sont élargies. Les grilles dans le chœur de l'église et dans le parloir disparaissent. Chaque religieuse peut passer quelques jours dans sa famille. De plus, l'année suivante, elles reprennent leur nom civil et, en 1967, changent de costume religieux.

Lors des travaux sur la façade effectués par le ministère des Affaires sociales en 1977, la pierre de taille de 1710 autour des fenêtres est remplacée par une autre pierre de taille qui permet de se conformer aux normes sur l'ouverture des fenêtres. Le revêtement de planches à clins apposé sur la façade depuis un peu plus d'un siècle disparaît. De même, la brique du troisième étage de l'aile de 1710 et celle des trois étages de l'aile de

L'intérieur de la chapelle avec le retable de Pierre Émond exécuté en 1770.

1859 est remplacée par de la pierre afin d'obtenir une certaine homogénéité. Les religieuses restaurent, en 1982 et 1983, avec l'aide du ministère des Affaires culturelles, l'intérieur de l'église et l'extérieur du presbytère, dans lequel se trouvaient les appartements de mgr de Saint-Vallier.

Dans l'église, des ouvriers refont le cintre, déposent et nettoient les lambris, puis restaurent toutes les peintures. Au presbytère, de nouvelles fenêtres sont posées et la pierre remplace la brique du troisième étage.

Au cours des siècles, l'Hôpital Général de Québec devient un complexe hospitalier de plus en plus important. Autour des édifices principaux s'ajoutent des bâtiments secondaires pour les diverses activités d'entretien et de développement de l'insti-

tution: une menuiserie, une forge, une chaufferie, un atelier pour les peintres et un autre pour la fabrication du savon, un poulailler, un clapier. Si la plupart de ces bâtiments ont aujourd'hui perdu leur fonction initiale, ils témoignent néanmoins de la vie de l'hôpital et du couvent. Le jardin intérieur des religieuses comprend un jardin floral, un verger et des espaces réservés à la culture des fruits et légumes. Autrefois, il permettait d'assurer une partie de la subsistance des religieuses et de leurs pensionnaires.

Le site de l'Hôpital Général, l'un des plus importants de l'histoire du Québec, a été préservé au cours des siècles grâce aux bons soins des religieuses. Les vestiges les plus anciens, peu accessibles au public, se trouvent dans les locaux de la communauté.

Souhaitons qu'un jour les religieuses puissent les présenter aux visiteurs intéressés, comme elles le font déjà avec leurs pièces exceptionnelles du patrimoine artistique et artisanal de leur musée.

François Picard, journaliste et archéologue
Vianney Guindon, architecte

DALLAIRE, Micheline. *L'Hôpital-Général de Québec, 1692-1764*. Montréal, Fides, 1971. 251 p.

PORTER, John. «L'Hôpital-Général de Québec et le soin des aliénés (1717-1845)». *Actes du Congrès annuel de la Société canadienne d'histoire de l'Église catholique*, 1977: 23-57.

Principaux faits historiques concernant l'Hôpital-Général de Québec de 1620 à 1983. Livret publié par les religieuses de l'Hôpital Général, 1975. 37 p.

Moulin à vent de l'Hôpital Général de Québec

Québec   Reconnu bien archéologique en 1988
Boulevard Langelier

En 1702, les religieuses de l'Hôpital Général de Québec se dotent d'un moulin à farine pour les besoins de leur établissement. Le moulin manque souvent d'eau pour bien fonctionner et les religieuses font construire en 1709 un moulin à vent en bois. Du type à pivot, ses béquilles s'appuient sur une assise en maçonnerie. L'exploitation conjuguée des deux moulins donne de forts bons résultats. Cette réussite amène l'intendant à confier aux religieuses la charge de moudre chaque année les grains du magasin du roi.

Vers 1730, les moulins sont si gravement détériorés que, par crainte de perdre la clientèle de l'intendant, les religieuses décident de reconstruire leur moulin à vent et prennent soin de le doter d'une tour en maçonnerie, plus solide et plus durable. À ce moment, le moulin à eau existe encore, mais les *Annales* mentionnent qu'il ne fonctionne pratiquement plus.

La Conquête de 1760 entraîne des changements majeurs dans les opérations des religieuses qui louent leurs moulins, devenus une charge trop lourde pour leur établissement. Le sieur Louis Nadeau, maître farinier du faubourg Saint-Vallier, en prend charge et les exploite pendant neuf ans. En 1772, ce bail est annulé. En mauvais état à ce moment, les deux moulins commandent des réparations. On ignore le moment précis où le moulin à eau s'arrête définitivement. Quant au moulin à vent, un grave incendie l'endommage sérieusement en 1805 et lui fait perdre sa toiture. Réparé, il continue de tourner un certain temps et s'arrête à son tour entre 1842 et 1862. D'après les *Annales*, les religieuses continuent de moudre du blé jusqu'en 1822. Vingt ans plus tard, l'Hôpital Général de Québec commence à acheter son pain. En 1862, le grand incendie qui rase tout le quartier Saint-Sauveur détruit le moulin de fond en comble.

Sauvé de justesse

En 1883, le terrain sur lequel se trouve le moulin est concédé avec une rente seigneuriale non rachetable. Le preneur du terrain et du moulin en aura la jouissance à condition de les entretenir et d'assumer toutes les taxes et contributions municipales.

Par la suite, le terrain et le moulin changent de main plusieurs fois. Ainsi, Adélard Deslauriers s'en porte acquéreur en 1926 et éteint la rente seigneuriale en 1943.

Entre-temps, la vieille tour connaît divers usages; elle est même enveloppée par un bâtiment neuf qui la fait presque disparaître. En 1943, le gouvernement du Québec achète la propriété qui sert d'entrepôt au ministère des Travaux publics. Menacé de démolition, le moulin est sauvé par l'action conjuguée de la Commission des monuments historiques et de la Commission municipale de conservation de la capitale. En 1976, l'immeuble qui l'enserrait est démoli et la tour du moulin restaurée. La tour reçoit alors une nouvelle toiture recouverte de feuilles métalliques et le terrain qui l'abrite est aménagé en parc.

Pierre-Yves Dionne, ingénieur et ethnologue

Desjardins, Pierre. *Les moulins à vent du Québec*. Québec, ministère des Affaires culturelles, 1982. 42 f.

Maisonneuve, Ronald. *Onze moulins à vent*. Québec, ministère des Affaires culturelles, 1980. 145 f.

Menacée de démolition, la tour du moulin est finalement restaurée en 1976. Sa construction remonte à 1730.

Maison Maizerets

Québec
1000, rue De La Vérendrye

Fonction: public
Classée monument historique en 1974

LE 21 décembre 1979, la ville de Québec acquiert la maison Maizerets. Le domaine a été pendant presque trois siècles la propriété du Séminaire de Québec. Désireux de voir se poursuivre l'œuvre d'éducation et de loisir de ce domaine, la municipalité s'assure par cette acquisition «d'un lieu de verdure et de bâtiments propre à améliorer sensiblement la qualité de ses équipements de loisirs communautaires dans ce secteur de la ville [...]», écrit le 8 février 1980 Jean Pelletier, maire de Québec, au ministère des Affaires culturelles.

Premiers occupants

Le 10 mars 1626, Henri de Lévy, duc de Ventadour, vice-roi de la Nouvelle-France, concède aux Jésuites la seigneurie de Notre-Dame-des-Anges. Tenus de distribuer leurs terres en censive, les Jésuites octroient, le 10 août 1652, une terre à Simon Denis de la Trinité. Les héritiers de ce dernier vendent la ferme le 13 janvier 1696 à Thomas Doyon et à sa femme Barbe Trépany. Le domaine Maizerets passe finalement aux messieurs du Séminaire de Québec le 14 janvier 1705.

Parfois qualifiée, à tort, de manoir, sans doute à cause de sa taille impressionnante, la maison Maizerets occupe présentement un emplacement très différent de celui qu'occupait le vaste domaine possédé par le Séminaire au XVIIIᵉ siècle. Au milieu du XIXᵉ siècle, le Séminaire entreprend le démantèlement de son domaine initial. Ses dimensions actuelles le confinent à l'espace compris entre l'autoroute Dufferin-Montmorency et les voies ferrées du Canadien National.

De dimensions restreintes à l'origine, la maison Maizerets d'aujourd'hui résulte de trois agrandissements successifs réalisés à partir de la maison de ferme de Thomas Doyon. Une dizaine d'années après son acquisition par le Séminaire, elle fut pratiquement reconstruite. Connue sous le nom de maison de la Canardière, en raison de la richesse faunique des battures sises à proximité, elle comportait un seul étage et possédait vraisemblablement une toiture à la Mansart, comme les autres bâtiments du Séminaire «en ville». Cette maison correspond aujourd'hui à la partie est de l'édifice actuel (sous-sol et rez-de-chaussée, comprenant une porte et six fenêtres).

Une nouvelle résidence

En 1775, les Américains occupent la maison de la Canardière et y mettent le feu en la quittant l'année suivante. En 1777, le Séminaire ajoute deux étages sur les murs existants, après les avoir solidifiés. Recouvert d'un toit à croupes, le surhaussement d'un

étage se voit encore sur la façade de la maison actuelle. Un léger retrait dessine une ligne horizontale entre les deux niveaux, sous les tablettes des fenêtres de l'étage.

En 1826, une structure de même style longue d'une dizaine de mètres agrandit l'édifice vers l'ouest. Ses nouvelles dimensions et la présence d'un clocheton au centre du toit l'assimilent de plus en plus aux autres édifices du Séminaire.

En 1848, la maison de la Canardière atteint ses dimensions actuelles par une rallonge de 15 mètres vers l'ouest construite dans le même style, sauf le toit doté de deux versants au lieu de se terminer en croupes comme sur la partie est. L'allonge reçoit un mur pignon tout en pierre dans lequel se trouve une cheminée.

La maison acquiert toutefois son aspect définitif en 1927. À peine relevée d'un incendie qui ravage sa partie ouest en 1923, la maison est à nouveau la proie des flammes en 1927. Le sinistre détruit complètement la partie centrale, construite en 1826.

Au lieu d'effectuer des réparations partielles comme en 1923, on refait le toit à neuf. La forme asymétrique qu'il présentait depuis 1848 disparaît. Les ouvrages de maçonnerie résistent et sont récupérés au moment des travaux.

Dans son état actuel, la maison Maizerets nous livre plusieurs témoignages. Dès 1705, un fermier s'y installe avec sa famille. Il occupe le rez-de-chaussée et les étudiants du Séminaire logent à l'étage, sous les mansardes. À cette époque, la vocation essentielle de la ferme de la Canardière reste imprécise. En raison de sa proximité de Québec, elle pouvait sans doute alimenter plus directement le Séminaire que la seigneurie de la Côte-de-Beaupré. Certains documents anciens laissent supposer que le Séminaire y voyait une précieuse réserve de bois pour les «trois ou quatre censans» à venir.

Avec ses deux grandes salles superposées et reliées par un bel escalier ouvragé, la maison reconstruite en 1777 présente manifestement un caractère institutionnel

La maison Maizerets vers 1925. L'édifice actuel résulte de trois agrandissements successifs. Certains traits de son architecture, comme l'absence de fenêtres doubles et de caves voûtées et le nombre restreint de cheminées, caractérisent sa fonction de résidence d'été. (Archives nationales du Québec à Québec, collection initiale).

sans rapport avec une maison de fermier. On imagine mieux ces aires spacieuses aménagées en réfectoire et dortoir. Une chapelle, installée vers 1780, aux frais de mgr Olivier Briand, précise la vocation de la maison. C'est d'ailleurs pour «servir de maison de campagne pour les jours de congé du Séminaire» que la maison Maizerets est reconstruite et agrandie.

Des travaux d'agrandissement effectués en 1826 consacrent cette nouvelle vocation. Cette période marque le début de ce qu'on pourrait appeler la belle époque de Maizerets. Coiffé de son long toit en croupes ornées, l'édifice présente à chacune de ses extrémités une cheminée massive et, en son centre, un élégant clocheton. Divers services s'y retrouvent. «Un appartement propre à y faire des lessives» et un appartement pour le gardien témoignent d'une utilisation de plus en plus intensive du bâtiment. En 1848, un nouvel agrandissement pour accueillir «une communauté plus grande» s'impose. Les nouveaux aménagements comportent probablement l'établissement de zones distinctes pour les prêtres et les étudiants. En 1849, la propriété est embellie par l'aména-

gement d'un étang de forme elliptique; son îlot, ses ponts et son petit oratoire évoquent le goût romantique de ses concepteurs. En 1850, le nom «la Canardière», en usage depuis le milieu du XVIIᵉ siècle pour désigner l'ensemble des terres en bordure du fleuve, change pour celui de Maizerets. Le nouveau toponyme honore Louis Ango de Maizerets, supérieur du Séminaire lors de l'acquisition de la ferme en 1705.

Centre de villégiature

Après avoir servi de lieu d'habitation pour les gérants de la ferme, la maison devient un site de villégiature pour les séminaristes. En 1932, elle se transforme en colonie de vacances pour les élèves externes du Petit Séminaire. Peu après, elle s'ouvre à tous les jeunes de la région.

En plus des activités de plein air, les jeunes peuvent suivre entre autres des cours d'arts plastiques, de théâtre, de sciences naturelles, de géographie. Maizerets constitue une sorte de nouvelle œuvre d'éducation de la mission générale du Séminaire.

L'architecture de la maison Maizerets évoque éloquemment tout ce passé.

L'empreinte du séminaire transparaît de façon évidente. Comme pour les édifices du séminaire de Québec, on y retrouve l'architecture du XVIIᵉ siècle français, dépouillée peut-être de son faste et de ses ornements. L'essentiel reste toutefois: la noblesse et l'harmonie des proportions. Tout comme le vieux séminaire, Maizerets s'agrandit dans le respect de son style d'origine, indépendamment des nouveaux courants.

Sa fonction principale de résidence d'été donne tout son caractère à l'architecture de la maison Maizerets. La majorité des fenêtres de la maison ne comportent pas de doubles fenêtres; les cheminées sont peu nombreuses pour un édifice de cette taille; on n'y retrouve aucune cave voûtée. L'intérieur présente une simplicité et un dépouillement qui conviennent à une maison de campagne. L'escalier à balustres de la partie est (1777), pourtant très simple, contraste avec le reste du décor. L'apparente fragilité du toit diffère notablement de celle du château Bellevue, autre propriété du Séminaire à Saint-Joachim-de-Montmorency.

Avec le château Bellevue, la maison Maizerets constitue un spécimen unique au Québec. Ses dimensions et ses caractéristiques architecturales rappellent le milieu urbain.

Inutilisée depuis une vingtaine d'années, la maison Maizerets est menacée par le vandalisme, malgré la vigilance de son propriétaire. Sa prise en charge par la ville de Québec, en 1979, semble lui assurer une préservation et une mise en valeur adéquates. D'importants travaux de restauration ont été entrepris récemment et permettront, grâce aux explorations architecturales et aux fouilles archéologiques, de parfaire la connaissance du monument.

La maison sera restaurée dans le respect de sa réalité historique, mais conservera sa définition architecturale actuelle sans privilégier un état antérieur. Des fonctions récréo-éducatives compatibles avec la préservation des lieux y seront restaurées. Éventuellement, tout l'emplacement fera l'objet de travaux.

Jean-Louis Boucher, architecte

Vue actuelle de la maison Maizerets.

Noppen, Luc, Guy Giguère et Jean Richard. *La maison Maizerets, Le Château Bellevue*. s.l., ministère des Affaires culturelles. 1978. n.p. (Coll. «Civilisation du Québec», nº 25).

École Saint-Charles de Hedleyville

Québec
699 et 701, 3ᵉ Rue

Fonction: privé
Classée monument historique en 1984

À la fin du XIXᵉ siècle, le quartier Limoilou comprend deux villages: Hedleyville et Stadacona. Hedleyville regroupe deux cents familles et sa population excède mille habitants. Déjà, en 1789, les communications entre ce village et la ville de Québec se font de façon relativement aisée car un pont de bois enjambe la rivière Saint-Charles à l'emplacement actuel du pont Drouin.

La rue Anderson, en bordure de laquelle s'élève l'école Saint-Charles, constitue l'artère principale du village. La majeure partie des travailleurs employés à Québec dans l'industrie du bois, la tannerie, la fonderie et les chemins de fer y circulent.

En 1863, les religieuses de l'Hôtel-Dieu de Québec signent un bail emphytéotique de 40 ans avec les commissaires d'écoles de Saint-Roch-Nord pour «bâtir et entretenir sur le dit terrain pendant toute la durée de ce bail, une école catholique romaine». Construit en brique, sur des fondations de pierre, le bâtiment mesure 15 mètres sur 9. Un revêtement de planches à clins et de tôle gaufrée s'ajoute par la suite sur les murs pignons. Ces ajouts postérieurs à la construction existent toujours. Le toit à deux versants, aux égouts retroussés, possédait à l'origine un recouvrement de bardeaux de cèdre, remplacé ulté-

rieurement par du papier goudronné. Un clocheton, dont il ne subsiste aujourd'hui que la base, prenait place autrefois au centre de la toiture, à cheval sur la ligne faîtière.

L'école s'inspire du style néo-classique, notamment par l'organisation symétrique des ouvertures et des souches de cheminée et par la forme des avant-toits. La façade postérieure possède sensiblement les mêmes caractéristiques architecturales que la façade avant. Toutefois, les lucarnes des extrémités est et ouest interrompent l'avant-toit pour préserver des portes de sortie. Un escalier conduit au rez-de-chaussée.

Des conditions précaires

Selon les inspecteurs d'école de l'époque, l'école Saint-Charles connaît de nombreux problèmes de fonctionnement causés par des conditions matérielles précaires. Le témoignage le plus percutant demeure celui d'une sœur enseignante qui raconte la vie à l'école de la 3ᵉ Rue, de 1899 à 1900: «Comme toutes les Œuvres du bon Dieu cette fondation débuta par la pauvreté et les souffrances, écrit-elle [...] Aussi quelle ne fut pas leur surprise de voir le logement aussi délabré qu'une vieille maison abandonnée: au rez-de-chaussée se trouvaient deux grandes classes avec mobilier scolaire et au premier étage six petites pièces dont la plus grande est une classe mais où il ne se trouvait que des bancs sans table. Ces trois classes contenaient 175 élèves, garçons et filles [...]».

Manquant de bois, les sœurs firent démolir un hangar adjacent à l'école pour se chauffer. Les élèves causaient également beaucoup de tracas aux religieuses. Indisciplinés, ils n'hésitaient pas le soir à monter sur le toit de l'école pour voir les sœurs à travers les fenêtres. Au printemps de 1900, une inondation due à la fonte des neiges et aux grandes marées envahit les classes du rez-de-chaussée.

Quelques années plus tard, le 20 juillet 1903, les religieuses de l'Hôtel-Dieu de Québec, au terme de leur bail emphytéotique, vendent leur propriété à Milicia Gosselin. La maison sera désormais vouée à l'habitation.

Jacques Dorion, ethnologue

Cette habitation, aujourd'hui à vocation résidentielle, logea, de 1863 à 1903, une école dotée de deux grandes classes au rez-de-chaussée et de six petites pièces au premier étage.

ETHNOTECH. *Évaluation patrimoniale. Maison d'école 3ᵉ rue Limoilou*. Québec, ministère des Affaires culturelles, 1982. 45 p.

Arrondissement historique de Sillery

Déclaré arrondissement historique en 1964

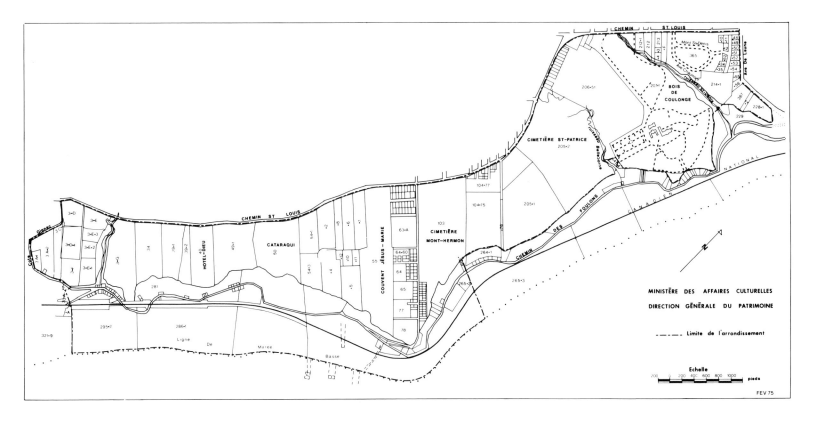

Avant l'arrivée des Européens, des peuplades d'Amérindiens occupent des lieux propices aux campements saisonniers et aux activités de cueillette et de pêche. Les fouilles archéologiques révèlent que ces lieux d'occupation remontent à quelque 3 000 ans; ils ont appartenu au groupe culturel dit du sylvicole supérieur. Certains des emplacements découverts se situent dans l'arrondissement historique de Sillery, non loin de la grève, dans les anses abritées et à proximité des ruisseaux susceptibles de fournir l'eau potable.

En 1637, les Jésuites établissent leur mission dans une des anses appelée Saint-Joseph. À cette époque, les Amérindiens viennent encore y pêcher durant l'été. Les Jésuites espèrent sédentariser les nomades algonquins et montagnais en les groupant pour leur enseigner l'agriculture et les convertir au christianisme.

Entre 1640 et 1650, les Jésuites font construire une chapelle et divers bâtiments, dont un moulin à vent; ils ceinturent leur mission d'une muraille de pierre afin de la protéger d'éventuelles attaques. La tentative de sédentarisation de la communauté amérindienne échoue lamentablement. Après 1670, les Jésuites l'interrompent et quittent

la mission près d'une trentaine d'années plus tard. L'emplacement se transforme alors en exploitation agricole et les pères obtiennent des autorités la concession de la seigneurie de Sillery et la terre des Amérindiens. En 1733, ils construisent une maison, possiblement celle qui s'élève aujourd'hui sur le site, du moins en partie (fondations et murs). Les Jésuites conservent la propriété du domaine tout au long du XVIIIe siècle.

Un séjour écourté

Près de ce premier noyau d'occupation, à l'ouest de la pointe Saint-Joseph, les sœurs hospitalières font ériger en 1640 un hôpital et des bâtiments d'accueil pour les autochtones. À cause de la menace iroquoise, elles abandonnent leur établissement quatre ans plus tard et le vendent en 1649. Cette terre devient le fief de Monceaux et l'hôpital sert de manoir jusqu'à sa destruction par un incendie, en 1663. Avant la Conquête, la famille d'Auteuil occupe le fief.

Le périmètre de l'arrondissement de Sillery comprend trois autres concessions à l'est de la pointe à Puiseaux: la terre de Saint-Denys, la châtellenie de Coulonge et le fief Saint-Michel.

Arrondissement historique de Sillery

La famille Juchereau obtient la concession de la terre de Saint-Denys et en garde la propriété jusqu'à la fin du XVIIᵉ siècle. Un moulin s'élève au bas de l'escarpement sur le ruisseau. Au XVIIIᵉ siècle, le Séminaire de Québec se porte acquéreur de la terre et utilise le moulin pour fouler de l'étoffe, d'où les toponymes actuels de chemin du Foulon (ou des Foulons) et de l'anse au Foulon. Ce lieu demeure aussi mémorable car, le 13 septembre 1759, les troupes du général James Wolfe accèdent aux plaines d'Abraham par cette anse et le ravin du ruisseau Saint-Denys.

En 1637, Pierre de Puiseaux reçoit en concession le fief Saint-Michel et s'y fait construire une maison de pierre. Cette maison sert de refuge aux soeurs hospitalières en 1640, puis au sieur de Maisonneuve, à Jeanne Mance et à madame de la Peltrie à l'hiver 1642. En 1678, les autorités du Séminaire de Québec se portent acquéreurs du domaine et font construire une maison destinée aux élèves en congé au sommet de l'escarpement.

La châtellenie de Coulonge résulte du remembrement de plusieurs terres: le domaine de la châtellenie, quatre terres concédées en 1652, la terre de Belleborne et la

terre de Samos. Durant la décennie 1650-1660, Louis D'Ailleboust fait construire un logis et défricher quelque 17 hectares. Après sa mort, en 1664, le chirurgien Annet Gomin obtient l'une de ses terres, d'où le nom de chemin Gomin qui survit toujours. Le Séminaire de Québec achète la châtellenie en 1678.

Entre la fin du XVIIᵉ siècle et la Conquête, trois grands propriétaires se partagent donc les terres de Sillery: le Séminaire possède les trois concessions près de Québec, les Jésuites le domaine de la seigneurie de Sillery et la famille d'Auteuil habite le fief de Monceaux.

Préfigurant en quelque sorte la vocation de cet espace au siècle suivant, une grande résidence d'été, la maison de Samos, s'élève

Les jardins de Cataraqui à la fin du XIXᵉ siècle. En fond de scène, on distingue les mâts des voiliers attendant leur chargement de bois. (Inventaire des biens culturels du Québec).

Au XIXᵉ siècle, les anses de Sillery servent à entreposer le bois équarri provenant de la région de l'Outaouais avant son expédition en Angleterre. (Archives nationales du Québec à Québec, fonds Livernois).

Arrondissement historique de Sillery

Partie du territoire de Sillery d'après une carte de 1864. L'arrondissement historique de Sillery se distingue par ses espaces verts, vestiges des grandes propriétés des commerçants de bois du XIXᵉ siècle. Les anses à bois ont cédé la place aux installations portuaires modernes, tandis que les maisons ouvrières situées au pied du cap ont été remplacées par des résidences de banlieue. (Archives nationales du Québec à Québec).

en 1732 sur les terres du Séminaire, à la hauteur de ce qui deviendra plus tard Woodfield.

Après la Conquête, certaines exploitations agricoles et trois résidences de grande taille subsistent sur le site. Durant la seconde moitié du XVIIIᵉ siècle, quelques établissements industriels et artisanaux s'ajoutent. Le Séminaire de Québec vend alors ses terres de Saint-Denys et de Coulonge à des militaires et à des hauts fonctionnaires britanniques. Après le décès du dernier Jésuite, en 1800, le domaine de la seigneurie de Sillery devient la propriété du gouvernement.

La prospérité par le bois

Au début du XIXᵉ siècle, à la suite du blocus continental imposé par Napoléon 1ᵉʳ

en 1806, le commerce du bois prend soudainement une importance considérable. Privée du bois de l'Europe du Nord, l'Angleterre se tourne vers les forêts canadiennes. À Sillery, le littoral formé de nombreuses anses sert d'abri pour le bois en provenance de la région de l'Outaouais. Durant presque tout le XIXᵉ siècle, les exportateurs de bois et propriétaires de chantiers navals profitent de ces avantages.

En 1861, plus de 3 500 ouvriers, surtout d'origine canadienne ou irlandaise, exercent des métiers reliés à l'activité des chantiers à Sillery. Ils s'établissent près des berges du fleuve, le long du chemin du Foulon, à proximité des lieux de travail.

Afin de permettre les arrivages de bois et de marchandises, puis de faciliter le chargement des navires, les marchands font construire de nombreux quais et hangars, empiétant déjà sur une partie des berges du fleuve. Une fois les berges saturées, certains propriétaires de chantiers continuent de développer les terrasses intermédiaires. Ainsi, dans la côte à Gignac, Nolan fait construire, à même son domaine, des habitations pour ses employés, d'où le toponyme de Nolansville.

Sur la pointe à Puiseaux, dans la côte de l'Église, le juge Edward Bowen fait naître vers 1840 un hameau qui se développera avec la construction de l'église catholique

Arrondissement historique de Sillery

Connu d'abord sous le nom de Spencer Wood, le domaine de Bois-de-Coulonge passe au gouvernement canadien en 1852. Ce dernier le cède à la province de Québec en 1870. À compter de ce moment, il sert de résidence au lieutenant-gouverneur jusqu'à sa destruction. L'édifice est rasé par les flammes en 1966. (Archives nationales du Québec à Québec, fonds Office du film du Québec).

(1852) et de l'école de la paroisse (1875). Plus à l'est, le long du chemin Saint-Louis, un autre embryon de village se forme sur certaines des terrasses de la partie nord-ouest du domaine de William Sheppard, à l'ancien emplacement de la maison de Samos. D'abord nommé Sheppardville, ce secteur reçoit plus tard un nom français: Bergeville. Toutefois, les rues portent les prénoms de la famille Sheppard: William, Harriet, Charles, Charlotte, Maxfield, Laight et Sarah.

Vers la fin du XIXe siècle, le transport du bois par flottage décline. Au début du siècle suivant, presque tous les chantiers ferment leurs portes. La construction du pont de Québec, de 1900 à 1917, et celle du chemin de fer entre Québec et Cap-Rouge, en 1909, permettent d'engager une partie des ouvriers mais, par la suite, Sillery connaît une forte baisse de population. À cette époque, la plupart des petites maisons construites sur les battures disparaissent. Elle feront place aux réservoirs d'hydrocarbures et au boulevard Champlain.

L'ère des villas

Sur le promontoire qui s'étire entre Québec et Cap-Rouge, le long du chemin Saint-Louis, de grandes propriétés s'élèvent dès le début du XIXe siècle. Le pittoresque des sites, le panorama du fleuve et la proximité de leurs propres chantiers attirent les grandes familles bourgeoises de Québec. Elles y construiront de grandes résidences permanentes agrémentées de vastes terrains paysagers qui contrastent avec la densité de population des secteurs ouvriers du «chemin d'en bas».

Dans les limites de Sillery au XIXe siècle, on compte plus d'une vingtaine de ces grandes propriétés, dont celles de Spencer Wood et Cataraqui. S'y retrouvent également une dizaine de propriétés issues de la subdivision de quelques domaines: la villa Bagatelle (Spencer Cottage) et la maison Bignell, entre autres.

Dès le milieu du XIXe siècle, toutefois, des institutions religieuses acquièrent certaines villas. De plus, deux grands cimetières — le Mount Hermon, anglo-protestant (1848) et le St. Patrick, anglo-catholique (1879) — sont créés à même les domaines Bowen et Woodfield.

Cette tendance s'accentue par la suite. Les sœurs de Jésus-Marie obtiennent la propriété de la villa Sous-les-Bois et font construire un couvent pour jeunes filles; les pères augustins de l'Assomption érigent un noviciat et une chapelle sur la partie ouest de Woodfield (1925); les pères maristes installent sur le flanc est de la villa Beauvoir un collège de garçons (1939); les sœurs d'Afrique font ériger en deux étapes une maison de repos sur le domaine Benmore; les sœurs Sainte-Jeanne-d'Arc font construire un

Arrondissement historique de Sillery

Vue de l'église Saint-Colomban (aujourd'hui Saint-Michel) et d'une partie du vieux Sillery en 1962. (Archives nationales du Québec à Québec, fonds Office du film du Québec).

immeuble sur la partie de l'ancien fief Saint-Michel, acquis du Séminaire de Québec; enfin, les sœurs augustines font édifier une résidence sur un terrain à l'ouest de la villa Clermont.

Cette appropriation massive des grandes propriétés par les institutions religieuses permet de préserver quelques paysages champêtres et certaines résidences. Elle freine également le mouvement d'expansion de la banlieue de Québec vers Sillery.

Urbanisation envahissante

Vers 1950, cependant, l'urbanisation commence à envahir d'autres grandes propriétés. Le mouvement des familles de la classe moyenne à la recherche de maisons unifamiliales touchera trois grands domaines: Wolfesfield devient le quartier d'habitation Saint-Denis; Spencer Grange le parc Le Moine, nommé ainsi en l'honneur de l'écrivain James McPherson Le Moine; et Kilmarnock accueille encore aujourd'hui de nouvelles résidences.

Sillery connaît actuellement une autre phase d'urbanisation. Son caractère de banlieue se transforme en zone urbaine intégrée à la trame de Québec et de Sainte-Foy. À leur tour, les institutions religieuses cèdent devant cette nouvelle pression et lotissent une bonne partie de leurs propriétés. Devant cette poussée déjà perceptible lors du décret d'arrondissement historique, en 1964, le ministère des Affaires culturelles décide finalement d'acquérir le domaine Cataraqui en 1976. Il souhaite préserver l'un des fleurons de cet héritage exceptionnel.

L'urbanisation touche aussi le secteur des basses terres du littoral. Sur une partie des terres anciennes, occupées jusqu'à tout récemment par des réservoirs d'hydrocarbures, des équipements de nautisme prolongent la vocation de l'ancienne plage de l'anse au Foulon. De plus, un nouveau ruban continu d'habitations apparaît le long du chemin du Foulon au pied du cap.

De la grande période d'exploitation du bois, il reste tout au plus quelques noyaux d'habitations. Néanmoins, les espaces verts des grandes propriétés situées entre le chemin Saint-Louis et le promontoire agrémentent encore une partie de l'arrondissement.

Claude Reny, aménagiste-géographe

BERNIER, André. *Le Vieux Sillery*. Québec, ministère des Affaires culturelles, 1977. 162 p. (Coll. «Les Cahiers du patrimoine», n° 7).

GAGNON-PRATTE, France. *L'architecture et la nature à Québec au dix-neuvième siècle: les villas*. Québec, Éditeur officiel du Québec, 1980. 334 p.

Domaine Cataraqui

Sillery
2141, chemin Saint-Louis

Sans fonction
Reconnu monument historique en 1975

Cataraqui fait partie d'un ensemble de villas luxueuses construites au XIX⁰ siècle, au moment où s'épanouit une génération d'hommes d'affaires intéressés au commerce du bois canadien. Les propriétaires, la plupart des anglophones fortunés, mais aussi quelques francophones, trouvent de multiples avantages à s'établir sur la falaise de Sillery: la proximité de leur lieu de travail (les quais d'embarquement de l'anse de Sillery), un milieu naturel incomparable et inaltéré, puis la proximité de la ville de Québec.

En 1850, le marchand Henry Burstall fait l'acquisition d'un domaine comprenant une maison et des dépendances: Cataraqui Cottage. Burstall s'empresse de commander les plans d'une nouvelle villa à Edward Staveley, architecte de Québec. Le devis stipule que l'entrepreneur doit récupérer les matériaux de l'ancienne construction et les utiliser pour la nouvelle; de plus, il doit s'appuyer sur les fondations existantes en les prolongeant jusqu'aux dimensions du nouveau bâtiment, soit 18 mètres de façade sur 15 mètres de profondeur. Ce corps principal doit ensuite se prolonger à l'arrière par une aile de service. L'édifice s'élève sur deux étages et domine la falaise de Sillery avec sa façade orientée vers le Saint-Laurent.

De style néo-classique, la nouvelle construction présente une allure sobre. En façade, les murs en brique jaune d'Écosse laissent passer le jour par les cinq ouvertures disposées symétriquement sur chacun des deux étages. L'avancée centrale, sur-

montée d'un fronton, contribue au classicisme de cette composition rigoureuse. Le toit en pavillon à faible pente, dominé par deux souches de cheminée monumentales, possède un recouvrement de tôle; trois lucarnes sur chacune des faces latérales éclairent l'étage des combles, ce qui sauvegarde la continuité des lignes du toit en façade.

Une plinthe de pierre de taille entoure la base du corps principal de la villa; des jambages et des linteaux moulurés encadrent toutes les ouvertures dont les proportions amples contribuent à alléger l'imposante façade. Enfin, une chaîne d'angle harpée en pierre vient limiter l'expansion horizontale des surfaces de brique et renforcer visuellement les coins.

À l'intérieur, la disposition des pièces du rez-de-chaussée se fait de part et d'autre d'un vestibule et d'un escalier central; la même ordonnance se retrouve à l'étage supérieur. Huit foyers, quatre à chacun des étages, devaient chauffer les pièces du corps principal et de l'annexe; trois magnifiques manteaux de cheminée en marbre sculpté subsistent aujourd'hui: ceux du salon et de la salle à déjeuner et celui de la salle à dîner.

Les murs et les plafonds, enduits de plâtre, et des plinthes moulurées en bois se retrouvent dans toutes les pièces du corps principal. Pour compléter la décoration des pièces d'apparat, des rosaces moulurées en plâtre sont appliquées sur les plafonds du salon, de la salle à dîner, de la salle à déjeuner et du hall d'entrée. Au fond de ce vesti-

La villa Cataraqui a été construite au milieu du XIX⁰ siècle, d'après les plans de l'architecte Edward Staveley, pour le compte du marchand Henry Burstall. Outre la villa, le domaine comprend une glacière, un hangar à charbon, un autre pour le bois, une remise et une laiterie. (Inventaire des biens culturels du Québec).

bule, un escalier monumental conduit à l'étage des chambres; les marches et les contremarches, faites de bois de chêne, contrastent avec les balustres et la rampe, tournés et sculptés dans un bois d'acajou.

Cette villa de fière allure, livrée à Henry Burstall en décembre 1851, compte en outre cinq dépendances: une glacière, un hangar à charbon, un autre pour le bois, une remise et une laiterie. Une galerie couverte, soutenue par six colonnes, s'étend sur toute la longueur de la façade principale de la villa. De cette galerie, la vue s'ouvre sur le Saint-Laurent et sa rive sud à la hauteur de la rivière Etchemin. Par temps clair, la chaîne des Appalaches se profile au loin.

Henry Burstall établit sa villa au cœur de la forêt primitive, à prédominance d'érables, sur un des plus beaux sites de la capitale. Pour compléter ce tableau romantique, il fait aménager en 1856 un jardin d'hiver où se retrouvent des plantes tropicales rares. Cette serre, d'abord appuyée à un mur de la villa, est ensuite flanquée d'une nouvelle pièce de séjour, ce qui étire les dimensions totales de la façade à 30 mètres.

Le jardin d'hiver communique avec le salon grâce à une porte vitrée pratiquée dans le mur latéral ouest. Pendant les jours froids de janvier, les résidents peuvent apercevoir les fleurs et les plantes exotiques abritées dans la serre chauffée. L'écrivain James Mac-Pherson Le Moine décrit cet effet de contraste dans *Picturesque Québec*: «L'été et l'hiver se conjuguaient en un même paysage, dit-il: les tropiques avec la luxuriance de leurs magnolias qu'une simple vitre séparait du vieux bonhomme Hiver et de ses familiers vivaces, le pin et l'érable.»

Lorsqu'en 1860 un incendie détruit Bois-de-Coulonge (Spencer Wood), résidence du gouverneur général du Canada, les autorités décident de reloger temporairement sir Edmund Walker Head à la villa Cataraqui. À cette époque, vraisemblablement, l'annexe des domestiques s'allonge vers l'arrière et un nouveau pavillon avec oriels donnant sur les terrasses apparaît à l'est. La nouvelle façade de Cataraqui s'étend alors sur 38 mètres. La section neuve rétablit l'équilibre initial, rompu un temps par l'érection de la serre à l'ouest. À partir de ce moment, la villa d'Henry Burstall présente une certaine ressemblance avec Bois-de-Coulonge. En 1863, la villa du Bois-de-Coulonge est reconstruite et le gouvernement décide de mettre en vente Cataraqui lors d'un encan public. La famille Levey acquiert le domaine et s'y installe en mai 1863.

En 1866, Charles Eleazar Levey entreprend d'ajouter une aile du côté ouest de la maison pour loger un autre salon presque carré. Un nouveau foyer s'adosse au mur du nord et un oriel donnant sur les terrasses perce la paroi du sud. Pour exécuter ces travaux, les ouvriers démolissent le jardin

Une pièce de la villa au tournant du siècle. (Inventaire des biens culturels du Québec).

d'hiver, construit par Henry Burstall en 1856, et le remplacent par une nouvelle serre plus petite, qui communique désormais avec le grand salon par deux portes vitrées. Cette annexe allonge la façade de Cataraqui de 11 mètres. Par la suite, le bâtiment ne subit aucune transformation importante.

Levey accorde beaucoup de soin aux jardins et aux serres. Entièrement dépouillé de ses arbustes et de ses plantes au moment de la vente par le gouvernement en 1863, le domaine Cataraqui retrouve peu à peu sa verdure. Levey emploie l'ancien jardinier du Bois-de-Coulonge, Peter Lowe, à qui il confie la responsabilité de toutes les plantations du domaine. Le jardinier s'acquitte de sa tâche avec une grande compétence, comme le signale à plusieurs reprises James MacPherson Le Moine. Le maître de Cataraqui fait aussi ajouter des dépendances sur le domaine. Vers 1880, une nouvelle serre avec toit en appentis abrite plusieurs variétés de vigne, parmi les espèces les plus réputées.

En 1905, Godfrey William Rhodes, propriétaire de la villa Benmore sur le lot voisin, à l'est, se porte acquéreur de Cataraqui. Il n'apporte aucune modification à la villa, qu'il habite avec sa femme Lily Jamison et leur fille adoptive Catherine Lily. En 1935, celle-ci épouse le peintre Percyval Tudor-Hart, qui rassemble une impressionnante collection d'œuvres d'art et en orne les salons de la résidence.

Tudor-Hart s'emploie aussi à dessiner de nouveaux jardins, à tracer des sentiers et à aménager les terrasses qui s'échelonnent en pente face à la villa. Autour de son ate-

lier, le peintre fait établir des plates-bandes bordées de haies d'épinettes et il prend soin des rocailles et de la roseraie déjà existantes. Il conserve les éléments naturels tels que les déclivités et les arbres de la forêt originelle, qui confèrent au parc le cachet particulier des jardins à l'anglaise.

Enfin, Hart fait aménager de nouvelles terrasses, ce qui permet de dégager la vue du côté du fleuve; le spectateur jouit ainsi de l'un des plus beaux paysages du territoire laurentien.

Catherine Rhodes décède sans descendance en 1972. Pour empêcher le lotissement du domaine et la démolition de la villa, le gouvernement du Québec l'acquiert en 1976. Reconnus bien culturel, comme monument historique et paysage naturel, les jardins et les édifices du domaine devraient bientôt être restaurés.

Béatrice Chassé, historienne

La villa Cataraqui au temps de la famille Levey. En 1863, Charles Eleazar Levey acquiert le domaine et fait exécuter quelques travaux à la villa qui n'a pas subi de modifications majeures depuis ce temps. (Inventaire des biens culturels du Québec).

BERNIER, André. *Le Vieux Sillery*. Québec, ministère des Affaires culturelles, 1977. 167 p. (Coll. «Les Cahiers du patrimoine», n° 7).

CHASSÉ, Béatrice. *La villa Cataraqui à Sillery*. Québec, ministère des Affaires culturelles, 1982. VI-32 p.

GAGNON-PRATTE, France. *Les jardins de Cataraqui*. Québec, ministère des Affaires culturelles, 1985. III-69 p.

Maison des Jésuites

Sillery
2320, chemin du Foulon

Fonction: public
Classée monument historique en 1929

Le long du chemin du Foulon, au pied de l'escarpement de Sillery, sur un terrain situé jadis dans une anse abritée, se distingue la maison des Jésuites. Fréquenté depuis très lontemps, le site recèle des traces d'occupation qui remontent à la période archaïque, soit environ 4 500 à 5 000 ans. Au temps des premières explorations françaises, ce lieu se nommait Kamisjoua-Ouangachit, ce qui signifie en abénaquis «l'endroit où l'on vient pêcher».

Dans le but d'évangéliser et de sédentariser les nomades montagnais, algonquins, et attikameks qui y séjournent, le Jésuite Paul Lejeune y installe une «réduction» dès le XVIIe siècle. Grâce au soutien financier de Noël Brûlart de Sillery et au transfert des droits de propriété de François de Gand, la mission Saint-Joseph voit le jour en 1637. En 1646, les missionnaires ajoutent une palissade de pieux afin de protéger le jeune établissement de la menace iroquoise. Quatre ans plus tard, ils remplacent cette palissade par une fortification en pierre flanquée de quatre tourelles. À la suite d'un incendie survenu en 1657, les Jésuites font reconstruire leur résidence et leur chapelle, en 1660 et 1663 respectivement. Sept ans plus tard, une épidémie de petite vérole fait rage dans la mission, décime les populations autochtones et les incite à retourner à la vie nomade. Des groupes d'Abénaquis, venus de la côte du Maine pour trouver refuge à Sillery, remplacent les premiers Amérindiens. Mais, par suite d'une épidémie de rougeole, en 1683, la mission périclite à nouveau et cesse toute activité en 1698.

À partir de cette époque, la résidence sert vraisemblablement de maison de repos pour les Jésuites du collège de Québec ou pour les missionnaires âgés. En 1702, la Compagnie de Jésus obtient la propriété du domaine de la seigneurie de Sillery. Tout porte à croire qu'ils remplacent alors le bâtiment de 1660 par une nouvelle construction. Dans l'*Aveu et dénombrement de 1733*, la description de la maison correspond à l'immeuble actuel. Le site de la mission comprend non seulement une maison de pierre et une chapelle, mais aussi une maison pour le fermier et une grange-étable. Le document ne mentionne aucune fortification.

Peu après la Conquête, en 1763, les Jésuites louent la résidence à John Taylor Bondfield. Ce dernier la sous-loue pendant quatre ans à John Brookes, chapelain des troupes britanniques à Québec et à son épouse, l'écrivaine Frances Moore Brookes. Son roman intitulé *The History of Emily Montague*, publié à Londres en 1769, prend pour cadre la maison des Jésuites.

À la suite du décès de Louis-Joseph Casot, dernier Jésuite au Canada, en 1800, la propriété passe entre les mains de la Couronne. Durant la première moitié du XIXe siècle, le gouvernement la loue à plusieurs commerçants anglais qui possèdent des chantiers et font le commerce du bois sur les berges du fleuve à Sillery. Parmi ceux-ci, se retrouve le brasseur William Hullett. De 1805 à 1815, la maison lui sert de résidence et il utilise la chapelle comme houblonnière.

Une aquarelle de James Pattison Cockburn intitulée *Emily Montague's House at Sillery Cove* montre le site en octobre 1829.

Au premier plan, se profilent des entreposages de poutres de bois destinées à l'exportation. La maison apparaît avec son appentis et, de l'antique chapelle disparue depuis 1824, seules quelques pierres subsistent: elles serviront de jetée sur l'estran du fleuve.

En 1853, le marchand de bois Henry Le Mesurier, colocataire depuis 1839, achète la propriété. Sept ans plus tard, Richard Reid Dobell loue le chantier de l'anse, et son associé, Thomas Beckett, habite la maison pendant près de trente ans. En 1898, Dobell se porte acquéreur de la maison au cours d'une vente aux enchères et en demeure propriétaire jusqu'en 1924. Après sa mort, ses héritiers conservent une douzaine d'années cette résidence classée parmi les trois premiers monuments historiques au Québec, en 1929.

En 1948, un nouveau propriétaire achète la maison, menacée de démolition depuis deux ans. Il effectue certains travaux de restauration et transforme la résidence en musée. En 1956, la Compagnie de Jésus

La maison des Jésuites aurait été construite dans le premier tiers du XVIIIe siècle. Enlevé lors d'une rénovation antérieure, le crépi a été rétabli lors de la restauration de 1987. La toiture dissymétrique date de 1765.

La maison des Jésuites en 1948. L'édifice abrite alors un musée. Servant à l'origine de cuisine, l'appentis en bois apparaît en 1801. (Archives nationales du Québec à Québec, fonds Office du film du Québec).

reprend possession de son ancienne demeure, puis la revend au ministère des Affaires culturelles en 1976. À l'occasion du 350ᵉ anniversaire de Sillery, en 1987, le gouvernement québécois la remet à cette municipalité.

Vraisemblablement construit au cours du premier tiers du XVIIIᵉ siècle, le carré de pierre de la maison mesure 15,5 sur 8,5 mètres. Les ouvriers utilisent la pierre de grès que l'on trouve aux alentours et de la pierre calcaire taillée pour les ouvertures et les angles. La façade avant comporte deux niveaux et l'arrière un seul, ce qui donne une toiture dissymétrique. Une large souche de cheminée perce chacun des pignons. Du côté ouest, un appentis fait de madriers s'accole au mur.

Les travaux de restauration ont permis de retracer certaines étapes de l'évolution du bâtiment. À l'origine, la maison ne possédait sans doute qu'un rez-de-chaussée coiffé d'un toit à deux ou quatre versants. Les Jésuites firent probablement ajouter un étage puisque des contrats ultérieurs stipulent que les ouvriers doivent abaisser la maçonnerie de l'étage. Tout porte à croire également que l'entrée principale se situait sur la façade nord, c'est-à-dire du côté du chemin qui menait alors vers Québec; à l'arrière, du côté de la grève, se trouvait une porte de service aux dimensions plus restreintes que celle d'aujourd'hui.

En 1765, John Taylor Bondfield apporte des modifications substantielles qui vont donner aux deux versants de la toiture leur dissymétrie actuelle. Cette toiture rappelle l'architecture de la Nouvelle-Angleterre de l'époque. Il est plausible que Bondfield ait en partie supprimé le niveau de la façade nord et rabaissé d'environ 60 centimètres le haut du mur de la façade sud.

Vers la même époque, les murs de maçonnerie et les nouvelles cloisons intérieures reçoivent un recouvrement de boiseries aux dimensions des nouvelles pièces. À l'étage, deux cheminées s'ajoutent dans les murs pignons; de plus, les ouvriers réduisent l'amplitude intérieure des embrasures des fenêtres en ajoutant un parement de brique française et complètent la finition par la pose d'un enduit. Les briques de facture française proviennent de fours situés à proximité.

Les ouvriers remplacent également la charpente et utilisent des briques françaises pour camoufler les sablières. Cette charpente est de type à chevrons portant fermes. Des poinçons, reliés aux faux entraits, supportent la panne faîtière. Des pièces de bois montées en diagonale assurent les contreventements dans le sens longitudinal.

Au XIXᵉ siècle, la maison connaît d'autres modifications. Ainsi, en 1801, un appentis en bois s'ajoute sur le mur ouest de la résidence et sert de cuisine. Utilisé plus tard comme logement et magasin, il subit de nombreuses rénovations. Vers 1850, le propriétaire fait remplacer les fenêtres par un modèle à six carreaux; de plus, à l'intérieur, les plafonds du rez-de-chaussée reçoivent un enduit de plâtre.

Lors d'une restauration, au début des années 1980, les architectes tiennent compte de ces multiples éléments, essentiels à la compréhension du bâtiment. Ils conservent les vestiges des constructions antérieures retrouvés au sous-sol, et les enduits de crépi, enlevés vers 1950, recouvrent à nouveau les murs. Des fenêtres à six carreaux, similaires à celles de 1865, remplacent les modèles récents. Au rez-de-chaussée, des artisans restaurent les boiseries et les replacent suivant la disposition de 1765. Au rez-de-chaussée et à l'étage, les plafonds reçoivent un enduit de plâtre; ceux en bois assemblés à couvre-joints sont réparés et remis en place. De plus, à l'étage, les architectes respectent les anciennes divisions des pièces.

Claude Reny, aménagiste-géographe

BERNIER, André. *Le Vieux Sillery*. Québec, ministère des Affaires culturelles 1977. 167 p. (Coll. «Les Cahiers du patrimoine», n° 7).

DION-MCKINNON, Danielle. *Sillery, au carrefour de l'histoire*. Ville LaSalle, Boréal, 1987. 197 p.

LAMONTAGNE, Paul-A. *L'histoire de Sillery, 1630-1950*. Sillery, [s.éd.] 1952. 117 p.

Maison Dupont

Sillery
2316, chemin du Foulon

Fonction: privé
Classée monument historique en 1972

Localisée dans un secteur important de l'activité commerciale de Sillery au XIXᵉ siècle, la maison Dupont demeure un vestige patrimonial de grande valeur.

À Sillery, dans un tournant du chemin du Foulon, les passants découvrent deux maisons de pierre et les vestiges d'une chapelle. Situées au cœur de l'ancienne mission des Jésuites, dont il ne subsiste que des ruines, l'actuelle maison des Jésuites et la maison Dupont se côtoient.

On ignore la date de construction de la maison Dupont. Le 20 octobre 1829, elle apparaît sur une aquarelle de James Pattison Cockburn intitulée *Emily Montague's House at Sillery Cove*. Plus tôt, en 1819, un bail précise l'existence d'une cendrière, située du côté est de la maison. En 1806, un autre document mentionne la construction, pour William Osborne, d'une maison de pierre de 9 mètres de côté, ce qui ne concorde pas exactement avec les dimensions du bâtiment actuel, mais s'en rapproche.

Tout porte à croire que, jusque vers 1850, cette construction sert pour la brasserie de William Hullett ou comme forge. Au XIXᵉ siècle, ce secteur de l'anse de Sillery connaît une activité importante reliée au commerce et à la transformation de la matière ligneuse. L'aquarelle de Cockburn montre d'ailleurs, sur la batture, des amoncellements de billes de bois en face des maisons Dupont et des Jésuites. À l'arrière, à travers le cap boisé, un chemin donne accès au promontoire.

L'examen de la chaîne de titres révèle le nom de dix-neuf propriétaires depuis le départ des Jésuites, en 1788. Parmi les plus marquants, citons les Dobell, commerçants de bois qui utilisèrent la maison pour l'admi-

nistration de leurs affaires ou comme résidence pour leurs employés de 1860 à 1946. Construite en pierre et mesurant 11,5 mètres de côté, la maison Dupont est coiffée d'un toit à deux versants et du crépi recouvre ses murs. À l'intérieur, cette demeure porte les traces de plusieurs remaniements, notamment aux ouvertures et au plancher, abaissés jadis, ainsi qu'aux lambris des plafonds, vraisemblablement ajoutés entre 1830 et 1840. Le sous-sol, creusé peu profondément à cause de la proximité de la nappe phréatique, contient plusieurs murs, vestiges des occupations antérieures. Certaines parties de ces murs se prolongent à l'extérieur du carré des fondations, en direction sud, sous le chemin du Foulon et dans le sous-sol de la résidence d'en face, soit vers la maison des Jésuites.

Grâce à sa localisation sur le site d'une première occupation européenne et par le rappel des activités commerciales qui caractérisèrent l'anse de Sillery au XIXᵉ siècle, la maison Dupont, restaurée par son actuel propriétaire, constitue un des éléments patrimoniaux les plus importants de ce secteur.

Claude Reny, aménagiste-géographe

BERNIER, André. *Le Vieux Sillery*. Québec, ministère des Affaires culturelles, 1977. 162 p. (Coll. «Les Cahiers du patrimoine», n° 7).

Maison Bruneau

Sainte-Foy
2608, chemin Saint-Louis

Fonction: public
Classée monument historique en 1978

Lᴀ maison Bruneau se trouve en retrait du chemin Saint-Louis, sur un terrain boisé, à la limite est de la ville de Sainte-Foy. Récemment restaurée, elle appartient à la corporation municipale de Sainte-Foy qui y présente des activités à caractère culturel.

Le terrain où se trouve la maison occupe une partie d'une concession plus vaste qui dépendait autrefois du fief de Monceaux. Au début du XIXᵉ siècle, elle appartenait à Michel Hamel, un cultivateur de Sainte-Foy. En 1830, Hamel cède la plus grande partie de sa terre à son fils Michel qui, en 1859, la vend à John Flanagan. Le contrat de vente précise qu'une maison neuve, vraisemblablement construite à l'été 1858, un hangar et d'autres dépendances se trouvent sur le terrain. Toutefois, Flanagan doit

respecter un contrat de location passé en novembre 1857 entre Michel Hamel et Henry Moss, et ne peut prendre possession de son terrain avant 1860.

La maison en bois qui s'élève sur le site mesure 12 mètres de longueur sur 9 mètres de largeur. Elle possède un rez-de-chaussée coiffé d'une toiture à croupes aux avant-toits retroussés. Ceux-ci se prolongent sur les quatre façades, recouvertes de planches à clins, et forment une galerie soutenue par des poteaux ornés de treillis. Une souche de cheminée se trouve au centre du prolongement de chacun des murs pignons. L'étage des combles accueille la lumière par des lucarnes à la capucine. Une annexe, disposée perpendiculairement au centre de la façade postérieure et qui servait initialement

de cuisine, ajoute 4,6 mètres au bâtiment. Elle possède une autre souche de cheminée située à l'extrémité de son pignon nord.

Les quatre pièces composant le rez-de-chaussée du corps de logis principal se répartissent suivant l'ordonnance néo-classique, soit de chaque côté d'un hall central, près de l'escalier desservant l'étage des combles. Du côté de la façade principale, les résidents accèdent au hall d'entrée par une porte flanquée de deux petites fenêtres surmontées par une imposte droite, dans l'esprit néo-grec.

Sur le plan stylistique, la maison Bruneau s'inscrit dans la typologie des cottages, apparus vers la fin du XVIIIᵉ siècle en Grande-Bretagne et popularisés par l'architecture de style Regency. Le cottage, conçu

La maison Bruneau aujourd'hui.
(Service des ressources pédagogiques, université Laval. Photo: Michel Bourassa).

Vue de l'arrière. (Service des ressources pédagogiques, université Laval. Photo: Michel Bourassa).

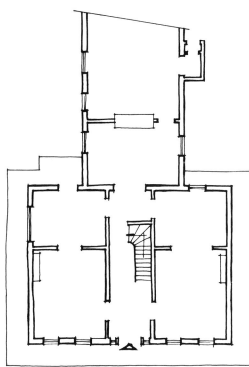

Dessin de Francine Guay illustrant un plan au sol du rez-de-chaussée.

afin de servir de résidence estivale à une bourgeoisie attirée par la campagne et le goût du pittoresque, apparaît sous deux variantes principales: le cottage rustique et le cottage orné. Le premier s'inspire de la maison de l'habitant, fortement idéalisée, et le second, auquel se rattache la résidence Bruneau, cherche à satisfaire le goût des citadins, tant sur le plan stylistique que fonctionnel. Ces deux variantes empruntent nombre de leurs composantes à divers styles nationaux anglais, tels le néo-classique, le baroque ou le néo-gothique, et à certains styles d'origine étrangère. De cette façon, les architectes obtiennent un effet pittoresque.

À l'instar de la villa néo-classique, le cottage orné s'élève généralement sur un site paysager. Au Québec, ce type d'architecture connaît une large diffusion auprès de la bourgeoisie de 1830 à 1860.

Vraisemblablement louée comme résidence d'été jusqu'en 1915, la maison Bruneau passe aux mains du peintre Richard Robert Marchand, qui s'y installe de façon permanente.

Quoique sobre, l'architecture intérieure de la maison a été bien conservée et mise en valeur par la restauration. S'y retrouvent un bel escalier tournant et des boiseries caractéristiques des décennies 1850 et 1860. Exception faite de l'allonge édifiée à l'arrière de la cuisine, la résidence subit peu de changements. Avec son écurie et ses dépendances, elle constitue le seul domaine qui témoigne encore du phénomène de villégiature à l'ouest de Sillery.

Luc Noppen, historien de l'architecture

CHABOT, Line. «Maison Hamel». *Comptes-rendus de certains bâtiments dans la ville de Québec et dans les municipalités avoisinantes*. Ottawa, Parcs Canada, 1978. pp. 85-91 (travail inédit).

ROBERT, Jacques. *La maison Bruneau*. Québec, université Laval, avril 1979. 35 p. (texte manuscrit inédit).

VIEL, Annette et Francine GUAY. *La maison Hamel. Dossier historique et inventaire architectural*. Québec, université Laval, 1978.

Maison Basile-Routier

Sainte-Foy
3325, rue Rochambeau

Fonction: public
Classée monument historique en 1956

Jean Routier, originaire de Dieppe en France, s'établit au Canada dans la seconde moitié du XVIIᵉ siècle. En 1667, il obtient une concession de six arpents de front en bordure du Saint-Laurent, à proximité de l'actuel pont de Québec. En 1796, Antoine Routier, issu de la cinquième génération canadienne de cette famille, épouse Angélique Belleau dit Larose. Après son mariage, il demeure dans la maison de ses beaux-parents, en bordure du chemin Sainte-Foy. À ce moment, la demeure des Belleau dit Larose passe dans l'héritage des Routier. Elle continue de servir comme maison de ferme et à loger les descendants d'Angélique Belleau et d'Antoine Routier jusqu'à son acquisition par la Commission des monuments historiques en 1957.

La maison, construite par Pierre Belleau dit Larose, s'élève sur un terrain donné par son père en 1755. Elle aurait été érigée entre ce moment et 1781. Le premier corps de logis, inclus dans la maison actuelle, mesurait 9,7 mètres de longueur sur 6,5 mètres de largeur. Il possédait des murs en pièce sur pièce assemblés à queue d'aronde aux retours d'angles. Posés sur une fondation de maçonnerie, ces murs se distinguent par le fruit accentué de leurs arêtes. La charpente de la toiture, du type à chevrons portant fermes, possédait autrefois une croupe à chacune de ses extrémités. Il en subsiste une seule, aujourd'hui.

Vers le début du XIXᵉ siècle, le propriétaire fait allonger le bâtiment de 6 mètres, ce qui porte sa longueur à environ 16 mètres. Les murs de cette allonge se composent de madriers de 10 centimètres sur 25, posés pièce sur pièce, disposés sur le côté et assemblés à queue d'aronde aux angles du mur pignon. Le joint avec la section ancienne se fait à l'aide de poteaux dont les pièces sont assemblées à coulisse. Deux larges trumeaux situés l'un en face de l'autre dans les longs pans nord et sud ainsi que la charpente du comble de la nouvelle section constituent les signes les plus visibles de cet agrandissement. La maison subit peu de modifications par la suite.

La restauration de la demeure s'échelonne de 1957 à 1963 et entraîne l'enlèvement du revêtement de planches à clins posées au tournant du siècle et le rétablissement des planches verticales sur les longs pans. Les murs pignons demeurent en bardeaux de cèdre. À l'intérieur, les poutres apparentes, l'enduit sur lattes, les larges madriers et le foyer en grosses pierres grises qui partage l'espace en deux pièces s'y trouvent toujours. Lors de la restauration, les architectes ont reconstitué le fournil à partir d'une photographie prise vers la fin du XIXᵉ siècle.

Aujourd'hui, la maison Routier appartient à la ville de Sainte-Foy, qui l'ouvre au public à des fins culturelles et communautaires.

Béatrice Chassé, historienne

La maison Routier en 1957. Ajouté au tournant du siècle, le revêtement de planches à clins a été remplacé par des planches posées à la verticale lors de sa restauration réalisée de 1957 à 1963. Le four à pain qui se trouve à l'arrière de la maison a été reconstruit à partir d'une photographie de la fin du XIXᵉ siècle. (Archives nationales du Québec à Québec, collection initiale).

CHASSÉ, Béatrice. *La maison Routier à Sainte-Foy.* Québec, ministère des Affaires culturelles, 1982. 32 f.

FORTIER, Yvan. *Trois habitations rurales du XVIIIᵉ siècle à Sainte-Foy.* Thèse présentée à l'université Laval, Québec, mai 1979. XXV-396 p.

ROUTIER, René. *La famille Routier.* Québec, [s.éd.], 1937. 29 p.

Vue arrière de la maison. (Inventaire des biens culturels du Québec).

Église Notre-Dame-de-la-Visitation

Sainte-Foy   Fonction: public
2825, chemin Sainte-Foy   Classé site historique en 1978

LE site historique de Sainte-Foy, établi au milieu d'un petit vallon à l'angle du chemin Sainte-Foy et de la route de l'Église, renferme les vestiges de l'église et de la sacristie incendiées en juin 1977, le presbytère et son appentis, le charnier en pierre et le cimetière. Ce site religieux constitue le cœur historique de Sainte-Foy, son noyau le plus ancien.

En 1668, peu après l'arrivée sur la côte Saint-Michel (chemin Sainte-Foy actuel) de 300 familles huronnes en butte aux attaques des Iroquois, les Jésuites de la mission de Sillery construisent une chapelle d'écorce à l'usage des Amérindiens et des colons français. Le site de cette cabane temporaire, érigée près de la route du Vallon, reçoit l'année suivante une chapelle de bois dédiée à Notre-Dame-de-Foy. Après le départ des Hurons pour Lorette, en 1674, le chapelle sert uniquement aux Français.

Quelques jours après l'érection canonique de la paroisse par mgr Jean-Baptiste de la Croix de Chevrières de Saint-Vallier, en 1698, les flammes consument la chapelle. Il faut reconstruire, mais avant, pour des raisons pratiques, l'évêque et la fabrique échangent ce site contre un terrain de trois arpents appartenant à Jacques Pinguet de Vaucour.

L'église Notre-Dame-de-Foy, du type récollet, regroupe sous un même toit des chapelles intérieures et la sacristie. En effet, le plan récollet consiste en une nef unique, où seul le rétrécissement du chœur dégage des chapelles latérales.

L'église apparaît sur une aquarelle de James Pattison Cockburn, datée de 1829. Il s'agit alors d'un bâtiment en pierre sans transept qui se termine par un chevet en hémicycle. La façade se compose d'une grande porte cintrée surmontée d'une niche et d'un oculus. Le clocher, formé de deux tambours ajourés et d'une flèche, repose sur une base carrée. Comme pour le plan, la façade et le clocher de l'église Notre-Dame-de-Foy reprennent l'ordonnance à la récollet.

Lors de la bataille de Sainte-Foy, en avril 1760, les troupes anglaises du général James Murray utilisent l'église comme dépôt de

L'église Notre-Dame-de-Foy s'inspire du type récollet. L'édifice regroupe sous un même toit une chapelle intérieure et une sacristie. Démolie à la fin XIXe siècle parce que devenue désuète, l'église est reconstruite d'après les plans de l'architecte Ferdinand Peachy qui donne au nouveau bâtiment un style néo-classique. (Carte postale, Archives nationales du Québec à Québec, fonds Magella-Bureau).

vivres et de munitions. Vaincus par le chevalier François-Gaston, duc de Lévis, les Anglais battent en retraite et abandonnent le temple, non sans avoir au préalable détruit leurs munitions. En 1762, Murray envoie une somme d'argent au curé Borel afin de réparer les dommages causés à l'église. La fabrique profite des travaux de restauration pour refaire la toiture, vieille de 60 ans. En dépit des dommages subis, l'occupation militaire protégea l'église de la destruction totale, car les Anglais prirent soin de solidifier le bâtiment en 1760.

Un nouveau temple

Pendant près de deux siècles, la première église sert au culte. Le presbytère, le cimetière et le charnier situé à l'entrée de ce dernier, complètent le site. En 1876, pour répondre au développement considérable de la paroisse qui incluait Sillery et Cap-Rouge, la fabrique décide d'entreprendre la construction d'une nouvelle église sur le site.

Le nouveau bâtiment, œuvre de l'architecte Joseph-Ferdinand Peachy, s'inspire de l'architecture néo-classique. Thomas Pampalon, maître maçon, et Cyrias Ouellet, entre-

preneur en menuiserie et charpenterie, exécutent les travaux d'érection. Le bâtiment, fait de pierre, mesure 40 mètres sur 18,6, il possède un plan formé d'un seul vaisseau sans chapelle latérale saillante, un chevet en hémicycle et une sacristie à l'arrière du sanctuaire. La façade comprend trois portails et une partie centrale en avancée dont le sommet rejoint la base du clocher. Celui-ci se compose d'un tambour et d'une flèche. Six fenêtres percent les murs des longs pans. Deux ans après le début des travaux, la structure de l'ancienne église, englobée dans le périmètre de la nouvelle, s'écroule sous le pic des démolisseurs.

En 1908, deux statues, un Sacré-Cœur et un saint Michel, aujourd'hui conservées au Musée du Québec, s'ajoutent à la façade. Six ans plus tard, un incendie ravage l'intérieur et la fabrique procède à des travaux de restauration; elle profite de cette occasion pour faire agrandir le chœur.

Le 12 juin 1977, le feu ravage à nouveau l'église Notre-Dame-de-Foy, ne laissant subsister que la maçonnerie de la façade et des longs pans. La fabrique songe d'abord à reconstruire, puis envisage d'ériger une nou-

velle église à proximité des ruines. Finalement, les autorités ne retiennent aucune de ces solutions. Conscientes de l'importance du site que les anciens de Sainte-Foy appellent toujours «le village», elles décident néanmoins de protéger l'église et tous les éléments qui l'accompagnent.

Afin de procéder à une mise en valeur éventuelle, des fouilles archéologiques se poursuivent pendant trois années consécutives sur le site incendié. Grâce à ces interventions, les vestiges de l'église Notre-Dame-de-Foy et son emplacement seront conservés.

Madeleine Gobeil-Trudeau,
historienne de l'architecture

Gobeil-Trudeau, Madeleine. *Bâtir une église au Québec*. Montréal, Éditions Libre Expression, 1981. 125 p.

Langlois, Jacques. *Église Notre-Dame-de-Foy 1698-1977. Histoire, relevé, analyse.* Québec, ministère des Affaires culturelles, 1978. 41 p.

Noppen, Luc. *Les églises du Québec (1600-1850)*. Québec et Montréal, Éditeur officiel du Québec/Fides, 1977. 298 p.

Vestiges de l'église, après l'incendie de 1977.

Auberge Glover

Sainte-Foy
2095, chemin Sainte-Foy

Fonction: privé
Reconnue monument historique en 1986

Construite en 1818, la maison sert d'auberge jusqu'en 1865, année où les autorités municipales décident de ne pas renouveler le permis. Entre 1836 et 1841, le propriétaire, Thomas Miller, procède à des travaux qui donnent à la maison Glover son allure actuelle.

La maison Glover représente l'une des seules résidences anciennes du vieux Sainte-Foy; elle a survécu aux nombreux bouleversements que connaît cette municipalité depuis une quarantaine d'années. Construite par l'aubergiste Hugh Glover en 1818, cette maison sert d'auberge jusqu'en 1865. À cette époque, les autorités municipales refusent de renouveler le permis d'exploitation commerciale et l'édifice sert de résidence à deux familles.

Le terrain sur lequel s'élève l'auberge Glover faisait partie de l'arrière-fief Sainte-Ursule, lui-même dépendant de la seigneurie de Sillery. Le choix du site, à proximité immédiate de Québec, s'avère des plus judicieux. Beaucoup de voyageurs qui circulent entre Montréal et Québec empruntent le chemin Sainte-Foy, prolongement du chemin du Roy.

Entre 1818 et 1980, la maison connaît quinze propriétaires, dont quatre aubergistes. À la suite du décès de Hugh Glover, l'aubergiste Thomas Miller achète l'édifice entre 1836 et 1841. Ce dernier procède vraisemblablement à de nombreuses transformations qui donnent au bâtiment son apparence actuelle.

Miller fait agrandir la maison vers l'est et apporte des modifications aux divisions intérieures. Il souhaite y loger deux familles tout en continuant à exploiter son auberge. Les murs reçoivent un lambris en planches à clins; de plus, une galerie couverte s'ajoute en façade principale. À la même époque, le plafond des combles de l'ancienne section aurait aussi été rehaussé d'une trentaine de centimètres.

Rénovation récente

Par la suite, la maison ne paraît pas subir de transformations importantes. Cependant, à compter des années 1970, les deux derniers propriétaires effectuent plusieurs travaux, particulièrement au rez-de-chaussée: modification de certaines ouvertures en façade postérieure et antérieure, enlèvement des divisions intérieures sauf dans la partie située à l'ouest de la cheminée et réfection du plancher. En 1981, enfin, des ouvriers refont les bardeaux de la toiture et restaurent la souche de cheminée.

Les murs des deux sections formant la maison, érigés en madriers pièce sur pièce à coulisse, reposent sur une fondation maçonnée. La section la plus ancienne du bâtiment possède une cave d'environ 1,5 mètre de hauteur alors que la nouvelle est seulement dotée d'un vide sanitaire. La charpente est du type à chevrons portant fermes avec pannes dans les deux sections. Toutefois, les fermes de l'ancienne partie portent des poinçons alors qu'on n'en trouve pas dans la nouvelle. Leur mode d'assemblage diffère également.

Même si l'aménagement intérieur subit de nombreuses modifications, plusieurs éléments menuisés d'origine s'y retrouvent toujours, tels les chambranles de portes et de fenêtres, les lambris de plafonds, certains placards, des plinthes, un manteau de cheminée à l'étage des combles et une cheminée au rez-de-chaussée, restaurée en 1981.

Sur le plan stylistique, la maison présente un caractère hybride qui témoigne des remaniements successifs. Dans certaines de ses composantes, la façade principale s'inspire du modèle néo-classique; en façade postérieure, toutefois, et exception faite du revêtement en matelage de planches, elle correspond à la maison rurale traditionnelle de la région de Québec au début du XIXᵉ siècle.

Georges-Pierre Léonidoff,
historien de l'architecture

Scott, Henri-Arthur. *Une paroisse historique de la Nouvelle-France: Notre-Dame-de-Foy. Histoire civile et religieuse d'après les sources.* Québec, Laflamme, 1902. 2 vol.

Léonidoff, Georges-Pierre. *Étude de la maison Hugh Glover à Sainte-Foy.* Québec, ministère des Affaires culturelles, 1986. 88 p.

Arrondissement historique de Charlesbourg

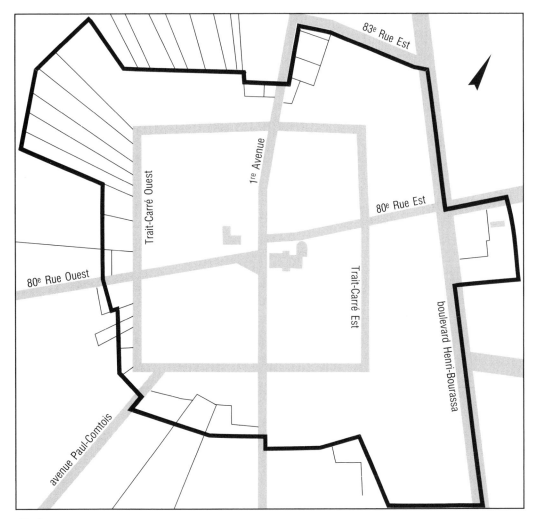

L'arrondissement historique de Charlesbourg, communément baptisé Trait-Carré, occupe une superficie d'environ 20 hectares, à peine un peu plus du centième du territoire municipal.

Malgré sa petitesse et son apparente unité, le trait-carré appartient à un ensemble géographique et historique beaucoup plus vaste et diversifié dont le périmètre a fluctué au cours du temps. Constitué au XVIIe siècle, cet ensemble de concessions et de bourgs reliés par quelques chemins de traverse et de montée s'étendait depuis les basses terres arrosées par la rivière Saint-Charles et ses affluents (rivières Duberger et Lairet) jusqu'au contrefort des Laurentides au nord. Les limites actuelles de Loretteville et de l'Ancienne-Lorette tracent la frontière ouest de Charlesbourg et, à l'est, la seigneurie de Beauport ferme le périmètre. L'arrondissement regroupe trois des plus anciennes seigneuries de la Nouvelle-France: Notre-Dame-des-Anges (1626), l'Espinay (1626) et des Islets (1671).

L'empreinte des Jésuites

La seigneurie de Notre-Dame-des-Anges, séparée par la rivière Saint-Charles, comprend une partie sud-ouest concédée aux Récollets, et une seconde partie qui s'étend du ruisseau Saint-Michel à la rivière Beauport ou Sainte-Marie, cédée à la Compagnie de Jésus. Les Jésuites obtiennent de Henri de Levy, duc de Ventadour, vice-roi de Nouvelle-France, le fief-noble de l'Espinay comprenant le trait-carré de Bourg-Royal et le terrain de la première église.

Hébergés chez les Récollets durant plus de deux ans après leur arrivée au Canada, les Jésuites s'installent dans leurs propriétés en 1627, aux abords immédiats de la Saint-Charles et du ruisseau Lairet; à cet endroit,

Arrondissement historique de Charlesbourg

Jacques Cartier avait fait ériger un fortin un peu moins d'un siècle auparavant. Les constructions se composent d'une habitation modeste tenant lieu d'abord de couvent, puis d'entrepôt. Tout autour s'élève une double palissade de pieux. La ferme des Jésuites, louée à bail, donne lieu à l'essai de quelques cultures.

La prise de la colonie par les frères Kirke, en 1629, freine ce premier élan de colonisation. Obligés de rentrer en France, les Jésuites reviennent au pays trois ans plus tard, à la suite du traité de Saint-Germain-en-Laye. Il s'occupent d'abord de reconstruire leur résidence. Cet établissement sert pendant plus de dix années à l'accueil et à l'évan-

gélisation des Amérindiens. Les Jésuites distribuent aussi des terres aux colons désireux de les défricher.

Au cours des années 1660, l'intendant Jean Talon acquiert une série de terrains correspondant aux emplacements des parcs Victoria et de l'Exposition à Québec. Sur ce vaste domaine, il fait ériger un complexe intégré de demeures et dépendances agricoles.

Autour s'étendent des pâturages et des jardins dont quelques arpents de houblon destinés à la brasserie qu'il vient de mettre sur pied. Le 17 septembre 1672, le roi Louis XIV acquiesce à sa demande et lui fait officiellement don du domaine des bourgs qu'il

Le parcellaire du trait-carré de Charlesbourg est organisé selon un plan radiocentrique. Ce regroupement des habitations décrit sur la carte de Jean-Baptiste de Couagne (1709) constitue un cas unique au Canada. (Archives nationales du Québec à Québec).

Aux États-Unis, il existe des exemples d'habitat regroupé comme à Charlesbourg. Le comté de Bucks, situé en banlieue de Philadelphie, se trouve dans ce cas. (Carte tirée de America Explored).

Arrondissement historique de Charlesbourg

L'église et le presbytère de Charlesbourg en 1928. Le temple paroissial occupe le cœur du trait-carré. (Carte postale, Archives nationales du Québec à Québec, fonds Magella-Bureau).

érige en baronnie des Islets. En 1675, un arrêté hisse la baronnie en comté d'Orsainville.

Le trait-carré de Charlesbourg se caractérise par la division des terres organisée selon un plan radio-concentrique. Deux autres lotissements de ce type se trouvent à proximité: celui du Bourg-Royal à l'est ainsi que l'Auvergne (demi-plan radio-concentrique) au sud. Talon, sans doute inspiré par les plans de Charlesbourg et de l'Auvergne, crée le Bourg-Royal à même les terres des Jésuites.

Le regroupement des habitations assure la défense des colons contre les Iroquois. Un arrêt royal de Louis XIV, en 1663, ordonne aux habitants de la Nouvelle-France de se regrouper en bourgs ou bourgades, selon le modèle métropolitain. Cet arrêt ne spécifie pas le mode de division des terres. Toutefois, il devait se substituer au système du rang qui prévaut alors dans la colonie. Cette méthode disperse les habitants sur un vaste territoire. Toutefois, pour des raisons inexpliquées, cet arrêt ne connut pas de suites, sauf à Charlesbourg, cas unique au Canada.

Tout comme le système du rang, le lotissement radio-concentrique est utilisé en Europe dès le Moyen Âge. Ce type de division des terres se retrouve par exemple en Allemagne, en France, dans le pays de Caux en Normandie et dans le Languedoc. On le rencontre également aux États-Unis, en banlieue de Philadelphie (New Town et un canton voisin) où il aurait été introduit vers la fin du XVIIe siècle par des colons d'origine germanique.

Population croissante

Charlesbourg connaît une croissance démographique plutôt lente mais régulière pendant près de trois cents ans. Sous l'impulsion de Jean Talon, la population de 112 habitants en 1666 passe à 291 l'année suivante. Des noms de famille comme les Bédard, Dussault, Roy, Galarneau, Langevin, Renaud, Chalifour et Paquet apparaissent dans les registres. À ces colons fraîchement mariés se joignent certains célibataires, anciens soldats licenciés du régiment de Carignan. La plupart des agriculteurs sont des concessionnaires, plus rarement des métayers pour les Jésuites; parmi eux se retrouvent néanmoins quelques artisans, maçons, charpentiers, menuisiers, tisserands, tailleurs et chapeliers.

Arrondissement historique de Charlesbourg

Aux trois bourgs initiaux formés par les Jésuites et par Talon s'ajoutent Saint-Romain, Saint-Claude et Saint-Bernard. Puis, durant la décennie suivante, six autres concentrations prennent de l'importance: Saint-Joseph, Saint-Pierre, Saint-Bonaventure, Gros-Pin, le Petit Village et la Commune. Agriculture et peuplement demeurent intimement liés tout au long des XVIIIᵉ et XIXᵉ siècles. En 1739, environ 1 500 habitants mettent en valeur près de 2 000 hectares. Un siècle plus tard, en 1851, la population de Charlesbourg et de Saint-Ambroise (ce village fait partie de Charlesbourg jusqu'en 1794) a plus que triplé, dépassant 4 600 habitants. La surface en culture a quadruplé et la production y est plus diversifiée.

Parallèlement, d'autres activités se développent dans le cadre agraire et villageois de cette agglomération naissante. Six moulins, dont cinq à blé, sont recensés en 1739. Des sondages archéologiques récents ont retracé l'emplacement d'un atelier de poterie tenu de 1766 à 1782 par J.-P. Ampleman. Un inventaire a également permis de retracer les boutiques et les entrepôts de quelques autres artisans: cordonniers, boulangers, maîtres ébénistes et forgerons.

Le Charlesbourg moderne a néanmoins beaucoup changé depuis la Deuxième Guerre mondiale. L'explosion démographique et l'urbanisation des trente dernières années ont passablement perturbé la trame et l'environnement de la plupart des secteurs anciens. Les fermes cèdent peu à peu la place au développement urbain. Certaines insertions contemporaines modifient l'échelle et la trame architecturale de quartiers mieux structurés. La création d'un arrondissement historique englobant le trait-carré de Charlesbourg a cependant permis de protéger le patrimoine immobilier de cette municipalité; sa mise en valeur est assurée par les citoyens avec la collaboration des pouvoirs publics.

Richesse du site
L'arrondissement renferme un peu plus d'une centaine de bâtiments d'intérêt historique. L'église, érigée en 1828, est protégée par un statut de monument classé. Une quinzaine d'autres constructions érigées avant 1830 subsistent tout autour, dont les maisons Luc-Verret, Paul-Pichette, Bernadette-Dussault, Philippe-Paradis, Louis-Philippe-Lefebvre, Binet-Boucher, Louis-Gérard-Cloutier et Émile-Gauthier, de même que le

Le moulin des Jésuites, au début du siècle. (Archives nationales du Québec à Québec, collection initiale).

Arrondissement historique de Charlesbourg

*La maison Magella-Paradis constitue un bon
exemple du type d'habitation construite
autour du trait-carré de Charlesbourg.
(Inventaire des biens culturels du Québec).*

moulin des Jésuites, un peu plus à l'est. S'y ajoutent une quarantaine d'immeubles apparemment construits vers la fin du XIXe siècle tels le presbytère et le couvent du Bon-Pasteur, les maisons Hector-Verret, Hector-Beaudet, Magella-Paradis, Binet, Cloutier ainsi qu'une cinquantaine d'autres érigés entre 1900 et 1935, notamment le Collège des frères maristes.

D'anciennes habitations de ferme, des résidences urbaines ou villageoises, des dépendances de toutes sortes forment la majorité des bâtiments patrimoniaux. Le bois est le matériau le plus largement utilisé dans l'édification de ces bâtiments: trois cas sur quatre. Plus de la moitié des constructions anciennes sont par ailleurs coiffées d'une toiture à deux versants, la grande majorité des autres arborent un toit de type mansardé. Cette relative homogénéité de formes et de matériaux et l'état de conservation des structures confèrent au trait-carré une valeur patrimoniale. La présence de nombreux arbres et de terrains paysagers renforcent cette image d'harmonie et d'unité.

Il subsiste environ 600 bâtiments d'intérêt historique à l'intérieur des limites de l'ancien Charlesbourg, dont plus de 450 sur le territoire actuel de cette municipalité. Le trait-carré demeure la plaque tournante et le centre d'attraction de cette importante concentration. Conscientes de sa valeur, les autorités locales et la population s'efforcent de la promouvoir et de la protéger.

Michel Dufresne, géographe et urbaniste

BÉRUBÉ, André. *L'établissement de la seigneurie d'Orsainville*. Thèse de maîtrise en histoire, université d'Ottawa, 1977. 123 p.

DUFRESNE, Michel. *Charlesbourg, des basses terres au piémont laurentien: étude d'opportunité*. Québec, ministère des Affaires culturelles, 1979. 128 p.

JOHNSON, Adrian. *America Explored*. New York, The Viking Press, 1974. 254 p.

Église Saint-Charles-Borromée

Charlesbourg
135, 80ᵉ Rue Ouest

Fonction: public
Classée monument historique en 1959

Vers 1670, une modeste chapelle sert de lieu de culte aux Charlesbourgeois; comme la plupart des bâtiments réservés au culte à cette époque, il s'agit d'un édifice de bois recouvert de chaume. Cette structure subsiste vraisemblablement jusqu'en 1697. Une église de pierre, en construction depuis 1694, la remplace alors.

Un troisième temple

À la fin du XVIIIᵉ siècle, les paroissiens songent à construire une nouvelle église afin de mieux répondre aux besoins de la population grandissante. En 1824, l'abbé Antoine Bédard présente une requête à mgr Joseph-Octave Plessis, mais une divergence d'opinion relative à l'orientation du bâtiment fait avorter le projet. Finalement, en juin 1826, le successeur de l'évêque, mgr Bernard-Claude Panet, donne son accord.

Les paroissiens retiennent les services de l'architecte Thomas Baillairgé, qui reçoit l'aide de l'abbé Jérôme Demers. La nouvelle église, érigée au centre du trait-carré, se compose d'une nef fermée par un chœur plus étroit, à chevet plat, coupée par un transept. Si l'utilisation du plan en croix latine ne surprend guère, celle du chevet plat marque une innovation importante. En fait, le chevet plat apparaît pour la première fois à Lotbinière en 1818. L'ensemble de l'édifice s'inscrit dans la tradition, quoique la façade, de style néo-classique, innove sur plusieurs aspects, notamment par sa composition. Les ouvriers la terminent en 1828.

Une fois le gros œuvre complété en 1830, mgr Joseph Signay, coadjuteur de l'évêque de Québec, vient consacrer l'église. Une nouvelle sacristie, œuvre de David Ouellet, s'élève en 1887. Construite à côté de la première, elle renferme la sacristie proprement dite et la nouvelle chapelle des congréganistes à l'étage.

Sentiment d'unité

L'ensemble du décor intérieur se caractérise par un sentiment d'unité. Baillairgé obtient cet effet grâce à un traitement similaire des diverses parties, le respect d'une échelle unique et un mouvement d'ensemble qui oriente le regard en direction du sanctuaire, et plus précisément vers le maître-autel. En 1833, André Pâquet et les membres de son atelier réalisent la voûte et la corniche, toujours selon un plan de Thomas Baillairgé. La voûte se compose de doubleaux sculptés à caissons et de larges sections nues. En 1841, la fabrique confie l'ornementation du sanctuaire au même sculpteur; il réalise les trois retables, la chaire, le banc d'œuvre et l'ensemble du mobilier du chœur.

Thomas Baillairgé, aidé par l'abbé Jérôme Demers, réalise les plans de l'église. Terminé en 1828, l'ensemble de l'édifice respecte la tradition, même si la façade affiche certaines innovations.

Le retable principal procède de l'arc de triomphe. Ce genre de retable a connu une certaine popularité en Nouvelle-France, comme en témoigne encore le décor de la chapelle des Ursulines de Québec. Le retable de Charlesbourg se distingue néanmoins par la logique de sa conception, sa monumentalité et par son intégration au décor intérieur. Il constitue, en quelque sorte, une synthèse des réalisations précédentes de Thomas Baillairgé. Ainsi, il retient du retable de Lotbinière la parfaite intégration au décor intérieur, obtenue par la poursuite de la corniche et la pénétration des pilastres extrêmes, de même que l'idée de l'attique et de l'amortissement. La présence d'un fronton ouvert en segment de cercle et le percement de niches de chaque côté de la travée centrale dénotent l'influence du retable de la chapelle Sainte-Famille et de Notre-Dame-de-Québec. De plus, Baillairgé accentue les lignes de force de l'architecture en procédant à l'élimination des ornements de sculpture, comme dans la chapelle de l'Hôtel-Dieu de Québec.

Une ornementation sobre

Contrairement au modèle initialement proposé pour l'église de Lotbinière, d'une très grande richesse ornementale, celui de Charlesbourg connaît une certaine vogue. Ainsi, André Pâquet l'utilise avec quelques adaptations à Sainte-Croix de Lotbinière en 1841 et à Sainte-Luce de Rimouski en 1845.

L'ensemble du mobilier liturgique vient compléter le décor intérieur et le caractériser. Dès 1834, un baptistère — enlevé en 1925 — prend place dans l'église: on peut se faire une bonne idée de ce meuble en admirant celui de l'église Saint-Charles-de-Bellechasse, exécuté en 1837 à partir du modèle de Charlesbourg, et qui conserve toujours sa partie supérieure. Œuvre de Pâquet et de ses assistants en 1843, la chaire et le banc d'œuvre se situent l'un en face de l'autre dans la nef. Chacun de ces meubles reçoit un bas-relief figuratif en guise d'ornement. Sur la face principale de la cuve de la chaire se retrouve un thème relié à la prédication: *Moïse tenant les Tables de la Loi*, tandis qu'au dorsal du banc d'œuvre, Pâquet

Vue latérale de l'église. En 1980, pour célébrer le 150ᵉ anniversaire de la consécration du temple, la fabrique fait rafraîchir l'extérieur.

sculpte l'effigie du saint patron de la paroisse, saint Charles Borromée, probablement réalisée à partir du tableau du maître-autel de Saint-Charles-de-Bellechasse. Dans un cas comme dans l'autre, le sculpteur réinterprète les œuvres conçues par Thomas Baillairgé pour l'église de Lotbinière en 1832.

Les trois tabernacles, acquis en 1854, semblent sortir de l'atelier Pâquet; jusque-là, la fabrique s'était accommodée du mobilier de l'ancienne église. Le maître-autel, caractérisé par son allure architecturale, ressemble à une façade d'édifice miniaturisée. Le sculpteur a délibérément cherché à reproduire les grandes lignes de la façade de la basilique Saint-Pierre du Vatican, tout en adaptant les formes à la fonction du meuble. Les autels latéraux se présentent comme une simplification de l'autel principal, où le dôme du couronnement fait place à un baldaquin, mieux adapté à ces meubles plus légers.

Le retable principal reprend le principe de l'arc de triomphe; ce choix dépasse la simple recherche architecturale. À la différence de l'Antiquité, en effet, où les arcs des empereurs ornés des statues de généraux et des trophées commémoraient de brillantes victoires, l'arc de l'église est un arc eucharistique: les statues figurent des saints qui portent leur part du triomphe du Christ, tandis que les trophées, qui rappellent l'Ancien et le Nouveau Testament, mettent en valeur l'unicité de la révélation divine. De plus, le centre de l'arc ne comporte aucune porte semblable à celles qu'utilisaient les empereurs romains pour faire leur entrée triomphale accompagnés des prisonniers de guerre et de leur butin; il est plutôt occupé par le tabernacle, pôle d'attraction de tout l'édifice.

L'idée de concevoir un tabernacle procédant des grandes lignes de la basilique Saint-Pierre du Vatican provient d'une conception théologique de l'époque découlant directement du Concile de Trente: l'eucharistie fait l'Église et l'Église de Rome demeure la seule dépositaire de l'eucharistie authentique. On comprend dès lors pourquoi de nombreux tabernacles affectent une forme similaire à celui de Charlesbourg.

Riche collection

L'intérieur de l'église contient aussi plusieurs œuvres d'art dignes d'intérêt. Le tableau du maître-autel, *Saint Charles Borromée distribuant la communion aux pestiférés de Milan*, présente un thème et une composition de caractère baroque. Il s'agit d'une copie acquise en 1699 d'un tableau de Pierre Mignard conservé à Narbonne en France; elle occupait, dans l'église précédente, le même emplacement. Son cadre de bois sculpté a été réalisé par Charles Vézina en 1742.

Acquis au début des années 1870, les tableaux de *L'Immaculée Conception* et du *Sacré-Cœur apparaissant à Marguerite-Marie* surmontent les autels latéraux. Réalisées par les ateliers de communautés religieuses — ici le Bon-Pasteur de Québec —, ces compositions connurent un très grand succès au Québec dans la seconde moitié du XIXᵉ siècle. Près de la chaire se trouve une *Vision de saint Antoine de Padoue*, qui remonte sans doute au début du XIXᵉ siècle. La composition rappelle un tableau de C. Ferrus, connu au Québec par des gravures. Des œuvres semblables se retrouvent à la chapelle de l'Hôtel-Dieu de Québec, chez les Ursulines et à l'Hôpital Général. L'église conserve également deux tableaux remontant aux débuts de la carrière de Joseph

Légaré: *Saint Jérôme* et *Ecce Homo*. Le premier, copié en 1821 d'une œuvre européenne que possédait alors la fabrique, appartient aujourd'hui au musée du Séminaire de Québec. Légaré offrit de procéder à la copie et d'effectuer l'échange, ce qui lui permit d'accroître sa collection de tableaux européens. Du même artiste, l'église conserve un rare parement d'autel sur le thème de l'eucharistie, réalisé en 1833.

Certaines sculptures méritent une mention spéciale, notamment les statues de Pierre-Noël Levasseur: *Saint Pierre* et *Saint Paul*. Exécutées en 1742 pour le retable de l'ancienne église, elles ont été réutilisées aux mêmes fins par Baillairgé dans l'église actuelle. Sur le maître-autel, une croix sculptée par Charles Vézina en 1742 prend place. Également dans le sanctuaire, les visiteurs peuvent admirer un chandelier pascal acquis en 1776 et attribué aux Levasseur, ainsi qu'une intéressante *Éducation de la Vierge*, due au ciseau de Jean-Baptiste Côté. Une association paroissiale fit cadeau de cette œuvre à la fabrique en 1879. Signalons enfin que l'église possède un exceptionnel ornement de damas de soie rouge aux armes de la reine Marie-Thérèse, épouse de Louis XIV.

En 1961, la fabrique procède à quelques travaux de rénovation sous la supervision de la Commission des monuments historiques: des ouvriers remplacent le plancher, changent les installations électriques et déplacent l'orgue; de plus, ils comblent les trois ouvertures pratiquées dans le retable 35 ans plus tôt et remettent à leur emplacement initial le tableau de *Saint Charles Borromée* et les statues de Pierre-Noël Levasseur. L'année suivante, l'extérieur fait lui aussi l'objet de travaux. Enfin, à l'occasion du 150ᵉ anniversaire de sa consécration, en 1980, la fabrique fait rafraîchir l'édifice.

René Villeneuve,
historien de l'art et de l'architecture

NOPPEN, Luc et John PORTER. *Les églises de Charlesbourg et l'architecture religieuse au Québec.* Québec, ministère des Affaires culturelles, 1972. (Coll. «Civilisation du Québec», nº 9).

TRUDELLE, Charles. *Paroisse de Charlesbourg.* Québec, A. Côté. 1887.

VILLENEUVE, René. *Le cœur du trait-carré: les églises de Charlesbourg.* Québec, les Éditions du Pélican, 1986. 105 p.

Site des Bédard

Charlesbourg
6485, 1ʳᵉ Avenue

Fonction: privé
Classé site historique en 1978

Eɴ circulant en direction nord sur l'ancien chemin de Québec, aujourd'hui la 1ʳᵉ Avenue, l'on entre dans Charlesbourg. L'ancien domaine agricole des Bédard, identifié par un monument commémoratif, commence à l'avenue Isaac-Bédard. En retrait du carrefour, du côté ouest, la maison ancestrale des Bédard s'élève au milieu d'un secteur résidentiel.

La terre des Bédard faisait autrefois partie d'un système de concession unique en Nouvelle-France. En 1666, les Jésuites inaugurent une forme de colonisation qui regroupe les habitations autour d'un bourg, vers lequel convergent les terres agricoles. Cette division des terres est implantée dans trois secteurs contigus: Charlesbourg, Bourg-Royal et l'Auvergne.

La terre des Bédard a la forme d'un triangle isocèle dans le secteur de l'Auvergne. Le défrichement de ce bourg débute en 1668 et l'habitat regroupé autour du trait-carré prend forme dès 1675.

À la fin du XVIIᵉ siècle, le plan dressé par Jean-Baptiste de Couagne indique la propriété de la famille Huot. Les Bédard l'acquièrent au début du XVIIIᵉ siècle et vont se la transmettre de génération en génération jusqu'à la fin des années 1970.

D'esprit néo-classique

La maison actuelle remonte probablement au milieu du XIXᵉ siècle. Comme bien d'autres habitations de l'époque, elle reflète la relative aisance que procure la mise en valeur d'une terre fertile. D'esprit néo-classique, la résidence Bédard est une construction en pierre d'environ 15 mètres de long sur près de 10 mètres de large. Elle possède un étage de soubassement, un rez-de-chaussée surélevé du côté de la façade principale et une toiture à deux versants aux égouts retroussés. Une galerie, protégée par un large avant-toit, s'étend en façade principale sur toute la longueur de la maison, à la hauteur du rez-de-chaussée.

Du crépi recouvre le mur pignon ouest et la façade postérieure alors que du côté est, le mur pignon présente un revêtement de planches à clins. Ces recouvrements préviennent les infiltrations causées par la pluie ou la neige. La façade principale se compose de pierres apparentes au-dessus de l'étage de soubassement. La toiture, couverte de tôle à la canadienne, jouxte une souche de cheminée en pierre au sommet de chacun des pignons.

La cuisine d'été, située à l'étage de soubassement, le bel étage et le mur pignon de la cuisine d'hiver conservent des éléments du décor original. Deux foyers jumelés, des armoires encastrées, quelques pièces de quincaillerie, les moulures, les lambris de plafonds, les planchers constitués de larges planches enbouvetées et certaines pièces de l'ameublement remontent également aux origines de la maison.

Claude Reny, aménagiste-géographe

La terre des Bédard fait partie d'un système de concession unique en Nouvelle-France, où les habitations se concentrent autour d'un bourg vers lequel convergent les terres agricoles. D'esprit néo-classique, la maison construite vers le milieu du XIXᵉ siècle conserve plusieurs éléments d'origine.

Mᴀʟᴏᴜɪɴ, Pierre. *Charlesbourg, 1660-1949.* Québec, [s.éd.] 1972. 223 p.

Mᴀʀᴛᴇʟ, Fernand. *Charlesbourg, étude de géographie urbaine.* Thèse présentée à l'université Laval, Québec, 1968. XVI–124 p.

Lᴀ Gʀᴇɴᴀᴅᴇ-Mᴇᴜɴɪᴇʀ, Monique. *La maison des Bédard.* Québec, ministère des Affaires culturelles, 1977. 26 p.

Arrondissement historique de Beauport

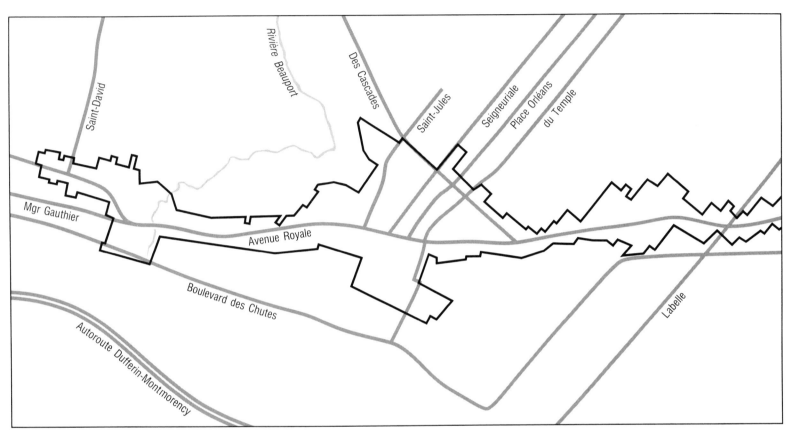

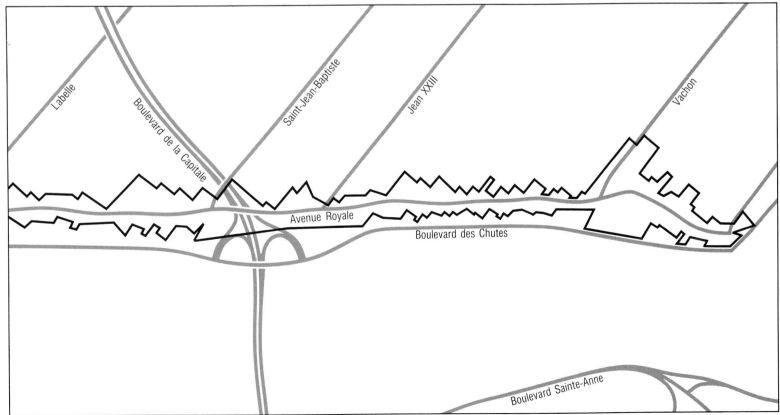

Arrondissement historique de Beauport

Vue de l'avenue Royale et du bourg du Fargy à Beauport en 1937. (Photo: W.B. Edwards).

Le 15 janvier 1634, Robert Giffard, médecin-chirurgien originaire du Perche, obtient de la compagnie des Cent-Associés la seigneurie de Beauport. Son territoire s'étend sur environ 4 kilomètres de front le long du fleuve et sur 4,5 kilomètres de profondeur. Compris entre les rivières Beauport et Montmorency, cet espace, au départ essentiellement côtier, s'enrichit graduellement d'un vaste arrière-pays. D'une profondeur de seize kilomètres en 1659, cette seigneurie comprend cinq arrière-fiefs: Le Chesnay, La Ferté, Beaumarchais, La Clousterie et Du Buisson. Toutefois, durant un demi-siècle, c'est à proximité du Saint-Laurent que se développe la communauté beauportoise, issue d'un premier contingent de quelques dizaines d'individus, surtout des Percherons. Cette entité, principalement centrée autour du noyau seigneurial et du bourg du Fargy, bénéficie de l'apport de nouveaux arrivants en provenance de Normandie, de Champagne et du Poitou. La population dépasse 450 habitants à la fin du XVIIᵉ siècle.

Les installations seigneuriales se situent tout près de l'embouchure de la rivière Beauport et comprennent le manoir, un fortin muni d'au moins une tour et deux moulins, l'un à l'eau et l'autre à vent. À lui seul, le manoir érigé dès 1642 regroupe en son sein plusieurs fonctions comme le logis du seigneur, une chapelle et un cachot. Il s'agit d'une construction fort imposante en maçonnerie, longue d'un peu plus de 19,5 mètres avec cinq cheminées disposées de façon asymétrique sur le faîte et le versant nord de la toiture. Au XIXᵉ siècle, s'ajoute un fronton triangulaire orné d'une fenêtre de style palladien.

Un premier noyau villageois

À moins d'un kilomètre à l'est de la rivière Beauport, à proximité de la rivière du Buisson, se trouve juste au-dessus de la première terrasse le noyau villageois embryonnaire regroupant l'église, le presbytère et une quinzaine d'habitations. Cet ensemble, relié au manoir par le chemin du Roy, se prolonge vers l'est et vers l'ouest, reliant la côte à l'agglomération de Québec. Dès la fin du XVIIᵉ siècle, le bourg adopte un plan trapézoïdal et bénéficie, pour sa protection, d'une enceinte de pieux qui longe l'arrière-fief Du Buisson, le domaine seigneurial et la commune (un pâturage communal détaché du domaine en 1655). À la hauteur de l'actuelle rue Saint-Jules, un embranchement presque perpendiculaire se rattache au bourg. Il s'oriente vers le nord en direction du rang Saint-Joseph nouvellement ouvert. Toutefois, un plan d'aménagement conçu vers 1669 prévoit pour le bourg un développement beaucoup plus ordonné, comprenant une place de marché traversée diagonalement par le chemin du Roy.

Arrondissement historique de Beauport

L'agglomération beauportoise connaît durant tout le XVIIIᵉ siècle un rythme de croissance plutôt lent. Au moment de la Conquête, la population n'atteint pas le double de ce qu'elle était soixante ans plus tôt. Le village se dote d'une école et, peu après, le nombre de ses habitations triple. Elles se répartissent le long de deux axes convergents, le chemin Royal et la rue des Cascades, un peu plus au nord. Un réseau de voirie secondaire apparaît et le chemin de montée menant vers l'arrière-pays se déplace de la rue Saint-Jules à la rue Seigneuriale. Deux nouveaux rangs, Saint-Michel et Sainte-Thérèse, s'ouvrent entre-temps et confirment la vocation agricole du territoire. Le commerce et l'industrie se développent dans le dernier tiers du XVIIIᵉ siècle, et les moulins (la plupart à eau), les carrières et les fours à chaux se multiplient. Des boutiques et des ateliers de tous genres surgissent: menuiseries, chalouperies, forges, etc. Certains artisans locaux œuvrent déjà un peu partout dans la région, tels les chaufourniers, les tailleurs de pierre et les maçons.

L'ancienne église de Beauport vue de l'avenue Royale, vers 1875. L'édifice a été incendié en 1890. (Archives nationales du Québec à Québec, collection initiale).

L'industrie s'implante

Favorisée par la proximité de la ville de Québec, une petite agriculture de marché se développe peu à peu. L'économie régionale se complète par l'industrie de la construction et l'artisanat rural, lesquels se modifient profondément tout au long du siècle suivant. Dès 1792, l'implantation d'une distillerie à l'embouchure de la rivière Beauport marque le paysage et l'économie de la région. Ce complexe industriel, constitué d'une demi-douzaine de longs bâtiments, fonctionne jusqu'en 1864. Près de la rivière, des moulins apparaissent, l'un pour l'huile et un second pour la farine. La scierie Hall fournit de l'emploi à 160 travailleurs, tandis que s'ajoutent une fabrique de clous et une entreprise spécialisée dans la fabrication de piquets, de cuves et de bardeaux. Dans le dernier quart du siècle s'élèvent une brasserie, des briqueteries et une manufacture de textile située à proximité de la rivière Montmorency.

L'arrivée de ces industries contribue à l'accroissement démographique et au développement spatial de la petite communauté. La population, de moins de 900 habitants en 1790, quintuple en cent ans. Dès 1850, le corridor de l'avenue Royale est loti et occupé de façon continue depuis le ruisseau de la Cabane aux Taupinières (extrémité ouest de Giffard) jusqu'au sault Montmorency. Le périmètre immédiat du vieux bourg comprend alors au-delà de 80 maisons. Graduellement, des rues secondaires orientées perpendiculairement au chemin du Roy viennent parfaire le réseau routier.

L'église et le presbytère sont reconstruits et un asile aux dimensions imposantes apparaît plus à l'ouest. Une série d'incendies en 1875, 1879 et 1890 rasent successivement l'asile, le manoir seigneurial et la seconde église. L'asile et le temple sont rebâtis. Peu après, le couvent des sœurs de la congrégation Notre-Dame vient s'insérer dans l'environnement bâti de l'église.

Nouveau souffle

L'arrivée du chemin de fer, en 1889, favorise les liens économiques et sociaux de l'agglomération beauportoise avec la ville de Québec. L'agriculture et le paysage rural en subissent les contrecoups: les commerces et les industries se multiplient en bordure et à proximité de l'avenue Royale. Des rues s'ouvrent ou se prolongent de part et d'autre de cette artère, en particulier à l'ouest et au sud de l'ancien bourg du Fargy, mais aussi dans les secteurs de Courville et de Giffard. Dans ces deux noyaux s'élèvent bientôt une église et certains autres édifices institutionnels. La densité des constructions neuves et la transformation des bâtiments existants marquent l'urbanisation du secteur.

Sensiblement ralenti par la crise économique de 1929, ce processus reprend au début des années 1950. À partir de ce moment, Beauport passe du gros village à la ville moderne et se dote des services et des équipements nécessaires. Parallèlement, sa population de moins de 7 000 citoyens en 1900 s'élève à plus de 55 000 habitants en 1975. L'arrière-pays se peuple peu à peu.

Arrondissement historique de Beauport

En 1985, le nouvel arrondissement couvre une partie seulement du territoire historique, soit l'essentiel du corridor initialement occupé le long du chemin du Roy. Cet espace linéaire comprend un court tronçon du chemin Royal à l'ouest de la rivière Beauport et s'articule autour de deux noyaux principaux, le bourg du Fargy (devenu le centre-ville) et le pôle institutionnel de l'ancienne municipalité du village de Courville.

Cet arrondissement historique exclut le quartier ouvrier de Saint-Grégoire-de-Montmorency, l'ensemble originellement riverain longeant l'avenue Sauriol et le boulevard Sainte-Anne, le Petit Village (au nord-ouest de Giffard), le lieu de villégiature situé en bordure du fleuve et appelé Everell, où subsistent une vingtaine de petites résidences d'été ou villas de petites dimensions construites au tournant du XXe siècle.

Un arrondissement à découvrir

L'implantation des habitations en dents de scie retient l'attention du visiteur de l'avenue Royale. Le vieux bourg de forme trapézoïdale, encore observable sur les cartes ou à vol d'oiseau, se délimite par le contour des rues Saint-Jules et des Cascades. L'alignement denté des maisons s'explique par le tracé diagonal de l'avenue Royale à travers les terres. Ce type d'implantation se retrouve dans l'ensemble de l'arrondissement, sauf du côté sud de l'avenue Royale et le long des rues perpendiculaires. La largeur moyenne des terrains résidentiels et la séquence des habitations les plus anciennes varient également selon le lieu des noyaux villageois initiaux. La localisation des constructions principales à l'intérieur des lots, leur recul, en particulier, dépend de leur âge et de leur fonction première. Les habitations rurales se trouvent généralement plus éloignées de la route et de leurs voisines que celles de type urbain ou villageois.

Malgré son caractère linéaire et une certaine récurrence du mode d'implantation de ses habitations, l'arrondissement de Beauport offre une assez grande variété de paysages urbains. Outre la traversée de la rivière, à l'ouest, et les deux noyaux institutionnels, au centre et à l'est, l'axe de l'avenue Royale suit un tracé légèrement ascendant et sinueux, marqué à l'une et l'autre extrémités par une courbe beaucoup plus prononcée. Ce circuit comporte des surprises et des attraits topographiques. La végétation s'aligne en direction du fleuve et de l'île d'Orléans, plus spécialement dans la partie orientale de l'arrondissement. La notion de place publique, également présente aux alentours immédiats des églises de Beauport et de Courville, donne lieu à des vues moins dégagées, mais non moins intéressantes.

Large éventail architectural

La diversité et l'intérêt du paysage urbain beauportois tiennent davantage à la densité et à la qualité de son architecture traditionnelle. Un inventaire effectué en 1977 par le ministère des Affaires culturelles révèle la présence de plus de 750 constructions anciennes en bordure ou à proximité du chemin Royal. À l'intérieur des limites de l'actuel arrondissement, ce nombre s'établit aujourd'hui à plus de 500 habitations, dont 489 à fonction résidentielle ou mixte. On compte de nombreux bâtiments séculaires, et près de 7 pour cent d'entre eux datent du milieu du XIXe siècle. En outre, environ le quart de ces constructions possèdent un carré en pierre, ce qui est beaucoup en milieu rural. Les toitures à deux versants sont nombreuses, mais les toits mansardés et ceux plutôt plats se retrouvent aussi dans le paysage architectural beauportois.

L'avenue Royale au début du siècle. (Carte postale, Archives nationales du Québec à Québec, fonds Magella-Bureau).

Arrondissement historique de Beauport

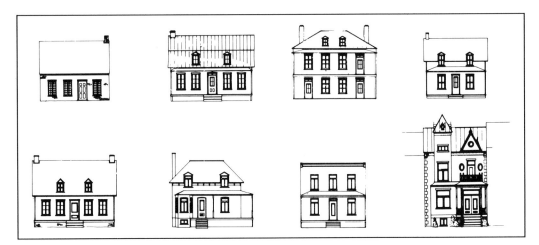

Quelques-uns des sous-types architecturaux de l'arrondissement de Beauport. (Dessin: Ethnotec).

Un très large éventail de modèles architecturaux, particulièrement les bâtiments d'habitation ou de fonction mixte (mi-résidentielle et mi-commerciale) se retrouvent sur la côte et dans l'arrière-pays.

Un portrait d'ensemble du cadre bâti beauportois révèle une grande diversité. Dans tout l'arrondissement historique de Beauport, les portes, les fenêtres, l'agencement des ouvertures en façade, le décor ainsi que la localisation des galeries et des escaliers affichent une grande variété.

Le revêtement des murs et des toits offre davantage d'homogénéité, en raison sans doute de la proximité des sources d'approvisionnement en matériaux industrialisés et des rénovations des dernières décennies. D'ailleurs, environ 80 pour cent des 500 bâtiments patrimoniaux inventoriés ont subi, à des degrés divers, des modifications de forme ou de matériau; ces modifications n'ont cependant pas altéré de façon profonde le caractère traditionnel des édifices.

Parmi ce patrimoine architectural à la fois dense et varié se dressent le couvent de la congrégation Notre-Dame et certaines habitations qui portent aujourd'hui les noms de Côté, Parent, Sansfaçon, Rhéaume, Chabot, Marcoux, Bellanger-Girardin, Garneau, Tessier-dit-Laplante et Cliche. Quatre de ces immeubles ont été classés monuments historiques (les maisons Côté, Parent, Bellanger-Girardin et Tessier-dit-Laplante). La maison Garneau, ou ancien hôtel Chalifour, est sans doute le modèle de la célèbre auberge Jolifou immortalisée par le peintre Cornélius Krieghoff aux environs de 1860.

Reconnaissance nationale
L'arrondissement historique de Beauport est reconnu officiellement une première fois en 1964 pour protéger le noyau du bourg initial et les grandes propriétés contiguës. En 1985, ses limites englobent la majeure partie de l'avenue Royale et de ses abords entre l'avenue des Martyrs, à l'ouest, et le domaine Kent, à l'extrémité est de la municipalité. Couvrant une superficie d'environ 96 hectares étirée le long de cet axe ancien, l'arrondissement de Beauport est devenu l'un des plus étendus après ceux de l'île d'Orléans, Percé, Sillery et Montréal. Il constitue un trait d'union naturel entre les arrondissements de Québec, de Charlesbourg et de l'île d'Orléans, de même qu'avec la Côte-de-Beaupré et la région de Charlevoix.

Tout ce territoire, comprenant l'arrondissement, compte au total un peu plus de 1 200 bâtiments d'intérêt patrimonial. Il s'agit là, sans contredit, d'un phénomène extraordinaire à l'échelle d'une localité demeurée longtemps rurale. À lui seul, l'arrondissement en renferme près de la moitié et constitue, à cet égard, l'une des concentrations les plus riches au point de vue architectural de tout le Québec. Nul doute que les efforts conjugués de la municipalité, du ministère des Affaires culturelles et des particuliers sauront conserver à cet ensemble et à son environnement le cachet particulier qui le caractérise.

Michel Dufresne, géographe et urbaniste

CAMBRAY, Alfred. *Robert Giffard, premier seigneur de Beauport et les origines de la Nouvelle-France.* Cap-de-la-Madeleine, [s. éd.] 1932. 383 p.

DUFRESNE, Michel. *Beauport, côte et arrière-pays: étude d'opportunité pour une intervention redéfinie des Affaires culturelles.* Québec, ministère des Affaires culturelles, 1978. 42 p.

ETHNOTECH. *Étude d'ensemble du patrimoine: ville de Beauport.* Beauport, Ville de Beauport, 2 tomes, 1987. 370 p.

Maison Bellanger-Girardin

Beauport
600, avenue Royale

Fonction: public
Classée monument historique en 1977

LA maison Bellanger-Girardin porte le nom des premier et dernier propriétaires occupants, Bellanger et Girardin. Cette habitation typiquement rurale occupe un emplacement privilégié au cœur de l'ancien bourg du Fargy et de l'actuel arrondissement historique de Beauport.

Concédé le 24 janvier 1673 par le seigneur Joseph Giffard à Nicolas Bellanger, originaire de Normandie, le terrain où se trouve la maison ne subit aucun morcellement jusqu'à nos jours. Au contraire, de nombreuses transactions viennent l'agrandir vers le sud et l'est.

Dès la première année de concession du lot, Bellanger construit un premier corps de logis en pièce sur pièce mesurant 22 pieds français sur 20. Quelques années plus tard, une grange-étable, puis une étable-écurie, s'ajoutent. Cet ensemble est transmis à Pierre Bellanger, fils de Nicolas, puis, tour à tour, à François et Noël Marcou (1720), Toussaincts Savaria (1722) et Jean Marcou (1727).

Vers 1727, un corps en maçonnerie se greffe au bloc initial. Il constitue la partie la plus à l'est du bâtiment actuel. Vers 1735, la section en pièce sur pièce disparaît, sauf la cheminée, et un second corps de maçonnerie situé plus à l'ouest la remplace. En 1748, Alexandre Boiselle acquiert l'ensemble de la propriété et la cède par la suite à sa nièce et à son époux, Michel Garnier. Les frères André et Louis Marcou achètent la propriété en 1783 de Michel Garnier. Ces nouveaux propriétaires ajoutent, au coin sud-ouest de leur habitation, une annexe de même apparence et de même matériau.

Vers une nouvelle vocation

Durant les cent années suivantes, la maison, les dépendances et le terrain passent entre différentes mains jusqu'au premier Girardin.

Ignace Girardin devient propriétaire en 1884 et effectue plusieurs transformations à la maison dès l'année suivante. Il remplace

La maison Bellanger-Girardin sert aujourd'hui de lieu d'exposition pour les activités de la Société d'art et d'histoire de Beauport.

La maison Bellanger-Girardin au début du siècle. (Carte postale, Archives nationales du Québec, fonds Magella-Bureau).

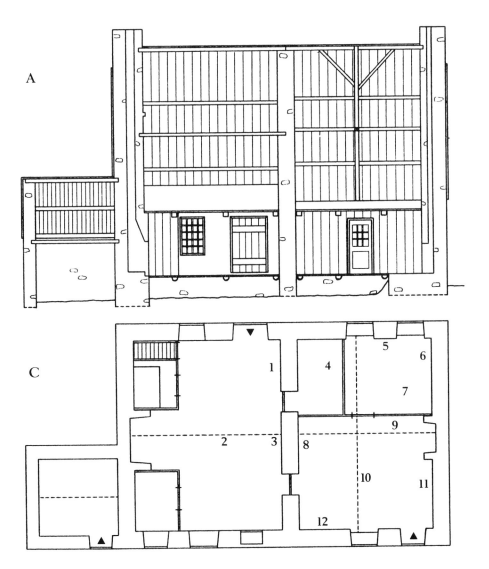

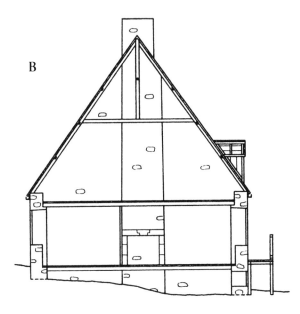

MAISON GIRARDIN : intérieur, c.1830

A . coupe longitudinale
B . coupe transversale
C . plan du rez–de–chaussée

1 . huche	7 . lit à baldaquin
2 . table, 6 chaises	8 . buffet, cassette
3 . armoire	9 . poêle
4 . petit lit	10 . table, 4 chaises
5 . petite table	11 . petite armoire
6 . coffre	12 . coffre

0   pieds   10   20   30

Plan montrant l'intérieur de la maison vers 1830.

les fenêtres, ajoute des lucarnes et une toiture et modifie l'emplacement des entrées. En 1915, Girardin cède la maison à son neveu, Jacques-Cléophas. Dix ans plus tard, la propriété passe entre les mains des sœurs de la congrégation Notre-Dame de Montréal, mettant fin à la vocation agricole et résidentielle qu'elle connaissait depuis plus de deux siècles et demi. En 1982, la ville de Beauport l'acquiert et la restaure en 1983-1984. À cette occasion, la maison reprend l'apparence du bâtiment de la première moitié du XIXᵉ siècle. Elle abrite aujourd'hui un centre d'art et d'histoire.

À l'intérieur, le visiteur retrouve de part et d'autre du mur de refend deux types de charpente qui témoignent chacun d'une étape de la construction. La charpente à l'ouest comporte des pannes et celle située à l'est une ferme intermédiaire avec entrait, poinçon et aisseliers. L'espace, aménagé de façon simple, se compose au rez-de-chaussée de deux grandes pièces et de quelques cabinets, et à l'étage d'une chambre et d'un grenier.

Remise en valeur et utilisée à des fins communautaires, la maison Bellanger-Girardin symbolise le passé rural enchâssé dans un cadre urbain. Son volume harmonieux, fruit d'une longue évolution, constitue l'un des repères et des témoins les plus marquants de l'ancien chemin du Roy.

Michel Dufresne, géographe et urbaniste

DUFRESNE, Michel. *Propriété «Girardin», Beauport: étude ethno-historique et concept de réaménagement.* Québec, ministère des Affaires culturelles, 1976. 119 p.

DUFRESNE, Michel. *Beauport, de la côte à l'arrière-pays: ses paysages et ses traditions.* Québec, ministère des Affaires culturelles, 1977. 80 p. (Coll. «Les cahiers du patrimoine», nᵒ 8).

GAUTHIER-LAROUCHE, Georges. *Évolution de la maison rurale traditionnelle dans le région de Québec.* Québec, Presses de l'université Laval, 1974. 321 p.

Maison Tessier-dit-Laplante

Beauport
2328, avenue Royale

Fonction: public
Classée monument historique en 1975

D'esprit néo-classique, la maison Tessier-dit-Laplante date de 1867. Construite en pierre, elle possède un étage de soubassement et un rez-de-chaussée surélevé. Recouverte aujourd'hui de tôle à baguettes, la toiture possédait à l'origine un revêtement de bardeaux de cèdre.

Située sur l'un des emplacements les plus élevés de la côte de Beaupré, entre Québec et Sainte-Anne, à proximité de la chute Montmorency, la maison Tessier-dit-Laplante remonte vraisemblablement à l'année de la Confédération (1867). Propriété de la famille Hall-Patterson, elle est acquise en 1874 par François-Xavier Laplante, alias Isaïe Tessier. La maison appartient à la famille Tessier-Laplante jusqu'en 1960, époque où Jeanne Tessier la cède à la ville de Courville, aujourd'hui fusionnée à la municipalité de Beauport.

L'acte de donation de la maison stipule qu'elle devra être utilisée à des fins municipales ou publiques par des organisations sans but lucratif. Le vœu de la propriétaire est partiellement exaucé: d'abord certains organismes sans but lucratif occupent la résidence, telles la société Saint-Vincent-de-Paul et la Société Saint-Jean-Baptiste. Par la suite, elle demeure sans fonction et est abandonnée de 1964 à 1975.

Le bâtiment en pierre, d'esprit néoclassique, est crépi sur trois de ses côtés et recouvert de planches à clins sur la façade latérale est. La maison possède un étage de

soubassement et un rez-de-chaussée surélevé, coiffé d'un comble à deux versants. Ses avant-toits retroussés se prolongent sur les deux façades au-dessus des galeries qui s'étendent sur toute la longueur de la maison. La toiture, actuellement recouverte de tôle à baguettes, était originellement garnie de bardeaux de cèdre. Elle possède deux souches de cheminée, disposées symétriquement au-dessus de chacun des pignons. Celle de l'ouest est fausse.

Autrefois, l'intérieur était chauffé par deux poêles, l'un situé dans la salle commune et l'autre dans le salon. Le passage des tuyaux, raccordés à la cheminée, permettait de chauffer l'ensemble de la maison.

Restaurée par la ville de Beauport, la maison Tessier-dit-Laplante abrite aujourd'hui un centre culturel et communautaire.

Jacques Dorion, ethnologue

COUILLARD, Guy. *Étude vocationnelle de la maison Tessier-Laplante*. Beauport, Ville de Beauport, 1983. n. p.

Maison Gore

Beauport
8, rue des Cascades

Fonction: privé
Reconnue monument historique en 1979

Sise sur la rue des Cascades à Beauport, la maison Gore a été construite entre 1790 et 1822. À l'intérieur, on a cependant relevé des initiales (H.L.) et une année (1820) gravées dans une planche du plafond du sous-sol; cette inscription se retrouve à deux autres endroits dans la maison.

La maison Gore témoigne de l'influence de l'architecture classique anglaise, avec la disposition symétrique de ses ouvertures, sa porte centrale flanquée de trois baies de chaque côté, et la distribution identique de ses lucarnes sur les versants du toit.

Les fenêtres comportent le même nombre de carreaux au rez-de-chaussée et à l'étage, seule leur dimension varie; cette constante architecturale caractérise également les modèles plus académiques de la période.

Avec son grand nombre de fenêtres et de lucarnes, ses murs coupe-feu en saillie et ses trois souches de cheminée, cette maison possède un caractère monumental. L'ornementation extérieure est remarquablement sobre et se réduit aux motifs des sections du perron, à l'encadrement des ouvertures et aux corbeaux en pierre de taille qui supportent la saillie des coupe-feu.

Plusieurs vestiges de l'habitat domestique de la première moitié du XIXᵉ siècle se retrouvent à l'intérieur. L'importante hauteur du sous-sol (2 mètres) et du rez-de-chaussée (3,3 mètres) atteste le nouvel art de vivre introduit par l'architecture anglaise. Dans toutes les pièces, les boiseries révèlent une recherche esthétique. Les plinthes, les chambranles, les corniches et les plafonds à caissons moulurés se découpent sur les murs nus. Leur profil indique clairement une imitation en bois d'un système ornemental conçu pour être produit en plâtre.

Dans les combles, la charpente est assemblée à l'aide de fermes simples dans lesquelles l'entrait sert d'appui au plancher. Ce type de charpente légère apparaît vers 1800.

La chaîne des titres de propriété de la maison Gore révèle la présence de personnages de premier plan de l'histoire beauportoise. Parmi eux, Peter Patterson, seigneur de Beauport depuis 1844, fait commerce de bois et possède les scieries situées au pied de la chute Montmorency. Son gendre, George Benson Hall, hérite du patrimoine des Patterson. Engagé dans l'industrie du bois de sciage, il possède un des plus prospères commerces de bois au Canada.

En 1912, le laitier George Henry Gore acquiert la maison qui reste dans sa famille jusqu'en 1978.

Jacques Dorion, ethnologue

GIGUÈRE, Guy. *La maison Gore. Dossier d'inventaire architectural*. Québec. ministère des Affaires culturelles, 1979. 112 p.

La maison Gore, propriété de la famille du même nom de 1912 à 1978, présente des caractéristiques qui la rattachent à l'architecture classique anglaise.

Maison Chalifour

Beauport
415, avenue Sainte-Thérèse

Fonction: privé
Reconnue monument historique en 1976

La maison Chalifour constitue un bel exemple d'architecture domestique en milieu rural. Ses caractéristiques d'implantation et de construction en font un bâtiment représentatif de son époque. Ce monument date vraisemblablement de la première moitié du XIXᵉ siècle.

Jusqu'en 1965, la maison appartenait à la famille Chalifour. Paul Chalifour, l'ancêtre de tous les Chalifour, Chalifoux et Chalufour, est le premier de cette famille à s'établir à Beauport. Né le 26 décembre 1612 en Aunis (France), il quitte son pays vers 1642 pour le Canada. À titre de maître charpentier, il construit divers ouvrages, notamment des moulins et des maisons. En 1671, il érige le moulin à vent du Bourg-Royal pour le compte de l'intendant Jean Talon et de nombreuses maisons. Vers 1650, il reçoit une concession de 3 arpents de front sur 24 de profondeur dans la seigneurie de Notre-Dame-des-Anges sur laquelle il construit une maison en bois et y habite jusqu'à sa mort, survenue vers 1680.

En plus de cette terre, Paul Chalifour obtient une concession de 6 arpents de front sur le fleuve sur 40 de profondeur avec les droits de chasse et de pêche. De son mariage avec Jacquette Archambault naissent quatorze enfants. Au début du XIXᵉ siècle, les descendants de l'un d'eux ont probablement fait construire ou reconstruire la maison Chalifour.

Son architecture évoque la première moitié du XIXᵉ siècle. Toutefois, sa structure de pierre la rattache plutôt au XVIIIᵉ siècle. Par ailleurs, son plan rectangulaire, la distribution de ses ornements, la disposition symétrique des ouvertures en façade, la forme du toit et des lucarnes et la structure de la charpente l'apparentent davantage aux décennies 1830 ou 1840. En revanche, le carré de maçonnerie assez bas, la forme plutôt allongée du plan, l'importance des cheminées et la forme du foyer principal renvoient au XVIIIᵉ siècle.

Le rang Sainte-Thérèse, où se trouve cette résidence, se peuple dès 1720 et il

demeure possible qu'une maison de pierre y ait été érigée au XVIIIᵉ siècle. Celle-ci aurait pu être substantiellement remaniée vers 1830-1840, vraisemblablement à la suite d'un incendie. En 1922, la laiterie de pierre, qui jouxte la maison sur le côté est, fait place à un appentis moderne. En 1956, une tôle à baguettes vient recouvrir le toit de bardeaux.

Autrefois, la maison Chalifour faisait partie d'un ensemble agricole comprenant une grange en pierre qui, selon la tradition orale, aurait servi de maison d'établissement; un four à pain et deux anciens fours à chaux bicentenaires. Aujourd'hui un peu isolée et privée de son décor d'origine, la maison Chalifour a été reconnue monument historique en 1976.

Jacques Dorion, ethnologue

En collaboration. *La maison Chalifour. Beauport.* Québec, ministère des Affaires culturelles, 1976. n. p.

Construite vraisemblablement dans la première moitié du XIXᵉ siècle, la maison Chalifour possède des traits qui l'identifient néanmoins au siècle précédent. Parmi ceux-ci, notons la structure de pierre, la forme allongée du plan, les cheminées et la forme du foyer principal. (Inventaire des biens culturels du Québec).

Maison Laurent-dit-Lortie

Beauport
3200, avenue Royale

Fonction: privé
Classée monument historique en 1965

Au coin de l'avenue Royale et de l'avenue du Monument, dans un jardin ombragé du quartier Giffard, se dresse une imposante maison de pierre. La silhouette galbée de son pignon s'incurve avec élégance au-dessus des galeries qui longent les deux façades.

Depuis toujours, cette maison appartient aux Laurent dit Lortie dont descendent les Côté, ses propriétaires actuels. L'ancêtre de cette famille, Jean Laurent dit Le Basque, arrive à Québec en 1657. Fermier, puis métayer de la seigneurie du comté d'Orsainville, propriété de l'intendant Jean Talon, Jean Laurent se fait appeler Orty — devenu Lortie. Jean Laurent dit Lortie, son fils, s'installe à Beauport au début du XVIIIᵉ siècle. Il acquiert alors la terre sur laquelle est érigée la maison qui porte son nom aujourd'hui. Cette maison illustre la transformation, survenue au XIXᵉ siècle, des bâtiments plus anciens pour les mettre au goût du jour.

Jean Laurent dit Lortie a probablement fait construire une première maison en ces lieux au début du XVIIIᵉ siècle. D'aspect assez modeste, elle devait occuper la moitié ou le tiers de l'édifice actuel. Au fil des ans, ce carré de pierre original se serait progressivement agrandi pour atteindre les dimensions actuelles, dès la seconde moitié du XIXᵉ siècle.

Cette extension de la maison se fait en deux étapes. Vers 1780, apparaît un premier rajout en pierre. Une seconde rallonge en bois est exécutée à l'est, vers 1850-1860, alors que l'habitude de construire en pierre disparaît en milieu rural. Cette dernière période a laissé des traces importantes: larmiers incurvés, supports de galeries, types de fenêtres, corniches, balustres de galeries.

Intéressante par ses dimensions et son décor architectural, cette maison se range parmi les exemples les plus achevés de l'architecture domestique traditionnelle dans la région de Québec. Elle illustre le type du manoir ou de presbytère, maisons de notables qui servent de modèles aux maîtres d'œuvre dans la société rurale traditionnelle.

Cette maison a conservé les traces de son évolution et projette une image d'authenticité et d'intégrité d'une rare intensité.

Jacques Dorion, ethnologue

Ce bâtiment aux dimensions imposantes constitue l'un des beaux témoins de l'architecture domestique traditionnelle de la région de Québec.

En collaboration. *Maison Côté, inventaire architectural.* Québec, ministère des Affaires culturelles [s. éd.], n. p.

Maison Édouard-T.-Parent

Beauport
2240-2242, rue de Lisieux

Fonction: privé
Classée monument historique en 1965

Située au cœur d'un développement résidentiel, la maison Parent est coincée entre des résidences et des immeubles à revenus. Par ses formes et par sa situation géographique, ce monument évoque l'âge d'or de la Côte-de-Beaupré.

Originaire de Saintonge en France, le boucher Pierre Parent se fait concéder en 1652 une terre de quatre arpents de front sur une lieue et demie de profondeur. De son union avec Jeanne Badeau naissent dix-huit enfants.

La maison actuelle existe dès 1804. Elle révèle une structure du XVIIIᵉ siècle, agrandie par la suite. Vraisemblablement avant 1750, un premier carré de pierre reprenant les caractéristiques de la maison de la Côte-de-Beaupré à cette époque apparaît sur le site: plan rectangulaire et pignons maçonnés en proportion du «plein comble» (triangle équilatéral), sur un carré.

Ces premières maisons, basses en apparence seulement, sont malgré tout bien dégagées du sol; cette coutume provient de l'habitude, créée en ville au XVIIIᵉ siècle, d'installer un âtre et un four à pain au soussol. Et comme les combles demeurent inhabités, le toit semble écraser la tête des murs.

Souvent allongées dans la seconde moitié du XVIIIᵉ siècle, ces maisons accommodent une population croissante. Ce processus d'agrandissement est visible à l'extérieur par la disposition irrégulière des ouvertures et l'intervalle des souches de cheminée. À l'intérieur, les reprises de maçonnerie sont apparentes là où un ancien mur pignon a été transformé en mur de refend. La charpente, raccommodée par un maître charpentier, conserve le même angle à l'extension du toit.

La maison Parent représente un des monuments de la Côte-de-Beaupré et de l'île d'Orléans qui illustre ce procédé évolutif bien typique des environs de Québec. On y retrouve aussi, comme c'est le cas de plusieurs de ces maisons, des ajouts importants du XIXᵉ siècle: galeries couvertes par un débordement du toit et lucarnes qui évoquent l'envahissement des combles par l'habitat.

Jacques Dorion, ethnologue

En collaboration. *Maison Édouard T. Parent. Inventaire architectural.* Québec, ministère des Affaires culturelles, 1969. n. p.

Par ses différentes étapes d'agrandissement, cette maison de 1804 évoque les moyens d'adaptation utilisés par une population sans cesse croissante à l'époque.

Calvaire du cimetière de la paroisse Notre-Dame-de-l'Annonciation

L'Ancienne-Lorette
1625, rue Notre-Dame

Fonction: public
Classé monument historique en 1971

LA fabrique de Notre-Dame-de-l'Annonciation, à L'Ancienne-Lorette, fait ériger en 1894 un calvaire sous édicule pour le cimetière paroissial en remplacement d'une grande croix noire. La construction du bâtiment en bois est confiée au maître menuisier Pierre Bédard de cette paroisse qui réalise un édicule très décoré comportant balustrades, colonnes, écoinçons et consoles finement ouvragés.

Les trois statues de bois doré sont commandées en deux étapes au sculpteur Louis Jobin (1845-1928). Le *Christ en croix* est acquis le 14 janvier 1894, au coût de 68 $. *La Vierge* et le *Saint Jean* sont achetés le 6 avril 1902. Tout comme le calvaire du cimetière de Portneuf, le *Christ en croix* de L'Ancienne-Lorette est un type de représentation très courant dans la production du sculpteur. En plus du calvaire du cimetière, Jobin réalise quelques statues pour l'église de L'Ancienne-Lorette dont deux *Saint Joseph*, une *Sainte Anne* et un *Saint François Xavier* (1886-1887) de même qu'une *Immaculée Conception* de cinq mètres pour le sommet de la façade (1907).

En 1875, l'artiste s'établit à Québec. Cette période coïncide avec la prolifération des calvaires à grand déploiement. Ces mises en scène élaborées émeuvent et fascinent les fidèles en plus de susciter leur ferveur. Jobin compose des calvaires à trois personnages: les uns avec le Christ, la Vierge et saint Jean, d'autres avec le Sauveur et les deux larrons. Si l'utilisation des larrons n'a pas connu une vaste diffusion, les personnages de la Vierge et de saint Jean bénéficient par contre d'une grande vogue. Toujours dans une attitude recueillie, ils se tiennent debout de chaque côté du Christ, la Vierge généralement à sa droite et saint Jean à sa gauche. À L'Ancienne-Lorette, la mère du Christ penche la tête en croisant les bras sur sa poitrine tandis que l'apôtre regarde son maître, les mains jointes.

Jobin réalise un nombre impressionnant de calvaires comportant une Vierge et un saint Jean: à Lauzon (1888-1889), maintenant au Musée du Québec, à Pont-Rouge (1890), aujourd'hui au Musée des beaux-arts de Montréal, à Saint-Alban (1906), à Montebello (1907), à Saint-Charles-de-Bellechasse (1914), conservé au Musée canadien des civilisations, à Saint-Georges-de-Windsor (1914), à Saint-Joseph-de-Beauce (1915), actuellement au Musée d'art de Saint-Laurent, à Inverness (1916-1917), à L'Ange-Gardien (1917-1918), à Saint-Léonard de Portneuf (1917-1918), à Saint-Damien de Buckland (1921), à Saint-Donat (1921), etc. *La Vierge* et le *Saint Jean* de L'Ancienne-Lorette comptent toutefois parmi ses représentations les plus achevées

pour les physionomies et les drapés des personnages. Ces deux modèles sont uniques dans les œuvres exécutées par Jobin.

Le sculpteur façonne en outre quelques calvaires exceptionnels comportant jusqu'à six personnages: le Christ, la Vierge, saint Jean, les deux larrons et Marie-Madeleine. À son atelier de Québec, il exécute en deux étapes (1879 et 1884) un groupe à grand déploiement pour le cimetière de Richibouctou au Nouveau-Brunswick. À Sainte-Anne-de-Beaupré, il fait aussi des calvaires très élaborés. Le plus célèbre de ces groupes à six personnages demeure celui qu'il réalise à l'âge de 73 ans pour le sanctuaire du lac Bouchette au Lac-Saint-Jean.

Soumis aux écarts de température les plus extrêmes, la plupart des calvaires extérieurs en bois n'ont pas résisté aux intempéries. Plusieurs des calvaires et autres sculptures en bois exécutés au tournant du siècle et encore exposés en plein air sont ainsi menacés de disparition à plus ou moins long terme.

Mario Béland, historien de l'art

ALLARD, Lionel. *L'Ancienne-Lorette*. Montréal, Leméac, 1979: 339.

FOURNIER, Rodolphe. *Lieux et monuments historiques de Québec et de ses environs*. Québec, Éditions Garneau, 1976: 284.

PORTER, John et Léopold DÉSY. *Calvaires et croix de chemins du Québec*. Montréal, Éditions Hurtubise HMH, 1973: 88-89, 98, 122.

Les trois statues du calvaire du cimetière de Notre-Dame-de-l'Annonciation ont été exécutées en deux étapes par le sculpteur Louis Jobin.

Église Notre-Dame-de-Lorette

Wendake
140, boulevard Bastien

Fonction: public
Classée monument historique en 1957

L'église Notre-Dame-de-Lorette après l'addition de la chapelle latérale au début du XXᵉ siècle. (Carte postale, Archives nationales du Québec à Québec, fonds Magella-Bureau).

L'église Notre-Dame-de-Lorette est située sur les bords de la rivière Saint-Charles dans le village des Hurons, près de Québec. Son histoire est étroitement liée à celle des Hurons.

Chassées par les Iroquois du territoire des Grands Lacs en 1650, près de 300 familles huronnes se réfugient à Québec, près du fort Saint-Louis. Un an plus tard, elles s'installent à l'île d'Orléans, à L'Anse-au-Fort. En 1668, toujours exposés aux attaques des Iroquois, les Hurons vont s'établir, avec les missionnaires jésuites, dans un lieu plus sûr, à Sainte-Foy, sur l'actuel site de l'université Laval. L'augmentation de la population huronne restreint l'espace et, en 1674, les Jésuites concèdent aux Hurons un nouvel emplacement plus au nord dans leur seigneurie. Un nouveau village est tracé et la chapelle construite sur le modèle de l'église Notre-Dame-de-Lorette d'Italie est placée au centre de l'établissement.

La colonie française se développe et les terres des Français avoisinent bientôt la mission huronne. En 1698, les Jésuites démé-

nagent à nouveau les Hurons, sous prétexte de soustraire les colons français à leur mauvaise influence. Les Hurons s'installent à la Jeune-Lorette, laissant derrière eux L'Ancienne-Lorette. Les Jésuites cèdent la chapelle huronne et quatre arpents de terrain aux habitants de la seigneurie Saint-Gabriel (Lorette). Une paroisse entièrement française s'y établit. Expulsés de leur chapelle, les Hurons réussissent néanmoins à emporter les meubles et ornements auxquels ils sont attachés.

Dès 1700, plusieurs Français travaillent à la construction d'une nouvelle chapelle en bois pour les Hurons de la Jeune-Lorette, près des chutes de la rivière Saint-Charles. Vers 1730, une première église en pierre apparaît pour répondre à l'accroissement de la population huronne.

Le temple actuel

Rasée par le feu en 1862, l'église est reconstruite en 1866. Entre-temps, privés de leur lieu de culte, les Hurons fréquentent celle de la paroisse voisine. L'église, rebâtie

sur ses fondations, bénéficie de l'aide du gouvernement et des colons du voisinage.

L'église du village huron possède un plan simple: un rectangle de maçonnerie divisé par une cloison en pierre qui sépare la nef et le chœur de la sacristie. Au début du XXᵉ siècle, on y ajoute une chapelle latérale et une sacristie, deux structures en bois reliées entre elles par un couloir.

La façade, simple, se compose d'une porte en plein cintre, surmontée d'une fenêtre circulaire. Le clocher repose sur le faîte de la toiture. Il est formé d'une base carrée et de deux lanternons ajourés coiffés d'une flèche. Les longs pans sont percés de fenêtres en plein cintre.

À l'intérieur, la nef est séparée du chœur par une balustrade. La fausse voûte en bois, en forme d'anse de panier, date de

L'église abrite plusieurs trésors artistiques dont le tabernacle du maître-autel datant de 1722, ainsi que plusieurs pièces de sculpture et d'orfèvrerie.

la fin du XIXᵉ siècle; elle soustrait à la vue la charpente demeurée apparente.

L'église Notre-Dame-de-Lorette recèle un véritable trésor formé de pièces de mobilier, d'orfèvrerie et de sculpture. Ces œuvres sont exposées en permanence dans le chœur et dans une pièce attenante à l'église, aménagée en musée. Plusieurs sont classées biens culturels.

Dans le chœur, la pièce majeure reste le tabernacle du maître-autel attribué à Noël Levasseur et daté de 1722. Il est de facture et de proportions semblables à celui de l'Hôpital Général de Québec, du même auteur. Deux niches polychromes, aussi classées œuvres d'art, sont placées de part et d'autre du maître-autel. Au-dessus de ce dernier, une sculpture anonyme et non datée représente Notre-Dame-de-Lorette, la Vierge tenant l'Enfant-Jésus sur le bras gauche, encadrée de deux adorateurs.

Une autre Vierge à l'Enfant décore un parement d'autel de la fin du XVIIIᵉ siècle.

Ce parement est une œuvre unique dans la sculpture ancienne du Québec. Il juxtapose des éléments des cultures française et amérindienne. On y reconnaît la Vierge à l'Enfant entourée de roses et de vignes et de quatre têtes ailées, le tout sculpté et doré dans le goût français. Dans le bas du parement se retrouve une scène gravée qui représente un village huron: on y voit une église, des maisons de type iroquoien et la figure de Kateri Tekakouitha. Cette scène réalisée vers 1790 serait l'œuvre de François Vincent, sculpteur huron de Lorette.

Plusieurs pièces de sculpture et d'orfèvrerie du trésor de l'église des Hurons ont déjà été exposées dans les musées du Québec et de l'Ontario, confirmant leur grande valeur. La plus célèbre est sans contredit la Vierge à l'Enfant en argent, réalisée à Paris en 1717-1718 par un orfèvre français et qui aurait appartenu aux Jésuites de Québec. D'autres pièces d'orfèvrerie sont aussi d'un grand intérêt; Marius Barbeau en a dressé un

inventaire dans son ouvrage *Trésors des anciens jésuites*, paru en 1957.

Ce trésor inestimable fait la valeur de l'église Notre-Dame-de-Lorette. Sur le plan architectural, le monument présente un certain intérêt, ayant conservé un style architectural appartenant à la première moitié du XVIIIᵉ siècle, malgré la reconstruction de 1862.

Madeleine Gobeil-Trudeau,
historienne de l'architecture

GROUPE HARCART INC. *Fabrique de la chapelle des Hurons, Loretteville, comté de Québec*. Québec, ministère des Affaires culturelles, 1982. 241 p.

NOPPEN, Luc. *Les églises du Québec (1600-1850)*. Québec et Montréal, Éditeur officiel du Québec/Fides, 1977. 298 p.

TRAQUAIR, R. «The Huron Mission Church and Treasure of Notre-Dame-de-la-Jeune-Lorette». *Journal R.A.I.C.*, septembre 1930: 17.

Maison Savard

Loretteville
170, rue Giroux

Fonction: privé
Classée monument historique en 1977

LA maison Savard, située au 178 de la rue Giroux à Loretteville, est l'un des plus intéressants témoins du patrimoine architectural de ce secteur de la région de Québec. Implanté à l'origine en milieu rural, ce bel ensemble agricole a vu peu à peu le périmètre urbain le rejoindre et l'entourer de constructions modernes.

La date de construction de la maison Savard et le nom des premiers propriétaires sont inconnus. Toutefois, en 1762, un contrat entre Joseph-Marie Barbot et Julien Lebœuf, au nom de son fils Simon, engage ce dernier à construire une maison dans la basse-ville de Québec. En échange, il acquiert une terre «d'un arpent trois quarts de front sur environ dix-sept arpents de profondeur sis en la coste du Grand St-Antoine fief de St-Gabriel avec toutes les circonstances, dépendances et bâtiments dessus». Cet ensemble agricole demeure la propriété de la famille Lebœuf pendant plusieurs générations. En 1843, Pierre Savard en fait l'acquisition à la suite du décès de sa cousine Élisabeth, veuve de Michel Albœuf dit Boutet. (Albœuf devient Lebœuf à la fin du XVIIIᵉ siècle.) Depuis cette date, la maison est la propriété de la famille Savard.

Mesurant 13 mètres sur 9, la maison Savard est construite en pièce sur pièce à coulisses et repose sur des fondations de maçonnerie. Trois lucarnes, disposées symétriquement en façade, percent le toit à deux versants agrémenté d'avant-toits retroussés. Des bardeaux d'asphalte remplacent les bardeaux de bois d'origine. Aussi recouverts de bardeaux de bois du côté nord et est, les murs présentent un revêtement de planches sur les autres façades. Les fenêtres ont gardé leurs 24 carreaux d'origine et certaines se parent de contrevents décoratifs.

Une cheminée centrale interrompt la ligne faîtière de la maison. Par ailleurs, un examen de la charpente et de la souche de cheminée révèle l'existence d'une toiture antérieure. Enfin, un mur de refend intérieur traverse l'édifice dans toute sa largeur.

La maison Savard comporte trois niveaux: le sous-sol, le rez-de-chaussée et le grenier. La cave est divisée en deux sections séparées. La partie la plus récente, probablement creusée au début du siècle, est accessible par une trappe extérieure, du côté sud de la maison. On accède à la section la plus ancienne, autrefois le cellier, par une trappe aménagée dans le plancher.

Le rez-de-chaussée comprend la cuisine, la dépense, le salon et trois chambres. Il a conservé plusieurs éléments architecturaux dignes d'intérêt: foyer, plancher, poutres apparentes, boiseries, quincaillerie forgée. La charpente des combles, d'esprit classique, possède un double entrait, des croix de Saint-André dans le sous-faîtage et des poin-çons aux petits entraits. Toute la charpente comporte des tenons et mortaises, à l'exception du grand entrait, coupé en fourchette.

Comme plusieurs habitations rurales, la maison Savard a été construite en deux étapes. La première construction apparaît vers le milieu du XVIIIᵉ siècle et la seconde dans la première moitié du XIXᵉ siècle.

Elle demeure un bel exemple de l'architecture domestique de la région de Québec par l'ordonnance symétrique de la façade, ses avant-toits retroussés, sa galerie couverte et son revêtement de planches.

Jacques Dorion, ethnologue

LAHOUD, Pierre. *La maison Savard: dossier préliminaire*. Québec, ministère des Affaires culturelles, 1976. 21 p.

Située à Loretteville, la maison Savard rappelle l'architecture domestique de la région de Québec.

Arrondissement historique de l'île d'Orléans

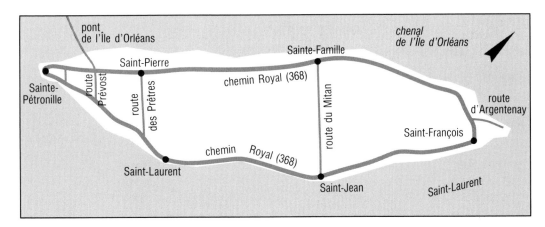

LES Amérindiens l'appelaient Minigo, l'île. Ils y venaient bien avant l'arrivée des Européens, attirés par les rives herbeuses du nord et les embouchures de cours d'eau qui forment un milieu naturel d'une grande richesse.

En septembre 1535, Jacques Cartier aborde dans l'île. Étonné par les nombreuses vignes sauvages qu'il y aperçoit, Cartier la nomme d'abord île de Bacchus, puis, au printemps suivant, il lui substitue le nom du duc d'Orléans, en hommage au fils de François 1er, roi de France. Malgré d'autres appellations occasionnelles — île Sainte-Marie, île Saint-Laurent — seul le nom d'Orléans se maintint en usage jusqu'à aujourd'hui.

L'île constitue un accident géologique de 32 kilomètres de longueur sur 5 kilomètres dans sa plus grande largeur; elle se situe le long de la faille Logan ou d'Orléans, née de la rencontre du bouclier laurentien avec la formation appalachienne. Les hautes terres et les terrasses de sa rive sud diffèrent en nature des basses terres alluvionnaires du rivage nord.

Propices à l'agriculture, giboyeuses et relativement bien pourvues en eau douce et en forêt, les terres riveraines attirent des colons dès 1648.

Les premiers seigneurs

De 1636 à 1675, l'île d'Orléans se rattache au territoire de la seigneurie de Beaupré. Le peuplement commence en 1648, au moment où Éléonore de Grandmaison et son époux, François de Chavigny de Berchereau, s'installent sur la pointe occidentale de l'île, aujourd'hui Sainte-Pétronille. Des colons et défricheurs s'établissent à cet endroit, de même qu'à l'embouchure de la rivière Maheu (ajourd'hui Saint-François) et à la pointe D'Argentenay.

Un raid iroquois dévaste les établissements en 1656 et sème la consternation parmi une mission huronne de trois cents membres, rassemblés par le père Pierre Chaumonot autour du domaine d'Éléonore de Grandmaison. Les survivants et les nouveaux colons cherchent à s'établir plutôt du côté de Sainte-Famille, où le secours des miliciens et des colons de la côte de Beauport peut s'avérer plus efficace.

Les attaques iroquoises continuent néanmoins par la suite et les premiers colons vivent périodiquement sous la menace jusqu'à la Grande Paix de 1701. En 1664, mgr François de Laval acquiert la majorité des seigneuries de Beaupré et de l'île d'Orléans. Il fait progresser les établissements du côté de Saint-Laurent et de Saint-Jean. La présence du régiment de Carignan, à partir de 1665, rassure les colons et diminue l'ardeur guerrière des Iroquois. Un premier moulin à vent, érigé en 1664 à Sainte-Famille, révèle les progrès accomplis en quelques années par les défricheurs.

L'île devient comté

En 1675, mgr de Laval échange l'île d'Orléans contre l'île Jésus. Le nouveau seigneur, François Berthelot, ne vint jamais au Canada. En avril 1676, il obtient pour son île des lettres d'érection en comté. L'appellation de comté de Saint-Laurent, connue jusqu'au milieu du XVIIIe siècle, ne remplace toutefois pas celle d'île d'Orléans qui persiste dans l'usage.

Pour administrer sa vaste propriété, Berthelot délègue d'abord Louis Rouer de Villeray, puis Guillaume Gaillard. Sous leur gouverne, la colonisation et le développe-

Arrondissement historique de l'île d'Orléans

Vue de Saint-François, en direction de l'ouest. Les bâtiments de ferme datent de la seconde moitié du XIXe siècle. (Archives nationales du Québec à Québec, collection initiale).

ment de l'île font de grands progrès: quatre nouvelles paroisses se détachent de la paroisse mère de Sainte-Famille en 1679. Il s'agit de Saint-François, de Saint-Laurent, de Saint-Jean et de Saint-Pierre. Sainte-Pétronille, qui dépend de Saint-Pierre, voit le jour officiellement en 1870.

Guillaume Gaillard rachète l'île de Berthelot en 1712 et l'administre de façon remarquable. Léguée à ses deux fils en 1729, elle reste entre les mains des héritiers Gaillard jusqu'en 1752. La moitié occidentale devient alors la propriété de Jean Mauvide, puis de Joseph Drapeau en 1800. Les héritières Drapeau la conservent jusqu'à l'abolition du régime seigneurial, en 1854.

Peu après la Conquête, en 1764, le gouverneur James Murray acquiert l'autre moitié de l'île, comprenant les paroisses de Sainte-Famille, de Saint-Jean et de Saint-François, et, quinze ans plus tard, il la vend à son procureur, Malcolm Fraser. Ce dernier s'en départit à son tour en 1805 au bénéfice de son procureur et meunier, Louis Poulin, deuxième du nom; la seigneurie Poulin demeure dans cette famille pendant près d'un siècle.

À l'instar des terres de la vallée du Saint-Laurent, le régime seigneurial marque le paysage de l'île d'Orléans d'empreintes indélébiles qui sont à l'origine du cadastre actuel. Cependant, à cause de l'insularité et de l'exiguïté du territoire, les autorités découpent les terres selon un dessin particulier se rapprochant du système utilisé dans le rang double. Sur tout le pourtour de l'île, chaque lot possède à l'origine un accès au fleuve et se termine au centre du territoire, en un point appelé le mitan ou trécarré. Ce découpage existe encore sur la plus grande partie du territoire orléanais.

Au moment des premières concessions, les autorités songent à tracer une route traversant l'île en son milieu, de la pointe occidentale jusqu'à la pointe orientale. Cette route du mitan, jamais construite, marque une ligne imaginaire sur la dorsale de l'île et

Arrondissement historique de l'île d'Orléans

sert de frontière entre les terres du versant nord et celles du versant sud.

Riche patrimoine architectural

En tournant cette page d'histoire seigneuriale de l'île d'Orléans, il convient de souligner que la majorité des monuments historiques classés sont antérieurs à 1850. Par ailleurs, plusieurs centaines d'habitations, de dépendances et de vestiges du plus haut intérêt composent, avec le paysage naturel et humanisé de l'île, un ensemble remarquable.

Le long du chemin Royal, les visiteurs peuvent observer divers types d'habitations d'époque, de différents styles, et dont certaines se rattachent à l'architecture du Régime français. Mentionnons, à titre d'exemple, les maisons Côté à Saint-Pierre, Morency-Demers à Sainte-Famille, Roberge et Jinchereau à Saint-François ou Poitras et Gendreau à Saint-Laurent. Aujourd'hui, plusieurs de ces maisons servent de résidences secondaires. D'autres, construites plus récemment, reprennent avec plus ou moins

Vue de Sainte-Famille avec la côte de Beaupré, en arrière-plan, vers 1925. (Archives nationales du Québec à Québec, collection initiale).

Vue du chemin Royal à Sainte-Famille, vers 1925. (Archives nationales du Québec à Québec, collection initiale).

Arrondissement historique de l'île d'Orléans

Groupe de maisons sur le coteau de Saint-Jean, vers 1925. (Archives nationales du Québec à Québec, collection initiale).

de bonheur les mêmes caractéristiques générales extérieures. En dépit de la modernisation de l'agriculture, il subsiste encore plusieurs bâtiments de ferme anciens, érigés pour la plupart dans la seconde moitié du XIXᵉ siècle. Ainsi, une grange octogonale s'élève à Saint-Jean et une autre à Sainte-Famille. Plusieurs maisons et sites de l'île rappellent aussi, à l'aide de plaques commémoratives, les noms des grandes familles canadiennes qui essaimèrent jadis dans toutes les parties du continent nord-américain.

Le patrimoine religieux de l'île d'Orléans se distingue également par son ancienneté. Sur les huit églises de l'île, quatre ont été reconnues monuments historiques entre 1957 et 1980. Il s'agit des églises de Saint-Pierre, de Sainte-Famille, de Saint-François et de Saint-Jean, bâties de pierre au XVIIIᵉ siècle. Les églises de Saint-Laurent et de Sainte-Pétronille, ainsi que le temple anglican de cette dernière paroisse, datent de la fin du XIXᵉ siècle. Seule la nouvelle église de Saint-Pierre, élevée tout près de l'ancien bâtiment servant au culte, remonte au XXᵉ siècle (1955). L'île compte également cinq chapelles de procession: deux à Saint-Laurent, une à Saint-Jean, une à Sainte-Famille et une à Saint-Pierre. Celle de Sainte-Famille, visible de loin, marque l'entrée du village à l'ouest de l'église et constitue la seule chapelle de procession classée sur l'île.

Le tour de l'île

Lorsque le voyageur traverse à l'île, il arrive à Saint-Pierre. En raison de la proximité du pont, érigé en 1935, cette paroisse est la plus urbanisée de l'île; plusieurs développements récents s'y retrouvent.

Continuant sa route vers Sainte-Pétronille, l'observateur remarque de nombreuses villas à l'allure cossue, bâties pour la plupart à la fin du XIXᵉ siècle et au début du XXᵉ siècle. Elles appartenaient à des bourgeois anglophones de Québec venus y passer leurs vacances. Le plus souvent dissimulées derrière des écrans d'arbres et de fleurs, elles rappellent la vie élégante des vacanciers de la première heure. La plus importante de toutes demeure sans conteste celle de la famille de C.E.L. Porteous, à l'est du village de Sainte-Pétronille. Elle coûta plus d'un demi-million de dollars à construire en 1900.

Dans les paroisses de Saint-Laurent et de Saint-Jean, plusieurs témoins de la vie maritime d'autrefois subsistent. À l'embouchure de la rivière Lafleur, les maisons de pilotes se succèdent, avec leur façade de brique et leur ornementation néo-classique ou néo-Renaissance. Elles remontent toutes au XIXᵉ siècle, époque où les navigateurs de Baie-Saint-Paul et de Petite-Rivière-Saint-François émigrent dans l'île. Dans la décennie 1850, la majorité de la population de cette paroisse se retrouve sur les bords de la rivière Lafleur. À Saint-Jean, il faut également souligner la présence du seul manoir de l'île, érigé au milieu du XVIIIᵉ siècle par le chirurgien Jean Mauvide.

Du côté de Saint-Laurent se concentrent les chaloupiers et les constructeurs de petits bâtiments. Les entrepreneurs s'emploient aussi à la réparation des goélettes et à leur hivernement. La chalouperie Godbout, classée monument historique, conserve encore tous ses outils. Aujourd'hui, les deux villages de la côte sud accueillent les vacanciers

Arrondissement historique de l'île d'Orléans

Vue récente du village de Saint-Jean, avec au centre une grange octogonale.

de Québec dans plusieurs résidences saisonnières construites sur le bord du fleuve. Avec l'amélioration des moyens de transport, ces bâtiments secondaires tendent à se transformer en résidences permanentes.

Saint-François et Sainte-Famille demeurent les deux paroisses de l'île les moins touchées par l'urbanisation. Les habitations ancestrales continuent d'abriter une population composée en majorité d'agriculteurs. Dans Saint-François seulement se retrouvent sept monuments classés. Aux charmes des maisons rurales s'ajoutent les beautés d'une nature omniprésente. Le mont Sainte-Anne, le cap Tourmente, l'archipel de Montmagny et le fleuve à perte de vue s'exposent aux regards des voyageurs qui font le tour de l'île, à la recherche des «42 milles de choses tranquilles», selon l'expression heureuse du poète et chansonnier Félix Leclerc.

Une terre chérie

L'île possède une signification profonde pour les Québécois. Ils y recherchent autant les témoignages de la vie ancestrale que la paix et la tranquillité de la campagne. Chaque été, les citadins affluent sur cette terre chargée de souvenirs et de légendes.

Au début de notre siècle, un groupe d'artistes et d'écrivains mettent en valeur les charmes de ces paysages. Le peintre Horatio Walker fixe sur ses tableaux les traits traditionnels de la vie agricole. Ramsay Traquair s'intéresse à l'architecture insulaire et y fait le relevé de plusieurs bâtiments. Pierre-Georges Roy et Marius Barbeau recueillent, quant à eux, les témoignages de son histoire écrite et orale. Il faut bien sûr mentionner le nom de Félix Leclerc, dont les chansons permettent encore de faire connaître l'île partout au Canada et à l'étranger.

Béatrice Chassé, historienne
Henri-Paul Thibault, historien
Bernard Genest, ethnologue
Pierre Lahoud, historien
Guy-André Roy, historien de l'art

GARIÉPY, Raymond, *Les seigneuries de Beaupré et de l'île d'Orléans*. Québec, Société historique de Québec, 1974. 226 p. (Coll. «Les Cahiers d'histoire», n° 27).

LÉTOURNEAU, Raymond. *Sainte-Famille, l'aînée de l'île d'Orléans*. Beauceville, L'Éclaireur, 1984. 688 p.

ROY, Guy-André et Andrée RUEL. *Le patrimoine religieux de l'île d'Orléans*. Québec, ministère des Affaires culturelles, 1982. 313 p. (Coll. «Les Cahiers du patrimoine», n° 16).

Maison Côté

Saint-Pierre (Île d'Orléans)
313, chemin Royal

Fonction: privé
Classée monument historique en 1970

Ancienne maison de ferme, la résidence Côté se situe à la limite de la municipalité de Saint-Pierre, en retrait de la route et à proximité de l'escarpement surplombant les battures du fleuve. Son propriétaire actuel l'acquiert en 1961 et, au cours des années suivantes, procède à sa restauration. Ces travaux impliquent un certain nombre de transformations qui modifient sensiblement l'apparence initiale du bâtiment qui, à la fin des années 1950, se trouvait dans un état de vétusté avancé et avait perdu plusieurs de ses composantes originelles, notamment ses souches de cheminée en toiture.

Actuellement, la maison se compose d'un carré en pierre apparente, mais autrefois crépi de 13 mètres de longueur sur 9 mètres de largeur. Des bardeaux recouvrent la toiture à deux versants, percée de deux lucarnes du coté sud et de deux grandes tabatières du côté nord. On en trouve également une autre sur la toiture en appentis de l'ancienne laiterie en pierre, adossée

à la façade nord. Ces tabatières datent de l'époque de la restauration. Au même moment, le propriétaire fait reconstruire la souche de cheminée centrale, située presque au centre de la toiture, à cheval sur la ligne faîtière.

L'intérieur de la maison subit également de nombreuses modifications afin de l'adapter aux besoins et au goût de son propriétaire. Il y demeure cependant un certain nombre d'éléments originels, dont la charpente du type à chevrons portant fermes, avec pannes, poinçons et entraits. Son contreventement longitudinal est assuré par un faîtage et un sous-faîtage liés par des croix de Saint-André. Aucun plafond à l'étage des combles ne masque la charpente.

La date de construction de la résidence demeure inconnue. Le terrain sur lequel elle s'élève fut occupé par Jean Leclerc dit Le Touteleau et sa femme, Marie Blanquet, à compter de 1662. Ces derniers, originaires de Dieppe en France, débarquèrent au

Canada en 1660. Selon une carte dressée par l'ingénieur Robert de Villeneuve en 1689, une maison se trouvait sur le site à ce moment. Il est cependant peu probable qu'il s'agisse de la maison existante, du moins dans sa forme actuelle. Une photographie prise en 1925 la montre en effet avec deux fausses souches de cheminée disposées à chacune des extrémités de la toiture et une en pierre au centre. De même, le rez-de-chaussée, légèrement surélevé, ainsi que l'organisation des ouvertures en façade principale et leur menuiserie extérieure, tendent à prouver que la maison aurait été, sinon construite, du moins considérablement transformée dans les premières décennies du XIXe siècle. Possiblement agrandie, à l'instar de beaucoup d'autres, sa charpente daterait de cette époque.

Michel Bergeron, ethnologue

Vue arrière montrant que le volume et la ligne de la maison ont été conservés.

Façade de la maison Côté.

Ancienne église de Saint-Pierre

Saint-Pierre (Île d'Orléans)
249, chemin Royal

Fonction: public
Classée monument historique en 1958

Entre 1673 et 1676, les paroissiens entreprennent la construction d'une première chapelle à Saint-Pierre, à l'île d'Orléans. Faite de colombage, lambrissée de planches et couverte de bardeaux, elle résiste difficilement aux rigueurs de l'hiver. En 1709, il devient impératif d'étayer les murs, tant leur état de détérioration paraît avancé. Plus tard, les habitants remplacent cette modeste chapelle, devenue trop petite et menaçant ruine, par une église en pierre plus vaste et surtout plus solide.

L'église actuelle voit le jour entre 1717 et 1719. En forme de croix latine, son plan se termine par une abside en hémicycle. La lumière pénètre par quatre fenêtres situées dans la nef et dans le transept et par deux autres dans le chœur. Typique de l'époque, sa façade se caractérise par son pignon élancé formant un triangle équilatéral parfait et sa grande simplicité; seule une grande porte surmontée d'un œil-de-bœuf l'anime. Une autre porte, située à l'extrémité du mur sud de la nef, près de la façade, constitue l'entrée la plus utilisée. Ce type d'église connaît une grande diffusion dès la fin du XVIIᵉ siècle et durant une grande partie du XVIIIᵉ siècle. Celle de Saint-Pierre représente toutefois le seul exemple encore debout.

De sacristies en clochers

Depuis sa construction, l'église a subi certaines modifications, dont la plus importante reste sans doute l'agrandissement par le chœur. À l'origine, celui-ci mesurait 4,6 mètres de largeur et servait aussi à loger la sacristie. Cette sacristie, véritable réduit situé dans l'abside et séparé du chœur par une cloison à laquelle s'adosse le retable, s'avère trop petite. Plutôt que de bâtir une sacristie extérieure, la fabrique préfère agrandir le chœur de 5 mètres. Réalisés en 1775, ces travaux permettent un aménagement beaucoup plus spacieux du sanctuaire et de la sacristie. Vers 1830, la première sacristie extérieure au chœur voit le jour. En bois et de petites dimensions, elle est agrandie en 1867, et la sacristie actuelle la remplace en 1900.

L'ancienne église de Saint-Pierre demeure le seul exemple d'un type d'architecture en vogue à la fin du XVIIᵉ et au début du XVIIIᵉ siècle. La plus importante modification date de 1775, au moment de l'agrandissement du chœur.

Comme pour beaucoup d'églises anciennes, les autres transformations importantes touchent surtout le clocher. Reconstruit une première fois en 1788, il est remplacé à nouveau en 1830 par celui que l'on voit aujourd'hui. Il a été réalisé par André Pâquet d'après les plans de Thomas Baillairgé.

L'évolution du décor intérieur

L'aménagement intérieur de l'église débute en 1718, aussitôt le gros œuvre terminé. Les ouvriers installent les planchers, la fausse voûte et la cloison servant à séparer le chœur de la sacristie. Quelque temps après, certaines pièces provenant de l'ancienne chapelle telles que la chaire et le tableau du maître-autel sont rénovées. Toutefois, il faut attendre 1736 avant que l'inté-

rieur ne possède un véritable décor sculpté. Charles Vézina travaille durant cinq ans à la réalisation du retable du maître-autel et à divers autres ouvrages de sculpture. Rehaussé de trois statues de Levasseur, ce retable et de nombreux éléments du décor seront détruits par les Britanniques en 1759.

La réalisation du nouveau décor s'échelonne de 1761 à 1769. Il faut refaire les bancs, les planchers et le retable du maître-autel. Gabriel Gosselin exécute un tabernacle et des chapiteaux pour les colonnes du nouveau retable, orné de deux statues sculptées par les Levasseur. En 1775, la fabrique fait agrandir le chœur. Des ouvriers reconstruisent la fausse voûte et le plancher, puis réaménagent le sanctuaire et la sacristie. Selon certains documents, assez peu prolixes, le sculpteur Antoine Jackson travaille

Vue latérale de l'église vers 1925. (Archives nationales du Québec à Québec, collection initiale).

de 1781 à 1783 au parachèvement de la décoration du chœur et à la réalisation des retables des chapelles.

De tout ce décor, renouvelé au cours des années 1830-1840, seules quelques œuvres subsistent toujours, dont les autels du chœur et des chapelles, réalisés par Pierre Émond en 1795, et le maître-autel, l'une de ses œuvres maîtresses. Conjuguant de multiples influences, le tabernacle est d'une grande qualité d'exécution. Rarement peut-on voir des motifs décoratifs sculptés avec autant de grâce et de vigueur à la fois. Pour sa part, le tombeau retient l'attention par ses formes peu communes et la présence des armoiries papales à l'emblème de saint Pierre, premier évêque de Rome et patron de la paroisse. L'église contient encore les cadres des trois tableaux, sculptés par Émond au tournant du XIXᵉ siècle. Celui du maître-autel représente l'un des trésors de la sculpture ancienne au Québec.

Les tableaux qui surmontent les autels datent également de la même époque. *Le Repentir de saint Pierre*, peint en 1788 par un artiste anonyme, décore le chœur tandis que *L'Immaculée Conception* et *L'Éduca-*

tion de la Vierge, réalisés par François Baillairgé en 1800, ornent les murs de la chapelle. Fortement retouchées, ces toiles sont malheureusement méconnaissables. Signalons enfin la lampe du sanctuaire, suspendue à l'entrée du chœur: vraisemblablement sculptée par Gabriel Gosselin entre 1763 et 1767, elle s'avère l'une des rares lampes en bois encore conservées.

De 1832 à 1848, André Pâquet réalise la nouvelle décoration intérieure en trois étapes, d'après les plans de Thomas Baillairgé. En 1830, la construction de la sacristie permet de libérer l'espace jadis occupé dans l'abside, et la fabrique décide de faire reculer le maître-autel au fond du sanctuaire. Ces travaux, qui nécessitent un renouvellement de la voûte et du retable du chœur, débutent en 1832 et se terminent deux ans plus tard. De 1842 à 1844, Pâquet complète la voûte et la corniche du transept et de la nef, puis réalise les retables des chapelles. Enfin, il exécute en 1847-1848 le banc d'œuvre, la table de communion, les stalles et la tribune arrière. Depuis lors, seuls les bancs et la chaire ont été remplacés, en 1856 et 1905 respectivement.

En 1955, la fabrique érige un nouveau temple pour remplacer l'ancien devenu trop exigu. Menacé de démolition, il est acquis par le gouvernement du Québec qui assure ainsi la sauvegarde de la plus ancienne église du Québec et de l'un des plus beaux exemples de l'architecture paroissiale du Régime français.

Guy-André Roy, historien de l'art

NOPPEN, Luc. *Les églises du Québec (1600-1850)*. Québec et Montréal, Éditeur officiel du Québec/Fides, 1977. 298 p.

ROY, Guy-André et Andrée RUEL. *Le patrimoine religieux de l'île d'Orléans*. Québec, ministère des Affaires culturelles, 1982. 313 p. (Collection «Les Cahiers du patrimoine», n° 16).

TRAQUAIR, Ramsay et Marius BARBEAU. «The Church of St. Pierre Island of Orleans, Québec», dans *McGill University Publications*, XIII, 22 (février 1929). 14 p. (Coll. «Art and Architecture»).

Maison L'Âtre

Sainte-Famille (Île d'Orléans)
4403, chemin Royal

Fonction: public
Classée monument historique en 1961

Ancienne maison de ferme, la maison L'Âtre se situe à l'extrémité d'une route de terre, en contrebas du chemin Royal, à environ trois kilomètres à l'est du village de Sainte-Famille. Son actuel propriétaire l'acquiert en 1962, puis, une fois restaurée, il la transforme en restaurant, connu depuis sous le nom de L'Âtre.

Construite en pierre, la maison mesure 15 mètres de longueur sur 8,5 de largeur. Lors de la restauration, les murs perdent leur revêtement de crépi, visible sur une photographie prise en 1925. La toiture, à deux versants, est recouverte de bardeaux et percée de trois lucarnes à la capucine du côté de la façade principale. Ce versant possède un avant-toit retroussé. Les pignons de la toiture, également recouverts de bardeaux, laissent place à trois souches de cheminée disposées à cheval sur la ligne faîtière. Seule celle du centre, faite de pierre, sert à évacuer la fumée.

L'empreinte du néo-classicisme

La façade principale possède quatre fenêtres, groupées par deux de chaque côté d'une porte centrale. Ce souci de symétrie, renforcé également par les deux fausses cheminées et la disposition des lucarnes, souligne l'influence du néo-classicisme. Joints à la présence de l'avant-toit retroussé de la façade, caractéristique du style Regency, ces éléments tendent à prouver que la maison a été construite ou, plus vraisemblablement, modifiée lors de la première moitié du XIXᵉ siècle. Cette transformation s'avère particulièrement visible à l'intérieur, où le long pan nord présente un renflement au niveau de la cheminée centrale. En outre, la partie de la maison située à l'ouest de cette cheminée possède une hauteur de plancher et une charpente différentes de la partie est, visiblement plus ancienne. Une différence se remarque également dans le traitement des plafonds au rez-de-chaussée: les solives de la section ouest possèdent un revêtement de lambris et celles de l'autre section sont apparentes.

Par ailleurs, une imposante masse de pierre située dans la section est, contre l'ancien mur pignon et commençant sous la cheminée, permet de supposer qu'un four à pain se trouvait originellement à cet endroit. La petite fenêtre, à l'extrémité est de la façade postérieure, laisse également croire qu'il y avait une laiterie à l'angle nord-est du rez-de-chaussée. L'état actuel des recherches concernant la maison ne permet toutefois pas de dater la section plus ancienne. Elle remonte probablement au Régime français, du moins pour la maçonnerie.

Les charpentes des deux sections, du type à chevrons portant fermes avec pannes, entraits retroussés, poinçons, pannes faîtières et sous-faîtes, possèdent deux entraits dans la section ouest et un seul dans la partie est. De plus, sur les charpentes, des jambettes obliques relient l'entrait aux chevrons-arbalétriers. Dans cette section, la partie supérieure de leurs poinçons diffère également, de même que la disposition et le mode d'assemblage des aisseliers qui assurent leur contreventement longitudinal, exception faite des fermes de tête.

Le sommet des quatre murs est doté de sablières jumelées. À la hauteur de la première ferme, située près de la cheminée dans la section ouest, se trouve un entrait de base assemblé à queue d'aronde dans la sablière interne et solidifié de la même manière par un gousset à chacune de ses extrémités.

Quoique la maison ait subi plusieurs transformations au cours de son existence, elle conserve un bon nombre d'éléments originels qui permettent d'en suivre l'évolution architecturale.

Michel Bergeron, ethnologue

Sise à Sainte-Famille, la maison L'Âtre abrite un restaurant fort prisé. L'état actuel des recherches laisse supposer que la plus ancienne partie de la maison date du Régime français.

Maison Morency-Demers

Sainte-Famille (Île d'Orléans)
4417, chemin Royal

Fonction: privé
Classée monument historique en 1972

À l'extrémité est de la paroisse Sainte-Famille, la maison Morency-Demers forme, avec la maison du restaurant L'Âtre, un fort bel ensemble d'habitations du XVIII siècle. Toutes deux présentent d'ailleurs de nombreuses similitudes.

De 1958 à 1973, la maison Morency-Demers, baptisée «La Brimbale» par la propriétaire actuelle, offrait au public des activités culturelles variées. Depuis, elle a retrouvé sa fonction d'habitation.

Une première section de la maison remonte à la seconde décennie du XVIII siècle; plus tard, l'édifice s'agrandit et adopte la forme d'un rectangle allongé, comme toutes les maisons de pierre dites «d'esprit français».

Abandonnée durant plusieurs années, la résidence présentait un visage rébarbatif: fenêtres condamnées, vitres cassées, toiture éventrée, murs décrépis et lézardés. L'aspect actuel de la maison ne laisse guère soupçonner tous ses avatars passés. Depuis 31 ans, la propriétaire restaure le bâtiment sans en oblitérer le cachet ancien.

Témoin d'une époque

La maison Morency-Demers constitue un des rares exemples d'une structure entièrement en pierre. Sur l'île d'Orléans, en effet, les pignons des maisons de pierre du XVIII siècle sont habituellement en bois; les fermes extrêmes de la charpente du toit, généralement recouvertes de bardeaux, servent à clore les pignons.

À l'intérieur, les traits caractéristiques de la maison subsistent, en dépit des nombreux aménagements nécessités par les besoins de la vie moderne. Ainsi, les installations sanitaires se regroupent dans la partie ouest, où une vaste pièce fait dos à l'âtre. La salle commune, sur laquelle s'ouvre le foyer, repré-

Vers 1925, la maison Morency sert de hangar. (Archives nationales du Québec à Québec, collection initiale).

senterait donc la section la plus ancienne du bâtiment. Elle contient les principaux éléments qui évoquent les activités domestiques de la vie traditionnelle: un âtre équipé de sa brimbale de bois et un four à pain. Dans cet espace se retrouvent aussi l'escalier, les deux portes d'entrée et la petite fenêtre d'une ancienne laiterie qui perce le mur nord. Une fort belle armoire, encastrée dans l'épaisseur du mur est, complète le tour du propriétaire de cet étage. Au premier, la structure de la charpente demeure apparente, même si le toit a été isolé par l'intérieur.

Grâce à ces éléments, la maison Morency-Demers évoque les premiers établissements permanents sur l'île d'Orléans. Mais, outre les caractères généraux qui permettent d'identifier l'appartenance de ces constructions à un type architectural bien campé, des dispositions originales se retrouvent souvent dans ces anciennes demeures insulaires. Ainsi, l'âtre s'ouvre toujours sur sa face est, la laiterie occupe invariablement l'angle nord-est du bâtiment, la façade principale est tournée vers le sud et le rez-de-chaussée se divise transversalement.

Michel Bergeron, ethnologue

La maison Morency-Demers témoigne des premiers établissements de l'île d'Orléans. Sa structure entièrement de pierre constitue l'un des rares exemples du genre.

Chapelle de procession

Sainte-Famille (Île d'Orléans)
3862, chemin Royal

Fonction: public
Classée monument historique en 1981

U NE petite chapelle aux murs blanchis et à la toiture rouge, plantée en bordure de la route à une faible distance de l'église, retient inévitablement l'attention des visiteurs qui traversent le village de Sainte-Famille. À cela, rien d'étonnant: l'édicule s'avère remarquable de simplicité, son décor immédiat est champêtre et son environnement grandiose. À l'arrière-plan se distinguent en effet le majestueux Saint-Laurent et la côte de Beaupré, dominée par le mont Sainte-Anne.

La paroisse de Sainte-Famille possédait jadis deux chapelles processionnelles. En 1873, l'évêque de Québec recommande aux paroissiens «de réparer par souscription la chapelle de procession du haut de la paroisse et rebâtir celle d'en bas». La chapelle du haut, toujours existante, connaît des travaux de rénovation dès l'année suivante. Quant à l'autre, déjà fortement délabrée, elle tomba sous le pic des démolisseurs vers 1890.

Il existe très peu de renseignements sur la chapelle de Sainte-Famille. Elle a vraisemblablement été érigée durant la première moitié du XIXᵉ siècle, mais il se peut également qu'il s'agisse d'une structure plus ancienne, modifiée par la suite.

Son plan, peu allongé, se termine par une abside en hémicycle qui, assez curieusement, se distingue à l'extérieur par un léger rétrécissement du mur. De dimensions restreintes, la chapelle mesure 5 mètres de long sur 4,4 mètres de large. Ses murs en pierre possèdent un recouvrement de crépi à l'exception de l'abside où la pierre est simplement peinte. L'édicule, couvert d'un toit en bardeaux de bois, se coiffe d'un petit clocher qui s'apparente à ceux de l'église. Son échelle réduite, la porte surmontée d'un tympan de menuiserie en éventail qui occupe la plus grande partie du mur pignon, ses fenêtres munies de contrevents et son minuscule clocher lui donnent un caractère attachant.

L'intérieur se distingue également par sa grande simplicité, quoiqu'il réserve certaines surprises aux visiteurs. Tout d'abord, son aménagement s'avère peu commun. L'abside, en grande partie cachée par une cloison de planches verticales et un plafond à couvre-joints, remplace l'habituelle fausse voûte. Un tabernacle fort ancien s'y trouve. Reposant sur un tombeau d'autel de facture relativement récente, ce tabernacle, réalisé par Gabriel Gosselin en 1767, appartenait vraisemblablement à la chapelle du Sacré-Cœur de l'église paroissiale. Remplacé en

Malgré sa grande simplicité, la chapelle de Sainte-Famille retient néanmoins l'attention par son style attachant et son cadre pittoresque.

1791 par une œuvre de Pierre-Florent Baillairgé, il aurait été conservé dans la sacristie, place qu'il occupait avant son transfert dans la chapelle processionnelle, au cours des années 1950.

Guy-André Roy, historien de l'art

La chapelle de procession de Sainte-Famille vers 1925. (Archives nationales du Québec à Québec, collection initiale).

ROBERT, Jacques. *Les chapelles de procession du Québec*. Québec, ministère des Affaires culturelles, 1979. 163 p.

ROY, Guy-André et Andrée RUEL. *Le patrimoine religieux de l'île d'Orléans*. Québec, ministère des Affaires culturelles, 1982. 313 p. (Coll. «Les Cahiers du patrimoine», nᵒ 16).

Église de la Sainte-Famille

Sainte-Famille (Île d'Orléans)
3915, chemin Royal

Fonction: public
Classée monument historique en 1980

Fondée en 1666, Sainte-Famille représente la plus ancienne paroisse de l'île d'Orléans. Une église en pierre, construite grâce à l'aide de mgr François de Laval et du Séminaire de Québec, s'élève sur les lieux peu avant 1669. Elle mesure 26 mètres de long sur 12 de large et son plan se compose d'une nef et d'un chœur de même largeur terminés par une abside en hémicycle. Érigé de façon sommaire et réparé à de multiples reprises, l'édifice sert au culte jusqu'en 1747.

Une façade exceptionnelle

Construite entre 1743 et 1747, la nouvelle église se distingue de tous les autres temples érigés à cette époque par la façade ornée de cinq niches et cantonnée de deux tours qui se détachent à la fois de la façade et des murs de la nef. Certes, les tours de l'église des Jésuites de Québec (1666) présentent la même particularité tandis que la façade de la chapelle du palais épiscopal (1692) comprend cinq niches. Mais seule l'église de Sainte-Famille réunit ces deux caractéristiques, une initiative jamais reprise par la suite. Ce temple constitue donc un témoin exceptionnel de l'architecture religieuse du Régime français.

L'apparence extérieure de l'église change considérablement au fil de son histoire. Ainsi, à l'origine, une simple toiture recouvre les tours, comme à l'église des Jésuites. Il faut attendre 1807 avant que des ouvriers surhaussent les tours et y ajoutent des clochers. Avant ces modifications, l'église possédait un seul clocher central. Frappé par la foudre en 1823 et aussitôt démoli, ce clocher sera remplacé en 1843 par celui que nous voyons encore, réalisé d'après les plans de Thomas Baillairgé.

La façade subit elle aussi quelques transformations. Outre ses cinq niches, elle comportait à l'origine une grande porte surmontée d'un cadran solaire en bois et d'un œil-de-bœuf ainsi que de deux petites ouvertures carrées placées de part et d'autre de la niche supérieure. En 1868, ces ouvertures sont remplacées par des œils-de-bœuf.

Plus tard, en 1910, l'entrée principale s'orne d'un imposant portail en pierre de taille, une grande fenêtre cintrée remplace l'œil-de-bœuf et le cadran solaire cède sa place à une plaque portant le millésime de l'église et l'identification des statues dans les niches: Jésus, Marie, Joseph, Anne et Joachim.

Depuis 1749, trois ensembles de statues ont successivement orné les niches de la façade. Les premières, réalisées par l'un des membres de la famille Levasseur, subissent des dommages sérieux lors d'un incendie survenu en 1889. Cinq statues sculptées par Jean-Baptiste Côté les remplacent aussitôt. En 1928-1929, Lauréat Vallière réalise d'autres statues pour les niches de la façade. À l'instar des précédentes, celles-ci résistent difficilement aux rigueurs du climat québécois. Rénovées à deux reprises, elles sont aujourd'hui presque méconnaissables.

Le décor intérieur

Gabriel Gosselin entreprend la décoration intérieure dès 1748; il exécute la chaire et les confessionnaux. L'année suivante, les Levasseur réalisent le tabernacle actuel du maître-autel et différents ouvrages de sculpture; au même moment, des menuisiers s'affairent à la construction de la voûte. Lourdement endommagé par l'armée britannique en 1759, le décor connaît plus tard certains travaux de rénovation. Gabriel Gosselin réalise entre autres un nouveau banc d'œuvre et des tabernacles pour les autels des chapelles. En 1791, Pierre-Florent Baillairgé remplace ces deux tabernacles par ceux que nous voyons aujourd'hui.

Érigée de 1743 à 1747, l'église de la plus ancienne paroisse de l'île d'Orléans comporte une façade unique avec ses cinq niches et ses deux tours.

L'église de Sainte-Famille d'après une photographie d'Edgar Gariépy vers 1925. Les statues ornant la façade sont l'œuvre du sculpteur Jean-Baptiste Côté. (Archives nationales du Québec à Québec, collection initiale).

Les trois tabernacles et les autels demeurent les seuls témoins de la décoration originelle, renouvelée au XIXᵉ siècle. Simples boîtes rectangulaires, les autels possèdent sur le devant un cadre en bois sculpté et amovible qui permet de changer les parements selon les couleurs du temps liturgique, comme on le fait pour les ornements sacerdotaux. Typiques des autels qu'on trouve dans nos églises au XVIIᵉ siècle et durant une grande partie du XVIIIᵉ siècle, ils comptent parmi les très rares conservés jusqu'à nos jours.

En 1812, les fabriciens décident de confier à Louis-Basile David, disciple de Louis Quévillon, le soin de remplacer l'ancienne voûte. Ne prisant guère le type de voûte à la Quévillon, le curé s'oppose au projet. Il préférerait vraisemblablement confier le travail aux Baillairgé et construire un ouvrage d'inspiration néo-classique. Finalement, les paroissiens adressent une pétition à l'évêque et obtiennent gain de cause. Apparentée à celles réalisées par l'atelier de Quévillon, la voûte de Sainte-Famille s'en distingue toutefois par ses caissons de forme carrée plutôt qu'en losange et par la présence d'arcs doubleaux qui viennent rompre cette grande surface étoilée.

Ironie du sort, la fabrique fait appel en 1821 à Thomas Baillairgé pour réaliser les retables du chœur et des chapelles. Pour l'une des rares fois, Baillairgé exécute lui-même les travaux terminés cinq ans plus tard. Fidèle à ses principes, il réalise un décor respectueux des règles de l'architecture classique; il s'apparente à celui de l'église de Baie-Saint-Paul, aujourd'hui disparu, qu'il exécuta avec son père, François, à partir de 1818. Il existe cependant une différence importante entre ces deux décors: à Sainte-Famille, l'ensemble ne comporte aucun relief figuratif ni couronnement de la partie centrale du retable principal; à la place figure un magnifique bas-relief représentant le Père éternel, dont on ignore l'auteur et la date d'exécution.

Après ces travaux, le décor connaît d'autres rénovations. L'entablement est tout d'abord complété puis, durant les années 1860, la fabrique fait remplacer les bancs, le banc d'œuvre et la chaire. Certains éléments de l'ancienne chaire tels les pilastres du dorsal et l'ange à la trompette qui surmonte l'abat-voix, acquis en 1781, restent en place. Le prolongement de la tribune inférieure arrière en 1881 et l'ajout de tribunes dans les bras du transept en 1910 complètent la décoration intérieure.

L'église contient de nombreux tableaux. *La Sainte Famille*, peint par le frère Luc (Claude François) lors de son bref séjour en Nouvelle-France, en 1670-1671, se distingue par son ancienneté et ses éléments iconographiques exceptionnels. Le tableau de la *Dévotion au Sacré Cœur de Jésus*, exécuté par Louis-Augustin Wolff en 1766, compte parmi les plus anciennes représentations peintes de ce thème. Cinq tableaux de François Baillairgé, réalisés entre 1802 et 1805, s'ajoutent à l'ensemble: *Le Christ en croix, La Résurrection. Le martyre de sainte Thècle, Saint François Xavier prêchant aux Indes* et *La guérison d'une infirme par les apôtres Pierre et Jean*.

Guy-André Roy, historien de l'art

NOPPEN, Luc. *Les églises du Québec (1600-1850)*. Québec et Montréal, Éditeur officiel du Québec/Fides, 1977: 218-221.

ROY, Guy-André et Andrée RUEL. *Le patrimoine religieux de l'île d'Orléans*. Québec, ministère des Affaires culturelles, 1982: 65-111.

TRAQUAIR, Ramsay et C.M. BARBEAU. «The Church of Sainte Famille, Island of Orleans, Quebec». dans *McGill University Publications*, XIII, 13 (1926). n. p. (Coll. «Art and Architecture»).

Maison Imbeau

Saint-François (Île d'Orléans)
237, chemin Royal

Fonction: habitation
Classée monument historique en 1968

La maison Imbeau est sise dans la partie nord de Saint-François, à la limite est de la municipalité de Sainte-Famille. On y accède depuis la route par un chemin de terre privé.

L'ancienne maison de ferme en pierre de 15 mètres de longueur sur environ 8 mètres de largeur est coiffée d'une toiture à deux versants, recouverte de bardeaux et percée en son centre d'une large souche de cheminée en pierre. Elle a été restaurée au cours de l'année 1968-1969 par son propriétaire actuel. À l'instar de plusieurs maisons anciennes de l'île d'Orléans, elle sert aujourd'hui de résidence secondaire.

Lors de sa restauration, le crépi qui revêtait ses murs a été enlevé. Les avant-toits retroussés ont également été supprimés et une annexe en appentis a été construite le long du mur pignon est afin d'y aménager une cuisine.

L'intérieur a été restauré, notamment le rez-de-chaussée. Les éléments originaux qui s'y trouvaient ont toutefois été conservés. L'espace intérieur est divisé en deux grandes pièces séparées par un mur de refend en pierre contre lequel se trouvent, du côté est, l'âtre et un four à pain. Un escalier de meunier, situé contre le long pan nord, du côté

de la section est, permet d'accéder à l'étage des combles où l'on a aménagé des chambres à coucher. Cette section correspond à la partie la plus ancienne de la maison et daterait du XVIIIᵉ siècle. Un plafond à solives apparentes s'y trouve. Lors de la restauration, une petite niche située contre le mur pignon a été mise au jour. Des pièces de monnaie datant de 1826 et 1827 s'y trouvaient.

Une laiterie, dont la fenêtre subsiste toujours, était originellement construite à l'angle nord-est du rez-de-chaussée. La section ouest aurait été ajoutée lors de la première moitié du XIXᵉ siècle. La charpente aurait alors été refaite et les versants de la toiture pourvus d'avant-toits retroussés.

La charpente du toit, caractéristique de cette période, est du type à chevrons portant fermes avec entraits retroussés moisés. Elle comporte, à chacune des extrémités des deux versants, des contreventements diagonaux placés entre les chevrons arbalétriers. Un lit-cage se trouve placé contre le conduit de fumée dans la section ouest.

À l'instar de plusieurs de ses voisines, la maison Imbeau sert aujourd'hui de résidence secondaire. Même si l'intérieur a été fortement rénové, plusieurs des éléments d'origine ont été conservés.

Michel Bergeron, ethnologue

Maison Nadeau

Saint-François (Île d'Orléans)
135, chemin Royal

Fonction: privé
Classée monument historique en 1968

LA maison Nadeau est située du côté nord de l'île, à l'extrémité ouest du village de Saint-François. Acquise en 1967 et restaurée l'année suivante par son propriétaire, la résidence subit un certain nombre de transformations qui changent son apparence d'antan.

Construite en pierre, elle mesure 12 mètres de longueur sur 8,5 de largeur et possède un étage au-dessus du rez-de-chaussée. Elle est coiffée d'une toiture à croupes, couverte de bardeaux et percée de deux lucarnes à la capucine sur chacun des versants situés au-dessus des longs pans. Une souche de cheminée s'élève au centre de chacun des murs pignons; un petit balcon central avec balustrade en fer forgé orne le premier étage de la façade donnant sur le fleuve. La souche de cheminée ouest a été refaite lors de la restauration. L'intérieur a également été réaménagé et doté de tout le confort moderne. Plusieurs éléments, dont trois cheminées, remontent à l'époque de la construction de la maison.

Des photographies prises avant la restauration de 1968 permettent de constater l'ampleur des changements apportés à l'extérieur de la maison, particulièrement sur le plan stylistique. La disparition des deux galeries qui s'étendaient sur toute la longueur des façades donnant sur le fleuve et le chemin Royal constitue la plus importante modification. La porte centrale s'ouvrait alors sur l'une des galeries situées du côté de la route. Le premier étage correspondait à un rez-de-chaussée surélevé et celui situé en-dessous à un étage de soubassement.

Après la recomposition de la façace sans la galerie, ce niveau est devenu le rez-de-chaussée. L'entrée secondaire, située au centre de la façade, a été élargie afin d'en faire l'entrée principale de la maison. La porte a été dotée d'un arc en plein cintre. Par ailleurs, le crépi qui revêtait originellement les murs extérieurs n'a pas été refait et la pierre reste apparente. Vraisemblablement, le fini du crépi imitait initialement la pierre de taille en façade du côté de la rue.

Avant la restauration, les différentes composantes extérieures de la maison telles que la symétrie des ouvertures, le rez-de-chaussée surélevé, les galeries, la forme de la toiture ou la position des souches de cheminées au-dessus des murs pignons l'associaient au style Regency. Particulièrement populaire au cours des années 1830-1840, ce style influence l'architecture de nombreuses maisons, villas ou cottages de cette époque dans la région de Québec.

Dans un document daté de 1889, Justine Asselin-Leclerc se dit l'héritière de la maison, vraisemblablement construite par son père, Louis Asselin, capitaine de vaisseau décédé en 1872 à l'âge de 72 ans.

La maison se distingue de celles des voisins fermiers par son architecture bourgeoise.

Michel Bergeron, ethnologue

Dépourvue de sa galerie qui ornait autrefois les façades avant et arrière, la maison Nadeau connaît d'autres transformations. Par exemple, l'entrée secondaire a été élargie de façon à devenir l'entrée principale. Fait particulier, son architecture bourgeoise la distingue de ses voisines plus rurales.

Maison Jinchereau

Saint-François (Île d'Orléans)
130, chemin Royal

Fonction: privé
Classée monument historique en 1971

Au bout d'une longue allée de 200 mètres, sur le chemin Royal à Saint-François, se profile la maison Jinchereau. Autrefois, la maison était entourée de ses dépendances, notamment une grange-étable. Louis Jinchereau s'y installe vers 1787. Avant la restauration, entreprise en 1966, le bâtiment présentait un état de délabrement avancé. Vers 1925, la maison paraissait beaucoup mieux conservée. Entre ces deux dates, la résidence connaît un sort commun à bien d'autres maisons de pierre sur l'île, soit la désertion pour des habitations jugées plus conformes aux exigences modernes.

Deux photographies d'époque révèlent que ce bâtiment connaît peu de modifications au XXᵉ siècle. En fait, les seules transformations apparentes touchent les sections mobiles des fenêtres. Les battants à petits carreaux font place, avant 1925, aux battants à grands carreaux. Entre 1925 et 1960, un avant-toit à coyaux apparaît sur le versant sud.

Lors des travaux de 1966, les fenêtres et l'avant-toit reprennent leur forme d'origine. À cette occasion, les murs de pierre, autrefois crépis, ont été laissés à nu. Les grès ont cependant très bien résisté aux intempéries depuis les 25 dernières années. Les opérations de consolidation des fondations et de minutieux rejointoiements se sont avérés des palliatifs efficaces aux enduits protecteurs d'autrefois.

La maison Jinchereau vers 1925. Le bâtiment a su conserver sa remarquable architecture d'esprit français. (Archives nationales du Québec à Québec, collection initiale).

Désertée pour des résidences plus modernes comme beaucoup d'autres maisons traditionnelles de l'île, la maison Jinchereau présentait un état de délabrement avancé avant sa restauration entreprise en 1966. (Inventaire des biens culturels du Québec).

Fidèle à ses origines

Malgré le temps et la restauration, la maison Jinchereau a su conserver sa remarquable architecture d'esprit français. Le plancher du rez-de-chaussée se situe au même niveau que la cour au sud; les murs sont bas et les ravalements inexistants. La pente du toit dépasse 50 degrés et les avant-toits débordent à peine de la surface des murs. La cheminée, refaite, est large et trapue. La laiterie — un appentis de pierre — flanque le mur est à l'emplacement traditionnel. Des bardeaux de cèdre revêtent les pignons et les versants du toit. Enfin, la fenestration assez réduite comprend au rez-de-chaussée trois fenêtres au sud, deux au nord et une à l'ouest. S'ajoutent à ces six fenêtres, une lucarne sur le toit sud et la porte du même côté.

La maison Jinchereau se distingue par ses encadrements de fenêtre très anciens, probablement d'origine. Ils sont constitués par de massives pièces de bois feuillurées pour recevoir la contre-fenêtre et bordées, à leur angle interne, d'un mince boudin. La menuiserie traditionnelle recourt souvent à ces profils de moulure.

La différence de hauteur des poutres du plafond de part et d'autre de l'âtre témoigne de l'allongement de la maison, à l'instar d'autres résidences de pierre de l'île. L'emplacement du corps d'origine reste cependant difficile à délimiter.

De nos jours, la séculaire maison Jinchereau est encore habitée durant la belle saison.

Michel Bergeron, ethnologue

Maison Roberge

Saint-François (Île d'Orléans)
152, chemin Royal

Fonction: privé
Classée monument historique en 1968

Les faces externes et internes des murs de la maison Roberge laissent entrevoir trois étapes dans l'érection de la maison qui s'échelonnent du Régime français jusqu'au milieu du XIXe siècle. Chacune de ces parties illustre un différent type de charpente.

Située dans la partie nord de la municipalité de Saint-François, la maison Roberge se trouve à environ 150 mètres de la route. Ancienne résidence de ferme, elle a perdu ses dépendances agricoles d'origine. Acquise en 1967, elle est restaurée par son nouveau propriétaire en 1969. Occupé à l'élevage des moutons, il dote sa propriété de diverses installations.

La maison est une construction en pierre d'environ 17 mètres de longueur sur 7,5 de largeur. Un ancien crépi a été enlevé lors de la restauration et les murs sont maintenant en pierre apparente. La maison est coiffée d'une toiture à deux versants couverts de bardeaux et percée de lucarnes ajoutées ou remaniées lors des travaux. Une souche de cheminée, située à cheval sur le faîte du toit, environ aux deux tiers de sa largeur, a également été refaite à ce moment.

Des traces perceptibles sur les faces externes et internes des murs gouttereaux indiquent trois étapes dans l'érection de la maison. La première remonterait au Régime français, la seconde vers la fin du XVIIIe siècle et la dernière vers le milieu du XIXe siècle. Cette évolution, particulièrement visible dans les combles, est marquée par la pré-

sence de trois types de charpente correspondant chacun à une section de la maison. La charpente des combles, du type à chevrons portant fermes, comporte des entraits retroussés. Les charpentes de la partie ouest et du centre possèdent des poinçons et des contreventements longitudinaux ainsi que des pannes. Celle de l'est comprend des arbalétriers chevrons, un entrait retroussé et une panne faîtière.

La présence de l'âtre, reconstruit à son emplacement d'origine dans la partie centrale, confirme l'ancienneté de cette section. La plus récente est celle de l'ouest.

L'intérieur a été remanié au cours des ans. Les dernières transformations, survenues lors de la restauration de 1969, comportent des installations reliées au confort moderne. Le rez-de-chaussée conserve plusieurs éléments anciens comme les cloisons, les pièces de quincaillerie ou les parties menuisées. L'ancienne laiterie, convertie en salle de bain, se trouve du côté nord de la section la plus récente. Cette partie, séparée de la section centrale, conserve sa cloison d'origine.

Michel Bergeron, ethnologue

Vieille école de fabrique

Saint-François, (Île d'Orléans)
341, chemin Royal

Fonction: public
Classée monument historique en 1966

Classée monument historique en 1966, la vieille école de fabrique de Saint-François est déménagée deux ans plus tard sur son emplacement actuel, puis restaurée. Durant l'été, le bâtiment, situé à côté de l'église, abrite une centrale d'artisanat.

À la suite des demandes répétées du curé François Lamy, Marguerite Bourgeoys envoie, en 1685, deux religieuses de la congrégation Notre-Dame fonder un couvent à Sainte-Famille. Après des débuts difficiles, le couvent se taille une réputation enviable, recrutant des jeunes filles aussi loin que sur les Îles-de-la-Madeleine. En 1875, les sœurs du Bon-Pasteur de Québec fondent un couvent à Saint-Laurent. À cette époque, le couvent identifiait les écoles de filles et l'appellation collège désignait les écoles de garçons.

L'histoire des écoles de fabrique débute en 1801 lorsque le Conseil législatif du Bas-Canada, à majorité anglo-protestant, crée l'Institut royal pour l'avancement des sciences chargé de régir, au nom du gouverneur, un système d'écoles publiques à travers la province. Pour contrer cette initiative et sous les instances du clergé, l'Assemblée législative, à majorité franco-catholique, adopte en 1824 la *Loi des écoles de fabrique*, autorisant ces dernières à consacrer le quart de leur budget à l'établissement et à l'entretien d'établissements scolaires dans chaque paroisse. Pour renforcer ce système, le Parlement adopte en 1829 une loi pour encourager l'éducation élémentaire, qui garantit à chaque paroisse la moitié du coût

d'achat ou de construction d'un édifice et le traitement annuel des maîtres et maîtresses d'écoles. Ces deux législations marquent les premières étapes d'un système scolaire au Québec.

L'île d'Orléans emboîte le pas

L'île d'Orléans se dote de telles écoles de fabrique. Érigée vers 1830, l'école de Saint-François représente un des plus vieux établissements scolaires du Québec qui subsiste encore aujourd'hui. Construite en bois, la vieille école de fabrique de Saint-François se divise en deux parties. L'instituteur ou l'institutrice loge du côté nord-ouest, et au sud-est se trouve la classe. Rien ne distingue en apparence ce bâtiment d'une habitation. Le type architectural «école» n'existe pas encore à cette époque.

L'école de rang introduit au Québec une forme d'éducation qui rejoint les jeunes dans leur milieu; ces bâtiments témoignent des premiers efforts de scolarisation du milieu rural.

L'enseignement prend quelque temps à s'organiser dans ces écoles. Des règles précises édictent peu à peu la conduite des maîtres et la place des élèves dans la classe unique: les élèves débutants sont les plus proches du maître, tandis que ceux qui savent lire et compter sont plus éloignés.

Plus tard, une réglementation détaillée régit l'ensemble des écoles de la province. S'attardant aux normes de construction et d'aménagement, elle donne naissance au

réseau des écoles de rang. Ces écoles desservent les extrémités de chaque paroisse; elles s'appellent communément l'«école d'en-haut» et l'«école d'en-bas». À Saint-François, ces institutions se nomment l'école «du côté nord» et, par opposition, l'école «du côté sud». Au Québec, plusieurs de ces édifices subsistent et ont été transformés en habitations.

La réforme du système d'éducation amenée par la «Révolution tranquille» des années 1960, la baisse de la natalité et le transport des écoliers par autobus sont autant de facteurs qui ont entraîné la fermeture des écoles de rang. L'île d'Orléans, qui comptait jadis trois ou quatre écoles dans chacune des paroisses, ne possède plus que cinq institutions scolaires de niveau élémentaire.

Henri-Paul Thibault, historien

AMICALE MARGUERITE-BOURGEOIS. *1685-1985. Trois fois cent ans à l'île d'Orléans*. Sainte-Famille, 1985. 110 p.

Rapport de la Commission royale d'enquête sur l'enseignement dans la province de Québec. Tome 1: *Les structures supérieures du système scolaire dans la province de Québec*. Québec, 1963. 121 p.

LÉTOURNEAU, Raymond. *Sainte-Famille, l'aînée de l'île d'Orléans*. Sainte-Famille, Corporation des fêtes canoniques de 1984 de Sainte-Famille, 1984. 688 p.

POULIOT, J.-Camille. *L'île d'Orléans. Glanures historiques et familiales*. Montréal, Leméac, 1984. 199 p.

Aujourd'hui transformée en centre d'art, l'école de fabrique de Saint-François demeure l'un des plus anciens établissements scolaires du Québec. (Archives nationales du Québec à Québec, fonds Office du film du Québec).

Classée en 1966, la vieille école a été déménagée sur son emplacement actuel deux ans plus tard.

Maison Dubuc

Saint-Jean (Île d'Orléans)
3404, chemin Royal

Fonction: privé
Classée monument historique en 1964

Cette ancienne maison de ferme, située à proximité du village de Saint-François, se dresse à environ 300 mètres du côté sud du chemin Royal. Une route privée en permet l'accès.

Le dernier acte de vente de la propriété, enregistré en 1962, contient une clause empêchant son propriétaire d'obstruer la vue du côté du fleuve par de nouvelles constructions. En outre, ce document stipule l'existence d'une servitude perpétuelle sur un sentier conduisant à la grève. Lors de la vente, la maison possédait encore toutes ses dépendances agricoles.

Érigé durant la seconde moitié du XVIIIe siècle, ce bâtiment en pierre mesurait 14 mètres de longueur sur 8,5 de largeur. Il a subi depuis plusieurs transformations, dont sa conversion en résidence de villégiature vers 1965.

Une photographie prise avant la restauration de la maison met en relief les modifications effectuées depuis. Elle possédait alors deux fausses souches de cheminée sises sur la ligne faîtière du toit à chacune de ses extrémités. Une souche de cheminée en brique, la seule fonctionnelle à ce moment, apparaît au centre des deux autres. Le ver-

sant nord de la toiture et le pignon est ne possèdent aucune ouverture permettant d'éclairer le grenier. Des bordures de rive en planches s'élèvent au sommet de chaque pignon. Quatre fenêtres et une porte disposées de façon asymétrique percent la façade nord. Plus petite, la dernière fenêtre de la section est de la façade desservait vraisemblablement une laiterie à l'origine. Une fenêtre agrémente le centre du mur pignon ouest, tandis que la façade latérale et le versant sud de la toiture sont aveugles.

Depuis, trois lucarnes percent le versant sud et des épis de faîtage remplacent les deux fausses souches de cheminée. La souche de cheminée restante a été reconstruite en pierre. Deux fenêtres ont été aménagées dans le pignon et une au centre du rez-de-chaussée de la façade latérale est. Le pignon ouest a lui aussi eu droit à deux fenêtres. L'intérieur a été largement remanié afin de le doter du confort moderne.

Béatrice Chassé, historienne

Érigée dans la seconde moitié du XVIIIe siècle, la maison Dubuc a subi plusieurs transformations, notamment à la toiture, depuis son classement.

MINISTÈRE DES AFFAIRES CULTURELLES. *La maison Dubuc à Saint-Jean, Île d'Orléans*. Québec [s. d.], n. p.

Maison Pouliot

Saint-Jean (Île d'Orléans)
1659, chemin Royal

Fonction: privé
Reconnue monument historique en 1976

À Saint-Jean de l'île d'Orléans, vis-à-vis du chemin qui mène au quai, s'élève l'une des plus anciennes habitations du village. En 1811, Olivier Pepin dit Lachance, propriétaire de la ferme située sur le coteau, fait don à son fils Gervais d'un terrain situé près de la grève pour y établir sa résidence.

Le fils s'installe à proximité du fleuve et exerce le métier de pilote sur le Saint-Laurent. Avec deux autres voisins, il compte parmi les premiers pilotes-navigateurs de Saint-Jean. Sa maison fait partie du noyau initial de résidences de navigateurs qui bordent le chemin Royal.

La propriété Pepin dit Lachance passe entre les mains de la famille Thivierge en 1826. François Pouliot en devient propriétaire en 1868. Les descendants des Pouliot vont se transmettre ce bien jusque vers 1975. En 1881, le menuisier Léandre Pouliot effectue des transformations à la toiture et à certaines parties de l'intérieur. Du milieu des années 1930 jusqu'en 1970, la maison sert de résidence d'été. En 1975, elle est dans un état de délabrement avancé. Cette année-là, elle est vendue à de nouveaux propriétaires qui la restaurent et lui redonnent son apparence première.

Un site exceptionnel

Le site de la propriété Pouliot offre des attraits remarquables, comme ce ruisseau dévalant en cascade l'importante dénivellation située sur le terrain à l'arrière de la résidence. Cet escarpement démarque encore aujourd'hui le village du bas des terres agricoles du haut. Il constitue un lieu abrité des rigueurs du climat, un enclos de verdure.

La maison a probablement été construite en 1811, année de la donation du terrain. Elle s'inscrit dans la continuité de l'architecture domestique du Régime français. Le carré mesure environ 13 mètres de longueur sur 9 de largeur. En pièce sur pièce équarries et revêtus, sur leur face externe, de planches verticales, les murs possèdent un léger fruit. La charpente, du type à chevrons portant fermes avec entraits, comporte des poinçons et des pannes et possède un contreventement longitudinal constitué de croix de Saint-André.

À l'intérieur, l'âtre de la cheminée de pierre occupe le centre du rez-de-chaussée. Déposées entre les solives apparentes des plafonds, des planches assemblées à couvre-joints forment des caissons. Restreinte et difficile d'accès, la cave comprend, outre la base de la cheminée, des vestiges de murs de pierre vraisemblablement postérieurs à la construction de la maison.

Lors des récentes restaurations, la maison Pouliot a perdu ses lucarnes ainsi que l'avant-toit à l'égout retroussé de la façade principale. La toiture a reçu un recouvrement de bardeaux de cèdre. Toutes les portes et fenêtres ont été remplacées pour se conformer au modèle d'origine.

L'une des premières habitations érigées dans le village de Saint-Jean, la maison Pouliot illustre bien le type de résidence habitée par les navigateurs.

Claude Reny, aménagiste-géographe

BÉLANGER, Diane. *La formation du village de Saint-Jean, Île d'Orléans.* Séminaire de maîtrise en ethnologie, université Laval, 1983. 30 p.

Construite en 1811, la maison Pouliot est considérée comme la plus ancienne de Saint-Jean. Elle se situe à la jonction du village situé en contrebas et des terres agricoles de la partie supérieure.

Manoir Mauvide-Genest

Saint-Jean (Île d'Orléans)
1451, chemin Royal

Fonction: semi-public
Classé monument historique en 1971

L<small>E</small> manoir Mauvide-Genest rappelle les noms de deux familles importantes dans l'histoire de l'île d'Orléans. Né le 6 juillet 1701 à Tours, dans le Val-de-Loire en France, Jean Mauvide arrive à Saint-Jean dès 1721. Établi en 1726, il épouse Marie-Anne Genest en 1733. Cumulant les titres de chirurgien, marchand et seigneur, il pratique la médecine à l'île d'Orléans dès l'âge de 25 ans.

Son beau-père lui cède un terrain à Saint-Jean en 1734. Cet espace s'agrandit au fil des ans par plusieurs acquisitions. Jean Mauvide s'engage dans le commerce avec les Antilles et s'enrichit. En 1752, il est négociant et possède un navire, le *Saint-Pierre*, dont le port d'attache se situe dans l'anse de la rivière Lafleur à Saint-Jean. Vers le milieu du XVIIIe siècle, il achète du chanoine Gaillard la moitié de la seigneurie de l'île d'Orléans et devient seigneur.

Une maison monumentale

La construction du manoir s'effectue en plusieurs étapes. En 1734-1735, Jean Mauvide fait ériger une modeste maison de pierre à un niveau, à laquelle il ajoute un étage vers 1740. Au milieu du XVIIIe siècle, il agrandit son habitation pour lui donner l'apparence actuelle en allongeant vers l'ouest le carré initial. Cette maison monumentale se compare, à cette époque, aux édifices bourgeois érigés à Québec et à Montréal.

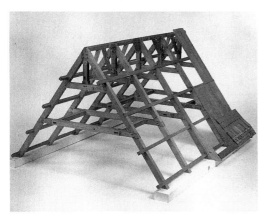

Maquette de la charpente réalisée par Denis Tétrault.

Le manoir aujourd'hui. (Service des ressources pédagogiques, université Laval. Photo: Paul Laliberté).

Trois étapes de construction du manoir. (Dessin: Roger Chouinard).

Le manoir vers 1880. (Collection privée).

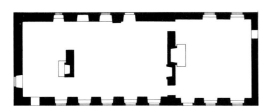

Plan au sol. (Dessin Lucie Tétreault).

À l'intérieur, quelques modifications témoignent de son occupation au fil des ans. La distribution des pièces présente une disposition en enfilade tout à fait conforme au mode de vie conventionnel. Pour aller du vestibule à la chambre, il faut traverser la salle, l'antichambre et les nombreux cabinets. Ce système de distribution intérieure, sans hall ni couloir, a cours au Québec jusqu'à la fin du XVIIIᵉ siècle. Le hall et les couloirs, apparus avec le XIXᵉ siècle, représentent des attributs du confort anglais.

En 1779, la mauvaise posture financière de Jean Mauvide l'oblige à vendre sa seigneurie à son gendre, René-Amable Durocher. Il garde cependant la propriété du manoir qui revient à la famille Genest lors de son décès en 1782. François-Marc Turcotte, menuisier et cultivateur, l'acquiert de cette famille en 1831.

Hubert Turcotte, fils de François-Marc, restaure le manoir après 1874. Remis en état, crépi et aménagé pour être habité par plusieurs familles, le manoir change d'apparence. Les premières photographies le représentant datent de cette époque.

En 1926, le juge J.-Camille Pouliot, un descendant de la famille Genest, devient propriétaire de l'immeuble. Il le restaure en rétablissant les cheminées, en réparant la toiture et en refaisant les enduits. En 1929, le juge agrandit le manoir par l'adjonction d'une cuisine d'été au nord et d'une chapelle à l'est. Il installe dans ce bâtiment un musée de la vie traditionnelle constitué d'œuvres et d'objets acquis ou reçus en don.

Luc Noppen, historien de l'architecture

Église Saint-Jean

Saint-Jean (Île d'Orléans)
2001, chemin Royal

Fonction: public
Classée monument historique en 1957

LA première église de Saint-Jean a été construite vers 1678, année de la fondation de la paroisse par mgr François de Laval. Selon le *Plan général de l'état présent des missions du Canada fait en l'année 1683*, elle était en colombage, mesurait environ 15 mètres de long sur 6,5 de large et desservait une population de 175 personnes.

La construction de l'église actuelle débute en 1734. Terminé en 1737, l'édifice qui depuis lors a été agrandi par la nef, ressemblait à l'origine à l'église de Saint-François, érigée au cours des mêmes années. Leur plan identique comporte une nef prolongée par un chœur plus étroit terminé par une abside en hémicycle. Six fenêtres dans la nef, deux dans le chœur et deux autres plus petites dans l'abside éclairent l'intérieur. La façade, aujourd'hui disparue, se composait d'une grande porte surmontée d'un œil-de-bœuf et d'une petite niche. À l'exception du clocher, remplacé en 1789, l'église demeure inchangée jusqu'au XIXᵉ siècle.

L'apparence originelle de l'église connaît une première modification en 1815 lorsqu'une sacristie en pierre est érigée derrière le chœur. Jusqu'alors, celle-ci trouvait place dans l'abside selon une coutume courante à l'époque. De dimensions insuffisantes, la sacristie fait l'objet d'un agrandissement de 6,5 mètres en 1842. Ses murs surhaussés d'environ deux mètres la rendent plus spacieuse. Une décennie plus tard, l'église, à nouveau trop exiguë, est allongée par la nef.

Louis-Thomas Berlinguet, architecte de Québec, réalise les travaux. La nef allongée d'environ 8 mètres et l'érection d'une façade-écran confèrent à l'édifice un air majestueux. Masquant la pente du toit, cette devanture s'inspire de celle de la cathédrale Notre-Dame-de-Québec, conçue en 1843 par Thomas Baillairgé, et de celle de l'ancienne église de Sainte-Anne-de-la-Pocatière, édifiée en 1845. Enfin, l'érection d'un nouveau clocher et le remplacement des deux tribunes arrière, construites en 1812 et en 1830, complètent les rénovations. Louis Flavien et Louis-Thomas Berlinguet assument les travaux en 1852-1853.

Construite de 1734 à 1737, l'église de Saint-Jean ressemblait à l'origine à celle de Saint-François, érigée à la même époque. Elle a été allongée par la nef en 1852.

L'église de Saint-Jean, d'après un cliché de Livernois. Conçue par Louis-Thomas Berlinguet en 1852, la façade s'inspire de celle de la basilique Notre-Dame-de-Québec. (Archives nationales du Québec à Québec, collection initiale).

Le décor intérieur

En 1774, Jean Baillairgé s'engage à exécuter d'après ses propres plans «un retable pour le maître-autel de la dite église avec cinq statues, une boisure dans le sanctuaire depuis le maître-autel jusqu'aux chapelles avec deux statues à l'entrée du sanctuaire, deux retables et deux tabernacles pour les deux chapelles avec une statue de grandeur d'homme à chacune des dites chapelles, le tout en pilasres à l'exception des deux colonnes qui doivent porter l'avant-corps au-dessus du maître-autel avec les sculptures et ornements convenables [...] en outre

deux garnitures de chandeliers et deux christs pour les deux chapelles». La réalisation de ce décor sculpté demande près de trois ans de travail. Il n'en reste aujourd'hui que les retables des chapelles et quelques éléments du retable du maître-autel.

De 1810 à 1812, Louis-Basile David, sculpteur et élève de Louis-Amable Quévillon, travaille au décor intérieur. Il exécute la chaire, le banc d'œuvre, les pilastres et l'entablement de la nef ainsi que le petit tombeau d'autel situé à l'entrée du chœur. Ces travaux comportent des éléments typiques de l'atelier de Quévillon. Ainsi, la chaire et

le tombeau d'autel s'apparentent, par leur forme et leur ornementation, à ceux réalisés par Joseph Pépin, l'un des principaux collaborateurs de Quévillon. De même style que la chaire, le banc d'œuvre attire plus particulièrement l'attention car il est l'un des rares à l'époque que surmonte un dais. Adoptant la forme d'un plafond rectangulaire identique à ceux du XVIIIe siècle, cet ornement est le seul du genre qui subsiste.

En 1830, la voûte de l'église menaçant de s'écrouler, les marguilliers la font rénover et remplacent le retable du maître-autel qui, malgré la construction d'une sacristie en 1815, se situait encore à mi-chœur. Thomas Baillairgé dresse les plans l'année suivante et André Pâquet réalise les travaux. Selon le contrat, «les colonnes et les pilastres avec leurs chapiteaux et leurs piédestaux, les corniches droites et leurs modillons» de l'ancien retable sont conservés et intégrés au nouveau. Les retables des chapelles restent «tels qu'ils sont maintenant, mais leurs corniches seront surmontées d'une attique couronnée d'ornements».

Depuis les travaux exécutés par Pâquet, le décor intérieur connaît des modifications à quelques reprises. Les autels, les bancs, l'escalier de la chaire, le banc d'œuvre ainsi que les deux tribunes arrière ont été renouvelés. Des statues remplacent les tableaux peints à la fin du XVIIIe siècle qui surmontaient les autels. Les stalles et les fenêtres du chœur ornées de vitraux sont également supprimées. La plupart de ces changements ont été effectués au cours de la seconde moitié du XIXe siècle.

L'église de Saint-Jean abrite trois tableaux d'Antoine Plamondon. Situé à droite du maître-autel, le plus ancien date de 1833 et représente *Saint François Xavier prêchant aux Indes*. Lui faisant pendant, les *Miracles de sainte Anne*, l'un des thèmes préférés de Plamondon, remonte à 1856. Enfin, suspendu au mur droit de la nef, la *Mort de saint Joseph* est une œuvre exécutée en 1848. Ce tableau, peint originellement pour l'église de Saint-Joseph de Lauzon, a été acquis par la fabrique de Saint-Jean en 1954.

Guy-André Roy, historien de l'art

LÉTOURNEAU, Raymond. *Un visage de l'île d'Orléans: Saint-Jean*. Beauceville, l'Éclaireur ltée, 1979. 436 p.

ROY, Guy-André et André RUEL. *Le patrimoine religieux de l'île d'Orléans*. Québec, ministère des Affaires culturelles, 1982: 167-208.

TRAQUAIR, Ramsay et C.M. BARBEAU. «The Church of Saint-Jean, Island of Orleans, Quebec», dans *McGill University Publications*, XIII 23 (1929): 3-12. (Coll. «Art and Architecture»).

Maison Poitras

Saint-Laurent (Île d'Orléans)
918, chemin Royal

Fonction: privé
Classée monument historique en 1973

Le premier carré de la maison Poitras est antérieur à la Conquête.

À la sortie du village de Saint-Laurent, en direction de Saint-Jean, la maison Poitras se dresse sur le haut d'un escarpement. Cette maison de pierre aux couleurs harmonieuses domine le coteau face au littoral du fleuve, devenu un lieu de villégiature.

La maison occupe une terre défrichée vers le milieu du XVIIᵉ siècle. Selon la carte du comté de Saint-Laurent, dressée par le sieur de Villeneuve, ce lot appartient à la famille Goblain ou Gobelin dès 1689. La carte tracée par Gédéon de Catalogne, en 1709, relève aussi le lot et la maison.

Vraisemblablement, le premier carré du bâtiment est antérieur à la Conquête et connaît des modifications durant la seconde moitié du XVIIIᵉ siècle. Les traces d'incendie retrouvées laissent penser que la maison de ferme a été endommagée par l'armée du général James Wolfe en 1759. Reconstruite, l'habitation conserve ses murailles qui sont exhaussées afin d'obtenir plus d'espace à l'étage des combles.

Les ouvertures ont été modifiées car l'empreinte de petites fenêtres obstruées se retrouve à l'avant et à l'arrière du bâtiment. Plus tard au XIXᵉ siècle, l'on ajoute un avant-toit à la toiture. Les traces de cette évolution apparaissent lors de la restauration en 1970. La famille Poulin a longtemps occupé cette ferme ancestrale.

La maison Poitras mesure 14 mètres de longueur sur 8 mètres de largeur et comprend une petite laiterie d'environ 4 mètres sur 3 mètres, adossée en appentis au mur est. Les murs du rez-de-chaussée et le sous-sol sont constitués de grès et de pierre des champs.

La restauration de 1970 modifie partiellement l'intérieur. Le corps de la cheminée et le foyer ont été refaits et, dans le cœur de l'âtre, les portes métalliques de l'ancien four à pain ont été mises au jour. Au rez-de-chaussée, des poutres apparentes et des planches assemblées à couvre-joints composent le plafond. Des cloisons de planches

verticales séparent les pièces. Une large ouverture assure la communication principale. Au moment de la restauration de la toiture, la charpente est mise en évidence. Du type à chevrons portant fermes, elle possède des entraits, des poinçons, des aisseliers, une panne faîtière ainsi que des entretoises. Des bardeaux recouvrent les deux versants du toit et les pignons.

Située en retrait de la route, sur le coteau, cette ancienne maison de ferme, malgré les transformations et le changement de vocation, rappelle les habitations de l'île au XVIIIᵉ siècle.

Claude Reny, aménagiste-géographe

Bois, L.-E. *L'île d'Orléans*. Québec, [s. l.], 1895. 148 p.

Pouliot, J.-Camille. *L'île d'Orléans*. Québec, [s. l.], 1927. 173 p.

Maison Gendreau

Saint-Laurent (Île d'Orléans)
2387, chemin Royal

Fonction: privé
Classée monument historique en 1964

LA maison Gendreau est située en retrait de la route, au lieu-dit «les coteaux», à environ un kilomètre à l'ouest du village de Saint-Laurent. À l'instar de beaucoup de maisons de ferme de l'île, elle a perdu son ancienne fonction après la restauration effectuée en 1964 par son actuel propriétaire.

Construite en pierre, la maison Gendreau mesure 15 mètres de long sur 8 mètres de large. Deux épis de faîtage surmontent sa toiture à croupes, couverte de bardeaux. Le versant sud du toit fait face au fleuve et compte deux rangées de lucarnes, probablement ajoutées au XIXe siècle. Les lucarnes des croupes ont été réalisées en 1964, lors de la restauration. Par ailleurs, une toiture recouverte de tôle à la canadienne a remplacé celle d'origine en bardeaux. La disparition du crépi revêtant trois murs de la maison laisse apparaître la pierre. Toutefois, le lambris de planches verticales sur le mur pignon a été conservé. La cheminée montée du côté ouest de la toiture a été ajoutée lors de la restauration. La seconde cheminée semble d'origine.

Deux étapes, reconstituées grâce aux marques laissées dans la maçonnerie du côté intérieur des deux longs pans, caractérisent l'évolution de la maison. La partie la plus ancienne correspond à la moitié est de l'actuel bâtiment et date de la fin des années 1720. En 1728, la famille Gendreau habitait la maison sise à cet emplacement.

Sous le plancher, près de la porte d'entrée en façade sud, les restaurateurs ont découvert plusieurs pièces de monnaie anglaise, des balles de mousquet ainsi qu'un bouton d'uniforme anglais du 69e Régiment, le Royal Wilt Shire Regiment, présent à la prise de Louisbourg. Une compagnie de ce régiment a servi sous les ordres du général James Wolfe en 1759, lors de la prise de Québec. Quelques soldats et officiers occupent la maison pendant un certain temps. À cette époque, l'habitation possède une toiture à deux versants et une petite laiterie en appentis située contre le mur pignon est.

Réalisée après l'agrandissement et la remise en état de la maison quelque temps après la Conquête, la charpente actuelle est du type à chevrons portant fermes et comporte des poinçons, des pannes et des doubles entraits. L'entrait inférieur est retroussé et une panne faîtière ainsi qu'un sous-faîte encadrent des aisseliers.

Avant la restauration, la maison conservait cinq épaisseurs de plancher au rez-de-chaussée. Par ailleurs, un robinet d'eau froide situé dans la cuisine représentait l'unique source d'approvisionnement. Les toilettes et une laiterie, éclairées par une petite fenêtre, se trouvent à l'extrémité sud-ouest du rez-de-chaussée. Quelques chambres occupent le côté sud de l'étage des combles.

Aujourd'hui, la maison offre tout le confort moderne. Des chambres aménagées dans les combles occupent sensiblement le même endroit qu'auparavant. Le rez-de-chaussée se divise en deux pièces principales, d'inégales grandeurs et délimitées par une cloison à l'arrière de la cheminée originelle, du côté est. L'âtre se situe dans la plus grande des deux pièces.

Michel Bergeron, ethnologue

La maison Gendreau construite en deux étapes, dont la plus ancienne remonte à 1720.

Chalouperie Godbout

Saint-Laurent (Île d'Orléans)
1194, chemin Royal

Fonction: privé
Classée monument historique en 1977

Lᴇ village de Saint-Laurent sur l'île d'Orléans abrite une chalouperie située le long du chemin Royal, en bordure du fleuve. Le petit bâtiment en bois qui a servi d'atelier à plusieurs générations de chaloupiers de la famille Godbout représente l'un des rares témoignages de la construction navale pratiquée de façon intensive dans cette municipalité jusqu'au milieu des années 1950.

La construction navale a longtemps fait la renommée de Saint-Laurent. On venait parfois des États-Unis pour confier la fabrication de chaloupes ou de yachts à voiles à des artisans locaux.

Il fut un temps où les boutiques de ces chaloupiers constituaient un élément marquant du paysage bâti, depuis la pointe ouest du village jusqu'à la sortie, à l'est. Du côté sud du chemin Royal, à proximité de la grève, la chalouperie Godbout, désaffectée depuis longtemps, et l'atelier semi-industriel de François-Xavier Lachance dans l'anse de l'église, encore récemment en activité, représentent les deux seuls vestiges de cette petite industrie. Les autres ateliers ont disparu ou changé de fonction au point d'être méconnaissables.

L'environnement immédiat de la chalouperie Godbout a peu changé. Sur le côté nord de la route, la maison paternelle des Godbout se dresse, entourée de dépendances. À l'arrière, un terrain vague donne accès au fleuve et, du côté est, un terrain boisé révèle une percée sur le bâtiment.

L'édifice a été conçu en fonction de la construction de chaloupes. Sa situation sur le bord du fleuve, ses proportions, l'emplacement des ouvertures dont la grande porte à deux battants témoignent de la fonction première du bâtiment. Il s'agit d'une construction à claire-voie de forme rectangulaire, mesurant environ 11 mètres sur 8 mètres, dont le toit comprend deux versants. Des planches verticales lambrissent les murs pignons. Des bardeaux de cèdre recouvrent les murs latéraux. La couverture, également recouverte du même matériau, présente une saillie à chacune de ses extrémités. Une cheminée la perce au coin nord-est. Le bâtiment compte au total treize ouvertures. La quincaillerie ancienne des portes et des fenêtres provient de travaux à la forge.

L'atelier

L'intérieur du bâtiment, tout aussi intéressant que l'extérieur, abrite l'atelier encore en place. Propriété privée, ce bâtiment conserve jalousement ses trésors.

L'atelier contient d'abord un petit établi sur lequel se fixe un étau sur pied, puis un escalier qui donne accès au grenier. S'y trouve encore la chaufferie servant aux arti-

Plusieurs ateliers de chaloupiers jalonnaient autrefois le chemin Royal, tout au long de la façade fluviale du village de Saint-Laurent. (Inventaire des biens culturels du Québec).

sans chaloupiers pour assouplir et préparer les pièces de bois qui entraient dans la construction des chaloupes. Adjacent au foyer, cet appareil essentiel comprend dans bien des boutiques une installation temporaire aménagée de façon rudimentaire. On le monte ou démonte selon les besoins parce qu'il encombrait l'atelier et réduisait l'espace de travail. Ici, le système a de toute évidence été conçu comme une installation permanente. Particulièrement ingénieux, il réduit au maximum la perte d'espace et sa situation, tout en étant fonctionnelle, le rend peu encombrant. Il occupe le coin nord de l'atelier. Ce système se compose de différentes parties que l'on peut décrire comme suit: un feu fermé sur le plateau percé d'une ouverture destinée à recevoir un récipient de fonte fermé au moyen d'un couvercle de bois et servant de réservoir; un tuyau de métal pour conduire la vapeur produite par l'eau en ébullition à la chambre à vapeur; un contenant dans lequel on faisait entrer les pièces de bois pour les ramollir; une ouverture pratiquée dans le mur qui permettait de glisser les planches dans la chambre à vapeur depuis l'extérieur de la boutique.

Un deuxième établi, situé le long du mur est, occupe presque tout l'espace. À chacune des extrémités, une presse servait à maintenir les grosses pièces de bois pour les travailler. Divers outils — certains marqués aux initiales de leur propriétaire — vilebrequins, scies et gouges pendent au mur. La grande porte à battants permettant de sortir les embarcations terminées occupe la majeure partie du mur du fond. Enfin, un troisième établi, placé presque vis-à-vis du deuxième, occupe le mur ouest. Au plafond, on trouve encore quelques supports de bois servant à soutenir les planches mises à sécher.

La majeure partie de l'espace libre servait à la construction des chaloupes, depuis la mise en place des membres jusqu'au calfatage. Autour de cet espace, l'aire principale de travail, gravitent des îlots secondaires: la chaufferie, où l'artisan prépare le bois pour le pliage de membres et les établis, où se travaillent les planches de bordage.

D'autres outils se trouvent encore dans la boutique. Ceux-ci se rapportent presque tous à une étape ou l'autre de la construction d'un bateau. Le chaloupier se munit de haches, de cognées et de godendards pour abattre les arbres. Il utilise des crochets et des tourne-billes dans la manutention et le transport du bois. Il se sert d'instruments de mesure, de scies, de rabots, de tarières pour préparer le bois. La construction de la chaloupe comprend la pose des membres, la mise en lisses et l'installation du bordé à l'aide de marteaux, de maillets, de serre-joints, de tournevis. La finition exige des patarasses, des limes, des râpes et des poinçons.

Le décès de David Godbout, en 1962, à l'âge de 88 ans, met fin à cette longue lignée de chaloupiers. Spécialisé dans la fabrication de rames, Godbout construisait des embarcations à l'occasion. Il obtint la boutique de son père David, également chaloupier, décédé en 1936. Ce dernier la tenait de son père François, lui aussi chaloupier, décédé en 1893. François Godbout a probablement fait construire la chalouperie peu après son mariage avec Geneviève Lapointe en 1838.

Bernard Genest, ethnologue

Bᴇ́ʟᴀɴɢᴇʀ, Diane. *La construction navale à Saint-Laurent, Île d'Orléans*. Bibliothèque David-Gosselin, île d'Orléans, 1984. 149 p.

Dᴜʙᴇ́, Françoise et Bernard Gᴇɴᴇsᴛ. *La chalouperie Godbout*. Québec, ministère des Affaires culturelles, 1976. 169 p. (Coll. «Dossiers», n° 19).

Gᴇɴᴇsᴛ, Bernard et autres. *Les artisans traditionnels de l'Est du Québec*. Québec, ministère des Affaires culturelles, 1979. 391 p. (Coll. «Les Cahiers du patrimoine», n° 12).

De Québec à Grondines

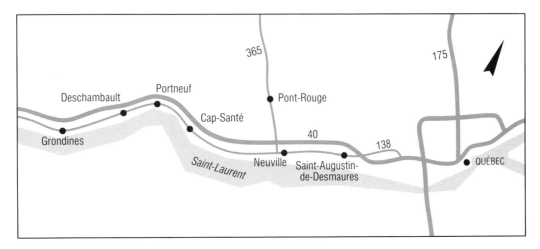

En quittant la région urbaine de Québec en direction de l'ouest, par la route 138, le visiteur entre dans le comté de Portneuf. Les villages de Saint-Augustin, Neuville, Les Écureuils, Cap-Santé, Portneuf, Deschambault et Grondines rythment le parcours du fleuve, caractérisé par une série de terrasses entrecoupées de plaines alluvionnaires.

Les schistes et le calcaire de Trenton dominent les assises géologiques de cette zone littorale. Au nord du comté, à Rivière-à-Pierre, se retrouvent les granits du précambrien. L'industrie de la construction exploite ces carrières. C'est le pays de la «bonne pierre à bâtir» et la plupart des matériaux des monuments historiques de cette région proviennent de ces carrières.

Premiers occupants

Les ressources marines et fauniques de cette région attirent les Amérindiens, arrivés plusieurs millénaires avant les Européens. Le saumon, l'anguille, l'esturgeon, la sauvagine et les cervidés composent leur alimentation. Les archéologues en ont savamment étudié les traces à Saint-Augustin et à Deschambault. Les vallées des rivières Jacques-Cartier et Portneuf permettent aux Amérindiens d'accéder au cœur de la grande forêt laurentienne où ils se retirent durant l'hiver.

Presque toutes les églises des paroisses littorales du comté de Portneuf sont classées monuments historiques. Celle de la paroisse des Écureuils, photographiée ici par Edgar Gariépy, est aujourd'hui disparue. (Inventaire des biens culturels du Québec).

De Québec à Grondines

Le village de Neuville se compose de plusieurs terrasses en escalier. L'utilisation des ruptures de pente contribue à créer un paysage architectural unique. (Inventaire des biens culturels du Québec).

Succédant aux Amérindiens, les premiers colons français découpent ce territoire en une quinzaine de seigneuries et créent, de la fin du XVIIᵉ siècle jusqu'à 1760, cinq noyaux villageois. La plupart des édifices religieux sont aujourd'hui classés biens culturels, comme ceux de Grondines, Deschambault et Cap-Santé. Le chœur de l'église de Neuville appartient aussi à ces joyaux historiques. Les bons terroirs du littoral se peuplent rapidement; les produits de l'agriculture, de la forêt et des carrières circulent par bateau jusqu'aux marchés de Québec. Les moulins à vent et à eau, les manoirs et les maisons villageoises en pierre rappellent cette période florissante des premiers établissements de la seconde moitié du XVIIᵉ siècle.

Le chemin du Roy, ouvert en 1734, relie les villages de la rive nord. L'hiver, le passage des diligences et du courrier vient rompre l'isolement des habitants. Plusieurs relais subsistent pour rappeler l'organisation de cette ancienne voie postale, à Saint-Augustin, à Cap-Santé et à Deschambault. Le pont et la maison du péager de Pont-Rouge sont érigés en 1804 sur les bords escarpés de la rivière Jacques-Cartier.

Au moment de la Conquête, les villages du littoral vivent des heures difficiles. Les troupes de François Gaston, duc de Lévis, se replient à Cap-Santé et se retranchent au fort Jacques-Cartier avant de capituler le 10 septembre 1760. Cet hiver-là, les troupes anglaises, commandées par le général James Murray, s'installent dans le village de Neuville.

De Québec à Grondines

L'exploitation du bois constitue depuis toujours une activité majeure dans la région portneuvoise. À la fin du XIXᵉ siècle, les usines de pâtes et papier prennent le relais des moulins à scie. Le photographe Jules-Ernest Livernois a saisi l'image des billes de bois descendant la rivière Portneuf. (Archives nationales du Québec à Québec, fonds Livernois).

L'ère industrielle

Au début du XIXᵉ siècle, l'accroissement de la population et l'arrivée d'immigrants anglophones permettent de développer l'arrière-pays. La mise en valeur de la forêt devient un des trois piliers de l'économie de la région avec l'agriculture et l'exploitation des carrières.

Les anses de Cap-Santé et de Portneuf grouillent d'activités: chantiers de préparation et d'expédition du bois équarri vers l'Angleterre et moulins à scie. En 1816, le seigneur Allsopp établit un premier moulin à papier à l'embouchure de la Jacques-Cartier. Des bateaux sont construits à Portneuf et à Neuville, où un commerçant de Québec, Hippolyte Dubord, exploite un chantier maritime en 1841. Le bois de chauffage, le bois de construction, la pierre à bâtir et les barriques de chaux quittent les quais et les grèves animées des villages de Portneuf. Tout au long du XIXᵉ siècle, l'exploitation des ressources naturelles progresse et des terres nouvelles s'ouvrent dans l'arrière-pays. La construction du chemin de fer du Canadien Pacifique en 1872 en facilite l'accès et accroît la circulation des biens et des personnes. Mais l'essor commercial et

Depuis longtemps, les constructeurs de maisons fréquentent les carrières de la région de Portneuf. La photographie montre un groupe de cultivateurs occupés à extraire la pierre près de la maison Darveau à Neuville. (Inventaire des biens culturels du Québec).

industriel du comté s'accentue avec l'arrivée de l'hydro-électricité qui accompagne la transformation des moulins en usines de pâtes et papier. Donnacona, Saint-Raymond et Portneuf passent aussi au début du XXᵉ siècle à l'ère de la grande industrie.

La double vocation agricole et industrielle du comté s'est maintenue jusqu'à nos jours. Depuis quelques années, l'activité touristique, sans cesse croissante, fonde ses assises sur les splendeurs de la rivière Jacques-Cartier où le saumon est revenu, de même que sur la douceur et l'ancienneté des paysages habités.

Harold Germain, ethnologue

Maison Quézel

Saint-Augustin-de-Desmaures
514, chemin du Roy

Fonction: privé
Classée monument historique en 1977

Saint-Augustin, ville de banlieue située à la périphérie ouest de la Communauté urbaine de Québec, fut très tôt peuplée. Situé dans la seigneurie de Desmaures, appartenant aux pauvres de l'Hôtel-Dieu de Québec, le territoire de Saint-Augustin conserve plusieurs traces de l'époque seigneuriale. Un tronçon du premier chemin du roi subsiste au sud de l'actuelle route 138. Ce chemin secondaire, asphalté en partie, serpente à travers champs et érablières, parfois au pied de la falaise qui longe le fleuve. Il commence un peu à l'ouest du campus Notre-Dame-de-Foy et se termine en cul-de-sac à la limite de la paroisse voisine de Pointe-aux-Trembles.

À la limite ouest de ce chemin paisible, à l'endroit où s'approche la route 138, se trouve la maison Quézel. À l'écart de la route, et à peine visible à travers ses vieux arbres, cette petite construction grise entourée de bâtiments agricoles se caractérise par son toit à deux versants asymétriques et par l'ancienne remise lambrissée de planches verticales.

D'une génération à l'autre

La propriété porte le nom de Quézel depuis 1786. Sans héritier à cette date, Louis Gingras et son épouse donnent leurs biens à Michel Quézel. Six générations subséquentes de la famille Quézel vont par la suite cultiver cette terre de la première concession de la seigneurie de Desmaures: Michel, Joseph, Césaire, Gaudiose, Joseph et enfin, Robert. Ce dernier se départit de sa ferme en 1959. Sa veuve, Blanche Quézel, a décrit la maison lors de son arrivée en 1922. Il y avait alors un fournil, une glacière et un four à pain avec sa cheminée adossée au mur pignon est; une laiterie au coin nord-est; deux cuisines, une pour l'hiver au centre et l'autre pour l'été du côté est, avec un escalier plutôt raide montant aux combles. Dans la chambre du coin nord-ouest se trouvait une garde-robe remplie de vieux journaux anglais. Cet aménagement correspond assez bien à celui d'une vieille maison de ferme. Aujourd'hui, la résidence a troqué son fournil pour un solarium érigé du côté du mur pignon ouest, et l'intérieur a été réaménagé. Ces changements reflétant la modernisation de nos demeures ont néanmoins laissé en place de vieilles portes et fenêtres, des boiseries et moulures anciennes ainsi que de vieilles serrures.

Située en bordure d'un chemin paisible, la maison Quézel, propriété de la famille depuis 1786, cache bien le mystère de ses origines. (Archives nationales du Québec à Québec, fonds Office du film du Québec).

Le corps principal de la maison demeure inchangé: de forme rectangulaire, il est en moellons crépis et blanchis à la chaux. La façade principale comprend cinq ouvertures dont une porte centrale flanquée de deux fenêtres. À un moment indéterminé, la toiture à deux pentes a été modifiée à l'avant par l'addition d'un avant-toit retroussé.

Mystérieuse, la maison Quézel conserve le secret de ses origines. Elle existait, semble-t-il, lors de l'inventaire après décès de Jean-Baptiste Vaillancourt en 1751. Du moins, il y avait alors sur cette terre une maison de pierre. Le bâtiment comportait une cave, un grenier, cinq pièces, une cheminée au milieu et mesurait quelque deux mètres de moins sur la largeur et la longueur que la maison actuelle.

Cette description reste insuffisante pour affirmer que la maison Quézel et celle de la veuve Vaillancourt ne font qu'une. Cependant, la toiture dissymétrique recèle une charpente qui paraît avoir été allongée, exhaussée et élargie. L'agrandissement de la maison pourrait être de Michel Quézel, celui-ci voulant mieux loger sa nombreuse famille. En effet, le contrat de mariage de sa fille Cécile, en 1824, est rédigé en présence d'un tailleur de pierre et d'un maçon, alors que celui de sa fille Victoire, en 1833, mentionne un menuisier et un apprenti menuisier. Ces artisans auraient pu agrandir la maison à cette époque.

Barbara Salomon de Friedberg, historienne

AUDET, Danièle, Luc MAINGUY et autres. *Inventaire architectural de Saint-Augustin-de-Desmaures.* Saint-Augustin, Comité de protection du patrimoine et de l'environnement de Saint-Augustin, 1984. 448 p.

Chapelle Sainte-Anne

Neuville
666, rue des Érables

Fonction: public
Classée monument historique en 1965

LA construction de la chapelle Sainte-Anne témoigne d'une pratique religieuse très populaire au Québec, la procession. Beaucoup de villages possédaient des petites chapelles, souvent à moins d'un kilomètre de part et d'autre de l'église. Elles servaient de reposoirs lors des processions de la Fête-Dieu ou en l'honneur d'un saint.

À Neuville subsiste une telle chapelle construite vers le milieu du XVIIIᵉ siècle. Les archives de la paroisse restent muettes sur la construction de l'édicule, alors que les fonctions et les activités qui s'y déroulaient apparaissent dans le premier livre de comptes de la paroisse. Un mandement de l'évêque de Québec en juin 1778 institue une fête en l'honneur de sainte Anne:

«M. Bailly votre digne pasteur, plein de zèle pour la gloire de Dieu et le salut de vos âmes, et tout occupé des moyens de procurer l'un et l'autre, nous a supplié [...] de confirmer la pieuse coutume observée dans votre paroisse depuis longtemps, de faire une procession à la chapelle de Sainte Anne et d'y chanter ensuite la messe un des jours pendant l'octave de la fête de cette Sainte...»

Cette chapelle du XVIIIᵉ siècle a probablement fait l'objet de travaux au cours du XIXᵉ siècle.

Une chapelle différente

Érigé en moellons, ce bâtiment se distingue de la plupart des chapelles de procession construites à cette époque par ses dimensions relativement importantes, environ 6 mètres sur 9, et par son chevet plat. Les murs latéraux comportent chacun deux fenêtres cintrées, munies d'un encadrement en bois et de persiennes. La façade principale, orientée au sud, est percée d'un portail composé d'un cadre en pierre de taille formé d'une base, d'un pilastre et d'une imposte de chaque côté de la porte supportant un arc en plein cintre orné d'une clef. La porte comprend deux vantaux. Celui de gauche, plus étroit, est fixe. Un tympan de menuiserie surmonte l'ouverture. Une petite niche, dans laquelle se loge une statue de sainte Anne, orne la façade.

Avant la restauration de la chapelle, en 1967, les murs étaient recouverts d'un enduit de ciment. Le pignon de la façade était simplement crépi, tandis que le pignon nord était recouvert de planches verticales. Les murs montrent maintenant la pierre nue. Toutefois, le pignon nord comporte encore un revêtement de planches. La toiture de bardeaux s'incurve à la base et déborde largement les murs. Le clocher, implanté légèrement en retrait de la façade, se compose, comme les clochers des églises du XVIIIᵉ siècle, d'un campanile octogonal pénétrant dans une base carrée et d'une flèche sur coupole.

Un enduit de plâtre recouvre les murs intérieurs de même que la fausse voûte surbaissée. Une corniche à doucine marque la naissance du couvrement. Le mobilier de la chapelle comprend des bancs, des gravures, quelques sculptures en plâtre. Le décor se compose d'une balustrade et du maître-autel. Ce dernier date vraisemblablement de la deuxième moitié du XIXᵉ siècle.

Les ouvertures cintrées de la chapelle et sa construction évoquent l'architecture des premières églises de la Nouvelle-France. Sa facture soignée, l'utilisation de la pierre de taille ainsi que l'élégance de son clocher démontrent l'œuvre de professionnels. Pourtant, à cette époque, la corvée populaire représente un mode de construction souvent employé pour l'érection des chapelles de ce type.

L'avant-toit retroussé, les retours de corniche en façade et le décor intérieur, réalisés vers le milieu du XIXᵉ siècle, agrémentent la chapelle.

Jacques Robert,
historien de l'architecture

La chapelle Sainte-Anne de Neuville illustre une pratique religieuse courante au Québec, soit celle de la procession. Cette chapelle construite en 1778 se distingue de ses consœurs par sa taille imposante.

Sanctuaire de l'église Saint-François-de-Sales

Neuville

Fonction: public
Classé monument historique en 1965

UNE première église a été construite à Neuville entre 1696 et 1715. En 1761, les paroissiens érigent une nouvelle église à partir de l'ancienne. La construction commence par le chœur, auquel s'ajoutent la sacristie en 1835, la nef en 1854 et enfin la façade en 1915. Ces différents travaux confèrent au temple son apparence actuelle.

Reconstruit entre 1761 et 1763, le chœur possède un chevet à pans coupés, une particularité populaire dans la région; aujourd'hui disparue, l'église de l'Anse-à-Maheu de Saint-Augustin possédait un chevet semblable. Le chœur abrite les chapelles latérales, le sanctuaire ainsi que la sacristie située derrière le retable.

En 1783, la fabrique construit une sacristie extérieure dans le prolongement du chœur, laquelle sera remplacée en 1835. Également élargies en 1783, les chapelles comprennent les autels latéraux.

Des sculpteurs à l'œuvre

Le 27 décembre 1826, les syndics signent un marché avec trois sculpteurs de Trois-Rivières, François Normand, François Lafontaine et François Routier. Les artisans enlèvent d'abord l'ancienne voûte et en construisent une nouvelle au-dessus de la nef ainsi que dans les chapelles et le chœur. Le marché spécifie en outre qu'ils doivent poser une corniche au bas de la voûte des chapelles et du chœur. L'année suivante, les sculpteurs décorent le chœur. Le contrat mentionne qu'ils s'engagent à «boiser en planches ou madriers, tous les murs du sanctuaire de la dite église, ainsi que les embrassures et ceintrages [sic] qui font face au peuple, et auxquelles dites boisures les dits entrepreneurs feront et y ajouteront tous les morceaux de sculpture convenables».

Le baldaquin représente l'élément le plus remarquable du chœur. Mgr Jean-Baptiste de Saint-Vallier, évêque de Québec, échange ce baldaquin aux paroissiens de Neuville en 1717 contre du blé pour les pauvres de la ville alors en pleine disette. Le prélat avait commandé cet ornement vers 1695 et le destinait initialement à la chapelle de son palais épiscopal de Québec. En 1827, ce baldaquin et le chœur subissent des modifications mineures. Les sculpteurs Normand, Lafontaine et Routier remplacent les éléments manquants et repeignent l'ensemble. En 1854, une croix dorée remplace la statue qui le couronnait. À partir de cette date, aucune modification n'est apportée, exception faite de travaux de rafraîchissements ponctuels. Le baldaquin de l'église de Neuville, héritage du Régime français, constitue un ouvrage marquant de la sculpture ancienne du Québec.

Le tombeau et le tabernacle du maître-autel représentent des pièces exceptionnelles. Commandées par la fabrique en 1802, ces œuvres sont attribuées à François Baillairgé, auteur des autels latéraux et des tabernacles l'année précédente. Conçu par Napoléon Déry de Québec, l'orgue est achevé en 1885.

Réputée pour les trésors artistiques qu'elle recèle, l'église de Neuville possède aussi une vingtaine de tableaux d'Antoine Plamondon (1804-1895) peints à la fin de sa carrière. De valeur inégale, ces tableaux se répartissent dans les différentes sections de l'église et dans la sacristie. Originaire de Neuville, Plamondon a laissé à l'église de sa paroisse ses dernières grandes œuvres, peintes à l'âge de 80 ans.

Madeleine Gobeil-Trudeau,
historienne de l'architecture

L'église de Neuville recèle des trésors artistiques. On y retrouve notamment un baldaquin qui représente un ouvrage marquant de la sculpture ancienne du Québec, un maître-autel, un tabernacle, un orgue ainsi qu'une vingtaine de toiles d'Antoine Plamondon.

GROUPE HARCART INC. *Fabrique Saint-François-de-Sales, Neuville, comté Portneuf.* Québec, ministère des Affaires culturelles, 1982. 207 p.

NOPPEN, Luc. *Les églises du Québec (1600-1850).* Québec et Montréal, Éditeur officiel du Québec/Fides, 1977: 150-153.

PORTER, John. «L'ancien baldaquin de la chapelle du premier palais épiscopal de Québec, à Neuville». *Les Annales d'histoire de l'art canadien.* VI, 2: 180-200.

Maison Bernard-Angers

Neuville
639, rue des Érables

Fonction: privé
Classée monument historique en 1964

Perchée à flanc de coteau, le long de la rue des Érables, la maison Bernard-Angers étonne. Vu de l'arrière, son carré de pierre s'élève sur trois étages et ce volume coiffé d'une imposante toiture mansardée se découpe sur la silhouette de l'église, un peu comme le ferait un vieux couvent. Aperçue de la façade, la maison compte un seul étage écrasé par la toiture massive.

Érigée sur la limite d'une des terrasses naturelles du Saint-Laurent, cette maison appartient à deux époques bien distinctes. Un premier carré de maçonnerie compte quatre travées et, du fait de la déclivité du terrain, adopte le gabarit caractéristique de l'habitat du XVIIIᵉ siècle de Neuville: un seul étage en façade et deux ou trois niveaux à l'arrière. Tirant profit du site, les constructeurs économisent le temps et le matériau. Pour un nombre équivalent de toises de maçonnerie, la maison appuyée sur le roc est plus vaste. À Neuville, le roc est dur. La pierre extraite sert aux constructions de Québec. Un savoir-faire dans les domaines de la taille de la pierre et de la maçonnerie s'y développe.

Comme bien d'autres de cette époque, la maison a perdu son toit originel. Une toiture mansardée crée plus d'espace tout en réduisant l'inconfort des murs inclinés du comble traditionnel.

En architecture domestique, cet usage apparaît dans les faubourgs vers 1875-1880. Il se répand peu après en milieu rural. Hérités de l'architecture du Second Empire français, ces premiers toits mansardés du XIXᵉ siècle comprennent deux ou quatre faces. La maison Angers comporte un toit à croupes avec seulement deux brisis, un sur chaque façade. Il s'agit d'un faux toit mansardé, d'un type plus récent.

Ce toit, le couronnement des lucarnes et la fenestration de la façade révèlent des transformations du XXᵉ siècle. Une allonge en bois, profilée à l'est et abritée par ce nouveau toit, propose une reconstruction vers 1920-1930. Le recouvrement en bardeaux d'amiante de l'allonge en bois représente un matériau typique de l'entre-deux-guerres.

En plus de la maison Bernard-Angers, quatre autres structures de pierre, sur la rue des Érables, ont été ainsi exhaussées au début du XXᵉ siècle. Ce procédé de transformation fait partie des caractéristiques de l'architecture de ce lieu. Située au cœur du village de Neuville, la maison Bernard-Angers subit au début du siècle une transformation de son image traditionnelle qui reflète l'urbanisation du milieu ambiant.

Jacques Dorion, ethnologue

Comme plusieurs constructions de son époque, le toit originel de la maison Bernard-Angers a été remplacé par une toiture mansardée.

La partie arrière révèle trois étages, contrairement à la façade qui en présente deux. Ce phénomène constitue une caractéristique de l'habitation du XVIIIᵉ siècle à Neuville.

Maison Fiset

Neuville
679, rue des Érables

Fonction: privé
Classée monument historique en 1978

La maison Fiset vers 1925. Une inscription au-dessus de la porte précise que sa construction remonte à 1801. (Archives nationales du Québec à Québec, collection initiale).

La présence de plusieurs terrasses en escalier a permis à l'habitat de Neuville de se répartir sur différents coteaux, les plus recherchés étant les plus élevés. Au centre du village, la rue des Érables longe la limite d'un coteau intermédiaire. Quelques maisons, érigées sur cette limite, comptent une différence d'étage entre les façades avant et arrière. Elles se composent d'un rez-de-chaussée à l'avant et de deux niveaux complets d'occupation à l'arrière. Vues de l'arrière, ces maisons présentent de grands murs nus, percés de fenêtres. Ces structures évoquent la silhouette des moulins à eau et confèrent un caractère particulier au paysage architectural de Neuville.

Érigés en moellons, les murs de la maison Fiset portent la trace d'un crépi. Le carré de maçonnerie est complété par des pignons en bois. Un pontage formant galerie était autrefois accroché à l'étage du rez-de-chaussée: des traces de boulins dans la maçonnerie du mur arrière en indiquent l'emplacement. Le toit à deux versants est supporté par une «grosse charpente» composée de fermes avec entraits et poinçons et dotée d'un contreventement faîtier.

La maison Fiset possède les caractéristiques architecturales des maisons du XVIIIe siècle. Elle s'en distingue cependant par certains détails. Dans le soubassement, un mur de refend percé de deux portes traverse toute la largeur du bâtiment. Le foyer

Vue de l'arrière, la maison Fiset évoque la silhouette d'un moulin à eau.

qui y est adossé au centre révèle l'emplacement originel d'une cheminée. Celle-ci, située le long du mur pignon, dessert deux foyers, l'un au rez-de-chaussée, l'autre au sous-sol. Celle du rez-de-chaussée semble avoir été édifiée à partir de matériaux provenant d'un autre bâtiment. Car sa plate-bande, bien que solidement construite, est

de dimensions qui ne correspondent pas à celles de l'ouverture. Ce foyer illustre les différentes surfaces travaillées des pierres de taille. Deux rainures horizontales au sommet de chaque piédroit permettent d'y glisser un vantail de menuiserie pour fermer le conduit de cheminée.

L'intérieur de la maison comporte aussi d'intéressants éléments de menuiserie: portes d'assemblage, planchers et plafonds de plusieurs modèles, lambourdes supportant un plancher de madriers embouvetés, plafond avec poutres apparentes et plafonnement de petites planches posées à couvre-joint, et plafond avec larges planches et couvre-joints. Quelques battants de porte sont encore munis d'une quincaillerie ancienne: des loquets mus par des poignées et fixés à la menuiserie par une rosette métallique.

Au-dessus de la porte principale, une pierre millésimée indique la date de la construction: 1801. Bien conservée, la maison Fiset a subi quelques transformations vers le milieu du XIXe siècle, notamment les trois lucarnes à croupe qui percent le toit et le larmier incurvé.

Jacques Dorion, ethnologue

LAFRAMBOISE, Yves et autres. *Neuville, architecture traditionnelle*. Québec, ministère des Affaires culturelles, 1976: 145-149.

Maison Darveau

Neuville
50, route 138

Fonction: privé
Classée monument historique en 1976

Contrairement à beaucoup d'habitations anciennes de Neuville, la maison Darveau se situe en retrait de la route principale, juchée sur le dernier coteau dominant le fleuve. Elle doit son nom à la famille Darveau, propriétaire des lieux depuis 1867.

Son histoire commence cependant plus tôt. En 1771, Louis-Benjamin Deguise dit Flamand acquiert une terre à côté de la sienne, située à Pointe-aux-Trembles, dans la seigneurie de Neuville. Les Deguise dit Flamand forment une dynastie de maîtres maçons et tailleurs de pierre installés à Neuville pour y exploiter des carrières de pierre de taille depuis le XVIIᵉ siècle. La célèbre pierre calcaire de la Pointe-aux-Trembles, indispensable aux entrepreneurs de Québec, sert aux linteaux et jambages disposés autour des ouvertures et des foyers des maisons.

En 1785, Louis-Benjamin Deguise cède à son associé Pierre Grenier un lot sur lequel se dresse une maison. Ce dernier vient d'obtenir un important contrat de livraison de pierre pour les travaux du gouvernement à Québec. La maison qui subsiste sur ce lot porte une pierre millésimée de 1785. Elle est construite par l'équipe d'ouvriers de Louis-Benjamin Deguise et la date identifie probablement l'année de la fin des travaux.

Cette construction en pierre possède non seulement des proportions identiques à celles de la maison Soulard, mais aussi certains traits architecturaux communs: un toit à deux versants sans saillie de rive sur les murs pignons et dont le bas du versant avant comporte un léger retroussement, supporté au niveau de la charpente par un coyau. En façade, la maison comprend quatre ouvertures dont une porte. Les murs pignons contiennent peu de fenêtres. À l'arrière, deux fenêtres de dimensions moindres éclairent ce côté. À l'avant, les versants du toit sont percés de lucarnes en capucine, communes à cette époque.

À l'angle nord, le bâtiment comporte une petite adjonction à l'arrière, qui sert de laiterie, vraisemblablement placée à cet endroit à cause du vent du nord-est. Typique du XIXᵉ siècle, ce carré de maçonnerie est recouvert d'un toit à deux versants identiques à ceux du corps principal. Sur le côté est de la maison, une annexe moderne (1975) s'intègre avec un certain bonheur à la construction originale.

La maison Darveau se distingue par la présence d'une pierre de taille finement travaillée et abondante. Les ouvertures de fenêtres sont entourées d'un cadre de pierre dont le sommet porte une clef au centre. La porte principale présente, au-dessus de son encadrement, une grosse corniche de pierre. Les angles de la façade sont également ornés de chaînages en pierre.

Le toit de la maison Darveau est percé d'une grosse souche de cheminée, à laquelle correspond un magnifique foyer, assez inhabituel en milieu rural. L'ouverture est entourée de deux piédroits avec socle et d'un linteau avec clef centrale, le tout décoré de trois moulures, un bandeau, un tore et une suite de talons. Une large corniche de pierre taillée, reprenant les mêmes éléments moulurés, couronne le sommet du manteau de cheminée. Ce chef-d'œuvre de pierre de taille justifie le classement de la demeure par le ministère des Affaires culturelles en 1976.

Jacques Dorion, ethnologue

CHASSÉ, Béatrice, *La maison Darveau à Pointe-aux-Trembles*. Québec, ministère des Affaires culturelles, 1986.

LAFRAMBOISE, Yves et autres. *Neuville, architecture traditionnelle*. Québec, ministère des Affaires culturelles, 1976. 296 p. (Coll. «Les Cahiers du patrimoine», n° 3).

RICHARDSON, A.J.H. *Quebec City: Architects, Artisans and Builders*. Ottawa, Musée national de l'Homme/Parcs Canada, 1984. 589 p. (Coll. «Mercure», n° 40).

La petite laiterie de pierre située à l'arrière.

Considérée comme un chef-d'œuvre de pierre de taille, la maison Darveau étonne également par l'emplacement inhabituel de son foyer.

Maison du seigneur Larue

Neuville
500, rue des Érables

Fonction: privé
Classée monument historique en 1976

La maison Larue vers 1925.
(Archives nationales du Québec à Québec, collection initiale).

LA maison Larue de Neuville a été construite entre 1834 et 1835 par Édouard Larue, seigneur de Neuville depuis 1828, d'après les plans du maître menuisier et architecte de Québec, Michel Patry. Selon le devis des travaux à exécuter, le bâtiment en pierre mesurait environ 17 mètres de long sur 11,6 mètres de large et devait posséder une couverture en bardeaux. À l'arrière de la maison, devant la porte de la cuisine, s'élèvent un perron et un tambour. La façade principale comprend deux poteaux avec volutes et un portique exécuté suivant le modèle réalisé pour une maison de Rivière-Ouelle. Le devis décrit également avec précision le décor et l'aménagement intérieur de la maison. Malgré quelques modifications subies depuis sa construction, la maison, toujours propriété de la famille Larue, conserve la plupart de ses éléments d'origine.

Cette construction en pierre se rattache au style néo-classique. Elle possède, du côté de la façade principale, un rez-de-chaussée surélevé jouxté d'une galerie sur toute sa longueur. Un escalier central donne accès à la galerie. De ce côté, les fenêtres sont réparties symétriquement de chaque côté de la porte d'entrée principale. Du côté de la façade postérieure, une fenêtre a été convertie en porte. Le mur pignon comprend également une porte ouverte dans une ancienne fenêtre. Ces modifications répondent aux besoins créés par la division de la maison en deux logements. Les deux appentis situés en façade postérieure ont été ajoutés lors de cette division du bâtiment.

La toiture à deux versants, aujourd'hui couverte de tôle à la canadienne, possède un avant-toit retroussé du côté de la façade principale alors que l'égout du versant de la façade postérieure est droit. Deux souches de cheminée surmontent les deux pignons avant.

La charpente, du type à chevrons portant fermes, est constituée de six fermes avec chacune deux arbalétriers-chevrons ainsi que deux entraits. L'entrait du niveau inférieur est retroussé et doté de deux jambages de force. Des pannes assurent le contreventement longitudinal et servent de support au recouvrement de la toiture.

L'intérieur, divisé en deux logements, a subi des remaniements, notamment à l'étage des combles. Cependant, plusieurs éléments d'origine subsistent; la plupart se trouvent au rez-de-chaussée, tels le manteau de cheminée, les encadrements de portes et de fenêtres, les portes, les volets, les lambris de plafond ainsi que des pièces de quincaillerie et de serrurerie.

Madeleine Gobeil-Trudeau,
historienne de l'architecture

LAFRAMBOISE, Yves et autres. *Neuville, architecture traditionnelle*. Québec, ministère des Affaires culturelles, 296 p. (Coll. «Les Cahiers du patrimoine», nº 3).

Maison Denis

Pointe-aux-Trembles (Portneuf)
662, route 138

Fonction: privé
Classée monument historique en 1976

Située à un carrefour stratégique, l'imposante maison Denis possède l'allure d'un manoir avec sa double rangée de lucarnes et ses nombreuses fenêtres.

L'historien d'art Gérard Morisset, originaire de Cap-Santé, attire l'attention sur ce «modèle d'édifice d'esprit roman» dans son livre *L'architecture en Nouvelle-France*, publié en 1947. La photographie qu'il publie montre une structure de pierre dépourvue de lucarnes avec quelques traces de crépi. La section est de la maison se compose d'une structure de bois sous un enduit de chaux.

Une restauration survenue vers 1947-1948 serait responsable des différences apparues depuis. La propriétaire utilise la maison comme image de marque pour son commerce. Pour ce faire, elle ajoute des lucarnes et pose un enduit qui uniformise le carré de pierre originel et son annexe en bois. Le projet d'hôtellerie échoue et la résidence est convertie en musée local avec une boutique d'artisanat attenante.

Le premier carré de pierre, vraisemblablement érigé en 1760, mesure 11,5 mètres sur 11 et comprend la section ouest de l'actuelle maison. Entre 1745 et 1753, le cultivateur Augustin Matte acquiert plusieurs lots de terre. Lors de ces transactions, les actes ne signalent pas la présence de bâtiment. Toutefois, le dénombrement de la seigneurie, en 1777, précise l'existence d'une maison et d'une grange.

Dotée d'une cheminée centrale, cette première maison appartient au même type architectural que la maison Soulard, construite à la même époque.

Dans son étude sur l'architecture traditionnelle de Neuville, en 1976, le ministère des Affaires culturelles a dressé l'inventaire et amorcé l'analyse des «maisons en pierre d'inspiration française». Ce type architectural, parfaitement illustré par la maison Soulard, comporte un carré de pierre de 11,5 mètres sur 15,7 et sa hauteur est de 9,1 mètres. Percée d'un nombre pair d'ouvertures en façade avec une porte d'entrée décentrée, la maison comporte également des ouvertures de dimensions réduites sur la façade arrière. La forme du toit adopte le profil classique du «plein comble», soit celui d'un triangle équilatéral. La charpente comporte des fermes formées de chevrons reliés par un entrait retroussé, un poinçon et un faux entrait. Ces fermes sont reliées entre elles par des aisseliers formant des croix de Saint-André, des entretoises et des pannes.

La famille Matte possède la maison jusqu'en 1792, année où Louis Vermet l'acquiert. En 1832, le fils Vermet quitte les lieux et, quatre ans plus tard, la maison passe à Athanase Denis. Cette famille construit vraisemblablement l'extension en bois située du côté est, peu après l'achat de la maison. À cette époque, la construction en pierre se raréfie en milieu rural.

La famille Denis, qui a laissé son nom au bâtiment, a conservé cette propriété jusqu'en 1921.

Jacques Dorion, ethnologue

HÉBERT, Casimir. *La vieille maison Denis*. Neuville, À l'enseigne de la vieille maison, 1948. 33 p.

LAFRAMBOISE, Yves et autres. *Neuville, architecture traditionnelle*. Québec, ministère des Affaires culturelles, 1976: 73-94, 125-130.

Avec sa double rangée de lucarnes, l'imposante maison Denis possède l'allure d'un manoir.

La maison Denis avant les travaux de restauration entrepris vers 1947. Le premier carré de pierre aurait été érigé vers 1760, alors que l'extension en bois daterait du deuxième tiers du XIXe siècle. (Archives nationales du Québec à Québec, collection initiale).

Maison Charles-Xavier-Larue

Pointe-aux-Trembles (Portneuf)
218, rue des Érables

Fonction: privé
Classée monument historique en 1976

Construite en 1854 par François-Xavier Larue, la maison reste aujourd'hui aux mains de cette famille. Rattachée au style néo-classique, la maison conserve plusieurs éléments intérieurs d'origine. Par ailleurs les avant-toits retroussés rappellent une variante du style Regency.

Possédée par la même famille depuis sa construction, la maison a été érigée en 1854 par François-Xavier Larue, un cultivateur de Pointe-aux-Trembles. Un marché passé le 15 avril de la même année indique les tâches de menuiserie et de charpenterie que Jérôme Gingras, menuisier de la paroisse, devait exécuter. La maison en pierre mesure 12 mètres de longueur sur 11 mètres de largeur. L'entrepreneur doit construire une galerie du côté de la façade principale et replacer les cloisons de l'ancienne maison de François-Xavier Larue dans la nouvelle.

Depuis l'époque de sa construction, la maison a subi quelques transformations à l'intérieur et à l'extérieur. Les rénovations les plus importantes consistent en l'adjonction, à une des extrémités de la façade postérieure, d'une cuisine d'été en bois ainsi que d'une laiterie et d'un fournil disposés en appentis contre la cuisine.

L'intérieur remanié s'adapte aux besoins de ses différents occupants ainsi qu'aux exigences de la vie moderne. Des plinthes, des chambranles, des portes et plusieurs pièces de quincaillerie remontent à l'origine de la construction de la maison.

Le style néo-classique de la maison se perçoit surtout en façade dans la distribution symétrique des ouvertures. Sur ce côté, le rez-de-chaussée surélevé et la galerie étendue sur toute la longueur de la maison traduisent également cette influence. Les avant-toits retroussés de la toiture constituent un des éléments caractéristiques du mouvement pittoresque dans une des variantes du style Regency. Certaines formulations du style Regency sont fréquemment associées à d'autres courants comme par exemple le néo-classicisme.

Jacques Dorion, ethnologue

Maison Joseph-Emmanuel-Soulard

Pointe-aux-Trembles (Portneuf)
7, route 138

Fonction: privé
Classée monument historique en 1976

LA maison Joseph-Emmanuel-Soulard a vraisemblablement été construite par Pierre Loriot et son fils Charles entre 1759 et 1767; l'absence de marché de construction empêche d'en préciser la date exacte.

Le 30 novembre 1767, le capitaine de milice Pierre Loriot donne à son fils Charles la terre où se trouve la maison actuelle. Une résidence en pierre de plusieurs pièces ainsi qu'une grange et une étable en bois s'élèvent bientôt sur cette terre. Les diverses descriptions de l'emplacement relevées dans les actes notariés jusqu'au début du XXᵉ siècle ne laissent voir aucune transformation majeure. En 1836, François Soulard en fait l'acquisition et la maison appartient encore à ses descendants.

Bâtie en pierre, cette maison comprend un rez-de-chaussée de 11,5 mètres de longueur sur 9,6 mètres de largeur surmonté d'une toiture à forte pente à deux versants. Le versant de la façade principale est couvert de tôle et l'autre de bardeaux. Une souche de cheminée en pierre se rattache au centre de la ligne faîtière. Son sommet est cordonné. Un des pignons est fait en pierre et l'autre en bois. Entre 1733 et le début du XIXᵉ siècle, la famille Loriot a érigé trois maisons du même style à Neuville.

La pente de la toiture aux égouts droits et la disposition asymétrique des ouvertures s'inscrivent dans la tradition de l'architecture domestique rurale du Régime français. À l'intérieur, le cloisonnement du rez-de-chaussée semble d'origine. Deux grandes pièces sises de part et d'autre de la cheminée centrale à double foyer se trouvaient alors du côté de la façade principale. Deux cabinets et une petite laiterie se situaient à l'arrière. Un escalier à proximité de la cheminée permettait d'accéder au grenier. Cette disposition reste quasi inchangée aujourd'hui.

Jacques Dorion, ethnologue

LAFRAMBOISE, Yves et autres. *Neuville, architecture traditionnelle*. Québec, ministère des Affaires culturelles, 1976. 296 p. (Coll. «Les Cahiers du patrimoine», nº 3).

LAFRAMBOISE, Yves. «Les maisons Soulard de Neuville», dans *Habitation rurale au Québec*. Montréal, Éditions Hurtubise HMH, 1978: 59-66.

Construite vraisemblablement entre 1759 et 1767, la maison Soulard ne subit pas de transformations majeures avant le début du XXᵉ siècle. La pente de la toiture et l'asymétrie des ouvertures la rapprochent de la tradition de l'architecture domestique rurale du Régime français. (Inventaire des biens culturels du Québec).

Maison Loriot (ou Jobin)

Pointe-aux-Trembles (Portneuf)
20, route 138

Fonction: privé
Classée monument historique en 1964

En 1769, Pierre Loriot et Marie Denis donnent leur terre et la maison qui s'y trouve à leur fils Michel. Construit en pierre, le bâtiment mesure environ 12 mètres de longueur sur 9 mètres de largeur. Une grange et une étable occupent également la terre. Michel Loriot conserve sa propriété jusqu'en 1816 puis la cède à son fils. Ses descendants la vendent à Ovila Jobin en 1950.

Depuis sa construction, la maison a subi plusieurs modifications. Les plus significatives sont apportées à l'extérieur: la laiterie située à l'extrémité est, l'avant-toit retroussé en façade principale, quelques ouvertures et l'adjonction récente d'une annexe en bois. Néanmoins, la maison conserve les mêmes caractéristiques qu'au début du Régime français: pignons en pierre, toiture à forte pente avec souche de cheminée cordonnée située sensiblement au centre et ouvertures réparties d'une façon asymétrique.

La charpente, du type à chevrons portant fermes, comprend deux fermes, situées de chaque côté du conduit central de fumée, composées chacune d'un poinçon et de faux entraits. Des aisseliers joints à une panne faîtière permettent un contreventement longitudinal. Chacun des arbalétriers-chevrons possède trois pannes qui soutiennent le recouvrement de la toiture. Sur cette dernière, le bardeau d'asphalte a remplacé le bardeau de cèdre d'origine.

Jacques Dorion, ethnologue

Possession de la famille Loriot jusqu'en 1950, la maison possède encore, malgré de nombreuses modifications, des caractéristiques du Régime français.

Vieux moulin Marcoux

Pont-Rouge
1, boulevard Notre-Dame

Fonction: public
Reconnu monument historique en 1978

La présence de la rivière Jacques-Cartier et les nombreuses terrasses qui la bordent ont favorisé la colonisation et le développement industriel de Pont-Rouge. Après l'abolition du régime seigneurial, en 1854, et la cessation des activités du «moulin de la Dalle», situé en bas du pont Déry, nombre de commerçants et d'industriels optent pour l'exploitation de moulins à eau.

Hypolite Dubord, constructeur de navires à Neuville et membre du Parlement de Québec, inaugure cette tradition en faisant ériger le moulin Marcoux. Les travaux de construction débutent en 1870 sur la rive nord de la rivière, près du «Pont-Rouge», sur un terrain adjacent à sa maison. L'ouvrage est confié au maître maçon Alphonse Marcotte, entrepreneur de Cap-Santé, reconnu localement pour ses travaux de maçonnerie réalisés notamment sur l'église de Pont-Rouge. La pierre calcaire extraite des bords de la rivière lui sert à l'érection des murs du moulin. Le chantier, qui comprend l'aménagement du système d'alimentation en eau et les dépendances, se poursuit pendant presque deux ans.

Le site où s'élèvent les divers corps de bâtiments se situe en un point peu élevé de la rivière. L'emplacement détermine l'utilisation d'une roue à aubes. Le cours d'eau possède à cet endroit une faible dénivellation mais offre néanmoins un courant et un débit abondants. L'éclusée, emmagasinée dans un réservoir situé à l'île Notre-Dame, est amenée au moulin par une dalle de bois qui part d'une chaussée à l'embouchure du canal. En se promenant sur la rive, les visiteurs peuvent encore voir, ancrées dans la pierre, les tiges d'acier qui supportaient la dalle. La localisation du moulin près de la route et du pont en facilite l'accès.

Multiples fonctions

Avant même d'obtenir le produit de la première mouture, Hypolite Dubord meurt tragiquement au cours de l'été 1872. Les dettes laissées entraînent la saisie du moulin puis sa vente à l'encan. Trois propriétaires se succèdent et, en 1885, Joseph-David Marcoux achète le bâtiment. Une allonge de 9 mètres sert alors de résidence au meunier.

Après le décès de Marcoux, en 1899, le moulin devient de moins en moins rentable et fonctionne de façon intermittente. En 1912, la compagnie Birds and Son l'acquiert et, quatorze ans plus tard, la Donnacona Paper, devenue la Société Domtar, en prend possession.

Après la Première Guerre mondiale, le moulin sert un temps de salle de spectacle et de cinéma. Toutefois, le curé met fin aux représentations par crainte de désordre

Alphonse Marcoux, un entrepreneur de Cap-Santé, érige le moulin de 1870 à 1872. Le bâtiment perd sa vocation à la fin du siècle dernier. (Inventaire des biens culturels du Québec).

Le moulin Marcoux vers 1908. (Archives de la Corporation du Vieux Moulin Marcoux, Pont-Rouge).

moral. Plus tard, le moulin sert d'entrepôt et d'atelier de menuiserie. Vidé de son contenu, il subit une lente dégradation et ses dépendances s'écroulent une à une. En outre, des travaux de réfection du pont et des chemins modifient son environnement et son accès.

En 1974, la Corporation du vieux moulin Marcoux restaure le bâtiment et le transforme en centre d'art. À l'intérieur, il ne subsiste rien des anciennes divisions, mais des traces dans les plafonds permettent de suivre l'évolution de l'aménagement au gré des besoins des occupants successifs. Les anciens foyers comprennent des conduits de fumée dotés de prises permettant d'y raccorder les tuyaux des poêles qui servaient au chauffage de certaines pièces. La charpente, du type à chevrons portant fermes, contient des entraits retroussés. Les arbalétriers-chevrons reposent sur une double sablière.

Harold Germain, ethnologue

La Grenade-Meunier, Monique. *Le vieux moulin Marcoux, Pont-Rouge*. Québec, ministère des Affaires culturelles, 1978. 22 p.

Turgeon, Raymond. «Le moulin Marcoux». Conseil des monuments et sites du Québec, bulletin n° 8 (printemps 1978): 11-16.

Adam-Villeneuve, Francine et Cyrille Felteau. *Les moulins à eau de la vallée du Saint-Laurent*. Montréal, Éditions de l'Homme, 1978. 476 p.

Site de pêche Déry

Pont-Rouge
Chemin Déry

Fonction: privé
Classé site historique en 1984

Situé à l'entrée sud de Pont-Rouge, ce site raconte une double histoire: celle d'un pont à péage et celle de la pêche au saumon dans la rivière Jacques-Cartier. Les eaux vives et impétueuses de ce cours d'eau prennent leur source dans le grand lac du même nom au cœur de la réserve faunique des Laurentides; elles coulent vers le sud dans une vallée glaciaire qui entaille profondément le relief accidenté du Bouclier canadien avant de se jeter dans le fleuve Saint-Laurent à la hauteur de la ville de Donnacona.

Jadis, les flancs escarpés de la rivière Jacques-Cartier et la force du courant rendaient difficiles les traversées en bac près de l'embouchure. Le franchissement des ponts de bois mal construits et mal entretenus demeurait une aventure périlleuse. Noyade des courriers, perte de leur précieux chargement, et de nombreux accidents de bateaux jalonnent le XVIIIe siècle et font obstacle aux déplacements terrestres entre Québec et Trois-Rivières.

Les ponts se succèdent

En 1791, le directeur général des Postes, Hugh Finlay, recommande au gouvernement de construire un pont à l'endroit le plus approprié et d'y aménager des routes d'accès. Le site choisi se situe à dix kilomètres de l'embouchure, car les rives sont plus rapprochées l'une de l'autre. Un premier pont de maçonnerie s'écroule en 1798. Les autorités du Bas-Canada adoptent une loi en 1800 qui confie la maîtrise d'œuvre à l'entreprise privée en échange des revenus du péage pour une période de trente ans. Les trois commissaires responsables de la construction, Gabriel-Elzéar Taschereau, John Craigie et Jonathan Sewell, retiennent les services du charpentier Jean-Baptiste Bédard, de Québec. Outre le pont, il doit ériger la maison du péager sur la rive ouest. Joseph Gilbert, résident du Grand Capsa (aujourd'hui Pont-Rouge), lui fournit le bois nécessaire et, à l'été 1804, les travaux de construction débutent.

Ce pont de bois sert jusque vers 1830, puis se voit successivement remplacé vers 1860, en 1918 et en 1939. L'ouvrage en béton est construit cette dernière année. Des illustrations et des dessins d'artistes fournissent certains détails sur les différentes techniques adoptées par les constructeurs. Mécontents des tarifs exigés, les habitants construisent un autre pont à côté du village en 1825. Ce dernier est remplacé en 1838 par le pont Rouge.

Malgré l'existence de ce lien gratuit à quelques kilomètres plus en amont, le système de péage demeure en vigueur jusqu'en 1910. La maison de péage comprend une construction de pièce sur pièce lambrissée de planches à clins. Elle est coiffée d'une toiture à deux versants. Celui de la façade principale est doté d'un avant-toit retroussé largement débordant. Cet avant-toit constituait autrefois la couverture d'une galerie soutenue par des poteaux. Une lucarne-fronton centrale garnie d'une fenêtre palladienne ainsi que la galerie ont probablement été ajoutées lors de l'agrandissement de la maison vers 1864. Treize bâtiments secondaires ont vu le jour à diverses époques. Actuellement, seule la laiterie subsiste.

Nouvelle vocation

Les premiers occupants de la maison, à la fois péagers et gardiens du pont, sont François Pommereau et son épouse Françoise Fourré dite Vadeboncœur. Devenue veuve, elle offre les premiers services d'hébergement et de pourvoirie aux pêcheurs de saumon venant pratiquer leur sport favori sur les lieux et aux abords des gorges de la rivière. En 1816, la famille Déry succède à la veuve Pommereau et poursuit l'exploitation du péage et les services aux pêcheurs jusqu'en 1913. Cette année-là, le moulin à papier et le barrage de Donnacona sont construits et viennent interrompre la montaison du saumon.

La maison et le pont Déry vers 1970. (Collection Louisette Lachance-Gauthier. Photo: Inventaire des biens culturels du Québec).

La famille Déry quitte la résidence en 1936. La compagnie Donnacona Paper l'acquiert en 1945 et y loge quelques employés. Certaines transformations telles l'ajout d'une cheminée extérieure, le percement d'ouvertures et la réorganisation des cloisons intérieures, sont effectuées sur la résidence. Finalement, en 1979, Donnacona Paper, maintenant propriété de Domtar, fait don de la maison à la Corporation du vieux moulin Marcoux. La restauration et la mise en valeur de ce précieux témoin de l'histoire sont en cours depuis 1986.

Un acteur de premier plan

Depuis des millénaires, le saumon atlantique (*salmo salar*) fréquente les eaux froides et claires de la rivière Jacques-Cartier, allant se reproduire sur les fonds graveleux de l'amont. À la hauteur du site Déry, le rétrécissement et les dénivellations subites ont creusé des fosses profondes dans lesquelles les saumons adultes se reposent avant d'affronter les chutes successives. Très productifs, ces lieux sont exploités par les Amérindiens qui y viennent en saison capturer les saumons à la foëne ou au filet.

Les premiers censitaires canadiens continuent vraisemblablement cette pratique et l'une des fosses reçoit d'ailleurs le nom de «Grand rets». Le seigneur de Neuville, Joseph Brassard-Deschenaux, met un peu d'ordre dans cette activité par l'interdiction formelle de pêche en 1768. Il se réserve l'octroi de quelques autorisations moyennant redevances.

La renommée et la proximité du site attirent les militaires anglais de la garnison de Québec qui viennent dès le début du XIXe siècle y faire la pêche sportive. Séjournant dans la maison de péage, ces pêcheurs y introduisent des habitudes gastronomiques, des techniques halieutiques (mouches artificielles, lignes teintées), des pratiques festives et un rituel du loisir qu'ils transmettent aux générations suivantes. Constitué en réserve exclusive en 1818, le site accueille l'un des premiers clubs privés de pêche au saumon, voué à la fois à la conservation de la faune et à son exploitation limitée et privilégiée. La formule connaît un succès certain car elle se répand après 1870 dans tout le territoire accessible.

La rivière est associée aux premières expériences de pisciculture réalisées en 1857 par le surintendant des pêcheries, Richard Nettle. Fervent pêcheur de saumon, il construit un aquarium dans sa maison de la rue Sainte-Ursule à Québec, où il fait éclore des œufs de truites et de saumons prélevés dans la Jacques-Cartier.

De 1860 à 1915, les droits de pêche appartiennent au maître brasseur de Québec, Joseph Knight Boswell et au Jacques Cartier River Fishing Club. La construction du barrage met fin à la présence du saumon dans la rivière jusqu'à ce qu'un comité local entreprenne de restaurer le cours d'eau, en 1977. Il procède à l'amélioration des berges, au traitement des eaux, à l'ensemencement et à l'établissement de passes migratoires. Le comité de restauration de la rivière Jacques-Cartier réussit un véritable tour de force. Depuis 1985, le saumon de l'Atlantique est de retour dans la rivière, l'une des plus belles au monde selon les chroniqueurs du XIXe siècle. Et le site Déry a retrouvé du même coup un précieux acteur de son histoire, l'un des attraits spectaculaires de ce lieu naturel remarquable.

Harold Germain, ethnologue

La maison Déry vers 1910. (Archives de la Corporation du Vieux Moulin Marcoux, Pont-Rouge).

Cette aquarelle de Léonce Cuvelier permet d'apprécier le panorama offert à la vue de pêcheurs de saumons sous le pont Déry. (Archives nationales du Québec à Québec, fonds Cuvelier).

Site de l'église de la Sainte-Famille

Cap-Santé

Fonction: public
Classé site historique en 1986

La salubrité remarquable de son emplacement, au pied d'une pointe qui domine le fleuve, a valu au Cap-Santé son appellation. Sur cette avancée se trouve la place de l'église.

Occupant un plateau étroit, resserré entre deux talus de forte pente et d'une superficie réduite, ce site offre une vue exceptionnelle sur le fleuve et la rive sud. Au XIXᵉ siècle, il représentait un carrefour stratégique dans le village: l'accès au quai et à la gare situés en contrebas se faisait à partir de cet endroit.

La place adopte une forme à peu près carrée. Elle est délimitée au sud par le presbytère et par la route qui mène au quai, du côté ouest par un alignement de constructions traditionnelles. Au nord, des édifices à vocation commerciale ferment la place et, à l'est, l'église la borde. Le cimetière, remarquablement bien aménagé, se situe juste derrière. Au centre de la place, on trouve aussi un ancien puits; la tradition orale le date de 1799, mais des modifications récentes sont apparentes.

La place de l'église de Cap-Santé offre un intérêt historique. Mise en forme à partir du milieu du XIXᵉ siècle, sa fonction religieuse remonte au début du XVIIIᵉ siècle. Quatre presbytères et deux églises, dont la première construite en 1716, s'élèvent successivement à cet endroit. Le temple actuel apparaît entre 1755 et 1762.

Le site a toujours conservé sa vocation de lieu de rassemblement pour les activités du culte. Avec les années, il est aussi devenu un lieu de regroupement pour la population. Ainsi, à partir de 1799, et ce pour plus d'un demi-siècle, le second presbytère sert de lieu de réunions publiques et de salle des habitants.

L'ouverture des premiers registres de Cap-Santé remonte à 1679 et l'érection canonique de la paroisse à 1714. À l'origine, Cap-Santé englobait le territoire de plusieurs autres paroisses dont Saint-Basile et Sainte-Jeanne-de-Pont-Rouge. La famille Motard apporte à la fabrique la presque totalité des terrains qu'elle possède. Ainsi, en 1709, un presbytère-chapelle voit le jour sur un lopin de terre appartenant à Louis Motard. Quelques années plus tard, celui-ci se départit de quelques arpents supplémentaires pour accueillir la première église.

L'extension des propriétés de la fabrique se poursuit par la suite et, en 1734, le second presbytère apparaît sur un emplacement vendu par Marie-Élisabeth Motard, suivi, en 1849, du presbytère actuel. Aujourd'hui, la superficie totale des terrains

La place de l'église de Cap-Santé occupe un vaste quadrilatère. Outre le presbytère et l'église, le site inclut le cimetière localisé aux abords de la sacristie. (Inventaire des biens culturels du Québec).

appartenant à la fabrique représente 20 000 mètres carrés. Le presbytère, avec son jardin et son petit hangar, jouxte les terrains du cimetière, du garage et de l'église.

Les presbytères se succèdent

Quatre presbytères ont été construits à Cap-Santé. Le premier sert également de chapelle entre 1709 et 1733. Le deuxième, érigé en 1734, conserve sa fonction première jusqu'en 1799 puis devient salle des habitants avec une partie réservée aux femmes et l'autre aux hommes. Après de nombreuses discussions entre les autorités religieuses et les paroissiens de Cap-Santé, l'édifice tombe sous le pic des démolisseurs en 1849 pour faire place au presbytère actuel. Vers 1845, l'évêque et les paroissiens s'entendent pour construire une nouvelle résidence au curé sur un terrain appartenant déjà à la fabrique. L'architecte québécois Charles Baillairgé en conçoit vraisemblablement les plans. Les travaux débutent au printemps de 1849 et se terminent à l'automne. L'abbé David Gosselin en a laissé une bonne description: «Ce presbytère, long de 54 pieds et large de 34, est modeste mais confortable. Ses appartements sont spacieux, distribués avec intelligence, et témoignent du savoir-faire de ceux qui ont présidé à sa construction. Il ne manque pas de presbytères plus modernes et beaucoup plus dis-

pendieux qui ne pourraient soutenir la comparaison avec celui de Cap-Santé.»

Encore aujourd'hui, ce presbytère conserve son aspect originel. Rien n'est venu compromettre son unité stylistique. Toutefois, une adaptation progressive à des réalités nouvelles entraîne des ajouts et des transformations. En 1874, 1882 et 1912, la galerie est réparée ou prolongée. En 1914, un recouvrement de tôle galvanisée remplace la couverture de bardeaux originelle. En 1915, un tambour vitré s'ajoute. En 1973, des ouvriers réparent les cinq lucarnes du versant nord. L'intérieur de l'édifice subit également quelques modifications: installation de quatre salles de bain, changement du système de chauffage, creusage de la cave. Plusieurs pièces ont été assignées à de nouvelles fonctions, mais l'ensemble de ces transformations n'altère aucunement le style du monument.

Le presbytère de Cap-Santé présente plusieurs affinités avec la maison québécoise du comté de Portneuf et plus particulièrement avec la maison de pierre de Neuville: dimension du carré, pente du toit, présence de cheminées adossées aux murs pignons, avant-toit et éléments décoratifs appliqués. Mais le traitement architectural du décor distingue le presbytère du bâti ambiant. Le chaînage aux angles, le fronton, les colonnes ioniques, la réduction des fenêtres de l'étage

Ce site exceptionnel par sa situation géographique et stratégique joue un rôle de premier plan dans la vie du village de Cap-Santé. Endroit de culte certes, mais aussi de réunions publiques et sociales.

par rapport à celles du rez-de-chaussée et la hiérarchisation des ouvertures d'après leurs dimensions confèrent un statut particulier à cette demeure.

L'édifice, construit en bois, possède des murs en pièce sur pièce. La charpente du toit, représentative de l'époque, contient un assemblage de fermes simples sans contreventement faîtier.

Partiellement ceinturé par une clôture en fer forgé, le cimetière forme un véritable parc boisé avec une vue en plongée sur le fleuve. Les pierres tombales racontent l'histoire des gens qui ont fréquenté ce site et des monuments qui le bordent.

Jacques Dorion, ethnologue

GENEST, Nicole. *Cap-Santé: église et presbytère. Fiche de présentation*. Québec, ministère des Affaires culturelles, 1983. 5 p.

VOYER, Louise. *Presbytère de Cap-Santé: étude et analyse*. Québec, ministère des Affaires culturelles, 1982. 44 p.

Église de la Sainte-Famille

Cap-Santé
Rue du Quai

Fonction: public
Classée monument historique en 1986

La construction d'un presbytère-chapelle en 1709 marque la fondation de la paroisse de la Sainte-Famille à Cap-Santé. Érigée canoniquement en 1714, elle accueille la même année son premier curé résidant. Sans doute encouragés par ces événements, les paroissiens décident deux ans plus tard de construire une église en pierre. Inauguré à l'automne 1718, l'édifice sert à la célébration du culte durant plus de cinquante ans.

Nommé à la cure de Cap-Santé en 1752, l'abbé Joseph Fillion fait entreprendre, en 1754, la construction de l'église actuelle, la plus grandiose jamais vue jusqu'alors au Québec. Les travaux s'échelonnent sur dix ans et sont exécutés selon la coutume de l'époque par des corvées, sous la direction de maçons et de charpentiers.

Innovations architecturales

En forme de croix latine, le plan de cet immense édifice présente une grande nouveauté. Le chœur, qui habituellement s'étend sur la même largeur que la nef, est ici plus étroit, ce qui permet de dégager davantage les retables latéraux et d'offrir un meilleur champ de vision vers les chapelles. Utilisée pour la première fois à Cap-Santé, cette disposition devient courante à partir du début du XIXᵉ siècle. Autre particularité intéressante: on retrouve derrière les tours qui flanquent la façade de petits appentis. Servant à l'origine à loger, l'un des fonts baptismaux, l'autre un confessionnal, ils ont été aménagés en chapelles en 1877.

La façade s'avère tout aussi exceptionnelle. Plus élevées qu'à Sainte-Famille de l'île d'Orléans, les tours de Cap-Santé s'intègrent mieux à la façade. À l'époque, cette façade monumentale d'un type nouveau exerce une énorme influence. Elle conserve aujourd'hui encore son admirable lambris de bois imitant la pierre de taille dont on la revêt au cours de la seconde moitié du XIXᵉ siècle et qui lui confère un air plus prestigieux. L'élégant porche qui abrite l'entrée principale date de la même époque.

L'élévation de l'édifice présente également une autre innovation: le double étagement des fenêtres dans les murs latéraux qui, contrairement aux autres endroits où cette technique sera utilisée par la suite, ne sert pas à indiquer la présence à l'intérieur de tribunes latérales, mais permet plutôt d'assurer un meilleur éclairage.

En 1807, l'église de Cap-Santé subit des modifications importantes. Le clocher qui repose sur l'abside et ajoute à la majesté de l'édifice est démoli, et des ouvriers remplacent ceux des tours à coupoles par de nouveaux clochers surmontés de flèches. C'est vraisemblablement à cette époque que la toiture des chapelles, d'une hauteur similaire à celle de la nef, s'abaisse de façon considérable; cette modification les fait paraître minuscules et disproportionnées par rapport au reste du bâtiment.

Érigée entre 1754 et 1764, l'église de Sainte-Famille se classe parmi les plus imposants édifices religieux de l'époque.

Un décor lent à s'élaborer

L'intérieur demeure sans véritable décor durant de nombreuses années. Les dépenses énormes entraînées par la construction et l'entretien d'un si vaste édifice empêchaient la réalisation d'une telle entreprise. La fabrique se contente donc de faire construire une fausse voûte en 1773 et de renouveler, par la suite, certaines pièces de mobilier provenant de la première église. Il faut attendre l'année 1803 avant que ne débutent les premiers travaux d'importance. Louis-Amable Quévillon s'engage alors à exécuter un retable pour le maître-autel et divers autres travaux de sculpture. Terminés en 1809, ces ouvrages, qualifiés de «médiocres» par le curé de l'époque, seront remplacés cinquante ans plus tard.

Le décor intérieur actuel — retables, voûte, entablement, chaire, banc d'œuvre et tribunes arrière —, œuvre du sculpteur Raphaël Giroux et du maître plâtrier François Blouin, apparaît entre 1859 et 1861. De style néo-classique et d'une rigoureuse ordonnance, comme ceux de Thomas Baillairgé, il s'en distingue néanmoins par un allongement et un traitement massif des formes. La très grande hauteur de l'édifice et, surtout, l'avancée spectaculaire du retable principal nécessitaient ce traitement. Il se peut que la forme trapézoïdale de cet imposant retable ait été inspirée d'un autre réalisé par Quévillon, et lui-même inspiré d'un modèle existant dans le retable du chœur de l'église Notre-Dame de Montréal, exécuté de 1765 à 1768 par Philippe Liébert et Louis Faureur. La réalisation de pièces semblables au début des années 1820 à Saint-Augustin, une paroisse située non loin de Cap-Santé, à Berthierville et à Saint-Jean-Baptiste-de-Rouville dans la région de Montréal militent en faveur d'une telle hypothèse.

Riche ornementation

Quelques sculptures intéressantes ornent l'église de Cap-Santé. Il faut d'abord mentionner les statues en bois doré de Jésus, Marie et Joseph, vraisemblablement exécutées vers 1775 par l'atelier des Levasseur, qui meublent aussi les niches de la façade. Aussi incroyable que cela puisse paraître, ces sculptures remarquables ont résisté aux rigueurs de notre climat.

À l'intérieur, le maître-autel attire l'attention. Il se compose d'un tombeau réalisé entre 1803 et 1809 par Louis-Amable Quévillon et d'un tabernacle monumental de style baroque réalisé en 1842 par Louis-Xavier Leprohon. Cette œuvre annonce les grands tabernacles-retables de la seconde moitié du XIXe siècle. Parmi les autres pièces de sculpture, se distinguent également

Œuvre du sculpteur Raphaël Giroux et du maître plâtrier François Blouin, le décor intérieur de l'église de Cap-Santé s'apparente aux travaux de Thomas Baillairgé. Son travail s'en distingue cependant par un allongement et un traitement massif des formes. (Inventaire des biens culturels du Québec).

un chandelier pascal sculpté en 1738 par Charles Vézina pour la première église et l'étonnante statue du Sacré-Cœur exécutée en 1889 par Louis Jobin. Recouverte d'une polychromie voyante, elle témoigne de façon éloquente de l'influence exercée à cette époque par la statuaire en plâtre sur la production de nos artistes.

L'église recèle nombre de tableaux. Peints en 1825 pour orner les retables des chapelles, la *Présentation de Marie au temple* de Joseph Légaré et les *Miracles de sainte Anne* d'Antoine Plamondon relèvent de la technique du collage, qui consiste à intégrer dans une œuvre des éléments empruntés à des sources iconographiques diverses pour créer une composition nouvelle. Cette technique, fréquente dans la production québécoise du XIXe siècle, sera utilisée par Plamondon en 1866 pour le tableau de la sainte Famille qui surplombe le maître-autel. L'église possède quatre autres tableaux du même artiste, copies d'œuvres de grands maîtres exécutées en 1867 et 1876. Il faut enfin dire un mot des nombreux vitraux. Réalisés en 1926 et au cours des années suivantes par la firme Hobbs & Co. de Montréal, ils représentent dix apôtres dans les oculi. Les grandes fenêtres figurent diverses scènes de la vie du Christ et de la Vierge.

Guy-André Roy, historien de l'art

GATIEN, Félix, David GOSSELIN et J.-Albert FORTIER. *Histoire du Cap-Santé*. Cap-Santé, [s. éd.], 1955. 332 p.

MORISSET, Gérard. *Le Cap-Santé, ses églises et son trésor*. Musée des beaux-arts de Montréal, 1980. 401 p.

NOPPEN, Luc. *Les églises du Québec (1600-1850)*. Québec et Montréal, Éditeur officiel du Québec/Fides, 1977. 298 p.

Fort Jacques-Cartier et manoir Allsopp

Cap-Santé
15, rue Notre-Dame

Fonction: public
Classés sites historiques en 1978

Au début de la colonie, Cap-Santé faisait partie de la seigneurie de Portneuf. En 1647, la compagnie des Cent-Associés la concède au sieur de la Potherie. De 1671 à 1723, elle appartient à Pierre Robineau.

Tout au long du XVIIᵉ siècle et au début du suivant, Cap-Santé est fréquenté principalement par les Amérindiens qui établissent leur campement à l'embouchure de la rivière Jacques-Cartier. Le recensement de 1666 ne relève aucun colon à Cap-Santé. Vingt ans plus tard, les premiers s'y installent définitivement. Leur nombre s'accroît et justifie la construction d'un moulin à farine, en 1701, d'une chapelle (située à Portneuf) et de la première église, vers 1718.

Des débuts de cette colonisation jusqu'à la Conquête anglaise, l'économie de Cap-Santé repose presque exclusivement sur l'agriculture, la pêche et le travail forestier. L'agriculture, surtout axée sur la culture du blé, fournit la farine, une denrée essentielle à la fabrication du pain. L'avoine et la pomme de terre sont aussi cultivées (1754), mais dans des proportions moindres. L'élevage y est également pratiqué. Le recensement de 1672 donne 240 arpents de terre cultivable, 1 575 boisseaux de semence de blé, 98 taures, 40 bœufs, 219 vaches, 124 moutons, 166 chevaux et 125 porcs.

Les premiers colons s'établissent le long du fleuve, en bordure du chemin du Roy. Les plus vieilles constructions de Cap-Santé se retrouvent d'ailleurs le long de cette route. C'est le cas du manoir Allsopp. La colonisation des terres intérieures débute en 1739 avec l'ouverture du rang du Petit-Bois-de-l'Ail, se poursuit en 1782 avec celui de l'Enfant-Jésus et en 1789 avec le rang Saint-François. À ce moment, Cap-Santé englobe le territoire des paroisses de Saint-Basile, Notre-Dame-de-Portneuf et Pont-Rouge.

Dans la seconde moitié du XVIIIᵉ siècle, la vie socio-économique de Cap-Santé, comme celle des autres paroisses de la colonie, subit les perturbations attribuables à la Conquête et à l'invasion américaine.

Pour contrer la menace anglaise, le fort Jacques-Cartier est érigé en 1759. Le 26 septembre, les ingénieurs tracent les lignes des ouvrages souhaités par le chevalier de Lévis sur la pointe de Jacques-Cartier et, dès le lendemain, les travaux commencent. À cette fin, les matériaux amassés pour la construction de l'église sont réquisitionnés et les soldats pillent les fermes avoisinantes pour se nourrir. En mars 1760, la boulangerie du fort et une partie du magasin sont incendiés. La poudrière échappe de justesse au désastre.

Le 10 septembre 1760, le colonel Fraser prend d'assaut le fort Jacques-Cartier. Quelques coups de feu sont échangés, mais rapidement le commandant français rend les armes. L'attaque dure moins d'une heure.

Le fort Jacques-Cartier représente un site militaire important. Toutefois, les fortifications peu visibles pourraient être aménagées de façon à mettre en évidence les techniques de construction militaire.

Le site du fort Jacques-Cartier se trouve à proximité du manoir Allsopp. Vers 1703, un terrain englobant l'emplacement de cette propriété a été concédé verbalement à Adrien Piché. À son décès en 1739, il existe une maison, probablement construite par Piché à son arrivée dans la baronnie de Portneuf; elle est pratiquement en ruine. Le 30 juin 1800, un acte notarié signale la présence d'une habitation sur ce terrain, appartenant à François Piché. Une maison s'y trouve avec une grange, une étable et quelques autres bâtiments, probablement des dépendances agricoles.

Ces deux actes notariés situent la date de construction du manoir Allsopp entre 1739 et 1800. L'examen de la maison par des spécialistes permet de dater cette construction du milieu du XVIIIᵉ siècle.

Le 3 septembre 1830, devant le notaire Jean-François Bernard de Cap-Santé, François Piché et son épouse Françoise Fisette vendent leur propriété à Georges Walter et Robert Allsopp. Cette vente comprend la maison et le jardin, mais également le site du fort. En 1910, ce dernier allait être partiellement amputé par la vente d'une lisière de terrain pour le passage du Canadian Northern Railway.

Lorsque les Allsopp prennent possession de la maison, elle a déjà subi des transformations. En effet, plusieurs indices, notamment l'examen de la charpente du toit, supposent un agrandissement. Le notaire mentionne sa construction en pierre, une remise de calèche accolée au mur pignon nord-est, un four à pain à proximité de la maison. Une annexe en bois a été ajoutée au mur nord, probablement au cours du XIXᵉ siècle.

Jusqu'en 1948, la maison ne subit aucune transformation majeure, des clichés de l'époque en font foi. Après cette date, quelques modifications apparaissent: outre la disparition des contrevents et le changement de couleur du revêtement des planches à clins, le percement de nombreuses ouvertures au rez-de-chaussée est effectué.

Construit le long du chemin du Roy comme la plupart des premiers établissements de la région, le manoir Allsopp sert de résidence seigneuriale jusqu'à l'abolition du régime. (Archives nationales du Québec à Québec, collection initiale).

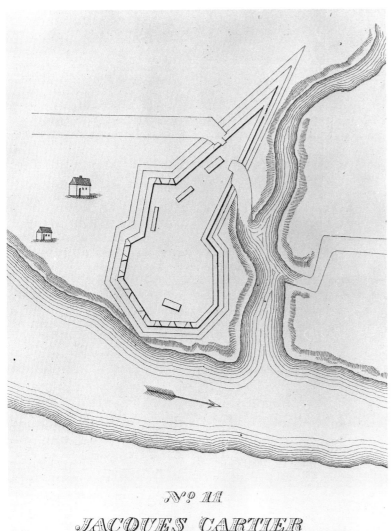

NO. 11

JACQUES CARTIER

See page 174

Plan du fort Jacques-Cartier *extrait du livre* Mémoires sur le Canada depuis 1749 jusqu'à 1760. *Ces fortifications ne sont malheureusement plus visibles aujourd'hui. (Archives nationales du Québec à Québec).*

Le manoir est isolé au milieu d'un boisé, comme le montre cette vue de l'arrière du bâtiment. L'annexe en bois a été ajoutée probablement au XIXᵉ siècle.

Pendant vingt-cinq ans, soit de 1830 jusqu'à l'abolition du régime seigneurial, la résidence Allsopp remplit sa fonction de manoir. Cependant, la maison possède les caractéristiques principales d'une maison de ferme plutôt que celles d'un manoir.

À l'origine, une habitation rectangulaire est construite, chapeautée d'un toit à deux versants à faible débord et dépourvu d'égout. Les portes et les fenêtres des quatre façades sont disposées asymétriquement. À l'avant, quatre baies percent le mur avec régularité (trois fenêtres successives et une porte). La cheminée centrale et la souche interrompent l'axe de faîtage.

Le carré de la maison, probablement en pierre des champs, soutient la charpente du toit dont les arbalétriers, fichés dans la sablière, se rejoignent au faîte. Un petit entrait les lie à mi-hauteur et une aiguille, qui y prend appui, soutient la panne faîtière et l'extrémité des arbalétriers. Les fermes sont réparties par paire de chaque côté du tuyau de la cheminée. La panne faîtière s'interrompt d'ailleurs pour la laisser passer. La charpente légère de la maison comprend seulement quatre fermes largement espacées pour soutenir la couverture.

L'agrandissement ultérieur de la demeure est bien intégré: les mêmes matériaux et le même procédé de construction sont utilisés pour allonger la maison. Sa dimension horizontale est accentuée, sans déformer sa masse et le jeu de ses proportions. Les nouvelles ouvertures conservent l'ordonnance et les dimensions des anciennes. La charpente de l'allonge se rapproche de celle de la maison originelle et respecte ainsi la ligne et la forme du toit.

Le manoir est assez bien isolé: un boisé de feuillus luxuriants le ceinture de la rue Notre-Dame jusqu'au fleuve. L'environnement est exceptionnel: outre le boisé, la présence de la rivière Jacques-Cartier à moins de cinq cents mètres au nord-est et celle du fleuve Saint-Laurent concourent à créer une atmosphère particulière. L'agencement, le caractère et le gabarit passablement homogènes des maisons avoisinantes ajoutent à la beauté des lieux.

Une laiterie, un hangar et un garage, en plus de la maison et de l'ancien fort Jacques-Cartier, confèrent au site une valeur historique et archéologique remarquable.

Jacques Dorion, ethnologue

BRODEUR, Yves, Céline DROLET et Jacques ROBERT. *Le manoir Allsopp: histoire, relevé et analyse.* Québec, ministère des Affaires culturelles, 1977. 60 p.

GAUMOND, Michel. *Le fort Jacques-Cartier, Cap-Santé. 1759-1760: histoire, relevé et analyse.* Québec, ministère des Affaires culturelles, 1977. 14 p.

Calvaire du cimetière Notre-Dame-de-Portneuf

Portneuf
Rue Notre-Dame

Classé monument historique en 1974

Les diverses représentations de la Passion, de la crucifixion, de l'*Ecce Homo* et de la *Pietà* représentent les sujets les plus prisés de l'époque victorienne. Elles éveillent la compassion et traduisent la fascination qu'entretiennent les fidèles pour les visions dramatisées de la douleur et de la mort. À partir des années 1850, les calvaires extérieurs remplacent progressivement les modestes croix de chemin.

Au tournant du siècle, le sculpteur Louis Jobin (1845-1928) exploite ce courant de dévotion, et devient un maître dans la production de christs en croix grandeur nature. Plus que ses concurrents, Louis Jobin sait susciter l'intérêt du public. Les calvaires à un ou à plusieurs personnages deviennent presque l'apanage du sculpteur. L'inventaire effectué à ce jour révèle une production de quelque 80 calvaires attribués à Louis Jobin au cours de sa longue carrière. Il fait preuve d'invention et aborde toutes les facettes du sujet, allant même jusqu'à sculpter des groupes de six personnages.

D'après les archives de la fabrique de Notre-Dame-de-Portneuf, le calvaire du cimetière paroissial date de 1885. Cette année-là, le livre de comptes et de délibérations de la paroisse mentionne un paiement de 110 $ pour un crucifix et une statue au cimetière. En 1913, la fabrique alloue un versement de 35,65 $ pour la réparation du même calvaire.

Sans signature, cette œuvre appartient à la production du sculpteur Louis Jobin. Originaire du comté de Portneuf, il façonne des calvaires destinés à diverses paroisses de cette région: à Cap-Santé (1887 et 1889), à Pont-Rouge (1890, 1920 et 1922), à Deschambault (1892), à Saint-Alban (1906), à Saint-Adelphe (1914), à Saint-Léonard (1917) et à Fossambault (1920).

Le calvaire du cimetière de Portneuf comporte un type de christ en bois polychrome très courant dans la production de Louis Jobin. Ce christ mort a les yeux fermés et la tête penchée vers l'épaule droite. Le *perizonium* est ajusté à la taille du christ par un gros nœud et une série de plis disposés en éventail dans le drapé en découlent. Les deux pieds sont cloués l'un à côté de l'autre sur le *suppedenum*. Les quatre clous du crucifié sont sculptés à même les pieds et les mains, tandis que les bras sont joints aux épaules par des chevilles de bois. Cette œuvre comporte, comme la plupart des calvaires extérieurs, une polychromie relativement récente. Les fleurs de lys de même que le *titulus* à l'inscription INRI, motifs usuels sur les croix de calvaires, ont vraisemblablement été façonnés par le maître sculpteur.

Réalisé en 1885 par le sculpteur Louis Jobin, Le Christ en croix *de Notre-Dame-de-Portneuf constitue l'un des nombreux calvaires sculptés par cet artiste. (Inventaire des biens culturels du Québec).*

De son propre aveu, Louis Jobin s'inspirait de modèles vivants pour rendre avec précision les proportions de ces christs en croix et pour sculpter les membres et le torse nus de ses personnages. En 1925, en réponse à Marius Barbeau qui lui demandait s'il avait déjà travaillé d'après nature, Louis Jobin affirme avoir conçu tous ses crucifix d'après des modèles vivants, durant les dix premières années de son séjour à Québec. Louis Jobin garde aussi, dans son atelier, des modèles réduits en bois de bras de crucifiés, sans compter des exemples de fleurs de lys et de *titulus* pour les croix.

Le traitement du *perizonium*, le rendu de l'anatomie et l'allure générale du christ de Notre-Dame-de-Portneuf rappellent la facture de très nombreux corpus réalisés par Louis Jobin tout au long de sa carrière. Il n'y a pas si longtemps, il s'en trouvait encore des exemples dans des dizaines de paroisses du Québec, le long des rangs, à la croisée des chemins, ainsi que dans les cimetières et à l'intérieur des églises. Plusieurs musées en conservent également dans leurs collections.

Mario Béland, historien de l'art

BÉLAND, Mario. *Louis Jobin, maître-sculpteur*. Québec et Montréal, Musée du Québec/Fides, 1986: 117.

Église Saint-Joseph

Deschambault
120, rue Saint-Joseph

Classée monument historique en 1964

Du promontoire où elle domine le fleuve Saint-Laurent, l'église Saint-Joseph se dresse au milieu des arbres et des espaces verts. Quelques bâtiments, comme le vieux presbytère, le presbytère actuel et le couvent s'y trouvent aussi.

L'église actuelle s'élève à proximité d'une plus ancienne, construite sur le cap Lauzon en 1720 par Joseph Fleury de la Gorgendière, seigneur de Deschambault. Cette première église en pierre comportait une sacristie, également construite avec des pierres provenant de la région et transportées par les habitants de Deschambault. Endommagée par les Anglais en 1759, puis restaurée, l'église sert au culte pendant plusieurs années après la Conquête.

L'augmentation de la population de Deschambault amène les paroissiens à construire un nouveau temple. En 1833, lors d'une assemblée de la fabrique, ils décident de bâtir une église, une sacristie et un chemin couvert, placé du côté nord-ouest, pour faire communiquer l'église et la sacristie. En 1834, la fabrique signe un marché avec François-Xavier Normand, maître charpentier de Trois-Rivières, pour les ouvrages de charpenterie et de menuiserie. Un an plus tard, la fabrique signe un marché avec Olivier Larue, maître maçon et entrepreneur, pour la construction de l'église, d'après les plans de l'architecte Thomas Baillairgé. En 1841, un autre marché est conclu avec le sculpteur André Pâquet, qui s'engage à réaliser la décoration intérieure de l'église, également conçue par Baillairgé. Pâquet termine les travaux en 1855. À la fois sculpteur, entrepreneur et architecte, André Pâquet naît en 1799 et décède à Québec en 1860. Élève de Thomas Baillairgé, il est son entrepreneur préféré et le meilleur exécutant de ses plans. Très prolifique, le sculpteur travaille parfois à deux ou trois chantiers en même temps. Il assiste aussi le sculpteur Léandre Parent, également auteur du mobilier de l'église de Saint-Elzéar-de-Beauce, dessiné par Thomas Baillairgé.

En 1873, Frédéric Baril ajoute un jubé afin d'y placer un harmonium. La même année, la fabrique procède à de nombreuses réparations, placées sous la responsabilité de l'architecte Zéphirin Perreault. La sacristie est alors allongée.

Vue de l'extérieur, l'église présente un plan en forme de croix latine avec des chapelles latérales à pans coupés et un chevet en hémicycle auquel s'adosse la sacristie; un chemin couvert est intégré à l'église comme un déambulatoire. L'église mesure 35 mètres de longueur et 17,5 mètres de largeur. La façade se compose d'une partie centrale en saillie et de deux tours latérales, couronnées de clochers qui débordent les murs des longs pans. Les ouvertures en plein cintre sont disposées de façon symétrique; leur ordonnance annonce les divisions intérieures de l'édifice. Des bandeaux en pierre de taille soulignent les angles.

Une impression de lourdeur se dégage de l'ensemble de la façade de l'église construite en 1835.

Vue latérale de l'église.

Le pignon de la partie centrale est formé d'un toit en croupe dans lequel s'incruste un amortissement en piédouche supportant une statue de saint Joseph. Les clochers actuels remplacent ceux de style néo-classique dessinés par Thomas Baillairgé.

Une impression de lourdeur se dégage de l'ensemble de la façade en raison des tours d'apparence massive et de l'élévation restreinte du bâtiment. La double rangée de fenêtres superposées et d'égale hauteur donne aux longs pans un effet d'évidement de la maçonnerie très réussi. Ce système permet d'éclairer deux étages à l'intérieur et produit, à l'extérieur, un effet de verticalité intéressant.

La nef est divisée en trois vaisseaux: les bas-côtés et la nef proprement dite. Des tribunes parcourent toute la longueur de l'église, y compris les chapelles latérales. L'étage du rez-de-chaussée est traité en bel étage, avec des pilastres cannelés et des chapiteaux corinthiens. Les tribunes sont traitées en forme d'étage en attique, moins élevé que l'étage inférieur. La voûte en berceau reçoit des arcs doubleaux alternant avec des espaces vides.

Le chœur est en forme d'hémicycle, mais un mur droit occupe le fond du sanctuaire. Un retable, exécuté à la fin du XIXe siècle, orne l'avant du mur droit. L'ornementation du chœur et de la nef est sobre et délicate, créant ainsi un espace intérieur dégagé.

Parmi les pièces de mobilier sculptées par André Pâquet, entre 1841 et 1849, on compte la chaire amputée de son abat-voix et classée œuvre d'art et le banc d'œuvre. Fait de noyer noir et de noyer tendre décoré d'un rang de feuilles d'acanthe, le banc d'œuvre a été exécuté dans le style de celui de l'église de Lotbinière. Les fonts baptismaux datent de 1856 et Zéphirin Perreault en est l'auteur.

L'église Saint-Joseph-de-Deschambault innove par certains détails et notamment la forme des chapelles latérales et l'emplacement du chemin couvert. Son intérêt le plus marquant réside dans son architecture intérieure, sobre et articulée.

En plus de l'imposante structure du retable dans le chœur, on remarque de grandes statues en bois placées à l'étage supérieur. Au nombre de dix, elles représentent la Vierge, le Christ, saint François Xavier, saint Grégoire le Grand, saint Ignace de Loyola et saint Louis. Acquises par la fabrique entre 1820 et 1824, pour décorer la première église de Deschambault, elles sont classées œuvres d'art. Attribuées à Louis-Thomas Berlinguet, elles ont été restaurées en 1956.

Parmi les tableaux classés, on remarque une œuvre de Jean-Baptiste Roy-Audy, le *Baptême du Christ*, signée et datée de 1824. Conservée au Musée du Québec, cette huile sur toile nécessiterait une restauration. Deux autres tableaux attribués à Roy-Audy, *L'Adoration des bergers* et *L'Adoration des mages* ornent également les tribunes de l'église.

L'église de Deschambault possède aussi plusieurs pièces d'orfèvrerie, aujourd'hui déposées au Musée du Québec et classées œuvres d'art. Né en 1739 et mort en 1819, l'orfèvre François Ranvoyzé est l'auteur d'un ciboire et d'une piscine achetés par la fabrique en 1807. L'église garde aussi un seau à eau bénite de Ranvoyzé. L'orfèvre Laurent Amiot, né en 1764 et mort en 1839, a pour sa part réalisé un calice et une lampe de sanctuaire achetés par la fabrique en 1804; ce modèle a servi pour de nombreuses églises, notamment celle de Saint-Nicolas. En 1834, la fabrique acquiert d'autres œuvres de Laurent Amiot, soit un baiser de la paix, des burettes et leur bassin.

Madeleine Gobeil-Trudeau,
historienne de l'architecture

GROUPE HARCART INC. *Fabrique Saint-Joseph de Deschambault, comté Portneuf.* Québec, ministère des Affaires culturelles, 1982. 177 p.

NOPPEN, Luc. *Les églises du Québec (1600-1850).* Québec et Montréal, Éditeur officiel du Québec/Fides, 1977: 102-105.

Vieux presbytère

Deschambault
106, rue Saint-Joseph

Fonction: public
Classé monument historique en 1965

L'église, le couvent, les vieux et nouveau presbytères ainsi que la salle des habitants sont regroupés sur la pointe du cap Lauzon qui surplombe le fleuve Saint-Laurent à Deschambault. Le vieux presbytère, qualifié ainsi depuis qu'il a été remplacé par l'actuel en 1872, se situe en arrière de l'église. Il est érigé de 1815 à 1818 dans le prolongement de l'ancien, lequel fut bâti entre 1730 et 1735. Ils coexistent avec l'ancien jusqu'en 1840, quand la partie construite sous le Régime français est démolie. Les fondations sont apparentes à l'avant de la façade ouest du bâtiment qui l'a remplacé.

En 1815, Augustin Houde, un entrepreneur marchand de Grondines, commence la construction du vieux presbytère, sous la direction du curé de la paroisse, Charles Denis Dénéchaud. Le devis des travaux spécifie que ce presbytère doit avoir les mêmes dimensions que celui de la paroisse de Sainte-Famille, sans toutefois préciser s'il s'agit de celle de l'île d'Orléans ou de Cap-Santé.

Ce presbytère, beaucoup plus spacieux, selon le désir du curé Dénéchaud, doit être suffisamment grand pour le loger ainsi que le vicaire résidant et les vicaires dominicaux. Il faut aussi héberger l'évêque et sa suite lors des visites épiscopales.

La documentation historique relative au vieux presbytère, jointe à l'analyse des vestiges encore existants, permettent d'imaginer les divisions originelles. La grande salle actuelle du rez-de-chaussée était divisée en trois et comprenait à l'ouest une salle à manger, à l'est la chambre du curé et au nord une pièce pour la tenue des assemblées. L'étage des combles se divisait en chambres. Jusqu'en 1840, la cuisine était située à l'est du rez-de-chaussée, dans la partie la plus ancienne.

En 1871, le second presbytère, difficile à moderniser au goût du jour, est remplacé par l'actuel presbytère. Dans un premier temps, le vieux presbytère sert à loger les employés de la fabrique ainsi que leurs familles. Entre 1895 et 1897, il est occupé par une école. Au début du XXᵉ siècle, il sert de fournil de remise et de grenier à dîmes. En 1955, un antiquaire de Deschambault le restaure en partie et l'entretient à ses frais. Finalement, en 1970, la Société du Vieux Presbytère de Deschambault est constituée et entreprend une restauration. Depuis 1971, le bâtiment est utilisé à des fins communautaires et culturelles.

Les nombreuses transformations de l'aménagement intérieur initial ont conservé malgré tout plusieurs éléments d'origine: les foyers, les solives apparentes des plafonds et la charpente du type à chevrons portant fermes, avec poinçons et croix de Saint-André.

Marthe Lacombe, historienne de l'art

DELISLE, Luc. *La petite histoire de Deschambault 1640-1963*. Québec, [s.éd.], 1963. 236 p.

FRENETTE, Yves. *Le Cap Lauzon et ses «vieux presbytères»*. Rapport de recherche dans le cadre du projet Perspectives-Jeunesse, Deschambault, 1974. 35 p.

SOCIÉTÉ DU VIEUX PRESBYTÈRE. *Deschambault, historique et touristique*. Deschambault, 1984. n. p.

De l'ancien presbytère, érigé de 1730 à 1735, il ne reste que les fondations visibles à l'avant-plan. La construction qui le remplace sert successivement de résidence privée, d'école et finalement de centre culturel et communautaire.

Maison de la veuve Grolo

Deschambault
200, chemin du Roy

Fonction: privé
Classée monument historique en 1971

La maison de la veuve Grolo comprend un corps principal et une annexe servant de fournil. Les murs des deux sections sont en pierre, mais ceux de la maison sont masqués par un revêtement.

En mai 1688, le seigneur d'Eschambault recense ses terres. À ce moment, Pierre Grolo, son épouse Geneviève Laberge et leur fils Jean-Baptiste habitent Deschambault.

La maison porte le nom de veuve Grolo, car elle l'a fait construire vers 1715, après la mort de son mari. La maison est habitée par la famille Grolo et ses descendants. Puis, après 1800, se succèdent les familles Gauthier, Paquin et de Télesphore Chavigny de La Chevrotière, arpenteur-géomètre. En 1900, la veuve Florence Hamelin la vend à Georges Arcand, pilote du Saint-Laurent.

La maison Grolo mesure 13 mètres de longueur sur 10 mètres de profondeur avec une annexe formant un fournil. La construction, faite en deux étapes, comprend un corps principal et une aile. La nature de la pierre et les niveaux des fondations diffèrent entre ces deux parties. Les murs de pierre de la maison Grolo sont enduits, mais ceux de l'annexe ont été laissés à la pierre.

Les ouvertures de la maison sont constituées de croisées de pierre de taille; les fenêtres dans le mur arrière sont de dimensions beaucoup plus réduites que celles du rez-de-chaussée. Les croisées de l'annexe sont de bois. La toiture à deux versants,

recouverte de tôle à la canadienne, est surmontée de deux souches de cheminée symétriques, exceptionnellement larges et hautes, aussi recouvertes de tôle. L'annexe comporte une cheminée en pierre. La charpente de la maison ne comprend aucun faîtage et les premiers faux entraits consistent en de minces planches horizontales clouées à même les chevrons. Malgré la présence de pannes, les planches de la toiture sont posées horizontalement sur les chevrons.

Des planches de 12 centimètres installées sur des madriers composent les planchers du rez-de-chaussée de la maison Grolo. Les cloisons de bois sont enduites et les portes sont toutes d'assemblage à panneaux moulurés. Un placard dans le salon du logement sud-ouest semble correspondre à une ancienne ouverture menant à l'extérieur. L'escalier, relativement ancien, date de la fin du XIXe siècle. Deux foyers existent au rez-de-chaussée. Celui du salon possède un linteau et un jambage de pierre de taille, et celui du nord-est est bouché. L'annexe possède aussi un foyer avec un jambage et un linteau en pierre de taille layée.

À l'étage, les planchers comprennent des planches de 8 à 12 centimètres de largeur installées sur des madriers. Les murs de pierre sont enduits et recouverts de papier

peint; les cloisons centrales sont faites de planches verticales avec rainures. Les portes à quatre panneaux s'ornent de baguettes moulurées. Des planches embouvetées et moulurées constituent les plafonds.

Le dégagement des percées visuelles sur la maison, la vocation agricole de l'arrière-plan du paysage, l'architecture traditionnelle et le caractère champêtre de la demeure font de la maison de la veuve Grolo un édifice remarquable au cœur du village de Deschambault.

Étienne Poulin, ethnologue

FOURNIER, Rodolphe. *Lieux et monuments historiques de Québec et ses environs*. Québec, Éditions Garneau, 1976: 113.

LEAHY, Georges et Pierre LAGUEUX. *Maison La Veuve Grolo. Relevé et analyse*. Québec, ministère des Affaires culturelles, 1980.

THIBAULT, Marie-Thérèse (compilatrice). *Monuments et sites historiques du Québec*. Québec, ministère des Affaires culturelles, 1978: 111.

Maison Delisle

Deschambault
172, chemin du Roy

Fonction: privé
Classée monument historique en 1963

À Deschambault, la silhouette de la maison Delisle, sise au numéro 172 du chemin du Roy, se dessine à un peu plus d'un kilomètre à l'est du village. Durant près de 225 ans, cette habitation a appartenu à plusieurs générations d'agriculteurs de la famille Delisle.

Cette maison, construite par étapes, fut d'abord érigée vers 1648, par le maître maçon Paul Chalifour pour François Chavigny, sieur de Deschereau. Entre 1672 et 1682, le gouverneur Frontenac agrandit ce bâtiment pour en faire un entrepôt et un magasin pour ses troupes.

En août 1759, le général James Wolfe apprend d'un déserteur français que d'abondantes provisions sont conservées dans cette maison de Deschambault. Il ordonne à James Murray d'attaquer ce poste. Selon le journal de Jean-Claude Panet, les Anglais pillent la maison du capitaine Perrot où se trouvent des provisions et des effets appartenant aux soldats qui y logent. En partant, ils incendient la maison.

En 1764, lors de la liquidation de ses propriétés en Nouvelle-France, peu avant son départ pour Cayenne en Guyane française, le major-général de l'armée française, Paul Perrot, vend à Augustin Delisle cette maison aux trois quarts calcinée et une terre de 175 mètres sur 1 750 mètres.

Orientée dans le sens est-ouest et mesurant 13 mètres de longueur sur 9 mètres de profondeur, la maison Delisle rappelle l'architecture rurale traditionnelle très représentative de Deschambault. Elle possède un toit à deux versants recouvert de bardeaux d'asphalte depuis 1967 et percé de trois lucarnes du côté sud, face au fleuve. La souche de la cheminée ouest a été refaite la même année. La charpente est faite de chevrons espacés de 75 centimètres et posés sur les pannes de l'ancienne. Elle comporte aussi des entretoises et un sous-faîtage. Le mur pignon ouest est recouvert de ciment, tandis que de la pierre enduite recouvre ceux à l'est et au nord. Le mur avant sud possède un appareillage plus régulier et présente des traces d'enduit.

La maison aurait possédé une travée de plus. En fait, lors des rénovations entreprises à la fin des années 1960, une quantité considérable de pierre des champs se trouvait sous le prolongement du mur pignon est.

À l'exception d'une fenêtre au rez-de-chaussée sur le mur pignon ouest, les neuf ouvertures de la maison comportent des encadrements de pierre de taille. L'entrée principale est fermée d'une porte à deux battants et la base des jambages en pierre de taille est élargie et moulurée. Un fournil en blocs de béton et recouvert de pierre s'élève à l'arrière, perpendiculairement à la maison. Avant 1968, il était construit en bois.

Jusque vers 1920, les murs à l'intérieur étaient à la pierre et enduits; aujourd'hui, les cloisons, faites de petites planches verticales avec des rainures, donnent l'effet de deux planchettes dans une seule. À l'origine, une seule cloison divisait le rez-de-chaussée dans l'axe de l'entrée. Cette cloison ancienne de planches embouvetées et moulurées, percée d'une porte vitrée de seize carreaux, comporte deux caissons aux panneaux soulevés. Les autres portes comprennent quatre caissons aux moulures appliquées et datent de la fin du XIXe siècle ou du début du XXe siècle. Le plafond du XIXe siècle se compose de planches embouvetées et moulurées et de boîtes autour des poutres. Un foyer, surmonté d'une tablette moulurée en pierre de taille, complète l'aménagement du rez-de-chaussée. L'escalier, qui menait vers le centre de l'étage, est remplacé vers 1920 par un nouvel escalier qui conduit maintenant vers le mur extérieur nord. À l'étage, les murs des deux pièces ouvertes sont en pierre apparente jusqu'au grenier. Dans les chambres, les cloisons sont de planchettes verticales.

Cette maison s'inscrit bien dans un paysage rural caractérisé par la vocation agricole du milieu.

Étienne Poulin, ethnologue

La maison Delisle a été érigée en plusieurs étapes, à compter de 1648. La tôle qui recouvrait le toit de la maison en 1925 a été remplacée par des bardeaux d'asphalte en 1967. (Archives nationales du Québec à Québec, collection initiale).

Maison F.-R.-Neilson-Sewell

Deschambault
106, chemin du Roy

Fonction: privé
Reconnue monument historique en 1978

Lᴀ maison Sewell représente l'un des premiers monuments de Deschambault. Érigée sur un site enchanteur, facilement accessible, cette maison attire l'attention du voyageur qui circule sur le chemin du Roy et laisse présager la richesse de l'architecture du village.

Une chaîne de titres de propriété complexe livre difficilement l'histoire de cette maison assez peu connue et probablement construite au cours du premier quart du XIXᵉ siècle, en raison de nombreuses analogies avec d'autres maisons de Deschambault. Cette propriété appartient à la même famille depuis 1880; Carl de Lindenberg Sewell et Reginald T. Sewell l'ont acquise à cette époque et, aujourd'hui, Francis Reginald Sewell occupe toujours le site.

La maison Sewell s'insère dans la trame seigneuriale et, comme quelques autres constructions anciennes de Deschambault, elle est adossée à une terrasse. À cet endroit, le niveau du sol atteint celui du fleuve et les inondations sont fréquentes à l'automne et au printemps. Pour les protéger de ces crues saisonnières, on a érigé les habitations loin de la rive.

Située en retrait de la route, la maison Sewell est bordée par des champs sur trois côtés; à l'arrière, vers le nord, la maison prend appui sur la terrasse. Des arbres d'essences variées entourent la maison. De chaque côté, le dégagement s'étend sur plus d'un kilomètre et demi et les percées visuelles abondent. Depuis la façade on aperçoit le fleuve et la rive sud.

Les proportions, la toiture très haute et le type de charpente donnent à la maison Sewell les caractéristiques de la maison d'inspiration française. Ce type architectural est bien représenté à Deschambault (maisons Paquin, Rosario-Dufresne, Pierre-Mayrand et Joseph-Delisle). Le site de la maison Sewell met en valeur ce monument historique.

La structure de pierre mesure 13,3 mètres sur 10,3 mètres; elle compte un seul étage et un comble. Le toit, probablement en bardeaux à l'origine, est temporairement couvert de papier noir. Deux souches de cheminée prolongent les pignons au-delà du toit dans l'axe du faîtage; chacune d'elles dessert un foyer. Les murs pignons et le mur arrière forment un appareil de pierre irrégulier et seul le mur pignon ouest est crépi. La façade, dressée en pierre de carrière, forme un appareil plus régulier. Dans la cave subsiste un mur de refend.

Depuis la fin des années 1970, la maison est inhabitée. Des travaux importants, entrepris depuis, ne sont pas encore terminés. Les outrages du temps ont modifié son apparence, mais la structure demeure en place, malgré son état lamentable. Le monument mérite d'être sauvegardé et mis en valeur à cause de sa remarquable intégration au site. De plus, il représente un des premiers témoignages du peuplement de cette portion du territoire.

Étienne Poulin, ethnologue

GᴀᴜᴛʜɪᴇR, Marcel. *Maison Sewell, 106, chemin du Roy, Deschambault. Histoire, relevé et analyse.* Québec, ministère des Affaires culturelles, 1978.

Occupée depuis son origine par la famille Sewell, la maison se situe dans un lieu pittoresque et enchanteur qui capte inévitablement l'attention du voyageur. (Inventaire des biens culturels du Québec).

Moulin de La Chevrotière

Deschambault
109, rue de Chavigny

Fonction: public
Classé monument historique en 1976

Le moulin et sa petite dépendance ont été restaurés après leur acquisition par la municipalité en 1978.

Lᴇ moulin de La Chevrotière se trouve à la limite des municipalités de Grondines et de Deschambault, en retrait de la route 138, sur l'ancien tracé du chemin du Roy appelé rue de Chavigny. Cet imposant bâtiment à deux étages construit en pierre et en bois possède une toiture de bardeaux percée de deux rangées de lucarnes à fronton. Érigé en 1802, le moulin possède une dépendance qui constitue en réalité le premier moulin en pierre du fief de La Chevrotière, bâti en 1766.

Ces deux constructions représentent les derniers témoins de l'intense activité économique qui a régné sur les bords de la rivière La Chevrotière au siècle dernier. Dans ce hameau pittoresque s'élèvent un manoir, plusieurs maisons, la boutique du forgeron, celle du cordonnier, un petit chantier naval de même qu'un autre moulin à farine (1849). Leur histoire se confond avec celle du fief de La Chevrotière.

En 1672, le fief est concédé par Jean Talon à Éléonore de Grandmaison. Deux ans plus tard, elle l'échange à son fils contre une terre à l'île d'Orléans. François Chavigny nomme son nouveau fief La Chevrotière, en l'honneur de son beau-père, propriétaire d'une terre de ce nom en France. Le seigneur de La Chevrotière n'habite jamais son domaine mais remplit cependant ses devoirs, notamment par la construction d'un moulin banal, où les habitants de la seigneurie doivent faire moudre leur grain. Joseph Chavigny de La Chevrotière est responsable de la construction du deuxième moulin à eau et les emprunts qu'il effectue entre 1802 et 1806 permettent de suivre l'évolution des travaux.

Un carré de pierre de 20 mètres de longueur sur 13 mètres de largeur et 13 mètres de hauteur constitue le moulin. Les pignons en charpente sont recouverts de planches et de bardeaux. Des chambranles en bois ornent chaque fenêtre. Les trois façades visibles du chemin sont construites en pierre d'assise dégrossie et piquée. Le moellon brut compose la façade arrière. La maçonnerie n'a jamais été enduite. La toiture en bardeaux de cèdre est supportée par une charpente du type à chevrons portant fermes, dont chaque ferme possède trois entraits.

Rusticité de l'intérieur

À l'intérieur, la partie orientale, consacrée au logement du meunier, est dotée de plafonds en planches à couvre-joints. Des enduits recouvrent les murs. La section moulin demeure en pierre apparente et les plafonds comportent des solives et madriers apparents. Les solives du plafond d'une partie de la cave sont constituées de billes de cèdre équarries sur quatre côtés. Ce vaste bâtiment ne possède qu'un seul foyer situé sur le mur est, dans la partie qui sert de logement.

Le moulin en 1945.
(Inventaire des biens
culturels du Québec).

Un bail au maître farinier de Cap-Santé énumère en 1816 une partie de la machinerie contenue dans le nouveau moulin: deux moulanges, deux bluteaux, un crible, ses mouvements tournants, une chaussée, des dalles et d'autres ustensiles et dépendances. Une fois mis en place, ces nouveaux équipements remplacent progressivement l'ancien moulin de 1766, désormais utilisé comme écurie.

Au moment de la construction du moulin à farine, vers 1802, plusieurs co-propriétaires se lient directement ou indirectement à la famille de La Chevrotière. Mais, à partir de 1873, Trefflé Gariépy, maître meunier, et son frère Octave, commerçant de Deschambault, se portent acquéreurs du moulin. À cette époque, le développement de nouvelles techniques permet de carder la laine, de fouler et de teindre l'étoffe.

Le moulin reste entre les mains de la famille Gariépy jusqu'en 1913. Toutefois,

dès 1837, Louis Gariépy, époux de Marguerite Chavigny de La Chevrotière, acquiert des parts et le moulin demeure la propriété de la famille pendant plus de soixante-dix ans. En 1922, le nouvel acquéreur, Arthur Goudreau, installe une génératrice pour produire la force motrice et ajoute un moulin à scie au bâtiment. À sa mort, en 1955, le moulin cesse toute activité.

Laissé à l'abandon pendant plusieurs années, le moulin est acquis par la municipalité en 1978. Grâce aux efforts conjugués de la municipalité, de deux corporations sans but lucratif et du ministère des Affaires culturelles, l'édifice est restauré. À l'extérieur, le bâtiment conserve et restitue les éléments anciens et évolutifs jugés essentiels à la perception du volume et de la fonction originelle.

Entre-temps, une nouvelle vocation voit le jour: le Centre d'apprentissage des métiers traditionnels de la construction

ouvre ses portes en 1980. Ainsi ce témoin du régime seigneurial, construit au début du XIXe siècle, accueille aujourd'hui les artisans des métiers du bois, du fer et de la pierre. Ils acquièrent et perpétuent ainsi les traditions et les techniques préindustrielles.

Marthe Lacombe, historienne de l'art

ARÈS, Paul-E. *Restauration, aménagement et utilisation du moulin de La Chevrotière*. Deschambault, Corporation du moulin de La Chevrotière, 1978. 72 p.

BLOUIN, C., Y. FRENETTE, M. GAUTHIER et Y. TREMBLAY. *Dossier sur le moulin Octave-Gariépy*. Deschambault, Société du Vieux Presbytère, 1975. 105 p.

DELAGE, P. *Rapport préliminaire de la recherche historique sur les moulins du fief de La Chevrotière*. Deschambault, Corporation du moulin de La Chevrotière, 1978. 17 p.

Presbytère

Grondines
490, route 138

Fonction: privé
Classé monument historique en 1966

L‍e presbytère de Grondines est situé entre l'église et la route 138. Il s'agit du second construit dans cette localité. Le premier a été érigé en 1742 et se trouvait près du fleuve Saint-Laurent, y subissant les fortes crues du printemps et de l'automne. Un siècle plus tard, soit en 1842 ou 1843, la fabrique érige l'actuel bâtiment. La réalisation des travaux est confiée à Augustin Leblanc, entrepreneur et sculpteur local; le curé Jean Olivier Leclerc supervise les travaux.

Exception faite de l'entretien courant ainsi que de quelques modifications mineures, les principales transformations apportées au presbytère surviennent en 1879 et 1880. À cette époque, la façade postérieure du côté de l'église reçoit plus d'ampleur. La porte d'entrée est remaniée et une large lucarne-fronton dotée de trois fenêtres apparaît au centre de la toiture. Les entrepreneurs Perreault et Dolbec de Deschambault exécutent les travaux. À l'intérieur, un escalier à vis est érigé dans le style néo-Renaissance. Ils ajoutent alors la chambre sud-ouest, une salle de bain ainsi que des pièces de rangement sous les combles. À cette date, le curé Joseph S. Martel cultive des vignes et des légumes dans la serre située le long de la façade principale du presbytère.

Enfin, en 1966, plusieurs bâtiments annexes sont démolis: une glacière, une étable, deux hangars ainsi qu'un fournil adjoint au corps principal en 1900.

Le presbytère de Grondines se rattache au courant néo-grec qui caractérise la dernière période du néo-classicisme. La composition de la porte d'entrée de la façade postérieure, la large lucarne-fronton qui la surmonte et les corniches sous les avant-toits relèvent de ce style. De fausses colonnes de bois figurent sous les avant-toits qui se retournent en pignons.

L'organisation symétrique des ouvertures en façade antérieure et postérieure illustre aussi le style néo-classique. Deux fenêtres sont disposées de part et d'autre des portes d'entrée. La position centrale de ces dernières ainsi que les souches de cheminée disposées en pignons à chacune des extrémités du bâtiment, traduisent également une organisation axiale de l'espace intérieur.

Construit en pierre, le presbytère mesure environ 16 mètres sur 12. Il possède une cave, surmontée d'un rez-de-chaussée, légèrement surélevé du côté de la façade principale, et un comble aménagé en chambres sous le grenier.

La toiture à deux versants droits est surmontée de cheminées recouvertes de tôle à la canadienne. Le comble est éclairé en façade postérieure par la large lucarne-fronton ainsi que par trois lucarnes du côté de la façade antérieure. De ce côté, une galerie couverte est soutenue par des poteaux avec balustrade. Sa toiture prend appui sous l'avant-toit central. Les pignons percés de six ouvertures sont lambrissés de larges planches disposées verticalement.

L'intérieur, remanié partiellement en 1879-1880, conserve plusieurs éléments de cette époque, notamment l'escalier. Les murs ou divisions en plâtre sur lattes, les lambris de plafond, les manteaux de cheminée et plusieurs portes remontent à l'origine de la construction.

Malgré les nombreuses transformations survenues lors du dernier tiers du XIXᵉ siècle, le style d'origine du presbytère a été préservé.

Étienne Poulin, ethnologue

LECLERC, Laurent. *Les Grondines: trois cents ans d'histoire.* [s.l.], Ateliers de Montmagny, 1980.

La façade qui donne sur l'église fut dotée d'une lucarne-fronton en 1879 ou 1880.

Influencé par le style néo-grec, le presbytère conserve son apparence d'origine qui remonte à 1842-1843.

Moulin à vent

Grondines
Route 138

Fonction: public
Classé bien archéologique en 1984

L A seigneurie de Grondines a été concédée aux sœurs hospitalières de l'Hôtel-Dieu de Québec en 1637. Un premier moulin banal est érigé sur le site en 1674. Le marché de construction passé avec le meunier Pierre Mercereau précise qu'il s'agit d'un moulin-tour en pierre. Le premier meunier à travailler à ce moulin à vent est originaire de la Poterie (Portneuf). Gilles Massey a auparavant œuvré dans deux moulins pour mgr de Laval sur la Côte-de-Beaupré.

En 1683, les religieuses vendent la seigneurie à Jacques Aubert. En 1711, Aubert retourne en France et vend alors la moitié de sa seigneurie à son gendre Louis Hamelin. Après diverses transactions, Hamelin devient l'unique propriétaire de la seigneurie de Grondines.

Dans l'acte de foi et hommage, rendu en 1723, le seigneur Jacques Hamelin déclare posséder un moulin à vent pour moudre la farine. Entre 1753 et 1781, la seigneurie passe entre les mains de plusieurs propriétaires.

En 1792, Mathew McNider acquiert les titres de la seigneurie. À la suite de plusieurs transactions, le nouveau seigneur parvient à lui redonner ses dimensions d'origine en 1804. Après la mort de McNider en 1811, Moses Hart en devient propriétaire. Peu après, la seigneurie passe à Pierre Charay, puis, en 1831, à Peter Burnet.

En 1871, le sénateur David Edward Price l'achète à son tour. Entre 1883 et 1895, elle passe aux mains de John Evan Price puis de William Price. Quant au moulin à vent, il cesse de fonctionner vers 1880 et William Price le vend au gouvernement fédéral en 1912. Transformé en phare, il sert à la navigation sur le fleuve Saint-Laurent. La machinerie est enlevée, les murs sont réparés et haussés de 30 centimètres et l'intérieur est lambrissé. L'escalier est refait et la toiture devient fixe. Des ouvertures sont réaménagées ou percées au premier et au second étage.

En 1972, le gouvernement fédéral cesse d'utiliser l'ancien moulin et le cède à la municipalité de Grondines qui, lors des célébrations reliées à son tricentenaire, en restaure l'extérieur pour lui redonner son apparence d'origine. Depuis ce temps, l'ancien moulin à vent sert de centre d'artisanat et d'animation culturelle.

Pierre-Yves Dionne, ingénieur et ethnologue

DESJARDINS, Pierre. *Les moulins à vent du Québec*. Québec, ministère des Affaires culturelles, 1982. 42 f.

MIVILLE-DESCHÊNES, Gilles et Gérald. *Nos moulins à vent*. Québec, Éditeur officiel du Québec, 1977. 15 f.

Restauré vers 1972, le moulin retrouve son aspect extérieur d'origine.

De Québec à Baie-Sainte-Catherine

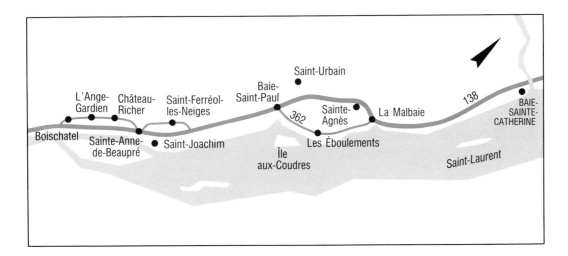

EN 1626, les hommes de Guillaume de Caen débarquent au pied du cap Tourmente, à la frontière de la côte de Beaupré et du beau pays de Charlevoix. À cet endroit, les Laurentides touchent le fleuve tout en démarquant la plaine côtière des vastes étendues de forêt.

À l'ouest de ce cap s'étendent les terres agricoles de la vallée du Saint-Laurent qui s'étalent en terrasses successives et se terminent sur les berges du fleuve. Sur la côte de Beaupré, entre les chutes de la rivière Montmorency et le cap Tourmente, ces terrasses, où coulent des rivières pourvoyeuses d'énergie, constituent les éléments d'un habitat privilégié.

À l'est, le pays offre les montagnes et la mer, car le nom de fleuve ne suffit plus pour décrire cette immense nappe d'eau au-delà de la pointe de l'île d'Orléans.

La rive sud échappe à la ligne d'horizon. Entre ces grands caps qui bougent encore sous l'effet des forces tectoniques, on trouve les plus anciennes formations rocheuses de notre planète, quelques terrasses résiduelles de la plaine côtière et les embouchures alluvionnaires des rivières qui abritent quelques-uns des premiers lieux d'occupation du Canada. Le pays est aussi remarquable pour sa forêt: ses pins géants dressés à flanc de montagne et baignés par les brumes du fleuve, ses immenses étendues de sapins, d'épinettes, de peupliers baumiers et de bouleaux blancs, traversées de rivières.

Un front pionnier

Les hommes de Guillaume de Caen, ceux de la compagnie des Cent-Associés dès 1627, puis les colons de la Société de Beaupré à partir de 1640 occupent rapidement tout le territoire, de Montmorency à Saint-Joachim, des chutes au cap Tourmente. Des seigneuries et des fiefs morcellent les terres. Au cours des années 1660, l'occupation du pays de Charlevoix s'amorce: la baie Saint-Paul sert de porte d'entrée. Les bonnes terres situées au fond de la vallée et sur les quelques étroites terrasses des environs attirent les colons.

À l'instigation de l'intendant Jean Talon, certains viennent y fouiller les anfractuosités des éboulis à la recherche de fer, de salpêtre et de soufre pour la métropole. L'exploitation des forêts apporte aux vaisseaux des mâtures de pins blancs et rouges.

Cette vaste côte, s'étendant des chutes de la rivière Montmorency au fjord du Saguenay, est d'abord fréquentée de façon saisonnière par les Amérindiens. L'implantation européenne sur le territoire s'amorce par la rive, et à cet endroit surgissent les premiers espaces d'occupation permanente de la colonie. N'eût été des destructions guerrières, les plus anciens témoignages d'architecture de l'époque coloniale s'y retrouveraient.

Après la Conquête, les gens se rassemblent autour des églises laissées intactes et, patiemment, la construction du pays

De Québec à Baie-Sainte-Catherine

reprend. Les fermes réapparaissent, les terres sont subdivisées, l'activité renaît dans les moulins à farine et la vie s'organise autour des paroisses. Tout ce coin de colonie abandonné se replie dans une autarcie tranquille. Les rapports sociaux gravitent autour du clocher.

Vers 1800, l'occupation de plus en plus dense du territoire agricole entraîne une migration des descendants des pionniers de la Côte-de-Beaupré vers d'autres régions. La culture du blé occupe alors la plupart des cultivateurs de la côte. Mais l'affaissement de ce marché et une demande accrue de bois pour l'Angleterre réorientent l'économie agraire. En même temps, le développement de l'arrière-pays forestier s'amorce, notamment dans Charlevoix, qui accueille le trop-plein de main-d'œuvre rejeté à proximité de l'ancienne mer de Champlain.

Une région clé

Bientôt, le pied de la chute Montmorency est occupé par l'enfilade des bâtiments de la compagnie Hall and Patterson. Le cri strident des scies à madrier s'élève dans le vacarme sourd de la cataracte qui crache dans sa fureur blanche les billes de bois noir que des draveurs attirent doucement vers des eaux plus calmes. Dans les forêts de Charlevoix, une même effervescence d'exploitation ouvre les territoires des seigneuries de Mount Murray et de Murray Bay. Les fils des premiers colons et les nouveaux arrivants, d'origine anglaise, écossaise, irlandaise et allemande, arrachent à la montagne les précieux billots et les transportent

jusqu'aux moulins à scie situés à l'embouchure des rivières ou à des petits quais où des goélettes les chargent vers d'autres moulins, d'autres villages ou d'autres bateaux en direction de l'Angleterre. Deux goélettes semblables à ces petits transporteurs sont de nos jours conservées précieusement à La Malbaie et à l'île aux Coudres.

Les maisons s'alignent régulièrement tout le long du chemin du Roy et se resserrent un temps pour marquer chacun des villages, entre L'Ange-Gardien et Saint-Joachim. L'architecture s'est peu à peu transformée au fil des ans. Certes, les grandes maisons de ferme en beaux moellons blanchis sont toujours en place avec leur grange, leur poulailler et leur étonnante petite voûte de pierre servant de caveau à légumes. Mais il y a maintenant des galeries de bois chantourné et des petits balcons qui s'accrochent aux façades autrefois sans ornement. Dans les villages, le clin coloré des maisons contraste avec les grands murs gris des couvents et des églises érigés avec le beau calcaire bien taillé de Château-Richer. Puis, l'architecture victorienne apparaît, avec des oriels, des tourelles, des clochetons en dentelle de bois, qui font contraste avec notre ère de sévérité.

Vers l'arrière-pays

Depuis 1889, le train traverse le pays de part en part, faufilant chacun des petits villages sur son double fil d'acier. Aux chutes Montmorency, une auberge a remplacé l'hôtel particulier du duc de Kent; à Sainte-Anne-de-Beaupré, le lieu de pèlerinage voit sa popularité grandir d'année en année. Le

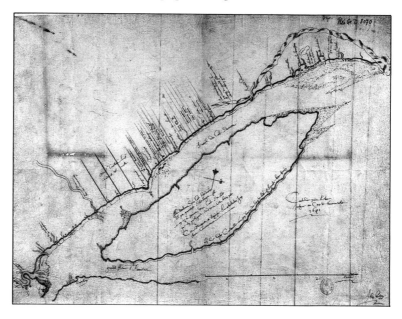

Le territoire de la Côte-de-Beaupré est rapidement occupé, comme en témoigne cette carte de 1641 dessinée par Jean Bourdon. (Archives nationales du Québec à Québec, fonds Office du film du Québec).

De Québec à Baie-Sainte-Catherine

Après avoir occupé les meilleures terres situées dans le fond des vallées, les habitants de Charlevoix s'établissent sur les minces terrasses des environs. Le village des Éboulements témoigne des efforts déployés par les colons pour tirer profit d'une nature ingrate.

petit train ne s'arrête pas là. Bientôt, il contourne l'avancée du cap Tourmente et progresse au pied des falaises, presque au fil de l'eau, jusqu'au cœur du pays de Charlevoix où il favorise l'industrie forestière en pleine expansion et fortifie une tradition de villégiature saisonnière. Lentement s'entrouvre la porte du fer, la porte de la Côte-Nord.

Aujourd'hui, la route a doublé la voie ferrée. Chaque été, le pays de Charlevoix fait le plein de vacanciers. Même les montagnes aux dos ronds qui semblaient dormir tout l'hiver, comme les ours, s'animent maintenant autour de pentes de ski. Les grandes villas des riches villégiateurs du début du siècle se transforment en auberges. À Clermont, dans la vallée de la rivière Malbaie, un moulin de pâtes et papier fume comme celui de l'Abitibi-Price à Beaupré. Aux pieds de la grande chute Montmorency, une filature de coton remplace les moulins de la compagnie Hall and Patterson. Cette filature (la Dominion Textile) vient d'ailleurs de fermer ses portes. Entre la rivière Montmorency et la rivière Sainte-Anne, sur la côte de Beaupré, dans la plaine littorale et sur la terrasse ou en contrebas, la banlieue s'étend et absorbe les villages des premiers défricheurs.

Paysage contrasté

On entre dans ce paysage sous l'acclamation du tonnerre de la cataracte. Cette rivière calme et sinueuse qui se précipite avec force dans le fleuve préfigure déjà la magnificence du pays de Charlevoix, qui sert en quelque sorte d'écrin aux monuments historiques.

L'essentiel des grands éléments du paysage humanisé de la côte de Beaupré tient au mode d'implantation choisi sous le régime seigneurial. Le partage des terres en longues bandes étroites, grossièrement perpendiculaires au fleuve, fait en sorte que chaque occupant possède un accès au cours d'eau par une extrémité de son lot. L'autre extrémité de la terre s'enfonce dans la forêt. Entre les deux s'étendent les champs et les jardins. Ces terres étroites favorisent la concentration de l'habitat en rang et entraînent des relations de voisinage et d'entraide.

Sur la côte, la présence du ressaut de terrasse désigne l'espace à construire et renforce le caractère linéaire de l'implantation villageoise. La dénivellation partage la plaine littorale et favorise les cultures maraîchères. Elle offre, en contrebas, un espace à l'abri et, sur son rebord, un promontoire pour embrasser du regard la terre impartie. S'ajoute à la caractéristique de l'emplacement stratégique de la ligne de terrasse parallèle au fleuve, le rythme régulier d'apparition des cours d'eau qui, à chaque fois, dévalent le ressaut en cascade. Alors, inévitablement, des moulins voient le jour sur ces sites, comme celui du Petit-Pré à Château-Richer.

De Québec à Baie-Sainte-Catherine

La tradition architecturale

Ainsi se développe un long corridor de fermes, ponctué du renflement des villages et rythmé par l'apparition de grands bâtiments institutionnels. À L'Ange-Gardien et à Saint-Louis-de-l'Isle-aux-Coudres, de remarquables petites chapelles de procession marquent l'entrée des paroisses.

L'habitation traditionnelle orne ce parcours. Elle y est à la fois multiforme et typique. Des exemples de cette architecture primitive, aux formes simples en carrés de moellons crépis et aux toitures de bois à longs pans, apparaissent dans le manoir Charleville à Boischatel, la maison Laberge à L'Ange-Gardien et la maison Racine à Sainte-Anne-de-Beaupré. Mais aussi l'assemblage inattendu et complexe des formes, des couleurs et des matériaux surgissent de l'architecture quotidienne et vivante. Entre les deux s'insère la longue séquence de l'évolution de l'architecture vernaculaire québécoise.

La Côte-de-Beaupré offre un échantillonnage particulièrement riche de cette séquence. La maison de la Grande Ferme du Séminaire représente un magnifique exemple de cette synthèse du temps qu'expriment les formes architecturales: l'avant-toit protège désormais une longue galerie et de fines ornementations victoriennes grimpent aux balustrades et aux poteaux, chantournent les ouvertures pour animer une façade originellement lisse et blanche.

La subtile modulation de chaque lieu se reflète dans l'architecture et les formes d'implantation. La côte se caractérise par la façon dont certaines maisons s'appuient à l'adossement de la terrasse. Ainsi, la façade sur la rue offre un espace habitable et largement ouvert du côté bas de la pente alors que le mur arrière reste enfoui jusqu'à l'étage. De la même manière, des caveaux à légumes sont intégrés en contrebas. Plusieurs constructions et aménagements, encore présents autour de la ferme, permettent de s'accommoder du ressaut de terrasse. Tout le long du parcours, selon l'implantation d'un côté ou de l'autre du chemin Royal, en bas ou en haut de l'escarpement, l'atmosphère et le paysage se modifient constamment.

Ainsi, les grandes fermes, les voûtes d'arbres, les refends lumineux des maisons, le fleuve et l'île, l'étreinte des villages, l'éclair des clochers et, sur la dernière avancée de terrasse, avant la montagne et la mer, l'architecture blanche comme un phare du Petit Cap constituent les formes architecturales marquantes de cette région. Le parcours de la Côte-de-Beaupré s'achève là où débute son histoire.

À la fin du XIXe siècle, le chemin de fer relie Charlevoix à la Côte-de-Beaupré. Ce lien ferroviaire stimule l'industrie forestière et la villégiature dans la région. (Carte postale, Archives nationales du Québec à Québec, fonds Magella-Bureau).

Construite sur une terrasse, l'église de Château-Richer domine l'escarpement où s'alignent les maisons ancestrales aux murs de pierre ou de bois. (Picturesque Canada, cahier n° 3, p. 79).

De Québec à Baie-Sainte-Catherine

Le cap Tourmente marque la limite de la Côte-de-Beaupré. Cette photographie de Jules-Ernest Livernois montre les vastes propriétés du Séminaire de Québec à Saint-Joachim. (Archives nationales du Québec à Québec, fonds Livernois).

La frange récente

Le chemin s'enfonce ensuite dans l'austérité du paysage de montagne de Charlevoix. Les premiers colons pénètrent dans l'arrière-pays pour développer Saint-Tite, Saint-Hilarion et Sainte-Agnès.

Il existe quelques résidences emmuraillées, avec des toits à deux versants reposant délicatement sur des bases droites ou recourbées, comme les maisons Bernier et Burnham à Saint-Ferréol, et comme les maisons Bouchard et Leclerc à l'île aux Coudres. Mais on trouve surtout des constructions en bois, des maisons en pièce sur pièce dans la forêt toute proche, des granges à la façon du rang Saint-Jean-Baptiste, des églises toutes simples à l'extérieur et d'une étonnante richesse à l'intérieur, comme celle de la paroisse Sainte-Agnès.

Ces villages de l'arrière-pays possèdent un caractère différent. L'habitat dispersé forme des agglomérations dissemblables. Le long corridor continu entre le renflement des villages n'existe plus. Le régime seigneurial s'estompe au profit d'un lotissement en «township». L'implantation des villages reste néanmoins linéaire et le clocher de l'église, toujours éminemment présent. L'architecture est moins bavarde, plus modeste, sauf pour les maisons de villégiature accrochées aux falaises de la côte.

Partout le site est déterminant et la nature présente une force irrésistible. L'architecture et les agglomérations jouent de ruse avec cette géographie tourmentée: une vallée tapissée par la résille des champs alignés; un village posé par morceaux dans l'escalier d'un cap qui descend à la mer; des villas somptueuses, enfoncées dans de discrets taillis de cèdres; quelques ports sans bateau et la mer de plus en plus présente. Soudainement, la barrière du Saguenay apparaît: la rivière aux reflets d'acier vient trancher vif la côte.

Le pays de Charlevoix est d'une beauté âpre. Ses paysages tant de fois peints et contemplés dans la douceur des salons représentent le lieu d'un dur combat de colonisation. Les monuments anciens sont là pour le rappeler.

Claude Michaud, architecte

LA MUNICIPALITÉ RÉGIONALE DE COMTÉ. *La Côte des Beaux Prés, chemin des Ancêtres.* Québec, [s. éd.], 1982. 52 p.

GROUPE DE RECHERCHES EN HISTOIRE DU QUÉBEC RURAL. *La Côte de Beaupré (XVIIᵉ au XXᵉ siècle). Son développement socio-économique et son potentiel archéologique.* Tome I. Québec, [s. éd.], 1982. 608 p.

LÉONIDOFF, Georges-Pierre. *Origine et évolution des principaux types d'architecture rurale au Québec: le cas de Charlevoix.* Thèse de doctorat. Université Laval, Québec, 1980. 860 p.

Maison Jacob-Turcotte

Boischatel
5361, avenue Royale

Fonction: privé
Classée monument historique en 1973

Cette maison blanche de l'avenue Royale à Boischatel laisse planer quelques mystères sur ses origines. Bien qu'un inventaire après décès mentionne la date de 1839, d'autres indices mis au jour lors de la restauration suggèrent une date de construction antérieure.

En bordure de l'avenue Royale, dans la municipalité de Boischatel, une maison blanche avec un toit à deux versants couvert de bardeaux occupe un vieux terroir. En 1661, Raymond Paget (Pagé) et ses enfants entreprennent le défrichement du lot; la famille conserve cette terre du fief de Charleville jusque vers 1750. Au début du XIXᵉ siècle, la ferme passe à la famille Jacob puis, une centaine d'années plus tard, elle est acquise par les Bouchard. Michel, Joseph et Aima Bouchard, ainsi que son mari, Maurice Turcotte, en sont propriétaires jusqu'en 1972.

À l'origine, cette terre de 117 mètres de front s'étendait depuis le fleuve sur près d'une lieue et demie de profondeur. Vu l'ancienneté de l'occupation du lot, la maison actuelle ne date certainement pas de la période de la première concession. Les inventaires après décès, entre autres, permettent de croire qu'elle aurait été construite en 1839 par la famille Jacob. Toutefois, au cours de la restauration, il est apparu qu'elle pourrait être antérieure à cette date. En effet, certaines de ses composantes cor-respondent à des modes de construction utilisés vers la fin du Régime français ou peu après la Conquête. Soulignons au passage ce fait particulier: au XIXᵉ siècle, une partie des combles a servi d'école.

La maison Turcotte est une ancienne habitation de ferme et occupe la partie centre sud du lot original. Cette construction de pierre couvre un espace de 11 mètres sur 9. La pierre utilisée, du calcaire de Trenton, fut extraite des nombreuses carrières des côtes de Beauport et de Beaupré. Crépis à l'extérieur, les murs sont enduits à l'intérieur. Dix ouvertures, quatre en avant, quatre en arrière et une de chaque côté, percent les murs. Toutes ces ouvertures ont été restaurées et la quincaillerie refaite dans un atelier de forge selon les modèles originaux.

La toiture à deux versants comprend deux lucarnes à l'avant et une autre à l'arrière, probablement ajoutées au XIXᵉ siècle. Le revêtement de la toiture, en bardeaux de cèdre, a été remplacé récemment.

Au centre de la maison s'élève une grande cheminée de pierre percée d'un âtre. Autrefois, ce foyer se doublait d'un four à pain, d'où l'importance du socle de pierre au sous-sol. Le long des murs enduits, des appuis-chaises et une moulure de bois ceinturent tout le rez-de-chaussée. Le mur pignon recèle une petite armoire encastrée dans la maçonnerie. Le plafond du rez-de-chaussée se compose de larges planches supportées par de fortes poutres apparentes.

La charpente, du type à chevrons portant fermes avec faîte et sous-faîte, intègre des pannes qui relient les chevrons. Un entrait de base, appelé casse-jambe, joint les sablières de l'avant et de l'arrière. Dans le grenier, une chambrette, sorte de cabane installée près de la cheminée, permet à l'engagé de la ferme de s'y retirer pour dormir. Cet élément revient dans quelques habitations anciennes, comme la maison Imbault-Guimont à l'île d'Orléans.

Claude Reny, aménagiste-géographe

LE FRANÇOIS, Jean-Jacques. *Les 300 ans de l'Ange-Gardien (1664-1964)*. Québec, [s. éd.], 1964. 72 p.

Manoir Charleville

Boischatel
5580, avenue Royale

Fonction: privé
Classé monument historique en 1965

L'histoire de l'occupation agricole de cette terre domaniale débute par sa concession, vers 1654, à Germain Le Barbier. Connue sous l'appellation de terre du Caput et décrite dans les contrats de l'époque comme «proche de la longue pointe» par rapport au fleuve, elle se trouve vraisemblablement à proximité de la plaine littorale, visible de la rivière Montmorency. Sa mise en valeur débute au moment où Charles Aubert de la Chesnaye en devient propriétaire, en 1660.

Aubert conclut un bail à ferme avec Marc Barreau jusqu'en 1674. En 1667, une maison, une grange et une étable s'y trouvent et son occupant exploite 1 750 mètres de terre. Important commerçant de la colonie, Aubert de la Chesnaye possède une dizaine de seigneuries. En 1677, il obtient de mgr François de Laval, seigneur de Beaupré, que sa propriété de Caput soit constituée en fief; son associé Charles Bazire en partage la moitié avec lui. De 1674 à 1683, la terre est louée par bail à Jacques Marette dit Lépine.

Au terme de ce contrat, un bail lie Jean Trudelle et son fils Nicolas à la terre du domaine; leurs descendants l'occupent pendant près de 150 ans. En 1694, Nicolas Trudelle acquiert la propriété, puis cède ensuite l'arrière du fief de Charleville à mgr de Laval,

toujours seigneur de Beaupré. L'habitation de la ferme du Caput, désignée désormais comme une terre «en pure roture», perd son statut de manoir, et un fermier réside sur la seigneurie de Beaupré.

En 1829, l'ancienne terre domaniale passe à Pierre Cauchon, l'époux de Marie Trudelle. Le mariage de leur fille Léocadie avec François Huot, en 1853, laisse l'exploitation de la ferme entre les mains des descendants Huot jusqu'en 1964. À cette date, un nouveau propriétaire l'acquiert, la restaure et lui donne son apparence actuelle.

Une résidence en mutation

Coiffée d'un toit en croupe, souligné à chaque extrémité par des épis de faîtage et percé en son centre par une large souche de cheminée, cette construction de pierre mesure 19 mètres sur 9.

D'après les documents et les quelques relevés, elle a été érigée en trois étapes. Dès 1677, Marc Barreau cultive la terre et une construction en pierre y existe déjà. Certains relevés de la maçonnerie actuelle, de la charpente et des vestiges d'un mur au sous-sol indiquent un premier corps de logis d'approximativement 7 mètres sur 7.

En 1729 et 1759, des inventaires décrivent la maison et un bas-côté mesurant 12,6

mètres sur 9. Un agrandissement du côté est survient durant la première moitié du XVIIIe siècle. Le foyer est alors doublé, et la toiture prolongée. À quelques différences près, la charpente est reprise et se compose de chevrons portant fermes à faîte, sous-faîte et croix de Saint-André.

Plus tard, un agrandissement provoque l'abattement du mur du côté ouest, comme en témoignent des vestiges au sous-sol. Au grenier, un type nouveau d'assemblage de la charpente occupe l'espace correspondant. Modifié et surmonté d'un pignon droit vers la fin du XIXe siècle, ce mur ouest se voit remplacé lors de la restauration par une croupe afin de faire pendant à celle de l'autre extrémité de la toiture.

Claude Reny, aménagiste-géographe

LE FRANÇOIS, Jean-Jacques. *Les 300 ans de l'Ange-Gardien (1664-1964)*. Québec, [s. éd.], 1964. 72 p.

GARIÉPY, Raymond. *La terre domaniale du fief de Charleville*. L'Ange-Gardien, [s. éd.], 1965. 70 p.

Cette maison construite par un fermier de Charles Aubert de la Chesnaye devint en 1677 le manoir de la terre domaniale du fief de Charleville.

Maison Laberge

L'Ange-Gardien
24, rue de la Mairie

Fonction: privé
Classée monument historique en 1974

CETTE maison occupe la terre concédée à Nicolas Durand en 1658. À la suite de son décès prématuré, en 1663, sa veuve se remarie la même année avec Robert Laberge. Jusque vers 1970, les descendants de cette union conservent et se transmettent ce bien familial durant douze générations.

Une première maison en bois érigée sur le lot cède la place, en 1674, à une maison en pierre d'environ 10 mètres de long. Agrandie du côté ouest en 1692, elle est de nouveau prolongée du côté est en 1791, ce qui lui donne ses dimensions actuelles de 21 mètres sur 7,6.

Du côté est de la maison, un appentis a été ajouté; cette pièce sert de chambre froide et de laiterie. Les charpentes de la partie centrale et de la section ouest sont apparentées: les liaisons des pièces, entre les pannes faîtières et les poinçons, sont constituées par des aisseliers. Dans la partie est, les fermes possèdent deux entraits et les aisseliers sont plus courts. La toiture se prolonge à l'avant comme à l'arrière par des avant-toits retroussés, ajoutés au XIXᵉ siècle. La tôle à la canadienne a remplacé le bardeau de cèdre originel. Trois souches de cheminée percent la toiture, dont une fausse qui se trouve au-dessus du mur pignon ouest.

À l'intérieur, le rez-de-chaussée comporte deux foyers. Celui qui s'appuie contre le mur pignon comprenait un four à pain, démoli au début du siècle; l'autre, situé au centre de la maison, remonte au début du XXᵉ siècle et a remplacé le foyer d'origine.

Claude Reny, aménagiste-géographe

LEFRANÇOIS, Jean-Jacques. *Les 300 ans de l'Ange-Gardien (1664-1964)*. Québec, [s. éd.], 1964. 72 p.

La maison Laberge connaît deux agrandissements, l'un du côté ouest en 1692 et l'autre du côté est près d'un siècle plus tard.

Chapelles de procession Laberge et Brisson

L'Ange-Gardien
Avenue Royale

Fonction: public
Classées monuments historiques en 1981

À moins de deux kilomètres l'une de l'autre, de part et d'autre de l'église de L'Ange-Gardien, deux petites chapelles se dressent en bordure de la route. Leurs formes simples et leur fine élégance attirent le regard du passant. La fonction de ces deux édicules et les raisons qui ont poussé les habitants de l'une des plus anciennes paroisses de la Côte-de-Beaupré à les construire demeurent peu connues.

En l'absence de sources historiques, tels les livres de comptes de la paroisse, aujourd'hui disparus, il faut recourir aux précisions fournies par l'abbé René Casgrain dans l'histoire de L'Ange-Gardien.

Le contenu du testament de l'abbé Louis-Gaspard Dufournel, curé de la paroisse de 1694 à 1753, fournit quelques indications précieuses. Dufournel lègue la somme de cent livres pour l'ornementation d'une chapelle dite de la Sainte Vierge; il donne également cent livres «pour être pareillement employé à l'ornement d'icelle dite chapelle» de Saint-Roch. L'intérêt de l'abbé Dufournel à leur égard et son désir d'assurer leur pérennité suggèrent leur érection durant sa cure.

Par ailleurs, René Casgrain mentionne que «ces deux petites chapelles ont été restaurées en 1821, par les soins de monsieur Germain dit Langlois, alors curé de L'Ange-Gardien». La nature des travaux et leur envergure demeurent imprécises. Après examen des chapelles, on peut cependant affirmer qu'elles ont vraisemblablement été en bonne partie reconstruites à cette époque, et l'une d'elles transformée à la fin du XIXe siècle.

La chapelle Laberge sise à l'est du village.

Témoins d'une époque

Ces deux chapelles, connues sous les patronymes de Brisson et de Laberge, doivent leur nom aux deux familles qui ont assuré leur entretien. Ces petits édifices appartiennent à la fabrique et servaient de reposoirs lors des processions religieuses.

Vraisemblablement construites simultanément, elles possèdent des dimensions semblables d'environ 5 mètres sur 7 et proposent un plan terminé par une abside en hémicycle. Leurs murs de pierre, revêtus de crépi, comprennent un portail cintré en façade et deux fenêtres rectangulaires sur chacun des côtés. Le chambranle des fenêtres, d'un type courant dans l'architecture domestique, remonte au XIXᵉ siècle: il se compose de légers pilastres supportant un linteau évoquant un fronton triangulaire.

Des contrevents garantissent les fenêtres des intempéries. Un chambranle fortement mouluré entoure la porte et le châssis de tympan qui la surmonte. La toiture de bardeaux de cèdre déborde légèrement sur le mur pignon et se retrousse au-delà des murs gouttereaux.

À l'extérieur, les deux chapelles se différencient par leur couronnement. Celle des Brisson, à l'ouest, possède une tour de facture simple qui a remplacé un beau clocher octogonal. Cette tour se compose d'une courte base, surmontée d'un tambour à plan carré couvert d'une flèche incurvée. Un épi de faîtage se dresse au sommet de la croupe de l'abside.

La chapelle Laberge, à l'est, possède une tour et un clocheton plus élaborés de même que des amortissements qui témoignent de l'engouement pour le style néo-gothique à la fin du XIXᵉ siècle. La tour se compose d'une base et d'un tambour de plan carré percé de baies couvertes d'un arc brisé, un motif d'inspiration gothique; une flèche octogonale surmonte le tout. Quatre pinacles marquent les angles. Le clocheton, formé d'un tambour octogonal couvert d'un toit à l'impériale, a remplacé un épi de faîtage semblable à celui de la chapelle Brisson. Deux amortissements en bois recouverts de tôle ornent les angles du mur pignon.

À l'intérieur, peu de choses distinguent les chapelles: les murs sont crépis, la fausse voûte constituée de planches est légèrement surbaissée et terminée par un cul-de-four à six pans. Dans la chapelle Brisson, des planches masquent les arêtes du cul-de-four. Une corniche continue fait le lien entre le mur et la fausse voûte et constitue le seul élément décoratif à l'intérieur. Deux autels et des balustrades meublaient auparavant ces édicules.

Les chapelles de procession de L'Ange-Gardien représentent les plus anciennes structures de ce type. Elles témoignent de la vigueur d'une pratique religieuse jadis très populaire au Québec: la procession. Malgré leur état de conservation pitoyable, elles contribuent à l'intérêt de l'une des routes les plus pittoresques du Québec.

Jacques Robert, historien de l'architecture

ROBERT, Jacques. *Les chapelles de procession du Québec*. Québec, ministère des Affaires culturelles, 1979. 163 p.

La chapelle Brisson.

Maison Thibaud

Château-Richer
8124, avenue Royale

Fonction: privé
Reconnue monument historique en 1978

Lʌ première mention de cette résidence remonte à 1782; le document décrit une petite maison de pierre flanquée d'une étable en bois. Pierre Thibaud l'habite quelque temps après son arrivée à Château-Richer, en 1739. Cette habitation, érigée après 1739 et incendiée lors du siège de Québec en 1759, est reconstruite au lendemain de la Conquête. Elle représente l'une des plus anciennes maisons de la Côte-de-Beaupré.

Tradition familiale

Cette habitation, construite en deux temps d'après la tradition familiale, comprend un carré d'origine dans la partie ouest, d'environ la moitié de la superficie du bâtiment actuel; l'agrandissement du côté est s'est effectué peu après.

D'autres indices confirment la tradition familiale, tels le pignon ouest, entièrement fait de pierre, et celui de l'est qui s'interrompt à la hauteur du premier étage. Le mur de l'est se compose d'un revêtement de planches verticales fixées sur la ferme de tête, sur lequel on a disposé des planches à

clins. Au début du XIXᵉ siècle, la cheminée se trouvait au centre de la toiture; par la suite, elle fut repoussée à l'extrémité est. À l'intérieur, une discontinuité du plancher et du plafond apparaît au niveau de la troisième poutre; cependant, la charpente, vraisemblablement refaite au moment de l'agrandissement de la maison, ne laisse paraître aucune reprise.

Située tout près du chemin Royal, la résidence a été déplacée récemment un peu en retrait de la route à cause de plusieurs accidents de la circulation survenus à cet endroit. Ses dimensions sont de 12 mètres sur 9 mètres et elle possède un rez-de-chaussée surmonté d'un comble. Sa toiture à deux versants avec des avant-toits retroussés comprend des lucarnes disposées d'une façon symétrique, ajoutées au XIXᵉ siècle. Originellement en bardeaux de cèdre, la toiture a été recouverte de tôle à baguettes dans les années 1930.

À l'intérieur, le rez-de-chaussée, autrefois divisé en plusieurs pièces, comprend actuellement une salle unique. Les murs sont

laissés à la pierre apparente et un foyer occupe le centre du mur pignon est. Un petit escalier à angle droit, d'une facture ancienne, conduit à l'étage supérieur. Deux chambres et des espaces de rangement logent sous le comble. Servant à l'origine de maison de ferme, cette résidence accueille tour à tour plusieurs familles, dont les Thibaud (vers 1740-1782), les Cauchon (1782-1783), les Huot (1783-1787), les Gagnon (1787-1827), les Gravelle (1827-1836), les Prémont (1836-1837), les Trépanier (1837-1928) et les Cloutier (depuis 1928).

Béatrice Chassé, historienne

BAKER, Joseph. *Château-Richer (Montmorency I), maison Cloutier: histoire, relevés, analyse.* Québec, ministère des Affaires culturelles, 1976. 2 volumes.

GARIÉPY, Raymond. *Le village du Château-Richer (1640-1870).* Québec, Société historique de Québec, 1969. 168 p. (Coll. «Les Cahiers d'histoire», n° 21).

GARIÉPY, Raymond. *Les seigneuries de Beaupré et de l'île d'Orléans dans leurs débuts.* Québec, Société historique de Québec, 1974. 266 p. (Coll. «Les Cahiers d'histoire», n° 27).

La maison Thibaud vers 1925.
(Inventaire des biens culturels du
Québec).

Maison Racine

Sainte-Anne-de-Beaupré
9050, avenue Royale

Fonction: privé
Classée monument historique en 1975

Étienne Racine s'établit sur la Côte-de-Beaupré au cours des années 1650. Ses descendants s'installent dans la région de Château-Richer et de Sainte-Anne-de-Beaupré. Le premier carré de la maison, érigé peu après la Conquête, a été construit par Racine et correspond à la partie est du bâtiment actuel. Il s'allonge vers l'ouest après que la famille Paré l'acquiert en 1809. La cheminée centrale délimite les deux sections en pierre qui mesurent au total 22 mètres de longueur sur 7 mètres de largeur. Une laiterie, annexée par la suite au mur pignon est, des dépendances agricoles et un caveau s'élèvent sur le terrain.

La rencontre de deux influences

Par ses caractéristiques externes, la maison Racine témoigne des remaniements dont elle fit l'objet au début du XIXᵉ siècle. L'influence néo-classique apparaît dans la répartition symétrique de ses ouvertures en façade principale, dans les avant-toits retroussés de sa toiture et dans la présence d'une fausse cheminée sur un de ses pignons. En revanche, son rez-de-chaussée de plain-pied et ses murs crépis dénotent l'origine plus ancienne de la résidence et s'inscrivent dans la continuité de l'architecture rurale de la région sous le Régime français.

L'ensemble de la charpente, du type à chevrons portant fermes, remonte à la période de son agrandissement. La toiture, actuellement recouverte de tôle à la canadienne, possédait à l'origine un recouvrement de bardeaux puis de tôle à baguettes.

Restaurée et modernisée à nouveau dans les années 1970, la maison conserve plusieurs éléments anciens, tels les deux foyers du rez-de-chaussée, un four à pain, une armoire encastrée et plusieurs éléments menuisés. En 1980, un incendie a lourdement endommagé le bâtiment qui, depuis, demeure inoccupé.

Béatrice Chassé, historienne

LAHOUD, Pierre. *Sainte-Anne-de-Beaupré, maison Racine.* Québec, ministère des Affaires culturelles, 1974.

La maison Racine comporte deux sections séparées par la cheminée centrale. La partie est a été construite peu après la Conquête alors que la partie ouest remonte au début du XIXᵉ siècle. La photographie présente la maison avant l'incendie de 1980. (Inventaire des biens culturels du Québec).

Maison Bernier et laiterie

Saint-Ferréol-les-Neiges
2078, avenue Royale

Fonction: privé
Classée monument historique en 1972

Construite au milieu du XVIIIᵉ siècle, la maison Bernier possède plusieurs caractéristiques de l'architecture d'inspiration française: foyer central, absence de fondations, disproportion entre la hauteur des murs et celle du toit.

Vue de l'arrière de la maison et de la laiterie en 1945. (Inventaire des biens culturels du Québec).

Sise au 2078 de l'avenue Royale, à Saint-Ferréol-les-Neiges, la maison Bernier date des années 1740. En pierre, crépie à l'intérieur et à l'extérieur, remarquablement bien conservée, la maison possède toujours sa charpente, ses planchers, ses plafonds et ses armoires encastrées d'origine. La laiterie disparue est reconstruite en 1971 selon les vestiges retrouvés sur le site.

Il existe peu de renseignements sur cet édifice, son évolution et ses habitants. Une chose demeure certaine toutefois: les propriétaires ont fait preuve d'un souci de préservation remarquable. Les matériaux traditionnels ont été respectés: le bardeau de bois pour les versants de toit, le crépi pour le revêtement des murs de pierre, le bois pour les ouvertures ornées de contrevents. Ce souci du détail se manifeste également lors de la reconstruction de la laiterie en appentis sur le long pan arrière, selon des proportions harmonieuses.

Une maison d'esprit français

Selon la typologie stylistique proposée par Michel Lessard, en 1972, dans son *Encyclopédie de la maison québécoise*, la maison Bernier possède une structure d'inspiration française. La première caractéristique de ce type architectural s'illustre par son inadaptation au climat, notamment pour le chauffage assuré par un foyer central dont la souche de cheminée perce le faîte du toit. Ce type de maison ne comporte pas de fondations, pratique courante aux XVIIᵉ et XVIIIᵉ siècles en milieu rural. D'ailleurs, l'absence de dégagement en sous-sol explique la présence d'une annexe en appentis occupée par la laiterie.

Un troisième élément contribue à la définition de l'habitat d'esprit français: la disproportion entre la hauteur des murs de façade et celle du toit, le carré de maçonnerie paraissant écrasé par la masse de la toiture.

De façon générale, ces maisons d'esprit français comprennent un nombre restreint d'ouvertures, d'assez faibles dimensions, pour se protéger du froid.

La maison Bernier possède certaines particularités, telles un épais mur de refend supportant la masse du foyer qui s'étire vers le faîte. On a là une trace de reprise, confirmée par l'épaisseur des murs extérieurs; la maison aurait été érigée en deux temps, et la section à l'est constitue vraisemblablement la plus ancienne. Des différences notables apparaissent aussi entre les deux parties de la maison sur le relevé effectué en 1971: les solives et la charpente évoquent deux époques.

La maison Bernier présente un détail architectural inhabituel: sur l'axe de faîtage, deux petites excroissances s'élèvent de part et d'autre de la souche de cheminée. Ces épis de faîtage prolongent habituellement le poinçon de la charpente. Lorsque plusieurs éléments de la charpente s'assemblent au même point, la partie qui reçoit tous les tenons se prolonge pour accroître la solidité. Dans certains cas, les épis sont purement décoratifs; il faut alors parler d'épis menteurs.

Située à flanc de colline, la maison Bernier appartient à son paysage; soigneusement restaurée, elle correspond aujourd'hui à l'image familière d'un monde rural idéalisé où il faisait bon vivre.

Jacques Dorion, ethnologue

En collaboration. *Carnet de santé de la maison Bernier et laiterie*. Québec. Service de la mise en valeur du patrimoine, en collaboration avec la Commission des biens culturels, [s.d.]. n. p.

Maison Burnham

Saint-Ferréol-les-Neiges

Fonction: privé
Classée monument historique en 1965

Vraisemblablement construite au cours de la première moitié du XVIIIᵉ siècle, la maison Burnham est un monument remarquable à plusieurs égards. Au cours du siècle dernier, cette ferme constituait certainement un établissement exceptionnel intégré à son environnement. Érigée à près d'un demi-kilomètre de la voie publique, elle fait face aux Laurentides et la forêt délimite les champs et les pâturages. Exception faite d'un intermède entre 1922 et 1962, la maison Burnham appartient depuis ses origines à la famille Côté.

Le passage des ans a altéré et modifié la fonction originelle de la résidence Burnham. Cependant, elle demeure un excellent témoignage de la maison du XVIIIᵉ siècle dans la région de Québec. Une photographie des années 1930-1940 la présente dans toute sa splendeur. La simplicité du plan au sol dénote un corps de logis long et peu profond avec, en annexe, une cuisine d'été. La tradition artisanale se manifeste dans la robustesse de ses murs, la sobriété de son apparence, la justessse de ses proportions, l'élancement de la toiture coupée de lucarnes et la disposition des cheminées.

L'absence d'information historique empêche d'évaluer l'ampleur des modifications apportées au fil des ans à l'édifice. Les traces d'une seconde porte sur la façade principale indiquent une construction en deux temps, mais cette impression s'amenuise à l'examen de l'emplacement des cheminées ainsi qu'à l'étude de la facture des moulures de parement des fenêtres et des portes. Les renseignements concernant la démolition de l'annexe et des lucarnes, le remplacement de la toiture en bardeaux et la modification de la structure de la toiture se font aussi très rares.

Aujourd'hui converti en remise, le bâtiment présente un état de détérioration avancé. Il offre néanmoins d'intéressantes possibilités de restauration. Un dossier historique bien étoffé et des relevés précis permettraient sans aucun doute de réévaluer une partie des connaissances sur l'habitat rural du XVIIIᵉ siècle sur la Côte-de-Beaupré.

Michelle Dolbec, historienne de l'art

Cette photographie de 1925 représente probablement la maison Burnham qui a subi des transformations majeures par la suite. (Archives nationales du Québec à Québec, collection initiale).

La maison Burnham sert aujourd'hui de remise.

Église Saint-Joachim

Saint-Joachim
165, rue de l'Église

Fonction: public
Classée monument historique en 1959

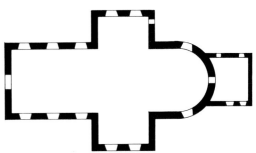

Plan de l'église dans son état originel. (Dessin: André Cloutier).

Le chevet et le côté. (Service des ressources pédagogiques, université Laval. Photo: Paul Laliberté).

L<small>A</small> première église de Saint-Joachim se dresse dans l'ensemble architectural développé autour de la ferme du Séminaire. Construite en 1685-1686 et agrandie vers 1725, elle a été détruite au moment de la Conquête. Des fouilles effectuées lors du troisième centenaire du Séminaire ont permis d'en dégager les fondations.

L'église actuelle, située plus à l'intérieur des terres, s'ouvre au culte en 1779, au moment même où le Séminaire reconstruit l'ensemble du Petit Cap en remplacement de la ferme. Relativement simple, le plan de l'église reprend les caractéristiques de l'architecture du Régime français: croix latine prolongée par une abside en hémicycle et clocher en façade. Ses proportions un peu plus étirées distinguent cette église de la précédente.

En 1805, une petite sacristie s'élève à l'arrière du chœur, libérant ainsi le rond-point jusque-là occupé par l'ancienne sacristie. Cette dernière est reliée à l'église par un chemin couvert, de 1815 jusqu'en 1877. En 1860, des ouvriers allongent le temple par l'avant. La façade actuelle, œuvre de l'architecte David Ouellet, date de 1895. Les parties anciennes, soit la nef, les chapelles et le chœur, sont contenues entre deux adjonctions de la fin du XIXe siècle.

L'empreinte des Baillairgé

L'ornementation intérieure, modeste au départ, comprend le sanctuaire divisé en deux par une cloison et la sacristie. En 1784 et 1785, François Baillairgé livre les premières pièces de sculpture: le tabernacle, la chaire et les chandeliers du maître-autel. Ce tabernacle représente la première œuvre exécutée par l'artiste après son retour de Paris, où il étudia à l'Académie royale. Sa forme et son décor innovent par rapport à la tradition établie au Québec. Cette pièce de composition soumet la sculpture au cadre architectural. La sculpture fine, la justesse et l'équilibre de l'ornementation en font une des œuvres majeures au Québec après la Conquête. Elle annonce le grand art des années 1820.

En 1811, grâce à un legs considérable du curé Corbin, la fabrique entreprend un vaste programme d'ornementation intérieure. Nommé exécuteur testamentaire, l'abbé Jérôme Demers, procureur du Séminaire, fait appel à François et Thomas Baillairgé pour réaliser l'ornementation de l'église.

En 1816, les Baillairgé entreprennent les travaux qui se poursuivent pendant plus de dix ans. Le retable et l'ornementation du chœur apparaissent les premiers, suivis de la voûte et de ses ornements, puis des retables latéraux. Louis-Thomas Berlinguet exécute la chaire et le banc d'œuvre en 1833.

Ce décor de grande qualité est rehaussé de quelques statues et de plusieurs bas-reliefs sculptés, entièrement dorés. La base qui supporte les quatre évangélistes, assis entre des colonnes, s'orne de bas-reliefs sculptés rappelant leur attribut: l'aigle, le bœuf, le lion et l'ange. De part et d'autre du sanctuaire, les deux grands panneaux sculptés représentent la Foi et la Religion. Les médaillons qui ornent les arcades aveugles, au nombre de quatre, illustrent des scènes de la vie du Christ: l'adoration des bergers, l'adoration des mages, Jésus au milieu des docteurs et la présentation au temple. Le bas-relief du tombeau d'autel évoque les trois Marie au tombeau le matin de Pâques.

Un nouveau style

Dans l'église de Saint-Joachim, trois caractères fondamentaux se dégagent: l'unité de l'ensemble, la logique de la conception et la richesse du décor. L'unité, obtenue par un traitement uniforme des parties, respecte une même échelle partout et un mouvement d'ensemble du décor qui attire l'œil vers le sanctuaire. L'architecte a visiblement recherché un caractère de

L'intérieur. (Service des ressources pédagogiques, université Laval. Photo: Paul Laliberté).

vraisemblance pour son décor. En effet, tous les éléments sont traités avec une grande logique, comme si les différentes parties de l'édifice avaient une fonction structurale. Ainsi, des doubleaux reposent sur l'entablement, et des pilastres s'alignent au-dessous. Le riche aspect du décor s'éclaire par un contraste entre les parties en relief et les surfaces unies, la dorure appliquée à la sculpture, la présence de bas-reliefs intégrés dans le retable et un encadrement triomphal autour du maître-autel.

À Saint-Joachim, le décor intérieur se conçoit pour la première fois comme un ensemble et s'exécute d'après un plan préconçu. Le nouveau style de voûte composée de doubleaux sculptés à caissons et de larges sections nues en représente l'élément essentiel. La forme du retable, également nouvelle, interprète comme un retable l'ensemble du sanctuaire, et non plus la seule section du fond. Le couronnement du maître-autel s'illustre par un groupe de colonnes triomphales plus acceptables dans un ensemble néo-classique que le baldaquin, élément d'architecture baroque par excellence.

Naissance d'une véritable architecture intérieure

Le décor de Saint-Joachim représente l'œuvre majeure de François et Thomas Baillairgé. Il marque une période charnière entre les décors sculptés et la véritable architecture intérieure. La conception du sculpteur, préoccupé par la finesse de son art, s'oppose à celle de l'architecte, soucieux de créer des ensembles.

L'architecture intérieure de l'église de Saint-Joachim respecte les principes mis de l'avant par Jérôme Demers dans son *Précis* de 1828. Ce texte fondamental expose les intentions de l'Église du Québec en matière d'architecture religieuse, mais ne suffit pas à convaincre les maîtres d'œuvre et maîtres d'ouvrage qu'il faut un modèle qui, selon le principe de l'imitation cher au classicisme, fasse évoluer le goût des clients et les habiletés des ouvriers. Pour s'assurer de la diffusion des formules nées à Saint-Joachim, les autorités religieuses devront conférer un quasi-monopole à Thomas Baillairgé, ce qui assurera à l'architecture religieuse du Québec des années 1820-1850 une grande uniformité stylistique appelée le «néo-classicisme québécois».

L'église de Saint-Joachim conserve également certains tableaux intéressants. Celui du maître-autel, *Saint-Joachim et la Vierge*, œuvre de l'abbé Antoine Aide-Créquy en 1779, se situe dans l'ensemble triomphal entourant le tabernacle de François Baillairgé. Dans les chapelles se retrouvent deux œuvres d'Antoine Plamondon: *Saint Jean-Baptiste* et *La Vierge de Sainte-Croix*, copies de tableaux de Guido Reni et de Raphaël réalisées en 1869.

Luc Noppen, historien de l'architecture

Morisset, Gérard. «Une église de style Louis XVI: Saint-Joachim». *La Patrie*, 2 septembre 1951: 19-33.

Noppen, Luc. «L'architecture intérieure de l'église de Saint-Joachim de Montmorency: l'avènement d'un style». *RACAR*, VI, 1 (1979): 3-16.

Racine, André et Josaphat Paré. *Notre église: Saint-Joachim (Montmorency), 1779-1979.* Saint-Joachim, [s. éd.] 1979. 109 p.

Presbytère de Saint-Joachim

Saint-Joachim
165, rue de l'Église

Fonction: privé
Classé monument historique en 1966

*Le presbytère aujourd'hui.
(Service des ressources
pédagogiques, université Laval.
Photo: Paul Laliberté).*

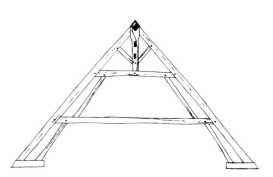

*Détail une des formes de la
charpente dans la section
ancienne. (Dessin: André
Cloutier).*

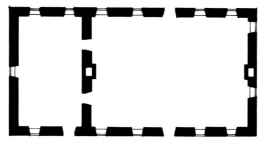

*Plan des deux étapes de
construction. (Dessin: Lucie
Tétreault).*

Au cœur du village, en face de l'église, se dresse l'imposant presbytère de Saint-Joachim construit en deux étapes, vers 1766.

Au moment de la Conquête, les soldats anglais détruisent le presbytère. Les paroissiens le rebâtissent en 1766, à proximité d'une chapelle temporaire. L'*Aveu et dénombrement* produit par le Séminaire de Québec en 1781 révèle la présence d'une construction en pierre, de 14 mètres sur 12, convertie en salle des habitants deux ans plus tôt et située à proximité de la nouvelle église.

Le bâtiment se détériore au cours des décennies suivantes et un nouveau presbytère voit le jour entre 1828 et 1831. Construit en pierre, il mesure 15 mètres sur 12. Il possède un rez-de-chaussée surélevé, surmonté d'une toiture à deux versants aux égouts retroussés. Une souche de cheminée surplombe le sommet de chacun des deux pignons. L'abbé Jérôme Demers, professeur d'architecture et supérieur du Séminaire de Québec, en dresse les plans et approuve le devis des travaux.

Rénovations majeures

En 1876, un plan paraphé par l'évêque indique des transformations majeures subies par ce deuxième presbytère. À quelques détails près, le bâtiment prend alors son apparence actuelle. Sa longueur totale atteint désormais 23 mètres.

Néanmoins, les transformations de 1876 posent certains problèmes. En effet, s'il est indéniable que la partie ouest du presbytère

actuel a été érigée entre 1828 et 1831, la petite section de 7 mètres annexée à l'est pourrait avoir été ajoutée lors des travaux de 1876. Cependant, l'examen de la charpente de cette section de la toiture révèle une structure plus ancienne que celle de la section ouest. Elle correspond à l'ancien presbytère, construit au lendemain de la Conquête. Le bâtiment érigé entre 1828 et 1831 s'élève donc contre l'ancien, utilisé comme salle des habitants jusqu'en 1876; l'évêque autorise alors la construction d'un nouvel immeuble. Des 14 mètres que mesurait le presbytère de 1766, seulement 7 mètres résistent aux remaniements successifs de 1828-1831 et de 1876. Certaines des pièces qui forment la charpente de l'ancien presbytère ont été remplacées. Ainsi, à l'origine, l'édifice possédait une toiture à croupes.

Ce presbytère fournit un bel exemple d'archaïsme tout en illustrant l'esthétique du XVIIIᵉ siècle. Le profil de la charpente ancienne guide l'agrandissement amorcé en

1828. En 1876, l'ouvrier qui le réaménage y installe trois portails en bois sculpté, prenant modèle sur celui en pierre installé par Michel-Augustin Jourdain au château Bellevue du Petit Cap en 1781. Le presbytère de Saint-Joachim porte aussi la trace des formes qui évoluent dans le temps. Ainsi, la symétrie de ses façades est typique des années 1830, tandis que les larmiers incurvés lui confèrent une silhouette caractéristique des années 1870.

Luc Noppen, historien de l'architecture

NOPPEN, Luc et autres. *La maison Maizerets, le château Bellevue*. Québec, ministère des Affaires culturelles, 1987. 112 p.

NOPPEN, Luc. «Le développement d'une architecture traditionnelle», dans *L'art au Québec au lendemain de la Conquête (1760-1790)*. Québec, Musée du Québec, 1977: 103-141.

RACINE, Aurore et Josaphat PARÉ. *Notre église. Saint-Joachim (Montmorency), 1779-1979*. Saint-Joachim, [s. éd.], 1979. 109 p.

Grande Ferme du Séminaire de Québec

Saint-Joachim
800, chemin du Cap

Fonction: public
Reconnue monument historique en 1975

S UR la rive nord du Saint-Laurent, à l'est du village de Saint-Joachim, se dresse une imposante et longue maison qui tourne le dos à la route. Les visiteurs qui s'en approchent observent ses curieuses fenêtres cintrées à l'arrière et, de l'autre côté, donnant sur le fleuve, une large galerie formée de poteaux et de balustres tournés, d'une élégance toute victorienne.

Cette maison, construite en 1866, occupe le site historique de la Grande Ferme, établissement intimement lié au développement de la seigneurie de Beaupré et aux premières tentatives de peuplement de la Nouvelle-France.

Mgr François de Laval, premier évêque de la Nouvelle-France, acquiert en 1662 les terres de la Grande Ferme, jadis exploitée par la Société des sieurs de Caen puis par la Compagnie de la Nouvelle-France. Établie sur les terres les plus fertiles de la Côte-de-Beaupré, la Grande Ferme prend son essor en subvenant aux besoins du Petit Séminaire de Québec fondé par mgr de Laval en 1668.

Un bail de 1667 signale une maison sur cette vaste terre de 2,5 kilomètres sur 6,4 kilomètres. L'année suivante, des ouvriers construisent une étable pour abriter la cinquantaine de bêtes de la ferme. Quelques années plus tard, mgr de Laval fait aménager dans le logis de la Grande Ferme une école et une chapelle dédiées à saint Joachim.

À partir de 1676, cette école offre un enseignement élémentaire à des fils de paysans ainsi qu'à des enfants de la ville, incapables de réussir des études à Québec ou souffrant d'incapacités physiques. Vers 1685, une allonge de 30 mètres s'ajoute à la maison de la Grande Ferme pour abriter l'école. À la même époque, une chapelle s'élève à proximité de la maison.

En 1759, les soldats britanniques incendient tous les bâtiments de la Grande Ferme et tuent le curé de Portneuf et sept de ses compagnons qui leur résistent. Durement éprouvé par la guerre de la Conquête, le Séminaire rétablit sa présence à Saint-Joachim vers 1770. Trop près de la rive et exposé à l'ennemi, l'établissement du Séminaire est relocalisé sur le Petit Cap, promontoire plus en retrait. À cet endroit, des ouvriers construisent une résidence (le château Bellevue), une chapelle et des dépen-

dances. Sur l'ancien site, une section de la maison initiale est rétablie et les prêtres afferment certaines terres. L'agglomération formée de la chapelle et des dépendances se voit relocalisée plus à l'ouest dans la seconde moitié du XVIIIᵉ siècle. Le village de Saint-Joachim, établissement indépendant du Séminaire, prend son essor dans la seconde moitié du XVIIIᵉ siècle.

Les érudits prennent la relève

Le deuxième temps de l'histoire de la Grande Ferme concerne des historiens. En effet, en 1859, les abbés Laverdière, Hamel et Beaudet, du Séminaire de Québec, s'intéressent aux «ruines et antiquités de la Grande ferme», dont ils dressent le plan. On y retrouve alors une petite maison à deux étages reconstruite sur une partie des ruines de la maison originelle, une laiterie, une grange, une étable et une porcherie. L'intérêt que suscite cet établissement pour ces érudits chercheurs découle de la volonté d'écrire l'histoire de la Nouvelle-France de même que celle du Séminaire et de ses seigneuries.

La structure de la maison de ferme actuelle date de 1866. Aujourd'hui, elle sert de centre d'initiation au patrimoine.

C'est à partir des recherches menées sur le site et dans les archives que naît dans l'esprit des historiens «l'école des arts et métiers de Saint-Joachim». À l'époque où le qualificatif d'œuvre d'art est réservé aux productions d'artistes formés à l'école, la soi-disant découverte a pour conséquence d'ennoblir les œuvres des artisans et entrepreneurs de la Nouvelle-France. Le mythe a ainsi permis l'émergence d'une histoire de l'art du Québec, vers 1900-1920.

Nouvel essor

En 1866, le Séminaire de Québec donne un nouvel essor à la Grande Ferme. Avant la fin du siècle, tous les bâtiments sont reconstruits à neuf et les terres sont remises en exploitation. Durant la même période, le Séminaire finance la Société de navigation de Montmorency pour construire un quai qui permettra d'acheminer plus facilement vers Québec les produits de la propriété. La ferme fonctionne très bien jusqu'en 1910, puis connaît un nouveau déclin. En 1969, toutes les terres sont vendues.

La maison que l'on peut voir aujourd'hui sur le site de la Grande Ferme date de 1866. Il s'agit d'une structure en pierre de 22 mètres sur 11, recouverte d'un toit à deux versants couverts de bardeaux

Les fenêtres cintrées et la baie palladienne sur la façade arrière rattachent la maison au style des propriétés du Séminaire de Québec.

et percés de nombreuses lucarnes. Des planches à clins recouvrent les murs pignons. Le toit comporte trois souches de cheminée fonctionnelles et une fausse souche ajoutée par souci d'équilibre et d'esthétique. Il dépasse les murs pignons et comprend un avant-toit retroussé sur les façades nord et sud de la maison. Trois portes et six fenêtres occupent la façade sud, ainsi qu'une galerie avec une balustrade.

À l'intérieur, un enduit recouvre les murs en colombage. Les plafonds présentent aussi le même type de recouvrement, à l'exception de celui de l'étage des combles qui est lambrissé. Les planchers de madriers embouvetés ont pour la plupart été changés, à l'exception d'une section à l'étage.

Dans l'ensemble, cette maison illustre un type architectural assez courant sur la Côte-de-Beaupré (plan allongé, forme des pignons et toit incurvé) et reçoit des ornements caractéristiques de l'époque de sa construction (poteaux, écoinçons et balustres de la galerie). Cependant, ce bâtiment recèle aussi quelques traits archaïques, tels les portails néo-classiques qui encadrent les trois portes d'entrée, ornements fort appréciés par les directeurs du Séminaire de Québec. Mais la maison se singularise aussi par la présence de fenêtres cintrées et par la baie

Ruines de la première église de Saint-Joachim construite en 1685-1686 et agrandie en 1725-1726.

palladienne sur la façade arrière. Formes typiques de l'architecture des bâtiments anciens du Séminaire, il semble bien qu'elles soient exposées sur cette façade bien en vue pour identifier l'appartenance de la maison. Il se pourrait également que, pour symboliser cette affiliation, des fenêtres en provenance de Québec aient été réutilisées à Saint-Joachim car, à ce moment, le Séminaire reconstruit ses bâtiments incendiés en 1865.

Vocation éducative

Le ministère des Affaires culturelles effectue la restauration de la maison en 1979, qui devient un centre d'initiation au patrimoine. Les jeunes peuvent s'y familiariser avec les différentes méthodes de travail utilisées par les chercheurs en histoire, en ethnologie ainsi qu'en architecture traditionnelle. Ils découvrent par la même occasion le passé, le patrimoine bâti, les paysages et les traditions de la Côte-de-Beaupré.

En plus de cette maison, le site de la Grande Ferme conserve les ruines de la première église de Saint-Joachim. Ces vestiges ont fait l'objet de fouilles archéologiques et ont été consolidés et mis en valeur en 1965-1966, pour commémorer le troisième centenaire de la fondation du Séminaire de Québec. Les murs observables aujourd'hui correspondent à ceux de l'église construite en 1685-1686 et agrandie par la façade en 1725-1726. Un chœur en hémicycle et une nef en forment le plan. Les chapelles latérales et l'allonge de la nef vers le portail constituent des ajouts du XVIIIᵉ siècle.

Le site de la Grande Ferme s'avère sans contredit le lieu qui évoque le mieux les débuts de la seigneurie de Beaupré à l'époque de mgr de Laval. Le Saint-Laurent, les battures, les oies blanches, les vestiges archéologiques et la grande maison forment une mosaïque riche en significations où l'histoire se fond dans un ensemble plus vaste de préoccupations relatives à l'environnement.

André Lajoie, agent culturel

BAILLAIRGEON, Noël. *Le Séminaire de Québec sous l'épiscopat de Mgr de Laval.* Québec, Presses de l'université Laval, 1972. 308 p. (Coll. «Les Cahiers de l'Institut d'histoire», n° 18).

GAUMOND, Michel. *Les vieux murs témoignent: la première église de Saint-Joachim.* Québec, ministère des Affaires culturelles, 1978: 39-68, 102.

OUELLET, Cécile. *Saint-Joachim, centre d'initiation au patrimoine.* Rapport historique. Québec, [s. éd.], 1979. 58 p.

Domaine Cimon

Baie-Saint-Paul
58, rue Saint-Jean-Baptiste

Fonction: privé
Classé site historique en 1977 et 1981

En 1852, André Cimon achète la ferme Saint-Aubin, propriété du Séminaire de Québec, sise entre la rivière du Gouffre et le bras du Nord-Ouest. Peu après, le terrain revient en héritage à Marie-Anne Zoé Clément, femme du médecin René Bédard.

La maison est vraisemblablement érigée entre les années 1862 et 1870. Le 13 août 1862, René Bédard et sa femme hypothèquent un terrain «sans bâtiment dessus construit». Lors de la rédaction de son testament, en 1870, Marie-Anne Zoé Clément lègue à ses quatre enfants un emplacement «avec bâtisses dessus construits et toutes circonstances et dépendance». Trois ans plus tard, les héritiers vendent la propriété à leur père qui, à son décès, en 1876, la lègue à sa fille Zoé. En 1878, cette dernière se départit de la propriété au profit d'Éphrem Gauthier dit Larouche.

Gauthier donne une partie du domaine à son beau-fils François-Xavier Cimon en 1883. Quatre ans plus tard, il cède tous ses biens à sa femme qui, en 1920, offre le reste du terrain à Cimon. Finalement, en 1942, la fille de ce dernier reçoit le domaine en héritage et épouse le peintre René Richard. Le couple se départit de quelques lots, mais conserve l'essentiel de la propriété.

Modèle typique

La maison Cimon reproduit la demeure québécoise traditionnelle. Construite en pièce sur pièce et surmontée d'un toit à deux versants avec avant-toits retroussés, elle comprend une cuisine greffée perpendiculairement au corps principal. Les bardeaux de cèdre qui recouvraient jadis le toit ont cédé la place à des bardeaux d'asphalte et le recouvrement des murs se compose de planches à clins. Trois lucarnes flanquent la façade principale. Celle du centre, de proportions différentes des deux autres, provient d'un ajout postérieur à la construction originelle.

La cuisine d'été a fait l'objet de plusieurs modifications qui altèrent considérablement son aspect originel. Les lucarnes et une baie vitrée sur un des murs pignons constituent les principales transformations. Un appentis de construction récente s'adosse à la cuisine d'été, et un revêtement de stuc recou-

Le bâtiment érigé sur le domaine Cimon, à Baie-Saint-Paul, possède non seulement une architecture intéressante, mais aussi, au fil des ans, il a hébergé plusieurs peintres célèbres, tels Clarence Gagnon, René Richard et Marc-Aurèle Fortin.

vre maintenant ses façades nord et ouest, ainsi que le mur nord du bâtiment principal.

À l'intérieur de la maison, du plâtre recouvre les murs du rez-de-chaussée et les plafonds sont lambrissés. À l'étage, les combles, les murs, les planchers et les plafonds des chambres se composent de planches embouvetées.

Le domaine Cimon jouit d'un environnement particulier. Situé près du cœur du village, il est relativement bien isolé grâce aux nombreux arbres qui le ceinturent.

De célèbres résidents

L'intérêt de cette propriété provient de son association avec le milieu artistique, plus particulièrement celui des peintres paysagistes. La famille Cimon se lie avec Frédéric Porter Vinton, portraitiste de renom, qui convient avec François-Xavier Cimon de se construire un petit atelier près de la maison.

Le nom du peintre Clarence Gagnon est aussi associé au domaine. Cet artiste occupe l'atelier construit par Vinton de 1919 à 1924. Le peintre stimule les artisans locaux. D'ailleurs, c'est à son invitation que René Richard vient s'établir à Baie-Saint-Paul.

D'autres artistes ont aussi marqué ces lieux, dont A.Y. Jackson, puis Marc-Aurèle Fortin, qui y loge de 1935 à 1938. Ce contexte culturel particulier fait du domaine Cimon un lieu d'intérêt privilégié.

Jacques Dorion, ethnologue

LAHOUD, Pierre. *Le domaine Cimon*. Québec, ministère des Affaires culturelles, 1977. 17 p.

Moulin César

Baie-Saint-Paul
730, rang Saint-Laurent

Fonction: privé
Classé monument historique en 1965

L<small>A</small> région de Baie-Saint-Paul constitue, avec celle de Kamouraska, l'endroit où l'on trouvait le plus grand nombre de moulins à eau. Encore aujourd'hui, on en dénombre quatre, tous situés dans un rayon de quelques kilomètres: le moulin dit «de la Rémy», le moulin du ruisseau Michel, le moulin Gariépy ou de l'Entrée et le moulin César.

Ce dernier, dont le nom évoque la mémoire de César Tremblay, propriétaire en 1873, subit une reconversion en résidence peu avant 1930. Les transformations réalisées à cette époque touchent surtout l'intérieur. La disparition des moulanges, des bluteaux, des brancards et des montants le rangent aujourd'hui dans la catégorie des maisons monumentales.

Un bâtisseur

Joseph Drapeau (1752-1810), marchand prospère de Québec, investit ses profits dans la propriété foncière à partir de 1784. Il acquiert successivement sept seigneuries, puis devient propriétaire du fief de la rivière du Gouffre en 1792.

La même année, il fait construire un premier moulin banal. Un marché conclu avec Jean-François Tremblay, «maître charpentier de moulins et seigneur des Éboulements», engage ce dernier à ériger un bâtiment en bois de 12 mètres sur 9, sur solage de pierre.

John Brooks conçoit les mouvements et les moulanges. Le feu détruit ce premier moulin avant 1828. Marie-Geneviève Noël, veuve du seigneur, engage le meunier Pierre Tremblay pour la reconstruction. Le bâtiment érigé en pierre possède deux étages.

Les héritières de la veuve Drapeau le cèdent à Adolphe Gariépy, également propriétaire du moulin de l'Entrée. César Tremblay l'acquiert de Gariépy en 1873. À cette époque, le notaire consigne la vente d'un «moulin à farine en pierre, à deux étages et à deux paires de moulanges, deux bluteaux, un brancard et ses poids, montants et tous accessoires». La concurrence des autres moulins de la région, celle des nouvelles minoteries de Québec et de Montréal et surtout l'abandon graduel des cultures céréalières au profit de l'industrie laitière, sonnent le glas du moulin César qui cesse ses activités en 1930, après avoir été en opération durant tout le XIXe siècle.

Long de 12 mètres, profond de 9 mètres et haut de 10, le moulin César repose sur des fondations de pierre. Également faits de pierre, les murs sont crépis et les pignons lambrissés de bardeaux. La charpente du toit se compose de sept fermes, incluant celles des pignons; elle est relativement complexe avec ses arbalétriers, ses entraits, ses poinçons et son contreventement faîtier. Cette

charpente supporte un voligeage de planches horizontales recouvert de bardeaux de cèdre.

Des modifications apportées au cours des ans changent le nombre et l'emplacement des ouvertures. Cependant, dans l'ensemble, elles conservent leur valeur d'origine grâce à l'utilisation répétée d'encadrements de bois, de fenêtres à carreaux et de portes en bois d'assemblage.

Depuis le début du siècle, le moulin César ne cesse d'inspirer les artistes qui l'associent intimement aux paysages vallonnés de Baie-Saint-Paul. Son classement comme monument historique, en 1965, confirme l'image très forte qui se dégage de cette structure bien identifiée à sa région.

Jacques Dorion, ethnologue

Anonyme. *Le moulin César de Baie-Saint-Paul. Inventaire.* Québec, ministère des Affaires culturelles, [s.d.]. n. p.

A<small>DAM</small>-V<small>ILLENEUVE</small>, Francine et Cyrille F<small>ELTEAU</small>. *Les moulins à eau de la vallée du Saint-Laurent.* Montréal, Les Éditions de l'Homme, 1978. 336 p.

C<small>YR</small>, Céline et Pierre D<small>UFOUR</small>. «Joseph Drapeau», dans *Dictionnaire biographique du Canada,* tome V, 1983: 295-297.

Converti en résidence vers 1930, le moulin César inspire les artistes par son caractère typique de la région de Charlevoix.

Bâtiments Ernest Lajoie (grange-étable)

Saint-Urbain
Rang Saint-Jean-Baptiste

Fonction: privé
Classés monument historique en 1975

Vers le milieu des années 1970, la grange-étable de la ferme Lajoie représente le dernier bâtiment de Charlevoix encore doté d'une couverture de chaume, autrefois typique d'un grand nombre de dépendances agricoles de cette région. Malheureusement, celle-ci a depuis été remplacée par une couverture de tôle, facile d'entretien et assurable.

La technique de recouvrement de la toiture de cette grange diffère de celle utilisée ailleurs au Québec. Elle se rattache à une tradition originaire d'Europe centrale et de Scandinavie plutôt que d'Europe occidentale. Cette particularité s'explique par la présence dans Charlevoix d'un groupe ethnique d'origine germanique dès la fin du XVIIIᵉ siècle. La plupart de ses représentants proviennent d'un régiment de mercenaires allemands stationné dans la région lors du conflit américano-britannique de 1775-1776. La paix revenue, un certain nombre d'entre eux s'installent dans Charlevoix, suivis de parents et d'amis.

Les bâtiments à encorbellement ou les clôtures en zigzag témoignent aussi de l'influence germanique dans la région. Tous ces éléments, repris et diffusés par la suite, ont été parfois adaptés par la population canadienne-française.

Les bâtiments de ferme d'Ernest Lajoie ont été classés à cause de leur toiture de chaume.
La tôle a cependant remplacé ce recouvrement d'origine. (Archives nationales du Québec à Québec, fonds Office du film du Québec).

La grange-étable Ernest-Lajoie en 1955. (Archives nationales du Québec à Québec, fonds Office du film du Québec).

Une technique particulière

Dans Charlevoix, les couvertures de chaume s'exécutent au moyen de javelles d'environ 20 à 30 centimètres de diamètre par 1,3 mètre de longueur en moyenne. Ces javelles sont liées au centre par une pousse de hart rouge et fixées par le même procédé sur un voligeage de petites perches qui reposent sur les chevrons de la charpente. Ces javelles sont également assemblées aux chevrons par des liens diagonaux réalisés en hart rouge. La pose s'effectue, comme pour celle du bardeau, en commençant par le bas et en recouvrant une partie de la javelle inférieure. Parvenu au faîte, l'ouvrier inverse le sens des deux dernières javelles. Le faîtage, contrairement à celui connu en Europe occidentale, généralement en lignolet, contient de la paille bourrée sur toute la longueur du faîte entre les deux javelles supérieures.

Le joint de faîtage est solidifié au moyen de planchettes appelées «carcans» dans Charlevoix. Ces perches ou planchettes, fixées entre elles par des chevilles, sont disposées à cheval et à intervalles réguliers sur le joint de faîtage. Tous les ans, les habitants refont le faîtage. Parfois, afin d'améliorer l'étanchéité, ils ajoutent quelques rangs de planches chevauchées, également maintenues en leur sommet par des «carcans». Des chaumiers itinérants, ou dans certains cas les fermiers eux-mêmes, confectionnent ces toitures qui peuvent durer une cinquantaine d'années.

Georges-Pierre Léonidoff,
historien de l'architecture

Léonidoff, Georges-Pierre. *Origine et évolution des principaux types d'architecture rurale au Québec: le cas de Charlevoix.* Thèse de doctorat. Université Laval, Québec, 1980. 860 p.

Centre documentaire en civilisation traditionnelle. *Le travail de chaume dans la région du lac Saint-Pierre.* Québec, Les Presses de l'université du Québec, 1978. 182 p. (Coll. «Cahiers d'Ethnologie», n° 2).

Chapelle de procession sud-ouest de Saint-Nicolas

Les Éboulements
157, rang Saint-Joseph

Fonction: privé
Classée monument historique en 1961

Généralement, les chapelles de procession se trouvent à peu de distance de part et d'autre de l'église, sur le chemin du village. Celle des Éboulements échappe à cette règle pour une raison très simple: elle a été construite initialement pour la municipalité de Saint-Nicolas, sur la rive sud du Saint-Laurent, près de Québec. Ce n'est que depuis 1969 qu'elle se trouve sur le site appartenant à la corporation Héritage canadien de Québec inc. des Éboulements. Auparavant, elle s'élevait au sud-ouest du village de Saint-Nicolas, qui possède encore sa chapelle nord-est.

Le caractère d'authenticité de la chapelle a grandement diminué en raison de sa démolition et de sa relocalisation. Elle incarne néanmoins une certaine pratique de la restauration au Québec.

En 1875, une première mention de la chapelle de procession de l'ouest de la paroisse de Saint-Nicolas indique des réparations effectuées par le menuisier Onésime Mousseau. La perte du livre de comptes de la fabrique pour les années 1810-1875 empêche d'établir avec précision l'année de construction du bâtiment. Il apparaît toutefois plausible de le dater de la première moitié du XIXᵉ siècle.

Bâtiments en perdition

En 1961, les deux chapelles menacent ruine et la municipalité de Saint-Nicolas, en accord avec la fabrique, ordonne leur démolition. Mais la Commission des monuments historiques intervient et la chapelle du nord-est est restaurée. Plus tard, en 1968, des ouvriers démontent celle du sud-ouest en attendant le choix d'un site pour la reconstruction.

Après bien des tergiversations, elle est reconstruite sur le terrain où elle se trouve actuellement. La majorité des matériaux d'origine, y compris la ferronnerie et le clocher, ont disparu lors de l'entreposage.

À l'instar de beaucoup de chapelles de procession, celle des Éboulements représente un édicule rectangulaire terminé par une abside en hémicycle. Elle mesure 5 mètres sur 7. Sa structure en bois, recouverte de planches verticales, comporte des couvre-joints à l'abside et un pignon lambrissé de planches à clins. Chaque mur latéral compte deux fenêtres rectangulaires munies de contrevents et la façade comprend une porte à double vantail. Ces ouvertures possèdent un encadrement simple. La toiture en bardeaux de cèdre se retrousse largement à la base et déborde sur les murs gouttereaux; un clocher la surmonte. Sa base carrée, également recouverte de bardeaux, soutient un tambour octogonal et une flèche incurvée couronnée d'une croix et d'un coq.

La chapelle des Éboulements présente un très faible caractère d'authenticité, compte tenu du démontage et de la reconstruction avec de nouveaux matériaux sur un autre site. Elle constitue une réplique de l'ancienne chapelle du sud-ouest de Saint-Nicolas et témoigne ainsi de l'évolution de la pratique de la restauration au Québec.

Jacques Robert, historien de l'architecture

ROBERT, Jacques. *Les chapelles de procession du Québec*. Québec, ministère des Affaires culturelles, 1979. 163 p.

Église de Sainte-Agnès

Sainte-Agnès
Rue de l'Église

Fonction: public
Classée monument historique en 1960

A͟u XIXᵉ siècle, la paroisse de Sainte-Agnès fait partie de la seigneurie de Murray Bay. En 1830, mgr Bernard-Claude Panet érige canoniquement la partie supérieure de la seigneurie sous le vocable de Sainte-Agnès. Une église de pierre est construite sur une terre cédée par deux habitants de l'endroit. Elle mesure 32,5 mètres de long sur 13 mètres de large avec une sacristie de 11 mètres sur 8.

Le projet de l'évêque paraît cependant trop ambitieux car, dès le début de la construction, en 1833, plusieurs difficultés surgissent. En premier lieu, la population n'accepte pas le coût élevé de l'entreprise. En effet, dans une des requêtes adressées à l'évêque, les paroissiens insistent sur les déboursés qu'implique la réalisation d'une telle église, car ils dépassent les revenus de la fabrique. En outre, la pierre de maçonnerie et la pierre à chaux nécessaires à la construction sont difficilement accessibles. Ces différents facteurs font d'abord traîner le chantier en longueur, puis l'interrompent en 1839. À cette date, seules les fondations semblent érigées.

Le projet renaît

Toutefois, les paroissiens n'abandonnent pas l'idée de construire une église et, quelque temps plus tard, ils présentent un autre projet, beaucoup plus modeste, à l'évêque. Celui-ci acquiesce à leur demande et les autorise à entreprendre la construction d'une église d'après les plans soumis par Thomas Baillairgé. Il s'agit d'un bâtiment en bois en forme de croix latine, de 33 mètres de longueur sur 13 mètres de largeur, mesures intérieures. Une sacristie, également en bois, prolonge le chœur. L'ensemble repose sur les fondations réalisées lors du précédent projet.

Le 1ᵉʳ avril 1841, les syndics de la fabrique accordent le contrat de construction de l'église et de la sacristie à Antoine Boucher-Belleville, maître menuisier et charpentier de La Malbaie, qui agit comme entrepreneur général. Il exécute l'ensemble des travaux pour la somme de 900 livres. Le devis spécifie que les fenêtres et les portes doivent s'inspirer de celles de l'église de La Malbaie, de même que les fausses voûtes de la nef, du chœur et des chapelles ainsi que leurs

L'église de Sainte-Agnès, construite d'après les plans de Thomas Baillairgé, constitue le seul exemple d'église en bois encore debout dont il ait réalisé les plans.

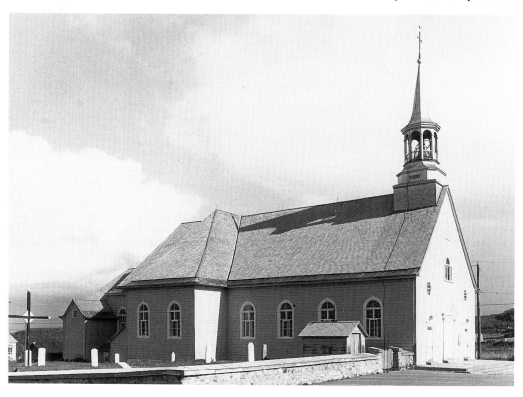

L'église possède trois tableaux d'Antoine Plamondon, dont une Sainte Agnès au-dessus du maître-autel. (Inventaire des biens culturels du Québec).

corniches. L'église de La Malbaie, disparue lors d'un incendie en 1949, datait de 1805-1806.

Le 11 juin 1841, l'entrepreneur Boucher-Belleville donne un sous-contrat à Joseph-Romain Gagnon, maître charpentier de L'Islet, pour l'exécution de la charpente de l'église et du clocher suivant le dessin fourni par Thomas Baillairgé. Le clocher reçoit un recouvrement de tôle à l'exception de sa base en bardeaux. Le 22 juin de la même année, l'entrepreneur engage Ignace Bouchard, un charpentier de La Malbaie, pour construire la sacristie. Les murs de ce bâtiment sont en pièce sur pièce, enduits à l'intérieur et lambrissés de planches verticales chaulées à l'extérieur. Des bardeaux recouvrent la toiture.

Le 18 octobre 1842, le gros œuvre est terminé et les syndics acceptent les travaux déjà réalisés par l'entrepreneur. Au cours des deux années suivantes, l'on procède à la finition intérieure. En juillet 1844, les paroissiens assistent à la première messe. Le 3 décembre 1845, les fabriciens acceptent l'ensemble des travaux prévus au devis.

Un monument peu modifié

Jusqu'en 1940, l'église subit peu de modifications. Entre 1845 et 1850, une tribune s'ajoute à l'intérieur. Elle est allongée vers 1875. En 1862-1863, un chemin couvert unit le bras gauche du transept à la sacristie. Auparavant, les paroissiens devaient passer par le chœur ou par l'extérieur. Vers 1862-1864, les murs extérieurs de l'église et de la sacristie reçoivent un revêtement de planches à clins. Vraisemblablement vers la même période, les fenêtres qui flanquent la porte d'entrée de la façade principale font place à deux portes. Entre 1904 et 1941, un ouvrage en béton succède au perron de bois de l'entrée principale. Cette même année, le portique de l'église et le plancher sont refaits et un second escalier donne accès à la tribune.

En 1943, un système de chauffage à air chaud remplace les deux poêles à bois et l'on érige l'actuelle cheminée. Trois ans plus tard, l'église est raccordée au réseau électrique. Une éolienne fournissait auparavant l'électricité pour l'éclairage. À la même époque, des vitraux remplacent les carreaux des fenêtres de l'église.

Le tabernacle à coupoles du maître-autel ainsi que les autels latéraux sont remarquables. Selon Alfred Bergeron, curé de Sainte-Agnès de 1941 à 1952, ils auraient été exécutés en 1895 par les frères Villeneuve de Saint-Romuald. Toutefois, le maître-autel et son tabernacle sont probablement beaucoup plus anciens et remontent à la construction de l'église.

Trois tableaux peints en 1874 par Antoine Plamondon, peintre réputé de Québec, ornent l'église. Au-dessus du maître-autel on aperçoit une *Sainte Agnès*, alors que deux chapelles latérales abritent à gauche une *Apparition du Sacré-Cœur* et à droite une *Marguerite-Marie Alacoque*.

L'église de Sainte-Agnès sert encore de lieu de sépulture. En plus du petit cimetière qui jouxte le côté gauche de l'église, celle-ci abrite une crypte où reposent les corps d'anciens paroissiens (un par famille) sous l'emplacement de leur banc.

Bien que l'église de Sainte-Agnès ne représente pas une œuvre importante de Thomas Baillairgé, elle n'en constitue pas moins la seule église de bois encore existante dont il ait réalisé les plans.

Guylaine Lévesque,
agente de développement

GAGNON, Patrice. *Les églises de Charlevoix: un patrimoine à découvrir.* Pointe-au-Pic, Conseil régional de pastorale de Charlevoix, 1987: 29.

LEFEBVRE, Jean-Charles. *Église de Sainte-Agnès (Charlevoix): inventaire architectural.* Québec, ministère des Affaires culturelles, 1978. 22 p.

NOPPEN, Luc. *Les églises du Québec.* Montréal et Québec, Éditeur officiel du Québec/Fides, 1977: 214.

Maison Leclerc

La Baleine (Île aux Coudres)
114, rue Principale

Fonction: public
Classée monument historique en 1960

L<small>A</small> maison Leclerc se situe à La Baleine, à environ trois kilomètres à l'est du village de Saint-Louis à l'île aux Coudres, sur la côte qui domine le fleuve. Un chemin de terre abrupt, aménagé depuis la route de ceinture située en contrebas, donne généralement accès à la maison. Cette demeure, érigée par Jean Leclerc vers la fin du XVIIIe siècle, appartient toujours à ses descendants. Ancienne maison de ferme, elle a aujourd'hui perdu tous ses bâtiments secondaires.

Construite en pierre des champs et en galets, laissés apparents, cette résidence possède un rez-de-chaussée de plain-pied surmonté d'un grenier s'étendant sur toute la grandeur du carré. La toiture à deux versants droits, couverte de bardeaux peints en rouge, comporte des égouts libres. Une souche de cheminée centrale en pierre coiffe le sommet de son mur pignon est. Dotés chacun de deux fenêtres servant à éclairer le grenier, les murs pignons sont lambrissés de planches recouvertes de bardeaux du côté extérieur, de même couleur que ceux de la couverture.

Le rez-de-chaussée ne comporte actuellement aucune cloison. Trois fenêtres assurent l'éclairage en façade postérieure, une au centre du mur pignon ouest et deux à l'est. La façade principale fait face au fleuve, du côté sud: elle possède deux fenêtres disposées à gauche et à droite d'une porte centrale pleine surmontée d'une gouttière de bois.

À l'intérieur, les murs, autrefois enduits, laissent apparaître la pierre. Un foyer ouvert, situé du côté est, est flanqué de deux fenêtres. Une trémie fermée par une trappe donne accès au grenier au moyen d'un escalier tournant situé à l'angle sud-est du rez-de-chaussée. Des planches garnies de couvre-joints, supportées par des solives apparentes, constituent le plafond du rez-de-chaussée et le plancher du grenier.

La charpente, du type à chevrons portant fermes, comprend des pannes; un entrait de base relie les sablières. Plusieurs des pièces de la charpente comportent des traces de remaniements réalisés à la fin du XIXe siècle. La toiture se composait autrefois de croupes.

Importants travaux

Depuis la restauration de la maison en 1961, plusieurs pièces de la charpente ainsi que les recouvrements de planches et de bardeaux ont été remplacés. Les anciens bardeaux étaient chanfreinés et fixés au moyen de petites chevilles de bois. Entre les planches de recouvrement et les bardeaux, l'écorce de bouleau servait d'isolant.

L'intérieur de la maison a également subi plusieurs transformations depuis la fin du XVIIIe siècle. Selon la tradition orale, le rez-de-chaussée possède, au début du siècle, des cloisons garnies de charnières; celles-ci permettent de relever les murs lors de certaines fêtes. En 1960, le rez-de-chaussée se sépare en deux parties. La plus grande, située du côté du foyer, occupe les deux tiers de l'espace disponible et sert de cuisine-salon. La partie est se divise en trois chambres.

Des photographies prises avant la restauration permettent de constater des changements apportés aux ouvertures extérieures. Ainsi, en façade principale, une porte murée apparaît à l'est de celle d'aujourd'hui.

Actuellement, le rez-de-chaussée constitue une grande pièce convertie en musée par la famille Leclerc. Il est ouvert au public pendant la saison estivale. Les visiteurs peuvent y voir des objets et des meubles anciens de l'île aux Coudres.

Avec les maisons Desgagnés et Bouchard, la maison Leclerc représente un des spécimens d'architecture domestique les plus anciens de l'île aux Coudres.

Étienne Poulin, ethnologue

D<small>ES</small> G<small>AGNIERS</small>, Jean. *L'Île-aux-Coudres*. Montréal, Leméac, 1969: 84-85.

L<small>EAHY</small>, Georges et Pierre L<small>AGUEUX</small>. *Maison Leclerc. Relevés et analyse*. Québec, ministère des Affaires culturelles, 1980.

M<small>AILLOUX</small>, Alexis. *Histoire de l'Île-aux-Coudres: depuis son établissement jusqu'à nos jours, avec ses traditions, ses légendes, ses coutumes*. Montréal, Burland-Desbarats, 1879. 91 p.

Propriété de la famille Leclerc depuis sa construction à la fin du XVIIIe siècle, la maison est l'une des plus anciennes demeures de l'île aux Coudres.

Maison Bouchard

Saint-Louis (Île aux Coudres)
260, chemin du Ruisseau rouge

Fonction: privé
Classée monument historique en 1962

Ancienne maison de ferme, la maison Bouchard a depuis perdu la plupart de ses bâtiments secondaires. De plus, plusieurs modifications effectuées au XIXᵉ siècle et lors de la restauration en 1965 ont altéré son aspect originel.

Selon la tradition orale, la maison Bouchard remonte au milieu du XVIIᵉ siècle. Elle aurait été érigée par Claude Bouchard, métayer de la ferme du Séminaire à Baie-Saint-Paul. Il semble cependant peu probable que sa construction remonte avant 1710. Avant cette date, en effet, aucun colon ne pouvait s'établir sur l'île.

Ancienne maison de ferme, la résidence Bouchard a perdu la plupart de ses bâtiments secondaires. Plusieurs remaniements au XIXᵉ siècle et la restauration de 1965 contribuent à altérer son aspect originel.

Cette construction de pierre, crépie à l'extérieur, possède en sous-sol un caveau creusé. Les niveaux supérieurs comprennent un rez-de-chaussée de plain-pied surmonté d'un comble aménagé en chambres à l'époque de sa restauration. Des fenêtres situées dans les murs pignons éclairent le comble qui servait auparavant de grenier.

Des bardeaux recouvrent la toiture à deux versants, avec avant-toits et égouts retroussés. Ajoutés au XIXᵉ siècle, les bardeaux sont remaniés lors de la restauration de 1965. Une nouvelle souche de cheminée remplace celle d'origine, sur le faîte du toit,

à son extrémité est. Des planches recouvertes de bardeaux lambrissent les pignons. La charpente, du type à chevrons portant fermes, comporte des lambris dans sa partie inférieure. L'enlèvement des premiers faux entraits donne plus de hauteur à l'étage lors de l'aménagement du grenier en chambres.

Cinq fenêtres éclairent le rez-de-chaussée: trois à l'arrière et deux en façade du côté sud. Ces dernières se trouvent de chaque côté d'une porte centrale. Le mur pignon ouest possède deux fenêtres et celui de l'est, une seule. Une deuxième fenêtre devient la porte de la cuisine d'été. Des chambranles surmontés de petits frontons dans l'esprit du style néo-Renaissance, ajoutés lors du dernier tiers du XIXᵉ siècle, garnissent les ouvertures.

Une cuisine d'été en pièce sur pièce est érigée à l'angle sud-est de la maison lors de la restauration. Elle remplace la cuisine aménagée au XIXᵉ siècle. Un petit tambour protège l'entrée en mur pignon.

Plusieurs transformations ont considérablement changé l'aménagement originel à l'intérieur de la maison. La maison Bouchard comprenait initialement deux parties sensi-

blement égales. Une cuisine, avec un foyer ouvert central situé dans le mur pignon, occupait la partie est. L'autre partie se composait d'une grande pièce avec deux cabinets servant de chambres à l'extrémité ouest. Des portes d'assemblage à six panneaux remontent vraisemblablement à la fin du XVIIIᵉ ou au début du XIXᵉ siècle.

La maison Bouchard, malgré plusieurs transformations, constitue, avec les maisons Leclerc et Desgagnés, un des plus anciens témoins encore existants de l'architecture domestique de l'île.

Étienne Poulin, ethnologue

CASGRAIN, Henri-Raymond. *Opuscules/l'abbé Casgrain*. Québec, imprimeur A. Côté et cie. 1876: 101-110.

LEAHY, Georges et Pierre LAGUEUX. *Maison Bouchard. Relevés et analyse*. Québec, ministère des Affaires culturelles, 1980: 4.

LÉONIDOFF, Georges-Pierre. *Origine et évolution des principaux types d'architecture rurale au Québec: le cas de Charlevoix*. Thèse de doctorat. Université Laval, Québec, 1980. 860 p.

Chapelles de procession Saint-Pierre et Saint-Isidore

Saint-Louis (Île aux Coudres)   Fonction: public
237, chemin des Coudriers   Classées monuments historiques en 1961

Maintenant connues sous les vocables de Saint-Isidore et de Saint-Pierre, les deux chapelles de procession de l'île aux Coudres étaient autrefois consacrées à la Sainte Vierge et à sainte Anne. Ces dédicaces particulières valurent leur utilisation comme oratoires lors des processions religieuses, en particulier celle de la Fête-Dieu.

Les chapelles de la paroisse Saint-Louis-de-l'Isle-aux-Coudres s'érigent à l'aide de corvées en 1836 et 1837. La première année, les habitants de la paroisse se rendent au nord-est du village et construisent la chapelle Saint-Isidore, officiellement bénite le 13 novembre 1836. Probablement à l'automne de la même année, la construction de la chapelle du sud-ouest du village s'amorce. Les travaux se terminent au printemps de 1837 et la chapelle est aussitôt bénite, le 25 mai 1837.

Les deux édicules sont restaurés une première fois en 1953. Quinze ans plus tard, la Commission des monuments historiques participe au financement de la restauration extérieure des monuments et, en 1972, à celui de la restauration intérieure.

Forte ressemblance

Les deux chapelles, très semblables, mesurent approximativement 4 mètres sur 5. Les deux édicules s'élèvent à environ 5 mètres. Le nef, à plan presque carré, se termine par un chœur en hémicycle. Trois ouvertures percent les murs faits de petites pierres des champs. Les deux fenêtres latérales sont cintrées; la porte à double vantail, surmontée d'une ouverture à tympan semi-circulaire, s'inscrit dans un chambranle continu non mouluré. La toiture ne comporte aucun débordement, tant sur le mur pignon que sur les murs gouttereaux. Un petit clocher, implanté sur le faîte de la toiture, se compose d'une base carrée que surmontent un tambour et une flèche. Un épi marque l'extrémité du faîte.

À l'intérieur, les chapelles présentent des caractéristiques similaires. Une fausse voûte très légèrement surbaissée et lambrissée de planches horizontales surmonte les murs crépis. Le cul-de-four comprend huit pans. Une corniche à denticules marque la naissance de la voûte. Aucune balustrade ne divise l'espace. Les tombeaux des autels sont de facture assez rudimentaire, mais les tabernacles se révèlent de remarquables œuvres sculptées. Réalisé par l'un des membres de la famille Levasseur vers 1771, le tabernacle de la chapelle Saint-Isidore provient de l'ancienne église de l'île aux Coudres.

Située au nord-est du village de Saint-Louis, la chapelle Saint-Isidore fut construite en 1836.

La chapelle Saint-Pierre, sise au sud-ouest du village, présente sensiblement les mêmes caractéristiques que sa consœur.

Malgré leur apparition au début du XIXe siècle, les chapelles de procession de l'île aux Coudres participent à l'architecture traditionnelle d'esprit français et possèdent des caractéristiques qui les rapprochent des premiers édifices religieux réalisés en Nouvelle-France.

Les missionnaires qui, en pays de mission, construisent des chapelles pour célébrer le culte catholique devant les Amérindiens, semblent utiliser à l'origine les techniques de construction des autochtones. Par la suite, avec l'aide d'hommes de métier français, les chapelles s'élèvent en charpente, selon un modèle européen. De forme rectangulaire, ces chapelles comportent un seul étage. La façade principale comprend une porte à ouverture cintrée. La toiture, à faible pente, possède des versants incurvés à la base. Une petite tour, faite de quelques pièces de bois assemblées et d'une croix, les surmonte.

Dès cette époque, les chapelles de mission construites en charpente dérivent d'une architecture plus académique qui se développe dans les régions plus densément peuplées. Les premières églises des communautés religieuses à Québec, comme la chapelle des Récollets, construite en 1620, et Notre-Dame-de-la-Recouvrance, érigée une décennie plus tard, sont en bois et de construction sommaire, mais de plus grandes dimensions. La première église en pierre, Notre-Dame-de-la-Paix, reconstruite en 1647, comporte des chapelles latérales. Elle représente le premier édifice érigé selon ce plan au Québec. Au cours de la deuxième moitié du XVIIe siècle, Notre-Dame-de-la-Paix aura une grande influence sur la construction des églises en milieu rural.

Des modèles simples

L'architecture des paroisses rurales tente de concilier l'imitation des églises de Québec et une recherche de simplicité qui pousse les constructeurs à réduire les modèles à leur plus simple expression. Ainsi, au départ, plusieurs petites églises ne possèdent pas de chapelles latérales. Le plan rectangulaire de ces chapelles modestes, deux fois plus long que large, leur chœur en hémicycle, leur technique de construction, la forme de leur toiture, leur clocher et leurs ouvertures les apparentent au type de la chapelle de procession traditionnelle.

De souche française, cette architecture se transpose dans le Nouveau Monde avec les premiers arrivants. Aussi est-il normal de retrouver dans diverses régions de la France des modèles semblables, d'autant plus que ce type très sommaire ne possède aucun élément structural remarquable ou de motif décoratif particulier. La construction, en 1836 et en 1837, des chapelles de l'île aux Coudres démontre de manière remarquable la persistance de la tradition architecturale d'esprit français à une époque où les centres urbains s'imprègnent fortement de néoclassicisme.

Jacques Robert, historien de l'architecture

ROBERT, Jacques. *Les chapelles de procession du Québec.* Québec, ministère des Affaires culturelles, 1979. 163 p.

DES GAGNIERS, Jean. *L'Île-aux-Coudres.* Montréal, Leméac. 1969.

Goélette Marie-Clarisse II

Québec

Fonction: public
Classée bien historique en 1978

Construite au chantier maritime de Shel-
burne en Nouvelle-Écosse, en 1922 et 1923,
la goélette *Marie-Clarisse II*, d'abord baptisée du nom de *Archie F. MacKenzie*, connaît une histoire mouvementée.

Enregistrée sous la fonction de «wood
cargo» durant la prohibition, la goélette sert
probablement davantage à la contrebande
de l'alcool comme «rumrunner» entre les îles
Saint-Pierre et Miquelon et la Nouvelle-
Angleterre. Une avarie grave subie en 1944
nécessite une réparation à la coque au chantier de Saint-Brendan's, à Terre-Neuve, et la
goélette reprend la mer en 1945. Restaurée
au même chantier en 1959, elle devient propriété d'une entreprise québécoise en 1974.
Des travaux importants changent alors son
apparence.

Les autorités du port de Québec n'apprécient guère la goélette, «tantôt échouée, tantôt enlisée, éternellement en panne» et toujours à l'affût d'un remorqueur. Le navire
finit par s'enfoncer dans les eaux du bassin
Louise et les responsables du port décident
de s'en débarrasser à la dynamite. Mais
l'épave renflouée par une équipe enthousiaste sert bientôt de navire-école.

Restaurée selon les méthodes artisanales traditionnelles au chantier maritime de
l'île aux Coudres, la goélette reprend son
gabarit originel, et l'espace intérieur est
réaménagé.

Goélette de haute mer

Avec sa carène fine, son fort tirant d'eau
et ses écoutilles étroites, la *Marie-Clarisse
II* appartient à la famille des goélettes de
haute mer. Très maniables et rapides, ces
navires deviennent dès le début du XXᵉ siècle les préférés des pêcheurs de l'Atlantique.

Le rapport 1 à 4 de la largeur sur la longueur donne au bateau une allure élancée.
La coque, caractérisée par une étrave ronde
et courbée, comporte une fuite prononcée
du brion qui complique la mise à terre du
navire. La courbe de la quille court presque
de l'étrave à l'étambot. La coque se termine
par une poupe à tableau droit, incliné vers
l'arrière.

Une grande surface de voilure répartie
sur deux mâts presque égaux propulse la
géolette. Les quelque 550 mètres carrés de
voilure se composent d'une grande voile,
d'une misaine, d'un tourmentin et d'un foc.
Les deux voiles du triangle avant sont amu-
rées sur un beaupré unique. Des voiles de
flèches peuvent à l'occasion être hissées aux
mâts de hune. Cette goélette représente un
vestige très rare d'une époque, pourtant pas
si lointaine, de la navigation à voile dans le
golfe du Saint-Laurent. La *Marie-Clarisse II*
porte son nom en souvenir d'une goélette
construite à Saint-Bernard de l'île aux Coudres en 1901.

Depuis quelques années, la goélette a
subi plusieurs radoubs importants. Propriété
de la famille Dufour, hôteliers de la région
de Charlevoix, elle sert à des excursions sur
le Saint-Laurent, particulièrement pour des
safaris visuels aux baleines. C'est un magnifique spectacle de la voir glisser sur l'eau
avec son imposante voilure qui rappelle une
époque révolue.

Suzanne Bernier, muséologue

LE QUERREC, Jacques. *Archie F. Mackenzie: typologie et
biographie d'une goélette*. [s.1.], [s. éd.], 1977. 9 p.

*Construite en Nouvelle-Écosse,
mais restaurée avec les méthodes
traditionnelles au chantier
maritime de l'île aux Coudres, la*
Marie-Clarisse II, *par sa fine
carène, son fort tirant d'eau et
ses écoutilles étroites, se rattache
à la famille des goélettes de
haute mer.*

Moulin à vent Desgagné

Saint-Louis (Île aux Coudres)
247, chemin du Moulin

Fonction: public
Classé monument historique en 1962

Non loin de l'église paroissiale de Saint-Louis-de-l'Isle-aux-Coudres, le moulin à vent Desgagné voisine l'unique moulin à eau de l'endroit. Construit en 1836 sur les ruines du premier moulin érigé en 1762, avec les pierres de la tour, il est situé sur la pointe de L'Islet, à l'extrémité ouest de l'île aux Coudres.

En 1773, les frères Desbiens érigent un second moulin à vent à La Baleine. Reconstruit en 1850 par les frères Lapointe, le bâtiment laisse place en 1948 à la nouvelle route qui ceinture l'île.

D'un meunier à l'autre

Le moulin à vent Desgagné voit le jour par suite des pressantes requêtes des insulaires aux autorités du Séminaire de Québec. Dès lors, huit meuniers et propriétaires se succèdent. Thomas Tremblay le construit et l'exploite jusqu'en 1850. À cette date, le Séminaire le vend à Augustin Dufour qui, en 1887, le revend à Élie Bouchard. Par la suite, le moulin passe par héritage aux familles Desmeules, puis Desgagné.

Élie Bouchard y œuvre durant une très courte période; cependant, il faillit bien lais-

ser au moulin l'appellation de «moulin rouge»: en 1888, pendant une forte bourrasque, il tente d'assujettir le frein sur le rouet pour l'empêcher de s'emballer, mais son écharpe se prend dans l'engrenage et la machine le happe brusquement et l'étrangle.

D'autres propriétaires-meuniers laissent une marque plus durable sur la vie et l'histoire du moulin. C'est le cas notamment d'Augustin Dufour et d'Étienne Bouchard père. Dufour exploite le moulin pendant plus de 30 années; quant à Bouchard, il lui apporte de nombreuses modifications. Sa veuve, Marie-Anne Desmeules, épouse en secondes noces Étienne Desgagné, qui laisse son nom au bâtiment. À sa mort, Marie-Anne exploite le moulin, puis elle le confie à Étienne, son fils issu d'un premier mariage. Celui-ci délaisse le moulin à farine et se consacre au moulin à scie, installé dans le moulin à eau voisin. À la mort de sa mère, en 1976, Étienne Bouchard hérite du moulin à farine et, après un certain temps, le vend au gouvernement du Québec.

Fidèle à son apparence

Le moulin à vent Desgagné garde aujourd'hui son apparence d'origine même s'il a été réparé, rajeuni, modifié et restauré plusieurs fois.

Le bâtiment a la forme d'une tour en maçonnerie, faiblement conique à l'extérieur, presque aussi large que haute. Elle s'élève à 6,8 mètres et sa base mesure 6,5 mètres. Au niveau du sol, le mur de 1,5 mètre d'épaisseur est percé de deux portes diamétralement opposées dans l'axe nord-sud.

Traditionnellement, un moulin-tour possède deux portes au niveau du sol, placées de part et d'autre de la tour, dans la direction des vents dominants. Ces ouvertures permettent au meunier et aux visiteurs d'entrer et de sortir sans risquer d'être frappés par les ailes du moulin qui tournent sous le vent.

La tour est percée d'une unique fenêtre, placée tout en haut, juste sous le bord du toit. De cette ouverture, le meunier peut observer le temps, sentir le vent et prévenir les coups. En général, ce type de moulin possède une fenêtre à chaque étage, par laquelle on balance le maître-arbre durant la manœuvre pour le hisser au sommet de la tour, à sa place définitive sous la charpente. Or, comme le mur de cette tour ne recèle aucune trace d'une autre ouverture, il est permis de croire que la faible hauteur du moulin permit aux constructeurs de hisser le maître-arbre au moyen d'une méthode différente.

Au fil des ans, de nombreuses restaurations transforment le moulin. Au début des années 1950, il comptait six pales. (Inventaire des biens culturels du Québec).

Pour pallier l'irrégularité de fonctionnement du moulin à eau, le moulin à vent Desgagné apparaît en 1836.

La toiture conique de la tour mesure 4,25 mètres de haut. Mobile, elle possède une charpente très robuste. Non seulement doit-elle supporter le maître-arbre et le rouet, mais en plus il lui faut résister à la poussée du vent transmise par les ailes sans se déformer. La toiture, couverte de bardeaux de cèdre, se termine par un épi de faîtage surmonté d'une girouette, artifice de décoration. Un bon meunier n'a guère besoin de cet élément, car selon l'expression populaire, il «sent le vent».

À l'arrière, une longue tige oblique, la queue du moulin, sert au meunier à tourner le toit afin d'orienter les ailes. À cet effet, le moulin possède un treuil, instrument unique au Québec. Ce treuil déploie la force nécessaire pour tirer la queue et actionner le toit. Immédiatement à côté de la queue, le bras du frein, constitué d'une longue et mince tige de bois qui descend presque jusqu'à terre, représente le seul véritable moyen de secours contre les sautes de vent qui auraient tôt fait d'emballer le moulin.

Une hélice à quatre pales, refaite sur le modèle d'origine, se trouve à la base de la toiture, au centre d'un petit pignon. À l'origine, cependant, le moulin possédait une hélice à six pales. L'installation de cette nouvelle hélice revient à Étienne Bouchard père qui, le premier, voulut augmenter la puissance et le rendement du moulin.

Toujours en état de marche

À l'intérieur se trouve encore la totalité du mécanisme. Remis en état, il n'a subi depuis aucune modification. Maître-arbre, rouet, pignon, gros fer de meule, trémie, auget, moulanges, archures et bien d'autres pièces s'y trouvent en assez bon état pour servir à nouveau.

Habituellement, le rouet est doté de dents en bois et le pignon constitue une pièce massive en métal. L'assemblage rouet-pignon du moulin Desgagné diffère cependant par son rouet muni d'une couronne de dents de métal tandis que le pignon, de forme toute spéciale, se compose d'alluchons en bois dur. Étienne Bouchard père paraît être l'instigateur de cette caractéristique apparemment unique au Québec.

Une paire de meules d'origine équipe le moulin. Leurs faces, maintes fois repiquées, demeurent en très bon état. Il n'existe aucune trace de bluteau, vraisemblablement absent de ce moulin à vent. Le moulin à eau en possédait un, mais il l'a perdu depuis.

Récemment encore, le rez-de-chaussée ne comportait aucun ameublement. À l'origine, toutefois, le pupitre où le meunier tient ses comptes et la farinière qui servait à recueillir la moulée tombant des moulanges logeaient à cet endroit. Le petit escalier qui communique avec l'étage des meules existe toujours. Malgré cette apparente nudité, le rez-de-chaussée recèle un petit instrument bien typique et vital au bon fonctionnement des meules: le vérin de réglage. Cette vis, assistée par un jeu de leviers, se situe généralement à côté des meules. Ici, elle campe près de la farinière, car le meunier, d'un geste rituel, fait glisser un peu de farine entre le pouce et l'index. Il peut ainsi jauger la finesse de son produit et varier l'écartement des meules par la rotation de la vis, alors à sa portée. Par la répétition continue de ce geste, le meunier acquiert le signe caractéristique de son métier: un pouce de meunier.

À plusieurs reprises, le moulin Desgagné subit des avaries et profite de restaurations plus ou moins importantes. Ainsi, en 1945, le menuisier Cléophas Dufour, à la demande de la Commission des monuments historiques, fait des réparations à la toiture et aux ailes. Vingt ans plus tard, il doit changer le maître-arbre et poser des ailes neuves. En 1981, le ministère des Affaires culturelles restaure l'ensemble du moulin. Les travaux, menés avec célérité, remettent en état le bâtiment qui est ouvert au public à l'été 1982.

Joyau du patrimoine, le moulin Desgagné représente l'un des quatre moulins à vent de la province à posséder encore son mécanisme d'origine.

Pierre-Yves Dionne, ethnologue

DESJARDINS, Pierre. *Les moulins à vent du Québec.* Québec, ministère des Affaires culturelles, 1982. 42 p.

DIONNE, Pierre-Yves. *Le moulin à vent Desgagnés de l'île-aux-Coudres.* Québec, université Laval, 1981. 52 p.

GLADU, André. *Les dompteurs de vent.* Montréal, Office national du film, film couleur (58 min), 1982.

Moulin à eau Desgagné

Saint-Louis (Île aux Coudres)
247, chemin du Moulin

Fonction: public
Classé monument historique en 1963

LA construction du moulin à eau Desgagné s'achève en 1826, par suite des demandes répétées des habitants au seigneur de l'île, le Séminaire de Québec. Auparavant, ils devaient faire moudre leur grain à Baie-Saint-Paul et aux Éboulements.

Le débit de la rivière Rouge étant insuffisant, des ouvriers détournent les eaux du ruisseau des Pruches et de la rivière de la Mare. Alexis Tremblay supervise l'ensemble des travaux et en assume les coûts. En reconnaissance, le Séminaire lui octroie la jouissance du moulin jusqu'en 1840.

À ce moment, le bâtiment en pierre mesure environ 10 mètres de côté. Le meunier et sa famille habitent une partie du rez-de-chaussée alors que dans l'autre se trouve la roue. L'étage des combles renferme une pièce réservée au Séminaire ainsi que la meule. Le mécanisme pour actionner la meule est conçu pour en recevoir une seconde.

Le moulin fonctionne quelques saisons, mais ne rencontre pas les objectifs escomptés car, trop souvent, le débit insuffisant de la rivière le condamne à l'inaction. Pour pallier cet inconvénient, Thomas Tremblay construit à proximité l'actuel moulin à vent. Dès 1836, les deux moulins fonctionnent. En 1850, le Séminaire de Québec s'en défait, et plusieurs meuniers s'y succèdent.

Nouvelle vocation

Au tournant du siècle, Étienne Bouchard transforme son moulin à eau en moulin à scie. Cette conversion prend toute son ampleur vers 1920 quand le bâtiment subit des rénovations importantes. Un étage s'ajoute et une nouvelle scie est installée. La maison, rehaussée, s'élève au niveau du moulin. De plus, un poulailler est érigé contre le mur pignon sud-est et plusieurs annexes sont construites à l'arrière de même qu'une boutique de forge.

Vers 1945, le moulin fonctionne à nouveau, mais de façon ponctuelle; il s'arrête quelques années plus tard. Les divers bâtiments sont abandonnés pendant plusieurs années et certains d'entre eux tombent en ruine. Une restauration redonne au moulin à eau son apparence d'origine. La maison du meunier et la boutique de forge reprennent leur air du milieu des années 1920.

L'ensemble est aujourd'hui ouvert au public. Dans la maison du meunier, une exposition illustre l'importance que revêtaient les moulins pour les habitants de l'île aux Coudres. En outre, des visites commentées du moulin permettent d'expliquer son mode de fonctionnement aux visiteurs.

Hélène Gagnon, ethnologue

Après avoir été abandonné pendant plusieurs années, le moulin à eau Desgagné retrouve son apparence d'origine.

En 1925, le moulin appartient à Étienne Bouchard qui l'utilise comme moulin à scie. (Archives nationales du Québec à Québec, collection initiale).

Goélette Saint-André

Québec

Fonction: public
Classée bien historique en 1978

LES Européens et les Américains sont bien surpris de voir les goélettes du Saint-Laurent, car elles possèdent des caractéristiques spéciales. Reconnus avant tout par leur gréement, ces voiliers comprennent deux mâts inégaux portant des voiles auriques. Pilotées par un équipage réduit, les goélettes se distinguent surtout par leur grande manœuvrabilité et leur vitesse de pointe, plus élevée que celle des navires de haute mer.

Au Québec, une goélette comme le *Saint-André* est un bateau dépourvu de voile et doté d'un moteur. Cette embarcation s'inspire de la goélette à voile dont elle conserve plusieurs caractéristiques. Jusqu'au début du XXe siècle, les techniques de construction de la goélette, transmises d'une génération à l'autre par le geste et la parole,

demeurent à peu près inchangées. L'adoption du fond plat sur une grande majorité des goélettes constitue la principale caractéristique de l'évolution architecturale de ce navire fluvial. Dès 1828, dans son rapport statistique sur le Bas-Canada, l'arpenteur Joseph Bouchette note l'existence d'une goélette à fond plat utilisée pour le transport du bois.

Une architecture mieux adaptée

L'échouage plus aisé du fond plat simplifie le chargement et le déchargement de la cargaison. La navigation en eau peu profonde, comme dans l'estuaire du Saint-Laurent, est plus facile car le tirant d'eau est réduit au minimum. Cependant, le navire devient plus lent et moins stable au large, il roule et tangue davantage.

La goélette du Saint-Laurent sert au cabotage, c'est-à-dire au transport de marchandises et, plus tardivement, à celui de la «pitoune» (bois de pulpe).

Toute une vie s'organise à bord de ces navires à l'espace exigu. L'équipage compte généralement quatre personnes: le propriétaire-capitaine, le maître, l'ingénieur et deux matelots.

À partir des années 1920, les progrès technologiques permettent d'ajouter un moteur à la plupart des goélettes du Saint-Laurent. Cette modernisation entraîne une série de transformations architecturales qui caractérisent encore ce navire aujourd'hui. La goélette *Saint-André* est une embarcation de bois à fond plat munie d'un moteur; elle possède une étrave élancée et une poupe elliptique. La coque, construite à franc-bord, est cloisonnée à l'avant et à l'arrière. Le navire possède un mât, un pont et un gaillard d'avant abritant les équipements du pont. La superstructure arrière, surmontée d'une timonerie, s'élève sur les lisses, et le couronnement est fermé. Une grande écoutille rectangulaire sur le pont donne accès à la cale.

Le *Saint-André* a été construit en 1956 à La Malbaie, pour le compte du capitaine Fernand Gagnon de Pointe-au-Pic. Le charpentier Philippe Lavoie, de Petite-Rivière-Saint-François, utilisa de gros troncs de pin rouge provenant de l'ancienne seigneurie de Mount Murray pour façonner cette goélette de plus de 29 mètres. Lavoie construit également, en 1959, la dernière goélette du Saint-Laurent, le *Jean-Richard*.

Suzanne Bernier, ethnologue

FRANCK, Alain. *Les goélettes à voile du Saint-Laurent. Pratique et coutumes du cabotage.* L'Islet-sur-Mer, Musée maritime Bernier, 1984. 166 p.

DESGAGNÉS, Michel. *Les goélettes de Charlevoix.* Montréal, Leméac, 1977. 183 p.

Le Saint-André *a été construit en 1956 à La Malbaie, pour le compte du capitaine Fernand Gagnon de Pointe-au-Pic.*

Forge et menuiserie Cauchon

Rivière-Malbaie   Classée monument historique en 1983
328, chemin de la Vallée

Vers 1930, le professeur Jean-Marie Gauvreau entreprend de sillonner les routes du Québec pour inventorier les ressources naturelles et industrielles de la province. En novembre 1933, dans *La Revue Moderne*, il signe conjointement avec Paul Gouin un compte rendu de sa rencontre avec Joseph Cauchon, un forgeron de soixante-dix-sept ans de Rivière-Malbaie. Les auteurs jugent ce personnage «digne du ciseau de Bourgault».

La boutique du forgeron s'élève à l'endroit désigné jadis comme le «petit village», pour le distinguer du village de La Malbaie proprement dit. Cette agglomération abrite la forge, un moulin à farine et à carder, un moulin à scie, un moulin à bardeaux et une boutique de menuiserie. Bon nombre d'artisans et d'ouvriers s'affairent dans ce hameau. Il sert de lieu de rendez-vous pour les cultivateurs établis le long de la rivière Malbaie et pour ceux des paroisses avoisinantes. Ce petit village connaît son apogée vers 1930, alors que tous ses ateliers fonctionnent à plein rendement. Dans leur article, Gauvreau et Gouin signalent la présence du moulin à scie d'Alfred Cauchon, fils de Joseph, aussi propriétaire d'une boutique de carrossier-menuisier.

L'environnement de la forge a subi depuis de profondes modifications. Certains bâtiments ont défié le temps, mais d'autres sont complètement disparus, comme l'ancien moulin à farine en 1944 et la boutique du charron en 1958. Au nord-est de la forge, la maison ancestrale de Joseph Cauchon et un moulin à scie s'élèvent sur le site de l'ancien moulin à farine.

La boutique de forge

La boutique de forge apparaît probablement en 1882 ou 1883. La tradition orale rapporte l'érection du bâtiment par Joseph Cauchon. Cette boutique de forge est l'une des plus remarquables au Québec. Bâtie sur deux niveaux, elle mesure 12 mètres sur 7,5. Construite en pièce sur pièce, elle repose sur des pierres plates et les angles sont assemblés à queue d'aronde.

Adossé au mur pignon nord, où se trouve la cheminée de brique du feu de forge, un appentis, également en pièce sur pièce, sert d'abri au soufflet de cuir qui alimente le feu.

À l'origine en bardeaux de cèdre, le toit de la boutique possède deux versants et est aujourd'hui couvert de tôle. Le même revêtement protège la façade est, le mur pignon nord et le toit à versant incliné de l'appentis. Des planches posées à la verticale recouvrent le mur pignon sud. La façade ouest ne comporte aucun revêtement et laisse à découvert les grosses pièces de bois de la charpente.

Au-dessus de la porte principale à deux battants, suffisamment large pour laisser pénétrer les voitures à l'intérieur, l'enseigne en lettres blanches sur fond noir annonçant «H. Cauchon, forgeron», existe toujours. Henri Cauchon, fils de Joseph, succède à son père dans la boutique.

Quatre grandes fenêtres, situées à l'avant et à l'arrière, et deux plus petites à l'étage, percées dans le mur pignon nord, assurent l'éclairage du bâtiment. Le mur pignon sud comprend deux portes: l'une très grande à l'étage qui permet d'accéder à la menuiserie, et l'autre, plus petite, qui communique avec le grenier.

Cette boutique présente une particularité assez rare: les deux niveaux abritent les activités principales, soit la forge et la menuiserie. Au rez-de-chaussée se trouvent évidemment le feu de forge, double, et partout autour les principaux outils: enclume, étau, coupoir, machine à refouler le métal et outils à main. Au fond de la boutique se trouvent également un établi, d'autres étaux, une foreuse et une scie mortaiseuse pour les usages généraux.

Située dans le «petit village», la forge-menuiserie Cauchon représente un vestige de l'activité industrielle artisanale. Construite par Joseph Cauchon en 1882-1883, la boutique reste l'une des plus remarquables au Québec par ses dimensions et ses caractéristiques architecturales.

*Enclume, étau et
autres outils utilisés
par le forgeron.
(Inventaire des biens
culturels du Québec).*

*Le feu de forge.
(Inventaire des biens
culturels du Québec).*

Le deuxième plancher, aménagé en menuiserie par Henri Cauchon pendant les années de crise, renferme un nombre impressionnant de machines de toutes sortes pour la préparation du bois servant à la carrosserie et au charronnage: tour à bois, dégauchisseuse, scie circulaire, scie à ruban, ponceuse, meule et foreuse. Ces appareils, en partie fabriqués par Henri Cauchon à partir de vieilles pièces d'instruments agricoles ou d'automobiles, sont actionnés par un moteur à essence. L'artisan a fait preuve d'ingéniosité en installant un mécanisme pour contrôler la vitesse requise de chaque instrument grâce à un système de poulies étagées.

Des ouvriers polyvalents

Au gré des commandes, les forgerons Cauchon (Joseph et ses deux frères) se font maréchaux, taillandiers, cloutiers ou encore serruriers. Cette polyvalence se retrouve dans la plupart des ateliers de forge du Québec, très nombreux jusque dans les premières décennies du XXᵉ siècle. Ceux qui, comme Cauchon, possèdent aussi la maîtrise et l'habileté nécessaires à la forge d'art sont cependant plus rares. Les spécialistes du fer ornemental constituent l'exception. La forge Cauchon se révèle importante non seulement par ses qualités architecturales, mais aussi par la réputation d'excellence de ses artisans. D'abord apprenti de son père puis maître forgeron, Henri se taille une réputation d'habile ferronnier d'art. Nombre de ses réalisations ornent les demeures cossues de La Malbaie ou de Pointe-au-Pic.

Élément remarquable du patrimoine architectural de Charlevoix, cette boutique reflète l'évolution de la forge au Québec. Elle contient l'outillage requis pour la pratique des différents aspects du métier, de la maréchalerie à la ferronnerie d'art en passant par le travail du bois. Certains de ces outils s'inspirent d'une tradition ancienne et rappellent une époque artisanale désormais révolue.

Bernard Genest, ethnologue

GENEST, Bernard et autres. *Les artisans traditionnels de l'Est du Québec*. Québec, ministère des Affaires culturelles, 1979. 391 p. (Coll. «Les cahiers du patrimoine», nᵒ 12).

GOUIN, Paul et Jean-Marie GAUVREAU. «Un patriarcat d'artisans ruraux». *La Revue Moderne*, novembre 1933.

SAINT-PIERRE, Serge et Johanne BLANCHET. *Forge-menuiserie Cauchon, Rivière-Malbaie, étude historique et ethnographique*. Québec, ministère des Affaires culturelles, 1981. 137 p.

De Lévis à Saint-Roch-des-Aulnaies
Un axe privilégié de peuplement: le fleuve

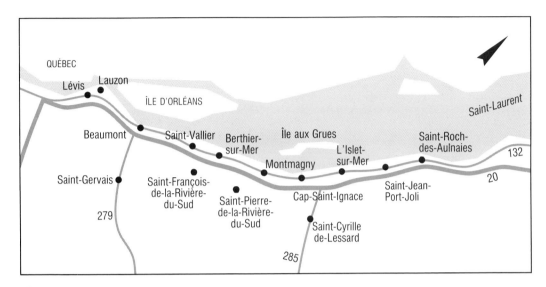

LE rétrécissement du fleuve, à la hauteur de Québec, laisse présager le lien étroit qui a prévalu au développement de la rive sud. Déjà, en aval, le cours d'eau s'élargit, enchâssant l'île d'Orléans, et la rive se transforme graduellement en plaine côtière, constituée de plans successifs accrochés au rebord du plateau appalachien.

Fortement boisée à l'origine, la région du sud représente, aux yeux de certaines peuplades amérindiennes, un territoire de chasse privilégié. De même, la présence du fleuve facilite l'approvisionnement en produits marins et oriente ainsi son peuplement et les activités de ses habitants.

En 1628, la région explorée comprend une première seigneurie octroyée en face de Québec. Bientôt, entre la rivière Chaudière et la pointe Lévy, des établissements riverains s'implantent. À la fois agriculteurs, pêcheurs et marchands, ces premiers habitants gravitent autour du bourg de Québec et le fleuve demeure l'axe principal de peuplement. La grande seigneurie de Lauzon, progressivement occupée, entraîne la colonisation de plusieurs seigneuries et fiefs le long du fleuve. Ainsi, à la fin du XVIIᵉ siècle, l'ensemble du territoire riverain, de la plaine littorale au piémont des Appalaches, commence à se peupler.

Les terres de la plaine de la rivière du Sud comptent parmi les plus fertiles de la province. (Archives nationales du Québec à Québec, fonds Office du film du Québec).

De Lévis à Saint-Roch-des-Aulnaies

Dès 1713, le chemin Royal suit, à distance, le parcours et les sinuosités du Saint-Laurent. Plus tard, les deuxième et troisième rangs s'implantent au sud de la route d'accès et entraînent la formation de hameaux ou villages où l'église constitue le point central. De même, certains affluents du Saint-Laurent, telles la rivière du Sud et la rivière Boyer, favorisent le peuplement de l'arrière-pays et l'érection de nouvelles paroisses plus au sud. Ces dernières, à l'exemple de Saint-Gervais en 1758, accueillent plusieurs colons acadiens chassés de leurs foyers à la veille de la Conquête. De plus, l'occupation intensive de la plaine côtière entraîne, au XIXᵉ siècle, la constitution de cantons à l'arrière des seigneuries. Le débordement s'effectue d'abord sur le rebord puis sur le plateau appalachien en suivant le cours des vallées.

L'exploitation forestière et le commerce du bois, alors en plein essor, sont responsables de cette appropriation des terres, si bien qu'au début du XXᵉ siècle, celles de l'arrière-pays sont parsemées de zones défrichées, de moulins et de villages naissants. Une société agro-forestière s'y développe à proximité de la frontière américaine.

Pendant ce temps, la zone riveraine se consolide et se densifie avec la création de villes comme Lévis, Lauzon et Montmagny, tout particulièrement après l'arrivée du chemin de fer du Grand Tronc à Lévis en 1860.

Un paysage modulé: du fleuve à l'arrière-pays

Dans une perspective élargie, le paysage s'ouvre, à l'ouest, le long des vallées des rivières Chaudière et Etchemin, sur un plateau plat s'étendant au rythme d'un certain vallonnement, sur lequel la couverture forestière s'éclaircit. Plus à l'est, le plateau s'affaisse à l'approche du fleuve et de la vallée de la rivière du Sud, de manière à dégager un paysage plus maritime. À l'arrière et dominant les vallées intérieures, le territoire s'étale en terrasses successives tout en conservant une large perspective sur la côte et le fleuve.

Le paysage de la côte du Sud est tributaire du défrichement du territoire à des fins agricoles. En effet, le mode d'occupation qui lui est propre s'inscrit de manière déterminante dans la nature du paysage. Modelé par la présence du fleuve et par le régime de distribution des terres, il favorise, dans un premier temps, l'implantation de fermes et de noyaux de villages en bordure du cours d'eau principal et, dans un deuxième temps, sur les terrasses et les plateaux de l'arrière-pays, dans un alignement orienté de façon parallèle au fleuve.

Les villages situés en bordure du fleuve se répartissent de façon régulière selon une séquence empruntée au découpage du lotissement. En raison de la nature du relief, on peut souvent y apercevoir le clocher du village voisin. Le village reprend à échelle réduite la forme linéaire du lotissement avec une densification des bâtiments de part et d'autre de l'église, à proximité de laquelle se retrouvent le cimetière, le presbytère, le manoir seigneurial ainsi que les bâtiments commerciaux et les résidences des notables. À l'intérieur, dans les paroisses récemment ouvertes à la colonisation et regroupées au sud des plateaux, l'église se retrouve régulièrement sur un site dominant ou encore au confluent des voies de circulation.

Comme le montre cette gravure réalisée d'après un dessin de Coke Smyth et publiée en 1840, le littoral de la rive sud, très escarpé près de Québec, tend à s'adoucir à mesure qu'on se dirige vers l'est. (Inventaire des biens culturels du Québec).

De Lévis à Saint-Roch-des-Aulnaies

Érigée en bordure du fleuve, la première église de Saint-Thomas accueille les paroissiens jusqu'en 1771. Elle est alors remplacée par une nouvelle construction située plus loin à l'intérieur des terres. (Collection privée).

Résidence de l'auteur du roman Les Anciens Canadiens, *le manoir de Saint-Jean-Port-Joli a été détruit par un incendie en 1909. À la fois spacieux et modeste, le bâtiment témoignait du mode de vie d'un petit seigneur de campagne. (Archives nationales du Québec à Québec, collection initiale).*

Les agglomérations urbaines de Lévis, Lauzon et Montmagny possèdent toutes une ouverture sur le fleuve. Elles comportent un réseau de rues principales étirées d'ouest en est qui obéit à l'orientation du relief et du cours d'eau. Une expansion importante d'un premier noyau villageois explique le développement des villes de Lauzon et Montmagny. L'émergence d'un secteur industriel axé sur la construction navale et la fonderie influence l'implantation des rues et la concentration d'habitats ouvriers regroupés à la périphérie du centre institutionnel ou industriel. La ville de Lévis développe son secteur commercial, profitant de sa situation au carrefour des routes, du chemin de fer et du fleuve. Le lotissement linéaire accroché à la falaise et sur la terrasse y croise la principale artère commerciale montant du port.

Un habitat significatif

L'habitat s'est d'abord implanté à proximité du fleuve sur les premières concessions seigneuriales à prédominance agricole. Puis il se déploie plus au sud à travers le territoire agro-forestier. Les formes et les techniques associées aux bâtiments diffèrent alors. Le bois demeure, par contre, le matériau privilégié dans l'édification des structures d'habitat sur tout le territoire.

En parcourant la plaine côtière et quelques vallées intérieures au peuplement précoce, il est possible d'y repérer un certain nombre de maisons du XVIIIᵉ siècle. Celles-ci, surtout présentes dans les environs de Beaumont, illustrent les morphologies architecturales de tradition française. Toutefois, les multiples variantes stylistiques du XIXᵉ siècle dominent largement l'architecture de la région. Plusieurs concentrations de maisons néo-classiques se trouvent en bordure de la route 132. Quelques habitations influencées par le mouvement pittoresque propre au style Regency se rencontrent particulièrement à l'est de Montmagny. Les avant-toits retroussés et les corniches cintrées sont typiques de ce style.

Les bâtiments agricoles se composent généralement d'une laiterie, d'un fournil, d'une remise et d'une imposante grange-étable. Dans plusieurs cas une allonge latérale à la maison remplace le fournil. Elle reprend souvent en miniature la forme de la maison et sert de cuisine d'été. De même, les dimensions et la forme des granges-étables comportent deux niveaux coiffés de versants droits ou d'un comble brisé, et leur structure a été renouvelée au cours des ans. Les secteurs de Bellechasse et de L'Islet présentent quelques granges octogonales.

L'habitat agricole, localisé sur les terres de la plaine côtière colonisées ultérieurement, possède des composantes similaires, mais présente toutefois un nouvel éventail de formes et de styles architecturaux. Ainsi, la maison de plan rectangulaire ou carré se coiffe dorénavant d'une toiture à deux versants aux avant-toits retroussés, d'un toit mansardé ou à quatre versants égaux. Ces maisons s'agrémentent d'une ornementation

De Lévis à Saint-Roch-des-Aulnaies

de bois au niveau des ouvertures et des galeries. Les bâtiments secondaires, contemporains des maisons, s'élèvent fréquemment à un seul niveau, et reprennent les caractéristiques d'ensemble de ces maisons.

Parfois, les arcades et les porches de certaines granges-étables se prolongent sous l'un des versants du toit. Ces espaces abritent en général la machinerie.

Enfin, les plateaux de l'arrière-pays exploités plus récemment comportent des lieux d'établissement au défrichement restreint et où l'habitat n'est plus seulement agricole. La maison carrée comprend un et parfois deux étages coiffés d'une toiture à deux versants égaux. Le bâtiment secondaire, limité à la grange-étable, repose sur un plan carré et comporte régulièrement deux niveaux surmontés d'un comble droit ou brisé.

Selon l'ancienneté du lotissement, les formes architecturales rurales se rencontrent dans les villages ou les villes. L'espace restreint oblige cependant les occupants à ériger des habitations à un ou deux étages au-dessus du rez-de-chaussée. Les rues commerciales de Lévis et de Montmagny ainsi que les environs immédiats des chantiers maritimes et des usines en fournissent des exemples.

lages et des centres urbains s'accroît généralement autour de l'église. Il en résulte un passage en douceur du mode d'occupation rural à un mode plus urbain. La ville de Lévis subit cependant une rupture de l'habitat urbain perceptible autant dans la forme que dans les revêtements. Son développement rapide à la fin du XIXe siècle a entraîné l'édification de grandes maisons de commerce à l'ornementation chargée et où la brique est plus fréquemment employée.

La Côte-du-Sud constitue l'une des plus vieilles régions agricoles de la province. Comme le montre cette vue de l'extrémité est du village de L'Islet-sur-Mer, l'ancien chemin du Roy est bordée de fermes, dont plusieurs sont plus que centenaires. (Photo: Pierre Lahoud).

En dehors de ces habitats observés selon leur mode de diffusion, il existe bon nombre de bâtiments auxquels les habitants de ce territoire attribuent une grande valeur d'évocation. Les églises paroissiales, les chapelles de procession de Lauzon, Beaumont ou Saint-Charles, quelques moulins banaux comme ceux de Saint-Jean-Port-Joli, Beaumont ou Cap-Saint-Ignace, des manoirs et des domaines seigneuriaux tels ceux de l'île aux Grues et de Saint-Roch-des-Aulnaies, témoignent, avec quelques maisons et à des degrés divers, du mode d'occupation et de l'organisation sociale qui ont régi l'ensemble du territoire.

Robert Côté, analyste en architecture

BOURBEAU, Claude et Normand GÉLINAS. *Comté de Lévis, analyse du paysage architectural*. Québec, ministère des Affaires culturelles, 1982. 166 p.

MICHAUD, Claude et Robert CÔTÉ. *Comté de l'Islet, analyse du paysage architectural*. Québec, ministère des Affaires culturelles, 1979. 142 p.

MICHAUD, Claude et Robert CÔTÉ. *Comté de Montmagny, analyse du paysage architectural*. Québec, ministère des Affaires culturelles, 1979. 139 p.

Maison Alphonse-Desjardins

Lévis
8, avenue Mont-Marie

Fonction: public
Classée monument historique en 1983

Alphonse Desjardins naît à Lévis le 5 novembre 1854. Il étudie d'abord à l'école paroissiale Potvin et poursuit des études classiques au Collège de Lévis entre 1864 et 1869. Sa famille ne pouvant lui payer des études universitaires, il s'enrôle dans le 17e bataillon de la milice canadienne où il reste cinq ans. De retour à Lévis en 1876, il entreprend une carrière de journaliste à *L'Écho de Lévis*, puis ensuite au *Canadien*, propriété de son frère Louis-Georges, où il publie les débats de la législature de Québec, soit de 1879 à 1890.

En juillet 1891, il fonde son propre journal, *L'Union canadienne*, qui connaît une existence éphémère. L'année suivante, il devient rapporteur officiel à la Chambre des communes du Canada, emploi qu'il occupe jusqu'en 1917.

Naissance d'une vocation

Un débat sur les ravages causés par les prêts usuraires, en 1897, change complètement sa vie. Quelque temps après, il contacte le président de l'Alliance coopérative internationale qui lui fait connaître les grands maîtres de la coopération en Europe. Le 20 septembre 1900, après deux ans de recherches et d'études, de nombreux pourparlers et de fréquentes consultations, Desjardins convoque, dans sa maison de la rue Mont-Marie à Lévis, plusieurs personnes pour jeter les bases de son projet coopératif et en élaborer les statuts et règlements. Après plusieurs réunions, ces statuts et règlements sont adoptés le 22 novembre 1900 et approuvés lors de la fondation de la caisse populaire de Lévis, le 6 décembre 1900.

La première caisse populaire ouvre ses portes le 23 janvier 1901, à raison de trois jours par semaine, dans la cuisine de la maison d'Alphonse Desjardins. Le soir, il reçoit les sociétaires dans un local mis gratuitement à sa disposition par la Société des artisans.

Cette maison où vécut Alphonse Desjardins, fondateur des caisses populaires, fut érigée entre 1882 et 1884. Il est aujourd'hui possible de la visiter et d'y découvrir l'histoire de Desjardins et de son œuvre.

Reconstitution du bureau d'Alphonse Desjardins.

En avril 1913, le Saint-Siège confère le titre de commandeur de l'Ordre de Saint-Grégoire-le-Grand à Alphonse Desjardins; le mois suivant, le cardinal Louis-Nazaire Bégin, archevêque de Québec, le nomme membre permanent de l'Action sociale catholique. Peu après, la maladie l'oblige à réduire ses activités professionnelles. En 1918, il fonde un comité pour étudier un projet de fédération des caisses populaires. En 1920, il fait parvenir une circulaire aux gérants des caisses dans le but d'obtenir leur adhésion au projet de fédération. Toutefois, son état de santé se détériore et, en septembre de la même année, il doit cesser toute activité. Il meurt le 31 octobre 1920, à l'âge de 66 ans.

La résidence du fondateur

De style néo-gothique, la maison Alphonse-Desjardins est érigée entre 1882 et 1884. Il s'agit d'un bâtiment de plan asymétrique en forme de L avec un rez-de-chaussée surélevé reposant sur une fondation maçon-née. Ses murs sont constitués de madriers en pièce sur pièce lambrissés de planches à clins du côté extérieur. Restaurée en 1981-1982, la maison a subi peu de modifications.

Les bureaux de la Société historique Alphonse-Desjardins occupent le premier étage, et le rez-de-chaussée est ouvert au public. Certaines des pièces ont été restaurées et remeublées afin de leur donner l'aspect de l'époque où Alphonse Desjardins habitait la maison et y recevait les sociétaires de la première caisse populaire.

Daniel Lauzon, aménagiste

JACOB, Lise et Francine MONTMIGNY. *Rapport de recherche sur la maison «Alphonse Desjardins».* Lévis, L'Union régionale de Québec des caisses populaires Desjardins, 1978. 133 p.

HAMELIN, Pierre. *Rapport historique. La maison Desjardins.* Rapport préliminaire. Lévis, Fédération des caisses populaires Desjardins, 1981. 68 p.

LAMARCHE, Jacques. *Alphonse Desjardins, un homme au service des autres.* Montréal, Éditions du Jour. 1977.

Maison natale de Louis Fréchette

Lévis
229, rue Saint-Laurent

Fonction: privé
Reconnue monument historique en 1977

Résidence du poète Louis Fréchette pendant les treize premières années de sa vie, la maison Fréchette marie à la fois le style néo-classique et l'architecture de la Nouvelle-Angleterre des XVIIe et XVIIIe siècles.

Premier poète canadien couronné par l'Académie française, Louis Fréchette a vécu une existence mouvementée. Ses études classiques terminées en 1860, il suit des cours de droit à Québec et fréquente le cercle littéraire groupé autour du libraire Octave Crémazie. Il publie ses premiers poèmes dès cette époque. Admis au barreau en 1864, il ouvre un cabinet sur la côte du Passage à Lévis et fonde un journal avec son frère.

Ses idées radicales — il admire Louis-Joseph Papineau — contribuent à son échec comme avocat et journaliste. Découragé, il s'exile à Chicago en 1866 où son frère Achille l'a précédé. Après la publication d'une polémique en vers intitulée *La voix d'un exilé*, qui le fait connaître au Québec, il quitte les États-Unis en 1871 et revient à Lévis, considéré comme un héros par la population. La même année, il reprend la pratique du droit.

Candidat libéral dans Lévis aux élections provinciales de 1871, il connaît la défaite. Il se présente aux élections fédérales dans le même comté l'année suivante, et essuie encore un revers. En 1874, il est élu député de Lévis au parlement d'Ottawa. De nouveau candidat aux élections fédérales de 1878 et 1882, il se voit ravir le comté de Lévis par son adversaire conservateur.

En 1876, Fréchette épouse Emma Beaudry, fille de Jean-Baptiste Beaudry,

riche propriétaire montréalais et fondateur de la banque Jacques-Cartier, qui deviendra la Banque provinciale. Il se fixe à Montréal en 1877 et poursuit sa carrière d'homme de lettres. Nommé greffier au Conseil législatif en 1889, il ne cesse de s'intéresser à la littérature. En 1892, Fréchette s'établit sur la rue Sherbrooke et y demeure jusqu'en 1907. Il écrit durant ces années plusieurs recueils de contes. En mai 1907, Louis Fréchette s'installe à l'Institut des sourdes et muettes sur la rue Saint-Denis. Il y meurt le 31 mai 1908.

La maison familiale

Louis Fréchette a vécu les treize premières années de sa vie dans la modeste demeure de la rue Saint-Laurent à Lévis, érigée par son père entre 1837 et 1841. Louis Fréchette père et son épouse vendent cette maison et les autres propriétés qu'ils possèdent dans ce secteur à Georges Beswick en 1852. L'usine de la compagnie L'Hoir, une entreprise de produits d'aluminium et d'acier inoxydable, s'élève aujourd'hui entre cette demeure et le fleuve.

La maison Louis-Fréchette comprend actuellement deux corps de logis disposés perpendiculairement, possédant chacun un rez-de-chaussée surmonté de combles où se retrouvent les chambres. La section la plus ancienne, la maison natale de Louis Fréchette, se situe du côté de l'usine et du

fleuve. La maison de bois est lambrissée de planches à clins.

Par ses différentes composantes extérieures, la résidence Fréchette se rattache au style néo-classique dans une de ses versions pittoresques propres au courant Regency. Ce dernier, particulièrement populaire à compter des années 1830-1840, se retrouve dans de nombreux cottages québécois de cette époque. L'intérieur a subi peu de transformations depuis le tournant du siècle et plusieurs éléments d'origine existent encore tels des portes, des lambris de plafond ou des moulures.

La seconde section, disposée perpendiculairement à la maison Fréchette, en constitue une allonge, érigée lors de la seconde moitié du XIXe siècle. Sa toiture mansardée est caractéristique de l'architecture américaine de la Nouvelle-Angleterre des XVIIe et XVIIIe siècles, réinterprétée dans le style néo-colonial vers la fin du XIXe siècle.

Daniel Lauzon, aménagiste

SALOMON DE FRIEDBERG, Barbara. *Les maisons de Louis Fréchette*. Québec, ministère des Affaires culturelles, 1976. 57 p.

SERRE, Lucien. *Louis Fréchette. Notes pour servir à la Biographie du Poète*. Montréal, les Frères des écoles chrétiennes, 1928.

KLINCK, George A. *Louis Fréchette. Mémoires intimes*. Texte établi et annoté par G.A. Klinck. Montréal, Fides, 1961.

Chapelles Sainte-Anne et Saint-François-Xavier

Lauzon
220 et 340, rue Saint-Joseph

Fonction: public
Classées monuments historiques en 1977

Sur le territoire de Lauzon, deux chapelles de procession en pierre s'élèvent de part et d'autre de l'église paroissiale, comme le veut la tradition. La chapelle dédiée à sainte Anne est située à peu près à 300 mètres à l'ouest de l'église, et celle dédiée à saint François Xavier à 275 mètres à l'est, en face du chantier maritime de Lauzon. Toutes deux classées monuments historiques le 5 octobre 1977, elles font partie de la plus ancienne paroisse de la rive sud, autrefois appelée Saint-Joseph-de-la-Pointe-de-Lévy, fondée le 18 septembre 1694.

La chapelle Sainte-Anne

Le 7 juin 1789, Joseph Samson, habitant de la paroisse de Saint-Joseph-de-Lauzon, fait don d'un terrain de trente pieds «à cette effet (sic) qu'on y construise et bâtisse une chapelle en l'honneur de sainte Anne». En 1799, le curé de Lauzon décrit la chapelle comme «très décente et assez richement peinturée tant en dedant (sic) qu'au dehors».

Pendant un siècle, la chapelle sert lors des processions, notamment celle de la Fête-Dieu. En 1891, le curé rétablit les processions en l'honneur de sainte Anne. La chapelle, repeinte et réparée, reçoit une statue de la sainte (1892), un autel construit par le menuisier Clément Giguère, du linge, des vases sacrés, des chandeliers et des lampes

(1893). La décoration est complétée en 1894 par deux tableaux représentant saint Joseph et saint Joachim, œuvres de mère Saint-Ligori, religieuse de Jésus-Marie au couvent paroissial, et par l'installation de la châsse de saint Constant sous l'autel. Au même moment, des ouvriers construisent un vestiaire et une tribune dans la chapelle, puis, deux ans plus tard, elle reçoit une nouvelle cloche. L'essentiel de cet ameublement subsiste encore aujourd'hui.

Cette chapelle de forme rectangulaire, terminée par un chœur en hémicycle, possède des murs en maçonnerie recouverts d'un crépi et chaulés. Trois fenêtres rectangulaires percent les murs latéraux et une porte donne accès à une petite annexe, qui sert de vestiaire. La façade principale accueille une large porte à double vantail surmontée d'un tympan en bois, orné d'un motif en éventail. Un chambranle mouluré encadre la porte et son couronnement cintré, rehaussé d'une clef. Deux petites plaques parent les pignons: elles portent le millésime 1789 et le vocable de la chapelle.

La toiture, recouverte de bardeaux de cèdre, présente à son niveau inférieur un très léger retroussement causé par la présence de petits coyaux découverts lors d'un récent curetage (1986). Une petite croix coiffe l'épi de faîtage. Le clocher comporte une base et

un tambour de forme hexagonale ainsi qu'une flèche de profil incurvé et surmontée d'une croix sur laquelle se dressait autrefois un coq en tôle martelée. Ce coq, fortement abîmé par les intempéries, appartient depuis une soixantaine d'années à Robert Samson, qui réside en face du temple. Il est dorénavant exposé à l'intérieur parmi les autres pièces du mobilier de la chapelle.

À l'intérieur, des lambris de planches recouvrent la fausse voûte en plein cintre. Le cul-de-four contient six pans. Une corniche à denticules unit le mur de pierre crépi à la fausse voûte. Le mobilier de la chapelle se compose d'une balustrade et d'un maître-autel formé d'une table rectangulaire sur laquelle repose le tabernacle. Son couronnement est formé d'un fronton cintré. En outre, trois statues de sainte Anne décorent l'ensemble.

Le plancher a été reconstitué en madriers à joints continus et ceinturé d'une bande peinte en noir au bas des murs, ce qui rappelle l'ancienne «plinthe de suie» découverte lors du curetage de 1986. La sacristie en bois comporte une toiture à pignon, recouverte de bardeaux de cèdre. Cette toiture abrite deux lucarnes, dont la face vitrée est située de biais. De plus, les perrons de la sacristie et de la chapelle ont été refaits en bois.

Érigée à la fin du XVIIIᵉ siècle, la chapelle Sainte-Anne sert surtout lors des processions de la Fête-Dieu.

Dessin de la chapelle Sainte-Anne montrant la petite annexe utilisée comme vestiaire.

La chapelle Saint-François-Xavier

Construite une vingtaine d'années plus tard, la chapelle Saint-François-Xavier s'élève sur un terrain offert par Madeleine Duclos, veuve de Jean-Baptiste Bourassa. En 1823, l'évêque autorise une procession le jour de la fête de saint François Xavier.

L'histoire de cette chapelle de procession, l'une des plus grandes du Québec, repose essentiellement sur la tradition orale. Le témoignage d'une famille voisine de la chapelle, dévouée à son entretien, s'avère des plus précieux.

«Il fut un temps où il n'y avait pas d'autre église que celle de Saint-Joseph pour desservir toutes les campagnes environnantes; la paroisse était très grande. Aussi, quand quelqu'un de là-bas mourait, on transportait son corps, la veille de l'enterrement, dans la chapelle Saint-François-Xavier. Ensuite, quand il y a eu d'autres paroisses, d'autres églises, la chapelle Saint-François-Xavier n'a plus servi de cette façon. On faisait le reposoir à la chapelle Saint-François-Xavier à tous les deux ans, parce qu'on alternait: une année, cela avait lieu à la chapelle Saint-François, et l'autre année, à la chapelle Sainte-Anne.»

Selon une autre information, la chapelle connaît des réparations assez importantes dans les années 1940. C'est à cette époque, notamment, qu'elle reçoit ses premières installations électriques. Vers les années 1950-1955, la chapelle cesse de servir au culte. En 1974, elle accueille les scouts de Lauzon qui y tiennent leurs réunions et, en 1976, deux jeunes potiers y installent leur atelier.

La chapelle Saint-François-Xavier ressemble beaucoup à la chapelle Sainte-Anne. Mesurant 6 mètres de largeur sur environ 9 mètres de longueur, elle s'élève à 8 mètres, du sol au faîte. Son plan ne comporte pas de vestiaire et les fenêtres sont cintrées. Une plaque portant le millésime 1822 et une niche pratiquée dans l'épaisseur des murs décorent le pignon. Le clocher, hexagonal, se compose d'éléments semblables à ceux de la chapelle Sainte-Anne.

La toiture en bardeaux de cèdre comprend un prolongement supporté de petits coyaux droits apparents. Un épi de faîtage reconstitué la surmonte. Les murs de maçonnerie sont recouverts d'un nouveau crépi et chaulés, et le perron est en bois.

Semblable à la chapelle Sainte-Anne, la chapelle Saint-François-Xavier présente cependant un décor intérieur plus élaboré. Elle constitue l'une des plus grandes chapelles de precession du Québec.

L'intérieur rappelle aussi celui de la chapelle Sainte-Anne, mais ici aucun décor ne subsiste. Le nouveau plancher se compose de madriers et possède une bande noire au bas des murs. Le crépi intérieur a été réparé et chaulé. Son autel d'origine repose actuellement au sous-sol de l'église.

D'une restauration à l'autre

Les deux chapelles appartiennent à la ville de Lauzon depuis 1986. À cette date, de concert avec le ministère des Affaires culturelles et dans le cadre du programme Revi-Centre, la municipalité entreprend d'importants travaux de restauration. Ces travaux rétablissent l'image des deux petits monuments, désormais objets de fierté de la communauté.

Autrefois, sous la pression de la Société Saint-Jean-Baptiste de Québec et de la Société d'histoire régionale de Lévis, la ville de Lauzon s'était engagée dans le processus de mise en valeur de ces deux monuments et avait acquis des terrains situés à l'est de chacune des chapelles. Ces espaces verts, aménagés en petits parcs, assurent un dégagement permanent, agréable et bien proportionné qui met en valeur les édicules et leur environnement.

Roger Picard, architecte

ROBERT, Jacques. *Dossier sur les chapelles de procession du Québec*. Québec, ministère des Affaires culturelles, 1979. 163 p.

SALOMON DE FRIEDBERG, Barbara. *Dossier sur les chapelles de procession de Lauzon et Saint-Antoine-de-Tilly*. Québec, ministère des Affaires culturelles, 1976.

Ancien hôtel de ville

Lauzon
302, rue Saint-Joseph

Fonction: public
Reconnu monument historique en 1975

En mars 1975, les services de la municipalité de Lauzon quittent les bureaux de l'hôtel de ville de la rue Saint-Joseph. La ville conserve et restaure ce bâtiment, aujourd'hui utilisé à des fins communautaires.

Érigé vers 1875, il sert successivement d'école, de salon funéraire et d'épicerie. De style Second Empire, il ressemble à nombre d'édifices publics de l'époque.

Construit en brique sur un soubassement en pierre à bossage, le bâtiment possède, au-dessus du rez-de-chaussée, un étage coiffé d'une toiture mansardée aux brisis bombés couverts de tôle à baguettes. Ceux-ci sont percés de lucarnes en plein cintre sur chacun de leurs côtés ainsi que d'une souche de cheminée sur les façades latérales est et ouest.

Une tour carrée domine la façade principale, dont la toiture à l'impériale est percée d'œils-de-bœuf. Une large corniche soutenue par de hautes consoles-modillons la surplombe. Deux fenêtres à un vantail sur chacun de ses côtés flanquent la base de la tour, éclairée par une fenêtre-fronton à double vantail. Un décor de linteaux à clefs en pierre de taille garnit les ouvertures de la façade principale. Les ouvertures des façades latérales sont traitées de façon asymétrique. Des œils-de-bœuf éclairent la partie haute du rez-de-chaussée. Quant à la façade postérieure, elle a perdu lors de la restauration les éléments greffés au fil des années.

Daniel Lauzon, aménagiste

GIRAM. *Évolution des axes commerciaux traditionnels de Lévis et Lauzon*. Lauzon, [s. éd.], 1985. 99 p.

De style Second Empire, l'ancien hôtel de ville de Lauzon est réservé aujourd'hui à des activités communautaires.

Maison Trudel

Saint-Étienne-de-Beaumont
193, rue du Fleuve

Fonction: privé
Classée monument historique en 1970

Lᴀ terre sur laquelle s'élève la maison Trudel fait partie de la seigneurie de Beaumont, concédée en 1672. Selon le plan des seigneuries et habitations de la Nouvelle-France, dressé en 1709 par Gédéon de Catalogne, une famille Le Roy possède cette propriété. Ces Le Roy, ou Roy, construisent le premier carré de la maison vers 1720.

Les Le Roy occupent le site durant tout le XVIIIᵉ siècle et la première moitié du XIXᵉ siècle. Entre 1850 et 1900, quatre générations de Turgeon habitent la résidence. Lors de leur installation, ils allongent la maison. De 1905 à 1943, une autre famille Roy devient propriétaire de la ferme et des bâtiments. Acquis en 1943 par les Caseault, l'ensemble passe entre les mains de la famille Trudel en 1969. Cette dernière entreprend la restauration de la résidence au cours des années 1970.

Cette maison, construite en bois, comporte un rez-de-chaussée surmonté d'une toiture à quatre versants dotée d'épis de faîtage. Des bardeaux recouvrent la toiture et une large souche de cheminée en pierre s'élève au centre. À l'origine, la maison mesure 13,7 mètres de longueur sur 7,5 mètres de largeur. Vers le milieu du XIXᵉ siècle, un agrandissement de 4 mètres prolonge le côté est, avec des fenêtres et une toiture en croupe similaires à celles de la maison initiale. Les lucarnes ont vraisemblablement été ajoutées à la même époque. Les murs, en pièce sur pièce assemblées à queue d'aronde aux retours d'angles, comportent un léger fruit. Ils comprennent des poteaux d'assemblage intermédiaire, et de larges planches verticales embouvetées et blanchies à la chaux les lambrissent.

Les fondations, réalisées en pierre des champs, sont protégées jusqu'au niveau du sol par de la terre. Peu profonde, la cave conçue pour l'entreposage recèle les vestiges d'un puits.

La charpente, du type à chevrons portant fermes, comprend des pannes, des entraits et des poinçons. Dans le sens de la longueur de la toiture, sous les pannes faîtières et les sous-faîtes, deux types d'assemblage se retrouvent: la croix de Saint-André dans la partie est et l'aisselier du côté ouest. Ceux-ci témoignent de l'agrandissement. Un entrait de base central ou «casse-jambe» relie les sablières antérieure et postérieure afin de contrebalancer la poussée exercée par la toiture sur les murs.

Quand le visiteur entre dans la maison, son regard est attiré par une imposante cheminée de pierre. Une grande pièce centrale occupe cet étage. Les plafonds de madriers de pin assemblés à couvre-joints servent de plancher au grenier et des poutres apparentes les supportent. Des pièces de quincaillerie d'origine subsistent aux portes et aux fenêtres, tels les pentures, les verrous, les serrures, les clenches. Autre particularité, tous les murs sont couverts de picots de chevilles pour permettre l'adhérence de l'enduit sur les pièces de bois.

Claude Reny, aménagiste-géographe

Cᴏᴍɪᴛᴇ́ ᴅᴇs ꜰᴇ̂ᴛᴇs ᴅᴜ ᴛʀɪᴄᴇɴᴛᴇɴᴀɪʀᴇ ᴅᴇ ʙᴇᴀᴜᴍᴏɴᴛ. *Beaumont, 1672-1971.* [s. l.], Éditions Etchemin, 1972. 144 p.

Construite en pièce sur pièce, la maison Trudel repose sur des fondations en pierre.

Chapelles Sainte-Anne et de la Sainte Vierge

Saint-Étienne-de-Beaumont
Sainte-Anne: 79, chemin du Domaine
Sainte Vierge: 34, chemin du Domaine

Fonction: public
Classées monuments historiques en 1981

Depuis longtemps, la paroisse de Saint-Étienne-de-Beaumont possède deux chapelles qui servaient lors des processions de la Fête-Dieu. La chapelle de la Sainte Vierge, à l'est, et la chapelle Sainte-Anne, à l'ouest, toutes deux éloignées de l'église paroissiale de moins d'un kilomètre, possèdent un certain nombre de caractéristiques en commun.

Selon Pierre-Georges Roy, la chapelle de la Sainte Vierge portait en façade une pierre sur laquelle était inscrit le millésime 1733. Dès 1719, un document précise l'emplacement d'une chapelle située «dans l'étandue de la paroisse de Beaumont du côté d'en bas». En 1740, l'abbé Jean-Pierre de Miniac, vicaire général de l'évêque de Québec, ordonne aux habitants de transporter leur chapelle du bas de la paroisse vers un lieu plus près de l'église, pour servir aux processions du Saint Sacrement. L'édicule actuel apparaît probablement en 1740 à la suite de l'instruction de l'abbé de Miniac.

En 1873, le mauvais état des édicules amène l'archevêque de Québec à recommander leur réfection. Les travaux sont effectués l'année suivante. Une nouvelle restauration de la chapelle de l'est s'amorce en 1949 grâce à une subvention de la Commission des monuments historiques.

La chapelle de la Sainte Vierge

La chapelle de la Sainte Vierge de Beaumont est un édicule de 5 mètres de largeur sur 7 mètres de longueur. Son plan carré s'adjoint une abside en hémicycle. Cinq ouvertures percent les murs: chacun des murs latéraux comprend deux fenêtres cintrées, tandis que la façade principale, au sud, est percée d'une porte à deux vantaux surmontée d'un châssis de tympan et entourée d'un chambranle continu. L'encadrement des ouvertures se compose exclusivement de bois peint. La pierre et le crépi recouvrent les murs. L'angle de la toiture à la base s'ouvre à environ 45 degrés. La toiture recouverte de bardeaux de cèdre déborde légèrement du mur de façade; sa pente, adoucie dans sa partie basse, présente des coyaux. La tour, un peu en retrait du pignon de la façade, comprend une base carrée, à cheval sur le faîte, recevant un tambour octogonal coiffé d'une délicate flèche surmontée d'une croix. Un épi de faîtage marque la rencontre du faîte et des chevrons de l'abside.

À l'intérieur, une balustrade divise l'espace et deux degrés donnent accès à l'autel. La fausse voûte en anse de panier est lambrissée horizontalement. Le cul-de-four contient six pans. Une corniche à denticules sépare cette fausse voûte des murs recouverts de plâtre.

Chapelle de la Sainte Vierge située à l'est du village de Saint-Étienne-de-Beaumont, restaurée en 1949.

À l'autre bout du village se trouve la chapelle Sainte-Anne. Elle comporte certaines caractéristiques de l'architecture classique anglaise tel un portail plus élaboré.

L'autre chapelle, consacrée à sainte Anne, porte, toujours selon Pierre-Georges Roy, le millésime 1738. La seule mention de cette construction dans les livres de comptes de la fabrique de Beaumont signale des réparations faites à cette chapelle en 1841. Gérard Morisset la date de 1800 environ. Toutefois, une structure plus ancienne a pu être modifiée dans la première moitié du XIXᵉ siècle. Le tambour de la tour supportait autrefois une statue de sainte Anne; probablement à la suite de la restauration de la chapelle en 1852, la statue est délogée et une flèche est rétablie.

La chapelle Sainte-Anne

Les dimensions de la chapelle Sainte-Anne, comparables à celles de la chapelle de la Sainte Vierge, sont de 4,5 mètres de largeur sur 7,5 mètres de longueur. Dans ses proportions et sa configuration, son plan ressemble à celui de l'autre chapelle; il se termine également par un chevet semi-circulaire. Le mur en pierre, crépi, comprend cinq ouvertures: deux fenêtres rectangulaires sur chacune des façades latérales, une porte sur la façade principale au nord. Le portail se compose d'un arc en plein cintre délimitant l'ouverture, fermée par une porte à double vantail et le tympan de menuiserie. Les piédroits reçoivent un entablement peu mouluré. Toutes ces pièces décoratives sont en bois.

L'angle de la toiture à la base excède 50 degrés. Celle-ci déborde légèrement du mur pignon. L'avant-toit des versants, droit, dépasse de quelques centimètres les murs gouttereaux. Des bardeaux recouvrent la toiture.

Dans sa forme actuelle, la tour ressemble à celle de la chapelle de la Sainte Vierge. Comme cette dernière, elle se compose d'une base portant tambour octogonal et flèche. Elle en diffère par une corniche qui marque le sommet de la base. L'épi de faîtage s'y trouve également.

À l'intérieur, des planches verticales lambrissent les murs. La fausse voûte, légèrement surbaissée, et le cul-de-four, à six pans, sont recouverts de planches. Une corniche continue marque la rencontre du mur et de la voûte.

Le maître-autel est très simple. Le tabernacle, de facture artisanale, repose sur une table rectangulaire; quatre colonnes d'ordre composite divisent cette table. Les trois panneaux ainsi délimités sont munis de pièces sculptées. Une balustrade de même qu'une légère dénivellation marquent le passage de la nef au chœur.

Les deux chapelles de procession de Beaumont se ressemblent quant aux proportions et aux structures d'ensemble. Elles s'inspirent de l'architecture traditionnelle, marquée au Québec par l'introduction au XVIIᵉ siècle du mouvement académique français et le développement en vase clos de formes simplifiées et adaptées aux conditions du pays. Par ailleurs, la chapelle Sainte-Anne, peut-être plus tardive ou transformée au début du XIXᵉ siècle, est marquée par l'influence de l'architecture classique anglaise, reconnaissable à un portail plus élaboré formé de piédroits en forme de pilastres et d'un entablement. Cet apport nouveau s'intègre de manière très réussie à une composition générale qui reste traditionnelle.

Les deux chapelles de Beaumont, très bien conservées, témoignent de manière éloquente du goût des premiers habitants de la paroisse et de leurs coutumes religieuses. Elles constituent deux très beaux exemples des chapelles de procession québécoises et méritent qu'on s'y attarde.

Jacques Robert, historien de l'architecture

GIGUÈRE, Guy. *Les chapelles de procession de Beaumont et de l'Ange-Gardien*. Travail présenté à Luc Noppen. Université Laval, Québec, 1978. 19 p.

ROBERT, Jacques. *Les chapelles de procession du Québec*. Québec, ministère des Affaires culturelles, 1979. 163 p.

ROY, Pierre-Georges. *À travers l'histoire de Beaumont*. Lévis, [s. éd.], 1943. 309 p.

Chapelle de procession

Saints-Gervais-et-Protais
Croisée des chemins

Fonction: public
Classée monument historique en 1981

Au cœur du village de Saint-Gervais, une petite chapelle en pierre des champs s'élève à la croisée des chemins. Par son architecture et sa fonction initiale, elle appartient à la catégorie des chapelles de procession. Toutefois, les archives paroissiales révèlent que le bâtiment n'a pas été conçu uniquement pour servir d'oratoire lors des processions annuelles qui ponctuent la vie religieuse.

Au début du XIXᵉ siècle, la paroisse de Saint-Gervais dessert un vaste territoire et beaucoup de ses habitants demeurent à une grande distance du village. Lors d'un décès, les proches amènent rapidement le corps du défunt au village pour qu'il y soit inhumé. Contrairement aux pratiques religieuses établies, le service funèbre suit le lendemain ou le surlendemain de l'enterrement. Afin de remédier à cette situation, les habitants s'adressent à l'évêque de Québec en ces termes: «à une assemblée tenue le vingt-huitième jour du mois de juin, en l'an mil huit cent dix-sept, en la salle publique des Saints Gervais et Protais, des notables invitant [sic] le vicaire Messire Joseph Boissonnault à écrire à Monseigneur l'évêque de Québec, et lui demander la permission de construire deux chapelles pour les processions, qui serviront aussi pour y déposer les corps morts la veille de leur enterrement, à être bâties au nord et au sud de l'église sur une ligne parallèle à la route, de chaque côté de l'église. Monsieur Ruelle, marchand, se charge du soin de l'érection de celle du nord; et Louis Roberge, marguillier en charge, de celle du sud.»

Une réponse favorable

Cette demande entraîne l'érection des deux chapelles: celle du sud, démolie il y a une centaine d'années, et celle du nord, restaurée en 1970 sous la direction du curé de la paroisse. L'intérieur accueille alors des éléments provenant de l'ancien maître-autel de l'église. Vers 1977, des ouvriers murent la niche qui orne le pignon de la façade depuis les années 1930.

La chapelle de Saint-Gervais mesure 4,7 mètres de largeur sur 7,3 mètres de longueur. Son plan rectangulaire se termine par un chœur en hémicycle. Les murs latéraux comprennent chacun deux fenêtres cintrées; leur chambranle se compose d'un appui, de pilastres portant imposte et d'un arc en plein cintre orné d'une clef. La porte principale comporte un double vantail et reçoit une ornementation importante. Surmontée d'un châssis de tympan en plein cintre, elle est cantonnée de deux pilastres posés sur des socles, ceux-ci recevant un entablement mouluré. La toiture à une pente, d'environ 50 degrés à la base, comporte un égout retroussé par l'action des coyaux. Un clocher, à cheval sur le faîte, surmonte l'édicule: il est formé d'une base rectangulaire, d'un tambour octogonal, d'une flèche incurvée et d'une croix.

Ses dimensions, sa forme et certains détails classent la chapelle de Saint-Gervais dans l'architecture traditionnelle d'esprit français. À l'instar des chapelles de Beaumont et de Lotbinière dédiées à sainte Anne, elle subit l'influence de l'architecture classique anglaise, détectable notamment par les chambranles des ouvertures et l'élaboration classique du portail.

À l'intérieur, la chapelle renoue avec l'architecture traditionnelle. Les murs possèdent un recouvrement crépi, la fausse voûte est en berceau et lambrissée et le cul-de-four contient sept pans. Une corniche à denticules marque la naissance de la fausse voûte sur les murs latéraux.

Jacques Robert, historien de l'architecture

La chapelle de Saint-Gervais ne servit pas seulement aux processions, mais également pour recevoir les corps des personnes décédées.

ROBERT, Jacques. *Les chapelles de procession du Québec*. Québec, ministère des Affaires culturelles, 1979. 163 p.

Maison du docteur Joseph Côté

Saint-Vallier
350, rue Principale

Fonction: privé
Classée monument historique en 1979

L A maison Joseph-Côté marque une étape dans l'évolution architecturale du village de Saint-Vallier. Dans cette localité, chaque période de l'histoire de l'architecture québécoise se trouve représentée. La maison Côté, qui prend modèle sur un bâtiment bien connu à Québec, témoigne de l'influence britannique.

Vers 1850-1860, le docteur Joseph Côté fait construire la maison. Sa profession influence l'aménagement intérieur de la demeure puisque, selon la tradition orale, le docteur utilise une partie de l'étage comme cabinet de consultation, d'où le double plancher et l'importance de l'escalier et du hall d'entrée.

De 1933 à 1961, la femme d'Ernest Roy, le nouveau propriétaire, utilise une des pièces comme bureau de poste. Les autres pièces servent à des fins familiales. Un escalier placé dans la cuisine donne accès à l'étage et à la cave. L'aménagement du reste de l'étage est postérieur à l'érection de la demeure.

Sise sur la rue Principale, à Saint-Vallier, cette maison illustre un type architectural unique dans la municipalité. Ce style se développe sur la rive sud de Québec entre 1830 et 1880. À l'origine apparaît la maison traditionnelle en bois avec un toit à deux

croupes, fort répandue dans cette région jusqu'au début du XIXᵉ siècle. Plus tard, l'ajout de longs coyaux lui donne la silhouette typique des toitures incurvées de l'architecture coloniale anglaise. La superposition de ce galbe aux chevrons nécessite un raccord avec le mur; le contre-larmier au profil incurvé sert de lien. Ce type de larmier se répand sur toute la rive sud de Québec au début du siècle dernier: le manoir Le Bouthillier à L'Anse-au-Griffon, en Gaspésie, le manoir Chenest à Cap-Saint-Ignace et la maison Chapais à Rivière-Ouelle en possèdent de semblables.

Souci de symétrie

La maison comprend trois niveaux d'occupation: le soubassement, le rez-de-chaussée et les combles. La symétrie des éléments et leur équilibre caractérisent le bâtiment: entrée principale centrée, baies sur les autres façades du rez-de-chaussée, agencées avec régularité, et deux cheminées disposées symétriquement.

Ce souci de symétrie, également apparent dans les éléments décoratifs, distingue la propriété des autres constructions en bordure de la rue Principale. Les résidences de Saint-Vallier affichent généralement une architecture sobre et dépouillée, mais la maison Côté présente une ornementation plus recherchée. L'entrée monumentale flanquée de deux colonnes doriques surmontées d'un entablement, la présence de pilastres à motifs à chacun des angles et l'utilisation d'un matériau différent pour chacun des niveaux (un crépi uni pour le soubassement, et un recouvrement de planches à clins pour le rez-de-chaussée) illustrent ce caractère plus raffiné.

Le toit de la maison Côté comprend huit lucarnes, deux sur chaque pente, placées de façon symétrique. Deux souches de cheminée émergent également du toit, l'une du côté est et l'autre du côté ouest, disposées symétriquement entre les lucarnes des murs gouttereaux.

L'emplacement de la maison Joseph-Côté offre une facilité de mise en valeur. La résidence s'insère dans une trame architecturale relativement ancienne, à proximité de l'église paroissiale.

Jacques Dorion, ethnologue

En collaboration. *La maison Joseph-Côté*. Québec, ministère des Affaires culturelles, 1978. n. p.

Construite vers 1850-1860 pour le docteur Joseph Côté, la maison présente une synthèse de la maison traditionnelle de la Côte-du-Sud et de l'habitation coloniale anglaise.

Ancien presbytère

Saint-François-de-la-Rivière-du-Sud
3835, chemin Royal

Fonction: privé
Classé monument historique en 1979

LE nouveau presbytère de Saint-François-de-la-Rivière-du-Sud, construit en 1763, succède à un modeste bâtiment en bois érigé en 1729 et qui correspond à la partie ouest du bâtiment actuel. Pendant un certain temps, le curé partage sa nouvelle résidence avec les religieuses de la paroisse: elles y installent leur logis et une salle de classe. L'essentiel de cet immeuble demeure à peu près intact; seuls le mur pignon est et la cheminée massive située au centre du carré disparaissent, apparemment démolis vers 1926. Certains vestiges subsistent encore au sous-sol.

En 1811, le bâtiment, devenu trop exigu, est allongé de 9 mètres du côté est, ce qui porte ses dimensions à 24 mètres sur 12. L'adjonction est réalisée en continuité formelle et stylistique. En 1871, le presbytère prend son aspect extérieur définitif: les portes, de même que les fenêtres avec leurs chambranles sont renouvelés «dans le dernier goût», les lambris extérieurs refaits, la galerie complétée avec «un bras et un escalier semblables à ceux du couvent».

Le presbytère est abandonné en 1887, 125 ans après sa construction. Une nouvelle construction le remplace mais, heureusement, la paroisse reprend la charge de l'ancien bâtiment et l'utilise à diverses fins: réunions du conseil, salle des hommes, salle des femmes, logement.

D'importants travaux effectués en 1926 vident l'intérieur de tous ses cloisonnements afin d'aménager la totalité de l'immeuble en salle, dégageant une hauteur suffisante à l'installation d'une tribune à l'extrémité est. Une scène de dimensions réduites est aménagée à l'autre extrémité. Ces interventions modifient complètement l'architecture intérieure de l'ancien presbytère sans toutefois porter atteinte à son aspect extérieur.

Sauvé de la ruine

En 1968, il se retrouve déserté et réduit à la triste condition d'entrepôt. Pendant plus de dix ans, il se détériore. Restauré au cours des années 1982-1983, il abrite aujourd'hui des logements. L'extérieur a été refait en respectant l'apport des différentes époques qui caractérisent le bâtiment. À l'intérieur, certains éléments subsistent, tels la charpente à pannes et poinçons et des vestiges dans la cave qui permettent de retracer les différentes phases de construction.

Outre son importance pour l'histoire locale, le vieux presbytère de Saint-François revêt une signification particulière: il est l'un des plus anciens presbytères de la Côte-du-Sud et illustre l'architecture de transition entre l'influence du Régime français et celle du néo-classicisme. Cette dernière se remarque notamment dans la distribution quasi symétrique des ouvertures et le détail de leurs chambranles ainsi que dans les deux fausses cheminées du mur pignon ouest et du centre. Sur sa façade est, le vieux presbytère est doté d'une petite allonge d'allure fort pittoresque abritant un escalier, où se trouvaient vraisemblablement les latrines autrefois.

Accroché au promontoire rocheux, le vieux presbytère constitue un ensemble remarquable comprenant l'église (1866-1870), le nouveau presbytère (1886), le couvent (1882) ainsi qu'un calvaire dont le corpus est attribué à François Baillairgé. Cet espace naturel, aménagé et humanisé depuis près de trois siècles, fait du cœur du village de Saint-François un site historique exceptionnel.

Jean-Louis Boucher, architecte

BONNEAU, Louis-Philippe et Robert LAMONDE. *Chronique de Saint-François-de-la-Rivière-du-Sud.* Montmagny, [s. éd.], 1979. 433 p.

VOYER, Louise. *Étude historique et évaluation architecturale du presbytère de Saint-François-de-la-Rivière-du-Sud.* Québec, ministère des Affaires culturelles, 1981.

Considéré comme vétuste en 1887, le presbytère de Saint-François connaît alors une nouvelle vocation. En effet, il servira à diverses fins, et ces fonctions changeront radicalement l'aménagement intérieur.

En 1945, le vieux presbytère de Saint-François sert de salle paroissiale. (Inventaire des biens culturels du Québec).

Manoir Dénéchaud

Berthier-sur-Mer
101, route du Manoir

Sans fonction
Classé site historique en 1980

Sous le Régime français, Berthier-en-Bas correspond à la seigneurie de Bellechasse. Depuis sa concession en 1637, plusieurs propriétaires s'y succèdent. En 1780, la famille Bergères de Rigauville lègue cette seigneurie à l'Hôpital Général de Québec qui, en 1813, la cède à son tour à Claude Dénéchaud par bail emphytéotique. Le nouveau propriétaire s'engage à reconstruire le moulin banal, à fournir chaque année aux dames de l'Hôpital Général 450 minots de blé et à payer une rente.

Vers 1813, le seigneur Dénéchaud fait construire le manoir, en bordure du fleuve Saint-Laurent. Il se compose de deux corps de bâtiments de dimensions réduites. Le bâtiment principal possède un toit à angle très aigu; les versants sont recouverts de bardeaux de bois afin de mieux résister aux vents. Un autre élément marque l'originalité du toit: l'abondance des lucarnes, disposées en deux rangées parallèles dont l'une date de l'époque de la construction du bâtiment et l'autre des années 1920.

Le corps principal, en pièce sur pièce, affiche tout comme la seconde partie un revêtement de planches verticales. Chacun des bâtiments comprend une cheminée de pierre. L'ajout comporte très peu de fenêtres du côté du fleuve et s'apparente aux autres bâtiments de la région, qui s'ouvrent surtout sur les champs et le chemin du Roy.

Le manoir Dénéchaud vers 1925. (Archives nationales du Québec à Québec, collection initiale).

Les occupations de Claude Dénéchaud l'empêchent de vivre au manoir de façon permanente. Déjà héritier, par sa première femme, d'une grande partie de la seigneurie de Saint-Hyacinthe, il fait rapidement sa marque dans le Bas-Canada. Il représente la ville de Québec à la Chambre d'assemblée pendant plus de 30 années et devient membre du ministère en 1807. De plus, en 1826, le gouverneur Dalhousie le nomme major du premier bataillon organisé de la milice de Québec puis, deux ans plus tard, lui donne le grade de lieutenant-colonel du sixième bataillon de milice du faubourg Saint-Roch.

Dénéchaud fait fortune dans l'exportation du blé canadien en Angleterre, ce qui lui permet d'ailleurs d'acheter la seigneurie de Berthier-en-Bas. Le duc de Kent, père de la reine Victoria, le choisit comme grand maître des loges maçonniques du Canada. Cette nomination lui cause des ennuis, car bon nombre de Canadiens français n'apprécient guère sa fidélité à l'Angleterre.

À titre de grand maître des loges maçonniques, Claude Dénéchaud reçoit du duc de Kent deux superbes médailles enrichies de pierres précieuses. Il est également invité à participer à plusieurs cérémonies officielles dont l'inauguration du monument dédié à Wolfe et Montcalm en 1827; il en pose d'ailleurs la première pierre.

Quelque temps avant son décès, en 1836, il se retire dans son manoir où il vit avec sa famille. Sa veuve continue de l'habiter par la suite et s'occupe de la grande ferme et des moulins. Mais des revers de fortune l'obligent à se départir du manoir. En 1838, les sœurs de l'Hôpital Général de Québec reprennent donc possession de leur fief.

À partir de 1864, le manoir est transmis en héritage. Dans les années 1940, madame Clara Mercier, de Chicago, en hérite. Elle en demeure propriétaire jusqu'au début des années 1980, époque où le ministère des Affaires culturelles classe le site.

Jacques Dorion, ethnologue

Anonyme. *Le manoir Dénéchaud, Berthier-sur-Mer: inventaire architectural*. Québec, ministère des Affaires culturelles, 1980. n. p.

GAUTHIER, Raymonde. *Les manoirs du Québec*. Montréal et Québec, Fides/Éditeur officiel du Québec, 1976. 245 p.

Église Saint-Pierre

Saint-Pierre-de-la-Rivière-du-Sud
Rue Principale

Fonction: public
Classée monument historique en 1972 et 1978

DÈS la fin du XVIIe siècle, quelques familles s'installent sur les berges de la rivière du Sud, à l'ouest de Montmagny. Une première église en pierre est érigée en 1713.

En 1750, mgr de Pontbriand, évêque de Québec, inspecte les lieux et ordonne aux paroissiens de Saint-Pierre de bâtir une église plus vaste et plus solide. L'année suivante, ceux-ci ouvrent un chantier et, en décembre 1751, une fois bénite, la deuxième église s'ouvre aux fidèles. Construit peu de temps avant la Conquête, ce deuxième temple voit le jour sur un site controversé et son décor intérieur reste inachevé. Le nouvel évêque, mgr Jean-Ouvier Briand, opte pour la construction d'une troisième église.

L'évêque fixe son choix sur un terrain situé sur la rive sud de la rivière. Par échange, les marguilliers acquièrent la butte rocheuse qui sert d'assise à la nouvelle église qui sera construite en 1784 et 1785. Elle s'ouvre au culte en décembre 1785.

L'édifice mesure 36,6 mètres sur 15,2 et reprend les grandes lignes de l'architecture religieuse des paroisses rurales érigées après la Conquête: la nef est fermée par une abside en hémicycle et coupée aux deux tiers par un transept formant des chapelles latérales. L'évêque préfère ce plan en forme de croix latine pour contrebuter et renforcer les longs pans des églises le long desquels s'alignent les chapelles latérales. Sur la Côte-du-Sud cette église se distingue de celles érigées à peine quelques années plus tôt à L'Islet (1770), à Saint-Jean-Port-Joli (1771) et à Cap-Saint-Ignace (1772), qui se conforment toutes au plan récollet, sans chapelles latérales.

La nouvelle église comprend une sacristie extérieure dès 1785. En 1811, une nouvelle sacristie en bois s'ajoute. Enfin, la forme de la sacristie actuelle, construite en 1848 et située dans l'axe du chœur, rappelle celle d'une maison traditionnelle. Ce bâtiment est agrandi et redécoré en 1885 selon les plans de l'architecte David Ouellet. En 1826, la fabrique fait ériger un chemin couvert du côté nord de l'église qui permet de rejoindre la sacristie depuis la nef sans traverser le sanctuaire ni braver les intempéries.

Construite en 1784-1785, l'église de Saint-Pierre se distingue des autres églises érigées sur la Côte-du-Sud à la même époque par son plan en forme de croix latine.

Ce dessin montre l'église de Saint-Pierre à la fin du XIXᵉ siècle. Les pignons des chapelles latérales seront surélevés en 1897-1898. (Archives nationales du Québec à Québec, fonds F.-X.-Pâquet).

À la même époque, le chœur subit des travaux. En 1839, un clocher s'élève d'après les plans de l'architecte Thomas Baillairgé. Il remplace le second clocher édifié sur cette église.

L'image du bâtiment modifié en 1897 et 1898 par une campagne de travaux suit les plans de l'architecte Georges-Émile Tanguay. Pour remettre l'édifice au goût du jour, il lui confère un caractère monumental. La façade comporte une large baie vénitienne et un portique classique. Un haut pignon de maçonnerie percé d'une fenêtre circulaire remplace le toit en croupe des chapelles latérales. Un crépi marqué de faux joints imitant la pierre de taille recouvre l'église.

Les restaurateurs de 1972 tentent de rendre à l'église son apparence d'avant 1898. Peu documentée, cette tentative réussit partiellement. La façade est rétablie selon un hypothétique état originel. Elle possède peu de liens avec les élévations latérales construites à la fin du siècle dernier (portails latéraux, corniches, pignons de chapelles).

Le premier décor intérieur, élaboré entre 1794 et 1826, était l'œuvre d'artisans reconnus. Ainsi, François Baillairgé installe les parements d'autels et les cadres. Le frère Marc, Récollet, s'occupe de la chaire. Le menuisier Vallée et le sculpteur Pierre Séguin, de l'école de Quévillon, travaillent à la chaire et au banc d'œuvre. En 1841, les fonts baptismaux sont réalisés sous la gouverne d'André Pâquet. De tous ces ouvrages,

il ne subsiste que des fragments. Pierre Séguin a vraisemblablement sculpté le panneau qui adosse le siège du curé et la cuve de la chaire ornée de fines sculptures. Les fonts baptismaux ont été transportés dans la sacristie. Le remarquable bas-relief du *Baptême du Christ* révèle la maîtrise de l'atelier de Thomas Baillairgé dans le domaine de la sculpture figurative.

Le décor intérieur a été réalisé par le prêtre-architecte Pierre-Stanislas Vallée. En 1868, il entreprend de vastes travaux qui durent deux ans. La voûte est alors installée sur des consoles et ornée de larges doubleaux. À peine sept années plus tard, David Ouellet, architecte de Québec, intervient à son tour. Il remplace les tabernacles latéraux sculptés par Jean Valin vers 1740. Il réutilise des parties du tabernacle du maître-autel pour composer un ensemble plus vaste qui rappelle le tabernacle en forme de château fort de Notre-Dame-des-Victoires à Québec. Enfin, une nouvelle série de travaux entrepris en 1897 permet d'installer des tribunes dans les chapelles latérales déjà mieux éclairées par l'ajout d'une fenêtre circulaire.

Le *Saint Pierre*, qui orne le maître-autel, peint en 1796 par François Baillairgé, a subi plusieurs retouches. Dans le sanctuaire, deux autres tableaux du même peintre, copies d'œuvres acquises en 1752 et aujourd'hui disparues, méritent une restauration: *L'Immaculée Conception* et *Saint Charles Borromée*. Il y a par ailleurs quatre tableaux

attribués à Joseph Légaré: *Saint François de Paule, Saint François d'Assise, Saint Jean* et *L'Ange gardien*. Finalement, quatre autres œuvres proviennent des tableaux Desjardins: la *Visitation*, le *Saint François Xavier*, la *Sainte Famille* et la *Sainte Élisabeth de Hongrie*, tous acquis par la fabrique en 1820 et 1822, comme le signale un inventaire en 1853. Dans le croisillon de gauche, recouvert de peinture, une *Pietà*, œuvre de Jean-Baptiste Côté, mérite l'attention du visiteur; elle remonte à la fin du XIXᵉ siècle et marque le passage de la sculpture sur bois aux pièces moulées en plâtre.

Jacques Dorion, ethnologue

CHOUINARD, Gaétan. *Les églises et le trésor de Saint-Pierre-de-la-Rivière-du-Sud*. Québec, ministère des Affaires culturelles, 1978. 30 p.

MORISSET, Gérard. «L'église de Saint-Pierre de Montmagny». *La Patrie du dimanche*, 3 décembre 1950: 26, 27, 50.

NOPPEN, Luc. *Les églises du Québec (1600-1850)*. Québec et Montréal, Éditeur officiel du Québec/Fides, 1977: 268-269.

Maison Gilles-Casault et laiterie

Montmagny
780, boulevard Taché Ouest

Fonction: privé
Classées monuments historiques en 1965

La maison Casault se situe sur le territoire de l'ancienne seigneurie de la Rivière-du-Sud. En 1732, cette propriété appartient à Laurent Michon. Une maison en pièce sur pièce et une grange-étable s'élèvent sur ce lot en 1758. En 1767, Jean-Baptiste Casault acquiert l'ensemble. Originaire de Normandie, il arrive au Canada en 1759. Ce navigateur s'installe à Saint-Thomas-de-Montmagny en 1762. Quelques mois après l'acquisition de la maison, il épouse la nièce de Laurent Michon et le couple habite la maison pendant quelque temps.

L'actuelle maison de pierre a été construite entre 1767 et 1806. À cette date, Jean-Baptiste Casault en fait don à son fils Louis. Après sa saisie par le shérif en 1835, François Talbot l'acquiert par licitation. Puis plusieurs propriétaires s'y succèdent. De 1865 à 1883, elle sert de résidence d'été et, entre 1889 et 1903, un fermier cultive la terre adjacente. Finalement, en 1905, Louis-Joseph Casault, arrière-petit-fils de Jean-Baptiste, l'acquiert et la famille la conserve jusqu'à nos jours. Quelques descendants des Casault, nés dans la maison ancestrale, s'illustrent. Le plus célèbre d'entre eux, Louis-Jacques Casault (1808-1862) fonde l'université Laval et en devient le premier recteur.

Peu de descriptions de la maison permettent d'en suivre l'évolution. En 1839, un document mentionne la présence d'une maison et d'une grange, une étable, un fournil et une laiterie. L'ensemble des bâtiments se trouve alors dans un état médiocre. Bien qu'aucun document ne le précise, la maison et ses dépendances subissent probablement vers cette époque quelques transformations. Plusieurs éléments d'influence néo-classique, tant à l'intérieur qu'à l'extérieur, en fournissent la preuve.

En 1862, un acte de vente décrit divers bâtiments sur la terre. À ce moment, la maison comporte une cuisine meublée d'un poêle double, une salle d'entrée chauffée par un poêle et son tuyau ainsi que deux chambres et un grenier. Quant aux bâtiments secondaires, ils se composent d'une grande étable, d'un fournil, d'un hangar, d'une laiterie, d'une boutique, d'une remise, d'une écurie, d'un hangar à bois et d'une grange.

Aujourd'hui, la maison mesure environ 17 mètres de longueur sur 13,6 mètres de largeur. Les divisions intérieures du rez-de-chaussée ressemblent à peu de choses près à celles de 1862. L'esprit néo-classique se retrouve sur les deux tiers du rez-de-chaussée, notamment du côté sud-ouest; une porte d'arche dans le salon, des lambris de plafond ainsi que de nombreux autres éléments menuisés témoignent de cette influence stylistique. L'ensemble des ouvertures des façades, particulièrement en façade principale, témoigne de ce courant. Dans l'autre section, le plafond est doté de poutres apparentes et l'aménagement du décor semble plus ancien.

La charpente du type à chevrons portant fermes comporte des poinçons, des entraits, un faîte, un sous-faîte et une croix de Saint-André. Elle a été réalisée en une seule étape. Certains de ses éléments sont changés, notamment la menuiserie des fenêtres, la porte d'entrée de la façade principale, en 1941, ainsi que la couverture de tôle, refaite en 1906. La cheminée de brique disposée entre les deux sections remplace l'ancienne cheminée de pierre depuis une soixantaine d'années. La seconde cheminée, également de pierre, se trouve au-dessus du pignon sud-ouest; elle est condamnée et s'interrompt à la hauteur du grenier où se trouve un âtre.

La laiterie en pierre mesure 4 mètres de longueur sur 3,6 mètres de largeur et semble contemporaine à la maison. Toutefois, la toiture en pignon, aux avant-toits retroussés, a probablement été refaite ou remaniée dans les années 1830 lors de la réparation des bâtiments.

Monique La Grenade-Meunier, historienne

La maison Casault a été construite à la fin du XVIIIᵉ siècle. La laiterie date probablement de la même époque.

La Grenade-Meunier, Monique. *La maison Casault, 143, Saint-Jean-Baptiste Ouest, Montmagny. Recherche historique et analyse architecturale.* Québec, ministère des Affaires culturelles, 1982. 124 p.

Manoir Étienne-Pascal-Taché

Montmagny
6-8, rue Sainte-Marie

Fonction: privé
Classé monument historique en 1962

LE manoir Taché de Montmagny doit sa célébrité à l'homme politique qui l'a habité. Sir Étienne-Pascal Taché naît en 1795 à Saint-Thomas-de-Montmagny. Au fil des années, il occupe de nombreuses fonctions; il sert non seulement sa communauté, mais aussi le pays tout entier. Médecin, adjudant-général, colonel, homme politique, ministre de la milice, conseiller législatif, premier ministre du Canada-Uni, Étienne-Pascal Taché habite ce manoir de façon ponctuelle entre 1820 et 1865, année de son décès.

On possède peu de renseignements sur la résidence même. Elle est construite en 1759 par Nicolas Boisseau et Étienne-Pascal Taché la transforme au XIXᵉ siècle. Deux tours aux extrémités de la façade ont de toute évidence été ajoutées au carré principal: ces tours à demi en hors d'œuvre, chapeautées d'un toit en pavillon dominé par un épi de faîtage, traduisent une influence architecturale anglaise ou écossaise. Les nombreux séjours ou voyages d'Étienne-Pascal Taché, tant aux États-Unis qu'en Angleterre, lui ont sans doute permis d'y observer ce genre de décoration architecturale qu'il transpose sur sa maison de Montmagny.

Le bâtiment, de dimensions imposantes et de forme rectangulaire, repose sur des fondations de pierre sèche qui excèdent de près d'un mètre le niveau du sol. Les fondations des tours diffèrent de celles du carré originel. Elles sont postérieures au plan initial de Nicolas Boisseau. La fenestration y est abondante. Le manoir présente sept ouvertures sur l'un des murs latéraux, cinq sur l'autre, sept lucarnes sur l'un des versants du toit et trois sur l'autre. La façade avant et le mur arrière comportent également une dizaine d'ouvertures, en plus de celles de chacune des tours.

Ces nombreuses ouvertures s'agencent de façon harmonieuse. Sur chacun des murs transparaît un souci de symétrie constant. Deux tours équidistantes s'élèvent aux extrémités de la façade. Sur le mur principal, trois lucarnes sont disposées dans le prolongement des ouvertures du rez-de-chaussée qu'elles surplombent. Sur le mur arrière, chacune des ouvertures du tambour ou de la galerie couverte est placée dans le même axe que la lucarne qui la surmonte.

Les souches de cheminée traduisent aussi ce souci de symétrie. Elles constituent le prolongement du mur pignon en interrompant l'axe de faîtage. La souche de cheminée sur le versant du toit avant constitue probablement un ajout au carré originel.

Cet équilibre se manifeste également dans la décoration architecturale. Aux angles des murs et des tours du manoir, des plan-ches cornières placées légèrement en saillie marquent chacun des parements. Par ailleurs, les galeries avant et arrière sont ceinturées de balustres à motifs ajourés, alors qu'apparaissent ici et là des pilastres. Ils confèrent à la demeure une apparence bien différente de celle d'une maison rurale. Sous la corniche des tours, des becs de corbeau rehaussent aussi l'allure générale du bâtiment.

La maison Taché trouve son harmonie dans l'usage de matériaux traditionnels. Les versants des toits, des lucarnes et des tours sont recouverts de bardeaux de bois, et chacun des murs de la maison, les tours et l'ossature fermant la galerie arrière offrent un parement uniforme de planches à clins.

Jacques Dorion, ethnologue

En collaboration. *La maison Étienne-Pascal Taché.* Québec, ministère des Affaires culturelles, 1980. n. p.

Le manoir se distingue par sa fenestration. Chacune des fenêtres du tambour arrière se trouve dans le même axe que la lucarne située juste au-dessus.

Les tours du manoir Taché sont postérieures à la construction du carré principal du bâtiment.

Manoir Couillard-Dupuis et four à pain

Montmagny
301, boulevard Taché Est

Fonction: public
Classés monuments historiques en 1961

Le manoir Couillard-Dupuis a été construit en deux étapes. L'angle aigu de la toiture, qui déborde à peine les murs, témoigne de l'ancienneté du bâtiment restauré en 1970.

LA seigneurie de la Rivière-du-Sud, une des plus anciennes seigneuries du Québec, s'ouvre à la colonisation à partir du XVIIIe siècle. D'abord concédée à Charles Huault de Montmagny en 1646, une moitié de la seigneurie passe ensuite à Louis Couillard de Lespinay en 1654, qui acquiert l'autre moitié un an plus tard. Un des descendants de Louis Couillard de Lespinay, Jean-Baptiste ou Louis, construit le premier manoir.

Jean-Baptiste Couillard de Lespinay (1657-1735) mène une carrière d'administrateur. À la mort de son père, en 1678, il hérite de la moitié de la seigneurie de la Rivière-du-Sud qu'il agrandit en acquérant le fief de Lespinay. Propriétaire d'un grand domaine, il agit comme un seigneur avisé et n'hésite pas à multiplier les concessions. Quant à Louis (1658-1728), il hérite de l'autre moitié de la seigneurie de la Rivière-du-Sud et encourage le peuplement. Vers 1720, un second rang apparaît. Ce développement suscite le tracé de nouvelles routes; en même

temps, Louis Couillard de Lespinay contribue à l'ouverture du chemin du Roy.

Lors de la Conquête, les rives du Saint-Laurent sont ravagées en aval de Québec. Le manoir Couillard-Dupuis, comme plusieurs édifices de la région, est détruit; il est reconstruit en 1764.

Cette résidence aux dimensions imposantes représente une construction de type traditionnel. Elle mesure 10 mètres sur 20. Autrefois, une longue galerie située sur la façade nord de la maison faisait face au fleuve et contribuait à affirmer son statut; elle est disparue lors de la restauration du bâtiment en 1970.

Construit en deux étapes, le manoir comprend une section plus récente, la partie du côté est. La partie ouest du bâtiment se distingue par la symétrie de plusieurs éléments architecturaux: ainsi, les ouvertures à ordonnance régulière sont groupées de chaque côté de l'entrée ouest, alors qu'à l'époque, une souche de cheminée surmontait l'axe de faîtage à mi-chemin du toit.

Le manoir Couillard-Dupuis dans la décennie 1920 d'après une photographie d'Edgar Gariépy. (Inventaire des biens culturels du Québec).

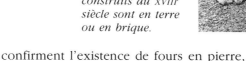

Le four à pain en pierre constitue un vestige assez exceptionnel car la plupart des fours construits au XVIIIe siècle sont en terre ou en brique.

La toiture à deux versants, percée de quatre lucarnes sur le versant nord, présente un angle aigu qui aboutit en affleurement avec le nu du mur. Les versants se terminent à l'aplomb des longs pans avec un très léger débordement. Le bardeau de bois et la planche à clins ont été conservés. Ce type de maison recèle souvent un four à pain construit dans le mur de refend ou intégré à l'âtre. En d'autres cas, comme au manoir, le four à pain se trouve à l'extérieur de la maison.

Le four à pain du manoir Couillard-Dupuis fait partie d'un bâtiment aujourd'hui disparu. Il est intéressant à plusieurs points de vue. D'abord son emplacement, à proximité du lieu d'habitation, et son orientation en regard des vents font en sorte que la fumée ou les étincelles sont éloignées de la maison. Ensuite, le four en pierre, surmonté à l'avant d'une hotte également en pierre, paraît assez exceptionnel; en effet, la plupart des fours construits au Québec à cette époque sont en terre (ouvrage de bousillage en forme de fer à cheval) ou en brique. Des documents anciens des XVIIe et XVIIIe siècles

confirment l'existence de fours en pierre, mais la plupart sont aujourd'hui disparus.

Cette proximité du four et de la maison s'explique par l'utilisation du four pour la cuisson du pain. Il possède cependant d'autres fonctions: on l'utilise pour faire cuire lentement la jarre de «bines» au lard salé, qui laisse échapper un fumet d'amandes, ou pour la cuisson des tourtières, des pâtés à la viande, des «battées» de tartes et de galettes au sirop, des brioches et des gâteaux aux raisins.

On se sert aussi du four pour stériliser la plume de poulet, de canard ou d'oie qui entre dans la confection des matelas et des oreillers ou qui sert au rembourrage des coussins. Le four se substitue également au séchoir quand vient le temps de fouler la grosse étoffe du pays.

Construit depuis plus de deux cents ans, le manoir Couillard-Dupuis de Montmagny continue d'exercer un attrait indéniable non seulement sur la population locale, mais aussi auprès des visiteurs puisqu'il est maintenant utilisé à des fins culturelles et historiques.

Jacques Dorion, ethnologue

GAUTHIER, Raymonde. *Les manoirs du Québec*. Montréal et Québec, Fides/Éditeur officiel du Québec, 1976: 170-171.

THIBAULT, Marie-Thérèse. *Monuments et sites historiques du Québec*. Québec, ministère des Affaires culturelles, 1978. 250 p.

Domaine seigneurial

Saint-Antoine (Île aux Grues)

Fonction: privé
Classé site historique en 1979

L'île aux Grues se situe dans le fleuve Saint-Laurent à environ 100 kilomètres à l'est de Québec. Localisé sur la pointe sud-est de l'île, à l'écart du village de Saint-Antoine, le domaine regroupe le manoir, une remise, une grange-étable et un fournil. Un traversier y donne accès depuis la rive sud du fleuve. L'avion permet également de s'y rendre. En arrivant sur l'île, il faut emprunter la route qui longe les battures, vers l'est. En mai 1646, Charles Huault de Montmagny, deuxième gouverneur de la Nouvelle-France, reçoit en concession la seigneurie de la Rivière-du-Sud avec l'île aux Grues. Passionné de chasse, il se rend souvent sur l'île où il se fait bâtir un petite maison.

En 1668, Paul Dupuy et Pierre Bécard de Grandville, deux officiers du régiment de Carignan, prennent possession de l'île aux Oies et de l'île aux Grues. Vers 1725, les Bécard de Grandville érigent une habitation en pièce sur pièce sur l'île aux Grues. Un métayer habite la maison qui disparaît, vraisemblablement incendiée lors du passage de l'armée anglaise en 1759.

Geneviève Lemoyne, arrière-petite-fille de Pierre Bécard de Grandville, épouse Louis Liénard Villemonde de Beaujeu et hérite du domaine seigneurial de l'île aux Grues. En 1769, une maison en pièce sur pièce de 7,3 mètres sur 9 mètres apparaît avec un âtre et une cheminée en pierre. Cette maison constitue le corps initial du manoir actuel. Le seigneur et son épouse ne résident cependant pas à l'île aux Grues; ils s'y rendent à l'automne pour la saison de la chasse et pour percevoir les cens et rentes.

En 1802, après la mort de son mari, Geneviève Lemoyne vend la seigneurie à Daniel MacPherson, gentilhomme et commerçant d'origine écossaise. Loyaliste, celui-ci quitte Philadelphie pour demeurer sujet britannique après l'indépendance des États-Unis.

Le nouveau maître des lieux réside en permanence sur son domaine avec sa famille. Entre 1803 et 1810, il fait construire une première allonge de trois mètres du côté est du manoir, ce qui confère à la demeure une allure coloniale américaine. En 1828, Daniel MacPherson quitte l'île pour habiter Saint-Thomas-de-Montmagny. Le domaine passe à son fils John. Entre 1829 et 1847, celui-ci ajoute une seconde allonge du côté est et uniformise l'apparence extérieure par l'installation d'un larmier cintré et d'une fausse souche de cheminée du côté ouest.

Vue d'ensemble regroupant les principaux bâtiments du domaine seigneurial de l'île aux Grues: le manoir, la remise, la grange-étable et le fournil.

Édifice imposant, le manoir de l'île aux Grues résulte de plusieurs additions à un bâtiment du XVIIIᵉ siècle. Le domaine connaît son apogée à la fin du siècle suivant quand l'avocat et historien James MacPherson Le Moine fait entreprendre d'importants travaux de rénovation et d'aménagement paysager.

Pavillon de chasse et four à pain.

L'apogée du manoir

En 1848, à la mort de John MacPherson, son épouse Sophia Wills hérite de la seigneurie. Puis, en 1852, le domaine passe aux deux filles, Melinda et Mary-Juliana, qui y vivent recluses, laissant le manoir se détériorer. L'avocat et historien James MacPherson Le Moine, neveu des sœurs MacPherson, hérite du domaine en 1873 et l'utilise comme résidence estivale.

Homme cultivé et bien nanti, James MacPherson Le Moine entreprend d'agrandir et de rénover le manoir. À l'intérieur, il fait déplacer des cloisons, ajouter des boiseries et des moulures en plâtre et percer de nouvelles ouvertures. À l'extérieur, Le Moine fait ériger des appentis à l'est et à l'ouest. L'ancien fournil se rattache au corps de logis par la construction de l'aile nord. Une galerie-véranda sur la façade sud-est est érigée, semblable à celle de «Spencer Grange», sa résidence de Sillery. Au fil des ans, Le Moine fait construire plusieurs dépendances au manoir, dont les serres vitrées et une glacière. Il procède également à l'aménagement paysager du domaine en faisant réaliser, entre autres, de magnifiques

parterres ornementaux, des jardins de fleurs, des vergers, des allées boisées et des bocages. Du vivant de James MacPherson Le Moine, le manoir de l'île aux Grues connaît son apogée. Aucun changement majeur n'a affecté les lieux depuis.

Les héritiers Le Moine s'échangent le manoir entre 1921 et 1936 puis Charles Lemoine le vend à Nathaniel Holmes. Il passe ensuite entre les mains de quelques insulaires. En 1966, les bâtiments malmenés par le temps subissent des réparations et, depuis, quelques propriétaires attentionnés sauvegardent et entretiennent l'ensemble.

Aujourd'hui, le manoir s'étend sur plus de 19,7 mètres de longueur et trois ailes s'étendent de chaque côté et vers l'arrière. Du côté est, en ligne avec le manoir s'élève un petit pavillon de chasse doté d'un four à pain et d'un toit à deux versants couvert de bardeaux. Plus à l'est encore se dresse la grange. Au nord subsiste une très ancienne petite grange. Enfin, un puits descend au pied d'un imposant saule pleureur.

Le domaine MacPherson-Le Moine occupe un vaste terrain gazonné en pente douce qui rejoint le fleuve. Façonné de main

d'homme, le site, à la fois agricole et ornemental, comprend des bâtiments alignés parallèlement les uns aux autres selon un axe est-ouest. Cette disposition protège la cour ouverte contre les vents dominants. L'aménagement du site, principalement planté d'ormes, de peupliers, d'érables et de saules, crée un îlot ornemental au milieu des terres agricoles qui le circonscrivent. L'environnement distinct de l'habitat et du domaine agricole caractérise les zones de peuplement anglo-saxonnes en Amérique du Nord.

Étienne Poulin, historien

BÉCHARD, Auguste. *Histoire de l'Île-aux-Grues et des îles voisines*. Arthabaskaville, imprimerie de La Bataille, 1902.

GROUPE DE RECHERCHES EN HISTOIRE DU QUÉBEC RURAL. *Le manoir seigneurial de l'Île-aux-Grues, histoire et architecture: rapport préliminaire*. Saint-André-de-Kamouraska, ministère des Affaires culturelles, 1978.

LEMIEUX, Jean-Marie. *L'Île-aux-Grues et l'Île-aux-Oies: les îles, les seigneurs, les habitants, les sites et monuments historiques*. Montréal, Leméac, 1978: 30.

Maison Guimont et laiterie

Cap-Saint-Ignace
291, chemin de la Rivière

Fonction: privé
Classées monuments historiques en 1984

LA maison s'élève sur le territoire de l'ancienne seigneurie Vincelotte. Concédé en 1723 à Ambroise Fournier, ce lot accueille peu après une première habitation. La maison possède des murs en pièce sur pièce assemblés à queue d'aronde aux retours d'angles. Des bardeaux recouvrent la toiture.

En 1793, un acte de donation en faveur de François-Marie Fournier stipule un agrandissement à la maison pour y loger les donateurs. En 1819, marié mais sans enfant, François-Marie Fournier fait don de la maison à François-Marcel Guimont, frère cadet de sa femme. La maison appartient à leurs descendants jusqu'à nos jours.

Au début du XIXe siècle, une laiterie apparaît. En 1843, Paul Guimont ajoute la cuisine d'été, contiguë à la maison. Une photographie prise en 1894 montre la façade principale de la maison ainsi qu'une partie de la cuisine d'été. Charles Guimont sera le dernier à résider en permanence dans cette maison. Celle-ci sert ensuite d'école de rang pour le village. Elle est également prêtée à des parents lors de la Crise. Depuis 1955, Antoine Guimont en a fait sa résidence d'été.

La partie située à droite de la porte en façade principale correspond au premier carré de la maison. L'agrandissement date de 1793. L'extérieur de la maison a probablement été remanié à l'époque de l'ajout de la cuisine d'été (1843) afin de rendre cette dernière conforme au style néo-classique alors à la mode. Ce style se traduit notamment par le revêtement en planches à clins des murs, les faux pilastres d'angles, le décor menuisé des ouvertures ainsi que par le souci de les disposer d'une façon symétrique. L'avant-toit retroussé de la toiture ainsi que sa corniche cintrée caractérisent une des variantes du style Regency fréquemment associé à l'architecture néo-classique de la rive sud du Saint-Laurent, particulièrement entre L'Islet et Kamouraska. À l'intérieur subsistent plusieurs éléments menuisés tels les portes, les moulures et les cloisons.

Monique La Grenade-Meunier, historienne

LA GRENADE-MEUNIER, Monique. *La maison Guimont, 201, chemin de la Rivière, Cap Saint-Ignace, recherche historique et analyse architecturale.* Québec, ministère des Affaires culturelles, 1982. 142 p.

La maison Guimont présente quelques variantes du style Regency avec son avant-toit retroussé et sa corniche cintrée. Cette particularité se retrouve fréquemment sur la rive sud du Saint-Laurent entre L'Islet et Kamouraska.

La laiterie date du début du XIXe siècle.

Manoir Gamache

Cap-Saint-Ignace
120, du Manoir Ouest

Fonction: privé
Classé monument historique en 1959

LE manoir Gamache compte parmi les plus beaux bâtiments de la municipalité de Cap-Saint-Ignace. Situé dans un environnement naturel qui le met en valeur, il rappelle les constructions des débuts de la colonie dont très peu d'exemplaires aussi bien conservés subsistent au Québec. Selon les recherches entreprises ces dernières années, le manoir Gamache voit le jour vers 1744 et sert d'abord de presbytère.

Avant l'abolition de la tenure seigneuriale en 1854, la paroisse de Cap-Saint-Ignace, malgré sa superficie modeste, renfermait cinq seigneuries dont celle de L'Islet ou Gamache, concédée en 1672. Elle mesurait à l'époque une demi-lieue de large sur une lieue de profondeur. Peu de temps après la Conquête, elle est morcelée. En 1680, le sieur Amyot de Vincelotte, qui possède une seigneurie adjacente à celle de L'Islet, hérite du fief de Cap-Saint-Ignace. Reconnu pour son caractère belliqueux, il dépense de grosses sommes d'argent en longs et inutiles procès.

Amyot de Vincelotte et Nicolas Gamache ne s'entendent pas sur l'emplacement de la future église de Cap-Saint-Ignace. Louis Gamache fait don d'un terrain à la fabrique, puis érige un presbytère qui doit aussi servir de chapelle en attendant la construction d'une église. Son voisin réplique en érigeant un autre presbytère à L'Anse-à-Gilles. Lasses de ces querelles, les autorités religieuses érigent l'église à mi-chemin entre les deux presbytères. Malheureusement pour la postérité, celui de la seigneurie de Vincelotte disparaît dans un incendie en 1899.

La manoir Gamache se caractérise par la simplicité de ses lignes et par la forte pente de son toit. Les murs de pierre affichent un nombre limité d'ouvertures, notamment sur les murs pignons. La disposition irrégulière de ces ouvertures indique un carré originel agrandi vers la fin du XVIIIᵉ siècle.

Au fil des ans, le monument a subi d'autres modifications. Ainsi, une cheminée de brique apparaît vers la fin du XIXᵉ siècle; elle en remplace une plus imposante. Une

annexe en bois plus récente est accolée à l'une des façades. Les lucarnes sont transformées afin d'augmenter l'éclairage des combles.

Entre 1978 et 1985, la manoir Gamache fait l'objet d'une importante restauration. À l'extérieur, une couverture en bardeaux de cèdre remplace la tôle ondulée. Les lucarnes reprennent le modèle originel. Le murs sont rejointoyés et crépis, et une cheminée centrale en pierre remplace la structure moderne en brique. L'annexe en bois, disparue, dégage le plein volume de la maison de pierre. À l'intérieur, le propriétaire rétablit le cachet ancien des lieux.

Avec le déplacement de la route, l'ancienne façade arrière est visible au visiteur qui emprunte la rue du Manoir à Cap-Saint-Ignace.

Jacques Dorion, ethnologue

Anonyme. *Le manoir Gamache. Inventaire architectural.* Québec, ministère des Affaires culturelles, [s. d.]. n. p.

L'angle du toit et la simplicité de ses lignes révèlent le grand âge du manoir. La cheminée de brique date probablement de la fin du XIXᵉ siècle. (Archives nationales du Québec à Québec, collection initiale).

Construit vers 1744, le manoir doit son nom au seigneur Nicolas Gamache. Cette maison en pierre dont l'entrée principale ne donne pas sur le chemin public a gardé ses lignes d'ensemble.

Moulin de Vincelotte

Cap-Saint-Ignace
641, chemin des Pionniers Est

Fonction: privé
Classé monument historique en 1965

LE 3 novembre 1672, l'intendant Jean Talon concède à Geneviève de Chavigny, veuve de Charles Amyot de Vincelotte, la seigneurie de Cap-Saint-Ignace, située à l'est de la ville de Montmagny. Charles-Joseph Amyot de Vincelotte, son fils, y fait construire un moulin banal dès 1690. Il choisit pour emplacement une plate-forme dégagée, sise à l'extrémité est de L'Anse-à-Gilles. La tour de ce moulin à vent subsiste encore aujourd'hui et porte le nom de moulin Vincelotte.

Une carte dressée à Québec par Mahier en 1792 l'identifie clairement et le représente dans la simplicité d'une tour droite coiffée d'une toiture conique et garnie d'une hélice à quatre bras. Dégagés à l'origine, les abords du moulin permettent de profiter pleinement des vents soufflant le long du fleuve. De nos jours, un couvert d'arbres parvenus à maturité enchâsse la tour et lui assure un écran protecteur, suggérant davan-

tage un vieux donjon à l'allure médiévale avec ses pierres à demi couvertes d'un lichen ocre. La tour se dresse au milieu d'un petit parc; cependant, les visiteurs sont peu nombreux, car le moulin ne suscite plus l'intérêt.

La tour, construite en maçonnerie de pierre des champs, se présente sous forme de cône avec un diamètre extérieur à la base de 6,5 mètres et une hauteur d'à peine 7,4 mètres. Ces dimensions rappellent que cette tour a été initialement conçue pour recevoir deux paires de meules. L'épaisseur de la paroi est de 1,5 mètre au sol et de 1 mètre au faîte. À l'intérieur de la muraille, les cavités, disposées sur deux niveaux, reçoivent l'extrémité des poutres de planchers.

Autrefois, la tour possédait au rez-de-chaussée deux portes maintenant murées, disposées selon l'usage dans l'axe est-ouest. Une porte récente, plus basse, s'ouvre franc sud. Le foyer du moulin existe encore, mais le conduit de la cheminée est obstrué par une grosse pierre scellée dans le mortier. La fenêtre du deuxième étage bâille avec plusieurs carreaux brisés. Au premier étage, une minuscule ouverture en forme de meurtrière, aujourd'hui murée, rappelle une époque où l'on devait défendre âprement ses biens.

Restaurée une première fois en 1924 par la Commission des monuments historiques, la tour l'est de nouveau en 1980. Les joints de la maçonnerie ont été refaits à neuf. Un toit de forme octogonale à faible pente et couvert en bardeaux de bois surmonte cette tour. La toiture temporaire diffère de l'originale, plus pointue. Il ne subsiste aucune machinerie, ni accessoire, ni aile, ni maître-arbre. L'état actuel de la maçonnerie suscite l'inquiétude car une profonde fissure la lézarde depuis le sol jusqu'au faîte. Le moulin est encore debout, mais pour combien de temps encore?

Ce monument représente le seul vestige de moulin à vent sur la rive sud du Saint-Laurent, depuis Bécancour jusqu'à Gaspé. Il est l'unique témoin en son genre dans cette vaste région. Restauration, conservation, entretien, mise en valeur comme lieu culturel et touristique seront garants de son avenir.

Pierre-Yves Dionne,
ethnologue et ingénieur

Érigé en 1690, le moulin de Vincelotte, avec les arbres qui l'entourent aujourd'hui, donne davantage l'impression d'un donjon médiéval.

DESJARDINS, Pierre. *Les moulins à vent du Québec.* Québec, ministère des Affaires culturelles, 1982. 42 f.

MAISONNEUVE, Ronald. *Onze moulins à vent.* Québec, ministère des Affaires culturelles, 1980. 145 f.

ROY, Pierre-Georges. *Bulletin de recherche historique.* Lévis, volume 28, 1922.

École-chapelle Bras-d'Apic

Saint-Cyrille-de-Lessard
Route 285

Fonction: public
Classée monument historique en 1982

Cette école-chapelle du début du siècle comprend, jusqu'en 1940, la chapelle et la salle de classe au rez-de-chaussée et le logis de l'institutrice à l'étage.

Lorsque Marie-Anne Caron et sa sœur arrivent à la fin de l'été 1919 dans ce hameau nommé Bras-d'Apic, qui compte alors un peu plus de 1 600 habitants, elles découvrent avec étonnement une construction neuve surmontée d'un clocheton. Les commissaires de Saint-Cyrille-de-Lessard la désignent l'école-chapelle.

L'École-chapelle de Bras-d'Apic a été construite en 1917 dans le deuxième rang de la paroisse de Saint-Cyrille, dans le comté de L'Islet (aujourd'hui la route 285). La politique de colonisation de l'époque entraîne la construction de ces bâtiments à double fonction. Des mouvements migratoires suivent l'ouverture de nouvelles paroisses en Abitibi, en Gaspésie et au Lac-Saint-Jean, et une initiative économique majeure, comme la construction d'une ligne de chemin de fer, donne naissance à la station ferroviaire de Bras-d'Apic.

Le plan de l'école-chapelle de Bras-d'Apic provient d'un cahier de plans fourni par le Département de l'instruction publique aux commissions scolaires désireuses de bâtir des écoles. Le huitième plan présente une construction à ossature de bois à claire-voie, chapeautée d'un toit à deux versants; une cheminée prolonge le mur pignon arrière et des ouvertures apparaissent sur chacune des façades. Trois lucarnes s'élèvent sur chacun des versants du toit. Le plan du bâtiment dépasse légèrement les dimensions prescrites. Un clocheton domine l'axe de faîtage et des dépendances, telles les chambres à bois et les latrines, se greffent à l'arrière. Jusqu'en 1940, le rez-de-chaussée comprend la chapelle et la classe; le logis de l'institutrice occupe l'étage. De 1940 à 1960, la chapelle se situe à l'étage, mais la classe demeure au rez-de-chaussée, où loge également l'institutrice. Les coûts élevés du chauffage au bois amènent des modifications: la chapelle est chauffée seulement une fois la semaine. À la suite d'une demande de la fabrique de Saint-Cyrille en 1960, la chapelle reprend le rez-de-chaussée et la fabrique acquiert le bâtiment en 1966.

Philippe Côté, un résident de Bras-d'Apic, offre le terrain où s'élève l'école-chapelle. L'attachement des gens à leur école-chapelle se manifeste de diverses façons: transport de l'eau potable, livraison de bois, nettoyage des latrines, récitation du chapelet au pied du calvaire élevé dans la cour. La tradition orale rapporte qu'en 1944 un homme d'affaires de Bras-d'Apic prend l'initiative de faire une quête pour ériger ce calvaire; la liste des donateurs a été conservée dans une bouteille coulée dans la base de ciment de la croix.

L'école-chapelle de Bras-d'Apic sert d'école primaire (de la première à la quatrième année) de 1917 à 1923 et d'école modèle (pour la cinquième et la sixième année) de 1917 à 1923. Selon la nouvelle terminologie de l'époque, elle devient alors une école primaire élémentaire. Les matières au programme comprennent des cours d'instruction religieuse et de formation morale, de langue maternelle, d'arithmétique, d'agriculture, d'hygiène et de bienséance.

La clientèle scolaire fluctue avec les mouvements de population. Entre 1920 et 1940, une moyenne annuelle d'une vingtaine d'enfants s'inscrivent, alors qu'il en reste à peine une dizaine dans la décennie suivante.

En 1957, l'école ferme ses portes. La chapelle continue de desservir la population résidente et aussi les vacanciers qui s'installent à Bras-d'Apic au début des années 1960.

Jacques Dorion, ethnologue

ETHNOTECH. *École-chapelle de Bras-d'Apic. Histoire, relevé et analyse.* Québec, ministère des Affaires culturelles, 1981. 152 p.

Chapelle Saint-Joseph-Secours-des-Marins

L'Islet-sur-Mer
Route des Pionniers

Fonction: public
Classée monument historique en 1981

Située en bordure de la route 132, la chapelle de L'Islet-sur-Mer tourne le dos au fleuve Saint-Laurent. Aujourd'hui, elle est consacrée à la mémoire des marins du village décédés en mer. En 1935, des marins participent à sa restauration et à son entretien et la dédient à Saint-Joseph. Elle est aussi appelée «Secours des marins». Sa fonction votive s'ajoute cependant à sa raison d'être première, la procession de la Fête-Dieu.

Le *Livre de comptes de la fabrique* de l'année 1836 mentionne une chapelle «destinée aux processions du Saint-Sacrement» payée 20 livres. En 1835, l'évêque du diocèse de Québec autorise la construction de la chapelle. La somme dépensée apparaît peu importante compte tenu des dimensions et du degré d'élaboration du bâtiment. La disproportion entre ce montant de 20 livres et la nature des travaux suggère que l'érection de la chapelle de L'Islet, comme beaucoup d'autres, s'est probablement effectuée à l'aide d'une corvée populaire par les habitants de la paroisse. Le montant consigné au *Livre de comptes de la fabrique* comprend vraisemblablement l'achat de matériaux ou la réalisation d'ouvrages spéciaux, tels les éléments moulurés ou l'autel.

Les chapelles de procession du Québec ont en commun un certain nombre de caractéristiques formelles semblables. La chapelle de L'Islet-sur-Mer possède un chevet en hémicycle, des ouvertures cintrées et une porte à double vantail en façade. Son toit compte deux versants et une coupe à l'arrière. Un clocher surmonte la façade. Il se compose d'une base carrée, d'un lanternon octogonal et d'une flèche incurvée. La chapelle de L'Islet-sur-Mer comporte des murs en bois couverts de planches à clins. La chapelle mesure tout près de 11 mètres de longueur sur 5,4 de largeur. Les murs gouttereaux sont percés de trois fenêtres au lieu de deux.

Son chevet et la forme de son clocher puisent dans les éléments de la tradition. Toutefois, la chapelle Saint-Joseph ne présente qu'une faible parenté avec l'architecture traditionnelle; elle porte résolument la marque du néo-classicisme.

L'inspiration néo-classique de la chapelle de L'Islet-sur-Mer se manifeste également par la présence d'ouvertures cintrées sans entablement et la composition classique des encadrements à l'aide des bases, pilastres, impostes, chapiteaux, arcs et clefs. La présence d'une fenêtre en plein cintre et l'esquisse d'un fronton triangulaire à l'aide de retours de corniche à la base du pignon attestent également de son appartenance à ce style. Les consoles placées sous la corniche et sur les murs gouttereaux constituent un apport de la fin du XIXᵉ siècle. À l'intérieur, des planches verticales surmontées d'une corniche à doucines lambrissent les murs. La fausse voûte surbaissée se termine par un cul-de-four à six pans; par sa facture, elle rappelle les plafonds lambrissés communs à l'architecture domestique de l'époque. Un gracieux petit autel orné de motifs sculptés occupe le fond de la chapelle.

Consacrée à la mémoire des marins du village, la chapelle fut érigée lors d'une corvée populaire. Elle porte la marque du style néo-classique avec ses ouvertures cintrées, ses proportions d'ensemble et la composition classique des encadrements.

Jacques Robert, historien de l'architecture

ROBERT, Jacques. *Les chapelles de procession du Québec*. Québec, ministère des Affaires culturelles, 1979. 163 p.

Église Notre-Dame-de-Bonsecours

L'Islet-sur-Mer
15, route des Pionniers

Fonction: public
Classée monument historique en 1957

L A construction de l'actuelle église Notre-Dame-de-Bonsecours s'échelonne de 1770 à 1882. Auparavant, les habitants de L'Islet assistent à leur première messe dans une chapelle de bois bâtie en 1699. En 1721, une église plus vaste accueille la population de la paroisse.

En 1770, la fabrique passe un marché de construction avec les maîtres maçons Chéquy et Magnan, de Québec, pour ériger une nouvelle église. Dix ans plus tard, l'église s'ouvre au culte. Selon un document non signé et conservé aux archives de la paroisse, elle mesure alors 36,6 mètres de longueur sur 17 de largeur. Son plan, de type récollet, comporte une nef unique, où seul le rétrécissement du chœur dégage des chapelles latérales. La configuration de la façade de l'époque reste cependant inconnue.

En 1799, la sacristie se dresse du côté nord de l'église. Jean-Olivier Leclerc, entrepreneur de L'Islet, rallonge l'église d'environ 9 mètres en 1830. La façade comporte deux tours terminées par des clochers. En 1840, une nouvelle sacristie remplace l'ancienne dans le prolongement du chœur. Entre 1853 et 1855, Jean-Olivier Leclerc construit la chapelle de la Congrégation attenante à la nef, sur le pan nord.

Enfin, en 1882, les derniers travaux majeurs sont entrepris à l'extérieur. David Ouellet, architecte de Québec, érige une autre façade qui masque celle de 1830; elle comporte de nouveaux clochers sur les tours. Reconnu pour dessiner des façades imposantes et de type écran, Ouellet imprime cette marque à l'église Notre-Dame-de-Bonsecours.

Agrandie en 1830, l'église atteint ses dimensions actuelles. Elle connaît par la suite d'autres modifications importantes, notamment en 1840, avec la construction d'une nouvelle sacristie et, en 1882, avec l'édification d'une autre façade.

La façade actuelle est l'œuvre de l'architecte David Ouellet.

L'intérieur de l'église porte la marque de plusieurs sculpteurs réputés. (Inventaire des biens culturels du Québec).

Au fil du temps, l'intérieur de l'église s'orne des œuvres de nombreux sculpteurs. Ainsi, le chœur, œuvre de Jean Baillairgé et de son fils François, possède un retable qui s'étend sur l'ensemble de l'abside. La nouveauté de ce décor, exécuté entre 1782 et 1787, réside dans le recouvrement de tous les murs du chœur. Avant 1782, le retable s'adossait au fond du chœur et les autres murs étaient traités différemment. Cette nouvelle conception artistique a été introduite au Canada par François Baillairgé à son retour d'un voyage en France.

Conçu sur deux niveaux, le retable comporte un premier espace doté de fausses arcades, d'une frise et d'un entablement. Le second espace comprend des pilastres, des motifs phytomorphiques et des statues. Des modifications majeures surviennent à la partie basse, qui perd son pannelage en 1924. En 1968, Henri Caron en sculpte un nouveau.

De 1805 à 1809, Pierre-Florent Baillairgé, frère de François, réalise les retables des chapelles latérales. Les murs de la nef, ornés d'arcades, de pilastres et d'une corniche, ont été exécutés en 1812 par le sculpteur Amable Charron. Plusieurs des éléments originels de l'ensemble de ce décor sont aujourd'hui disparus ou ont perdu leur aspect d'origine en raison des nombreux travaux survenus à l'église.

Vers 1865, l'architecte François-Xavier Berlinguet conçoit l'actuelle voûte à caissons en plâtre pour remplacer celle aux motifs ornés d'étoiles d'Amable Charron.

L'église renferme plusieurs autres œuvres d'un grand intérêt. Ainsi, le tabernacle du maître-autel a été exécuté par Noël Levasseur entre 1728 et 1730. Il provient de l'église érigée au début du XVIIIᵉ siècle. D'un type nouveau pour l'époque, il sera par la suite copié pour ceux des églises de Batiscan, Grondines, Saint-Sulpice et Saint-Vallier-de-Bellechasse. À l'exception de l'ornement des prédelles et de l'étage de la monstrance, tous ces tabernacles reprennent le modèle de L'Islet.

Un tableau de l'*Annonciation*, peint en 1776 par Jean-Antoine Créquy, orne le dessus du maître-autel. Deux autres tableaux, réalisés en 1807 par Louis Dulongpré et destinés aux chapelles, représentent le *Sacré-Cœur* et le *Christ prêchant*. La nef comprend six œuvres d'Antoine Plamondon réalisées en 1871: la *Vierge de douleur*, le *Christ en croix*, le *Christ mort*, *Saint Louis en adoration devant la couronne d'épines*, l'*Immaculée Conception* et la *Sainte Famille*, *Saint Jean-Baptiste* et *Sainte Elisabeth*.

Quelques sculptures sont également dignes d'intérêt. De François Baillairgé, deux rondes-bosses en bois exécutées en 1786 représentent *Saint Abbondance* et *Saint Modeste*. Deux anges tenant un reliquaire sont réalisés entre 1801 et 1805 par Pierre-Florent Baillairgé. Entre 1812 et 1816, Amable Charron sculpte deux autres anges à la trompette dans les chapelles latérales.

Madeleine Gobeil-Trudeau,
historienne de l'architecture

GROUPE HARCART. *Fabrique Notre-Dame-de-Bonsecours de l'Islet, l'Islet, compté L'Islet*. Québec, ministère des Affaires culturelles, 1982. 175 p.

NOPPEN, Luc. *Les églises du Québec (1600-1850)*. Québec et Montréal, Éditeur officiel du Québec/Fides, 1977: 132-135.

Salle des habitants

L'Islet-sur-Mer
18, route des Pionniers

Fonction: public
Classée monument historique en 1957

L<small>A</small> «salle des habitants» désigne un lieu de réunion pour les habitants d'une paroisse. Ce lieu peut être également la salle paroissiale ou le presbytère. Les paroissiens désireux de débattre ou d'émettre leur opinion sur une question concernant leur collectivité s'y rassemblent pour discuter.

Dans certaines paroisses, la salle se trouve dans le presbytère même; dans d'autres, comme à L'Islet, un bâtiment autonome remplit cette fonction. Propriété de la fabrique, le bâtiment peut aussi servir de logis pour le sacristain et de salle publique pour le conseil municipal et la commission scolaire qui y siègent régulièrement.

De l'extérieur, le bâtiment ressemble à s'y méprendre à une maison de grandes dimensions. Toutefois, son emplacement à proximité de l'église, du presbytère et du cimetière le relie davantage à l'ensemble institutionnel du village qu'aux bâtiments domestiques.

La salle des habitants de L'Islet apparaît vers 1827, en bordure du fleuve. Déménagée et restaurée en 1956, elle se situe maintenant au cœur du village, près des bâtiments religieux.

De forme rectangulaire, le bâtiment mesure 17 mètres de longueur sur environ 10 de profondeur et comprend un étage sur rez-de-chaussée. Des planches à clins peintes en blanc lambrissent les murs. Le toit à quatre versants à large débords est recouvert de tôle à la canadienne et percé de deux lucarnes à l'arrière et d'une cheminée du côté nord-ouest.

À L'Islet, la salle des habitants occupe un édifice indépendant au lieu d'occuper une partie du presbytère comme dans les autres paroisses. Construite initialement sur les bords du fleuve, la salle est déménagée à proximité de l'église.

En façade, deux portes donnent accès au rez-de-chaussée. Deux fenêtres à battants encadrent chacune d'elles. L'étage comporte six ouvertures traitées en attique. La symétrie des ouvertures et l'utilisation de l'ordre dorique pour l'ornementation des portes relèvent de l'architecture néo-classique, très populaire à l'époque dans le Bas-Canada.

Hormis l'addition d'un escalier et d'une annexe donnant accès à la cave sur la façade nord-est, la salle des habitants de L'Islet conserve à l'extérieur ses éléments d'origine. Les travaux de restauration les ont mis en valeur.

Toutefois, les cloisons à l'intérieur du bâtiment sont complètement réaménagées. La bibliothèque publique et une salle de cours occupent le sous-sol refait à neuf. Le rez-de-chaussée se compose d'une grande pièce qui sert toujours de salle paroissiale. Elle conserve ses lambris de plafond ainsi que le revêtement des murs extérieurs en planches posées à la verticale. Quant à l'étage, il abrite un logement, réaménagé au moment de la restauration. Le plancher, le plafond et les murs extérieurs datent de la construction du bâtiment.

Madeleine Gobeil-Trudeau,
historienne de l'architecture

L<small>ABONTÉ</small>, Colette et René G<small>AMACHE</small>. *Salle des habitants, l'Islet*. Québec, ministère des Affaires culturelles, 1980. n. p.

Église Saint-Jean-Baptiste

Saint-Jean-Port-Joli
2, avenue Gaspé Ouest

Fonction: public
Classée monument historique en 1963

En 1738, sur le domaine seigneurial de Saint-Jean-Port-Joli, une chapelle dédiée à saint Jean apparaît. Auparavant, les habitants du lieu se rendaient à la chapelle Notre-Dame-de-Bonsecours située à L'Islet. En 1756, le seigneur Ignace Aubert de Gaspé cède un terrain pour la construction d'une église, se réservant dans l'édifice un emplacement pour son banc seigneurial. La guerre de Sept ans et l'instabilité politique qui s'ensuit forcent le report du projet.

En 1771, les marguilliers souhaitent bâtir une église. Trois ans plus tard, le projet repose entre les mains de l'évêque, mgr Jean-Olivier Briand. Ce dernier choisit un plan en croix latine avec sacristie extérieure à l'église. Certains commentaires de mgr Briand laissent toutefois sous-entendre que les paroissiens songeaient plutôt à une église de plan récollet. Ce plan comporte une nef

fermée par un chœur plus étroit dans l'hémicycle duquel se trouve une sacristie intérieure. La construction débute finalement en 1779. Le gros œuvre terminé en 1781 permet l'ouverture de l'église au culte.

Le plan originel de l'église de 1779-1781 se reconnaît encore dans l'édifice actuel. Modifié à plusieurs reprises, ce plan comprend deux minuscules chapelles latérales accolées par la suite selon le désir de mgr Briand. L'église de Saint-Jean, en forme de croix latine, comporte un chœur dont les murs possèdent la même élévation que ceux de la nef. Sur cette partie de l'édifice, la pente de la toiture est accentuée. Une sacristie extérieure en bois complète l'ensemble. En 1815, une sacristie en pierre la remplace et, en 1875, l'architecte David Ouellet la remodèle lors de la construction de la chapelle et de la sacristie.

En 1815, l'église de Saint-Jean-Port-Joli est allongée de 11,6 mètres du côté de la façade. Vraisemblablement comparable à l'ancienne, la nouvelle façade se compose d'un grand portail encadré de deux niches et surmonté de trois oculi. En 1861, la baie vénitienne remplace l'oculus du sommet pour donner un meilleur éclairage intérieur. Les clochers de l'église, érigés en 1815 au moment de l'allongement de l'église, se caractérisent par un double lanternon et par la pénétration anguleuse du tambour octogonal dans la base carrée.

En 1861, des travaux changent considérablement l'allure de l'église. Des coyaux sont installés sur les fermes de façon à retrousser les avant-toits. Une corniche cintrée raccorde les égouts de la toiture avec les murs gouttereaux.

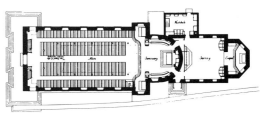

Plan de l'église par Ramsay Traquair. (The Old Architecture of Quebec).

L'église aujourd'hui. (Service des ressources pédagogiques, université Laval. Photo: Paul Laliberté).

L'église vue de l'arrière en 1953. (Inventaire des biens culturels du Québec).

Jean et Pierre-Florent Baillairgé entreprennent le décor intérieur en 1794. Le retable mis en place en 1798 orne encore le fond du sanctuaire. Dans son apparence originelle, ce retable représente avant tout une pièce, isolée dans le chœur, liée à l'édifice par la corniche sculptée qui contourne le sanctuaire. Les archives du monastère des Ursulines de Québec conservent un plan de retable de même type signé Jean Baillairgé; dessiné en 1773, ce document semble avoir guidé plusieurs chantiers par la suite, comme en témoignent les ratures et les volets rapportés au dessin original. La forme générale du retable rappelle celle de l'église des Jésuites de Québec. Jean Baillairgé le connaît assez pour y avoir travaillé. Déjà, en 1773, cet ensemble apparaît désuet.

Pierre-Noël Levasseur l'a probablement connu et diffusé avant Baillairgé. Mais ce dernier apporte la nouveauté de l'ornementation: les motifs Louis XV qu'il propose sont plutôt rares en Nouvelle-France.

Au-dessus du retable de l'église, un fronton en segment de cercle remplace un corps sculpté par François Baillairgé. Le *Christ en croix* est aujourd'hui accroché sur un des piliers de la tribune, tandis que le *Saint Jean* et *La Vierge* logent au Musée des beaux-arts du Canada, à Ottawa.

Complété en 1816-1817, le retable est l'œuvre de Chrysostome Perreault, sculpteur de la région montréalaise. Il a poursuivi l'ornementation du retable dans l'ensemble du sanctuaire. À ce moment, ce type d'ornementation intérieure, plus courant, remplace dans les édifices nouveaux le retable isolé au fond du sanctuaire. Chrysostome Perreault érige aussi la voûte de l'église, composée d'une multitude de petits caissons en forme de losanges ornés d'une pièce de sculpture. Ce genre de voûte étoilée, à l'image du firmament, caractérise l'école de Quévillon; la région de Québec en compte au moins deux autres, à l'église de Beaumont et à celle de Sainte-Famille à l'île d'Orléans.

En 1845-1846, François Fournier, maître d'œuvre de l'église Saint-Thomas-de-Montmagny, construit les galeries latérales. Après la démolition de celles de la chapelle de la Congrégation de Québec et de celles de L'Islet, les galeries de Saint-Jean-Port-Joli restent les seuls exemples de la première forme de galerie dans les églises catholiques du Québec.

Supportées par des arcades à l'origine, les galeries se distinguent de la structure de l'édifice. Ultérieurement, elles seront intégrées à l'architecture et la nef divisée en trois par une colonnade, permettant l'installation de galeries dans les bas-côtés.

Les galeries latérales de l'église de Saint-Jean-Port-Joli restent les seuls exemples du genre apparus dans les églises catholiques du Québec. (Service des ressources pédagogiques, université Laval. Photo: Paul Laliberté).

En 1922, l'intérieur de l'église subit d'importants travaux de réfection. Les murs de la nef sont lambrissés de bois, les bancs anciens disparaissent tout comme le banc d'œuvre de Chrysostome Perreault.

L'église de Saint-Jean-Port-Joli recèle plusieurs œuvres intéressantes. Tout d'abord, le tabernacle du maître-autel, provenant de la première chapelle, exécuté vers 1740 et attribué à Pierre-Noël Levasseur. En 1798-1799, Louis Dulongpré supervise les tableaux. Le *Baptême du Christ* se dresse au-dessus du maître-autel et des statues de l'Immaculée Conception et de sainte Catherine ornent les chapelles. Attribué à François Baillairgé en 1805, le tombeau du maître-autel rappelle les tombeaux latéraux de Chrysostome Perreault (1817) et laisse croire à une origine commune des trois tombeaux exécutés en 1886-1887. David Ouellet réalise les tabernacles latéraux.

L'église conserve également des œuvres de Médard Bourgault, telles la chaire (1937) et les nombreuses statues et statuettes en façade et à l'intérieur. L'église de Saint-Jean-Port-Joli abrite le banc seigneurial des Aubert de Gaspé. Avec l'église de Vaudreuil, elle est l'une des rares à avoir conservé le banc du seigneur.

Dès 1948, la fabrique amorce une première restauration. Le crépi extérieur disparaît et laisse la pierre à nu. En 1951, l'église est nettoyée et peinte. Le toit vermillon apparaît à cette époque. Enfin, en 1960, une dalle de béton remplace le plancher en bois de l'église et les paroissiens se dotent d'un imposant perron en façade. Vingt ans plus tard, une seconde restauration rafraîchit le bâtiment.

Luc Noppen,
historien de l'architecture

Noppen, Luc. *Les églises du Québec (1600-1850)*. Québec et Montréal, Éditeur officiel du Québec/Fides, 1977: 35, 242-245.

Morisset, Gérard. «*L'église de Saint-Jean-Port-Joli*». *La Patrie*, 28 mai 1950: 0-41, 45.

Saint-Pierre, Angéline. *L'église de Saint-Jean-Port-Joli.* Québec, Garneau, 1977. 217 p.

Chapelle Notre-Dame-de-Lourdes

Saint-Roch-des-Aulnaies
Chemin de la Seigneurie

Fonction: public
Classée monument historique en 1981

LA chapelle de procession de Saint-Roch-des-Aulnaies date vraisemblablement de 1792. D'abord consacrée à saint Louis, la chapelle adopte Notre-Dame-de-Lourdes comme patronne à la suite d'une réparation effectuée vers 1880.

Dès le début de la colonisation française, les chapelles de procession témoignent de la pratique des défilés en l'honneur d'un saint ou à l'occasion de la Fête-Dieu. Des mandements décrivent ces traditions de procession, comme celui de mgr François de Laval qui ordonne «de faire trois processions à l'église des Jésuites [...] au premier jour de janvier [...], fête de la Circoncision ou du St Nom de Jésus [...] patron de leur église de Québec [...]; le troisième décembre, fête de st François-Xavier, et le trente et unième de juillet, jour de la fête de leur glorieux patriarche St Ignace, lorsqu'elle tomberait un dimanche [...]».

Loin de disparaître sous la domination anglaise, la coutume de la procession se maintient et se répand dans les paroisses rurales et les villages du Saint-Laurent. Le gouvernement anglais permet l'exercice de la religion catholique et établit des relations courtoises avec la hiérarchie québécoise de l'Église de Rome. L'historien Mason Wade rapporte que, peu de temps après la Conquête, «[...] tous les officiers anglais, sans égard pour leur anti-papisme, reçurent l'ordre d'honorer les processions religieuses de la «courtoisie du chapeau». Plusieurs chapelles de procession, comme la chapelle de Saint-Roch-des-Aulnaies, datent de la fin du XVIIIe siècle ou du début du XIXe siècle.

La chapelle de procession de Saint-Roch-des-Aulnaies possède de plus grandes dimensions que la plupart des autres chapelles de ce genre. Elle mesure 8 mètres de longueur sur 6 de largeur. Son plan se termine

par un hémicycle. Ses murs construits en moellons grossièrement équarris sont percés, sur les côtés, de deux fenêtres cintrées munies d'un contrevent et, en façade, d'une porte à double vantail surmontée d'un châssis de tympan à motif d'éventail. Le chambranle des ouvertures porte peu de moulures. Le bâtiment, relativement bas, s'élève à peine 6 mètres du sol. La toiture à pente, recouverte de bardeaux, s'incurve à la base et déborde largement des murs gouttereaux. Les rampants du toit sont soulignés et, avec des retours de corniche, esquissent la base du pignon. Une tour grêle, composée d'une base carrée, d'un mince tambour octogonal et d'une flèche incurvée, surmonte l'édicule. Le tout est couronné d'une croix et d'un coq.

Un crépi recouvre les murs intérieurs. La fausse voûte surbaissée, lambrissée, se termine au-dessus de l'abside par un cul-de-four à huit pans. Une grotte consacrée à Notre-Dame-de-Lourdes occupe le chevet. L'autel, de facture simple, siège entre les deux fenêtres du mur sud.

L'architecture traditionnelle d'esprit français caractérise la chapelle. Les retours de corniches sont probablement postérieurs à la construction et ont sans doute été ajoutés vers 1880 au moment de la restauration de la chapelle.

En raison de ses proportions trapues et du caractère grêle de sa tour, la chapelle de Saint-Roch-des-Aulnaies ne présente pas l'élégance de ses consœurs de Neuville, de Saint-Étienne-de-Beaumont ou de L'Ange-Gardien. Elle constitue néanmoins une manifestation éloquente de la coutume de la procession.

Jacques Robert,
historien de l'architecture

Consacrée initialement à saint Louis, la chapelle est dédiée après 1880 à Notre-Dame-de-Lourdes. Cette construction présente des caractéristiques qui l'associent à l'architecture traditionnelle d'esprit français.

ROLAND, Martin. *Saint-Roch-des-Aulnaies*. Société historique de la Côte-du-Sud, La Pocatière, 1965.

Mandements des évêques de Québec. Volume premier. Québec, Imprimerie générale A. Côté et Cie, 1887: 13-14.

WADE, Mason. *Les Canadiens français de 1760 à nos jours*. Tome I. Deuxième édition revue et augmentée. Montréal, Le Cercle du livre de France, 1966: 65.

Moulin banal

Saint-Roch-des-Aulnaies
525, route de la Seigneurie

Fonction: public
Classé monument historique en 1977

LE 1ᵉʳ avril 1656, le gouverneur Jean de Lauson concède au seigneur Nicolas Juchereau de Saint-Denys, de Beauport, une seigneurie à environ vingt lieues en aval de Québec. Connue sous le nom de seigneurie de Saint-Denys, elle prend le nom de Grande-Anse, puis celui de Saint-Roch-des-Aulnaies.

Le 5 septembre 1749, un document atteste pour la première fois de l'existence d'un moulin sur la seigneurie. En 1775, ce premier moulin subit le pillage des Américains et des rebelles recrutés dans la région. Démoli en 1789, un moulin à deux moulanges le remplace au cours de la même année. En 1815, une scierie s'ajoute dans un appentis adossé au bâtiment. En 1817, le moulin reçoit une troisième moulange.

L'actuel moulin, édifié en 1842, compte quatre moulanges, un crible à grain et des bluteaux. Il se classe entre l'entreprise artisanale et l'entreprise industrielle. En 1845, un document révèle un moulin à trois scies, ce qui témoigne de la volonté du seigneur d'accroître la productivité de son exploitation. En 1921, une cardeuse et un foulon s'ajoutent au moulin.

Le 6 novembre 1975, la Corporation de la seigneurie des Aulnaies devient le dix-huitième propriétaire du moulin. Grâce à l'appui financier du ministère des Affaires culturelles, le moulin, remis en état de marche, tourne depuis 1980 pour le plaisir des visiteurs.

Le moulin de Saint-Roch-des-Aulnaies constitue l'un des moulins à farine les plus perfectionnés et les plus étudiés qu'ait connu le Québec à la fin du siècle dernier. Synthèse des découvertes les plus récentes en sciences appliquées et en technologie, il illustre le *nec plus ultra* de sa catégorie dans les années 1850.

Autrefois, l'expression moulin à farine désignait une machine à moudre le grain. Cependant, avec le temps, la coutume a totalement modifié le sens de ce mot: la moulange identifie la machine à moudre et l'édifice qui l'abrite devient le moulin. Beaucoup plus qu'un bâtiment et une moulange, le moulin fait corps avec le cours d'eau qui le traverse; c'est l'endroit où l'on fait scier son bois, carder sa laine et fouler ses étoffes; il prolonge en quelque sorte l'industrie domestique.

Vue aérienne du moulin. (Inventaire des biens culturels du Québec).

Un site privilégié

L'emplacement du moulin couvre une petite étendue de terrain formée de deux plateaux reliés par un talus à pente raide recouvert de végétation. Le courant d'un ruisseau appelé Le Bras passe d'un niveau à l'autre, cascade sur une certaine distance, puis tombe de 8 mètres. Cette différence de niveau constitue un avantage important, car elle s'ajoute à la hauteur de tout barrage édifié à l'amont de la cascade; ainsi, les coûts de l'aménagement hydraulique diminuent considérablement. Le moulin occupe le meilleur emplacement du site. Assis sur le plateau inférieur, le plus près possible du talus, il est hors de portée des glaçons lors des crues printanières. La submersion du plateau inférieur est une éventualité peu probable, même en période de grandes crues: l'inondation est d'autant moins vraisemblable que la superficie du bassin versant du Bras, très petite, entraîne un courant très rapide, la section d'écoulement augmente vers l'aval et enfin la vanne de prise d'eau d'appoint peut s'abaisser à quelques minutes d'avis. Grâce à la dénivellation importante du terrain, une passerelle horizontale donne accès directement au troisième étage du bâtiment. De surcroît, ce site qui cumule tous ces avantages techniques offre une vue exceptionnelle sur le paysage environnant.

Le bâtiment

Édifice monumental de trois étages, le moulin de Saint-Roch se dresse sur une base rectangulaire de 18 mètres de longueur sur 12 de largeur. Les murs, constitués de pierre de part en part, atteignent 78 centimètres d'épaisseur, incluant le parement en pierre de taille. Le toit, à deux versants recouvert de bardeaux de cèdre, comprend six lucarnes dont cinq du côté nord et une du côté sud. La petite construction de menuiserie, de section carrée, à cheval sur le faîte de la couverture, sert de ventilateur statique, appelé lanterne de marché (connu au Québec sous le nom de lanterneau). Il aère l'espace sous les combles. Une cheminée passe à l'intérieur du pignon du logement du meunier.

Cet édifice se distingue par la sobriété de ses lignes et l'équilibre de ses proportions. Haut et long, éclairé par 37 fenêtres, ce moulin, création de l'architecture industrielle naissante, s'oppose au moulin seigneurial traditionnel, trapu, sombre et humide. La disproportion entre la superficie de plancher disponible et celle occupée par les diverses machines affectées à la meunerie, au sciage, au foulage et au cardage, atteste de l'intention du seigneur Dionne de faire de son moulin un centre industriel régional au lendemain de l'abolition du système seigneurial.

L'aménagement hydraulique

L'aménagement hydraulique du moulin comprend deux barrages, un canal de dérivation creusé dans le sol, un canal d'amenée en bois, une roue hydraulique et un canal de fuite souterrain.

Le moulin vers 1925. (Archives nationales du Québec à Québec, collection initiale).

Un premier barrage en béton à contreforts coupe la rivière Ferrée à l'extrémité ouest du domaine; il remplace un ancien ouvrage rustique en bois. Il hausse le niveau de l'eau suffisamment pour la faire passer dans un canal de dérivation dont le fond se situe à une cote supérieure à celle du lit de la rivière. À sa sortie du canal, l'eau, détournée de son cours naturel, se jette dans le ruisseau dit Le Bras. Cet apport d'eau élimine les périodes de chômage technique du moulin durant la belle saison.

À peu de distance en aval, un second barrage constitue une prise d'eau et ajoute quelques mètres à la hauteur de la chute naturelle. Sa structure en charpente se compose de files parallèles de poutres de 20 cen-timètres environ d'équarrissage, appelées longrines, disposées sur le lit du cours d'eau; une distance de 1,5 mètre sépare les longrines. Ensuite, en respectant le même espacement, on place transversalement sur les longrines des pièces de bois de même équarrissage, appelées traversines. Les intersections sont légèrement entaillées et chevillées. Ce genre de construction crée des vides que l'on remplit de pierre pour lester le barrage. Deux rangs de madriers cloués à la charpente du côté amont assurent l'étanchéité.

L'ouverture à ciel ouvert représente le déversoir qui maintient l'eau à un niveau constant. Ses dimensions doivent permettre l'évacuation des eaux de la plus forte crue susceptible de se produire. Un conduit de section carrée, situé en dessous du niveau de l'eau dans la retenue, traverse le corps du barrage de part en part. Une porte verticale coulissante appelée vanne (ou pelle au Québec) se manœuvre au moyen d'un volant pour laisser s'échapper dans le canal d'amenée l'eau nécessaire pour faire tourner le moulin. Un conduit fermé par un bouchon (ou bonde) est installé au point le plus bas, à l'extrémité opposée du barrage. Il permet la vidange partielle ou totale de la retenue, soit pour effectuer des réparations, soit pour chasser les substances qui se sont déposées avec le temps en amont.

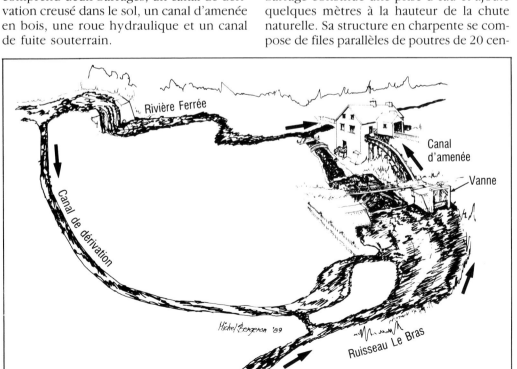

Deux cours d'eau alimentent le moulin de Saint-Roch. Un long canal détourne la rivière Ferrée vers le ruisseau Le Bras.

Les poussées qu'exercent l'eau et les glaces sur le côté amont du barrage tendent à le faire glisser sur ses assises et à le renverser. Pour être stable, une structure doit résister à l'action des forces déséquilibrantes qui la sollicitent; des barrages dont la stabilité est assurée uniquement par leur propre poids, tels ceux du moulin de Saint-Roch-des-Aulnaies, représentent un barrage-poids.

Le faible volume d'eau emmagasiné par les deux barrages place le moulin de Saint-Roch dans la catégorie des moulins dits au fil de l'eau, expression que les meuniers ont traduite comme suit: «On prend l'eau quand elle vient et comme elle vient.» Si le débit du cours d'eau présente un niveau égal ou supérieur à celui requis pour la marche à pleine puissance et continue du moulin, la réserve devient inépuisable. Par contre, en période de basses eaux, deux choix s'offrent au meunier: soit actionner le moulin sur des périodes relativement longues en ralentissant la production, soit laisser l'eau s'accumuler pendant quelques heures et faire tourner le moulin à son rythme normal pendant un temps plus court; dans ce dernier cas, le moulin marche par éclusées.

Il fut un temps où les moulins construits sur le sol étaient qualifiés de pied-ferme ou de plain-pied par opposition aux moulins-bateaux. Le moulin de Saint-Roch illustre un moulin de pied-ferme au fil de l'eau.

Le canal d'amenée

Le canal d'amenée (connu au Québec sous le nom de dalle) est un conduit à ciel ouvert qui conduit l'eau motrice sur la roue hydraulique. La dalle, construite en madriers, repose sur des chevalets en «bois rond». Ce canal prend une inclinaison ou pente telle que l'eau, à la fin de son trajet, s'anime d'une vitesse égale à une fois et demie la vitesse périphérique de la roue qu'elle alimente. La dalle gèle très facilement l'hiver et certains meuniers, pour remédier à cet inconvénient, l'entourent de «ballots» de paille; pour parler de l'opération, on crée le verbe «empaillasser».

La roue hydraulique

La roue hydraulique se présente comme une gigantesque structure tournante en charpente, montée sur un arbre et disposée de façon à recevoir l'eau. Elle se compose de deux couronnes réunies par des bras à un arbre reposant à ses extrémités sur deux coussinets. L'espace entre les couronnes se divise en un grand nombre de compartiments appelés godets, ouverts à leur circonférence extérieure. Le coursier, sorte de petit canal, prolonge la dalle. Une pente de 1/12 à 1/10 dirige l'eau dans les godets qui se remplissent entre le tiers et la demie de leur capacité. L'augmentation du poids d'une de ses parties entraîne la roue dans un mouvement de rotation. Les godets décrivent un arc de quelque 130 degrés, puis se vident graduellement. L'eau tombe dans le canal de fuite qui débouche dans le ruisseau. Le godet est déjà complètement vide lorsqu'il passe par le point le plus bas de son trajet.

La roue mesure environ 7 mètres de diamètre et sa largeur entre les couronnes atteint 1,5 mètre. Sa vitesse périphérique s'élève à environ 1,8 mètre par seconde. La puissance au frein de cette roue, tournant dans les conditions favorisant un rendement élevé, représente 9 kilowatts. Le rendement d'une roue de ce type peut facilement atteindre 80 pour cent, à condition qu'elle ait été installée selon les règles de l'art.

Une roue d'engrenage de 6 mètres de diamètre, portée par une couronne de forte épaisseur, transmet la puissance du moteur aux moulanges et aux accessoires. Autrefois, cet engrenage se reliait directement à l'arbre. Mais la pratique plus récente la place à la hauteur de la couronne et permet d'employer un arbre plus court, non sollicité en torsion. Cette innovation diminue de beaucoup les efforts de flexion dans les bras, mettant ainsi fin aux fréquentes fractures qui se produisaient à leur extrémité inférieure. Les deux grandes caractéristiques de ce genre de moteur hydraulique sont la robustesse et le rendement élevé.

Transmission de la puissance

Le schéma ci-contre illustre, à l'aide de symboles, la façon dont la puissance développée par la roue hydraulique se communique à la meule tournante. Le mouvement se transmet par l'intermédiaire de roues d'engrenage et d'arbres respectivement représentés par des cercles et des segments de droite.

Une roue d'engrenage de 6 mètres de diamètre (2), portant 336 dents, boulonnée aux bras de la roue hydraulique (1), engrène une autre roue appelée pignon (3), garnie de 38 dents, calée sur un arbre horizontal (4). La roue d'engrenage (5) est solidaire de l'arbre vertical (7), appelé fer de meule. Le fer de meule, qui passe à travers la meule dite gisante (ou dormante) (8), supporte la meule tournante (ou travaillante) (9), à laquelle il peut, grâce à un mode de liaison simple et ingénieux, transmettre un mouvement de rotation. Les engrenages 5 et 6, roues d'angle appelées roues de renvoi, transforment le mouvement de rotation dans le plan horizontal en un mouvement de rotation dans le plan vertical. Ainsi, lorsque la roue hydraulique se met en mouvement, sa couronne (2) entraîne le pignon (3) qui fait bloc avec l'arbre horizontal (4) et la roue d'engrenage (6); cette dernière entraîne le fer (7) qui met la meule en mouvement. Le rapport de rotation meule/roue hydraulique est de 21 à 5.

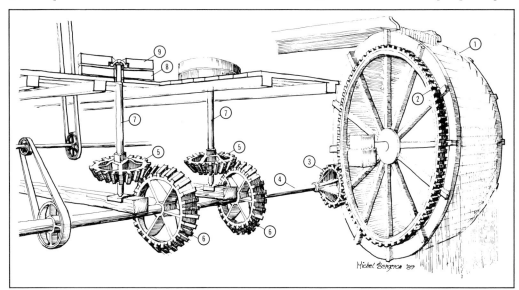

Les différents mécanismes de transmission de l'énergie:

1. Roue hydraulique	5 et 6. Roues d'engrenage
2. Roue d'engrenage	7. Arbre vertical
3. Pignon	8. Meule gisante
4. Arbre horizontal	9. Meule tournante

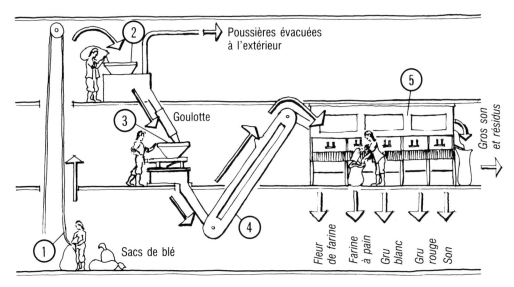

Les principales étapes de la fabrication de la farine:

1. Monte-sacs
2. Crible-tarare
3. Trémie
4. Élévette
5. Bluteau

La marche du travail

Le diagramme de la marche du travail permet de suivre le grain à travers le moulin en marche. Le chemin que parcourent le grain ou les produits de la mouture est indiqué par une flèche.

Le sac de grain arrive au point 1. Attaché au monte-sacs, il s'élève au deuxième étage où son contenu est versé dans le crible-tarare (2) pour être nettoyé. Les poussières, sous l'action d'un fort courant d'air, volent vers l'extérieur par le conduit. Le blé nettoyé se dirige par la goulotte dans la trémie de la moulange (3) pour être écrasé entre les deux meules. Le produit de la mouture traverse le conduit, atterrit au pied de l'élévette (4) qui le recueille, puis le monte à l'étage supérieur et le verse dans le bluteau (5). La mouture se partage en diverses qualités de farine et le résidu tombe dans un sac.

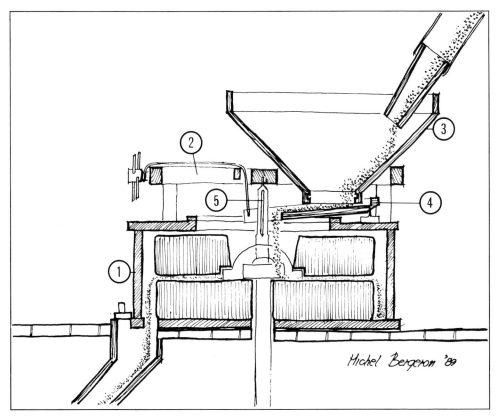

Vue en coupe d'une moulange:

1. Archure
2. Trémion
3. Trémie
4. Auget
5. Frayon

La machine à moudre ou moulange

L'archure (1), qui renferme une paire de meules, supporte un petit bâti en bois appelé trémion (2). Sur celui-ci repose la trémie (3), récipient en forme de pyramide tronquée inversée, dont le fond porte une ouverture munie d'une porte coulissante horizontale. Un petit assemblage en planche, l'auget (4), se fixe au trémion par un axe vertical en bois, autour duquel il peut osciller dans le plan horizontal. Une pièce en bois solide de section carrée, le frayon (5), relié mécaniquement au fer par son extrémité inférieure et retenu en position verticale par un coussinet en bois, passe librement dans une rainure pratiquée dans l'auget. Une lanière de cuir, dont l'une des extrémités est attachée à l'auget et l'autre à un tourniquet, constitue le guidage. Ce système soutient l'auget, tout en permettant d'en varier l'inclinaison et d'exercer une traction latérale pour assurer un contact continu entre le frayon et l'auget. De par sa section carrée, le frayon, lorsqu'il tourne, imprime à l'auget quatre secousses par révolution. Le contact entre ces deux pièces est silencieux s'il passe sur une arête du frayon. Mais, lorsque leurs surfaces planes se frappent instantanément sur toute leur étendue, quatre fois par tour, elles provoquent le bruit caractéristique du moulin à farine.

La bluterie

La farine brute (ou boulange) produite par l'action des meules se compose des parties pulvérulente et granulaire du grain et de débris de l'écorce de ce dernier. L'opération de blutage (ou tamisage) élimine le son de la boulange. De plus, ce traitement crée différentes qualités de farine.

Ce travail s'effectue dans un tamis rotatif de grande taille, le blutoir, renfermé dans la partie supérieure d'un appareil du nom de bluterie (ou bluteau).

Le tamis, long prisme de forme hexagonale, mesure environ 1 mètre de diamètre sur 5 ou 6 mètres de longueur. Il est monté sur un arbre incliné et garni sur toute sa périphérie de laizes de tissu de soie dont la grandeur des mailles varie depuis l'entrée jusqu'à la sortie de la bluterie. À l'instar de la moulange et de l'élévette, il reçoit son mouvement de la roue hydraulique et fait de 28 à 30 révolutions par minute. L'élévette déverse à l'intérieur du blutoir la farine brute qui adhère à la soie, monte avec celle-ci à une certaine hauteur et sous l'action de son poids, glisse et déboule sur la surface tamisante. Les particules en contact immédiat avec le tissu, plus petites que l'ouverture des mailles, s'échappent vers l'extérieur du blu-

toir et tombent dans les cases aménagées dans la partie centrale de la bluterie. Lorsque le glissement prend fin, grâce à la pente du blutoir, la farine non blutée se retrouve à deux centimètres en aval de son point de départ.

La succession de ces nombreux cycles de montée suivie de glissement blute le produit qui chemine lentement vers la sortie du blutoir. Cependant, le mouvement de rotation ne suffit pas à déterminer le passage sans encombre de la farine à travers les soies; le bluteau est doté d'un mécanisme qui imprime à la carcasse du blutoir des secousses qui font sauter la farine, favorisant ainsi son passage à travers les mailles.

Après un séjour de 6 à 8 minutes dans le blutoir, les produits que les mailles les plus lâches ont refusés arrivent avec le son à la fin de leur parcours et sont rejetés à l'extérieur de la bluterie. La mouture n'est blutée qu'une seule fois. Dans la première case, en tête du bluteau, tombe la farine de première qualité (appelée fleur de farine) et, successivement, dans les autres cases, la deuxième farine, le gru blanc et finalement le gru rouge. Les meuniers québécois emploient le vieux mot français gru pour désigner les gruaux.

La mouture

Le meunerie québécoise ancienne n'a connu que la mouture à un trait, ainsi appelée parce que le grain ne passe qu'une seule fois sous les meules. Le meunier verse le blé dans la trémie, puis il ouvre la porte à glissière située au fond de celle-ci pour faire s'écouler le grain dans l'auget. Ensuite, il donne l'eau à la roue, laquelle, après quelques secondes, communique le mouvement à la moulange, au bluteau et aux machines accessoires telles que l'élévette et le tire-sacs.

Le frayon secoue énergiquement l'auget de sorte que le grain chemine rapidement vers l'extrémité de celui-ci et tombe dans l'orifice de la travaillante (appelé œillard). Les grains s'insèrent entre les deux meules et le broyage commence aussitôt.

Sollicité par la force centrifuge qu'engendre le mouvement de rotation, le produit de la mouture (ou boulange) est chassé vers la périphérie des meules et se dépose dans l'espace libre situé entre ces dernières et la paroi intérieure de l'archure. Poussée par un balai monté sur le champ de la meule courante, la boulange tombe dans une ouverture pratiquée dans le plancher et, par gravité, s'achemine au pied de l'élévette (godets-élévateurs); celle-ci la reprend pour la monter, puis la verser dans le bluteau situé à l'étage des meules.

Après quelques minutes de marche, le meunier, sans arrêter son moulin, retire de l'élévette une poignée de farine qu'il serre dans sa main pour vérifier la consistance du produit et voir si les meules ne l'ont pas trop chauffé. Il en reprend une pincée qu'il fait glisser entre le pouce et l'index. Il constate alors si la mouture est trop ronde ou trop basse (c'est-à-dire trop grossière ou trop fine).

S'il y a lieu, le meunier peut modifier sa mouture en variant la dépense d'eau de la roue par une manœuvre de la vanne de travail. Il peut encore changer l'alimentation en grain de la moulange par un réglage du guidage ou en variant l'écart entre les meules à l'aide de la trempure. La travaillante fait entre 90 et 100 révolutions à la minute. La moulange ne doit jamais tourner à vide. La poussière de farine en suspension dans l'air constitue un mélange hautement inflammable; par conséquent, la moindre étincelle provoquée par le frottement pierre sur pierre peut causer un incendie qui se propage instantanément à l'ensemble de la bâtisse.

Louis-Philippe Bélanger, ingénieur

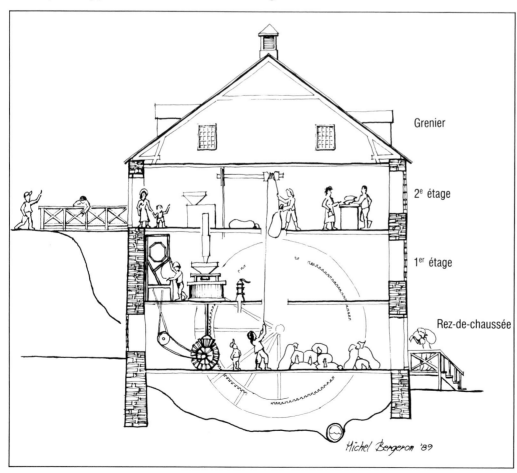

Grenier

2e étage

1er étage

Rez-de-chaussée

Michel Bergeron '89

Vue en coupe du moulin.

Manoir Dionne, petit trianon et hangar

Saint-Roch-des-Aulnaies
525, rue de la Seigneurie

Fonction: public
Classés monuments historiques en 1965

LE premier manoir de la seigneurie des Aulnaies apparaît vers 1850. Érigé sur une élévation de terrain, en retrait de la route 132, il se trouve à une trentaine de mètres à l'est de la rivière Ferrée qui, à cet endroit, coule au fond d'une petite gorge. Deux petits bâtiments secondaires, dont l'un est contemporain de la construction du manoir, s'élèvent à proximité. Le moulin banal du domaine, localisé en contrebas, se dresse près de la route.

Dès 1656, la seigneurie de la Grande-Anse, appelée aussi Saint-Roch-des-Aulnaies, appartient à Nicholas Juchereau, sieur de

Saint-Denis. Jusqu'en 1837, elle reste la propriété des familles Juchereau de Saint-Denis et Juchereau-Duchesnay. Ces familles possèdent également la seigneurie de Beauport, en banlieue de Québec, où se trouve leur résidence permanente. Les différents titulaires de la seigneurie des Aulnaies ne font pas construire de manoir. Un procureur agit en leur nom auprès des censitaires.

L'ère des Dionne

En 1833, Amable Dionne se porte acquéreur de la seigneurie. Toutefois, la transaction se complète seulement en 1837. Il

achète également la seigneurie de La Pocatière en 1835, qu'il destine à son fils aîné Élizée, et prévoit léguer celle des Aulnaies à son cadet Pascal-Amable.

En 1811, Amable Dionne épouse Catherine Perreault, la fille du seigneur de Rivière-Ouelle. Le couple engendre treize enfants, dont huit parviennent à l'âge adulte. Natif de Kamouraska, où il possède un magasin général, Dionne réussit, grâce à son sens des affaires, à amasser une fortune impressionnante dans le négoce. Vers la fin de sa vie, il est l'homme le plus influent de la Côte-du-Sud.

Le site champêtre accentue le caractère pittoresque du manoir. (Archives nationales du Québec à Québec, fonds Office du film du Québec).

Il décède en 1852 dans son manoir de La Pocatière avant l'achèvement de celui des Aulnaies, terminé l'année suivante. À cette époque, Pascal-Amable a déjà hérité du domaine et il sera le premier seigneur à y résider en permanence. Il termine ses études de droit en 1850 et effectue sa cléricature à Québec chez Jean-Thomas Taschereau, son beau-frère.

Selon la tradition orale de la famille Dionne, les plans du manoir des Aulnaies auraient été dressés par le célèbre architecte de Québec Charles Baillairgé. Aucune preuve formelle n'étaie pourtant cette hypothèse. Cependant, en 1850, au moment où débute la construction du manoir des Aulnaies, cet architecte réalise les plans de la maison d'un riche marchand de Québec, Cirice Têtu, également gendre d'Amable Dionne. Cette maison, située sur la rue Sainte-Geneviève à Québec, présente de nombreuses similitudes avec certains éléments architecturaux du manoir des Aulnaies, notamment dans son décor architectural.

Imposante construction

De construction rectangulaire, le manoir mesure 21 mètres de longueur sur 12 de largeur. Deux pavillons octogonaux à demi en hors d'œuvre de 4 mètres de côté s'élèvent à chacune des extrémités de la façade principale, aux angles nord-est et nord-ouest. Le bâtiment possède un étage de soubassement, un rez-de-chaussée surélevé et un comble où se trouvent les chambres. Les murs de soubassement montés en pierre des champs revêtent, du côté extérieur, des planches imitant la pierre de taille. Des madriers posés pièce sur pièce composent les murs de la partie supérieure comme à l'origine. Des planches à clins peintes en rouge lambrissent leur face externe. Du côté intérieur, un enduit de plâtre posé sur lattes recouvre les murs. Au niveau du plancher du rez-de-chaussée, une galerie à balustrade s'étend tout autour du corps principal et de ses avant-corps. Elle prend appui sur la partie supérieure du mur de l'étage de soubassement. Un escalier central y donne accès, en façade et à l'arrière.

Une tôle à la canadienne recouvre la toiture à croupes sur le corps principal. Des lucarnes sur chacun de ses versants éclairent les chambres. Les deux croupes possèdent également dans leur partie supérieure une petite lucarne éclairant le grenier. Une large souche de cheminée coiffe le centre de la toiture. Des toitures en pavillon ornent les avant-corps d'angles. Un épi de faîtage s'ajoute à celle du nord-est. Autrefois, une souche de cheminée de granit s'élevait sur un de ses angles. Les égouts des toitures sont retroussés et des lambrequins ornent les bases des avant-toits, fortement débordants. Ces éléments se retrouvent également sous la galerie.

Ordonnées symétriquement, les ouvertures se répartissent autour du bâtiment et une porte centrale permet d'accéder au rez-de-chaussée en façade et à l'arrière. En façade principale, la porte, surmontée d'une imposte droite, comprend de petites fenêtres. Dans leur partie supérieure, les chambranles des ouvertures, à crossettes, s'agrémentent d'un entablement. Les baies des murs latéraux et des pavillons sont finement élaborées. De petites roses ornent leurs frises et chacune de leurs corniches comporte une palmette centrale. Plusieurs autres éléments décoratifs révèlent une influence gréco-romaine. Également présent à l'intérieur, ce type de décor propose des caractéristiques du courant stylistique néo-grec qui constitue la dernière phase du néo-classicisme.

Par ses nombreuses composantes, le manoir de Saint-Roch-des-Aulnaies subit l'influence du néo-classicisme. Cependant, certains des éléments l'associent davantage au mouvement pittoresque propre au style Regency largement représenté dans les cottages ornés au Québec. Cette influence se perçoit dans la forme des toitures aux avant-toits retroussés et largement débordants, empruntés à ceux de la période baroque et dans certains éléments de décor néo-gothique, notamment les lambrequins des toitures et de la galerie et les longues fenêtres du rez-de-chaussée qui s'ouvrent largement sur les galeries.

Un environnement recherché

Cette recherche du pittoresque se traduit également dans le choix du site du manoir. À l'écart du chemin, il tire avantage de l'environnement naturel grâce à un aménagement paysager. L'architecture et la nature se fondent ici en un tout harmonieux. Afin d'aménager des jardins conformes au modèle en vigueur dans la bonne société de l'époque, Pascal-Amable Dionne dépense des sommes considérables. Il fait d'abord tracer des sentiers et creuser un étang qui nécessite le détournement d'une partie des eaux de la rivière Ferrée. De plus, il plante une pinède, des arbres fruitiers et de nombreuses espèces de fleurs. Il aménage également à l'ouest du manoir un belvédère avec vue sur le fleuve et un pont que doivent emprunter les visiteurs pour se rendre au

Vue arrière du manoir. Les plans du manoir des Aulnaies seraient de l'architecte Charles Baillairgé. Même s'il possède des caractéristiques de l'architecture néo-classique, ce bâtiment emprunte davantage au style Regency.

Le salon avec ses meubles victoriens.

La cuisine du manoir.

manoir. Tous ces aménagements suscitent l'envie et l'admiration.

À des degrés divers, la traitement accordé au manoir et à ses jardins se retrouve dans plusieurs villas ou cottages de l'élite à cette époque. La région immédiate de Québec en recèle encore quelques-uns.

À l'intérieur, le manoir possède seize pièces disposées sur deux étages. Au rez-de-chaussée se répartissent les pièces principales, comme la salle à manger, le salon, la chambre des maîtres et la cuisine. À l'origine, le pavillon nord-est comprenait la bibliothèque et le bureau. À cet endroit, les censitaires acquittent leurs cens et rentes. Un poêle permet de le chauffer en hiver. L'autre pavillon, utilisé pendant la belle saison, renferme le solarium et le boudoir; là, la femme du seigneur aime prendre le thé.

Un hall central divise le rez-de-chaussée où se trouve un escalier monumental à deux volées, avec balustrade. Un palier intermédiaire mène aux combles. Des lambris couvrent les plafonds. L'influence néo-classique apparaît dans l'aménagement intérieur et le décor qui le compose. Des éléments de décor néo-grec, à l'extérieur, côtoient des composantes néo-égyptiennes.

Nouveau propriétaire

Le 16 septembre 1870, Pascal-Amable Dionne meurt de la tuberculose, à l'âge de 43 ans. Ses dépenses somptuaires et sa façon de dépenser avaient conduit sa famille à le faire déclarer inapte à gérer ses biens. En 1890, ses héritiers vendent le manoir à Arthur Miville-Déchêne qui acquiert l'ensemble du domaine en 1894.

Le nouveau propriétaire de la seigneurie des Aulnaies (le système seigneurial a été aboli en 1854) possède aussi celle de La Pocatière et l'ancien arrière-fief d'Argentenay à l'île d'Orléans. Ancien maire de Saint-Pamphile, il s'enrichit dans le commerce du bois à la frontière canado-américaine, puis devient député de L'Islet et sénateur de la division de La Durantaye en 1901. Jusqu'en 1963, le domaine des Aulnaies demeure la propriété de la famille Miville-Déchêne. À cette date, le ministère du Tourisme, de la Chasse et de la Pêche s'en porte acquéreur.

Plusieurs années d'inoccupation entraînent une dégradation et du vandalisme au manoir. Dès 1975, une restauration s'impose. Lors de la réfection des bâtiments secondaires qui subsistent, une partie des jardins reprend vie dont un petit pavillon

connu sous le nom de «Trianon»; de même style que le manoir, ce pavillon apparaît à la même époque, à côté d'un petit hangar érigé à une date ultérieure.

Maintenant ouvert au public, le manoir des Aulnaies abrite un centre d'interprétation de la vie seigneuriale. Certaines des pièces comportent des objets et des meubles provenant de la région.

Avec ses jardins, son manoir, ses bâtiments secondaires et son moulin banal, le domaine des Aulnaies constitue un témoin important de l'époque seigneuriale.

Béatrice Chassé, historienne

CAMERON, Christina. *Charles Baillairgé, Architect Engineer.* Montréal et Kingston, McGill-Queen's University Press, 1989. 228 p.

CHASSÉ, Béatrice. *La Grande-Anse, une seigneurie de la Côte-du-Sud.* Québec, ministère des Affaires culturelles, 1984. 71 p.

MARTIN, Roland. *Saint-Roch-des-Aulnaies. Les seigneurs, le manoir, le moulin banal, les anciennes maisons de pierre.* La Pocatière, SHCS, 1975. 157 p.

Saint-Nicolas — Lotbinière — Beauce

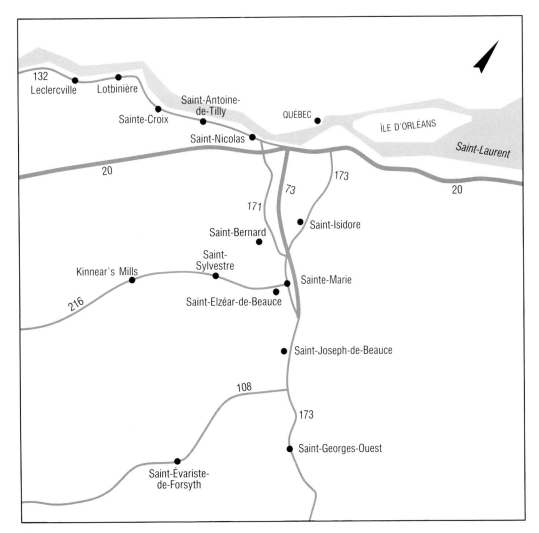

Sur la rive sud du Saint-Laurent, à l'ouest de la ville de Québec, une large portion du vieux terroir laurentien s'étend de l'embouchure de la rivière Chaudière jusqu'à Leclercville. En gagnant l'intérieur des terres, ce pays se prolonge jusqu'à la frontière américaine. Le fleuve Saint-Laurent marque le relief et le paysage par ses rives escarpées et par sa plaine du Saint-Laurent qui s'élargit en direction de Montréal.

Plus profondément dans les terres, le relief ondule peu à peu pour former le piémont des Appalaches. Viennent ensuite les monts Notre-Dame, échancrés par l'érosion: ils s'émiettent en une série de collines isolées, au relief arrondi; derrière cette première barrière, les Appalaches forment un plateau aplani par les glaciers, jalonné de montagnes, de nombreux lacs et des rivières sises au creux de profondes vallées. La

Chaudière et ses affluents, la rivière Beaurivage, les sources de la rivière Bécancour et la rivière du Chêne drainent ce territoire. Plus près de la frontière du Maine, le relief gagne en hauteur et culmine à 1 105 mètres au mont Mégantic.

Les premiers occupants

Au moment de la colonisation française, les Abénaquis occupent ce territoire. Toutefois, la présence amérindienne semble remonter aux périodes archaïque et sylvicole. Des sites archéologiques de ces époques ont été fortuitement découverts à l'embouchure de la rivière du Chêne, à Leclercville, à Lotbinière, à Sainte-Croix, à l'embouchure de la rivière Chaudière et sur les rives du lac Saint-François. À la période préhistorique, les Amérindiens utilisent le fleuve Saint-Laurent et la rivière Chaudière

Saint-Nicolas — Lotbinière — Beauce

comme voies de communications; ils y acheminent jusqu'à l'emplacement de Québec les denrées d'un commerce nord-sud fort actif. Des groupes autochtones plus ou moins sédentarisés pratiquent la pêche sur les rives du fleuve. L'anguille, notamment, y abonde.

Plus tard, lors de la période des premiers contacts entre Européens et Amérindiens, de nombreux réajustements territoriaux et de profondes transformations culturelles amènent une diminution progressive de la population amérindienne. Dans le sillage des conflits franco-britanniques, les Abénaquis doivent fuir leur territoire traditionnel du Maine. Ils se réfugient sur les rives du fleuve et le long de la Chaudière jusqu'en 1700. Après cette date, la rive sud de Québec accueille certains groupes de façon épisodique.

La colonisation française

Le premier établissement européen implanté dans cette section de la vallée du Saint-Laurent remonte à 1634. Samuel de Champlain fonde alors un poste de traite sur l'île Richelieu, petit territoire rocheux situé entre Deschambault et Lotbinière. La compagnie des Cent-Associés découpe, en 1636, la seigneurie de Lauzon et, l'année suivante, la seigneurie de Sainte-Croix; ces deux terres deviennent des prolongements du comptoir de traite des fourrures implanté à Québec à cette époque.

Entre 1663 et 1665, après l'instauration du gouvernement royal en Nouvelle-France et l'arrivée de l'intendant Jean Talon, le développement de la colonie prend un nouvel essor. Les autorités concèdent de nouvelles seigneuries telles Lotbinière, Bonsecours, Tilly et le fief Duquet en 1672. En 1697, l'explorateur et découvreur du Mississippi, Louis Jolliet, obtient en récompense de ses services la seigneurie qui porte son nom, à l'arrière du fief de Lauzon, entre les rivières Chaudière et Etchemin. Durant cette même période, des militaires, des espions, des commerçants et des missionnaires sillonnent la vallée de la Chaudière, révélant peu à peu son importance stratégique et son potentiel agricole.

Entre 1701 et 1713, l'état de guerre quasi permanent dans lequel se trouve la Nouvelle-France et sa faible population empêchent son expansion. Les seigneuries de Lotbinière, Bonsecours, Tilly, Sainte-Croix et Lauzon connaissent une lente croissance. Cependant, à la faveur de la paix, de 1713 à 1755, leur mise en valeur agricole s'accélère et ces petits îlots de peuplement tournés vers le fleuve se densifient. La population s'organise et les premières églises s'érigent, vers 1720, à Saint-Nicolas, Sainte-Croix, Saint-Louis-de-Lotbinière et à Saint-Antoine-de-Tilly.

Vers 1730, toutes les terres riveraines du Saint-Laurent sont occupées. Les nouvelles générations doivent même quitter les paroisses établies. La nature même des sols dans les deuxièmes rangs de colonisation, sablonneux ou parsemés de tourbières, nuit au développement vers l'intérieur des terres. Vers 1731, dans la seigneurie de Lauzon, en

Chaque printemps, la rivière Chaudière sort de son lit pour envahir les terres riveraines.

Saint-Nicolas — Lotbinière — Beauce

Le manoir seigneurial Taschereau s'élevait à proximité de l'église de Sainte-Marie-de-Beauce. Il a été détruit en 1956. (Archives nationales du Québec à Québec, fonds Cuvelier).

suivant la rivière Etchemin, le peuplement atteint les limites de l'actuelle municipalité de Saint-Henri.

Entre 1736 et 1738, à cause du fort accroissement de la population, l'intendant Gilles Hocquart et le gouverneur Charles de la Boische de Beauharnois concèdent plusieurs seigneuries. Tout d'abord, en 1736, ils ouvrent la vallée de la Chaudière à la colonisation en octroyant les seigneuries Taschereau, Fleury de la Gorgendière, Rigaud de Vaudreuil, Aubert-Gayon et Aubin de l'Isle puis, en 1737 et 1738, ils comblent les espaces non encore occupés sur les rives du Saint-Laurent ou sur les bords de la Chaudière en concédant les seigneuries Belle-Plaine, Gaspé, Saint-Étienne et Saint-Gilles.

À l'exception des seigneuries Jolliet, Saint-Gilles, Aubert-Gayon et Aubin de l'Isle, la concession de terres à des tenanciers s'effectue assez rapidement. Les travaux de défrichement vont bon train, les terres nouvellement mises en valeur sont aussitôt ensemencées en blé, céréale qui domine l'économie rurale de la Nouvelle-France. La pêche à l'anguille et le transport par eau de diverses denrées et biens permettent aux populations riveraines des activités plus diversifiées que celles des populations vivant à l'intérieur des terres.

L'hiver, le pont de glace permet aux habitants des deux rives du Saint-Laurent d'entretenir des relations suivies. En Beauce, du moins au début de la colonisation, de nombreux jeunes censitaires font la navette entre leur établissement de la Chaudière et Château-Richer, l'île d'Orléans, Beauport ou la côte de Lauzon. Très souvent, les familles qui s'installent en Nouvelle-Beauce possèdent des liens de parenté, ce qui facilite leur implantation permanente sur le territoire.

Peu à peu, les centres de développement se fixent dans les anciennes comme dans les nouvelles seigneuries. Des moulins, des manoirs seigneuriaux et des églises trouvent leur emplacement définitif et deviennent les pôles autour desquels se regroupent plus tard les agglomérations villageoises. Quelques riches tenanciers se construisent des maisons de pierre, mais la plupart des habitants édifient des maisons de bois.

Nouveau départ

La Conquête de 1759-1760 vient interrompre un temps l'amorce de colonisation. Après une période d'adaptation, les activités reprennent, les habitants poursuivent le développement des seigneuries et les seigneurs, forcés un temps de se replier, s'y intéressent davantage. Toutefois, ils ne tardent pas à participer à la nouvelle administration coloniale comme militaires, juges ou conseillers. Plus tard, ils se trouvent parmi les principaux propagandistes de la confédération canadienne. Quelques-uns d'entre eux tirent des revenus appréciables de leur seigneurie et des droits de mouture.

Saint-Nicolas — Lotbinière — Beauce

De cette période datent la majorité des moulins à farine seigneuriaux de la rive sud de Québec, comme celui de Lotbinière. Durant cette période, plusieurs manoirs voient le jour. Construits pour refléter le rôle et le prestige social du seigneur, des manoirs comme celui de Tilly sont aujourd'hui les seuls témoins d'un monde révolu. Vers 1800, de nombreuses seigneuries doublent la surface des terres mises en culture. Progressivement, l'arrière-pays s'ouvre et la colonisation s'avance vers le sud, dans la vallée de la Chaudière. Au fil des ans, les nouvelles terres se raréfient.

Avec l'Acte constitutionnel de 1791, les autorités britanniques ouvrent les terres de la Couronne à la colonisation. D'abord réservées aux Loyalistes, ces portions de terres appelées townships (ou cantons) vont aux militaires licenciés et aux immigrants des îles britanniques. Entre 1800 et 1810, des cantons se découpent à l'arrière des vieilles seigneuries de Lotbinière et de la Beauce. Dans cette foulée apparaissent les cantons de Leeds, Broughton, Frampton, Irlande, Halifax, Nelson, Shenley, Tring et Thetford.

Des petites communautés, surtout anglophones et protestantes, s'y installent et développent leurs institutions religieuses, scolaires ou municipales. À l'exemple de Kinnear's Mills, les diverses confessions religieuses élèvent chacune leur temple ou leur église. Ces groupes vivent d'agriculture, d'élevage, et aussi de l'exploitation forestière qui prend de plus en plus d'importance aux XIXe siècle.

Le gouvernement développe un système routier intérieur par l'ouverture de deux routes internationales, le chemin Craig en 1810 et le chemin de Kennebec en 1830. Ces routes favorisent la pénétration du peuplement à l'intérieur des terres. La population canadienne-française, à l'étroit dans les seigneuries, gagne elle aussi les cantons jusqu'à former bientôt la majorité de la population. À la même époque, plusieurs gens quittent la région pour aller s'établir dans les centres industrialisés des États-Unis, en quête d'un mieux-être économique. L'occupation du sol, de plus en plus dense, entraîne l'ouverture de nouveaux cantons jusqu'à la fin du XIXe siècle.

Une érablière à Sainte-Marie en 1950. La Beauce compte de nombreux producteurs de sirop d'érable. (Archives nationales du Québec à Québec, fonds Office du film du Québec).

Saint-Nicolas — Lotbinière — Beauce

*La vallée de la Chaudière, près
du village de Saint-Martin en
1952. Les fermes s'allongent
perpendiculairement à la rivière.
(Archives nationales du Québec à
Québec, fonds Office du film du
Québec).*

Profondes transformations

En 1854, le passage du chemin de fer du Grand Tronc, à l'arrière des vieux établissements de Lotbinière, favorise l'apparition de nouveaux villages. L'entrée du Lévis & Kennebec Railway dans la vallée de la Chaudière en 1875 amène de profonds bouleversements à l'économie traditionnelle. Dans cette région se rencontrent le Sherbrooke & Eastern Townships Railway et le Lévis & Kennebec Railway à Vallée-Jonction en 1881. Entre 1892 et 1895, l'embranchement du Québec Central relie Tring-Jonction au lac Mégantic et au réseau ferroviaire américain. Tous ces réseaux donnent une nouvelle impulsion aux activités commerciales, agricoles et forestières de la région. La construction de la ligne de chemin de fer entre Sherbrooke et Québec favorise l'exploitation des mines d'amiante, découvertes en 1876. La Haute-Beauce et les environs de Saint-Évariste connaissent, à partir de 1895, un développement rapide. De nouvelles agglomérations villageoises naissent autour des gares ou des carrefours ferroviaires, comme Tring-Jonction, Charny, Vallée-Jonction, Scott-Jonction et La Guadeloupe.

L'arrivée du chemin de fer favorise également l'exploitation forestière, qui marque l'activité de tout l'arrière-pays de Lotbinière et de la Beauce. Les rivières, qui servent encore au flottage du bois jusqu'aux années 1940, deviennent de simples éléments d'un réseau où le chemin de fer demeure le plus important, acheminant le bois de pulpe vers les papeteries de Trois-Rivières, de l'Estrie ou des États-Unis.

Vers la fin du XIXe siècle, dans Lotbinière comme dans la Beauce, nombre d'activités artisanales traditionnelles se transforment et prennent un caractère manufacturier. Ainsi, les fonderies, les briqueteries, les ateliers de voituriers et les manufactures de transformation du bois se multiplient. Au début du siècle apparaissent les manufactures de chaussures suivies de près par un nombre assez impressionnant de filatures et d'usines de tissage. L'industrialisation gagne alors les petits centres agricoles tels Sainte-Croix, Sainte-Marie, Beauceville et Saint-Georges, qui prennent l'allure de petites villes avec leurs quartiers ouvriers situés en périphérie des usines.

Aujourd'hui, le secteur de l'alimentation domine l'activité économique de la rive sud, suivi de près par les secteurs de la transformation du bois, de la transformation des métaux et de la confection des vêtements. Les villes attirent les populations périphériques; les quartiers résidentiels se multiplient et les banlieues ne cessent de s'étendre.

Jean-René Breton, historien de l'art

Chapelle de procession nord-est

Saint-Nicolas
Rue des Pionniers

Fonction: public
Classée monument historique en 1961

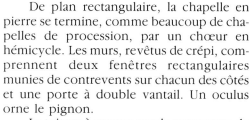

LA chapelle de Saint-Nicolas se dresse à proximité de la rue des Pionniers. Détail inusité, elle présente sa façade latérale à la rue. Encore en 1968, le village de Saint-Nicolas comportait deux chapelles de procession situées de part et d'autre de l'église. Celle du sud-ouest a été démolie puis reconstruite aux Éboulements. La chapelle du nord-est existe toujours au même endroit.

Même si la documentation sur cette chapelle fait défaut, un acte de donation, daté du 13 mars 1768, montre une chapelle à ériger sur ce terrain. Aucun indice ne donne toutefois la nature du terrain ou la date de réalisation de la chapelle projetée. Il apparaît plausible que ce soit la chapelle du nord-ouest, construite peu de temps après la donation.

De plan rectangulaire, la chapelle en pierre se termine, comme beaucoup de chapelles de procession, par un chœur en hémicycle. Les murs, revêtus de crépi, comprennent deux fenêtres rectangulaires munies de contrevents sur chacun des côtés et une porte à double vantail. Un oculus orne le pignon.

La toiture à croupe ronde recouverte de bardeaux de cèdre possède deux versants. Des avant-toits retroussés débordent des murs gouttereaux. D'une fine élégance, le clocher s'érige à cheval sur le faîte du toit, tout près du mur pignon. Il se compose d'une base carrée recouverte de bardeaux, d'un tambour octogonal et d'une flèche incurvée sur laquelle se dresse une croix en fer forgé. Malgré son état d'abandon, l'intérieur de la chapelle reflète l'utilisation à des fins religieuses.

Un crépi protège les murs et des planches horizontales lambrissent la fausse voûte. Le cul-de-four comporte huit pans. Une corniche à denticules court au sommet des murs. Dans l'abside, un autel sommaire s'élève sur une estrade.

Lors de la restauration, en 1970, les murs extérieurs du bâtiment perdent leurs planches verticales. Avant cette réfection, aucun oculus n'apparaît en façade et la porte comprend un encadrement taillé dans le même matériau que le fronton. Ces éléments s'ajoutent probablement dès la première moitié du XIXᵉ siècle. À cette époque, le portail d'inspiration classique distinguait le bâtiment et le rattachait au style architectural religieux de l'époque. La restauration enlève toute trace de cet état connu par quelques photographies.

Par son plan, sa forme, ses matériaux, ses dimensions et ses détails architecturaux, extérieurs et intérieurs, la chapelle de Saint-Nicolas ressemble aux chapelles de procession construites au XVIIIᵉ siècle et au début du XIXᵉ siècle.

Jacques Dorion, ethnologue

ROBERT, Jacques. *Les chapelles de procession du Québec.* Québec, ministère des Affaires culturelles, 1979. 163 p.

La date de construction de la chapelle nord-est de Saint-Nicolas reste encore incertaine. Toutefois, son plan, sa forme, ses matériaux, ses dimensions et ses détails architecturaux l'identifient au style du XVIIIᵉ et du début du XIXᵉ siècle.

Église Saint-Antoine-de-Tilly

Saint-Antoine-de-Tilly
3870, chemin de Tilly

Fonction: public
Classée monument historique en 1963

Lorsque les travaux de construction de l'église de Saint-Antoine-de-Tilly se terminent, en 1788, l'édifice inaugure une ère nouvelle de l'architecture religieuse. Les événements sociopolitiques influencent également la transformation du paysage architectural.

La Conquête anglaise et l'invasion de Montréal et Québec par les Américains en 1775 causent la destruction totale ou partielle de quelques temples. Les moins endommagés sont réparés. Toutefois, les nouvelles églises s'inspirent de celles des paroisses voisines. De 1760 à 1790, une vingtaine d'entre elles subissent une réfection et, avec l'accroissement constant de la population, près d'une quarantaine d'églises s'ajoutent, notamment l'église de Saint-Antoine-de-Tilly.

À Saint-Antoine-de-Tilly, les maîtres d'œuvre puisent à la fois dans des modèles retrouvés ailleurs et dans la tradition. L'église reprend les trois types de plans en usage en Nouvelle-France: le plan jésuite, le plan récollet et le plan Maillou, mais s'inspire surtout du premier.

Ce plan suggère une nef coupée par un transept donnant ainsi naissance à deux chapelles latérales. Une abside circulaire ferme la nef et l'église arbore un clocher en façade. L'évêque de Québec, mgr Jean-Olivier Briand, met de l'avant ce type architectural; dans sa correspondance avec les curés et les marguilliers, il n'hésite pas à préconiser une architecture uniformisée. Il favorise le plan jésuite pour des raisons de solidité: la poussée exercée par la charpente sur les murs est nettement mieux contenue dans un édifice contrebuté par deux chapelles, et le mur circulaire du chœur offre une garantie de stabilité. Enfin, peu porté sur les édifices en hauteur, mgr Briand incite les responsables à construire des églises basses, afin d'éviter les effets du vent et du froid.

De style jésuite

L'église de Saint-Antoine-de-Tilly s'inscrit dans le style jésuite, tout comme l'église de Saint-Joachim-de-Montmorency, construite entre 1777 et 1779, l'ancienne église de Saint-Henri-de-Lévis, l'église de Saint-Pierre-de-Montmagny et l'église de Berthierville. Dans bien des cas toutefois, notamment à l'église de Saint-Antoine-de-Tilly, le bâtiment incorpore une nouvelle façade ou une reconstruction partielle.

Le sculpteur André Pâquet et l'architecte David Ouellet marquent l'église de Saint-Antoine-de-Tilly; le premier signe le décor intérieur et le second la façade ancienne.

André Pâquet dit Lavallée naît en 1799 à Saint-Gervais-de-Bellechasse. À plusieurs reprises, il travaille sous les ordres de Thomas Baillairgé, notamment à l'église de Saint-Antoine-de-Tilly. Pâquet exécute ainsi de nombreux intérieurs d'église dont ceux de Saint-Charles-de-Bellechasse, de Saint-Pierre à l'île d'Orléans et de Charlesbourg.

À Saint-Antoine-de-Tilly, l'équipe d'André Pâquet met trois ans à réaliser le décor intérieur (1837-1840). C'est probablement ici que l'on retrouve son ensemble le plus complet. La fausse voûte en bois sculpté, peinte en blanc et ornée de dorures, a été restaurée en 1965. La corniche intérieure possède sensiblement les mêmes caractéristiques que la voûte, de même que le retable du sanctuaire.

Le décor met également en relief des colonnes corinthiennes surmontées d'un fronton orné de médaillons et de trophées. Du coté droit de la nef, Pâquet exécute le banc d'œuvre et le prie-Dieu teint en brun sombre. Il sculpte également la chaire accrochée sur le mur gauche de la nef et sa cuve ornée d'un relief représentant Moïse tenant les Tables de la Loi.

Façade de l'église en 1946.
(Inventaire des biens culturels du Québec).

Première restauration

En 1902, l'architecte David Ouellet livre les plans de la restauration de la façade de l'église de Saint-Antoine-de-Tilly. L'entrepreneur Joseph Saint-Hilaire dirige les travaux.

Les services de Ouellet sont retenus en 1901, comme le rapporte le *Livre de comptes et de délibérations*, pour «faire procéder aux dits travaux, c'est-à-dire le revêtement du portail en pierre de taille, la construction d'une tour et d'un clocher et autres travaux contingents [...]».

L'église de Saint-Antoine-de-Tilly comporte également des objets d'orfèvrerie, des sculptures et des peintures de grande valeur. François Ranvoyzé réalise entre autres un calice en argent, un boîtier aux saintes huiles (exécuté en 1777) et un instrument de paix (datant de 1808). Guillaume Loir, un orfèvre français, exécute un calice (1739) et un ciboire en argent. Laurent Amyot fabrique un ciboire (1820), un encensoir et une navette, des burettes, deux plateaux en argent et la lampe du sanctuaire (1806). François Sasseville conçoit un bénitier en 1850, une ampoule aux saintes huiles et un porte-Dieu en argent.

L'église de Saint-Antoine-de-Tilly suit le plan jésuite, style architectural prisé par mgr Jean-Olivier Briand. Ce style se caractérise par une nef coupée par un transept et deux chapelles latérales.

Plusieurs grands noms de la sculpture sur bois ont exercé leurs talents à Saint-Antoine-de-Tilly. En mars 1817, le curé Louis Raby se rend à la chapelle de l'Hôtel-Dieu de Québec pour visiter une exposition des tableaux Desjardins, ainsi nommés en l'honneur de l'abbé qui avait importé au Canada de nombreux tableaux religieux récupérés dans les églises de Paris lors de la Révolution. Le curé Raby propose en mars 1817 à ses marguilliers de faire l'achat de quelques toiles afin d'orner les murs de son église.

Le plus ancien tableau, intitulé *La Sainte Famille*, d'Aubin Vouet, parfois désigné sous le nom d'*Intérieur de Nazareth*, ornait autrefois l'église abbatiale de Saint-Germain-des-Prés. Trois autres peintures, intitulées *Les stigmates de saint François d'Assise*, *Jésus au milieu des docteurs* et *La Visitation*, s'ajoutent peu après.

L'église de Saint-Antoine-de-Tilly a été classée monument historique en 1963. Témoin important de l'évolution culturelle de notre communauté, elle recèle des trésors architecturaux et artistiques.

Jacques Dorion, ethnologue

Ancienne façade de l'église, d'après une photographie conservée aux Archives du Séminaire de Québec. (Inventaire des biens culturels du Québec).

CORRIVAULT, Louise. *Église Saint-Antoine-de-Tilly. Inventaire des œuvres d'art*. Québec, ministère des Affaires culturelles, 1974. 41 p.

Maison Boisvert

Sainte-Croix
169, rang Saint-Eustache

Fonction: privé
Classée monument historique en 1986

Au-delà du village de Sainte-Croix, en venant de Québec, dans un détour du rang Saint-Eustache, se dresse soudain une imposante maison de pierre. Isolée en pleine campagne, elle étonne par ses dimensions et son allure cossue, qui traduit la prospérité de ses premiers occupants.

Construite vers 1829, cette maison appartenait à la famille Boisvert jusqu'en 1971, année où son propriétaire actuel, Bernard Cloutier, l'acquiert. Au début du XIXᵉ siècle, les familles Boisvert et Lemay possédaient une grande terre agricole. Entre 1812 et 1821, Louis Boisvert en achète la moitié de la succession Lemay, dont un lot forme une enclave sur sa terre. Peu après cette transaction, il fait construire la maison familiale. En 1850, le contrat de mariage conclu entre Narcisse Boisvert, fils de Louis, et Marie Réparade Coulombe atteste de l'existence de la maison. Cultivateurs prospères, les Boisvert exploitent une vaste terre agricole. Un des fils, Léon Boisvert, poursuit des études et devient clerc de Saint-Viateur.

D'importants travaux de restauration entrepris en 1973 et 1974 conservent au bâtiment ses qualités architecturales. Plusieurs caractéristiques de la maison Boisvert impressionnent et démontrent son opulence: la maçonnerie de pierre massive, la grande quantité d'ouvertures, les imposantes cheminées, les murs coupe-feu, les corbeaux en pierre de taille sculptée et les grandes galeries.

L'influence urbaine

Située en pleine zone agricole, la maison se distingue par son caractère résolument urbain. En effet, ses murs coupe-feu illustrent un type architectural surtout présent en ville, où chaque propriété doit se protéger de ses voisins.

Aux XVIIᵉ, XVIIIᵉ et XIXᵉ siècles, les conflagrations détruisent des quartiers entiers dans les villes; ces catastrophes obligent les autorités à limiter l'usage de certains matériaux, dont le bois. Deux ordonnances des intendants, en 1721 et 1727, influencent la construction en milieu urbain. Ces textes proscrivent l'usage des toits couverts de bardeaux de bois à cause du haut risque de propagation des flammes. Pour les mêmes raisons, les murs pignons de chaque bâtiment servent de coupe-feu. Ils se prolongent au-dessus du toit de près d'un mètre. La transposition en milieu rural de ces murs coupe-feu illustre un phénomène de mimétisme intéressant.

Les dimensions imposantes de la maison Boisvert reflètent la prospérité de ses premiers occupants.

La pratique traditionnelle valorise en effet bien plus le type architectural — la forme essentielle — qu'un quelconque style, composition formelle ajoutée ou surimposée à la structure. Or, une fois qu'un type architectural est établi, au terme de la convergence d'influences et de conditions diverses, il s'inscrit dans la mémoire collective. Il incarne le concept de «maison» et les hommes de métier l'adoptent d'emblée. Dès lors, des maçons urbains propagent en milieu rural une architecture dont le sens se perd dans cette transposition. La tradition privilégie la forme à la qualité du savoir-faire.

Belle maison de ferme, en excellent état et entretenue d'une façon exemplaire, la maison Boisvert recèle nombre de détails qui soulignent la qualité de la construction. Aux quatre coins, des pierres d'angle bien équarries forment des chaînages qui assurent la stabilité de la structure; les ouvertures distribuées avec symétrie présentent des fenêtres à douze carreaux par battant aux étages et à huit carreaux par battant aux lucarnes. Traitées avec élégance, ces lucarnes à croupe débordante ajoutent beaucoup de prestance à la maison. Surélevée d'un demi-étage, encadrée d'imposantes cheminées aux nombreux conduits et ornée de grandes galeries, la demeure témoigne de l'aisance de ses premiers propriétaires.

À l'intérieur, des plafonds à couvrejoints, des portes à panneaux et une charpente assemblée à mi-bois évoquent les techniques de construction du début du XIXᵉ siècle.

Des bâtiments de ferme, une grange et une étable forment avec le corps principal un ensemble agricole bien conservé. La maison devient à son tour un modèle à imiter; en effet, à proximité, sur le rang Saint-Eustache, une construction récente reprend ces caractéristiques murs coupe-feu. De cette façon, la tradition peut survivre.

François Varin, architecte

Ministère des Affaires culturelles. Fiche de présentation pour la demande d'avis à la Commission des biens culturels. Québec, Service de la mise en valeur du patrimoine, septembre 1984. 3 p.

Maison Bélanger

Lotbinière
7661, rue Marie-Victorin

Fonction: privé
Classée monument historique en 1977

Parmi ses monuments classés, Lotbinière compte la maison Bélanger, située à l'ouest du village. Érigée au sud du chemin public et entourée d'un boisé au cachet champêtre, la façade principale de la maison se trouve au nord. La maison n'est pas parallèle à la route, mais s'en éloigne à peine. À quelques pas vers l'ouest, du côté sud et dans le même axe de la route, une seconde maison Bélanger se dresse, semblable à sa voisine.

La famille Bélanger figure sur les premières listes de concessionnaires des seigneurs Chartier de Lotbinière. En 1749, les Bélanger cèdent un lot de terre pour la construction de l'église du Sault-à-la-Biche, un peu à l'est des deux résidences ancestrales.

L'aînée et la cadette

La maison Bélanger forme un carré de pierre massif avec deux pignons maçonnés.

Le toit à deux versants comprend trois lucarnes de chaque côté et trois souches de cheminée en pierre, dont celle de l'âtre central. Les façades principales possèdent quatre ouvertures: trois fenêtres et une porte. Cas assez fréquent, les deux portes donnent accès à la salle, tandis que l'accès à la chambre s'effectue depuis l'intérieur seulement.

Au fil des ans, l'apparence extérieure et intérieure de la maison se modifie. Ainsi, des lucarnes et des larmiers incurvés sont ajoutés à la toiture, vraisemblablement entre 1830 et 1850.

Identique par ses dimensions et ses proportions, l'autre maison Bélanger paraît plus ancienne à cause de ses encadrements de portes et fenêtres en pierre de taille, usage qui s'efface en milieu rural dans la seconde moitié du XVIIIe siècle. Il semble que la maison Bélanger, avec ses encadrements charpentés en bois, prend sa voisine plus

ancienne comme modèle, dans la seconde moitié du XVIIIe siècle ou au début du XIXe siècle. Ainsi, la fenestration, généralement plus nombreuse et plus ample sur la première maison Bélanger, semble antérieure (vers 1740-1780). Dans le détail, cette fenestration (battants, carreaux et chambranles) s'apparente à celle de la maison Chavigny de la Chevrotière.

En bon état de conservation, la maison François Bélanger n'a fait l'objet d'aucune restauration exhaustive. Elle conserve le cachet vieillot qui manque dramatiquement à un bon nombre de structures anciennes.

Luc Noppen, historien de l'architecture

Album-souvenir de Saint-Louis de Lotbinière (1724-1974). Lotbinière, [s. éd.], 1974.

La maison Bélanger conserve son caractère vieillot malgré des transformations extérieures.

Manoir Chavigny-de-la-Chevrotière

Lotbinière
7640, rue Marie-Victorin

Fonction: privé
Classé monument historique en 1960

On ignore la date de construction de cette maison monumentale. Elle pourrait avoir été érigée en 1817, mais son style évoque plutôt l'architecture de la Nouvelle-France perpétuée après la Conquête.

EN 1927, dans *Vieux manoirs, vieilles maisons*, Pierre-Georges Roy consacre un court texte à un édifice de Lotbinière, propriété de Bruno Langlois: «Cette maison fut construite en 1817 par le notaire Ambroise Chavigny de la Chevrotière qui l'habita jusqu'à sa mort en 1834. C'est dans cette maison que le notaire Thomas Bédard ouvrit une école de latin qui eut ses heures de célébrité.»

Nouvel éclairage

Depuis, tous les auteurs qui ont écrit sur le bâtiment répètent ces informations. Toutefois, lors de la publication récente d'un album-souvenir sur la paroisse de Saint-Louis de Lotbinière, quelques recherches ont semé le doute. La chaîne des titres de propriété de plusieurs maisons anciennes est établie; elle révèle que l'école de latin est ouverte dans la maison du docteur L.-A. de la Chevrotière et non dans celle du notaire. Le maître d'école Bédard n'est pas le notaire Thomas Bédard, gendre du notaire Ambroise Chavigny de la Chevrotière. Quant à la date de construction, aucune recherche menée jusqu'ici n'a permis de confirmer celle avancée par Pierre-Georges Roy. Or ce dernier semble trouver l'année 1817 en présumant que le notaire de la Chevrotière se serait fait construire cette monumentale demeure peu après sa nomination comme agent des terres du seigneur de Lotbinière. Le seigneur n'ayant jamais résidé en sa seigneurie, son représentant aurait pu faire ériger un manoir pour le recevoir lors d'éventuelles visites.

Ambroise Chavigny de la Chevrotière, né à Deschambault en 1780, descend de la famille des seigneurs de la Chevrotière de Deschambault et de Portneuf. Admis à la pratique du notariat en 1804, il s'installe à Saint-Louis de Lotbinière. Après le décès de Jean-Baptiste Lemay, intendant de la seigneurie, en 1812, le notaire se charge des affaires de la seigneurie.

Les archives ne donnent aucun détail sur la construction de cette maison monumentale. Toutefois, il est plausible que son érection date de 1817. À cette époque, le notaire Chavigny de la Chevrotière s'intéresse à la construction de la nouvelle église. Il a donc fort bien pu s'entendre avec des hommes de métier pour se faire ériger une vaste demeure en concluant un marché sous seing privé qui ne figure pas dans le greffe d'un de ses confrères. En 1821, un fait semble confirmer cette hypothèse: lorsque l'abbé Jean, curé de la paroisse, s'installe dans la maison habitée par son ami le notaire, il signale qu'elle est inachevée.

Mais, au-delà des documents, la maison existe. Celle-ci revêt une forme que l'histoire de l'architecture du Québec nous incite à dater plutôt du XVIIIᵉ siècle. En effet, par sa volumétrie dominée par les hauts pignons en pierre, la maison Chavigny-de-la-Chevrotière évoque la tradition architecturale établie en Nouvelle-France et perpétuée au-delà de la Conquête. Cependant, aucun édifice connu de cette époque ne présente d'affinités avec cette maison monumentale.

Édifice unique

À bien des égards, l'édifice est unique. Il s'agit de la seule maison monumentale, un type architectural assez fréquent peu après 1800 en milieu rural, dotée de hauts pignons et d'un toit aussi imposant. En même temps, selon l'usage consacré dans la région montréalaise, cette toiture ne comporte pas de lucarne, les fenêtres étant plutôt disposées dans les murs pignons.

En attendant des recherches plus poussées pour compléter le dossier, deux hypothèses s'offrent aux chercheurs. La maison Chavigny-de-la-Chevrotière date du XVIIIᵉ siècle et le notaire de Lotbinière n'aurait fait que la réaménager, ce qui explique que son intérieur n'ait pas encore été complété en 1821 et aussi que ce décor intérieur formé de boiseries date des années 1820-1830. Ou bien la maison a effectivement été construite vers 1817, mais alors il s'agit d'un type architectural archaïque qui évoque l'héritage traditionnel du XVIIIᵉ siècle et en particulier un édifice, disparu depuis, qui aurait servi de modèle. Quelque manoir érigé sur la rive nord sert peut-être de modèle au jeune notaire.

Lorsque le notaire Ambroise Chavigny de la Chevrotière meurt du choléra à Québec, en 1834, il laisse sa demeure à son épouse qui la lègue à sa fille, épouse du notaire Thomas Bédard. Depuis la fin du XIXᵉ siècle, plusieurs propriétaires se sont succédé dans la monumentale demeure. Monsieur J.-O. Vandal, propriétaire entre 1967 et 1976, consacre toutes ses énergies à la restaurer: il aménage les impressionnants jardins «à la française» sur la terrasse qui domine le Saint-Laurent.

Le site de la maison Chavigny-de-la-Chevrotière possède un intérêt historique. L'édifice se dresse près du site de la deuxième église de la paroisse située au lieu dit Sault-à-la-Biche, à partir de 1749. En 1817, l'église actuelle est mise en chantier plus au centre de la paroisse. La demeure du notaire se trouve isolée, seul signe de l'existence en contrebas de l'établissement ancien où subsistent quelques bâtiments à proximité du débarcadère pour la traverse Lotbinière-Deschambault.

Luc Noppen, historien de l'architecture

ROY, Pierre-Georges. *Vieux manoirs, vieilles maisons.* Québec, Commission des monuments historiques, 1927.

ROY, Pierre-Georges. *La famille de Chavigny de la Chevrotière.* Lévis, [s. éd.], 1916.

Maison Pagé

Lotbinière   Fonction: privé
7482, rue Marie-Victorin   Classée monument historique en 1968

Dans le village de Lotbinière, trois imposantes maisons de pierre construites au début du XIXᵉ siècle dominent le paysage. La mieux conservée des trois se situe un peu à l'est de l'église, du côté nord du chemin public.

De plan rectangulaire, la maison Pagé comprend une structure massive en pierre, et un seul étage avec comble. La façade avant présente une ordonnance symétrique des ouvertures avec deux fenêtres de part et d'autre de la porte centrale. À l'arrière, les quatre ouvertures rompent cet équilibre.

Le caractère monumental de la maison tient aux larges pignons maçonnés qui s'élèvent sur trois étages. Des petites fenêtres éclairent le haut du comble et se terminent par de larges souches de cheminées. L'impression d'opulence se confirme par un bon dégagement du sol et une hauteur confortable du carré de maçonnerie. Un espace ample apparaît en façade entre le sommet des fenêtres et la corniche du toit.

Facta in Anno 1785

Cette résidence s'élève vers 1815 sur la terre des Soulard. Le type architectural de la maison, la symétrie de ses ouvertures et la présence d'une charpente légère permettent de la dater avec une certaine précision. Cependant, une inscription sème le doute: «*Facta in Anno* 1785». L'année, l'usage du latin et la calligraphie même de l'épigraphe ne permettent guère de la retenir. Au plus s'agirait-il d'un linteau plus ancien réutilisé dans un bâtiment reconstruit.

Ses larges murs pignons qui débordent du toit pour former des coupe-feu rattachent l'édifice au type de maison urbaine qui envahit les régions rurales autour de Montréal dès la fin du XVIIIᵉ siècle. Une volonté existe de renouveler l'architecture en milieu rural. Les dimensions peu importantes ne répondent pas adéquatement aux besoins d'une bourgeoisie rurale qui apparaît au moment même où se développent les premiers noyaux villageois dans les anciennes paroisses.

La maison Pagé illustre cette transposition du modèle urbain en milieu rural: les coupe-feu deviennent inutiles car le bois qui les compose est le même que celui des corbeaux qui en supportent le débordement. Les linteaux et les jambages des ouvertures dénotent également une absence de tradition dans le tavail de la pierre à Lotbinière et dans cette portion de la rive sud du Saint-Laurent. En effet, matériaux et hommes de métier proviennent de Deschambault et de Neuville où se retrouvent, au début du XIXᵉ siècle, les carrières les plus réputées.

À l'instar des résidences montréalaises, la maison Pagé ne possède aucune lucarne en façade; celles de l'arrière sont des adjonctions postérieures. Une généreuse fenestration établie dans les pignons éclaire l'étage et les combles. Cette fenestration limite par ailleurs l'expansion des conduits de cheminée qui alimentent des âtres placés dans l'axe central. À l'origine, la distribution intérieure se limitait à la traditionnelle division salle-chambre au rez-de-chaussée, disposition partiellement conservée aujourd'hui du côté est où s'élève le grand âtre. La porte d'entrée principale possède deux fenêtres latérales de style palladien, représentatives des années 1810-1830, époque de la construction de cette demeure.

Le village de Lotbinière conserve une autre structure de pierre assez semblable à celle-ci, mais certains ajouts ont été apportés, notamment aux lucarnes et au revêtement.

Construite peu avant l'église, la maison Pagé reste isolée sur son lot, loin du noyau villageois. Son environnement subit certaines transformations au cours des ans. Ainsi, son pignon s'accole sur une maison de bois plus récente dont la proximité change l'aspect de l'historique demeure de pierre, restaurée en 1968-1969.

Luc Noppen, historien de l'architecture

La maison Pagé est la demeure la mieux conservée de Lotbinière parmi ses consœurs construites en pierre au XIXᵉ siècle.

Chapelle de procession

Lotbinière
7557, rue Marie-Victorin

Fonction: public
Classée monument historique en 1965

Située en bordure de la rue Marie-Victorin, à proximité de l'église paroissiale, la chapelle de procession de Lotbinière a été construite vraisemblablement en 1834. Jadis, l'historien d'art Gérard Morisset a retrouvé une pierre en façade du bâtiment portant cette mention. Le clocher du temple apparaît l'année suivante, probablement réalisé par le maître menuisier Amable Paré. À deux reprises, en 1953 et 1978, l'édifice subit des restaurations.

Classicisme britannique

L'édicule de Lotbinière s'apparente aux chapelles de procession traditionnelles construites au XVIIIᵉ siècle. Toutefois, il se démarque par l'influence de l'architecture classique anglaise.

Construite en 1818, l'église paroissiale de Lotbinière subit la même influence, quoique la façade, avec ses deux tours et l'ordonnance de ses ouvertures, rappelle la composition des églises traditionnelles, particulièrement celles de Sainte-Famille de l'île d'Orléans et de Cap-Santé.

La chapelle de procession, construite quinze ans plus tard, s'inspire du modèle de l'église. En effet, la chapelle de Lotbinière se distingue des chapelles traditionnelles par ses motifs classiques et son degré d'élaboration plus élevé.

De dimensions importantes, la chapelle mesure 6,5 mètres sur 8,3 et s'élève à 8,1 mètres. La pierre de taille encadre toutes les ouvertures et des chaînages du même matériau marquent les angles de la façade. Le pignon comporte un oculus également encadré en pierre de taille. Des avant-toits retroussés prolongent les versants à angle peu prononcé et les retours de corniche esquissent un fronton. Le clocher, composé selon le schéma habituel, est toutefois plus élaboré.

À l'intérieur, la chapelle porte aussi l'empreinte de l'architecture classique. Le chevet plat, la fausse voûte surbaissée et l'imposant entablement qui surmonte les quatre murs dénotent cette influence. Meublée d'un élégant petit autel composé à partir de motifs classiques, la chapelle comporte des éléments sculpturaux d'une belle tenue.

Cet édicule, maintenant la propriété de la municipalité de Lotbinière, sert à des fins socioculturelles.

Jacques Robert, historien de l'architecture

ROBERT, Jacques. *Les chapelles de procession du Québec.* Québec, ministère des Affaires culturelles, 1979. 163 p.

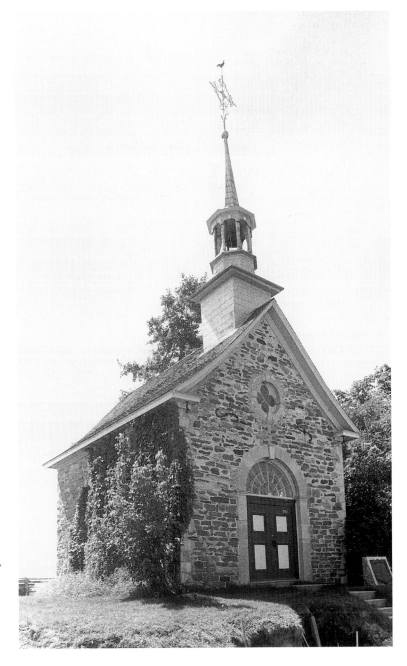

La chapelle de Lotbinière, aux dimensions plus importantes que la plupart des autres constructions du genre, se distingue également par ses motifs classiques. Elle sert aujourd'hui pour des activités socioculturelles.

Église Saint-Louis

Lotbinière
7510, rue Marie-Victorin

Fonction: public
Classée monument historique en 1965

Toute blanche et coiffée d'un toit rouge vermillon, l'église Saint-Louis, la troisième du lieu, se situe en contrebas de la route du village. Sa façade latérale se situe dans l'entourage des monuments funéraires du cimetière paroissial. Sa façade monumentale donne sur un parc. L'histoire de ce monument débute en 1817, même si une église existe à Lotbinière dès 1717.

Dès le XVIII\ :sup:`e` siècle, le seigneur de Lotbinière se charge de la construction d'une première église en pierre, connue sous le nom d'église du domaine. En 1747, il faut déjà consolider l'édifice qui menace de s'écrouler. Finalement abandonné, le bâtiment fait place à une nouvelle construction en 1750-1751. La deuxième église s'élève au lieu dit Sault-à-la-Biche, à mi-chemin entre la falaise et le fleuve. Cet édifice subit également les ravages du temps et, en 1812, le nouveau curé, l'abbé Jean, la décrit en ces termes à l'évêque, mgr Joseph-Octave Plessis: «[...] Je ne puis mettre fin à ma lettre sans vous avouer, qu'aimant naturellement la propreté, quoique sans fierté, je suis pénétré de douleur et de honte de me voir assez bien logé quoique à mes dépens, tandis que mon Dieu est dans un temple si peu décent. Les planchers sont soulevés, il en sort de dessous une odeur sépulcrale, très nuisible à la santé. On est toujours en danger de se casser les jambes et je crains fort lorsqu'il faut donner la communion.»

En 1817, les paroissiens en arrivent à une entente sur le site d'un nouveau temple. Les travaux de l'église actuelle débutent en 1818. Le devis de construction indique «une église de 120 pieds de long sur 46 de large, dedans en dedans. [...] ayant une chapelle de chaque côté de 18 pieds de large, sortant 15 pieds du côté de la nef et 22 pieds du côté du sanctuaire [...]»

Le plan étonne par sa nouveauté: l'église de pierre en forme de croix latine comporte un chevet plat auquel s'adosse une sacristie. Jusqu'alors, des retables en arc de triomphe s'élèvent dans des sanctuaires en hémicycle, mais le chevet plat en maçonnerie reste rare. Le premier plan de Saint-Louis-de-Lotbinière prévoyait un clocher en façade situé au sommet du pignon. Influencé par les façades de Cap-Santé (1754), de Varennes (1780), et surtout de Louiseville (1804), l'abbé Jean propose aux paroissiens en 1819 de subvenir aux frais de construction d'une tour si la fabrique assure le coût de la seconde. L'entrepreneur Jean-Baptiste Hébert modifie son marché originel et l'église s'ouvre au culte en 1822.

La façade aujourd'hui. (Service des ressources pédagogiques, université Laval. Photo: Paul Laliberté).

Monument traditionnel

Cantonnée de ses deux tours et surmontée de ses deux clochers à double lanterne, la façade relève d'abord de l'architecture traditionnelle, développée à partir de quelques modèles du Régime français (Sainte-Famille de l'île d'Orléans en 1743, Cap-Santé en 1754) et, ensuite, des nouvelles influences anglaises. En effet, tout comme à Louiseville en 1804, un large fronton domine la façade. Toutefois, la difficulté d'adapter cet élément nouveau se fait sentir. Malgré cette nouveauté, les éléments issus de la tradition l'emportent (clocher, fruit des murs et des tours, système des ouvertures).

L'église Saint-Louis subit des modifications à la sacristie et en façade. En 1850, un incendie détruit la sacristie originelle, qui est remplacée par l'actuelle. En 1875, l'architecte Zéphirin Perreault y ajoute une abside à l'est. Le changement majeur intervient cependant en 1888 alors que la façade reçoit de nouveaux clochers et un nouveau couronnement d'après les plans de David Ouellet, architecte de Québec. La façade actuelle est l'œuvre de cet architecte, exception faite des clochers qui sont réduits de 4,5 mètres après un ouragan en 1913. L'intervention très contestée de David Ouellet contribue néanmoins à solidifier la façade et surtout à lui conférer un caractère monumental.

Après Saint-Joachim, l'église Saint-Louis-de-Lotbinière, connue pour son architecture intérieure, est la seconde œuvre de Thomas Baillairgé. En 1824, cet architecte dessine seul les plans et exécute lui-même certains travaux de sculpture.

Vue latérale de l'église. (Service des ressources pédagogiques, université Laval. Photo: Paul Laliberté).

Le décor intérieur se compose d'abord du retable, érigé en forme d'arc de triomphe. La chaire et le banc d'œuvre apparaissent en 1833. Finalement en 1838, Léandre Parent entreprend la sculpture de la voûte, des retables latéraux et de la corniche. L'année suivante, André Pâquet récupère l'entreprise et le tout s'achève en 1845.

À Saint-Joachim, le décor intérieur reprend les grandes lignes de l'art de Baillairgé. À Lotbinière, la nouveauté apparaît dans le retable en arc de triomphe intégré à cette architecture intérieure. Il ne s'agit plus d'un retable isolé comme ceux des Levasseur; il fait véritablement partie de l'ensemble qui se poursuit sur les murs du sanctuaire et dans la voûte. La chaire et le banc d'œuvre s'intègrent à l'ensemble. Le retable de Lotbinière sert de modèle à André Pâquet qui le reprend en de nombreux endroits.

L'église se pare de plusieurs bas-reliefs sculptés et de deux statues. Le *Saint Jean-Baptiste* et le *Saint François Xavier* du retable côtoient le *Moïse* de la chaire. Au-dessus du fronton du retable, les deux statues de la Foi et de l'Espérance imposent un caractère solennel à l'ensemble. Ces pièces sculptées, les plus fines de l'art de Baillairgé, constituent un héritage important de la sculpture au Québec. Par l'usage d'un style «antiquisant», aux drapés serrés et très découpés, Baillairgé démontre une cohérence dans son esthétique néo-classique. Son art dénote une nette volonté d'échapper à une vision narrative ou anecdotique de la foi; les thèmes de caractère théologique qu'il exploite évitent soigneusement les épisodes descriptifs des deux Testaments.

Dans ce sens, l'art de Thomas Baillairgé rejoint les préoccupations de l'Église du Bas-Canada qui, vers 1830, cherche à réaffirmer sa position dans une société traditionnelle en voie de dislocation en préconisant un retour à la doctrine et au message évangéli-ques. L'architecture intérieure des églises de Baillairgé concourt à cette orientation de l'Église, du moins exprime-t-elle cette intention dans l'iconographie religieuse.

L'édifice recèle aussi quelques autres trésors. Le tableau du maître-autel, *Saint Louis tenant la couronne d'épines*, date des années 1730. Il subit cependant une mutilation en 1877 lors d'un changement de cadre. Les deux tableaux du retable, *Saint Eustache* et la *Madone au lapin*, datent de la même époque. Gérard Morisset attribue ces trois tableaux au frère François, Récollet du couvent de Montréal. D'autres tableaux complètent la collection de l'église, notamment le *Baptême du Christ* de Jean-Baptiste Roy-Audy.

Gérard Morisset collabore, en 1952, à la restauration de l'église de Lotbinière.

Luc Noppen, historien de l'architecture

Morisset, Gérard. *Les églises et le trésor de Lotbinière.* Québec, [s. éd.], 1953.

Noppen, Luc. *Les églises du Québec (1600-1850).* Montréal et Québec, Éditeur officiel du Québec/Fides, 1977: 136-138.

L'intérieur. (Service des ressources pédagogiques, université Laval. Photo: Paul Laliberté).

Moulin du Domaine

Lotbinière
7218, rue Marie-Victorin

Fonction: privé
Classé monument historique en 1964

À quelques kilomètres à l'est du village de Saint-Louis-de-Lotbinière, se trouve le moulin du Domaine. De la route 132, on aperçoit surtout une imposante toiture qui signale aux passants la présence du monument en contrebas.

Cet ancien moulin, comme d'ailleurs tous les édifices importants de cette localité, est étroitement lié à l'histoire de la famille seigneuriale. En 1672, Pierre-Louis Chartier de Lotbinière, membre du Conseil souverain, reçoit en concession une étendue de trois lieues et demie entre le fief de Sainte-Croix, appartenant aux Ursulines, et celui de Deschaillons, propriété du seigneur de Saint-Ours.

Dans la portion est de ce territoire, le seigneur établit son domaine, espace réservé à son usage. En 1717, son fils Eustache est devenu prêtre et entreprend de patronner la construction d'une église sur le site. Comme archidiacre du diocèse, le seigneur ne séjourne cependant pas dans la seigneurie, ce qui explique l'absence de manoir sur le domaine seigneurial.

Dès la fin du XVIIᵉ siècle, le site semble abriter son moulin banal. Probablement érigé en bois, celui-ci est reconstruit en 1769. En 1799, un moulin en pierre apparaît sur le domaine, comme le confirment une pierre millésimée placée sur le monument classé et l'inventaire des biens du seigneur Michel-Eustache Chartier de Lotbinière.

Faut-il pour autant conclure que l'édifice actuel date de cette époque? Érigé en pierre sur deux étages et mesurant quelque 22,6 mètres sur 16, il s'agit de toute évidence d'une structure reconstruite en bonne partie en 1831-1832; la disposition symétrique des ouvertures, les chaînes de pierre de taille qui marquent les coins, la forme et la structure du toit en constituent autant d'indices.

Au début du XIXᵉ siècle, le moulin du Domaine préoccupe le seigneur alors que le meunier l'informe qu'il faudrait un débit d'eau plus important pour rentabiliser les opérations. Le manque d'eau du moulin résultant du déboisement des terres ralentit la concession de lots de l'arrière-pays marécageux. En 1811, des travaux tentent de faire dévier une partie du courant de la rivière Boisclair afin de sauver le moulin à farine.

Le moulin du domaine de Lotbinière témoigne d'une activité autrefois importante dans la seigneurie.

Mais rien n'y fait et, à compter de 1815, le seigneur entreprend la construction d'un nouveau moulin plus à l'ouest, le moulin du Portage. Avant de le fermer, en 1816, on dresse l'inventaire du vieux moulin à farine.

En 1828, un citoyen helvétique, Pierre-Gustave Joly de Martel, épouse Christine Chartier de Lotbinière, ouvrant ainsi l'ère de la famille Joly de Lotbinière. Le notaire Joseph Papineau, père du patriote Louis-Joseph, s'occupe désormais des affaires de la seigneurie.

C'est ainsi qu'en 1831 le moulin du Domaine est rétabli et doté de nouveaux mouvements et machines. Édouard Ennis, mécanicien et charpentier de moulin de Rivière-Ouelle, dote l'édifice de trois moulanges et d'un bluteau neufs. Le moulin à farine se double alors d'un moulin à fouler actionné par la même roue à eau. En août 1932, le meunier Louis Lamotte accepte un bail pour opérer «le moulin nouvellement contruit [sic]».

En 1840, les Joly de Lotbinière font ériger un peu à l'est du domaine, à Pointe-Platon, une somptueuse résidence d'été. Tout au long du XIXᵉ siècle, les meuniers de Lotbinière habitent et opèrent les moulins du Domaine et du Portage, même si les problèmes d'alimentation en eau subsistent et affectent leur rendement. Le moulin du Domaine est abandonné en 1942.

En 1967, deux amateurs d'histoire acquièrent le moulin pour le restaurer et le transformer en résidence. Même s'il a perdu son mécanisme et ses aménagements d'origine, le moulin du Domaine survit aujourd'hui sur un site trois fois séculaire qui recèle les vestiges des origines de la seigneurie de Lotbinière.

Luc Noppen, historien de l'architecture

ADAM-VILLENEUVE, Francine et Cyrille FELTEAU. *Les moulins à eau de la vallée du Saint-Laurent*. Montréal, Éditions de l'Homme, 1978: 85-138.

PARADIS, Louis-C. «Les annales de Lotbinière (1672-1933)». Québec, *L'Action catholique*, [s. d.]: 195-196.

Moulin du Portage

Lotbinière
Rang Saint-François

Fonction: public
Classé monument historique en 1964
Incendié en mai 1988

O<small>N</small> retrouve dans l'histoire quelques monuments sur lesquels le mauvais sort semble s'acharner. Parmi eux, certains évoquent avec force une époque ou un événement et projettent une image d'une rare intensité. Ceux-ci sont pris en charge par une opinion publique qui ne cesse de militer en faveur de leur conservation.

Détruit par le feu en 1988, le moulin du Portage arrivait au terme d'une longue et laborieuse campagne de restauration. En effet, lorsque le gouvernement du Québec acquiert par expropriation les propriétés d'Edmond Joly de Lotbinière, en 1976, il tente ainsi d'empêcher la vente de ses biens au gouvernement fédéral qui songeait à établir à Lotbinière une ferme forestière expérimentale. En même temps, la société d'histoire du lieu hérite du vieux moulin en vue d'en faire un centre culturel pour les habitants et visiteurs de la région.

De l'avis de tous, le moulin du Portage était exceptionnel, en raison de ses qualités propres et aussi de son site. Il s'agissait d'une structure en pierre très longue, haute de deux étages et couverte d'un toit à deux versants et à croupes. Son toit en bardeaux et la maçonnerie brute de ses murs, formée de pierre des champs noyées dans le mortier, conféraient à l'ensemble une allure champêtre. L'absence de symétrie dans la disposition des ouvertures et leur forme irrégulière contribuaient à la définition de l'image rustique.

Mais, par-dessus tout, le site du moulin impressionnait. Situé dans une vallée sur un lopin de terre formé par un méandre de la rivière du Chêne, le moulin du Portage appartenait à une autre époque. En l'apercevant, les visiteurs croyaient découvrir un monument oublié. Peu d'édifices classés au Québec bénéficiaient d'un tel environnement.

L'histoire de ce moulin se confond avec celle de l'autre moulin banal de la seigneurie de Lotbinière. En 1814, le seigneur Michel-Eustache-Gaspard-Alain Chartier de Lotbinière forme le projet d'ériger un moulin banal dans la partie ouest de sa seigneurie. Jusque-là, le seigneur s'était satisfait du moulin du Domaine, situé plus à l'est. Des problèmes d'approvisionnement en eau lui font opter pour une nouvelle construction au lieu-dit Portage-de-la-Grande-Rivière-du-Chêne.

La construction débute en 1815 et Louis Lemay, charpentier de la paroisse, obtient le contrat pour les mécanismes du moulin. Après l'ouverture, non sans difficulté à cause de l'opposition de certains riverains, d'un chemin donnant accès aux lieux, le moulin entre en opération en 1817. À cette époque, le moulin à farine se double d'un moulin à scie, dont l'utilisation cessera assez rapidement du fait de la concurrence de plusieurs moulins à scie privés.

Très tôt, l'opération du moulin présente des difficultés et le seigneur se plaint que les revenus n'épongent même pas l'intérêt sur le capital investi. Même si l'activité du moulin du Portage se trouve menacée par les grandes crues du printemps, les meuniers qui se succèdent décrivent les lieux comme un «véritable paradis» où abondent poissons et chevreuils. Des «coups d'eau» dévastent régulièrement les lieux. En 1912, plusieurs bâtiments en bois érigés sur le site sont emportés et, en 1925, une crue subite emporte les mécanismes et réduit le moulin au silence. Remis en opération en 1942 avec une machinerie moderne, le moulin ferme définitivement en 1949.

Après le feu de 1988, tout est à recommencer; du moulin il ne reste plus que des murs calcinés et la trace des ouvertures. Bien connu des habitants de Lotbinière et de quelques amateurs avertis, le moulin du Portage souffre, dans sa reconstitution, de l'ignorance ou de l'indifférence de tous ceux qui n'ont jamais pris le temps de s'éloigner du chemin public pour découvrir ce «paradis» d'une autre époque.

Luc Noppen, historien de l'architecture

ADAM-VILLENEUVE, Francine et Cyrille FELTEAU. *Les moulins à eau de la vallée du Saint-Laurent.* Montréal, Éditions de l'Homme, 1978: 85-138.

PARADIS, Louis-C. «Les annales de Lotbinière (1672-1933)». Québec, *L'Action catholique*, [s. d.]: 195-196.

Le moulin du Portage avant sa destruction par le feu en 1988.

Cimetière anglican

Saint-Sylvestre

Fonction: public
Classé site historique en 1962

L<small>A</small> localité de Saint-Sylvestre de Lotbinière fait partie de la seigneurie de Beaurivage, concédée en 1738 à Gilles Rageot de Beaurivage. Anglophones pour la plupart, les premiers colons arrivent vers 1829 à la suite de la construction de la route Craig, qui relie Québec à Boston.

Les nouveaux immigrants proviennent de quelques paroisses plus anciennes des Cantons-de-l'Est et de l'armée britannique. Cette population anglophone et protestante établit le cimetière aujourd'hui classé. Les anglophones ont depuis déserté le village et seul le cimetière témoigne de leur passage dans cette région du Québec.

Situé en bordure de la route Craig, non loin des limites de la municipalité de Saint-Patrice-de-Lotbinière, le cimetière occupe le flanc d'une petite colline partiellement boisée et domine un vaste panorama composé de paysages agricoles; il compte une soixantaine de stèles, la plupart en pierre blanche, décorées dans leur partie supérieure de motifs empruntés à l'iconographie religieuse, tels que des croix et des chapelets.

En examinant de près les pierres tombales, on constate qu'elles remontent pour la plupart à la seconde moitié du XIXe siècle. Parmi les citoyens inhumés au cimetière anglican de Saint-Sylvestre, citons: Thomas Weston, décédé à l'âge de 86 ans en 1874; Alice Seward, sa femme, morte en 1861 à l'âge de 67 ans; Thomas Parks, décédé en 1872 à l'âge de 26 ans seulement, Janes E. Hutchison, morte en 1892; James Woodside, décédé en 1883 à l'âge de 76 ans; Joseph Hankin, mort en 1872; Elisabeth Sample, décédée en 1868 à l'âge de 42 ans; Robert Buchanan, mort en 1869 à l'âge de 60 ans; John Ferguson, décédé en 1883 à l'âge de 83 ans et John Arthurs, mort en 1868.

Parmi les 60 stèles dénombrées, trois ou quatre diffèrent sensiblement des autres par leurs dimensions plus imposantes, leur texture et leur couleur. C'est notamment le cas de la stèle de la famille King sur laquelle on trouve l'inscription suivante: «Rev. W.M. King born in Fokestone dec 2 1803, devoted missionary in wide fields of the anglican diocese of Quebec nearly 50 years first rural dean of Megantic died sept 8 1887. Mary Ann Hide born in Colchester oct 1808, sel sacrificing wife and mother died fev 5 1888. She hath done what she could».

Par sa situation géographique, en retrait des habitations et éloigné de la route, le cimetière anglican de Saint-Sylvestre évoque le calme paisible de la campagne anglaise qui sied, on ne peut mieux, au repos éternel.

Jacques Dorion, ethnologue

T<small>HIBAULT</small>, Marie-Thérèse. *Monuments et sites historiques du Québec*. Québec, ministère des Affaires culturelles, 1978. 250 p.

Le cimetière de Saint-Sylvestre illustre l'appartenance ethnique et religieuse des premiers habitants de cette paroisse.

Site des églises

Kinnear's Mills

Fonction: public
Reconnu site historique en 1985

Situé au nord de Thetford Mines, dans la vallée de la rivière Osgood, le petit village de Kinnear's Mills abrite une trentaine de maisons, un magasin général et quatre églises de confessions diverses groupées au cœur du village. Autant d'églises concentrées dans un espace aussi restreint, voilà un phénomène inusité. Ce paisible village du canton de Leeds conserve de plus son aspect du XIXᵉ siècle et s'intègre de façon harmonieuse au paysage montagneux de la région.

La village vers 1900.
(Archives nationales du Canada).

Cette petite localité, à peine plus grosse qu'un hameau, doit son nom à James Kinnear, Écossais d'origine et un des premiers habitants, avec John Lambie, à venir s'installer le long de la rivière Osgood dans les années 1820. Autour de deux moulins, l'un à scie et l'autre à farine, exploités par James Kinnear, et d'un magasin général ouvert par sa femme Harriet Wilson, se forme une petite agglomération à partir des années 1840. Il ne semble pas que le village, qui aujourd'hui ne compte pas plus d'une centaine d'habitants, ait jamais été beaucoup plus important. Cependant, au cours des années, la population a changé: majoritairement anglophone au XIXᵉ siècle, elle se compose aujourd'hui principalement de francophones.

Quatre confessions religieuses marquent le développement de Kinnear's Mills: les presbytériens, qui organisent une communauté dans le village à partir des années 1830, suivis de près vers 1840 par les catholiques (surtout irlandais), puis par les méthodistes qui ont déjà établi un circuit missionnaire dans la région vers 1835 et, enfin, par les anglicans qui établissent une mission dans le village vers 1860. Aujourd'hui, les quatre églises de Kinnear's Mills, qui ont conservé leur aspect d'origine, témoignent de la diversité ethnique et religieuse du peuplement de cette petite localité de la région de l'Amiante.

L'église presbytérienne

Les premièrs habitants de Kinnear's Mills, plus particulièrement James Kinnear et ses parents, sont presbytériens. Très tôt, ils prennent contact avec les pasteurs itinérants afin d'établir une communauté dans la région. En 1842, une première chapelle en bois rond est érigée, bientôt remplacée en 1873 par l'église presbytérienne actuelle, qui prend le nom de Candlish Church. Lorsque les presbytériens et les méthodistes s'intègrent à l'Église unie du Canada, ils adoptent l'église presbytérienne comme lieu de prière. Toujours vivante, cette communauté continue d'y célébrer le culte.

L'édifice en bois peint en blanc, construit selon un plan rectangulaire simple, illustre un type d'architecture vernaculaire classique. Sans être la plus grande des quatre églises, elle domine par la hauteur de ses murs et l'élévation de son clocher, tout en conservant une grande sobriété. Ses murs lisses recouverts de planches à clins, ses fenêtres en plein cintre, sa façade au pignon orné d'un œil-de-bœuf et son clocher couronné d'une flèche élancée sont traités de façon harmonieuse. Autrefois, les planches cornières, les cadres des fenêtres, les corniches et la base du clocher étaient rehaussés par une couleur constrastante. À l'exception du remplacement des portes principales et de l'ajout d'un auvent, l'église n'a subi aucune modification importante depuis sa construction. L'intérieur, avec sa voûte en berceau, ses boiseries et son mobilier, donne une bonne idée de son état originel.

Église presbytérienne Candlish Church. (Archives de la municipalité de Kinnear's Mills. Photo: Y. Fecteau).

L'église méthodiste

Construite en 1876, il s'agit de la plus sobre et de la plus modeste des quatre. En 1925, elle sert de salle de réunions et d'école du dimanche aux membres de l'Église unie. À cette époque, on lui ajoute une annexe du côté sud-est; une ancienne école de rang qu'on a déménagée sert de cuisine et de petite remise.

L'église méthodiste illustre le style très simple de l'architecture vernaculaire: bâtiment de forme rectangulaire en bois peint en blanc, sans clocher, percé de baies en arc brisé. Comme celui de l'église presbytérienne unie, son toit est recouvert de plaques de tôle embossée imitant le bardeau; autrefois, il était aussi décoré de rehauts de couleur. Depuis 1925, l'édifice sert de salle communautaire, et seuls le plafond en berceau évasé et les baies gothiques rappellent sa fonction d'origine.

Église méthodiste.
(Archives de la municipalité de Kinnear's Mills. Photo: Y. Fecteau).

L'église anglicane

Érigée en 1897, cette église, la seconde construite par les anglicans à Kinnear's Mills, est consacrée sous le vocable de St. Mark. Conçue selon le plan type de l'église anglicane rurale du XIXᵉ siècle, mais de petites dimensions, elle possède néanmoins une architecture très élaborée. Il s'agit d'un bel exemple de l'architecture vernaculaire issue du courant néo-gothique. Cette église en bois, également de couleur blanche, est couronnée d'un clocher en forme de pyramide tronquée et décoré de contreforts assez larges à la base. Sur sa façade, un porche s'avance avec sa porte à deux battants. Les murs lisses sont en planches étroites à clins percés de baies gothiques; une fenêtre en forme de quatre-feuilles orne le dessus du porche. Relativement bien conservé, son intérieur, en lattes de bois agencées de façon décorative, dégage une impression de sobriété. Aujourd'hui, une dizaine de paroissiens seulement s'y rendent une fois la semaine pour le culte.

Église anglicane St. Mark (Archives de la municipalité de Kinnear's Mills. Photo: Y. Fecteau).

L'église catholique

Dédiée à sainte Catherine Labouré, cette jeune église a été érigée en 1950-1951 d'après les plans d'un architecte de Thetford Mines, Jean-Berchmans Gagnon. Elle témoigne néanmoins des nombreuses démarches entreprises depuis le XIXᵉ siècle par les catholiques de Kinnear's Mills pour obtenir une desserte. En 1841-1842, ils réussissent à faire ériger une chapelle pour le prêtre desservant. Par la suite, le temple fut vendu, puis démoli en 1896. À partir de ce moment, et jusqu'à la construction de l'église actuelle, les catholiques de Kinnear's Mills se rendaient à Leeds pour assister à la messe.

Construite en bois dans un style des années 1950, style fortement influencé par l'architecture du chanoine Dom Bellot et répandu surtout dans les paroisses de colonisation, cette église est recouverte de bardeaux d'amiante blancs avec quelques rehauts bruns en façade et autour des baies terminées en mitre au sommet. Un clocher tronconique couronne le toit. Même si elle est la plus grande des quatre églises, ses dimensions, malgré tout modestes, et ses proportions trapues l'intègrent assez bien au village et respectent le caractère des églises plus anciennes.

Les églises de Kinnear's Mills ne démontrent pas des qualités architecturales extraordinaires, mais cet ensemble bâti, érigé au carrefour des deux seules rues du village, bénéficie d'un environnement naturel exceptionnel.

Au Québec, d'autres villages relativement petits comptent plusieurs églises protestantes et catholiques, en particulier dans les Cantons-de-l'Est. Toutefois, les qualités d'harmonie, de simplicité et de sobriété des églises de Kinnear's Mills, singulièrement regroupées au cœur du village, ressortent de façon plus évidente.

Les gens de Kinnear's Mills sont conscients du caractère particulier de leur village et, malgré leur faible nombre, ils mettent beaucoup d'ardeur à les conserver et à faire mieux connaître ce site enchanteur et pittoresque.

Nicole Genêt, ethnologue

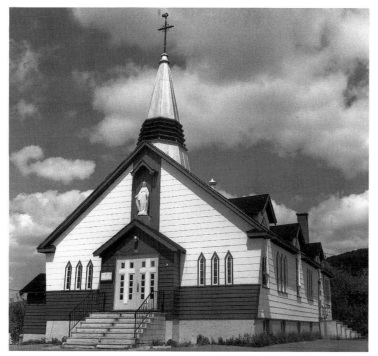

Église catholique Sainte-Catherine-Labouré. (Archives de la municipalité de Kinnear's Mills. Photo: Y. Fecteau).

BERGEVIN, Line. *Le site historique de Kinnear's Mills.* Kinnear's Mills, Municipalité de Kinnear's Mills, 1986.

CLICHE, Hélène. *Kinnear's Mills. Étude historique et analyse architecturale.* Québec, ministère des Affaires culturelles, 1982. 153 p.

Ancien presbytère

Saint-Évariste-de-Forsyth
Route 138

Fonction: public
Reconnu monument historique en 1982

Au sud-ouest de la vallée de la Chaudière s'étend une région de hauts plateaux connue aujourd'hui sous le nom de Haute-Beauce. Dans cette belle région appalachienne, au caractère rural et forestier, l'ancien presbytère de Saint-Évariste-de-Forsyth occupe le sommet d'une colline. D'architecture imposante, il domine, avec l'église du village, toute la région environnante.

Érigé en 1906 sous la direction de l'abbé Narcisse Proulx (1847-1911), alors curé de Saint-Évariste, le presbytère sert à deux fonctions différentes. Jusqu'en 1979, le curé de la paroisse y réside. Acquis par la municipalité en 1980, puis aménagé en musée et centre d'interprétation de la Haute-Beauce, il abrite aujourd'hui la collection Napoléon-Bolduc, constituée de près de 1 600 objets traditionnels. Malgré ce changement de vocation, le presbytère conserve son aspect d'origine, caractérisé par une architecture ample et pittoresque qui contraste avec celle des maisons du village.

Architecture contrastée

Ce bâtiment en bois d'un étage et demi se compose d'un corps principal et d'une annexe, disposés en L. Son toit en croupe à terrasse faîtière est recouvert de tôle à la canadienne. Revêtus à l'origine de planches à clins, les murs sont maintenant en bardeaux d'amiante.

Avec son portail monumental orchestré sur trois niveaux, la façade du corps principal retient d'abord l'attention. Le bâtiment comporte une longue galerie couverte au rez-de-chaussée et, aux étages supérieurs, des balcons superposés, arrondis avec projection rectangulaire à l'avant et ornés de balustres en front. Des colonnes à chapiteaux ioniques, des corniches à denticules et consoles en volute ainsi qu'un entablement à fronton donnent à l'ensemble un style classique. L'architecte inconnu qui a dessiné les plans du presbytère a su tirer parti du site élevé et des composantes de l'édifice pour créer une résidence d'allure néo-baroque, au gabarit plutôt simple. Le revêtement modeste et les ouvertures sobres s'associent à une galerie et à des balcons aux formes plus complexes. L'auteur des plans a également su disposer judicieusement les éléments décoratifs du répertoire classique qui accentuent le caractère monumental de l'ensemble.

L'intérieur comme l'extérieur ont subi des modifications relativement mineures qui ont permis de sauvegarder l'intégrité des espaces. Au rez-de-chaussée, on retrouve encore la même disposition des pièces le long d'un corridor longitudinal, avec un hall d'entrée. Les pièces les plus vastes, réservées à des fonctions nobles, comme l'ancien salon et l'ancien bureau du curé, donnent sur la façade principale. Nombre d'éléments d'origine sont toujours en place, tels que les planchers de bois franc, les plafonds en plâtre, l'escalier central, les boiseries, les portes, ainsi que certaines pièces de mobilier, dont une magnifique bibliothèque avec corniche et pilastres classiques. On remarque aussi, dans les combles, la présence de quatre cabanons ou cellules, qui servaient autrefois à loger les «quêteux».

Par son architecture élaborée, le presbytère de Saint-Évariste-de-Forsyth reflète d'une certaine façon la prospérité de l'époque 1880-1914, marquée par le chemin de fer, l'industrialisation et les échanges commerciaux avec l'extérieur. Il constitue un exemple simple du type de presbytère construit à cette époque dans les paroisses rurales.

Nicole Genêt, ethnologue

VOYER, Louise. *Presbytère de Saint-Évariste, Saint-Évariste-de-Forsyth, étude et analyse*. Québec, ministère des Affaires culturelles, 1982. 78 p.

L'ancien presbytère de Saint-Évariste-de-Forsyth. (Photo: Écomusée de la Haute-Beauce).

Socle du monument à saint Georges

Saint-Georges-Ouest

Fonction: public
Classé monument historique en 1986

Au cours de l'année 1908, la fabrique de Saint-Georges-Ouest en Beauce prend la décision d'ériger un monument en l'honneur du saint patron de la paroisse. L'emplacement retenu pour l'érection de cette sculpture se trouve sur la grande place devant la façade principale de l'église. Le site surélevé offre un vaste panorama sur la vallée de la Chaudière et les pentes de la ville de Saint-Georges.

La fabrique confie aux architectes de Québec David Ouellet et Pierre Lévesque le soin de préparer les plans et devis. Le 23 novembre 1909, ils livrent les plans au sol et en élévation d'un socle d'environ 3,2 mètres, orné de deux panneaux en pierre imitant le bronze et comportant les inscriptions suivantes: «S [dans un] G» et «Hommage de la paroisse Saint-Georges à son patron, A.D. 1912». L'exécution du piédestal, en pierre de Deschambault, est confiée à Olivier Jacques.

Pour figurer sur le socle, la fabrique opte pour un groupe équestre représentant saint Georges terrassant un dragon. Ouellet et Lévesque se chargent de trouver le sculpteur québécois capable d'assumer une telle entreprise. Seuls deux statuaires de la région de Québec, Henri Angers (1870-1963) et Louis Jobin (1845-1928), l'auteur de la fameuse statue de Notre-Dame-du-Saguenay, située au cap Trinité, présentent des soumissions.

Dans leur avis au curé H.-A. Dionne, le 14 janvier 1909, Ouellet et Lévesque recommandent Louis Jobin, même si sa soumission est la plus élevée. L'expérience et la spécialisation du sculpteur, âgé de 65 ans, l'emportent sur la formation européenne de son ancien apprenti. À ce moment-là, Louis Jobin était considéré comme le spécialiste de la statuaire religieuse de grand format, recouverte de métal et conçue pour l'extérieur. En 1902, il avait d'ailleurs réalisé le *Saint Joseph* et le *Saint Jean-Baptiste* qui ornent la façade de l'église paroissiale de Saint-Georges.

Louis Jobin et la statue de Saint Georges terrassant le dragon, *à son atelier de Sainte-Anne-de-Beaupré en 1909. (Archives de la basilique de Sainte-Anne-de-Beaupré).*

Tel que prévu dans la soumission, Jobin sculpte son *Saint Georges* dans le bois, mais, pour une raison inconnue, il le recouvre de cuivre au lieu de plomb. Une photographie de l'époque, prise à l'atelier du sculpteur à Sainte-Anne-de-Beaupré, montre l'œuvre avant sa livraison par train. L'auteur pose fièrement à côté de son impressionnante statue équestre (2,8 mètres sur 2,3 sur 1,2). Près du sabot antérieur gauche du cheval, Jobin appose une plaque de métal coulée portant sa signature. Le groupe n'a pas encore reçu son revêtement doré, ce qui nous permet de voir les traces laissées par le martelage du cuivre et les divers joints de soudure au plomb reliant les feuilles de métal.

La plaque posée sur le socle laisse croire que le monument a probablement été inauguré en 1912. Toutefois, il faut attendre le 15 juin 1913 avant que les paroissiens de Saint-Georges-Ouest puissent assister à la double bénédiction du monument et du nouveau pont de fer reliant les deux rives de la Chaudière.

Louis Jobin choisit d'illustrer la scène la plus fréquente de l'iconographie relative à saint Georges, soit le moment fort de son combat avec le dragon. En selle sur un cheval fougueux, le jeune légionnaire transperce de sa lance la bête au sol. Revêtu d'une armure médiévale, il porte une cuirasse, des jambières métalliques, une cotte de mailles, une jupette et des solerets à la poulaine. Imberbe et les cheveux bouclés, il est coiffé d'un casque de bataille ou de tournoi au

cimier empanaché d'un plumet. Son cheval, les muscles tendus et les veines gonflées, se cabre au-dessus du dragon renversé. La gueule ouverte, le monstre présente un mélange hybride de bête immonde et de pantin burlesque; ce dragon cornu possède des ailes de chauve-souris et son corps se termine par une longue queue écaillée.

Même si l'on ignore toujours la source iconographique précise du *Saint Georges* de Louis Jobin, le statuaire semble s'être inspiré d'un modèle ou d'une illustration vraisemblablement fournie par le commanditaire.

Une œuvre majeure

D'un point de vue technique et iconographique, ainsi qu'aux plans matériel et formel, ce monument constitue l'œuvre la plus complexe jamais réalisée par le sculpteur. À cause du volume et des nombreuses parties en extension du groupe équestre, Louis Jobin recourt à diverses méthodes d'assemblage. De surcroît, le sculpteur doit résoudre maints problèmes touchant l'équilibre, les vides, le poids et les points d'appui du noyau de bois. Un examen radiographique de l'âme en bois révèle que le statuaire s'est servi de tiges de fer pour renforcer ses divers soutiens. Il triche quelque peu sur le cabrage du cheval dont une patte antérieure se trouve au repos alors que l'autre est en mouvement. À partir du procédé du repoussé-estampé, il recouvre ensuite le support de bois de feuilles martelées et soudées. Pour suggérer la cotte de mailles, il incise une partie de l'armure de saint Georges et façonne, en se servant uniquement de métal, de nombreux éléments de la sculpture: la jupette du personnage, les harnais, les étriers et une partie de la selle du cheval.

La recherche du mouvement dans ce groupe est extrêmement élaborée. Si Jobin met en valeur le côté de la statue montrant le preux chevalier transperçant le dragon, le groupe révèle une foule de points de vue inusités. Dans cette scène de combat, chacun des intervenants participe pleinement à l'action.

Avec son *Saint Georges terrassant le dragon*, Louis Jobin réalise un exploit technique qui en fait à la fois son œuvre majeure et un monument tout à fait exceptionnel de la sculpture du Québec. Il s'agit en fait du premier groupe équestre de la province sculpté par un Québécois. Le groupe de Saint-Georges-Ouest en Beauce pourrait bien être la seule statue équestre d'Amérique réalisée en bois recouvert de métal.

Pour ces raisons entre autres, 75 ans après sa réalisation, une action concertée fut entreprise afin de sauver le monument endommagé par les outrages du temps. À l'automne 1985, le *Saint Georges* fut démonté de son socle puis transporté à Québec avant d'être restauré par le Centre de conservation du Québec. Au cours de l'été suivant, il prenait la vedette de l'exposition *Louis Jobin, maître-sculpteur*, présentée au Musée du Québec. De retour à Saint-Georges-Ouest pour être coulé en fibre de verre, le nouveau moulage repose aujourd'hui sur le socle tandis que l'original se trouve dans la sacristie.

Mario Béland, historien de l'art

La statue montée sur son socle en 1984. (Inventaire des biens culturels du Québec).

BÉLAND, Mario. *Louis Jobin, maître-sculpteur*. Québec et Montréal, Musée du Québec/Fides, 1986: 65, 95, 158 à 161.

Palais de justice-prison

Saint-Joseph-de-Beauce   Fonction: institutionnel
795, avenue du Palais   Reconnu monument historique en 1985

LE palais de justice-prison de Saint-Joseph occupe le cœur de l'une des plus anciennes localités de la Beauce. Érigé à flanc de coteau et face à la rivière Chaudière qui serpente paisiblement près du site, il domine la ville et rappelle par son architecture imposante le rôle de premier plan qu'il a joué dans son développement.

Souffle nouveau

Avant le début de sa construction, Saint-Joseph représentait encore un petit village agricole avec une église, un presbytère et quelques maisons de ferme disséminées le long de la rivière ou sur les pentes douces des coteaux. Désigné en 1858 chef-lieu du nouveau district judiciaire de la Beauce, Saint-Joseph entreprend dès l'année suivante la construction du palais de justice et de la prison. Cette décision amène un changement considérable de la physionomie du village qui, dès lors, s'urbanise rapidement.

Le noyau du village se développe désormais d'une manière plus régulière et ordonnée. Un chemin d'accès et de communication, appelé avenue du Palais, apparaît face au nouvel édifice. De nouveaux commerces s'installent et des maisons se construisent le long de l'avenue du Palais et sur les nouvelles rues ouvertes de part et d'autre de cette artère principale. La façade de la nouvelle église (1867) donne sur cette avenue, et tous les autres édifices institutionnels érigés par la suite possèdent leur façade principale orientée vers la rivière (voir: Ensemble institutionnel de Saint-Joseph-de-Beauce). Au tournant du XXᵉ siècle, Saint-Joseph se présente comme une petite agglomération bien organisée, regroupant tous les services essentiels d'un centre administratif régional.

Une grande époque de constructions

Témoin du développement d'une des villes les plus anciennes de la Beauce, le palais de justice de Saint-Joseph témoigne également de la grande période de construction (1857-1866) des palais de justice au Québec. Il figure sur la liste des treize palais de justice érigés simultanément entre 1859 et 1862, peu après la réforme de l'organisation administrative des établissements judiciaires du Bas-Canada de 1857. Cette réforme permet entre autres la décentralisation régionale des tribunaux supérieurs et entraîne la création de treize nouveaux districts judiciaires au Bas-Canada.

*Le palais de justice
de Saint-Joseph-de-
Beauce.*

Ainsi, chaque district désigné, tels Terrebonne, Beauharnois, Saint-Hyacinthe, Rimouski ou encore Saint-Joseph-de-Beauce, doit compter un palais de justice pour les tribunaux supérieurs et inférieurs. Le nouvel édifice est soumis à un programme émanant du Département des travaux publics, responsable de la mise en œuvre de ce vaste projet. L'aménagement intérieur prévoit une grande salle d'audience, des pièces pour les juges, avocats et jurés, un bureau d'enregistrement ainsi que des bureaux pour abriter les services complémentaires (greffe, archives, chambres fortes). L'édifice doit en outre inclure une prison de dimensions suffisantes pour recevoir les prisonniers, hommes et femmes. Le plan prévoit même la possibilité d'additions subséquentes.

Pour des raisons d'économie, la décoration de l'édifice et son apparence extérieure se distinguent par leur simplicité. Pour des motifs de sécurité, le Département des travaux publics recommande un parement en pierre et un toit en tôle. De plus, pour faciliter les réparations éventuelles, un plan unique est proposé.

L'architecte en chef aux Travaux publics du Canada, F. P. Rubidge, se charge de réaliser le plan type des treize futurs palais de justice. Cet architecte compte également à son actif les plans de l'édifice des Douanes à Hamilton, ceux d'un ajout au parlement d'Ottawa, les additions de la villa Spencer Wood à Sillery et ceux de l'agrandissement de la terrasse Dufferin à Québec.

D'un entrepreneur à l'autre

La firme Sinclair et Skelsey obtient un contrat général pour construire dix palais de justice-prisons, dont celui de Saint-Joseph-de-Beauce. Cependant, la difficulté d'obtenir de la pierre par voie d'eau ou par chemin de fer retarde le projet et force la compagnie à résilier son contrat. Les travaux sont alors confiés au maître maçon et entrepreneur de Québec, Augustin Trépanier, et à deux maîtres menuisiers de Saint-Isidore-de-Dorchester, Louis Patry et Jean-Baptiste Saint-Michel. Terminé en 1862, le palais de justice-prison reçoit un mur d'enceinte quelques années plus tard.

Comme prévu au plan initial, le bâtiment est doté de nouvelles ailes en 1925, puis en 1960 au moment où l'édifice subit des transformations majeures. À cette époque, des ouvriers reconstruisent un mur d'enceinte et réaménagent complètement l'intérieur de l'édifice.

Le palais de justice-prison de Saint-Joseph se dresse sur un terrain en pente douce légèrement en retrait de l'avenue du Palais. Un chemin en forme de demi-cercle bordé d'une rangée d'arbres mène à la façade principale.

Le bâtiment originel, haut d'un étage, comporte un corps central de plan carré flanqué de deux ailes rectangulaires légèrement en retrait. Pourvue d'une annexe, la prison s'adosse au mur est de l'aile droite, laquelle a été rallongée et surélevée d'un étage en 1960. L'édifice en pierre de taille à bossage possède un corps central surmonté d'un fronton. Les ouvertures de la façade sont disposées de façon symétrique, et les fenêtres de l'étage sont en plein cintre.

Le bâtiment comporte également des annexes plus récentes, notamment une aile au nord, ajoutée en 1925, laquelle reprend en façade les mêmes caractéristiques architecturales, et une seconde annexe au sud, construite en 1960, qui s'intègre plus ou moins bien au bâtiment existant.

Le plan de Rubidge regroupe au rez-de-chaussée les différents services judiciaires et les bureaux de district. L'étage supérieur comprend la grande salle du tribunal, celle des jurés et les bureaux des juges et des avocats. Cet aménagement a été modifié lors des transformations de 1960. Il ne subsiste maintenant aucun élément ancien. Toutefois, le pavillon cellulaire, fermé définitivement en 1986, présente encore la même disposition de cellules, adossées et superposées sur deux étages.

Construit dans le style néo-classique, le palais de justice a beaucoup influencé l'architecture institutionnelle au milieu du XIXᵉ siècle. Tous les palais de justice-prisons construits à l'époque, selon le plan type de Rubidge, présentent une apparence stylistique et formelle similaire et connaissent une évolution également semblable, notamment à Joliette, à Saint-Jean et à Montmagny.

Nicole Genêt, ethnologue

GIROUX, André. «Au Québec», dans Margaret Center (dir.). *Les premiers palais de justice au Canada*. Ottawa, Parcs Canada, 1983: 81-103.

GOBEIL-TRUDEAU, Madeleine. *L'ensemble institutionnel de Saint-Joseph-de-Beauce*. Québec, ministère des Affaires culturelles, 1984. 265 p.

Vue latérale du palais de justice vers 1900. La prison est logée dans l'annexe arrière du bâtiment qui donne sur la cour entourée d'une haute clôture. (Société du patrimoine des Beaucerons, collection Garneau-Bernard).

Ensemble institutionnel

Saint-Joseph-de-Beauce

Fonction: public
Classé site historique en 1985

Vue contemporaine de l'ensemble institutionnel de Saint-Joseph-de-Beauce. (Société du patrimoine des Beaucerons. Photo: Daniel Carrier).

Lᴀ ville de Saint-Joseph-de-Beauce s'étale dans le paysage linéaire de la vallée de la Chaudière et abrite l'un des plus beaux ensembles institutionnels du patrimoine québécois.

À la hauteur de l'ancien pont de fer qui enjambe la rivière Chaudière, à partir de la rive ouest, le visiteur aperçoit les cinq bâtiments qui forment l'ensemble institutionnel classé de Saint-Joseph. Groupés au cœur de la ville, ces bâtiments frappent par leur allure majestueuse. Par sa forme élancée, le clocher de l'église domine l'ensemble; le presbytère surprend par son élégance et la richesse de son décor; un peu plus haut se dressent le couvent avec son couronnement élaboré et, à ses côtés, l'ancien orphelinat, beaucoup plus modeste. Enfin, sur le niveau le plus élevé, se profile discrètement la silhouette de l'école Lambert.

D'abord voués au culte et à l'éducation, ces bâtiments, érigés entre 1865 et 1947, occupent l'ancienne terre de la fabrique, appelée aussi «terre du Curé». Faits de pierre et de brique, ils ont été conçus par des architectes reconnus de la région de Québec. Avec le palais de justice, leur aîné (voir: Palais de justice-prison de Saint-Joseph), ces constructions font face à la rivière Chaudière. Ils jouent un rôle important dans le développement de Saint-Joseph. Cet ensemble forme encore aujourd'hui le cœur de la ville et continue à jouer un rôle culturel important au sein de la communauté.

Le même ensemble de Saint-Joseph-de-Beauce vers 1915-1920. (Société du patrimoine des Beaucerons, collection Garneau-Bernard).

L'église (1865-1876)

L'église de Saint-Joseph voit le jour entre 1865 et 1868; elle remplace le temple précédent, détruit par un incendie. Contrairement à ce dernier, mais à l'instar du palais de justice érigé plus au sud, sa façade est orientée vers la rivière Chaudière. Pour sa réalisation, la fabrique retient les services d'architectes et de décorateurs réputés. François-Xavier Berlinguet dessine les plans de l'extérieur et participe aussi à la conception de certains travaux intérieurs, tels les tribunes, les bancs de la nef, les chapelles et les confessionnaux. Joseph-Ferdinand Peachy assure le parachèvement du décor intérieur, exécuté de 1871 à 1876 par Louis et Francis Dion, sculpteurs de Saint-Michel. Au début du XXᵉ siècle, la fabrique confie à l'architecte David Ouellet le soin de dessiner les plans du perron de l'église et du chœur de la sacristie.

Façade arrière du presbytère de Saint-Joseph-de-Beauce.

L'église de Saint-Joseph vers 1905. (Société du patrimoine des Beaucerons, collection Garneau-Bernard).

En moellons équarris, l'église reprend la forme d'une croix latine avec un chevet en hémicycle et une sacristie reliés par un chemin couvert. Pour l'extérieur, l'architecte Berlinguet, un disciple de Thomas Baillairgé, opte pour un style néo-classique. Sobre et équilibrée, la façade du temple comporte une tour en saillie couronnée d'un clocher élancé, un portail dorique et des ouvertures en plein cintre disposées de façon symétrique. Berlinguet dessine d'ailleurs une façade similaire pour l'église de Château-Richer.

Avec ses deux tribunes superposées, sa nef, ses petites chapelles latérales, son chœur en hémicycle et ses hautes fenêtres en plein cintre, l'intérieur frappe par son décor raffiné en bois sculpté, lui aussi inspiré du style néo-classique. Au-dessus du chœur et de la nef centrale, une magnifique voûte en berceau, fractionnée et à lunettes, repose sur un entablement continu et constitué de piliers formés d'élégantes colonnes et colonnettes câblées. Un très beau plafond à caissons orne les chapelles latérales et les bas-côtés. Les autels et le retable ont été dessinés et sculptés par Louis Dion.

Le presbytère (1890-1892)

Le presbytère représente l'édifice le plus remarquable et le plus prestigieux de l'ensemble. Son histoire débute en 1885 au moment où Joseph-Ferdinand Peachy soumet à la fabrique un devis pour réaliser un presbytère en pierre et en brique à deux étages avec toit mansardé, ainsi qu'une aile à un étage de même style. Toutefois, la fabrique retient les plans de son élève, Georges-Émile Tanguay, de retour d'Europe. En 1889, il propose une œuvre plus originale et plus audacieuse, coiffée d'un toit en croupes avec terrasse faîtière.

L'allure majestueuse du presbytère, de même que son décor soigné et recherché, ont sans doute plu à la fabrique et surtout à l'archevêque de Québec, le cardinal Elzéar-Alexandre Taschereau, qui écrit alors au curé de la paroisse, le 30 novembre 1889: «Comme il est possible qu'avant la fin du monde votre église devienne une cathédrale et votre presbytère un palais, je tiens à ce que les dimensions du nouveau presbytère soient conservées.»

Comme plusieurs bâtiments construits à la fin du XIXe siècle, le presbytère se rattache au mouvement éclectique qui associe, entre autres, des éléments des styles Second Empire, néo-baroque et néo-Renaissance. Adepte de ce courant, Tanguay adopte ici un décor néo-Renaissance à la française: la forme du toit à terrasse faîtière, la lucarne-pignon centrale ainsi que la toiture des lucarnes traduisent cette appartenance. Elle se retrouve également dans les plans du pavillon d'Aiguillon de l'Hôtel-Dieu de Québec (1892) et du nouvel hôtel de ville de Québec (1895), aussi dessinés par Tanguay. À Saint-Joseph, par souci d'intégration à l'environnement bâti et naturel, l'architecte décide de répéter la façade sur l'arrière, tirant ainsi parti de la vue sur la Chaudière.

À plusieurs titres, le presbytère est imposant. Son parement de brique rouge, accentué par des chaînes d'angle en pierre de taille, son magnifique toit recouvert de tôle à baguettes avec ses oculi et ses nombreuses lucarnes — une quinzaine sur le toit principal —, son avant-corps central qui s'élève du rez-de-chaussée jusqu'aux combles sur ses deux façades identiques, ses hautes cheminées et sa longue galerie couverte s'étendant sur les quatre côtés attirent le regard. La richesse et la profusion des éléments décoratifs séduisent. Les frontons, les décorations en fer forgé, les frises à denticules et les linteaux de fenêtres en pierre de taille animent le presbytère et lui donnent l'allure d'un petit château de la Renaissance.

Modifié au rez-de-chaussée, l'intérieur du presbytère étonne par le grand nombre de pièces qui s'y trouvent. Son hall central, son escalier tournant qui mène jusqu'aux combles et sa belle charpente éclairée par des œils-de-bœuf retiennent surtout l'attention.

Le couvent (1887-1889)

Malgré un changement de vocation, le couvent continue de jouer un rôle vivant dans la communauté. Encore tout récemment, avec son bel escalier restauré, il accueillait un rassemblement sans pareil à l'occasion de la visite du comte de Paris.

Le couvent et l'orphelinat au début du siècle. (Musée Marius-Barbeau).

Érigé sur le même emplacement, le premier couvent de Saint-Joseph est construit en 1873, d'après les plans de Joseph-Ferdinand Peachy. En 1887, un incendie le détruit. De ce premier bâtiment, l'histoire retient peu de choses, sinon qu'il était de dimensions moindres que le couvent actuel. Après l'incendie, l'architecte Peachy dessine de nouveaux plans, et en 1889, le couvent actuel ouvre ses portes.

Jusqu'en 1973, les sœurs de la Charité y assurent l'éducation des jeunes filles; abandonné par la suite, il est acquis par la fabrique puis cédé à la ville de Saint-Joseph en 1975. À l'instigation de la Société du patrimoine des Beaucerons, la ville le rénove en 1979 dans le cadre des programmes de réadaptation des prisonniers du centre de détention de Saint-Joseph. Aujourd'hui, la commission scolaire et des organismes socioculturels qui travaillent à mieux faire connaître les richesses du patrimoine de la Beauce, tels le musée Marius-Barbeau et la Société du patrimoine des Beaucerons, l'occupent.

L'extérieur présente aujourd'hui une image assez fidèle à son état d'origine. L'escalier central, restauré à l'automne 1986, redonne même à l'édifice son caractère noble et prestigieux.

La construction d'écoles occupe une place importante dans l'œuvre de Peachy.

Ainsi, il dessine les plans du couvent Jésus-Marie à Sillery, détruit par un incendie en 1983, et ceux de deux écoles de Québec, l'une dans le quartier Saint-Roch et l'autre dans le quartier Saint-Sauveur. Fervent défenseur du mouvement éclectique, qui marque l'époque victorienne, Peachy s'inspire du style Second Empire pour plusieurs bâtiments institutionnels, dont le couvent de Saint-Joseph, qu'il coiffe d'un toit mansardé, l'une des principales caractéristiques de ce style.

Construit en pierre et en brique, le couvent possède trois étages et se distingue par son avant-corps principal en saillie, couronné d'une tourelle de forme pyramidale et richement ornée. Une longue galerie court en façade de ce bel étage, auquel les occupants accèdent par un escalier à double volée. D'autres éléments animent l'extérieur de l'édifice, tels le rez-de-chaussée en pierre, les chaînes en brique jaune qui soulignent les ouvertures du premier et du second étage et les encadrements découpés et moulurés des lucarnes.

L'intérieur du bâtiment comporte un aménagement typique des couvents construits à cette époque, avec une disposition des salles de part et d'autre d'un grand corridor central terminé par un escalier à chaque extrémité.

Plan de l'architecte Joseph-Ferdinand Peachy en 1887 pour le couvent. (Société du patrimoine des Beaucerons).

L'orphelinat (1907-1908)

Au début du XXᵉ siècle, les sœurs de la Charité projettent de fonder un orphelinat pour héberger filles et garçons. En 1907, le projet se concrétise et un nouvel édifice s'ajoute à proximité du couvent; un chemin couvert relie les deux bâtiments. Abandonné lui aussi en 1973, l'orphelinat est à son tour acquis par la ville en 1979. Avec la participation des détenus, la municipalité entreprend de le rénover. Aujourd'hui, des organismes à caractère socioculturel occupent l'essentiel des espaces disponibles.

Au moment de sa construction, les sœurs de la Charité s'inspirent fortement du couvent voisin. L'orphelinat reprend aussi les mêmes matériaux: la pierre pour le rez-de-chaussée et un revêtement de brique pour les étages supérieurs. Du point de vue formel, le bâtiment possède des caractéristiques semblables à celles du couvent: une construction de forme rectangulaire à trois étages, coiffée d'un toit mansardé avec une partie centrale en saillie, mais cette fois sans couronnement. Des plates-bandes de brique jaune ornent également les fenêtres des premier et deuxième étages. À l'origine, la façade comportait des galeries superposées, aujourd'hui disparues. L'aménagement intérieur reprend celui du couvent. Dans l'ensemble, l'orphelinat présente une image de grande simplicité; son décor paraît même dépouillé si on le compare au couvent.

L'école Lambert, construite en 1911 et agrandie en 1947.

L'école Lambert (1911-1947)

L'école Lambert, ainsi nommée en l'honneur du premier président de la Commission scolaire de Saint-Joseph, Thomas Lambert, constitue le plus récent des bâtiments de l'ensemble institutionnel. Située derrière l'église, elle domine l'ancien cimetière paroissial, également intégré à l'ensemble classé. L'architecte de Québec Louis Auger dessine les plans de cette école, construite en brique et à trois étages. Dès 1911, les frères maristes y donnent l'enseignement aux garçons du primaire et du secondaire.

Agrandi du côté nord en 1947 et toujours soigneusement entretenu, le bâtiment sert encore à des fins éducatives, accueillant maintenant filles et garçons.

L'école Lambert s'inspire du mouvement fonctionnaliste. Très populaire au début du XXᵉ siècle, ce style se caractérise par un décor simple et dépouillé. Auger utilise d'ailleurs le même vocabulaire architectural pour les plans des bâtiments du Bon-Pasteur, qu'il réalise en 1928 sur la rue De La Chevrotière à Québec. Sobres et discrets, les éléments décoratifs de l'école Lambert se retrouvent dans les créneaux de la corniche, le couronnement en forme de fronton galbé de la façade, d'inspiration jacobine anglaise, le linteau des fenêtres et les chaînes horizontales, peintes en blanc, au sommet de l'immeuble.

L'architecte Pierre Rinfret, responsable de l'agrandissement en 1947, apporte un grand soin à son intégration. Il reprend un type d'ouverture semblable tout en respectant la même disposition et en utilisant un répertoire décoratif identique. Ce souci exemplaire se traduit aussi à l'intérieur de l'édifice où l'on retrouve, tout comme dans l'ancienne aile, la même division des parties, de part et d'autre d'un long corridor.

Au Québec, il existe plusieurs municipalités de la taille de Saint-Joseph qui possèdent des ensembles institutionnels intéressants et bien conservés. Parmi les ensembles comparables par la qualité de l'architecture des édifices et par la beauté de leur environnement naturel, on peut citer ceux de Saint-Césaire, de Saint-François-de-Montmagny et de Saint-Guillaume, situés en milieu villageois, ou encore celui de L'Assomption, de type nettement plus urbain. Tous occupent le cœur du village ou celui de la ville et bénéficient d'un cadre physique intéressant, marqué par la présence d'une abondante végétation, d'un cours d'eau ou encore d'un relief accidenté.

Toutefois, le grand nombre de fonctions éducatives et religieuses représentées, le regroupement des bâtiments dans un environnement naturel exceptionnel, leur grande unité formelle de même que leur excellent état de conservation font de l'ensemble de Saint-Joseph-de-Beauce l'un des sites institutionnels les plus représentatifs du Québec. L'ensemble témoigne de l'importance des institutions au sein de la communauté et de leur rôle déterminant dans le développement local. L'intérêt manifesté par la ville de Saint-Joseph et par les organismes culturels du milieu pour en assurer la conservation et la mise en valeur démontre de façon éloquente la signification historique et culturelle de ces bâtiments pour la collectivité.

Nicole Genêt, ethnologue

BRETON, Jean-René. *L'ensemble institutionnel de Saint-Joseph-de-Beauce.* [s. l.], Société du patrimoine des Beaucerons et fondation Robert-Cliche, 1986.

GOBEIL-TRUDEAU, Madeleine. *L'ensemble institutionnel de Saint-Joseph-de-Beauce.* Québec, ministère des Affaires culturelles, 1984. 265 p.

Église de Saint-Elzéar et sacristie

Saint-Elzéar
672, rue Principale

Fonction: public
Classées monuments historiques en 1960

Sur un monticule, au cœur de Saint-Elzéar, se dresse une imposante église construite en pierre des champs, en granit rouge et en calcaire noir, flanquée, à l'avant, d'un monument au Sacré-Cœur, à droite, du presbytère et, à l'arrière, du cimetière. La construction de cet ensemble institutionnel, datant du XIXᵉ siècle, s'échelonne sur plusieurs années.

Au cours d'une visite paroissiale à Saint-Elzéar en 1847, l'archevêque de Québec, mgr Joseph Signay, recommande la construction d'une église et d'une sacristie, malgré les modestes revenus des paroissiens déjà desservis par une chapelle temporaire. La situation financière des paroissiens devient à ce point critique que l'archevêque accepte de les dispenser pour un an de l'obligation de tenir une lampe allumée dans le sanctuaire.

Mise en chantier

La construction commence en 1849, d'après les plans de l'architecte Thomas Baillairgé, sur un terrain donné à la fabrique. L'entrepreneur maître charpentier Pierre Fortier, de Sainte-Marie-de-Beauce, dirige les travaux. Il octroie le contrat de sculpture à Léandre Parent, de la paroisse Saint-Roch à Québec. Six ans plus tard, une résolution permet d'entreprendre la construction de la voûte; Pierre Fortier et Léandre Parent obtiennent le contrat. Les travaux s'interrompent pendant une quarantaine d'années pour reprendre en 1893-1894. L'entrepreneur général Sirois charge la maison Villeneuve, de Saint-Romuald dirigée par Ferdinand Villeneuve, de joindre les planchers et de construire le clocher. Dix ans auparavant, la fabrique de Saint-Elzéar avait acquis le maître-autel réalisé en 1803-1804 par Louis Quévillon pour l'église de Saint-Henri à Lévis.

En 1915, la maison Labbé et Roberge, de Sainte-Marie-de-Beauce, entreprend des travaux de réfection. Le clocher construit en 1893-1894 est recouvert de tôle galvanisée. Posé sur le faîte du toit, il comporte un tambour ajouré surmonté d'une flèche et il est flanqué de deux clochetons qui en constituent des répliques.

L'architecte Thomas Baillairgé dessine les plans de l'église construite en 1849.

La toiture reçoit également un nouveau revêtement de tôle galvanisée. De plus, les ouvertures de l'église sont renouvelées et des ouvriers reconstruisent le chemin couvert, situé entre l'église et la sacristie. Trois contreforts de béton s'ajoutent de chaque côté de l'église pour servir d'appui aux murs extérieurs et contrebuter la pression exercée par la charpente sur les murs, par suite de la défaillance d'un pilier du clocher; ils longent la muraille entre la façade et le croisillon. D'autres changements surviennent en 1954, lors des rénovations à l'intérieur de la sacristie et de la réfection des ouvertures de la façade.

Quatre ans plus tard, Raymond Bellegarde, de la paroisse Saint-Elzéar, exécute des travaux de consolidation sous la direction de l'architecte Paul Voyer de Sainte-Marie-de-Beauce. Des poutres en métal remplacent alors les solives de bois et la toiture reçoit un revêtement de tôle galvanisée. Une fausse voûte vient solidifier l'intérieur de l'église.

En forme de croix latine, l'église possède une nef coupée par un transept dégageant deux chapelles latérales. La nef se termine par un chevet plat auquel s'adosse la sacristie, reliée à l'église par un chemin couvert.

Un décor néo-classique

La façade possède un pignon qui épouse la forme du toit et comporte sept ouvertures disposées symétriquement afin de s'harmoniser à l'organisation intérieure du bâtiment. Elle se compose de trois divisions horizontales et verticales. Trois portails ornent la partie basse. Avant 1965, celui du centre possédait un décor plus élaboré. Ce décor en bois, d'ordre dorique et dont le sommet est composé de volutes, était intégré à la fenêtre qui le surplombait. Tout comme à l'église de Saint-Joseph de Lauzon, Baillairgé réussit à lier l'étagement horizontal de la façade. Les fenêtres hautes situées dans l'axe des portes éclairent la tribune et l'oculus du pignon éclaire les combles. Le repli de la corniche amorce le fronton interrompu. Cette corniche se prolonge sur les longs pans percés de fenêtres en plein cintre.

La réalisation de ce décor de type néo-classique se poursuit pendant quatre ans. Thomas Baillairgé conçoit à Saint-Elzéar une ornementation unifiée à l'ensemble de l'église. Au lieu de différencier la voûte du chœur de celle de la nef, il choisit de répéter les mêmes doubleaux sculptés, alternant avec des sections nues sur toute l'étendue de la voûte. Il répète ce procédé dans le chœur, où le retable s'étend à l'ensemble du sanctuaire, incluant les bras du transept; grâce à la poursuite du même entablement dans la nef, Baillairgé relie les deux parties de l'église.

En plus de concevoir un ensemble architectural unifié, l'architecte propose une logique dans l'ornementation; ainsi peut-on suivre la poussée des doubleaux du chœur depuis l'entablement jusqu'au bas des pilastres. À Saint-Elzéar, le regard converge vers le chœur; d'ailleurs, Baillairgé a prévu de laisser les murs de la nef à nu et d'intégrer, par leur décor, la chaire et le banc d'œuvre au retable du sanctuaire.

Exécutée entre 1855 et 1860 par le sculpteur Léandre Parent, la chaire est fixée au mur de la nef: elle se compose d'une cuve ovale, d'un dorsal et d'un abat-voix surmonté d'un couronnement. Les motifs végétaux et floraux qui la décorent se retrouvent sur le banc d'œuvre placé en face. Ce dernier reprend des motifs néo-classiques du chœur, tels les pilastres cannelés, les chapiteaux ioniques et le fronton triangulaire en segment de cercle interrompu.

Le dorsal du baptistère, également exécuté par Léandre Parent, illustre le *Baptême du Christ par saint Jean-Baptiste*. Il est orné de guirlandes comme celles de la chaire et du banc d'œuvre.

Le maître-autel, dont le tombeau est décoré de fleurs, de rinceaux et de têtes d'anges aux angles, est l'œuvre de Louis Quévillon, sculpteur renommé de Montréal, dont l'influence a été grande au Québec pendant la première moitié du XIXᵉ siècle. Thomas Baillairgé avait déjà travaillé comme apprenti auprès de Quévillon dans son atelier de sculpture. Antérieur d'une cinquantaine d'années au reste du mobilier, le maître-autel s'y intègre cependant très bien.

Au-dessus du maître-autel, on remarque une huile sur toile achetée en 1883 qui représente le *Sacré-Cœur apparaissant à sainte Marguerite-Marie Alacoque*. Dans le bras gauche du transept, un tableau attribué à Antoine Plamondon par Gérard Morisset représente la *Madone de Saint-Sixte*. Dans le bras droit, une autre œuvre, également attribuée à Plamondon, montre *Saint Charles Borromée donnant la communion aux pestiférés de Milan*.

Madeleine Gobeil-Trudeau,
historienne de l'architecture

GROUPE HARCART INC. *Fabrique Saint-Elzéar de Beauce, Saint-Elzéar, comté Beauce*. Québec, ministère des Affaires culturelles, 1981. 150 p.

L'église Saint-Elzéar et la sacristie.

Maison Lacroix

Sainte-Marie-de-Beauce
552, rue Notre-Dame Nord

Fonction: privé
Classée monument historique en 1978

Façade de la
maison Lacroix
(Inventaire des
biens culturels du
Québec).

En Beauce, les maisons les plus anciennes se trouvent dans la vallée de la Chaudière, de Scott-Jonction à Saint-Georges. La municipalité de Sainte-Marie renferme un grand nombre d'entre elles, dont la maison Lacroix, située sur la rue principale face à la rivière Chaudière, à proximité de l'ancien domaine seigneurial Taschereau. Malgré ses dimensions modestes, elle attire le regard, étant la seule maison en pierre de la ville et aussi l'une de ses plus anciennes habitations.

La maison Lacroix, ainsi nommée en rappel de son premier propriétaire, le forgeron Pierre Lacroix, abrite la même famille pendant près d'un siècle. Sa construction remonte vraisemblablement à 1820-1830. Transmise de père en fils jusqu'en 1927, elle passe alors à une autre famille Lacroix. Elle serait l'œuvre de Vital Rêche, entrepreneur et maçon, bien connu à Sainte-Marie pour avoir travaillé à la réalisation de la tribune de la première église et à la construction de la seconde chapelle Sainte-Anne, située tout près de la maison.

La maison Lacroix comprend un sous-sol, un rez-de-chaussée et un grenier à deux niveaux surmonté d'un toit à deux versants avec des avant-toits retroussés. Celui-ci possède trois lucarnes en façade et deux cheminées centrales situées sur le prolongement des murs pignons. Les caractéristiques formelles de la maison reflètent l'influence néoclassique: un plan rectangulaire, une disposition symétrique des ouvertures, le retour de corniche de l'avant-toit et une porte centrale encadrée par deux pilastres et surmontée d'un entablement.

Encore aujourd'hui, la maison conserve son aspect d'origine à l'extérieur, malgré les quelques modifications apportées à la toiture; le revêtement initial en bardeaux de cèdre et les deux petites lucarnes du versant arrière donnant sur le deuxième grenier ont disparu. Les faux corbeaux comptent parmi les éléments décoratifs ajoutés lors de travaux de réfection de l'avant-toit. Enfin, la façade possédait, à l'origine, une longue galerie, disparue depuis.

Les pièces de vie se situent au rez-de-chaussée et au premier grenier. Malgré quelques changements dans leur disposition, plusieurs éléments dateraient de l'aménagement initial: cloisons en planches embouvetées, plafonds de planches à couvre-joints, portes d'assemblage à panneaux, armoires fixées ou encastrées et manteaux de foyer en bois mouluré.

Plusieurs pièces en fer forgé, probablement fabriquées par les premiers habitants de la maison, subsistent également: crochets, pentures, loquets, esses et tourniquets pour contrevents témoignent du travail consciencieux de l'artisan forgeron.

La maison Lacroix constitue un exemple très intéressant de l'architecture domestique beauceronne de la première moitié du XIXᵉ siècle.

Nicole Genêt, ethnologue

La porte d'entrée.
(Inventaire des
biens culturels du
Québec).

BAKER, Joseph. *Maison Lacroix, histoire, relevé et analyse.* Québec, ministère des Affaires culturelles, 1976. 66 p.

PROVOST, Honorius. *Sainte-Marie de la Nouvelle-Beauce. Histoire civile.* Tome II. Québec, Éd. de la Nouvelle-Beauce, 1970. 808 p.

Maison Taschereau

Sainte-Marie-de-Beauce
730, rue Notre-Dame Nord

Fonction: privé
Classée monument historique en 1978

En entrant à Sainte-Marie-de-Beauce, par l'ancien chemin Royal qui longe la rivière Chaudière, l'imposante silhouette de la maison Taschereau attire l'attention. Construite à proximité de la chapelle Sainte-Anne, tout près de l'ancien domaine seigneurial Taschereau, son allure majestueuse et son cadre champêtre confèrent à l'ensemble un caractère monumental tout en lui assurant une atmosphère d'intimité.

Cette maison doit son nom à la célèbre famille qui l'a fait construire entre 1809 et 1811 et qui continue de l'habiter depuis. La tradition orale la rattache à tort au domaine de la seigneurie Taschereau de Sainte-Marie. Elle se distingue aussi du manoir seigneurial érigé non loin de là et démoli peu après 1956. Néanmoins, son constructeur, Jean-Thomas Taschereau, régnait sur la seigneurie de Linière, située sur la rive ouest de la Chaudière dans les limites de Sainte-Marie. Ce fait explique pourquoi elle fut toujours qualifiée de manoir.

Construction en pièce sur pièce, la maison Taschereau possède à l'origine un recouvrement de planches à clins. Des transformations importantes apportées après 1944 modifient son apparence extérieure et lui donnent une allure néo-classique conforme au goût de l'époque: les murs du côté et de la façade reçoivent un recouvrement de contre-plaqué et une décoration de pilastres et de frontons aux fenêtres. Les travaux ajoutent également un portail à un étage avec galerie à balustres, colonnes ioniques stylisées et fronton orné aux armoiries de la famille Taschereau.

D'après un plan de 1826, le bâtiment initial possédait plusieurs caractéristiques de la maison monumentale anglaise typique de la tradition palladienne du XVIIIᵉ siècle: construction bien proportionnée, disposition symétrique des ouvertures, section centrale soulignée par un fronton, toit à quatre versants et deux hautes cheminées. L'emplacement répondait également à un critère d'implantation préconisé par Palladio pour une maison à la campagne.

L'intérieur de la maison subit également des réaménagements dans la décennie 1940. La maison perd alors son corridor principal formant un hall d'entrée, élément typique des grandes résidences du début du XIXᵉ siècle.

La maison Taschereau. (Société du patrimoine des Beaucerons).

La maison Taschereau en 1826. (Collection privée).

L'intérêt de cette maison réside surtout dans l'histoire de ses occupants. Les Taschereau s'illustrent dans plusieurs domaines. Ainsi Jean-Thomas (1778-1832), le constructeur de la maison, compte parmi les cofondateurs du journal *Le Canadien*, en 1806, et se fait connaître par ses positions patriotiques sous le régime de James Craig. Son fils Jean-Thomas (1814-1893) connaît pour sa part une brillante carrière d'avocat, couronnée par sa nomination à la Cour suprême du Canada en 1875. Son frère, Elzéar-Alexandre, né en 1820, est le premier cardinal canadien en 1886. Durant son enfance, le neveu et futur premier ministre du Québec de 1920 à 1936, Louis-Alexandre, séjourne l'été dans la maison de son oncle.

En érigeant cette élégante résidence en Beauce, Jean-Thomas Taschereau cherche sans doute à reproduire les villas monumentales de l'élite anglo-saxonne à Québec et dans les environs. Seule de son espèce en Beauce, cette maison sert de modèle aux résidences les plus prestigieuses de la région.

Nicole Genêt, ethnologue

Église de Saint-Isidore

Saint-Isidore
Rue Saint-Jean

Fonction: public
Classée monument historique en 1957

L'église de Saint-Isidore s'élève sur une partie de l'ancienne seigneurie de Lauzon, en Beauce. Les limites territoriales de la paroisse remontent à 1829.

Après l'érection canonique de cette dernière, les habitants demandent à mgr Joseph Signay la permission de construire un presbytère-chapelle. L'évêque acquiesce à leur demande, tout en les instruisant de ses exigences: «Un presbytère-chapelle, construit en pierre comme celui de Saint-Anselme. Il n'y aura pas moins de quatre-vingt (sic) pieds de long sur trente-six pieds de large; seize pieds de hauteur sur les lambourdes et douze pieds et demi entre les planchers et les dessous des solives. Le bas servira de chapelle et le haut sera élevé en forme de mansardes pour contenir les appartements, décharges et greniers convenables pour le logement du prêtre qui sera chargé de desservir la dite paroisse.»

Les syndics à l'œuvre

Les habitants élisent des syndics pour gérer le projet. Ceux-ci choisissent d'abord un site suffisamment vaste pour accueillir, en plus du presbytère-chapelle, le cimetière et la future église. Les terrains, donnés par les paroissiens, couvrent onze arpents carrés.

Par la suite, les syndics retiennent les services de l'entrepreneur François Audet, de Saint-Anselme, pour construire le bâtiment. Les travaux commencent en 1831, et les paroissiens fournissent aussi bien leur temps que leur argent pour aider à concrétiser le projet.

En 1832, les autorités ecclésiastiques procèdent à la bénédiction de la chapelle. Comme pour la plupart des paroisses nouvellement ouvertes, un curé de mission dessert Saint-Isidore. Deux ans plus tard, l'organisation matérielle de Saint-Isidore s'avère suffisante pour assurer la subsistance d'un prêtre, et le diocèse assigne alors un curé résidant dans la paroisse.

La population du village augmente au cours des années, en même temps que ses moyens financiers. Le presbytère-chapelle ne répond bientôt plus à ses besoins. En 1852, les citoyens adressent donc une requête à l'évêque de Québec pour obtenir l'autorisation de construire une église. Ce dernier accepte, mais pose les conditions suivantes:

«1. Il sera bâti dans la dite paroisse de Saint-Isidore, à environ soixante pieds de distance au nord de la chapelle de la dite paroisse et à trente ou quarante pieds du chemin royal, une église en pierre qui aura cent quarante pieds de longueur, cinquante-trois de largeur et trente de hauteur au-dessus des lambourdes avec des chapelles latérales de proportions convenables, le portail de la dite église devant être tourné vers le sud. Il est permis de faire un tour en pierre au portail de la dite église et dans ce cas, de donner dix pieds de plus long à la dite église.

2. Il sera bâti à la suite de la dite église, une sacristie aussi en pierre qui aura environ quarante-quatre pieds de longueur, trente-deux pieds de largeur, et dix pieds de hauteur entre les deux planchers finis, avec un vestibule de huit pieds de longueur sur toute la largeur de la dite sacristie, lequel servira de vestiaire.

3. Il sera construit à l'ouest de la dite église, un chemin couvert pour communiquer d'icelle église à la dite sacristie.

4. Toutes les dimensions ci-dessus mentionnées seront prise (sic) en dedans et à mesure anglaise.

5. L'on ne procédera à la construction des dits édifices que par une répartition légale et que lorsqu'un plan d'iceux aura reçu notre approbation.»

Façade de l'église avec ses trois portails d'ordre dorique. Les ailerons latéraux qui masquent la pente du toit produisent un type de façade-écran qui s'inspire du modèle proposé par Thomas Baillairgé pour la cathédrale de Québec.

L'église voit le jour

En 1853 a lieu la bénédiction de la pierre angulaire. Jean-Baptiste Guillot, maître maçon de Québec, signe en 1854 le contrat de maçonnerie. Très actif à cette époque, il compte de nombreuses réalisations, notamment la construction d'une nouvelle aile à l'hôpital de la Marine, une villa à Mount Pleasant sur le chemin Sainte-Foy et plusieurs résidences dans les faubourgs Saint-Roch, Saint-Jean-Baptiste et dans la ville de Québec.

Un an plus tard, la fabrique signe un marché avec Louis Patry et Jean-Baptiste Saint-Michel, maîtres menuisiers de Saint-Isidore, pour tous les ouvrages de menuiserie et de sculpture de l'église. Les entrepreneurs confient l'exécution des travaux de sculpture à Ferdinand Villeneuve, de Saint-Romuald, qui réalise entre 1855 et 1869 le tabernacle du maître-autel, les autels et les tabernacles des chapelles latérales, la chaire, le banc d'œuvre et le baptistère.

L'église de Saint-Isidore a un plan en forme de croix latine avec des chapelles latérales qui se termine par un chevet en hémicycle, auquel s'adosse une sacristie. Un chemin couvert, aujourd'hui disparu, relie l'église à la sacristie.

Construite en pierre provenant de la région, l'église a une façade comprenant trois portails d'ordre dorique, une partie centrale en saillie terminée par un fronton triangulaire, des fenêtres en plein cintre et une baie vénitienne surmontée d'un œil-de-bœuf. Le clocher, de forme carrée, se compose de deux tambours et d'une flèche.

Des ailerons latéraux placés aux angles cachent la pente du toit. Ce type de façade produit l'effet d'une façade-écran et s'inspire du modèle proposé par Thomas Baillairgé en 1843 pour la cathédrale de Québec. Même si le marché de construction de l'église de Saint-Isidore demeure muet au sujet de l'auteur des plans, certains indices portent à croire qu'il s'agit d'un élève de Baillairgé. À Saint-Jean de l'île d'Orléans, Louis-Thomas Berlinguet, un disciple de Baillairgé, exécute en 1852 une façade en tous points semblable à celle de Saint-Isidore. D'ailleurs, après 1850, plusieurs architectes répètent ce modèle, notamment à Beauceville, à Saint-Laurent de l'île d'Orléans et à Saint-Michel-de-Bellechasse.

Vue arrière de l'église et de la sacristie.

Copie conforme

L'ornementation intérieure de l'église de Saint-Isidore, comme le spécifie le marché de menuiserie et de sculpture, est exécutée «à dire d'experts et gens à ce connaissans suivant toutes les règles de l'Art, tel que les ouvrages faits et figurés dans l'intérieur de la dite Église de Saint-Anselme». Les entrepreneurs sont tenus de respecter «avec la plus scrupuleuse exactitude» les dimensions, les proportions, les ornements et les revêtements de l'église de Saint-Anselme. L'ornementation est d'ailleurs une copie conforme de l'intérieur de cette église, dont Thomas Baillairgé a dessiné les plans.

Un fronton en segment de cercle couronne le retable couvrant l'ensemble du sanctuaire. Quatre fenêtres éclairent le chœur et leurs dimensions concourent à accentuer l'élévation importante du retable. Avant la restauration de l'église par Gérard Morisset, en 1953, la partie basse du retable (les stalles) était en noyer noir huilé et verni, tout comme la chaire, le banc d'œuvre, le baptistère et les prie-Dieu. Ce mobilier est maintenant peint en blanc et doré. Le décor des murs et de la voûte en anse de panier consiste en trophées, en guirlandes de fleurs, en rinceaux, en frises, en corbeilles et en entrelacs. Il est intéressant de comparer les églises de Saint-Anselme et de Saint-Isidore et d'observer les ressemblances entre le modèle et la copie; malgré les travaux exécutés sur chacun des bâtiments au cours des années, la similitude est grande, et tous les deux ont conservé leur cachet du XIXᵉ siècle.

L'église de Saint-Isidore ne renferme aucune pièce de mobilier ou œuvre classée. Toutefois, deux tableaux du peintre Eugène Hamel décorent le chœur: au-dessus du maître-autel, *Saint Isidore* et, dans le bras gauche du transept, *Saint Joseph et l'Enfant-Jésus*, tous deux achetés par la fabrique en 1874. En 1906 et 1907, des ouvriers installent dans les fenêtres du chœur et des chapelles latérales des vitraux qui illustrent le Baptême, l'Ordre, l'Eucharistie, la Pentecôte et l'Extrême-Onction. M. Fischer, artiste chez M. Léonard de Québec, exécute ces vitraux. Plusieurs pièces d'orfèvrerie, achetées par la fabrique en 1845, portent les poinçons de l'orfèvre québécois François Sasseville (1797-1864), élève de Laurent Amiot.

Comparé au modèle initial, l'église de Saint-Isidore a subi des transformations mineures qui ont peu transformé son apparence extérieure et intérieure. Elle possède sur le plan architectural un haut niveau d'intégrité, fait plutôt rare parmi les édifices religieux qu'on change ou modifie selon les besoins et les goûts du jour.

Madeleine Gobeil-Trudeau,
historienne de l'architecture

En collaboration. *Saint-Isidore, Dorchester: 150 ans d'histoire*. Sainte-Marie-de-Beauce, Imprimerie Le Guide inc., 1979. 566 p.

GROUPE HARCART. *Fabrique Saint-Isidore, Saint-Isidore, comté Dorchester*. Québec, ministère des Affaires culturelles, 1982. 132 p.

Église et presbytère de Saint-Bernard

Saint-Bernard-de-Dorchester
1474, rue Georges

Fonction: public
Classés monuments historiques en 1960

L E presbytère et l'église de Saint-Bernard de Dorchester, construits respectivement en 1865-1866 et en 1871-1872, forment un ensemble architectural remarquable, qui crée un effet monumental dans le paysage vallonné et coloré de Dorchester.

Le développement de la paroisse de Saint-Bernard remonte au début du XIXᵉ siècle. Le 13 juin 1825, une partie des habitants de la seigneurie de Beaurivage adressent une pétition à mgr Joseph-Octave Plessis, afin qu'une nouvelle paroisse soit créée. L'évêque souscrit à leur requête et, le 10 novembre, il érige canoniquement la paroisse sous le patronage de saint Bernard, en l'honneur de mgr Bernard-Claude Panet, alors évêque coadjuteur de Québec.

Nouvelle pétition

En 1842, une seconde pétition circule. Cette fois, les paroissiens souhaitent construire une église. Non seulement estiment-ils en avoir les moyens, mais surtout ils invoquent le fait que l'église de Sainte-Marie-de-Beauce se trouve trop éloignée pour les habitants de Saint-Bernard; la situation s'avère particulièrement grave au printemps, au moment où les chemins deviennent impraticables et où les crues de la rivière Chaudière empêchent les fidèles d'assister aux offices.

Pour hâter la construction d'une église et d'un presbytère, George Pozer, seigneur de Beaurivage, acquiert un terrain dans le rang Saint-Georges; il en fait don aux syndics, mais à la condition expresse qu'ils procèdent à l'érection d'une chapelle. Le 15 septembre 1844, les autorités ecclésiastiques procèdent à la bénédiction d'une chapelle en bois. Le premier curé de la paroisse, André-Amable Marcoux, s'installe à Saint-Bernard le 1ᵉʳ octobre suivant.

Ce premier lieu de culte consiste en un presbytère-chapelle. Ce type d'édifice à deux fonctions se retrouve assez fréquemment dans les nouvelles paroisses de l'arrière-pays (Bellechasse, Dorchester, Beauce et Portneuf) durant la première moitié du XIXᵉ siècle. Solution temporaire, elle suppose que, dès qu'elle en aura les moyens, la paroisse se dotera d'une véritable église, laissant alors un vaste presbytère à la disposition du curé.

L'église de Saint-Bernard possède des traits qui la rattachent à l'«école de Thomas Baillairgé». Celle-ci prit forme à la suite du séjour de jeunes architectes à l'atelier du maître, dont Joseph-Ferdinand Peachy, vraisemblablement l'auteur des plans de l'église.

Mais, à Saint-Bernard, cette habitude ne se vérifie pas. En 1863, les paroissiens décident plutôt d'agrandir le presbytère-chapelle afin d'y loger plus de bancs. Deux ans plus tard, l'entrepreneur Prisque Chalifour se voit chargé de construire un nouveau presbytère.

De plan rectangulaire, ce bâtiment construit en pierre de carrière équarrie possède un toit à deux versants percé de cinq lucarnes sur la façade principale. D'allure traditionnelle, il se distingue surtout par un évident souci de symétrie et par une recherche d'élégance; on remarque l'accent mis sur la porte d'entrée principale, ceinturée de vasistas et d'un chambranle élaboré.

De la chapelle à l'église

Aussitôt le presbytère terminé, les paroissiens songent déjà à ériger une nouvelle église! Le 21 septembre 1871, les autorités ecclésiastiques procèdent à la bénédiction de la première pierre de l'actuelle église de Saint-Bernard. Les entrepreneurs Pierre et Charles Fortier érigent l'édifice sur un plan en croix latine avec un chœur en hémicycle. Le bâtiment mesure 40 mètres de long sur 15 mètres de large. Suivant la coutume au XIXᵉ siècle, une sacristie se profile à l'arrière, dans l'axe du chœur.

L'ordonnance de l'église de Saint-Bernard s'inscrit dans la tradition architecturale établie par Thomas Baillairgé dès 1820-1830. Les modèles de cet architecte sont cependant remis à jour par quelques-uns de ses élèves à partir de 1850. De cette «école de Thomas Baillairgé» est sortie toute une série de monuments qui, tout en conservant un certain air de famille, ouvrent la voie au changement. Ainsi, le clocher de Saint-Bernard est supporté en façade par une avancée centrale et sa forme, tout comme celle du clocheton qui coiffe le chevet, diffère des modèles antérieurs. De plus, quelques jeunes architectes formés par Thomas Baillairgé se font connaître dans le diocèse de Québec par leurs variations sur un thème classique. Plusieurs seront plus particulièrement actifs dans la Beauce. L'un de ceux-ci, Joseph-Ferdinand Peachy (1830-1903), étudie puis s'associe pour un temps à Charles Baillairgé, lui-même neveu de Thomas Baillairgé.

Un disciple innovateur

Charles Baillairgé est l'architecte de l'importante église néo-gothique de Sainte-Marie-de-Beauce. Il a aussi établi des plans et projets plus modestes pour l'église de Sainte-Marguerite. Souvent, ses plans plus simples ont été diffusés par Raphaël Giroux. Rien d'étonnant donc à ce que Peachy continue dans cette voie. Ainsi, en 1865, il livre les plans de l'église de Cap-Rouge, un édifice de même type que l'église de Saint-Bernard. Quoi qu'il en soit, si aucune référence à un architecte n'a encore été retracée en ce qui concerne le gros œuvre, le marché établi en 1875 entre la fabrique et l'entrepreneur Louis Dion stipule que le décor intérieur de l'église doit être réalisé «suivant les plans préparés à cet effet par maître Jos.-F. Peachy». Il est fort plausible que la fabrique ait fait appel au même architecte pour les plans généraux de l'église, dont la construction s'achève en 1873, et

pour les plans du décor architectural, qui viendra parachever le monument.

Ce décor architectural s'inspire, comme l'édifice lui-même, de la tradition établie par Thomas Baillairgé: un ordre d'architecture — ici l'ordre corinthien — règne à l'intérieur et qualifie le décor comme architecture; une fausse voûte en bois, en forme d'anse de panier, est rythmée par de larges doubleaux qui retombent sur l'entablement à la hauteur des supports. Mais, déjà, la touche de Peachy transparaît: au lieu des pilastres habituels, le décor de Saint-Bernard possède de véritables colonnes et les doubleaux plats cèdent la place à des boudins ronds et torsadés. L'effet d'ensemble devient alors plus lourd, le traitement en relief contrastant avec le fond des murs et les voûtains nus. Ceci est un des traits caractéristiques de l'architecture de Peachy, dont le chef-d'œuvre est sans contredit l'église Saint-Jean-Baptiste de Québec.

Restaurations successives

Le chantier du décor intérieur de l'église de Saint-Bernard s'achève en 1878. Des artisans installent le chemin de croix en 1886. Francis Dion réalise et livre les autels deux ans plus tard. En 1904, l'église fait l'objet d'une importante campagne de travaux, tant à l'extérieur qu'à l'intérieur. De cette époque datent le plancher, les bancs et plusieurs pièces de mobilier. Plus tard, en 1912, le jubé arrière est agrandi d'après les plans des architectes Ouellet et Lévesque.

L'église connaît une autre restauration intérieure en 1943. À cette époque, son décor intérieur, orné de marbrure jusque-là, devient blanc. Dans la sacristie de l'église de Saint-Bernard subsiste un autel tout à fait particulier, formé de deux prédelles et d'un tabernacle encadré par deux anges qui dévoilent une niche destinée à recevoir un ostensoir. Il s'agit d'une œuvre unique dans l'art ancien du Québec. Même si elle a déjà été attribuée au sculpteur François Baillairgé — ce qui la ferait dater des environs de 1800 — il s'agit plutôt, comme l'indiquent ses dimensions importantes et le traitement large de la sculpture, d'une œuvre du milieu du XIXᵉ siècle qui évoquerait un quelconque modèle plus ancien.

L'ensemble comprenant l'église et le presbytère a été classé monument historique en 1960. À l'époque, la Commission des monuments historiques voulait reconnaître la valeur des édifices religieux qui, à Saint-Bernard, témoignent de la survie, en milieu rural, de la tradition architecturale au-delà du milieu du XIXᵉ siècle.

Jacques Dorion, ethnologue

Anonyme. *Saint-Bernard de Dorchester. Église. Inventaire photographique*. Québec, ministère des Affaires culturelles, [s. d.]. n. p.

En collaboration. *Album souvenir à l'occasion du centenaire de notre temple paroissial Saint-Bernard de Dorchester*. Québec, [s. éd.], 1972. 79 p.

Le presbytère de Saint-Bernard, dont l'allure traditionnelle dénote néanmoins un souci d'élégance, remonte aux années 1865-1866.

CHAPITRE III

Régions: Saguenay — Lac-Saint-Jean, Côte-Nord, Bas-Saint-Laurent et Gaspésie — Îles-de-la-Madeleine

Saguenay — Lac-Saint-Jean

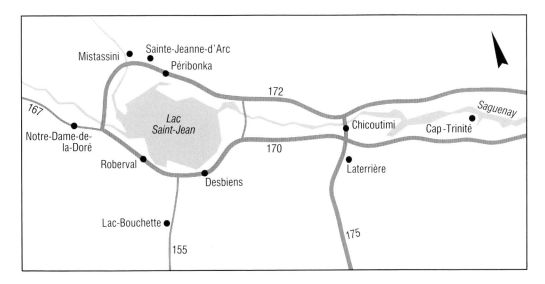

Le Saguenay est une région située aux confins des terres occupées de la province de Québec. À l'époque de la colonisation, cette partie s'étend sur la rive gauche du Saint-Laurent, entre les anciens comtés de Charlevoix et de Sept-Îles, et remonte jusqu'à la limite des terres habitables vers le Nouveau-Québec. Aujourd'hui, les derniers développements, la conquête de l'arrière-pays et l'exploitation des ressources hydro-électriques de la Baie-James font du Saguenay une région centrale, un tampon entre le Nord en voie de développement et le Sud déjà industrialisé.

Du point de vue géographique, la Sagamie d'aujourd'hui se compose de deux aires d'occupation humaine: au nord, la riche vallée agricole et forestière du Lac-Saint-Jean; au sud, la vallée à vocation industrielle du Saguenay. Sur le plan géologique, le territoire se caractérise particulièrement par son fjord, majestueux bras de mer sinueux, large d'environ deux kilomètres et s'étirant sur près de cent kilomètres. Ce véritable fleuve traverse une contrée montagneuse et sauvage recouverte d'une épaisse forêt de conifères parsemée d'innombrables bouquets de feuillus aux essences variées.

Mystérieux royaume

Le mystérieux royaume du Saguenay occupe une place privilégiée dans l'esprit des premiers explorateurs. Découverte par Jacques Cartier lors de son second voyage au Canada, cette région aussi vaste qu'un pays demeure pendant plus de trois siècles à l'extérieur du circuit normal de circulation.

Pendant tout ce temps, la rivière et les territoires adjacents conservent jalousement leurs secrets. Les interdits autochtones et métropolitains qui en bloquent l'accès contribuent de surcroît à alimenter toutes sortes de légendes.

À l'époque des premiers contacts, des bandes de chasseurs montagnais fréquentent les rives du Saguenay. Ces indigènes mènent une vie principalement nomade et se retrouvent périodiquement, selon une tradition bien établie, dans des lieux de rencontre appelés foires de fourrures.

Vers la côte nord du Saint-Laurent, entre Tadoussac et Sept-Îles, se retrouvent les Papinachois. Au centre, sur les bords de la rivière Saguenay et de ses affluents, habitent les Chicoutimiens. Le lac Saint-Jean est pour sa part le domaine des Piékouagamiens (ou Kakichas), nom signifiant porc-épic. Enfin, entre la rivière Ashuapmushuan et la baie d'Ungava, vivent les Nekoubauistes, les Mistassins et les Naskapis. Tous parlent une langue commune de la grande famille linguistique montagnaise.

L'arrivée des Européens

Le premier septembre 1535, Jacques Cartier jette l'ancre dans la rade de Tadoussac. Dans sa *Relation*, l'explorateur décrit l'entrée du fjord comme une rivière profonde, bordée de montagnes de pierre nue où croissent «grande quantité d'arbres». Pour lui, ces terres hostiles n'offrent aucun avantage à une entreprise de colonisation.

Jusqu'en 1647, les Amérindiens installés aux environs de Tadoussac y interdisent

Saguenay — Lac-Saint-Jean

tout accès; aucun homme blanc n'est en mesure de remonter la grande rivière. Au cours de cette année-là, plus précisément le 16 juillet, un missionnaire jésuite, le père Jean Dequen, au terme d'un difficile voyage de cinq jours, découvre finalement le lac Saint-Jean.

Lorsque le père Dequen y revient, quelques mois après son premier voyage, les Montagnais de l'endroit sont décimés par la maladie. N'étant pas en mesure de repousser les attaques de leurs ennemis séculaires, les Iroquois, les survivants sont contraints de fuir vers le nord. Seules les tribus établies aux alentours de la rivière Chicoutimi persistent à demeurer sur place. Les voyages successifs du père Dequen au pays du Lac-Saint-Jean revêtent un aspect non seulement missionnaire, mais aussi politique car, dès 1652, les dirigeants de la colonie concluent le traité de Tadoussac. Sur le plan géographique, le décret qui intègre pour la première fois le pays des Montagnais dans les limites de la Nouvelle-France comprend tout le territoire de l'île aux Coudres, de Sept-Îles et la région du Saguenay — Lac-Saint-Jean.

Les années 1647 à 1671 sont aussi caractérisées par les premiers contacts entre Européens et autochtones et par le passage plus ou moins régulier des missionnaires, qui vont porter les secours de la foi aux Indiens du Lac-Saint-Jean. Ce sont ces hommes d'Église qui préparent la fondation des postes de traite devant former l'axe central de l'historique route des fourrures: Chicoutimi, Métabetchouan, Mistassini, Nicabau et Ashuapmushuan, tous fondés entre 1676 et 1689, constituent l'essentiel du réseau.

Les premiers commerçants s'installent tout d'abord à Chicoutimi et à Métabetchouan, en 1676. En raison de l'importance de ces événements, le gouvernement du Québec a convenu de protéger ces deux lieux, berceaux de la pénétration blanche au Saguenay. Le premier site, celui du poste de traite de Chicoutimi, comprend les vestiges archéologiques de l'établissement français; quant au second, il conserve la vieille poudrière datant du Régime français, et il abrite aujourd'hui un centre d'interprétation consacré particulièrement à l'époque des fourrures.

La traite des fourrures

Le monopole du commerce des fourrures appartient d'abord à des fermiers et à des sous-fermiers. Cette façon de faire persiste pendant près de deux siècles et marque profondément le caractère des habitants. D'une part, les commerçants et les traiteurs engagés à la solde des compagnies s'organisent pour récupérer un maximum de fourrures. D'autre part, les Amérindiens viennent visiter périodiquement les postes de traite pour

Dans la seconde moitié du XIXe siècle, des vagues de colons venus des vieilles paroisses de Charlevoix et de la Côte-du-Sud déferlent dans la région du Saguenay — Lac-Saint-Jean. (Archives nationales du Québec à Québec, fonds Livernois).

Saguenay — Lac-Saint-Jean

La plaine d'Hébertville devient rapidement l'une des principales zones agricoles du Saguenay — Lac-Saint-Jean. (Archives nationales du Québec à Québec, fonds Livernois).

échanger les produits de leurs chasses contre de la nourriture, des couvertures, des armes et différents produits d'utilité quotidienne.

Les débuts prometteurs enregistrés dans les postes du Domaine du roi connaissent un rapide essoufflement. Les habitants abandonnent progressivement la mission de Métabetchouan à partir de 1698 et, au même moment, celle de Chicoutimi entre dans une période de déclin qui s'étendra sur un quart de siècle.

Après la Conquête et la signature du traité de Paris, en 1763, le commerce des pelleteries passe entièrement aux mains des Britanniques. Jusqu'au milieu du XIXᵉ siècle, les nouveaux maîtres continuent de pratiquer la traite des fourrures à peu près de la même façon que leurs prédécesseurs. Dans le réseau des postes de traite, Chicoutimi remplace définitivement Tadoussac et devient la pierre angulaire de l'ensemble. C'est là que les commerçants entreposent le matériel distribué à travers les postes, et c'est également par là que passent et s'arrêtent tous les voyageurs avant de monter au Lac-Saint-Jean et au grand lac Mistassini.

En 1821, la compagnie de la Baie d'Hudson fusionne avec sa grande rivale, la compagnie du Nord-Ouest, devenant ainsi la seule propriétaire du monopole des fourrures au Saguenay. Elle loue d'abord son droit d'exploitation à des fermiers qui, énergiquement, s'occupent d'en soutirer les meilleurs profits possibles. Dix ans plus tard, mettant fin à une période d'intrigues fort troublée, la compagnie récupère la totalité de ses droits et décide d'exploiter elle-même son monopole.

Au moment où la compagnie de la Baie d'Hudson s'installe définitivement dans les «Postes du Roi», elle doit faire face à la concurrence. D'une part, les traiteurs indépendants réussissent progressivement à briser le monopole détenu par la compagnie. D'autre part, la crise économique et agricole qui sévit un peu partout dans le Bas-Canada, ainsi que le vent de rébellion qui y souffle de plus en plus fort, menacent directement la vocation économique du territoire saguenéen.

Des colons empressés

Au début de 1838, une pétition qui regroupe quelque 1 800 noms est appuyée par la Chambre des députés. Tous ces colons pressent fortement le gouvernement d'ouvrir le Saguenay à la colonisation. Invoquant son bail, la compagnie de la Baie d'Hudson s'oppose farouchement au projet. Pour calmer les esprits, elle se voit toutefois contrainte d'accepter un compromis: à la suite d'une vaine et maladroite tentative de pénétrer le difficile monopole du bois, elle doit céder à William Price et à la Société des Vingt et Un le droit de venir au Saguenay. Pour W. Price, un représentant de la force industrielle solidement protégée par les intérêts métropolitains, il s'agit d'une occasion exceptionnelle de remonter l'impénétrable Saguenay et d'y entreprendre l'exploitation des riches pinières. Pour la Société des Vingt et Un, représentante des besoins de la population rurale du Bas-Canada, cette ouverture constitue la seule façon de prendre possession des terres et de s'y implanter suffisamment longtemps pour attendre le début de la colonisation.

Saguenay — Lac-Saint-Jean

La stratégie était bonne puisque, en 1842, au moment où le bail de la compagnie de la Baie d'Hudson prend fin, le gouvernement décide tout simplement de ne pas reconduire son droit d'exclusivité. Il renouvelle son bail, mais avec des réserves importantes. La compagnie conserve toutes les installations physiques et les terrains qui les abritent aux fins d'y faire la traite exclusive avec les sauvages, mais il n'est plus question désormais d'exploiter seule ce vaste territoire: il faut partager la forêt avec les entrepreneurs de bois et laisser les colons cultiver la terre.

Dès 1838, plusieurs agriculteurs de Charlevoix troquent momentanément la charrue pour la hache et partent conquérir le royaume du Saguenay. Une première goélette, chargée de voyageurs et dirigée par Alexis Tremblay (dit Picoté), entreprend de débarquer tous ces travailleurs à plusieurs endroits. En attendant la fonte définitive des glaces et l'accès libre à la rivière, certains passagers mettent pied à terre aux petites îles et à l'anse au Cheval. Le reste de l'équipage se dirige ensuite vers L'Anse-Saint-Jean puis, après avoir participé à l'installation des premières petites colonies, il se déplace vers Grande-Baie.

La Price Company

La première étape du projet de Price s'échelonne sur environ cinq ans. Quatre années seulement après leur entrée en force au Saguenay, les principaux actionnaires de la Société des Vingt et Un lui vendent toutes leurs installations et concessions du Saguenay. Propriétaire en titre des équipements et solidement implanté entre Tadoussac et Grande-Baie, l'industriel passe à la seconde étape de son plan: il entreprend d'aller s'installer à la tête des eaux navigables.

Ne pouvant acquérir lui-même les droits de coupe et les lettres patentes, Price s'associe au métis Peter McLeod (le fils). Né d'une mère montagnaise et ayant déjà travaillé pour la compagnie de la Baie d'Hudson, McLeod possède le droit légal de circuler librement dans les «Postes du Roi» et de s'y fixer. En 1842, il construit une scierie à la rivière du Moulin et, en 1844, il en érige une autre sur les rives de la rivière Chicoutimi, au lieu nommé «le Bassin». À Laterrière, le moulin du père Honorat et l'église Notre-Dame, tous deux intégrés au réseau des biens culturels classés, remémorent le souvenir de cette épopée des colons saguenéens.

L'aménagement de la scierie par l'association Price-McLeod et les débuts de la colonisation du Saguenay sont les grandes raisons qui contribuent à réduire les activités de la traite à Chicoutimi. Très rapidement, la scierie du «Bassin» prend des proportions telles qu'elle devient en moins d'une décennie la plus importante de toute la région. Le monument appelé «Bureau-magasin des Price» rappelle encore par sa présence cette intense activité commerciale.

À l'époque de la mort de Peter McLeod, en 1852, le Saguenay compte quelque 3 000 personnes, principalement établies entre Grande-Baie et les Terres-Rompues. De ce nombre, 600 habitent les environs de Chicoutimi. Le pin commence déjà à se raréfier, et cette situation contraint les entrepreneurs à s'éloigner vers l'intérieur des forêts pour trouver la matière première qui alimente les scieries. Ces premiers déplacements vers

Le village de Roberval se développe après la construction du chemin de fer. La sobriété de l'église paroissiale caractérise les régions de colonisation. (Archives nationales du Québec à Québec, fonds Livernois).

Saguenay — Lac-Saint-Jean

La scierie de la compagnie Price à Chicoutimi en 1898. Le moulin sera démantelé quelques années plus tard. (Archives nationales du Québec à Québec, fonds Price).

l'arrière-pays constituent l'origine d'un nouveau style de vie; ils favoriseront le développement de coutumes particulières et de traditions qui s'enracineront profondément dans la société saguenéenne.

À cette époque, les meilleures terres du Saguenay sont déjà passablement occupées. Pour ceux qui désirent s'établir, il faut songer à se déplacer un peu plus vers le nord, dans la région encore inexploitée du Lac-Saint-Jean. Contrairement à la première marche de peuplement, réalisée sans trop de planification par des individus isolés, des groupements organisés en société s'occupent de préparer le terrain et de répartir de façon plus rationnelle chaque actionnaire à travers le territoire.

Bien organisées et mieux structurées, ces sociétés commencent très tôt leurs activités. D'abord, en 1847, la Société des défricheurs et des cultivateurs du Saguenay obtient l'autorisation de s'implanter sur les rives de la rivière aux Sables, donnant ainsi naissance à la ville actuelle de Jonquière. Aussitôt établis, ces pionniers sont imités par la Société de Saint-Ambroise, dont les membres s'établissent aux environs du lac Kénogami. En 1849, la Société de L'Islet et de Kamouraska entreprend à son tour la colonisation de la plaine sud du Lac-Saint-Jean; extrêmement dynamique, cette société permet au mouvement de la «conquête du sol» de prendre son essor véritable.

Graduellement, la fermeture des chantiers du Bas-Saguenay provoque le déplacement des activités forestières vers le Lac-Saint-Jean. Se mettent sur pied puis se développent simultanément l'exploitation du bois et plusieurs établissements de colonisation. Comme à Chicoutimi quelques années auparavant, Price s'installe à proximité de l'organisation de la compagnie de la Baie d'Hudson, sur la rive gauche de la

Métabetchouane. Il profite de cette façon d'un réseau de communication éprouvé. À partir de cette grande rivière, il peut pénétrer dans l'arrière-pays, l'exploiter pour les besoins de son entreprise et exercer un certain contrôle sur les énormes richesses forestières qu'il renferme.

Le grand feu de 1870

À cette époque, les colonies de Notre-Dame-du-Lac, de Ouiatchouan, de Saint-Louis-de-Métabetchouan et de Couchepaganiche prennent forme pour donner naissance aux villages de Roberval, Val-Jalbert, Chambord et Saint-Jérôme. Les gens sont attirés par les chantiers et par la profusion de terres libres. En l'espace de seulement deux décennies, le secteur nord-ouest est occupé. Ce premier mouvement de colonisation prend fin abruptement avec les tragiques événements du grand feu de 1870. L'élément destructeur, qui ravage la presque totalité de la zone habitée, entre Grande-Baie et Saint-Félicien, secoue fortement la communauté. Malgré leur ténacité, les gens prennent plusieurs mois à reconstruire leurs établissements, à recommencer les semences et à reconstituer leur cheptel. Quelques-uns préfèrent quitter la région, émigrant vers des contrées plus clémentes.

Le dernier quart du XIXe siècle laisse planer de grands espoirs sur le Lac-Saint-Jean. Après le grand feu, la marche vers la colonisation reprend de plus belle; les nouveaux venus récupèrent le sol disponible le long de la rive nord du Saguenay et ferment la boucle sur le côté nord-est du Lac-Saint-Jean. Des paroisses comme Saint-Ambroise, Saint-Charles-Borromée, Honfleur-sur-Péribonka et Saint-Cœur-de-Marie voient le jour. Sur le plan agricole, la région du Lac-Saint-Jean devient presque un modèle dans tout le pays. Certains osent prétendre qu'elle

Saguenay — Lac-Saint-Jean

est vouée à devenir bientôt le grenier à blé du Canada. Enfin, la découverte récente d'un nouveau procédé pour faire du papier à l'aide de la fibre de bois ouvre un marché illimité aux immenses forêts de conifères jusque-là inexploitées.

Le moulin Audet-dit-Lapointe, dans la petite paroisse de La Doré, celui de Sainte-Jeanne-d'Arc ainsi que la maison Samuel-Bédard à Péribonka (lieu où se déroule l'action du célèbre roman de Louis Hémon, *Maria Chapdelaine*) font partie du patrimoine historique de la région. Une visite dans ces lieux permet une réflexion approfondie sur la colonisation du Lac-Saint-Jean au tournant du siècle.

À cette époque, une véritable frénésie s'empare des industriels désireux d'augmenter leur capital grâce à la demande croissante de pulpe. En 1896, l'entrepreneur J.-E.-A. Dubuc fonde la compagnie de pulpe de Chicoutimi. Il devient ainsi le premier Sague-néen à transformer localement le bois en pâte à papier. Les vestiges de cet ensemble industriel sont maintenant protégés et accessibles au public. En 1901, le commerçant jeannois Damase Jalbert construit à son tour une manufacture de pulpe à la chute de la rivière Ouiatchouan. Pendant plus de 25 ans, l'activité forestière procure une certaine prospérité et permet à la région de faire ses premiers pas dans l'ère industrielle. Cette époque prend fin brutalement avec la fermeture des usines de Val-Jalbert en 1927, celle de Chicoutimi en 1930, et aussi par l'effritement du rêve agricole.

Cependant, au même moment où déclinent les marchés forestiers et agricoles au Saguenay — Lac-Saint-Jean, la région se prépare à entrer dans une nouvelle phase de développement. Cette fois-ci, c'est son réseau hydrographique et son énorme potentiel hydro-électrique qui attirent les investisseurs étrangers.

Abandonné dans les années 1920 à la suite de problèmes dans l'industrie de la pulpe, le village de Val-Jalbert constitue aujourd'hui un des attraits de la région. (Carte postale, Archives nationales du Québec à Québec, fonds Magella-Bureau).

Le site de la pulperie de Chicoutimi vers 1910. La production de la pâte à papier prend le relais de l'industrie du sciage. (Archives nationales du Québec à Chicoutimi, fonds Dubuc).

Saguenay — Lac-Saint-Jean

Dès la fin du XIXe siècle, des pêcheurs sportifs fréquentent la rivière Mistassini. (Archives nationales du Québec à Québec, fonds Livernois).

Du bois à l'aluminium

Au cours des années 1920, Duke et Price s'associent et entreprennent le harnachement de la Grande et de la Petite Décharge, à la hauteur d'Alma. Ces barrages sont construits pour alimenter en énergie hydro-électrique les usines gourmandes de l'Aluminium Company of America (l'ALCOA, qui deviendra l'ALCAN). Ces projets grandioses propulsent tout le royaume du Saguenay dans une véritable révolution industrielle. En peu de temps, l'environnement et les habitudes traditionnelles des habitants subissent des modifications importantes.

En effet, la société créatrice, qui avait entrepris l'ère des grands barrages, allait à son tour tenter de tirer le meilleur parti possible d'une main-d'œuvre disponible et de l'énergie à bon marché. Quelques mois avant la fermeture brutale des vannes des barrages de l'Isle-Maligne, l'Alcan entreprend, dans «sa» future ville d'Arvida, la construction de son usine, qui deviendra la plus grande aluminerie au monde. Commencés en septembre 1925, les travaux attirent un grand nombre d'immigrés européens, en plus de récupérer graduellement la masse de travailleurs forestiers qui descendent des chantiers à la suite de l'effondrement du marché de la pulpe. Partant des puissants barrages de l'île Maligne sur la rivière Saguenay, et sur les grands tributaires du lac Saint-Jean, l'énergie sert à produire l'aluminium. Sans avoir subi de transformation, le métal brut est transféré aux installations portuaires de Port-Alfred pour être enfin acheminé vers les marchés américain, japonais et européen.

La prospérité apportée par les industries de la compagnie Alcan se convertira au cours des années en un étau économique puissant. De la fin des années 1930 jusqu'au début des années 1980, le Saguenay — Lac-Saint-Jean vit au rythme de l'aluminium. La petite entreprise se développe pour répondre à ses énormes besoins, les municipalités adoptent une vitesse de croisière dictée par les besoins de l'Alcan et des milliers de salariés consacrent leur vie à la compagnie dans l'espoir d'obtenir une sécurité d'emploi et un salaire convenable.

Un peu comme dans le cas de la pulpe, un demi-siècle auparavant, le rêve Alcan prend fin brutalement au début de la décennie 1980. Selon les économistes et les observateurs, «le Saguenay — Lac-Saint-Jean ne peut plus se fier sur Alcan», il doit se prendre en main. La région est rendue à la croisée des chemins; c'est sur son esprit d'entreprise qu'elle devra miser et, dans ce nouveau contexte, l'avenir permet tout de même d'espérer.

Russel Bouchard, historien

BLANCHARD, Raoul. *L'Est du Canada français*. Montréal, Librairie Beauchemin, 1935.

BOUCHARD, Russel. *Val-Jalbert: un village-usine au royaume de la pulpe*. Chicoutimi, Société historique du Saguenay, 1986.

TREMBLAY, Victor. *Histoires du Saguenay depuis les origines jusqu'à 1870*. Chicoutimi, Société historique du Saguenay, 1968.

Statue Notre-Dame-du-Saguenay
Rivière-Éternité

Fonction: public
Classée œuvre d'art en 1965

Situé à mi-chemin entre Tadoussac et Chicoutimi, dans le majestueux fjord du Saguenay, le cap Trinité s'élève à une hauteur de plus de 500 mètres. Depuis 1881, une statue colossale de la Vierge désignée sous le vocable de Notre-Dame-du-Saguenay se dresse sur la première des trois terrasses qui composent le cap.

Don d'un miraculé

À la suite d'une faveur obtenue par l'intercession de la Vierge, Charles-Napoléon Robitaille, un commis voyageur, promet de réaliser ce projet de grande envergure à proximité de l'endroit où il aurait été miraculeusement sauvé.

Avec l'accord de l'évêque de Chicoutimi, il lance, en septembre 1880, une souscription publique et obtient la collaboration enthousiaste de plusieurs journaux qui contribuent à faire connaître son ambitieux projet. Sans attendre les résultats de la souscription, C.-N. Robitaille rencontre le sculpteur Louis Jobin (1845-1928) et lui commande une statue de la Vierge haute de 8,5 mètres et large de 2 environ. L'atelier du réputé statuaire se trouve alors à Québec. Au cours des mois suivants, il réalise la plus volumineuse ronde-bosse jamais commandée à un artiste nord-américain.

D'après les souvenirs qu'il confie à Marius Barbeau, en 1925, Louis Jobin se serait inspiré d'une «image» de l'Immaculée Conception pour composer les grandes lignes de la statue. D'autres sources de l'époque permettent de croire que le statuaire taille l'œuvre dans trois énormes blocs de pin afin, paraît-il, de faciliter le transport de la statue jusqu'au Saguenay et sa montée jusqu'au cap. Pesant 455 kilogrammes chacun et mesurant 2,5 mètres de longueur sur 3 de largeur et plus de 1 mètre de hauteur, ces blocs proviennent de plusieurs vieilles pièces de pin ayant naguère servi à la construction d'un quai. Jobin les dispose verticalement et les assemble solidement au moyen d'ais et de chevilles de bois.

La statue sur son socle vers 1920. (Archives nationales du Québec à Québec, collection initiale).

Selon toute vraisemblance, Louis Jobin sculpte successivement ces trois gros blocs. Le dos de la statue, évidé puis fermé par un lambris de madriers, forme ainsi un revers à surface plane. Les pièces de pin ébauchées sont ensuite recouvertes, selon le procédé du repoussé-estampé, de minces feuilles de plomb martelées, ajustées et clouées sur le modèle en bois tandis que la tôle est appliquée au lambris du revers. Jobin peint la statue en blanc — avec une bordure de couleur et des «garnitures dorées» sur le manteau de la Vierge — et la couronne d'une auréole garnie de douze étoiles sculptées. Sur le côté droit de la base, il appose une plaque de plomb coulée portant la marque «Louis Jobin, Québec».

Vue du cap Trinité depuis le pont du vapeur Richelieu *en 1950. La statue Notre-Dame-du-Saguenay se dresse sur le premier palier. (Archives nationales du Québec, fonds Office du film du Québec).*

La statue à l'extérieur de l'atelier de Louis Jobin en 1881.

À la fin d'avril ou au début de mai 1881, des photographies d'époque attestent la présence de l'œuvre achevée, à l'extérieur de l'atelier de Louis Jobin; la taille des personnes posant près de la statue démontre bien l'échelle monumentale de l'œuvre. Cependant, en dépit de sa masse imposante, l'œuvre conserve beaucoup d'élégance, notamment dans sa pose gracieuse, ses proportions élancées et le drapé fouillé de son costume.

Sur le plan iconographique, cette Immaculée Conception est représentée dans l'attitude et le costume des apparitions de la Vierge de Lourdes. Cette représentation montre la statue les mains jointes et avec l'auréole étoilée typique de la Vierge de Lourdes. Cependant, le personnage ne porte ni le ceinturon bleu à la taille ni le chapelet suspendu au bras, deux éléments courants dans les interprétations de cette vision.

En montre pendant un mois au Pavillon des patineurs de la haute-ville de Québec, l'œuvre de Jobin suscite l'admiration des visiteurs et reçoit des critiques élogieuses de la presse. Plus tard, elle est exposée sur le terrain de l'église Saint-Jacques, la rue Saint-Denis à Montréal.

Dans les deux premières semaines d'août, l'Immaculée Conception est présentée une dernière fois à la population, devant l'église Saint-Roch de la basse-ville de Québec. À la mi-août, les journaux de la capitale soulignent le départ de la sculpture vers sa destination finale. Détachée en parties, la Vierge est chargée au port de Québec puis transportée par le vapeur *Union* jusqu'à L'Anse-Saint-Jean.

À cause de l'isolement des lieux et des moyens techniques de l'époque, l'ascension et l'installation de la statue, très volumineuse, lourde et fragile, posèrent de sérieux problèmes à l'entrepreneur François Godin et à son équipe de dix ouvriers. Il fallait en effet lui faire gravir un rocher escarpé de 200 mètres. Toutefois, en dépit des nombreuses difficultés, les diverses opérations s'échelonnent sur une semaine, sans accident majeur ni retard.

Comme le souhaitait Charles-Napoléon Robitaille, l'inauguration officielle de Notre-Dame-du-Saguenay a lieu le 15 septembre. Mgr Dominique Racine, évêque de Chicoutimi, procède alors à sa bénédiction solennelle, lors d'une cérémonie grandiose et colorée.

De 1882 à la fin du siècle, les journaux de la province et même d'ailleurs annoncent ou signalent de nombreux voyages de pèlerins canadiens-français ou de touristes américains au «sanctuaire marial» du cap Trinité. Deux de ces excursions furent spécialement organisées, l'une en 1887 pour financer la restauration du monument, l'autre en 1891 pour célébrer le dixième anniversaire de l'érection de la statue.

Soumise aux rigueurs du climat et à l'insouciance de milliers de visiteurs, la statue de Notre-Dame-du-Saguenay a subi plusieurs cures de rajeunissement au cours de ses cent ans d'existence. Les restaurations majeures de 1913, 1948 et 1977 se révélèrent des entreprises aussi périlleuses que l'avait été l'installation de la statue sur son piédestal. Ces diverses interventions ont quelque peu affecté l'intégrité de l'œuvre de Louis Jobin.

En 1954, le gouvernement québécois confie la statue à la Société historique du Saguenay «pour les fins du culte religieux» et lui donne le terrain d'environ 80 hectares qui se trouve autour. En 1981, Notre-Dame-du-Saguenay est rafraîchie pour les fêtes spéciales qui marquent le centenaire de sa création. De plus, le site du cap Trinité est désormais aménagé pour les visites touristiques.

Depuis un siècle, Notre-Dame-du-Saguenay attire des milliers de visiteurs venant de toutes les parties du monde. Aujourd'hui partie intégrante et indissociable du paysage saguenéen, elle contribue à façonner la renommée du site.

Mario Béland, historien de l'art

BÉLAND, Mario. «Notre-Dame du Saguenay: une statue colossale de Louis Jobin sur le cap Trinité», dans *Louis Jobin, statuaire: du Cap Trinité au Lac Bouchette. Saguenayensia*, 28, 2 (avril-juin 1986): 57-69.

Église Notre-Dame

Laterrière
Rue Notre-Dame

Fonction: public
Classée monument historique en 1969

De style néo-classique, l'église actuelle de Notre-Dame fut bénite en 1865. À cette époque, l'édifice ne comportait pas de clocher; celui-ci sera ajouté une dizaine d'années plus tard.

Les pères oblats arrivent à Montréal le 2 décembre 1841. Ils répondent à l'appel de mgr Ignace Bourget qui veut recruter de nouveaux missionnaires pour le Canada. En 1844, mgr Joseph Signay, évêque de Québec, les reçoit dans son diocèse. Le 4 octobre, par un document officiel, il confie au père Jean-Baptiste Honorat «le soin des fidèles de la mission de Saint-Alexis de la Grande-Baie, sur le Saguenay et ceux de tous les autres établissements qui se sont formés ou qui se formeront par la suite sur les bords de cette rivière [...]; le soin des sauvages des postes du Roi et de la Seigneurie de Mingan; [le soin] de tous les sauvages fidèles ou infidèles qui habitent la partie nord de son diocèse ou au delà des paroisses qui y sont formées [...]».

Le 18 janvier 1849, le père Honorat annonce à son évêque que les habitants du Grand-Brûlé, désignation ancienne de l'actuelle paroisse, ont construit une chapelle de 12 mètres sur 9, dans laquelle il a dit la messe de minuit. Ce bâtiment est déménagé l'année suivante sur l'emplacement de l'église actuelle et sa construction complétée par les paroissiens. La chapelle est bénite le 21 avril 1850. Dans les livres de comptes, Jean Bouchard figure comme l'entrepreneur des travaux complétés en 1852.

Quant à l'église actuelle, c'est mgr Charles-François Baillargeon, évêque de Québec, qui en ordonne la construction le 1er juin 1858. Selon ses directives, celle-ci devait avoir 30,5 mètres de longueur sur 12 de largeur. Il stipule par ailleurs que la sacristie pourra mesurer 12 mètres de longueur sur 9 de largeur.

En 1861, l'architecte J.-Félix Langlais élabore les plans. L'année précédente, ce dernier avait construit l'église de Saint-Alphonse-de-Liguori. Il propose une église de style néo-classique. Son plan au sol est constitué d'une large nef où les chapelles latérales sont dégagées par le rétrécissement du chœur terminé par une abside en hémicycle. L'élévation de la façade, fort simple, intègre certains éléments de l'architecture palladienne, notamment le fronton suggéré par les retours de corniches en façade principale ainsi que par la fenêtre vénitienne centrale. L'évêque approuve les plans le 28 décembre 1861, mais exige cependant quelques modifications mineures à la sacristie et au chœur de l'église.

Les syndics engagent le 20 octobre 1862 Ignace-Georges Gagnon, entrepreneur de Chicoutimi, pour réaliser les travaux. Celui-ci terminait alors la construction de l'église de Saint-Urbain de Charlevoix. Selon les spécifications du contrat, il s'engage à effectuer la maçonnerie, la charpenterie et la menuiserie de l'église, dont la nef mesurera 33,5 mètres de longueur sur 16,5 de largeur. Le chœur terminé en rond-point aura 9 mètres de longueur sur 11 de largeur; il sera prolongé par une sacristie de 12 mètres de longueur sur 9 mètres de largeur. Gagnon doit également exécuter une tribune en amphithéâtre, remplacer, dans la nouvelle église, le maître-autel et le banc d'honneur de la chapelle, faire de petits autels pour les chapelles latérales et exécuter les bancs de la nef et de la tribune sur le modèle de ceux de l'église Saint-François-Xavier de Chicoutimi. Le contrat prévoit en outre que l'entrepreneur devra terminer l'église le premier jour du mois de décembre 1864. L'abbé A. Boucher, curé de Saint-Alphonse de Bagotville, préside le 28 décembre 1863 la cérémonie de la pose de la première pierre. Dominique Racine, futur évêque de Chicoutimi, bénit l'église le 12 janvier 1865.

Les travaux ne sont toutefois pas complétés puisque l'église est dépourvue de clocher. D'ailleurs, le devis n'en prévoyait pas la construction. Celui-ci sera toutefois érigé par Thomas Pearson, selon les termes d'un marché signé le 26 mars 1871, qui spécifie que le clocher sera semblable «pour la forme, la hauteur et autres rapports à celui de Saint-Alexis de Grande-Baie, comté de Chicoutimi».

Les travaux de construction terminés, l'évêque encourage les paroissiens à compléter le décor intérieur de l'église. Les travaux seront réalisés selon les plans de celui de l'église de Saint-Urbain. Édouard Lépine, plâtrier de Baie-Saint-Paul, exécute la fausse voûte et ses éléments décoratifs ainsi que l'entablement qui se déploie dans la nef et le chœur. Les marguilliers décident en 1874 de terminer la décoration du chœur de l'église: «Pour achever le chœur faire trois grands tableaux, mettre la frise et les murs en trois tons de fresque, décorer les deux fenêtres et faire d'autres ornements.»

Ces travaux sont confiés à Édouard Martineau, artiste peintre de Québec. Les trois tableaux qui ornent le chœur de l'église, l'*Immaculée Conception*, la *Seconde visite de Marie à sainte Élisabeth* et l'*Éducation de la Vierge*, ont été peints la même année.

Les marguilliers acceptent en 1899 de renouveler le mobilier du culte selon une proposition du sculpteur Joseph Villeneuve: «Lecture a été donnée d'une proposition de Sieur Joseph Villeneuve, entrepreneur sculpteur pour trois autels à placer dans l'église, autels de première classe, aussi balustrade à faire et à poser le tout pour la somme de quatorze cent cinquante piastres. Il a décidé d'attendre un an vu le manque d'argent.»

Notre-Dame-de-Laterrière présente une façade simple comportant quelques éléments d'architecture palladienne.

Ce dernier exécute aussi l'année suivante le banc d'œuvre et probablement le retable à baldaquin. Ferdinand Gignac exécute la dorure de la nef et du chœur. Les marguilliers achètent en 1905 le tableau *La Pietà*, peint par Charles Gill.

L'église est restaurée et transformée en 1915-1916 par l'entrepreneur Joseph Giroux, d'après les plans de l'architecte Alfred Lamontagne de Chicoutimi. La tribune, déjà agrandie en 1898, est prolongée dans la nef par deux galeries latérales de 12 mètres de longueur sur 3 de largeur. Un orgue Casavant sera installé en 1929 sur la tribune. Un chemin couvert en bois est construit pour relier la nef à la sacristie; il sera refait en brique en 1971. Joseph Giroux exécute, d'après les plans, la chaire, aujourd'hui disparue, les fonts baptismaux, les prie-Dieu pour les stalles, les boiseries du chœur ainsi que les bancs de la nef et de la tribune. Signalons que les derniers travaux de restauration de 1956, 1972 et 1985 n'ont pas entraîné de modifications substantielles à l'église.

Gaétan Chouinard, historien de l'art

Presbytère

Laterrière
6157, rue Notre-Dame

Fonction: privé
Classé monument historique en 1969

Rénové en 1925, le presbytère de Laterrière subit de profondes modifications. Lors de ces travaux, on ajoute une annexe sur la façade postérieure, des galeries sur les façades latérales et un balcon à l'étage.

La paroisse de Laterrière, fondée en 1846 par le père Jean-Baptiste Honorat, fut desservie par les Oblats jusqu'à leur départ en 1853. En 1855, un premier curé résidant y est nommé. Il loge dans un presbytère érigé vers 1851. En 1856, ce bâtiment semble déjà vétuste. Toutefois, ce n'est qu'une dizaine d'années plus tard, après la construction de l'église actuelle, que les paroissiens décident d'en bâtir un nouveau afin de loger convenablement leur curé.

À cet effet, les fabriciens signent le 3 septembre 1867 un marché avec Édouard Galarneau, maître charpentier et menuisier de Beauport. Le devis annexé au contrat stipule que le bâtiment devra être en bois et mesurer 14 mètres de longueur sur 10 de largeur à l'intérieur. La couverture devait être en bardeaux et comporter trois lucarnes sur chacun de ses versants. On y mentionne, en façade principale et située au centre, l'existence d'une lucarne pignon; elle devait comporter une fenêtre centrale à double vantail, flanquée de chaque côté d'une fenêtre simple. Une galerie couverte devait également être érigée le long des façades principale et postérieure.

En 1869, on démolit l'ancien presbytère et l'on procède à la bénédiction du nouveau. Ce dernier subira par la suite un certain nombre de transformations, dont les plus importantes remontent à 1925. Parmi celles-ci, mentionnons l'adjonction d'une annexe contre la façade postérieure, ce qui entraîne le réaménagement partiel de celle-ci, la construction de galeries sur les façades latérales, la réalisation d'un balcon devant la lucarne fronton de la façade principale, la mise en place d'une porte à la place de la fenêtre centrale de même que le percement de deux nouvelles lucarnes du même côté de la toiture. C'est aussi vraisemblablement à cette époque que l'on remplace le bardeau de la couverture par de la tôle à la canadienne.

Sur le plan stylistique, le presbytère se rattache au courant néo-classique. Ceci est notamment visible dans le surhaussement de son rez-de-chaussée, l'organisation symétrique de son plan ainsi que celle de ses ouvertures en façade principale ou de ses souches de cheminée en toiture. Par ailleurs, ses avant-toits retroussés ainsi que ses galeries dénotent l'influence du courant pittoresque.

L'aménagement et le décor intérieurs ont subi peu de transformations depuis la fin des années 1860. On y retrouve du côté de la façade principale un salon et un bureau placés de chaque côté du hall central où est situé l'escalier menant aux combles. À l'arrière se trouvent la salle à manger et la cuisine. Quant à l'étage des combles, il est occupé par les chambres réparties de part et d'autre d'un corridor central disposé dans le sens longitudinal de la maison.

Gaétan Chouinard, historien de l'art

CHOUINARD, Gaétan. *Les monuments historiques de Laterrière*. Québec, ministère des Affaires culturelles, 1978. 17 p. (Coll. «Les Retrouvailles», n° 5).

SOCIÉTÉ HISTORIQUE DU SAGUENAY. *L'histoire du Saguenay depuis l'origine jusqu'à 1870*. Tome 1. Chicoutimi, Édition, du centenaire, 1939. 331 p.

TREMBLAY, Victor. *Les trente aînées de nos localités, brefs historiques*. Alma, Antonio Girard ltée. 1964. 261 p.

Moulin du Père-Honorat

Laterrière
741, rue du Père-Honorat

Fonction: semi-privé
Classé monument historique en 1973

En 1969, Hélène Vincent achète le moulin et en entreprend la restauration; elle le rebaptise en l'honneur du père Jean-Baptiste Honorat.

En 1844, le père Jean-Baptiste Honorat, supérieur d'une petite communauté d'Oblats, est envoyé dans la région du Saguenay par mgr Joseph Signay pour déterminer les endroits propices à la création de nouvelles paroisses et y construire des chapelles afin de desservir les colons. En plus du réconfort spirituel, le père Honorat se préoccupe également de leur bien-être matériel: il recommande notamment la nomination d'agents des terres et d'arpenteurs de façon à ce que la distribution des terres puisse se réaliser de manière équitable, ce qui à ce moment n'est pas toujours le cas. Les autorités religieuses et les entrepreneurs McLeod et Price perçoivent mal son action et réclament son départ avec insistance. Ces derniers contrôlent l'exploitation des ressources forestières de la région.

Malgré tout, le père Honorat obtient l'appui de son supérieur pour poursuivre l'œuvre entreprise. À leur demande, il vient en aide aux colons établis à Grand-Brûlé (Laterrière). À cet endroit, il entreprend notamment la construction d'un moulin à scie en bois qui est achevé en 1846. Celui-ci sera doté de moulanges en 1848 afin de pouvoir également moudre les grains. La même année, le commissaire des terres de la Couronne concède 1 200 acres de terre aux Oblats, ainsi que le lot sur lequel se trouve le moulin. Malgré le succès de son entreprise, le père Honorat s'endette auprès de William Price. Par la suite, considérant les risques financiers que représentent les activités du père Honorat, les autorités religieuses le relèvent de ses fonctions et confient la mission de Laterrière au père Flavien Durocher. Le père Honorat meurt en France quelques années plus tard.

En 1852, les terres et le moulin sont mis en vente. En 1853, Jules Gauthier, cultivateur, acquiert l'ensemble. En 1863, il reconstruit le moulin, mais en pierre cette fois, sur le même site que le précédent. Le nouveau moulin sert désormais uniquement à moudre les grains. La même année, Gauthier construit à proximité un moulin à scie.

Des photographies prises vers 1940 montrent les deux bâtiments dans l'état où ils se trouvaient alors. Le moulin à farine possède un étage au-dessus du rez-de-chaussée du côté de la rivière. Il est coiffé d'une toiture à deux versants, recouverte de bardeaux et dotée de deux avant-toits retroussés. En 1969, le moulin, qui se trouve alors en fort mauvais état, est vendu par la famille Gauthier à son propriétaire actuel qui en entreprend la restauration, complétée en 1972 grâce à l'aide du ministère des Affaires culturelles. L'intérieur a été transformé afin d'être habité. On y a également installé une bibliothèque dans les combles ainsi qu'une salle polyvalente au sous-sol, pouvant servir à la fois de salle de réceptions, de réunions ou de conférences.

Gaétan Chouinard, historien de l'art

CARRIÈRE, Gaston O.M.I. *Planteur d'églises: J.-B. Honorat*. Montréal, Éditions Rayonnement, 1962. 191 p.

CHOUINARD, Gaétan. *Les monuments historiques de Laterrière*. Québec, ministère des Affaires culturelles, 1978. 17 p. (Coll. «Les Retrouvailles», n° 5).

DUFRESNE, Michel. *Dossier Laterrière. Moulin du père Honorat: certificat de recherche*. Saguenay — Lac-Saint-Jean, ministère des Affaires culturelles, [s. d.]. n. p.

Ancien couvent des sœurs antoniennes de Marie-Reine-du-Clergé

Chicoutimi
582, rue Jacques-Cartier Est

Fonction: public
Reconnu monument historique en 1978

Inauguré en 1914, le couvent comprend alors une cuisine et deux réfectoires. Les sœurs antoniennes le quittent définitivement en 1967 au profit d'une nouvelle maison mère.

L'histoire du couvent des sœurs antoniennes de Marie-Reine-du-Clergé est intimement liée à celle du petit séminaire. En 1903, les religieuses Notre-Dame-du-Bon-Conseil, qui assuraient depuis quelques années l'entretien du petit séminaire, décident de s'adonner exclusivement à l'éducation. Le 2 juillet 1904, l'évêque de Chicoutimi leur donne l'autorisation de fonder une nouvelle communauté.

Connues sous le nom des sœurs antoniennes, les religieuses logent d'abord dans des cellules du grand séminaire et déménagent, peu après, dans un bâtiment situé à proximité. Toutefois, le 24 juin 1912, un violent incendie détruit en quelques heures une partie de la ville, et environ huit cents personnes se retrouvent sans foyer. Le feu ravage la cathédrale, le séminaire, le couvent et 104 maisons.

Les sœurs décident de construire un nouveau couvent, à proximité du futur petit séminaire. Elles esquissent des plans, soumis à l'architecte québécois René LeMay le 24 mai 1913. Sans attendre, l'évêque confie à l'entrepreneur Ferdinand Lessard le soin de diriger et de réaliser les travaux, qui s'échelonnent sur un peu plus de onze mois. L'inauguration du couvent précède de quelques semaines l'ouverture du second petit séminaire de Chicoutimi.

À l'origine, le couvent compte une cuisine et deux réfectoires, un pour les prêtres, l'autre pour les élèves. Les sœurs dorment et mangent dans de modestes locaux, qui deviendront vite insuffisants. Le couvent comprend également une chapelle, bénite le 6 mai 1915.

Mis à part l'installation, en juin 1930, d'un solarium pour le repos et la convalescence des religieuses, aucune modification majeure ne vient changer l'apparence extérieure du couvent. Au tout début, les sœurs peuvent accéder au séminaire par l'extérieur et par le sous-sol. Par la suite, afin de faciliter les communications, elles font bâtir une passerelle en bois, qui sera reconstruite en brique.

En 1938, les sœurs antoniennes de Marie-Reine-du-Clergé inaugurent leur nouvelle maison mère, sise non loin de la première. Occupant conjointement leurs locaux d'origine et ceux de la nouvelle école apostolique, elles quittent définitivement le vieux couvent le 5 octobre 1967. Le cégep de Chicoutimi s'en porte acquéreur trois ans plus tard.

Abritant tour à tour des organismes à caractère socioculturel, dont l'Académie de ballet du Saguenay, le vieux couvent est cédé en 1978 à la ville de Chicoutimi, qui procède ensuite à sa restauration.

Russel Bouchard, historien

Anonyme. *Congrégation des sœurs antoniennes de Marie Reine du Clergé, 1904-1946.* Chicoutimi, [s. éd.], 1946.

«Les Antoniennes sont dans leur nouvelle maison». *Le Progrès du Saguenay*, 9 décembre 1938.

GUISSARD, Polyeucte, a.a. *Histoire de la Congrégation des Sœurs Antoniennes de Marie Reine du Clergé, 1904-1958.* Chicoutimi, maison mère, 1959.

Bureau et magasin des Price

Chicoutimi
110-114, rue Price Ouest

Fonction: privé
Reconnus monuments historiques en 1982

L'histoire de l'actuel bâtiment est intimement liée à celle de Chicoutimi et de la compagnie Price, de même qu'à celle du développement et de l'exploitation des ressources forestières de la région du Saguenay — Lac-Saint-Jean.

Celle-ci commence en 1838 à Grande-Baie, alors que William Price jette les bases de son entreprise en y construisant un moulin à scie, par suite d'un accord qu'il passe avec la Société des Vingt et Un. Il parvient ainsi à contourner le monopole qu'exerce alors dans la région la compagnie de la Baie d'Hudson. Un peu plus tard, en 1842, il s'associe avec le métis Peter McLeod qui, par son statut, possède le privilège de circuler librement sur tout le territoire. Les deux associés érigent d'abord un moulin à scie à la rivière du Moulin puis, en 1844, ils s'installent à Chicoutimi, près de la rivière du Moulin, au lieu dit «le Bassin», où ils construisent une scierie qui deviendra plus tard la plus importante du Saguenay.

À la mort de McLeod en 1862, Price devient l'unique propriétaire de l'ensemble des installations. Après sa mort en 1867, ses héritiers forment la compagnie Price Brothers. En cinq ans, ils deviennent les plus importants propriétaires de réserves forestières de la région. À la même époque, ils construisent la section la plus ancienne du bâtiment actuel, dans un souci de centraliser et de rationaliser l'administration de leur compagnie.

Le corps du bâtiment principal aurait été érigé vers 1870 et l'annexe entre 1875 et 1879. À cette dernière date, les deux bâtiments servent de magasin et de bureau pour la compagnie. Ils verront par la suite un certain nombre de transformations, tant au niveau de leur aménagement intérieur qu'à celui de leur apparence extérieure.

Le bâtiment le plus ancien mesure 12,5 mètres de longueur sur 9,5 de largeur. Il possède un étage de soubassement surmonté d'un rez-de-chaussée surélevé coiffé d'une toiture à deux versants. Des madriers disposés à plat, de 28 centimètres sur 7,6 de section, composent ses murs. Ceux-ci reposent sur une fondation en pierre. Ils sont sur leur face externe lambrissés de planches verticales sur la hauteur de l'étage de soubassement et de planches à clins sur celle du rez-de-

chaussée. Quant à l'annexe située à l'angle sud-ouest, elle mesure 8 mètres de longueur sur 7,6 de largeur.

Une photographie prise en 1907 nous montre l'apparence de la façade principale. La porte d'entrée se situe alors à son extrémité ouest, et la galerie à laquelle on accède par un escalier localisé en face de la porte s'étend sur toute la longueur du bâtiment; ce balcon ne possède pas de balustrade. On remarque quatre fenêtres en façade, dont celle du centre, plus large et plus haute que les trois autres, ce qui permet de fournir un meilleur éclairage à l'unique pièce du rez-de-chaussée. Des bardeaux couvrent la toiture et trois lucarnes semblables la percent. Un avant-toit retroussé qui protège la galerie se retrouve sur les deux pignons.

En 1921, la lucarne centrale est agrandie et une autre s'ajoute en façade postérieure. Une fenêtre est également réalisée dans l'annexe ainsi que deux autres dans chacun des pignons. En 1924, on procède à un réaménagement des divisions intérieures. En 1925, la porte d'entrée du bâtiment

principal est déplacée au centre en même temps que l'escalier de la galerie.

L'annexe ainsi que l'aménagement intérieur connaissent aussi quelques modifications. En 1939, les deux bâtiments changent de fonction et sont réaménagés en trois logements. Ils subissent également quelques transformations à l'extérieur. Depuis ce temps, les deux bâtiments n'ont pas subi de modifications importantes, exception faite de la couverture de bardeaux qui est remplacée par de la tôle à baguettes en 1946.

Russel Bouchard, historien

ACHARD, Eugène. *Le Royaume du Saguenay*. Montréal, Librairie générale canadienne, 1942. 207 p.

CÔTÉ, Robert. *L'ancien bureau et magasin de l'établissement des «Price» au bassin*. Québec, ministère des Affaires culturelles, 1981. 72 p.

TREMBLAY, Victor. *Histoire du Saguenay*. Chicoutimi, La librairie régionale inc., 1968. 465 p.

Dans un souci de centraliser l'administration de leur compagnie, les frères Price font construire vers 1870 un bâtiment réservé à cette fin. La porte d'entrée, située aujourd'hui au centre, se trouvait à l'origine à l'extrémité ouest du bâtiment.

Poste de traite

Chicoutimi
Boulevard Saguenay

Fonction: public
Classé site historique en 1984

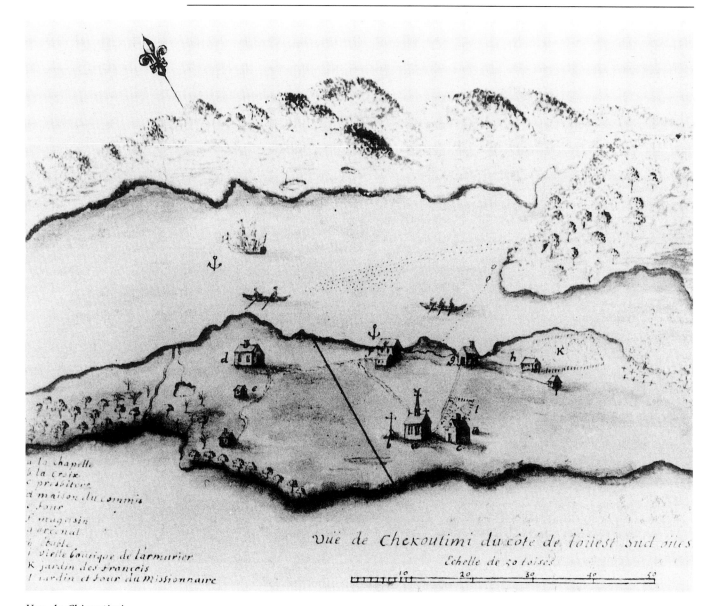

Vue de Chicoutimi vers 1748 montrant les sept bâtiments principaux du poste de traite. (Archives nationales du Québec à Québec, fonds Office du film du Québec).

Sur la rive ouest de la rivière Chicoutimi, au confluent du Saguenay, se trouvaient les premiers établissements à l'origine de la ville. Ils occupaient une zone aujourd'hui délimitée par le boulevard Saguenay et la rue Price.

Aucun bâtiment de l'époque du poste de traite de Chicoutimi ne subsiste aujourd'hui; seuls les documents historiques et les fouilles archéologiques fournissent des renseignements. Les fouilles révèlent la présence d'Amérindiens depuis au moins mille ans. Plusieurs postes de traite dans la région du Saguenay et du Lac-Saint-Jean montrent bien cette présence, antérieure à celle des Blancs. Elle suggère aussi que les commerçants connaissaient les coutumes amérindiennes et le rôle de Chicoutimi comme étape sur la route entre le fleuve Saint-Laurent et le lac Saint-Jean, situé à la limite de la partie navigable du Saguenay.

Même si la construction du poste de traite remonte à 1676, le premier édifice commercial de Chicoutimi date de 1671. Le poste de Chicoutimi appartient à la Traite de Tadoussac, établie par le gouverneur Jean de Lauson en 1652. Également nommée Ferme du roi et Poste du roi, la Traite de Tadoussac consiste en un privilège exclusif de chasse, de pêche et de commerce sur le territoire de la région du Saguenay et du Lac-Saint-Jean. Ces terres font partie du Domaine du roi et, en principe, les profits tirés de leur exploitation appartiennent à la Couronne. La concession de la Traite de Tadoussac, attribuée aux enchères à un individu ou à une compagnie, assure l'exploitation du site pour un temps déterminé.

À partir de 1802, la compagnie du Nord-Ouest détient le privilège qui passe à la compagnie de la Baie d'Hudson en 1831. Cependant, avec l'avènement de la colonisation et de l'exploitation forestière au Saguenay et au Lac-Saint-Jean, les droits de la compagnie de la Baie d'Hudson se restreignent à la chasse et à la pêche. La Traite de Tadoussac est abolie en 1859. La compagnie modifie alors son orientation, sans pour autant délaisser ses activités de traite.

Le poste de traite de Chicoutimi subit le contrecoup de ces changements. Déplacé vers l'ouest au moment de l'installation de la scierie Price, il ferme ses portes de 1856 à 1863. La compagnie reprend alors ses activités jusqu'en 1876.

Jadis, Chicoutimi constituait le principal poste de traite du réseau établi au Saguenay et au Lac-Saint-Jean. Ce réseau comprenait aussi Métabetchouan, Pointe-Bleue, Ashuapmushuan, Nicabau et le lac Mistassini. En raison de sa situation géographique privilégiée, le poste de Chicoutimi servait à l'entreposage, au triage et à l'emballage des fourrures avant leur acheminement vers les centres administratifs de la traite, ou vers l'Europe.

Les postes de la Traite de Tadoussac comptaient quelques bâtiments de bois habités par une population blanche peu nombreuse. Au début de l'été, les Amérindiens établissaient leurs campements provisoires à proximité; en principe, ils y demeuraient quelques jours, le temps des échanges et des festivités. Situés en pays montagnais, le Saguenay et le Lac-Saint-Jean attirent d'autres ethnies amérindiennes. Des Hurons, des Abénaquis et des Micmacs viennent chasser sur ces terres et fréquentent les postes de la région.

Un plan de Chicoutimi, exécuté vers 1748, montre le poste avec ses sept bâtiments principaux — à fonction résidentielle, commerciale, artisanale, agricole et religieuse —, ses dépendances, ses deux jardins et son cimetière. Quelques travailleurs habitent en permanence le poste de Chicoutimi; occasionnellement, un missionnaire y séjourne. Des employés résident toute l'année au poste, et des travailleurs saisonniers viennent leur prêter main-forte durant la saison estivale.

La population du poste se compose presque entièrement d'hommes: les commis (ou le gérant), les engagés et les artisans. Certaines sources attestent cependant la présence de femmes et d'enfants blancs. Les épouses blanches assurent, semble-t-il, les soins du ménage en échange de leur pension. Par ailleurs, plusieurs traiteurs épousent des Amérindiennes, conciliant ainsi la vie familiale et la vie au poste.

De la fondation jusqu'en 1782, les Jésuites desservent la mission de Chicoutimi. À l'occasion, les relations se tendent entre les commerçants et les missionnaires. À plusieurs reprises, ces derniers dénoncent le manque de ferveur des employés et leur mauvaise influence sur les Amérindiens; de leur côté, les commerçants se plaignent du trop grand nombre de fourrures donné à la mission par les Amérindiens. Après le départ des Jésuites, des religieux visitent occasionnellement le poste, puis les Oblats prennent la relève avec le début de la colonisation.

Pour tous ces gens, la forêt représente non seulement un lieu de commerce, mais aussi un milieu de vie. Les Amérindiens deviennent peu à peu dépendants des postes pour l'acquisition de nourriture, de vêtements et d'autres biens. Centre religieux, le poste leur offre en plus un recours en cas de maladie ou de famine. Au printemps, il remplace les anciennes foires estivales

comme lieu de rencontre et de fête. Leurs visites et séjours, de plus en plus fréquents et longs, contribuent à une certaine forme de sédentarisation. Toutefois, il faut attendre jusqu'au milieu du XIXᵉ siècle pour voir apparaître des réserves au Saguenay et au Lac-Saint-Jean.

Avec la colonisation, le nombre d'employés permanents diminue dans les postes, car la compagnie de la Baie d'Hudson peut désormais engager des journaliers parmi les colons. Même s'ils poursuivent leurs activités de traite, les postes se transforment peu à peu en magasins généraux. Au cours des décennies suivantes, l'industrie du bois devient la première ressource économique de la région, marquant ainsi la fin d'une époque.

Camille Lapointe, archéologue

CHAPDELAINE, Claude. *Un campement préhistorique au pays des Kakichas ou porcs-épics: le site de Chicoutimi (DcEs1)*. Chicoutimi, Ville de Chicoutimi/ministère des Affaires culturelles, août 1984. 154 p.

LAPOINTE, Camille. *Chicoutimi, une étape au cœur d'une forêt habitée*. Chicoutimi, Ville de Chicoutimi, 1987. 48 p.

LAPOINTE, Camille. *Le poste de traite de Chicoutimi (suite DcEs1-DcEs2), un établissement commercial sur la route des fourrures du Saguenay — Lac-Saint-Jean*. Chicoutimi, Ville de Chicoutimi/ministère des Affaires culturelles, 1985. 113 p.

Vestiges de la maison du commis. (Société d'archéologie du Saguenay, université du Québec à Chicoutimi).

Pulperie

Chicoutimi
300, rue Dubuc

Fonction: public
Classée site historique en 1984

Aménagée sur les bords de l'avant-dernière chute de la rivière Chicoutimi, la pulperie, construite à la fin du XIXe siècle, propulse cette ville parmi les capitales mondiales de l'industrie des pâtes et papier.

Localisée à deux pas du centre-ville, la pulperie de Chicoutimi occupe un demi-kilomètre carré, en bordure de la rivière du même nom. Elle comprend les bâtiments et les vestiges d'une des premières usines canadiennes de pâte mécanique fondées par des Québécois.

Avec quelques associés et un capital-actions de 50 000 dollars, J.-D. Guay met sur pied, le 6 décembre 1896, la compagnie de pulpe de Chicoutimi. D'abord créé pour répondre aux besoins du marché anglais, l'établissement contribue à faire de Chicoutimi l'une des capitales mondiales de la pulpe.

Site idéal

Localisé près de l'avant-dernière chute de la rivière Chicoutimi, le site convient très bien aux impératifs de l'industrie. À cet endroit, la rivière développe un potentiel de 10 000 chevaux-vapeur, ce qui permet de produire 100 tonnes de pâte par jour. En outre, le lac Kénogami, situé à une vingtaine de kilomètres en amont, peut non seulement alimenter et régulariser le débit d'eau de la rivière, mais aussi servir au flottage du bois pour les concessions forestières localisées dans le secteur des rivières Cyriac et du Moulin. Enfin, comme la rivière Saguenay se trouve à moins d'un demi-kilomètre en aval du complexe, l'expédition de la pâte vers l'Angleterre se faisait avec beaucoup de facilité.

Une fois assurée de la participation financière de la Banque canadienne nationale, la compagnie de pulpe de Chicoutimi amorce la construction de son premier moulin à l'hiver de 1897. Réalisé d'après les plans et devis de l'ingénieur allemand Alex Wendler et de l'architecte C.-E. Eaton, de Québec, l'édifice de 125 000 $ s'élève en moins d'un an.

Construite en bois lambrissé de briques, l'usine repose sur des fondations de pierre et mesure 46 mètres de longueur sur 12 de largeur. Divisée en cinq sections, elle comprend quatre turbines, six défibreurs, quinze tamis, six «métiers» et une presse hydraulique et d'emballage. Avec le barrage, l'écluse et la conduite d'amenée, sa force motrice atteint 3 600 chevaux-vapeur et le moulin peut produire jusqu'à 35 tonnes de pâte par jour. Dès le printemps de 1898, l'usine crée 75 nouveaux emplois dans la ville et suscite l'embauche de 450 hommes pour les chantiers d'hiver.

Des progrès constants

L'usine à peine ouverte, la direction annonce un projet d'agrandissement. Le renouvellement de son contrat avec son client anglais et une commande en provenance de la maison Weirtheim, de New York, expliquent ce projet de développement. Complétées à l'automne 1899 avec l'ajout d'une turbine, de trois défibreurs et de quatre métiers, ces modifications permettent de porter la production du moulin à 45 tonnes par jour, soit 11 820 tonnes par année, total deux fois supérieur à celui des douze premiers mois d'exploitation.

Un nouveau projet d'agrandissement voit le jour en juillet 1899, au moment où la compagnie signe un important contrat avec la Edward Lloyd Paper Mill de Londres. Les directeurs conviennent d'élever un second moulin à quelque 21 mètres du premier. À cette occasion, la compagnie augmente son capital-actions à un million de dollars et bénéficie d'un crédit bancaire d'un demi-million du Royal Trust. La municipalité met aussi l'épaule à la roue en offrant une exemption de taxes municipales d'une durée de vingt ans sur l'ensemble des propriétés.

Comme dans le cas du moulin précédent, les contracteurs entreprennent, sous la direction des ingénieurs Wallace C. Johnson et Johan Winsness et de l'architecte René-P. Lemay, de Québec, d'ériger un barrage et une écluse sur la rivière, de poser une conduite forcée, de bâtir l'usine et l'écorceur, d'installer la machinerie et de construire un chemin de fer électrique pour le transport de la pâte jusqu'à l'embouchure de la rivière Chicoutimi.

Inauguré en novembre 1903 et considéré par les chroniqueurs de l'époque comme le plus grand jamais construit en Amérique, le moulin nécessite des déboursés de 1,5 million de dollars. De forme rectangulaire et doté d'une toiture métallique à deux versants, le bâtiment s'étend sur plus de 2 821 mètres carrés. Reliée par une conduite forcée de 213 mètres de long à une prise d'eau en pierre et à un barrage à caissons conçu pour alimenter la conduite et servir de réservoir à billots pour la scierie érigée à l'extrémité du site, la nouvelle usine emploie 225 travailleurs et peut désormais produire un peu plus de 30 000 tonnes annuellement.

En 1905, la construction du nouveau barrage du lac Kénogami permet à l'entreprise de maintenir sa production jusqu'en 1909. À compter de cette date, la compagnie connaît une nouvelle phase d'expansion. Une série de grèves dans les usines scandinaves, les négociations de libre-échange entre le Canada et les États-Unis à propos de l'industrie des pâtes et papier et la Première Guerre mondiale augmentent sa présence en Angleterre et favorisent une importante percée du côté des marchés français et américain.

Pour faire face à cet éclatement de la demande, révélateur de la bonne réputation de son produit, la compagnie de pulpe de Chicoutimi achète, en 1909, le moulin de la Ouiatchouan Falls Paper Company, à Val-Jalbert au Lac-Saint-Jean. Elle se lance aussi dans un programme d'agrandissement et de modernisation de son premier moulin. Le pouvoir moteur est d'abord augmenté de 1 500 chevaux-vapeur; plusieurs sections du bâtiment, principalement du côté sud, sont agrandies et haussées d'un étage. En outre, des ouvriers creusent le sous-sol afin d'y loger les arbres de transmission des machines; la section des défibreurs comprend

désormais douze unités, qui donnent un rendement moyen de 70 tonnes par jour.

Première au Canada

Effectuées entre le 1ᵉʳ et le 20 avril, avant la période des fortes activités, ces améliorations coûtent environ 125 000 $. Dotée ainsi d'une production annuelle d'un peu plus de 38 000 tonnes, la compagnie de pulpe de Chicoutimi se range, en 1910, au premier rang des fabricants de pâte mécanique au Canada.

Toutefois, ces divers travaux et l'ajout du moulin de Val-Jalbert s'avèrent insuffisants pour répondre à l'essor du marché. Aussi, en 1911, la direction décide de construire un troisième moulin, perpendiculaire au premier. Les ingénieurs Wallace C. Johnson et Édouard Lavoie s'occupent des installations hydrauliques, tandis que l'architecte René-P. Lemay et le surintendant de Chicoutimi, J.-A. Tremblay, dressent les plans de la nouvelle usine. Reprenant le gabarit architectural du second moulin, ses dimensions atteignent 60 mètres sur 15. Inaugurée en 1912, l'usine possède désormais une capacité de production quotidienne de 125 tonnes, ce qui nécessite un

Rendu opérationnel en 1903, ce second moulin est considéré à l'époque comme le plus grand en Amérique. Il permettra à l'usine d'augmenter sa production annuelle à plus de 30 000 tonnes.

Manufacture de Pulpe, Chicoutimi

Bilaudeau et Campbell, Québec

réaménagement de la partie mécanique du premier moulin et une refonte complète de sa façade.

Dès 1913, la compagnie atteint une production annuelle de 47 950 tonnes. La centrale du Pont-Arnaud, située à 5 kilomètres en amont des usines, et sa sous-station, sur le site de la pulperie, voient le jour au cours de cette période d'expansion afin de satisfaire aux besoins énergétiques de l'entreprise et de la ville de Chicoutimi.

Alliance américaine

En 1915, un an avant la construction du moulin de la Ha! Ha! Bay Sulphite à Port-Alfred, à une quinzaine de kilomètres à l'est de Chicoutimi, la compagnie s'associe à l'un des plus grands consortiums de pâtes et papier en Amérique, la North American Pulp and Paper Company. Présidée par J.-E.-A. Dubuc, directeur-gérant de la pulperie de Chicoutimi, son actif atteint presque les 30 millions de dollars. En plus d'assurer à l'entreprise des facilités de financement et des ramifications jusqu'à Chandler et même aux États-Unis, la North American permet à

la compagnie de pulpe de s'intéresser à la fabrication de la pâte chimique et de dépasser le cap des 80 000 tonnes pour la pâte mécanique produite dans ses moulins de Chicoutimi et de Val-Jalbert. Plusieurs employés de Chicoutimi participent d'ailleurs à la construction de ces nouveaux moulins. Un film promotionnel, réalisé à ce moment, permet de mousser la vente des actions et des obligations de la North American dans les milieux financiers de New York, Boston, Cleveland, Pittsburgh et Philadelphie.

Cependant, en 1919, l'emprise du capital américain sur la pulperie de Chicoutimi et sur ses sociétés filiales prend fin avec la formation de la compagnie de pulpe et de pouvoir d'eau du Saguenay. Formée d'un conseil d'administration largement canadien-français, sous la présidence du sénateur et banquier montréalais F.-L. Béique, la compagnie lance sur le marché une émission d'obligations de plus de cinq millions de dollars. Accueillies favorablement par les investisseurs, elles servent à acquitter certaines créances contractées envers la North American Pulp and Paper, à créer un fonds de

Transportés par voie ferrée jusqu'au port de Chicoutimi, les ballots de pulpe sont ensuite acheminés vers les moulins à papier. (Carte postale, Archives nationales du Québec à Québec, fonds Magella-Bureau).

roulement et à entreprendre de nouvelles constructions sur le site de la pulperie.

Ainsi, à la faveur de ce changement d'administration et de la cote sans cesse à la hausse du prix de la pâte — celle-ci atteint les 32,50 $ la tonne en 1919, comparativement à 17,50 $ en 1915 —, la compagnie peut entreprendre la construction d'une quatrième et dernière usine, devant le second moulin. Réalisée selon les plans et devis des ingénieurs Lorenzo Delisle et Burroughs Pelletier, cette annexe, d'un peu plus de 900 mètres carrés, s'élève à même le roc et comporte deux étages. Fonctionnant essentiellement à l'électricité, cette nouvelle usine contient dix défibreurs et produit à elle seule 80 tonnes de pâte par jour.

À la même époque, un vaste atelier de réparation mécanique et une fonderie voient le jour à proximité du bureau administratif et de la sous-station électrique. Élaboré à partir des plans et devis de l'ingénieur Édouard Lavoie et s'inspirant du même modèle architectural que les autres bâtiments du site, cet édifice en pierre mesure 97 mètres de longueur sur 27 de largeur et comprend trois étages. Doté de trois puits de réparation pour les trains de la compagnie Roberval-Saguenay et de tout l'outillage nécessaire à la fabrication de pièces de machinerie, l'atelier coûte près de 250 000 $ et entre en fonction dès 1921.

Tous ces projets d'agrandissement et de modernisation accroissent le volume de la production de manière significative. Comptant près de 1 000 employés dans les usines et presque autant dans les chantiers chaque hiver, accumulant des profits de l'ordre de 2 millions de dollars et ayant une production de 110 000 tonnes, la compagnie de pulpe de Chicoutimi se classe, en 1920, parmi les plus grands fabricants de pâte mécanique au monde.

À la même époque, l'entreprise atteint son apogée. Le site de la pulperie comprend alors une vingtaine d'éléments d'infrastructure. Utilisées et exploitées six jours par semaine, ces installations se situent au cœur de l'activité productive.

La compagnie de pulpe influence également le développement de Chicoutimi. Par ses besoins de main-d'œuvre et sa masse salariale, établie au début de 1920 à 30 000 $ par semaine, l'entreprise transforme le paysage de la ville. Entre 1900 et 1925, la population de Chicoutimi passe de 2 000 à près de 10 000 habitants, et son espace urbanisé double.

Déclin inexpliqué

Reconnue aux yeux des papetiers européens pour être la ville de la pâte mécanique, Chicoutimi assiste après 1920 au déclin des activités de sa pulperie. Quoique cette question reste encore peu documentée,

Les vestiges d'une industrie autrefois florissante.

deux grandes raisons peuvent expliquer le phénomène: d'abord, la surproduction et la baisse des prix qui touchent l'industrie de la pâte à compter de 1921; ensuite, la faillite de son principal client, la Becker and Company.

Pendant deux ans, alors que la production se maintient et que la plus riche partie du domaine boisé de la compagnie de pulpe passe entre les mains de la Price Brothers Company, le comité des obligataires tente de convertir la pulperie en moulin à papier. En 1927, neuf mois avant de céder pour 10 millions de dollars l'ensemble des actifs à la Price Brothers et à Port-Alfred Pulp and Paper, le comité décide de fermer l'usine de Val-Jalbert ainsi que deux des quatre moulins de Chicoutimi. En 1930, les conditions du marché amènent la Quebec Pulp and Paper Corporation, nouvelle société filiale de la Price Brothers, à interrompre ses activités de Chicoutimi.

En dépit de plusieurs projets en vue d'acquérir ou de louer les installations industrielles, la Quebec Pulp and Paper se refuse obstinément jusqu'en 1941 à conclure un arrangement visant la réouverture de la pulperie. Convaincue que la fabrication de la pâte à papier constitue «un reliquat désuet des tâtonnements qui ont marqué le développement de l'industrie du papier», elle liquide le matériel d'équipement et laisse le site à l'abandon. En 1935 et 1940, des incendies ravagent le premier moulin.

En 1942, afin de répondre aux pressions et aux attentes de la population, le gouvernement du Québec, par la voie de la Commission des eaux courantes, intente une action contre la Quebec Pulp and Paper pour des droits hydrauliques de près de 2 millions de dollars, non payés à la suite de l'utilisation des eaux du barrage du lac Kénogami. Cette procédure, la première du genre intentée au Québec, occasionne la faillite de la Quebec Pulp and Paper.

En 1954, le gouvernement vend la propriété à la Eastern Mining and Smelting Corporation, qui désire y établir une centrale hydro-électrique et une usine d'affinage des métaux. Commencé en 1956-1957, le projet s'arrête brusquement en 1959, à la suite d'une chute des prix du cuivre sur le marché international. Des structures inachevées, une centrale hydro-électrique avec sa conduite forcée et sa cheminée d'équilibre rappellent encore aujourd'hui cette tentative de réutilisation industrielle.

En 1966, la compagnie Union Carbide achète les installations hydro-électriques de la Eastern Mining and Smelting pour exploiter son usine de silicium, située à quelques kilomètres au sud-ouest de la pulperie. Confrontée en 1978 à des problèmes de sécurité et de gardiennage, elle songe à faire démolir les anciens bâtiments de la compagnie de pulpe de Chicoutimi. Après des discussions avec les autorités municipales, elle abandonne son projet, et des procédures sont aussitôt engagées afin de conserver et de mettre en valeur les installations existantes.

Gaston Gagnon, historien

L'atelier de réparation mécanique et la fonderie, inaugurés en 1921.

GAGNON, Gaston. *La pulperie de Chicoutimi, histoire et aménagement d'un site industriel*. Chicoutimi, Ville de Chicoutimi, 1988. 223 p.

SAVARD, Mario. *Relevé archéologique et synthèse de l'évolution technologique et fonctionnelle de la Pulperie de Chicoutimi*. [s. l.], [s. éd.], 1987. 153 p.

Vieille poudrière

Desbiens

Fonction: public
Classée monument historique en 1967

La vieille poudrière se trouve à l'embouchure de la rivière Métabetchouane, dans le parc industriel de Desbiens, sur le site de l'ancien poste de traite de Métabetchouan. Vers le milieu du XVIIᵉ siècle, une mission chargée d'évangéliser les tribus d'Amérindiens occupait également le site.

En 1676, Charles Bazire, un marchand de Québec, se voit confier la tâche d'implanter des postes de traite dans le Domaine du roi, situé sur les terres dépendant du poste de Tadoussac. La même année, Pierre Bécart de Granville reçoit la mission d'établir le poste de Métabetchouan. Avec celui de Chicoutimi, il amorce le début d'une chaîne implantée sur le territoire compris entre Tadoussac et le grand lac Mistassini. Ces deux pôles marquent alors les extrémités d'un important axe de commerce des fourrures.

Les responsables construisent d'abord une chapelle à Métabetchouan, sur la rive nord-ouest de la rivière, puis élèvent une maison et une croix sur l'autre rive. Comme le poste prend rapidement de l'importance,

Autrefois entourée d'un magasin, d'un poste de traite et de quelques bâtiments de ferme, la poudrière se situe dans un secteur au riche passé. Un centre d'interprétation, inauguré en 1983, veille aujourd'hui à sa mise en valeur.

de nouveaux bâtiments apparaissent, dont un moulin à farine et un autre à scier le bois. Malgré ces débuts prometteurs, le poste périclite rapidement au profit de celui de Chicoutimi, beaucoup mieux situé. En 1697, les Jésuites abandonnent les lieux. Après la Conquête, sous l'impulsion de la compagnie du Nord-ouest puis de la compagnie de la Baie d'Hudson, la région connaît un nouvel essor et l'activité commerciale renaît. Vers 1778, le poste de Métabetchouan n'occupe plus que la rive est de la rivière. Il comprend alors une maison en pièce sur pièce, un magasin, quelques bâtiments de ferme ainsi qu'une poudrière, vraisemblablement celle qui existe toujours et dont la construction se situerait entre la Conquête et 1778.

Au cours de l'été 1880, le poste de Métabetchouan est abandonné définitivement et tous les bâtiments, à l'exception de la poudrière, sont déménagés à Pointe-Bleue. Afin de souligner l'importance historique du lieu, l'archevêché de Québec projette alors d'y faire construire un monument commémoratif qui sera une réalité en 1947. Jusque-là, seules la poudrière et une croix, dressée sur la fosse commune, à proximité du vieux cimetière amérindien, permettaient d'identifier le site. Depuis, plusieurs campagnes de fouilles archéologiques ponctuelles ont été entreprises sur le terrain. Depuis 1983, la municipalité de Desbiens y entretient un centre d'interprétation.

Restaurée il y a quelques années, la poudrière, construite en pierre, mesure 3 mètres de longueur sur 2 de largeur. Ses murs, conçus pour résister à une explosion, ont une hauteur d'environ 2 mètres et leur épaisseur est de 1 mètre. Coiffée d'une toiture en pavillon et couverte de bardeaux, cette construction est surmontée d'un mât.

Russel Bouchard, historien

Bouchard, Russel. *Métabetchouan: du poste de traite à la ville*. Société historique du Saguenay, 1987. [s. l.], (Coll. «Histoire des municipalités», n° 3).

Guitard, Michelle. *Du monde des biens et des fourrures au poste de Métabetchouan*. [s. l.], Municipalité de Desbiens/ministère des Affaires culturelles, rapport de recherche, 1985.

Tremblay, Victor. *Le poste de Métabetchouan*. Chicoutimi, Éditions Sciences modernes, 1974.

Chapelle Saint-Antoine-de-Padoue

250, route de l'Ermitage
Lac-Bouchette

Fonction: public
Classée monument historique en 1977

Peu de Québécois connaissent le lac Bouchette. On y retrouve pourtant, dans l'arrière-pays sauvage de la Mauricie, le calme reposant d'un sanctuaire dédié à saint Antoine. Ce centre de pèlerinage se compose d'un monastère des pères capucins, d'une église audacieusement moderne — il s'agit d'une œuvre de l'architecte O.H. Tremblay, réalisée entre 1948 et 1950 — et d'une grotte qui évoque le sanctuaire Notre-Dame-de-Lourdes en France.

Un peu à l'écart, plus près du lac, se dresse la chapelle Saint-Antoine. Ce monument classé évoque à lui seul l'histoire assez singulière de cet établissement.

Ouverture à la colonisation

Le nom du lac Bouchette rappelle le souvenir du premier explorateur de la région, l'ingénieur et arpenteur-géomètre Joseph Bouchette. Vers 1820, les autorités gouvernementales confient à ce géomètre déjà bien expérimenté la tâche d'explorer en détail la région du Lac-Saint-Jean. À partir de Trois-Rivières, Bouchette rejoint La Tuque en canot d'écorce, en empruntant le Saint-Maurice pour ensuite suivre différents cours d'eau sur une distance de plus de 1 200 kilomètres.

Cette première exploration du territoire favorise le développement du commerce du bois. Il faut cependant attendre l'ère de la colonisation pour voir apparaître des établissements permanents. Les premiers colons arrivent au lac Bouchette en 1879 et, six ans plus tard, la paroisse Saint-Thomas-d'Aquin voit le jour. Vers la même époque, l'abbé Elzéar Delamarre fonde sur la rive nord du lac l'«Ermitage Saint-Antoine», qui donnera ensuite naissance au lieu de pèlerinage.

Né à Montmorency, près de Québec, en 1854, Elzéar Delamarre étudie au séminaire de Québec et exerce, entre 1883 et 1889, un ministère paroissial à La Malbaie et aux Éboulements, dans le comté de Charlevoix, pendant deux ans. Il étudie ensuite à Rome. De retour au pays, Delamarre est nommé supérieur du nouveau séminaire de Chicoutimi. En marge de ses fonctions, il se dévoue à la communauté qui s'établit et s'enracine au Lac-Saint-Jean.

L'intérieur de la chapelle abrite un véritable trésor de l'histoire de l'art religieux, constitué d'un ensemble de 23 tableaux peints entre 1908 et 1920 par l'artiste Charles Huot.

Ce lieu de pèlerinage dédié à saint Antoine se trouve sur la rive nord du lac Bouchette. L'auteur de cette construction reste inconnu, mais la qualité de son ornementation et de sa composition suggère l'intervention d'un architecte.

En 1907, à l'âge de 53 ans, l'abbé Delamarre se retire dans un chalet situé sur la rive nord du lac Bouchette et utilisé par les prêtres-enseignants du séminaire de Chicoutimi; à côté de ce premier «Ermitage Saint-Antoine» apparaît une chapelle, deux ans plus tard. De style néo-gothique, l'édifice mesure 4,9 mètres sur 3,7. Aucun document ne fournit le nom de l'auteur des plans; toutefois, certains indices laissent croire à une œuvre de François-Xavier Berlinguet, l'architecte de l'église de Saint-Prime.

L'empreinte d'un grand artiste

Ce modeste édicule recèle un des chefs-d'œuvre de l'art religieux du Québec, soit un ensemble de 23 tableaux peints par Charles Huot (1855-1930) sur la vie et les miracles de saint Antoine de Padoue. Ces toiles marouflées sur les parois forment un ensemble unique et confèrent à la minuscule chapelle une valeur de trésor.

Huot travaille au lac Bouchette de façon intermittente entre 1908 et 1920, soit à la même époque où il réalise le grand tableau et la fresque du plafond de l'actuelle salle de séances de l'Assemblée nationale du Québec. Formé en France, Charles Huot se distingue d'abord par le décor peint au plafond de l'église Saint-Sauveur à Québec. Il se lie d'amitié avec l'abbé Delamarre, qui lui procure d'importantes commandes au Saguenay — Lac-Saint-Jean et auprès duquel il aime passer ses vacances.

L'historien de l'art Jean-René Ostiguy, spécialiste des œuvres de la chapelle Saint-Antoine, affirme qu'il s'agit «d'un ensemble de tableaux exceptionnels sur un sujet qui touche à la légende et au merveilleux» et que «l'artiste y révèle sa foi naïve et sa disponibilité simple et souriante». Le classement de ces tableaux par le ministère des Affaires culturelles en 1977 consacre la qualité exceptionnelle de l'ensemble, l'une des dernières grandes compositions à sujet religieux au Québec.

Depuis la rencontre de Charles Huot et d'Elzéar Delamarre, le lac Bouchette est devenu un lieu de pèlerinage très fréquenté. Il s'agit aussi d'une excursion très intéressante pour les amateurs d'art car, en plus de la chapelle ancienne, les bâtiments plus récents retiennent l'attention. Un calvaire monumental sorti de l'atelier de Louis Jobin s'y trouve également de même qu'un chemin de croix sculpté en pierre par les artistes Delwaide et Coffin, de Chicoutimi, camouflé dans la montagne.

Jacques Dorion, ethnologue

«Coin de beauté mariale dans un site enchanteur». *La Presse*, 24 septembre 1941: 11.

OSTIGUY, Jean-René. «Charles Huot raconte les miracles de saint Antoine de Padoue». *Vie des Arts*, XXIII, 87 (été 1977): 16-17.

Maison Donaldson

Roberval
462-464, boulevard Saint-Joseph

Fonction: public
Reconnue monument historique en 1982

Parti de Baie-Saint-Paul pour se lancer à la conquête de la région du Saguenay — Lac-Saint-Jean, comme bon nombre d'habitants de Charlevoix, Elzéar Donaldson décide de s'établir à Roberval. Le 28 novembre 1872, il acquiert au cœur du village un emplacement d'environ 20 mètres de front en bordure du lac Saint-Jean. Il se construit une maison, en pièce sur pièce, de 9,7 mètres de côté. Il ouvre alors une boutique de cordonnier et, quelques années plus tard, un comptoir de marchand général. Le magasin et la cordonnerie occupent la partie nord de la maison, l'autre section sert de résidence. Quelques années plus tard, une église sera érigée sur le lot voisin.

L'essor économique de la région entraîne le développement du village et le commerce de Donaldson connaît une expansion rapide. Cette progression l'amène, en 1876, à agrandir sa maison dont la longueur est alors portée à 14 mètres. Durant les années subséquentes, Roberval bénéficie d'un nouvel essor, lié à l'arrivée du chemin de fer et à l'ouverture de plusieurs moulins à carder, à scier ou à moudre.

Le commerce d'Elzéar Donaldson continue de prospérer et son propriétaire acquiert le statut de notable. Conseiller municipal de 1881 à 1887, il meurt en 1913. Son fils et héritier, Joseph, continue d'exploiter le magasin général, mais il abandonne toutefois la cordonnerie et loue la partie de la maison autrefois occupée par la boutique.

Durant les années 1920, l'activité économique de Roberval diminue de façon importante, ce qui entraîne le départ d'une partie de la population. Les affaires de Joseph Donaldson périclitent et l'obligent à déclarer faillite en 1924. Sa femme rachète la maison, mais, à peine deux ans plus tard, une inondation l'endommage gravement. En 1934, les propriétaires ajoutent un restaurant et des pompes à essence au magasin général. Cependant, les affaires ne cessent de se dégrader et, en 1941, Donaldson ferme définitivement son commerce.

Considérée comme l'un des plus anciens bâtiments de Roberval, la maison Donaldson abrite successivement une cordonnerie, un magasin général, un restaurant et un garage. À la fin des années 1940, le déclin du commerce à Roberval ramène la maison à sa vocation de résidence privée.

Vers la fin de cette décennie, il effectue plusieurs transformations qui redonnent à la maison sa fonction résidentielle d'origine. Un salon-boudoir remplace l'espace occupé autrefois par le magasin général et certaines pièces de la maison subissent des remaniements. À l'arrière, la charpente est modifiée afin d'améliorer l'habitabilité des combles.

Malgré ces modifications, la maison Donaldson conserve certains éléments caractéristiques de l'architecture de cette époque. Plusieurs de ses composantes néo-classiques, réinterprétées dans le style néo-colonial, tels que les planches à clins des murs extérieurs, les retours de corniches en pignon, les faux pilastres corniers ou les avant-toits retroussés, illustrent ce courant en vogue au début du XXᵉ siècle. Elle constitue en outre un des plus anciens témoignages du patrimoine architectural de Roberval.

Jacques Dorion, ethnologue

ETHNOTECH. *Évaluation patrimoniale de la maison Donaldson*. Québec, ministère des Affaires culturelles, 1982. 81 p.

VIEN, Russel. *Histoire de Roberval. Cœur du Lac-Saint-Jean*. [s. l.], Société historique du Saguenay, 1955. 351 p.

Moulin Audet-dit-Lapointe

La Doré
3951, rue des Peupliers

Fonction: public
Classé monument historique en 1982

Aujourd'hui aménagé pour recevoir des visiteurs, le moulin Audet-dit-Lapointe fut d'abord une scierie qui desservait le village de La Doré.

À moins d'un kilomètre de l'entrée du village de La Doré, un moulin se dresse sur l'un des rapides de la rivière aux Saumons. Son ouverture coïncide avec l'établissement des premières familles de colons. Afin de soutenir l'amorce du mouvement de colonisation, Bellarmin Audet dit Lapointe entreprend en 1890 la construction de ce moulin. Deux ans plus tard, il vend son installation à Alfred Angers, qui la conserve jusqu'en 1904.

D'abord équipé de châsses, le moulin de la rivière aux Saumons reçoit rapidement une scie circulaire, puis une première dégauchisseuse et une machine à fabriquer le bardeau. D'abord mus par une seule turbine, les mécanismes seront bientôt actionnés par deux turbines supplémentaires, de dimensions et de puissance variables. La plus grande sert au fonctionnement de la grande scie. En 1917, le propriétaire du moulin installe une génératrice qui permet l'électrification du village de La Doré. Jusqu'en 1930, les turbines du moulin de la rivière aux Saumons fournissent l'énergie électrique à la plupart des maisons des alentours. Entre 1908 et 1955, les agriculteurs se rendent au petit moulin pour faire moulanger le grain destiné à leurs animaux.

Après Bellarmin Audet dit Lapointe et Alfred Angers, deux familles se succèdent à la tête de l'entreprise: les Demers, Télesphore et Ludger, de 1904 à 1951, puis les Poirier, Joseph et Raymond, jusqu'à la fermeture de la scierie en 1976.

Au fil des ans, le moulin subit diverses améliorations qui permettent d'augmenter sa capacité de production. Ainsi, en 1912, le premier barrage de bois est remplacé par un ouvrage en pierre et en béton, tandis qu'un tuyau d'amenée de 35 mètres de long prend la relève de l'ancienne conduite ouverte qui achemine l'eau du barrage jusqu'aux turbines. Le bâtiment fait lui-même l'objet d'une reconstruction à la suite d'un incendie survenu en 1899. Plus tard s'ajoute un appentis pour remiser le bois, qui renferme un petit atelier de réparation au sous-sol. De dimensions modestes (15 mètres sur 15), le bâtiment à deux étages abrite la machinerie au rez-de-chaussée et les mécanismes au sous-sol. Un dépôt pour la sciure a été érigé en annexe au corps principal. L'ensemble est recouvert d'une toiture en tôle galvanisée et construite en charpente lambrissée de planches.

Après l'arrêt des activités commerciales, le moulin connaît une brève période d'abandon, jusqu'aux travaux de la Corporation du moulin à eau de la rivière aux Saumons en 1978. Aujourd'hui restaurés, le moulin à eau et le site environnant peuvent y recevoir des visiteurs.

Jean Martin, historien

MARTIN, Jean. *Le moulin à eau de la rivière aux Saumons*. Roberval, Corporation du moulin à eau de la rivière aux Saumons, 1985. 35 p.

Colline blanche

Baie-James (Parc provincial Mistassini)

Fonction: public
Classée site archéologique en 1976

En s'aventurant sur le cours paisible de la rivière Témiscamie, au sud du lac Albanel, le visiteur ne peut s'empêcher de remarquer, au passage d'une étroite baie, une colline d'aspect spectaculaire. Sa crête blanchâtre qui émerge au-dessus de l'épaisse forêt de conifères bordant la rive lui a valu l'appellation de «Colline blanche».

Le quartzite, qui donne à la colline sa coloration particulière, représentait pour les populations préhistoriques de la région la plus importante source d'approvisionnement en matériau pour la fabrication des outils en pierre. L'exploitation de ce gigantesque gisement remonte peut-être à cinq mille ans, époque de l'arrivée des premiers habitants permanents dans la région.

L'accessibilité, la qualité et l'abondance de la matière première contribuent à répandre l'usage du quartzite sur un territoire de plusieurs milliers de kilomètres carrés, englobant une vaste partie de l'Abitibi, de la Mauricie, du Lac-Saint-Jean et des régions à l'est de la baie James.

Caverne inusitée

Cependant, dans la seconde moitié du XVIIᵉ siècle, l'implantation dans la région des premiers postes de traite amène le déclin progressif de cette forme d'exploitation. Les premiers Euro-Canadiens à visiter la Colline blanche, au début du XVIIIᵉ siècle, ne parlent à aucun moment de la cueillette de quartzite. Ils sont surtout impressionnés par une large cavité dans le flanc nord-est de la colline qui servait de lieu de culte aux autochtones. Cette cavité, décrite en 1730 par le père Laure comme un «Antre de Marbre», était réservée aux «sorciers» qui y célébraient des rites divinatoires.

L'antre de marbre représente sans contredit l'un des attraits les plus spectaculaires du site. Véritable caverne creusée par l'érosion lors de la fonte du glacier qui recouvrait autrefois la région, elle se compose de deux chambres auxquelles une large ouverture dans le roc donne accès. La première, plus vaste, s'ouvre sur environ 5 mètres et son plafond en forme de voûte atteint plus de 2 mètres de hauteur. Elle communique avec la seconde qui prend la forme d'un tunnel inachevé de 2 mètres de diamètre et de 3 mètres de profondeur.

Formation rocheuse constituée d'un vaste affleurement de pierre blanche d'environ 600 mètres de longueur sur près de 200 de largeur, la Colline blanche se dresse à une cinquantaine de mètres au-dessus de la rivière Témiscamie. Son sommet et ses flancs, parsemés de terrasses et de replats, offrent une vue exceptionnelle sur la forêt avoisinante, sur la baie de Yadogami et la rivière Témiscamie, en direction nord, et sur le lac Chapipscow, en direction sud.

Dans le talus de blocs et de débris qui ceinture la colline et sur les parois abruptes de son pourtour subsistent des traces de l'intense animation d'autrefois. En observant attentivement la pierre, le visiteur peut reconnaître les marques laissées par l'outil des artisans tailleurs au cours de la préhistoire. Des amas de déchets de pierre taillée, plusieurs fragments d'outils brisés ainsi que des objets grossièrement façonnés marquent également l'emplacement.

Jusqu'à présent, les archéologues ont mis au jour une dizaine d'emplacements reliés à l'extraction et à la taille de la pierre ainsi qu'aux campements et aux activités de subsistance des groupes préhistoriques. Ces sites ne constituent cependant qu'un mince échantillon des vastes richesses archéologiques que recèle la Colline blanche.

Marcel Laliberté, archéologue

HAMELIN, L.-E. et B. DUMONT. *La Colline Blanche: géomorphologie et sciences humaines.* Québec, Centre d'études nordiques, 1964. 28 p.

MARTIN, C.A. et E.S. ROGERS. *Mistassini-Albanel: Contributions to the Prehistory of Quebec.* Québec, Centre d'études nordiques, 1969. 439 p.

Gisement de quartzite exploité par les populations préhistoriques, la Colline blanche sert aussi de lieu de culte aux autochtones.

Vieux moulin

Sainte-Jeanne-d'Arc   Fonction: public
205, rue Hôtel-de-Ville   Classé monument historique en 1977

À mi-chemin entre les localités de Mistassini et Péribonka, le vieux moulin se situe sur la Petite rivière Péribonka, en plein cœur du village de Sainte-Jeanne-d'Arc. Ce moulin à eau a connu de multiples fonctions. Construit en 1902 par William Tremblay, un entrepreneur attiré par les réserves forestières du secteur, ce petit moulin à scie marque le début du mouvement de colonisation de la paroisse de Sainte-Jeanne-d'Arc.

Au moment de son acquisition par les frères Lionel et Alexandre Gaudreault, en 1938, un nouveau bâtiment plus spacieux remplace le premier moulin. Les frères Gaudreault poursuivent son exploitation pendant une dizaine d'années, puis le cèdent à la compagnie Lambert et frères, qui en demeure propriétaire jusqu'au moment de sa fermeture en 1973.

L'histoire du moulin de Sainte-Jeanne-d'Arc est étroitement associée au développement de la communauté villageoise. Des travailleurs y effectuaient la plupart des tâches, exigeant un certain niveau de mécanisation: le sciage, la production de farine et de moulée, la fabrication de bardeaux et le cardage de la laine. En 1928, l'installation d'une génératrice au moulin permit d'alimenter les maisons du village en électricité. Pendant la Seconde Guerre mondiale, Lionel Gaudreault commença à faire le commerce des bleuets; il installa dans le moulin une machine pour fabriquer des boîtes utilisées par les cueilleurs à même les rebuts du sciage.

Le bâtiment en bois, coiffé d'une toiture à deux versants recouverte de tôle, comprend un étage au-dessus du rez-de-chaussée où se trouve installé l'essentiel de la machinerie. Entre 1938 et 1945, les combles servaient à loger la famille du propriétaire. Après son abandon, la corporation municipale du village de Sainte-Jeanne-d'Arc acquiert le moulin puis en entreprend la restauration en 1974. Depuis, les visiteurs peuvent y observer le fonctionnement des grandes et petites scies et celui de la machine à carder, toujours actionnées par les deux turbines mues par le rapide de la Petite rivière Péribonka.

Associé au développement du village de Sainte-Jeanne-d'Arc, au début du XXᵉ siècle, le moulin sert au sciage du bois, à la production de farine et de moulée, à la fabrication de bardeaux et au cardage de la laine.

Le vieux moulin de Sainte-Jeanne-d'Arc constitue un exemple type de la petite entreprise qui a toujours accompagné la colonisation de nouveaux territoires dans le Québec de la fin du XIXᵉ siècle. À un certain moment, plus de 200 de ces petits établissements se trouvaient en activité dans la région du Saguenay — Lac-Saint-Jean. Avec le moulin à eau de la rivière aux Saumons, à La Doré, le vieux moulin de Sainte-Jeanne-d'Arc demeure un des derniers témoins de cette époque.

Jean Martin, historien

LAROUCHE-CHIASSON, Marthe. *L'historique du vieux moulin de Sainte-Jeanne-d'Arc, Lac-Saint-Jean ouest.* Sainte-Jeanne-d'Arc, Corporation municipale, 1975. 39 p.

Maison Samuel-Bédard

Péribonka
700, boulevard Maria-Chapdelaine

Fonction: centre d'interprétation
Reconnue monument historique en 1983

Par un soir d'hiver, Maria Chapdelaine dépeint la maison paternelle comme un «intérieur chaud et fétide, le sol couvert de fumier et de paille souillée, la pompe dans un coin, dure à manœuvrer et qui grince si fort[...]».

Une petite maison de bois carrée aux murs de planches et couverte de bardeaux, faisant partie d'un hameau de huit maisons dispersées; une porte et quelques petites fenêtres carrées, dont une à l'avant et une autre à l'arrière. En octobre, les habitants renchaussaient «soigneusement la maison, formant un remblai au pied des murs». Dans un hangar en appentis, servant aussi de garde-manger, ils entreposaient le bois fendu pour l'hiver.

L'intérieur est lambrissé de planches. En prévision des jours froids, les femmes poussent des chiffons dans les interstices et collent du côté nord-ouest de vieux journaux rapportés des villages et soigneusement gardés. La fumée envahit les pièces autant l'hiver que l'été; durant la belle saison, elle aide à chasser les moustiques. Louis Hémon demeure dans la maison de Samuel Bédard en 1912. Il s'en inspire sûrement pour écrire son célèbre roman *Maria Chapdelaine*.

Une résidence célèbre

Construite en 1903 par Exériace Provençal, cette petite maison typique de la colonisation du Lac-Saint-Jean devient la propriété d'Adolphe Bouchard en 1906. Celui-ci la cède ensuite à sa fille Laura, épouse de Samuel Bédard. Lors d'une rencontre fortuite sur le bateau reliant Roberval à Péribonka, Samuel engage Louis Hémon en juin 1912. Ce dernier participe au défrichement et à la culture de la terre jusqu'en septembre, moment où il remplace son «patron» pour travailler «avec des ingénieurs qui explorent le tracé d'une très hypothétique et en tous cas très future ligne de chemin de fer». Vers la fin de décembre, Hémon repasse par Péribonka puis poursuit sa tragique destinée qui le mène jusqu'à Chapleau, au nord de l'Ontario, où il trouve la mort le 8 juillet 1913.

Durant son bref séjour au Lac-Saint-Jean et plus particulièrement à Péribonka et dans les environs, Louis Hémon recueille à l'insu de tous les matériaux de son livre. Publié en feuilleton dans le journal *Le Temps* en 1914, *Maria Chapdelaine* paraît sous la forme d'un livre pour la première fois en 1916 dans la série des «Cahiers verts», grâce à la persistance de Louvigny de Montigny et à l'appui du gouvernement du Québec.

Cette même année, la maison de Samuel Bédard est abandonnée. Éva, la sœur de Laura Bouchard, en hérite en 1932. À la suite de la notoriété du roman de Louis Hémon, cette petite résidence devient peu à peu un «lieu de pèlerinage», et Éva Bouchard s'identifie de plus en plus au personnage de Maria Chapdelaine, au point de s'y confondre.

En 1937, sous la présidence du juge Édouard Fabre-Surveyer, la Société des amis de Maria Chapdelaine inaugure le musée Louis-Hémon. En 1939, la Commission des monuments historiques fait apposer une plaque commémorative. Toutefois, la confusion règne: les gens identifient tantôt la maison de Samuel Bédard, tantôt la résidence d'Éva Bouchard comme le lieu d'hébergement de Louis Hémon. Le site se transforme peu à peu: des ouvriers déménagent des bâtiments et les aboutent. On en fait un lieu d'exploitation touristique sans respect de la réalité historique. Cette dégradation s'accélère avec la mort d'Éva Bouchard en 1949. En 1987, la maison a cependant été restaurée dans l'état originel de l'époque où Louis Hémon y séjourna.

Henri-Paul Thibault, historien

ROBITAILLE, Lynda. *La maison Samuel Bédard, Péribonka, Québec.* Chicoutimi, ministère des Affaires culturelles, 1984. 43 p.

THIBAULT, Henri-Paul. *Dossier sur le site Louis Hémon — Maria Chapdelaine de Péribonka.* Québec, ministère des Affaires culturelles, 1974. 163 p.

Cette maison typique de la colonisation du Lac-Saint-Jean date de 1903. De juin à décembre 1912, elle accueillait le romancier français Louis Hémon, auteur du célèbre roman Maria Chapdelaine.

Côte-Nord

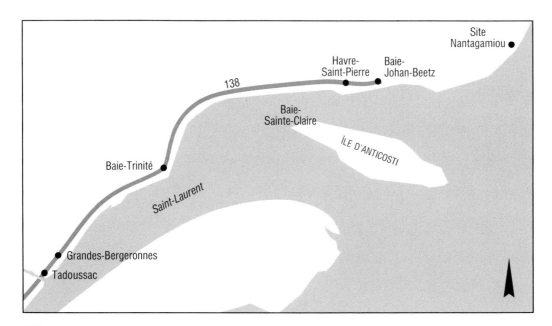

UNE immense forêt longtemps parcourue par les seuls Amérindiens, un chapelet de villages agricoles, forestiers et maritimes étalés sur les quelque 1 200 kilomètres du littoral, deux centres urbains, Baie-Comeau et Sept-Îles, hérités de la grande course aux ressources naturelles typique du XXᵉ siècle: tels sont les grands traits de cette région peu connue qu'est la Côte-Nord.

Rabotés par les glaciers, les massifs granitiques du Bouclier canadien abritent une infinité de lacs et de rivières, tout en dessinant sur le littoral d'immenses estuaires sablonneux. Une seule exception géologique, et elle est de taille: l'archipel de Mingan, un vaste affleurement d'îles et d'îlots formé de roches sédimentaires, où la mer sculpte depuis des millénaires des formes aussi étranges que monumentales.

Paradoxalement, la Côte-Nord, si souvent décrite comme jeune, possède une préhistoire exceptionnellement riche et diversifiée.

Zone de peuplement archaïque, région de contact des cultures amérindienne et inuit, d'arrivée des pêcheurs et des explorateurs européens et d'implantation des grandes compagnies de pêche jersiaises, ce littoral se révèle un véritable paradis pour les archéologues. Même si la région compte seulement deux sites archéologiques «classés», soit ceux de Nantagamiou et de Grandes-Bergeronnes, aux deux extrémités du territoire, bien d'autres s'ajouteront au cours des prochaines années dans la région de Blanc-Sablon et des environs.

Au XVIIᵉ siècle, la région entre dans une longue léthargie quand les autorités

La fabrication d'un canot par un Amérindien de la rivière Moisie, en 1947. (Archives nationales du Québec à Québec, fonds Office du film du Québec).

Côte-Nord

Après avoir acquis l'île d'Anticosti, en 1895, Henri Menier établit une colonie à Baie-Sainte-Claire. Le village connaît cependant une existence éphémère. (Archives nationales du Québec à Québec, fonds Menier).

Le village de Rivière-au-Tonnerre constitue l'un des nombreux sites de pêcheurs qui jalonnent le littoral de la Côte-Nord. (Archives nationales du Québec à Québec, fonds Office du film du Québec).

coloniales décident d'en faire un fief réservé aux seules compagnies de pêche et de commerce des fourrures. Pendant deux siècles, les postes et les peuplements sont clairsemés et éphémères. Un seul bâtiment survit, à peu près intact, de cette époque: la chapelle des Amérindiens de Tadoussac, érigée en 1747, et qui constitue un précieux reliquat de la grande tradition missionnaire jésuite.

Par sa vocation même, le phare de Pointe-des-Monts (1829) rappelle une toute autre aventure: celle de la navigation à voile, alors à son apogée dans le golfe du Saint-Laurent. Tourné vers la mer, ce bâtiment, un des plus anciens du genre en Amérique du Nord, rappelle les premiers pas d'un système d'aide à la navigation sur un littoral alors quasi désertique.

Au milieu du XIXe siècle, l'ouverture de la région aux peuplements maritimes (au nord-est) et agro-forestiers (au sud-ouest) amène l'implantation de plusieurs dizaines de hameaux sur la Côte-Nord et autour de l'île d'Anticosti. Mais, de tout ce patrimoine hérité de la période pré-industrielle, seuls deux bâtiments ont été classés. D'abord, la maison Johan-Beetz, en Minganie, qui rappelle les talents d'aménagiste d'un remarquable commerçant de fourrures établi à cet endroit au tournant du siècle; ensuite un four à chaux, sur l'île d'Anticosti, témoigne des efforts consentis par Henri Menier, un millionnaire français, désireux d'embellir et de développer son vaste domaine.

De nombreux autres bâtiments, typiques de cette période, ont survécu. Quelques-uns, comme ces grandes maisons construites par les gérants des scieries de la Haute-Côte-Nord, à Tadoussac, aux Escoumins et à Sault-au-Mouton, ont été transformés en restaurants et en auberges depuis,

mais attendent encore un minimum de reconnaissance et de mise en valeur. À certains endroits, comme Harrington Harbour, en Basse-Côte-Nord, les initiatives devraient faciliter la conservation de tout l'ensemble du village doté d'un remarquable cachet d'origine.

Enfin, les rares monuments désaffectés, hérités des premiers investissements industriels du début du XXe siècle, tels le barrage de Clarke City à Sept-Îles, ou la centrale hydro-électrique de Chute-aux-Outardes près de Baie-Comeau, sont bien identifiés. Mais, ici comme ailleurs au Québec, le recyclage du patrimoine industriel pose de nombreux problèmes, dont un des plus importants demeure la reconversion de ces bâtiments.

Même jeune et isolée, la Côte-Nord, caractérisée par son peuplement linéaire et dispersé, recèle néanmoins d'importants éléments patrimoniaux. Si les efforts de conservation et de mise en valeur demeurent rares, une certaine prise de conscience se développe progressivement dans les municipalités.

Pierre Frenette, historien

Chapelle des Indiens et sacristie

Tadoussac
169, rue Bord-de-l'Eau

Fonction: public
Classée monument historique en 1965

Dès l'arrivée des Européens, la situation stratégique de Tadoussac, à l'embouchure de la rivière Saguenay, en fait un important relais commercial. Auparavant, les Amérindiens y échangeaient annuellement diverses marchandises. Au XVIᵉ siècle, des pêcheurs, Basques pour la plupart, ainsi que des commerçants, exploitent le site. Jusqu'à la fondation de Québec, Tadoussac demeure la capitale du commerce des fourrures. De plus, jusque vers 1630, Tadoussac sert aussi de «terminus océanique» à la colonie; c'est là que débarquent les premiers missionnaires.

Pendant le première moitié du XVIIᵉ siècle, Tadoussac prospère grâce au commerce des fourrures. À partir de 1660, le poste décline petit à petit, en raison notamment de la fin de la menace iroquoise, qui favorise les échanges avec la région des Grands Lacs, et de l'ouverture des postes de traite des fourrures à la baie d'Hudson.

Ce contexte de réorganisation du Domaine du roi, territoire administratif dont fait partie Tadoussac, incite le père jésuite Claude-Godefroy Cocquart à s'installer à cet endroit, en 1747, et d'y faire construire une chapelle. Depuis 1640, les missionnaires jésuites veillent à l'évangélisation des populations qui habitent le Domaine du roi.

La chapelle possède des murs en pièce sur pièce lambrissés. Sept fenêtres éclairent le bâtiment recouvert de bardeaux de couleur rouge. À l'intérieur, la fausse voûte est lambrissée en planches, et l'abside hexagonale loge la sacristie.

Vers 1850-1852, la sacristie actuelle, adossée à l'arrière de l'abside, apparaît. Par la même occasion, la recouvrement extérieur en planches verticales est remplacé par un revêtement de planches à clins.

En 1866, la chapelle fait l'objet de modifications qui lui donnent, à quelques détails près, son aspect actuel. Ainsi, les fenêtres reçoivent un cintrage formé par une jalousie, et un avant-toit retroussé apparaît à la base de chacun des versants du toit. Les murs extérieurs sont chaulés, et la couverture est peinte de couleur ocre. La tribune date probablement aussi de cette époque.

La longévité exceptionnelle de la chapelle tient à l'intérêt que lui ont porté diverses personnes au fil des ans. Dès le tournant du siècle, les abbés Joseph-Eugène Lemieux et Georges Tremblay en assurent l'entretien. Puis, tour à tour, le père W.R. Harris, le financier William Hugh Coverdale, l'historien Victor Tremblay et le père Adrien Pouliot sensibilisent la population à l'importance historique de ce bâtiment. Finalement, en 1976-1977, le gouvernement du Québec entreprend la restauration du bâtiment.

Jean-Charles Lefebvre, historien

FRENETTE, Pierre. *La chapelle des Indiens de Tadoussac*. Tadoussac, Les Éditions du Cyclope, 1987. 27 p.

La chapelle de Tadoussac au début du siècle. (Archives nationales du Québec à Québec, collection initiale).

Sites archéologiques DbEj-11 (site Lavoie) et DbEj-13 (site de la Falaise)

Grandes-Bergeronnes
Rang 1

Fonction: public
Classés sites archéologiques en 1983

L'attirance que suscitent aujourd'hui les beautés de l'embouchure du Saguenay et de la région environnante remonte bien avant la colonisation de l'estuaire du Saint-Laurent par les Européens. Dès l'entre-deux-guerres, des anthropologues anticipent la présence de sites préhistoriques en Haute-Côte-Nord. Vers 1970, on signale de tels sites aux Bergeronnes mêmes, à une vingtaine de kilomètres à l'est de l'embouchure du Saguenay. Treize ans plus tard, la collaboration étroite établie entre la municipalité de Grandes-Bergeronnes, le ministère des Affaires culturelles et les constituantes de Montréal et de Chicoutimi de l'université du Québec permet d'entreprendre un programme de travaux archéologiques sur sept sites à proximité du fleuve. Parmi ceux-ci, les sites Lavoie et de la Falaise font l'objet de fouilles intensives.

Une histoire cinq fois millénaire

L'ensemble des travaux accomplis en Haute-Côte-Nord permet de dater les plus vieilles occupations à environ 3 500 ans avant notre ère. Dès lors, la région paraît peuplée de façon assez continue jusqu'à l'arrivée des Européens. Ces quelque cinq millénaires comprennent une période d'occupation ancienne et une autre plus récente. La première correspond aux cultures que les archéologues regroupent sous le terme «archaïque»; elle s'étend de 3 500 à 1 000 ans environ avant notre ère. La période récente s'arrête, par convention, en 1534, avec l'arrivée de Jacques Cartier; elle est désignée du nom de «sylvicole». Aux Bergeronnes, la première période correspond aux occupations du site Lavoie et la seconde à celle du site de la Falaise.

Le site Lavoie, du nom du propriétaire des lieux, se trouve à près de 200 mètres de la rive du Saint-Laurent, sur une terrasse située à dix-huit mètres d'altitude. La fouille d'une superficie d'environ 100 mètres carrés distingue deux couches d'occupation. La plus récente contient les vestiges préhistoriques déplacés dans les vingt premiers centimètres de terre par les travaux agricoles intensifs qui ont eu lieu entre le milieu du XIX^c et le milieu du XX^c siècle. L'occupation la plus ancienne consiste en une couche d'une dizaine de centimètres de terre noire située à environ 70 centimètres sous la surface du sol; sa couleur foncée tranche avec la teinte claire des couches de sable du dessus et d'en dessous, où aucune trace visible d'occupation humaine n'apparaît.

Les vestiges exhumés dans les deux couches d'occupation s'apparentent; on peut les dater de la période archaïque. La couche supérieure semble toutefois beaucoup plus récente, puisqu'elle se distingue de l'inférieure par des différences de facture dans l'outillage en pierre et par une proportion plus grande d'outils en pierre taillée que d'outils en pierre polie. En outre, la présence de grattoirs servant à racler la surface de certains matériaux comme le bois et les peaux d'animaux suggère que la couche supérieure a abrité une grande variété d'activités, notamment une zone d'habitation. Il demeure cependant très difficile d'interpréter cette couche d'occupation car les travaux agricoles ont provoqué des perturbations importantes.

Si ces travaux touchent peu la couche la plus profonde du sol noir, à l'exception de certains bouleversements provoqués par l'essouchage des arbres vers 1850, d'autres phénomènes concourent à masquer les activités de la couche plus ancienne. En effet, selon des géomorphologues et des pédologues, les 50 centimètres de sable clair qui se retrouvent sous la couche agricole et reposent sur le sol noir proviennent de la mer. La couche la plus ancienne du site Lavoie correspond donc à une zone de plage, jadis soumise aux flux et reflux marins. Deux dates obtenues au moyen de l'analyse au radio-carbone sur charbon de bois la situent à environ 3 500 ans avant notre ère. Cette analyse confirme non seulement l'ancienneté de l'occupation la plus profonde, mais encore sa présence dans un paysage tout à fait différent de l'actuel. Si, aujourd'hui, le site se trouve à dix-huit mètres au-dessus du fleuve, il se trouvait possiblement en bordure des eaux marines au cours des derniers millénaires de la régression de la mer de Goldthwait. Cette dernière hypothèse correspond à l'élévation du niveau marin dans le golfe et dans l'estuaire du Saint-Laurent, survenue une dizaine de milliers d'années environ avant notre ère. Cette élévation résulte de la fonte des masses de glace accumulées depuis 60 000 ans sur toute la partie septentrionale du continent nord-américain, au cours du pléistocène. Par la suite, le niveau de l'eau s'abaisse graduellement pour atteindre celui du Saint-Laurent actuel.

Lieu de dépeçage

Les vestiges osseux et la spécialisation de l'outillage lithique tendent à démontrer que la plage servit de lieu de dépeçage pour les mammifères marins, en particulier le phoque. Ainsi, environ 85 pour cent des vestiges osseux identifiables proviennent de cet animal. Les couteaux et oulous (couteaux en

Le site de la Falaise s'étend sur une terrasse formée après le retrait de la mer de Goldthwait.

forme de demi-lune) témoignent de l'activité même de dépeçage, alors que les rares pointes de jet, dont certaines sont brisées, illustrent l'activité de chasse. Enfin, les haches et herminettes retrouvées servaient vraisemblablement à débiter le bois dont les restes, sous forme de particules de charbon, abondent dans la couche.

Faisait-on cuire ou sécher le phoque? Récupérait-on sa graisse? Autant de questions qui demeurent sans réponse dans l'état actuel des recherches. Toutefois, la proportion d'os crus et blanchis (cuits) fournit d'autres éléments d'analyse. Ainsi, sur un total de plusieurs dizaines de milliers de témoins osseux, on retrouve un peu plus d'ossements crus, ce qui peut être interprété comme le résultat d'activités de dépeçage plus fréquentes, même si, dans la portion orientale de la couche, le nombre d'os crus et celui d'os blanchis s'équivalent.

Probablement sous-représentés à cause de leur fragilité naturelle, les fragments de poissons marins et d'eau douce et ceux d'oiseaux de rivage confirment, avec quelques rares vestiges de cétacés, l'image d'une exploitation intensive du milieu aquatique au cours de l'occupation ancienne du site Lavoie. Cependant, cette exploitation des ressources alimentaires marines ne doit pas faire oublier la présence du gibier terrestre, tel le castor, qui arrive au second rang en importance après le phoque. Le site recèle également en quantité moindre des traces de caribou, d'orignal, d'ours ainsi que celles de petit gibier (lagomorphes, rongeurs).

Des sociétés primitives en contact

L'exploitation de ressources terrestres et marines circonscrit un territoire assez étendu. À partir des origines locales ou étrangères des matériaux utilisés pour fabriquer les outils en pierre, il est possible d'établir la présence de liens avec l'extérieur. Les matériaux étrangers indiquent que la société établie sur le site entrait en rapport avec d'autres groupes situés sur la côte atlantique, au Saguenay — Lac-Saint-Jean et, surtout, dans la plaine laurentienne vers la Haute-Côte-Nord.

Quoique l'emplacement exact des camps demeure un mystère, certains vestiges fauniques et des observations géomorphologiques provenant de la zone de dépeçage permettent, d'une part, de les localiser assez précisément et, d'autre part, d'établir la durée et l'intensité de l'occupation de la couche la plus ancienne du site Lavoie. Les restes de castor indiquent la proximité de l'établissement dans la mesure où ils proviennent des deux tourbières situées à un kilomètre environ à l'est du site qui, autre-

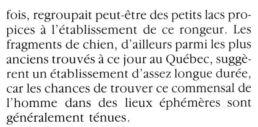

Le site Lavoie aurait été utilisé comme lieu de dépeçage pour les mammifères marins.

Les fouilles archéologiques au site Lavoie ont permis de mettre au jour deux couches d'occupation dont la plus ancienne remonte à plus de 3 500 ans avant notre ère.

fois, regroupait peut-être des petits lacs propices à l'établissement de ce rongeur. Les fragments de chien, d'ailleurs parmi les plus anciens trouvés à ce jour au Québec, suggèrent un établissement d'assez longue durée, car les chances de trouver ce commensal de l'homme dans des lieux éphémères sont généralement ténues.

Les vestiges de jeunes phoques constituent un bon indice de la période charnière entre la fin de l'hiver et le début du printemps. La présence de cétacés indique l'été tandis que l'automne se révèle par la présence d'oiseaux migrateurs sur le rivage. Quoique aucun élément ne l'exclue, l'occupation hivernale n'est pas attestée. À l'intérieur même de la couche d'occupation, le lit de galets et de cailloux, tout comme la couche de sable clair qui la coiffe, mettent en évidence une instabilité du niveau marin. Celle-ci peut s'expliquer par deux phénomènes. D'après les géomorphologues et les pédologues, il pourrait s'agir d'une transgression ou de l'effet des très hautes marées hivernales, un phénomène relativement courant aujourd'hui dans le golfe et l'estuaire du

Saint-Laurent. Selon la première hypothèse, le lit de galets indique deux «phases» séparées d'occupation dans la couche la plus ancienne du site Lavoie. Si la seconde hypothèse se révélait exacte, l'occupation hivernale serait exclue.

Au rythme des saisons et de l'exploitation des ressources alimentaires qu'elles fournissaient, deux modes de vie des groupes archaïques paraissent plausibles: l'un basé sur l'exploitation des ressources marines à l'intérieur d'un cycle comprenant aussi (et surtout) des ressources cynégétiques, l'autre orienté vers les seules ressources aquatiques. Dans les limites actuelles des recherches, il est impossible de déterminer l'importance respective de ces deux modes de vie pour les occupants de la Haute-Côte-Nord à l'époque archaïque.

Un site plus récent

Le site de la Falaise, du nom de celle qui délimitait la terrasse à dix mètres au-dessus de la plage baignée par les eaux du Saint-Laurent, se situe à huit mètres en contrebas du site Lavoie. L'émergence tardive de cette

La découverte de pièces de poterie et certaines caractéristiques géomorphologiques identifient le site de la Falaise à la période sylvicole.

terrasse, au moment où baisse le niveau de la mer de Goldthwait, est confirmée par un ensemble de dates obtenues par l'analyse au radio-carbone, la plus ancienne remontant à environ 500 ans avant notre ère. Aux arguments géomorphologiques et chronométriques s'ajoutent les témoignages archéologiques: la présence de tessons de poterie sert d'indicateur chronologique efficace pour démarquer la période récente du sylvicole et la période archaïque.

L'intensité de l'occupation du site de la Falaise au cours de la période sylvicole est confirmée par les dimensions relativement considérables de l'espace où se retrouvent des vestiges: environ 50 mètres le long du rebord de la terrasse par une trentaine de mètres de profondeur en s'éloignant de ce rebord. De plus, ce site révèle une occupation de longue durée, puisque des tessons à motifs ondulants, caractéristiques du sylvicole moyen (600 à 1100 de notre ère), et des tessons décorés de motifs géométriques formés de segments de droite, typiques du sylvicole supérieur (1100 à 1534 de notre ère), s'y côtoient. Au cours de la période du sylvicole supérieur, aussi qualifiée d'iroquoienne, les caractéristiques stylistiques particulières à la céramique des Iroquois apparaissent, comme en témoignent les écrits des premiers Européens arrivés dans le Nord-Est américain. Même si ces céramiques fournissent de précieuses indications chronologiques, leur présence se limite à quelques centaines de tessons, soit un ordre de grandeur bien en deçà de l'importance de la poterie dans les sites iroquoiens classiques avec maisons longues, notamment à Lanoraie et à Mandeville.

Les milliers de témoins lithiques se comparent à ceux du site Lavoie. Cependant, un matériau particulier de nature semblable au silex, le chert, se trouve en plus grand nombre sur le site de la Falaise. En outre, la présence d'une variété verdâtre de chert corrobore la présence des tessons iroquoiens, car ces deux catégories de vestiges se côtoient dans les occupations iroquoiennes classiques. Il faudrait toutefois éviter de conclure à une occupation iroquoienne. Selon toute vraisemblance, certaines des structures correspondent à des foyers à l'air libre, tandis que d'autres s'apparentent à des cercles de pierre de charge délimitant des tentes ou des cabanes en matériau léger. Au total, l'ensemble des structures se rattache davantage au style algonquien.

Habitat permanent

Le site de la Falaise compte environ sept fois moins de vestiges osseux que le site Lavoie. Cette situation peut s'expliquer par la quasi-absence d'os frais, et confirme indirectement que le premier site ne fut pas une aire de dépeçage. Conséquemment, la seule présence d'os blanchis (cuits) tend à corroborer l'hypothèse voulant que la façon dont les pierres sont disposées signifie la présence de campements dotés de foyers et de zones de déchets et de repos. Dans la mesure où de telles structures indiquent une certaine stabilité de l'établissement, le nombre des restes fauniques confirme une durée d'occupation appréciable, soit du printemps à l'automne.

Les restes osseux suggèrent une continuité dans l'exploitation du milieu de la période archaïque à la période sylvicole. Outre des restes de phoque et de castor, on retrouve ceux d'un certain nombre de petits, moyens et gros mammifères terrestres ainsi que ceux d'oiseaux et de poissons. Des con-

centrations de coquillages de palourdes, exhumées du site de la Falaise, démontrent la consommation de mollusques au cours du sylvicole, alors qu'ils sont totalement absents du régime alimentaire à l'archaïque, comme par exemple au site Lavoie. Pour expliquer cette absence, certains rapprochements avec des données ethnographiques montrent que les mollusques constituent une ressource alimentaire de dernier recours. La consommation tardive des mollusques traduirait possiblement une augmentation sensible des effectifs démographiques dans la région. Ce phénomène expliquerait en outre la présence concomitante de groupes algonquiens et iroquoiens sur le site de la Falaise. En fait, le mouvement, sinon des individus eux-mêmes, du moins des objets ou des idées de la plaine laurentienne vers l'Atlantique observé au sylvicole, remonterait à la période archaïque, comme le laissent croire des vestiges mis au jour au site Lavoie.

Les travaux archéologiques entrepris aux Grandes-Bergeronnes revêtent une grande importance. Il s'agit des premières fouilles extensives entreprises en Haute-Côte-Nord. Voilà pourquoi il demeure difficile d'établir des comparaisons sur la base d'une échelle spatiale très vaste, en direction de l'Atlantique, où les groupes exploitent plutôt des ressources halieutiques, ainsi qu'en plaine laurentienne, où prévaut d'abord l'exploitation cynégétique et, plus tard, la culture de certaines plantes, surtout celle du maïs. À cette échelle de comparaison, la Haute-Côte-Nord, illustrée par les sites Lavoie et de la Falaise, révèle un amalgame de témoins apparentés à ceux de la plaine laurentienne et des témoins écologiques évoquant un mode de vie caractéristique de la côte atlantique. Quels sont les occupants des sites bergeronnais? Les sites Lavoie et de la Falaise constituent-ils une exception dans la région? Seules d'autres fouilles archéologiques pourront apporter des réponses. Il faut souhaiter que l'étroite collaboration entre les intervenants municipaux, publics et universitaires se maintienne dans l'avenir.

Jean-François Moreau, anthropologue

ARCHAMBAULT, M.-F. «L'Archaïque sur la Haute Côte-Nord du Saint-Laurent». *Recherches amérindiennes au Québec*, 17, 4 (1987): 101-114.

MOREAU, Jean-François. «L'occupation préhistorique à Grandes-Bergeronnes». *La Revue d'histoire de la Côte-Nord*, 3 (1985): 8-10.

MOREAU, J.-F., G. TASSÉ, et P. PLUMET. *École de fouille de Grandes-Bergeronnes*. Montréal, Laboratoire d'archéologie de l'université du Québec à Montréal, 1984. 104 p.

Vieille poudrière et vieux phare

Pointe-des-Monts (Baie-Trinité)

Fonction: centre d'interprétation
Classés monuments historiques en 1965

LE phare de Pointe-des-Monts domine un îlot rocheux à l'extrémité d'une pointe, entre les villages de Baie-Trinité et de Godbout, sur la Moyenne-Côte-Nord. Construit en 1829-1830, il est le plus vieux phare de la rive nord du Saint-Laurent et le deuxième plus ancien de tout le Québec, après celui de l'île Verte, érigé en 1809. Il reste en fonction jusqu'en 1964.

La construction du phare de Pointe-des-Monts en 1829, par la Maison de la Trinité de Québec, constitue le premier jalon d'un réseau complexe d'aide à la navigation qui s'étend des Grands Lacs jusqu'à Terre-Neuve. Deux facteurs déterminent à l'époque le choix de Pointe-des-Monts: d'abord, il s'agit d'un endroit où la permanence des vents et des courants violents rend la navigation difficile; ensuite, Pointe-des-Monts est aussi le lieu où se rassemblent les pilotes,

les capitaines et les marins au début du XIXᵉ siècle. Ce phare permet aux bateaux empruntant le chenal nord du Saint-Laurent d'éviter les hauts-fonds du banc de Manicouagan et les côtes dangereuses de l'île d'Anticosti; il fournit en outre un point de repère pour rejoindre l'île du Bic sur la rive sud.

Un maillon de la chaîne

La Maison de la Trinité de Québec fait construire le phare de Pointe-des-Monts et en assume la gestion dans le cadre d'un vaste programme qui comprend aussi la construction d'un phare sur l'île d'Anticosti et l'installation d'un bateau-phare sur les battures de la Manicouagan. Cette corporation, mise sur pied en 1805, assure la gestion du Havre de Québec, veille à la sécurité des installations portuaires le long du Saint-Laurent,

supervise le pilotage et place les bouées, phares et fanaux nécessaires à la navigation. La Maison de la Trinité fait notamment construire la plupart des phares érigés entre 1805 et 1870 en aval de Québec, en plus d'en assurer la gestion. Dissoute par le gouvernement fédéral en 1875, l'entreprise se voit remplacée par le ministère de la Marine et des Pêcheries, prédécesseur de l'actuel ministère des Transports.

John Lambly, maître du Havre de Québec de 1811 à 1843, conçoit et dirige la construction du phare de Pointe-des-Monts. Dès 1826, il convainc le bureau de la Maison de la Trinité de Québec de l'importance de ce projet, et il se voit aussitôt confier le soin de réaliser des plans, devis et estimations. Il visite régulièrement le chantier et supervise l'installation du système d'éclairage. Charles Touchette, maître maçon de Québec, s'engage

Construit en 1829-1830, le phare de Pointe-des-Monts constitue le plus vieux du genre sur la rive nord du Saint-Laurent et le deuxième plus ancien de tout le Québec après celui de l'île Verte. (Inventaire des biens culturels du Québec).

La poudrière, érigée en 1867, servait à conserver la poudre du canon utilisé pour guider les navires par mauvais temps. (Inventaire des biens culturels du Québec).

à construire l'édifice moyennant la somme de 2 515 livres sterling. Ses travaux doivent être terminés le 1er juillet 1830. Le plombier de Québec T. Wild, assisté de trois ouvriers québécois, se charge du système d'éclairage. Au moment de l'ouverture, les coûts des travaux dépassent de 75 pour cent le devis initial.

Le phare, construit en pierre provenant des carrières de Québec et Montréal, mesure plus de 21 mètres de hauteur et son diamètre a 8,5 mètres à sa base extérieure et 6,1 mètres au sommet. L'intérieur, divisé en sept étages, comprend trois foyers, un four à pain ou à cuisson, un escalier en bois et deux armoires encastrées dans les murs de chaque étage. Les fenêtres du rez-de-chaussée et du premier étage possèdent des contrevents tandis que celles des deuxième et troisième étages, réservées au logement du gardien, sont munies de volets. Le système d'éclairage, importé d'Angleterre, se compose d'une lanterne polygonale de 3,2 mètres de diamètre, de treize brûleurs en bronze alimentés à l'huile de baleine et de treize réflecteurs paraboliques en argent. Par temps clair, cette lumière fixe se voyait à près de 30 kilomètres.

Multiples usages

Mis à part le revêtement en planche des murs extérieurs posé en 1852 afin d'assurer une meilleure protection contre l'humidité et le froid, la structure externe du phare subit peu de modifications. L'intérieur de la tour a également peu changé depuis 1830; suivant les époques et les nécessités de

l'entretien, les propriétaires ont à quelques reprises changé les boiseries et les fenêtres.

Le système d'éclairage connaît toutefois d'importants changements. En 1865, des ouvriers remplacent l'équipement originel par des lampes à l'huile de charbon. Au XXe siècle, une nouvelle technologie s'impose: une lampe à vapeur de pétrole incandescente, munie d'un gros réflecteur, est installée; on y adjoint plus tard un mécanisme à ressort pour permettre l'intermittence de la lumière qui sera remplacé à son tour par un mécanisme d'horlogerie plus moderne servant les mêmes fins. Le système rotatif par poids s'ajoute entre 1939 et 1945.

En plus de soutenir un système d'éclairage, la structure du phare remplit plusieurs fonctions secondaires destinées à minimiser les coûts d'exploitation. Le phare sert non seulement d'habitation au gardien, à ses assistants et aux membres de leur famille, mais aussi d'abri temporaire pour les voyageurs, les postillons, les naufragés et les missionnaires de passage; il renferme un entrepôt pour les provisions du personnel et tous les articles nécessaires à la vie quotidienne, à l'entretien et au fonctionnement de l'installation. Des prêtres y célèbrent occasionnellement des offices jusqu'à la construction de la chapelle de Pointe-des-Monts. À mesure que s'élèvent sur les lieux divers entrepôts et bâtiments, tels qu'une grange-étable, une poudrière et une résidence pour le gardien, le phare perd ses fonctions secondaires.

De tous ces édifices, seules la deuxième résidence du gardien et la poudrière subsis-

tent. Érigée en 1867, la poudrière est une construction de brique avec un toit de zinc. À l'origine, on y entassait la poudre pour le canon utilisé par temps de brume et de tempête pour permettre aux embarcations de se diriger en toute sécurité. Vers 1890, la dynamite remplace le canon comme moyen de signalisation sonore. Après 1918, le gardien du phare utilise un sifflet d'alarme à air comprimé et la poudrière sert désormais d'entrepôt.

Construite par L. Bouchard, un entrepreneur de Portneuf, selon des plans et devis fournis par le gouvernement fédéral et qui serviront pour la construction des résidences de gardien à d'autres stations de phare, comme Matane et Métis, la deuxième résidence du gardien, à laquelle s'est ajoutée récemment une annexe, voit le jour en 1911. Ce bâtiment se distingue par l'aménagement d'une partie de son sous-sol en réservoir à eau potable, où le gardien peut puiser durant l'hiver lorsque le froid gèle les ruisseaux.

Roch Lauzier, historien

DÉRY, Abbé Édouard (pseudonyme La Vigie). «Historique du phare de Pointe-des-Monts». *Journal de la Côte-Nord*, 14 septembre 1963 au 15 avril 1964.

GINGRAS, Line. *Le phare de Pointe-des-Monts*. Québec, Éditeur officiel du Québec, 1978. 23 p. (Coll. «Les retrouvailles», n° 8).

LAUZIER, Roch. *Le phare de Pointe-des-Monts*. Québec, ministère des Affaires culturelles, 1983. 85 p.

Archipel de Mingan

Havre-Saint-Pierre

Fonction: public
Déclaré arrondissement naturel en 1978

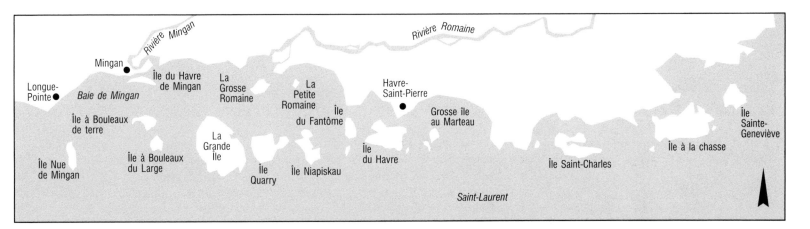

L'arrondissement naturel de l'archipel de Mingan comprend 47 îles, rochers, cayes et récifs de formes variées et de superficie inégale. Situé à 700 kilomètres à l'est de Québec, l'archipel s'étend sur près de 85 kilomètres le long de la Moyenne-Côte-Nord du Saint-Laurent, de part et d'autre de la localité riveraine de Havre-Saint-Pierre. Les caractéristiques géomorphologiques étonnantes de l'archipel, l'originalité et la rareté de plusieurs des éléments de sa flore, ses paysages uniques, les nombreux oiseaux marins qui le fréquentent, conjugués à l'omniprésence de la mer, confèrent à l'arrondissement naturel de l'archipel de Mingan une valeur inestimable. Même si les paysages de l'archipel portent peu de traces de l'action de l'homme, la présence humaine s'y révèle de façon constante depuis deux millénaires.

Paysage fascinant

Abordant l'archipel par la mer, le visiteur est d'abord fasciné par les affleurements rocheux qui jalonnent le pourtour des îles. Les phénomènes géomorphologiques et géologiques offrent à lire une histoire vieille d'environ 500 millions d'années. Selon la belle expression créée par le frère Marie-Victorin, «la Minganie est fille de l'eau». En effet, le lent et incessant travail de la mer a façonné l'archipel. Il y a 500 millions d'années, à l'époque ordovicienne, commençait au fond des mers le lent dépôt de sédiments. Suivant un long processus géologique, scindé en deux périodes de submersion au cours desquelles 120 mètres de sédiments minéraux et organiques s'accumulent pour composer les formations de La Romaine et de Mingan, l'assise rocheuse de l'archipel se forme. On constate même avec intérêt que plus d'une centaine d'espèces fossiles présentes dans ces formations géologiques témoignent d'une époque où la Minganie jouissait d'un climat tropical!

Plus de 200 millions d'années plus tard, la mer se retire pour laisser une plate-forme,

déjà légèrement inclinée, exposée au travail de sape des fleuves et des rivières. Durant l'ère tertiaire, le processus de soulèvement s'avère suffisamment avancé pour laisser le relief en cuesta caractéristique de certaines îles. L'île Sainte-Geneviève, dont le profil épouse la forme d'un plateau asymétrique, escarpé du côté nord et terminé au sud par une pente douce, constitue un bel exemple du travail de géant qui façonna les cuestas. Exploitant les fissures et les faiblesses du roc, la mer entame la plate-forme rocheuse; elle crée ainsi des monolithes aux formes fantastiques, sentinelles solitaires séduisant par le spectacle mystérieux qu'elles offrent.

L'étymologie du toponyme Mingan se rapporterait d'ailleurs à la géomorphologie toute particulière de l'archipel. Parmi les différentes hypothèses proposées pour expliquer l'origine du toponyme Mingan, l'appartenance de ce mot à la langue celtique paraît la plus vraisemblable. Mingan — sous sa forme ancienne Maingan — proviendrait des mots Maen et Cam, qui signifient «la pierre courbe». L'on peut donc croire que le spectacle des colonnades de pierre plantées çà et là dans l'archipel, rappelant à ces premiers visiteurs bretons des formes familières, a pu donner naissance au toponyme Mingan, celui-là même qui dans la langue celtique servait à désigner les mégalithes — dolmens, menhirs, etc. — érigés par l'homme de la préhistoire.

Monolithes d'érosion, cuestas, levées de plages, falaises mortes: ces termes familiers au géomorphologue suggèrent, au-delà de la curiosité, le long et difficile processus de formation de l'archipel, qui se poursuit encore de nos jours. Les glaciations qui, à l'échelle du temps géologique, apparaissent comme un phénomène encore récent, marquent l'archipel pendant près de deux millions d'années. Celui-ci, en effet, reste enfoncé sous le poids des glaces durant tout ce temps, et les cannelures de l'île de la Pointe aux Morts sont autant de cicatrices laissées à la surface du roc par le passage des glaciers.

Il y a environ 7 200 ans, les plus hauts sommets de l'archipel, soulagés de l'énorme poids des glaces, commencent à émerger de nouveau. «Édifiées dans la mer, les îles de Mingan continuent toujours de renaître de la mer, au rythme constamment ralenti d'un relèvement isostatique d'à peine quelques millimètres par siècle.»

Forces secrètes

Presque à notre insu, certaines forces s'exercent encore et transforment le paysage rocheux de l'archipel. Ici, des falaises de dolomie friable s'émiettent par blocs; ailleurs, c'est par pans entiers que le calcaire se fractionne lentement sous l'action combinée du sel et de l'érosion marine. Des surplombs, créés par la présence sous-jacente de strates rocheuses plus tendres rongées par la mer, s'effondrent sous leur propre poids. Sur les plages soulevées, ou cordons de plage, anciennes plages devenues terre ferme sous la lente poussée du relèvement, le cycle du gel et du dégel fractionne les galets en minces lamelles. À la surface de ce matériel aride, entassé petit à petit, une végétation basse étend son domaine.

Les preuves du relèvement isostatique abondent. Sur la Grande Île, d'anciennes falaises battues par la mer, dites falaises mortes, se dressent maintenant en pleine forêt, comme des monuments d'un autre âge. L'île de la Fausse Passe renferme des arches littorales, demi-cavernes creusées par les vagues, à peine discernables aujourd'hui car masquées sous une végétation dense de mousses et de conifères aux branches desquels s'accrochent de longs lichens pendants; sous ces arches, les marcheurs détruisent peu à peu un épais tapis de mousse gorgée d'eau.

Une riche végétation

Vue du large, la végétation des îles semble offrir peu d'attrait. Le capitaine de la frégate royale *La Diane*, qui mouillait dans l'archipel en 1755, décrit les îles comme «couvertes en partie de Mauvais Sapins fort

Véritables sculptures de pierre
aux formes souvent étranges, ces
rochers représentent les
attractions les plus spectaculaires
de l'archipel de Mingan. (Photo:
Michel Barry).

Cette carte marine de l'extrémité
ouest de l'archipel illustre les
difficultés de navigation
engendrées par les rochers,
hauts-fonds, bancs de sable et
courants dispersés entre les îles.
L'île du Havre de Mingan porte
sur cette carte le nom de
Canadchoux. (Le petit atlas
maritime. Premier Volume
Contenant l'Amérique
Septentrionale et les Isles Antilles.
Paris, 1764).

petits et rabougris». Mais nos botanistes, dont le frère Marie-Victorin, ont depuis révélé toute la richesse de la flore de la Minganie. Le visiteur attentif s'émerveille devant certaines de ses particularités.

La variété des habitats naturels cohabitant sur les surfaces restreintes des îles constitue un des traits originaux de la végétation de l'archipel. Sur une même île, le littoral, la lande, la falaise, la tourbière, la bordure des lacs ainsi que la forêt boréale forment autant de milieux écologiques distincts et composent une véritable mosaïque d'habitats.

Sur le pourtour des îles, où les conditions sont extrêmement rudes, une végétation adaptée aux rigueurs du climat arctique s'enracine. Les cailloutis calcaires les plus arides et les falaises les plus inhospitalières portent une végétation particulière, illustration éloquente de la complicité entretenue entre le calcaire et certaines plantes. Les parois abruptes laissent place à de délicates fougères s'agrippant aux anfractuosités du roc. Des lichens colorés tapissent les monolithes solitaires et, sur le littoral supérieur, les plantes s'étagent selon leur tolérance à la salinité, leur besoin en humus ou la pente du terrain.

Aux endroits les plus exposés aux vents du large, la lande prolonge le littoral. «Illusion de la toundra», la lande ondule, multicolore, sur d'anciennes plages que la mer ne touche plus. Du printemps à l'automne, la végétation particulière de la lande, composée de lichens, de certaines plantes herbacées pour la plupart d'origine arctique-alpine, d'arbustes bas et d'arbres rabougris rabattus par les vents chatoie sous une palette de coloris constamment renouvelés.

De tous les habitats de l'archipel, la forêt de conifères — sapins baumiers et épinettes blanches — est la plus importante. Les longs lichens accrochés aux branches des arbres matures confèrent cependant un brin d'exotisme à ces milieux forestiers plutôt familiers. Dans ces forêts peu touchées par l'homme, le vent renverse souvent de larges pans de vieux peuplements de conifères et crée ainsi des chablis qui favorisent la repousse d'une forêt de sapins dense et basse.

Dans les parties humides et mal drainées des îles, les tourbières trouent fréquemment la forêt. La tourbière minérotrope, alimentée par des eaux de ruissellement chargées de minéraux, constitue l'habitat porteur du plus grand nombre d'espèces végétales; son

fond blanchâtre coloré par les dépôts de carbonate de calcium lui a valu le nom d'étang marneux. Enfin, le marais salé, typique des littoraux de certaines parties de l'estuaire du Saint-Laurent, complète la grande variété d'habitats dispersés dans l'archipel. Prolongement fragile de la terre ferme, le marais salé subit encore l'influence des mouvements de la mer.

La diversité, l'originalité et la rareté de plusieurs des éléments de la flore de la Minganie constituent un attrait majeur de l'archipel. Imaginez que, sur une surface d'à peine 100 kilomètres carrés, le nombre de plantes rares recensées à ce jour atteint 500, celui des espèces de mousses, 150, et celui des lichens, 190! Parmi ces plantes, plusieurs espèces indigènes au milieu arctique ou alpin retrouvent dans les landes et les littoraux de l'archipel les dures conditions auxquelles elles sont merveilleusement bien adaptées. L'archipel compte aussi dix-huit plantes considérées ici comme très rares, tel le fameux chardon de la Minganie, découvert par Marie-Victorin.

Les cailloutis de calcaire très compacts proviennent en réalité d'anciennes plages soulevées par le redressement des îles. Envahies lentement par la végétation, ces plages deviennent petit à petit des landes. (Photo: Michel Barry).

Une faune abondante

L'occupation humaine de l'archipel de Mingan se déploie sur une période de deux millénaires, fractionnée par les passages successifs de plusieurs groupes culturels. Chacun de ces groupes, selon qu'il évolue dans une économie de subsistance ou participe aux grands courants d'échanges économiques internationaux, puise différemment aux ressources de l'archipel.

Les mollusques, composante essentielle de l'alimentation des populations de chasseurs-cueilleurs de la préhistoire, foisonnent dans les eaux froides de l'archipel. La moule bleue tapisse le littoral de certaines îles; la littorine, un petit mollusque comestible, s'accroche aux rochers; dans les eaux plus profondes vivent l'oursin et le buccin commun ou bigorneau; le pétoncle d'Islande gîte sur les fonds cailloux; la mye commune, connue sous le nom de coque, préfère les fonds vaseux d'où les pêcheurs peuvent facilement l'extraire.

Les oiseaux marins et aquatiques, dont la chair et les œufs assuraient une partie de la subsistance des populations humaines d'antan, fréquentent encore l'archipel par milliers. Les îles offrent en effet une grande variété d'habitats écologiques, ce qui multiplie les aires favorables à la nidification des oiseaux marins.

Les landes, surtout celle de l'île Nue, donnent refuge à quelque 4 000 couples de goélands argentés ainsi qu'au goéland à man-teau noir. Les sternes — la sterne commune et la sterne arctique — représentent le second groupe d'oiseaux marins le plus nombreux de l'archipel. Les falaises escarpées constituent l'habitat privilégié de la mouette tridactyle. Pour nicher, le gode et le guillemot noir s'accommodent fort bien des falaises et des talus d'éboulis. Le macareux moine, ou perroquet de mer, niche dans un terrier creusé dans la frange herbeuse du sommet des falaises. L'eider à duvet, un canard de mer nommé là-bas moyac, fréquente l'archipel durant toute l'année; il fut autrefois soumis à une chasse abusive, et ses œufs, pillés sans vergogne, prenaient par chargements entiers de goélettes la route des marchés de Boston et de Halifax. Les migrations annuelles des oiseaux aquatiques, canards noirs, sarcelles à ailes vertes, becs-scies à poitrine rousse, grands becs-scies, huarts à collier, pluviers et bécasseaux, jettent ceux-ci par centaines sur les petits lacs et les rivages de l'archipel.

Les ancêtres des Montagnais

Largement distribuées dans l'archipel, ces ressources attirent depuis fort longtemps des groupes humains. Ainsi, une investigation partielle du pourtour des îles a mis au jour treize sites d'occupation préhistorique disséminés à travers les landes et les forêts de l'ensemble de l'archipel. Les plus anciens de ces sites datent de 2 000 ans, et les plus récents remontent à environ 300 ans.

Les chercheurs peuvent-ils déterminer l'appartenance culturelle de ces premiers occupants de l'archipel? Il ne fait pas de doute que les sites découverts sur l'archipel identifient leurs occupants à la tradition culturelle dite archaïque, dont les premières manifestations au Labrador remontent à 9 000 ans. De façon plus précise, l'origine algonquienne des sites de l'archipel ne fait pas de doute non plus, et certains éléments retrouvés sur les lieux suggèrent des affinités possibles avec le complexe «Point Revenge», situé sur la côte orientale du Labrador. Ces populations utilisaient principalement des matériaux locaux pour la fabrication de leurs outils (le chert de Minganie et le quartz) et se procuraient par des échanges avec d'autres groupes culturels des produits tels que les contenants de céramique, qui leur faisaient défaut. Le mode de subsistance de ces groupes était fondé d'abord sur la chasse hivernale au caribou, complété ensuite durant la saison estivale par une exploitation extensive des ressources de l'archipel.

Les Montagnais du village de Mingan paraissent descendre directement de ces populations anciennes. Autrefois nomades, ils se dispersaient par petits groupes familiaux dans l'arrière-pays pour chasser le caribou et le petit gibier durant l'hiver. Ils étaient d'abord «gens de terre», mais l'archipel, en raison de l'abondance et de la proximité de ses nombreuses ressources, constituait le lieu privilégié de leur rassemblement estival. Récemment encore, les Montagnais continuaient de faire la chasse et la cueillette dans les îles après la saison hivernale.

Des baleiniers basques

Ce sont vraisemblablement les grands mammifères marins qui attirèrent en Minganie les premiers Européens: les baleiniers basques. À cause des remontées d'eaux profondes chargées d'éléments nutritifs provoquées par de forts courants de marées, les eaux de l'archipel constituent un riche bassin en nourriture pour les bancs de poissons et les grandes communautés planctoniques dont se nourrissent les mammifères marins. Cétacés et pinnipèdes trouvent donc dans ces eaux une alimentation abondante et, pour certaines espèces, tel le phoque du Groenland, des conditions favorables à leur reproduction.

Le rorqual commun et le petit rorqual, espèce la plus abondante en ces lieux, le dauphin à flancs blancs et son cousin le dauphin à nez blanc, le marsouin commun, abondant et à la chair délicate, l'épaulard, plutôt rare, et le globicéphale noir, qui se déplace en troupeaux de 50 à 60 individus, fréquentent tous à des degrés divers les eaux intérieures de l'archipel. Plus au large, sur le Banc rouge, le rorqual bleu et le rorqual à bosse viennent régulièrement se nourrir. La baleine noire, la proie préférée des anciens baleiniers à cause de sa lenteur et de son excellent rendement en huile, a été revue dans l'archipel en 1983.

Le phoque gris, particulièrement abondant au cours de l'été, le phoque commun et le phoque du Groenland fréquentent aussi ces eaux. La découverte d'ossements de morses lors de la fondation de Havre-Saint-Pierre suggère la présence, autrefois, de ces mammifères. De tout temps, l'huile, la peau et la chair du «loup-marin» furent recherchées par les hommes.

Dès la fin du XIXᵉ siècle, le comte Henri de Puyjalon attribuait aux baleiniers basques les vestiges de structures de maçonnerie circulaires situés sur l'île Nue. Depuis le milieu du XVIᵉ siècle, les armateurs basques envoyaient régulièrement des navires à la pêche à la morue sur les bancs de Terre-Neuve et à la chasse à la baleine dans le détroit de Belle-Isle et le golfe du Saint-Laurent. Les vestiges des fours de l'île Nue, attribués aux Basques, dateraient-ils de cette époque ancienne? La fouille archéologique de l'un de ces fours révèle de nombreux fragments d'os de baleines et de loups-marins ainsi que des concrétions de matière grasse calcinée, qui confirment la fonction de cette structure. De plus, le site contient

Grattoir en chert d'origine amérindienne et pointe de projectile taillée à même un fragment de chaudron de cuivre. (Photo: Pierre Drouin).

une quantité de fragments de tuiles rouges comme celles retrouvées habituellement sur les lieux d'anciens établissements basques.

Les Français prennent la relève

Au milieu du XVIIᵉ siècle, les Basques doivent céder la place aux marchands français. Ainsi, en 1679, Louis Jolliet et Jacques de Lalande deviennent propriétaires de la seigneurie des Îles et îlets de Mingan et, dès l'année suivante, Jolliet fait ériger un poste de traite sur l'île du Havre de Mingan. Les archéologues y ont découvert les fondations de deux bâtiments à partir desquels les engagés de Jolliet faisaient la traite des fourrures avec les Amérindiens, en plus de pratiquer la chasse au phoque et la pêche à la morue. Il se peut donc que ce soit les hommes de Jolliet qui, au début du XVIIIᵉ siècle, remirent en opération le fondoir des Basques sur l'île Nue.

Subissant les aléas des flux et reflux des flottes anglaises empruntant le Saint-Laurent pour s'attaquer à Québec, le poste de Jolliet fut incendié à deux reprises. En 1725, il semblerait que les fils Jolliet exploitaient un autre poste sur l'île à Bouleaux de Terre pour la chasse au canard eider et au loup-marin.

À partir de la distribution des premières seigneuries sur la Côte-Nord, l'exploitation des ressources de ce territoire, vaste comme un pays, s'effectue dans le contexte de généreux monopoles accordés par l'État à des individus puis à des compagnies. Fourrures, poissons, huiles animales, œufs et duvet d'oiseaux, provenant de ponctions régulières exercées sur les milieux naturels, s'acheminent annuellement vers les marchés

étrangers pour le plus grand bénéfice des détenteurs de monopoles. Depuis 1832, la compagnie de la Baie d'Hudson draine ainsi à son profit les richesses de la Moyenne-Côte-Nord. À l'occasion, elle recourt à la force pour éloigner ceux qui prétendent puiser au même pactole. Il faudra l'intervention du législateur pour que le peuplement libre de la Côte-Nord puisse enfin commencer.

Une communauté acadienne

En 1857, six familles acadiennes s'embarquent sur la goélette la *Mariner*, fuyant la misère qui sévit alors aux îles de la Madeleine, et abordent au lieu-dit la Pointe-aux-Esquimaux. Cet événement marque la fondation de la ville moderne de Havre-Saint-Pierre. Dès 1861, le jeune établissement compte 30 familles et, selon la prédiction du capitaine Pierre Fortin, il se destine à devenir l'un des postes les plus importants de la côte.

Sur quelles ressources la nouvelle communauté allait-elle pouvoir fonder sa subsistance? Les troupeaux de baleines et de loups-marins, qui jadis semblaient inépuisables, de même que les multitudes de saumons qui chaque année remontaient les fleuves et les rivières de la Côte-Nord semblaient alors presque disparus de la Minganie.

Les Acadiens de la Pointe-aux-Esquimaux, confrontés au défi de la survivance dans leur nouveau pays d'adoption, y transportèrent un système d'exploitation des ressources fondé sur l'utilisation des goélettes à voiles. Les goélettes, construites et exploitées sur le mode familial, étaient à la base du «cycle des trois pêches». Lors de ce

Les fouilles archéologiques entreprises par Environnement Canada en 1986 permirent de mettre au jour ce four de forme circulaire, qui servait entre autres à fondre le lard de baleine. (Photo: Pierre Drouin).

cycle d'opérations, certaines îles de l'archipel, notamment l'île au Marteau, le havre McLeod sur l'île à la Chasse et l'île Saint-Charles jouaient le rôle essentiel de havre hivernal pour les goélettes qui, tôt le printemps, se dégageaient de leur gangue de glace pour s'engager dans le détroit de Belle-Isle afin de faire la chasse aux «mouvées» de loups-marins dérivant sur les plages le long des côtes de Terre-Neuve. Elles revenaient au port au début de l'été pour y laisser leur cargaison, puis repartaient s'adonner à la pêche à la morue le long de la Basse-Côte-Nord pour terminer enfin leur cycle en remontant vers Terre-Neuve à la poursuite des bancs de harengs. À l'automne, les goélettes se rendaient à Québec et parfois à Halifax pour y transiger le produit de leurs pêches.

Dès les années 1880 cependant, plusieurs mauvaises saisons consécutives de chasse au loup-marin — les captures de ce mammifère passent de 23 000 en 1880 à environ 1 000 en 1885 — et de pêche au hareng et à la morue viennent rompre l'équilibre fragile qui assurait la survie économique des populations de la Minganie. Devenues inutiles, les goélettes disparaissent vers 1900 et des «barges» à voiles mieux adaptées à la pêche côtière de la morue les remplacent. Durant ces années difficiles, la population ne néglige aucune des ressources d'appoint que peut fournir l'archipel. La coupe du foin sauvage sur certains îlots contribue à l'élevage du bétail auquel certains s'adonnent; le bois coupé sur les îles sert au

chauffage des maisons; la cueillette des fruits sauvages se poursuit toujours. De petites conserveries de crustacés, coques et homards, s'établissent sur les îles. Dans la foulée du succès de l'entreprise pionnière d'élevage du renard du Belge Johan Beetz, une renardière voit le jour sur l'île du Havre.

Importantes transformations économiques

Depuis 1950, l'exploitation des gisements d'ilménite de l'arrière-pays par la compagnie de fer et titane du Québec transforme profondément le mode de vie traditionnel de la population de Havre-Saint-Pierre. Le travail salarié constitue désormais la première source de revenus, de telle sorte que les îles ont perdu leur rôle de «pourvoyeuses de ressources» essentielles. La fréquentation de l'archipel reste cependant bien ancrée dans les mœurs des populations de la Minganie. Les Montagnais de Mingan, dont certains aspects du mode de vie traditionnel persistent encore, y prélèvent toujours une partie de leur subsistance. Les habitants de Longue-Pointe-de-Mingan et de Havre-Saint-Pierre fréquentent davantage l'archipel lors d'activités récréatives telle la chasse au canard eider et autres oiseaux aquatiques sur les petits lacs de l'intérieur et sur le littoral des îles. Les familles se réunissent aussi fréquemment vers la fin de l'été pour la cueillette de la plaquebière, des graines rouges (airelle vigne d'Ida) et des fraises sauvages. La récolte du goémon et des coquillages se pratique peut-être encore. Le

«jiggage» de la morue dans les eaux de l'archipel trouve toujours plusieurs adeptes. L'habitude de la fréquentation de l'archipel reste donc bien vivace chez les habitants des communautés de la Minganie.

Avec la création par le Québec de l'arrondissement naturel de Mingan, suivie de la loi fédérale instituant la Réserve de parc national de l'Archipel-de-Mingan, l'histoire de l'exploitation des ressources naturelles de la Minganie entre dans une nouvelle phase. Des modes différents d'exploitation de nos ressources voient enfin le jour. Déjà les visiteurs affluent en nombre croissant pour admirer, dans un respect de la nature et dans un souci d'amélioration de la qualité de la vie, la végétation unique des îles de Mingan et les formes étranges des monolithes d'érosion. La conservation de ces merveilles de la nature étant assurée, on peut encore mieux mesurer le chemin parcouru depuis les habitudes d'exploitation à outrance des siècles antérieurs.

André Bérubé, historien

Maison Johan-Beetz

Baie-Johan-Beetz
Route 138

Fonction: maison d'habitation
Classée monument historique en 1979

À vingt minutes d'hydravion depuis Havre-Saint-Pierre, dernier jalon routier de la Côte-Nord, se blottit, au fond d'une anse bien abritée s'ouvrant sur l'estuaire du Saint-Laurent, un minuscule et coloré village, inconnu d'un grand nombre de Québécois: Baie-Johan-Beetz. Là, sur un promontoire rocheux s'avançant dans la mer, s'élève une vaste résidence qui domine le village et la baie: il s'agit du château Johan-Beetz, comme l'appellent les habitants de l'endroit depuis l'époque où la famille Beetz l'habitait.

Personnalité unique

Johan Beetz est un personnage hors du commun. Rien, à l'origine, sinon peut-être son amour des grands espaces sauvages et sa passion pour la chasse et la pêche, ne le destinait à venir s'installer dans cette contrée isolée, située loin des grands centres urbains et de la vie mondaine à laquelle il était habitué en Europe.

Fils d'aristocrates belges, il voit le jour en 1874 à Bootmerbeek, au château d'Oudenhouven dans le Brabant. À la suite de la mort de sa fiancée et d'une discussion avec un Français du nom de Warner, représentant de la compagnie Cook à Bruxelles, alors qu'il s'apprête à partir pour le Congo, Johan Beetz décide de venir s'installer à Baie-Piashti. Le village portait ce nom avant d'adopter le sien vers 1910. Lors de cette rencontre, en 1897, il acquiert pour cinq cents dollars le terrain que Warner possède à cet endroit depuis 1887 et la petite maison qui s'y trouve. Ce site lui servait de lieu de villégiature afin de venir chasser et pêcher dans la région avec des amis.

Johan Beetz emménage dans la maison de Warner en 1897. Sans tarder, il réussit à se faire adopter par la population de la région. Il gagne rapidement la confiance et l'estime de celle-ci grâce à sa simplicité et par la générosité dont il sait faire preuve. Il donne du travail à plusieurs, fournit des médicaments, souvent sans frais, et se fait médecin à titre bénévole à l'occasion. Il se passionne également pour le gibier à plumes et à fourrure de la région qu'il étudie dans son habitat naturel. Il consigne ses observations par écrit et les accompagne de nombreux croquis.

Conscient de l'important potentiel économique de la région pour le commerce des fourrures, il décide en 1898 de se lancer dans cette entreprise. Il achète les plus belles prises des trappeurs nord-côtiers, allant jusqu'à payer parfois le double du prix habituel. Il écoule une partie de sa récolte auprès de la célèbre maison Revillon et Frères de Paris, avec laquelle il s'est associé. La même année, Johan Beetz épouse Adela Tanguay, native de Baie-Piashti; elle lui donne onze enfants.

À son retour de voyage de noces en Europe, Johan Beetz construit en 1899 sa maison sur l'emplacement de celle de Warner. Transportée près de la rivière, cette dernière sert plus tard de glacière. La nouvelle maison, dont les plans auraient été conçus par Johan Beetz lui-même, est en bois lambrissé de planches à clins. Érigée sur une fondation de pierre, elle mesure 23 mètres de longueur sur 12 mètres de largeur et possède 12 pièces réparties sur deux niveaux. Une toiture à la Mansart recouverte de tôle coiffe le bâtiment. Autrefois, une galerie s'étendait sur toute la longueur de la façade principale, au niveau de l'étage et du rez-de-chaussée. De nos jours, seule cette dernière subsiste. Stylistiquement, l'ensemble se rattache au mouvement éclectique à la mode à l'époque,

Belge d'origine, Johan Beetz vient s'installer à Baie-Piashti en 1897. Deux ans plus tard, il construit la maison qui porte aujourd'hui son nom.

interprété en Amérique du Nord dans le style néo-reine-Anne. Au cours des années, Johan Beetz adjoint plusieurs constructions à sa maison comme, par exemple, un petit bâtiment près de la rivière qui sert de lavoir, un hangar, un poulailler, ainsi qu'un laboratoire où il fait des vivisections et naturalise certains animaux. À l'avant de la maison, il construit également un petit belvédère avec du bois ramassé sur la grève. Plusieurs de ces constructions n'existent plus aujourd'hui.

Excellent peintre et dessinateur, Johan Beetz participe à la décoration intérieure de sa maison en ornant plusieurs panneaux de portes que l'on peut encore observer, avec des natures mortes représentant des animaux ou des fleurs. Ces dernières s'inscrivent dans l'esprit du mouvement «Reform Design». Pour le reste, le décor architectural menuisé se rattache au style Eastlake, d'origine américaine, également caractéristique du mouvement éclectique, ainsi que le papier peint figurant un lambris d'appui dans plusieurs pièces. On y relève aussi plusieurs éléments de décor menuisé de style néo-colonial, sans doute ajoutés dans les premières années du XXᵉ siècle.

Grand amateur d'antiquités, Johan Beetz constitue une importante collection d'objets achetés au cours de ses voyages ainsi que de nombreux spécimens naturalisés de la faune de la Côte-Nord qu'il conserve dans un petit bâtiment à proximité de la maison. Il met même au point un procédé d'embaumement unique pour les animaux, qui suscite l'étonnement des scientifiques de l'époque.

Grâce au fruit de ses patientes recherches et à l'expérience acquise avec la faune de la Côte-Nord, il se lance, en 1903, dans l'élevage des animaux à fourrure, faisant ainsi figure de pionnier dans le domaine en raison des méthodes révolutionnaires qu'il utilise. Il acquiert rapidement une renommée qui dépasse les limites de la province.

Départ de la Côte-Nord

À la mi-novembre 1922, la famille Beetz quitte définitivement la Côte-Nord pour aller vivre à Saint-Laurent, en banlieue de Montréal. Avant son départ, Johan Beetz vend au gouvernement du Québec sa collection d'animaux naturalisés, riche alors de 4 000 spécimens. Remise au nouveau Musée du Québec, elle fait l'objet d'une importante exposition en mars 1941.

Passionné par la faune québécoise, Johan Beetz orne plusieurs panneaux de portes de sa maison avec des natures mortes représentant des animaux ou des fleurs.

Vendue en 1926 à un Américain, la propriété de la Côte-Nord sert de lieu pour la chasse et la pêche pendant la saison estivale. Elle appartient aujourd'hui à un Américain de Pennsylvanie qui l'utilise pour les activités du club de pêche Beetz Baie Camp.

En juillet 1924, Johan Beetz reçoit l'ordre de Léopold II, décerné par le gouvernement belge en récompense de l'œuvre accomplie dans son pays d'adoption. Travailleur infatigable, il quitte la Côte-Nord afin de mieux se consacrer à l'éducation de ses enfants. Il n'en continue pas moins à s'intéresser à l'étude des animaux à fourrure. En 1929, il entre au Service des animaux à fourrure de la province comme directeur et malgré la crise économique qui sévit à ce moment, il parvient à relancer cette industrie.

En 1931, il publie un livre, *L'indispensable*, qui résume son expérience dans le domaine et, en 1936, il soutient une thèse de doctorat sur le sujet à l'université de Montréal. Signalons qu'il participe à la fondation du jardin zoologique de Québec en 1932.

Cet être exceptionnel, devenu une figure légendaire sur la Côte-Nord, s'éteint le 26 mars 1949, à l'âge de 74 ans. Il laisse derrière lui une œuvre importante qui, espérons-le, sera un jour tirée de l'oubli pour le plus grand bénéfice des Québécois et en particulier pour ceux de la Côte-Nord.

Yvan Chouinard, ethnologue

BEETZ, Jeannette et Henry. *La merveilleuse aventure de Johan Beetz.* Leméac, Montréal, 1977. 222 p.

PARISÉ, Robert. *Géants de la Côte-Nord.* Québec, Éd. Garneau, 1974: 19.

ROUILLARD, Eugène. *La Côte-Nord du Saint-Laurent et le Labrador canadien.* Québec, ministère de la Colonisation, des Mines et des Pêcheries, 1908: 164.

Poste de pêche et de traite de Nantagamiou

Côte Nord du golfe du Saint-Laurent

Fonction: site archéologique
Classé site historique et archéologique en 1974

U NE longue plage de sable fin face à trois «cailles», ces îlots de roc nu qui émergent à marée basse, un bois dense de résineux malingres à l'arrière-plan: tel apparaît le site maintenant déserté de Nantagamiou.

Nous sommes sur le littoral nord du golfe du Saint-Laurent, loin en aval, près du village de Chevery. La côte de ce pays est plus souvent découpée dans le roc que sablonneuse. En l'apercevant en juin 1534, Jacques Cartier la décrit ainsi: «Elle ne se doit nommer Terre Neuve, mais pieres de rochers effroyables et mal rabotés; car en toute la dite côte du nord, je ne vis une char-retée de terre, et j'y descendis en plusieurs lieux. Sauf à Blanc-Sablon, il n'y a que de la mousse et de petits bois avortés.»

Les terres sablonneuses, qui permettent à des arbrisseaux de croître, sont en effet rares en Basse-Côte-Nord. Est-ce une des rai-sons qui incitent Jacques Bellecourt, sieur de Lafontaine, à s'installer dans l'arrière-plage de Nantagamiou deux siècles plus tard?

Son alliance avec les familles Bissot et Lalande Gayon, héritières des seigneuries de Mingan, amène Jacques de Lafontaine à s'intéresser de près à la traite et aux pêche-ries du Labrador. Aussi, en 1733, se fait-il concéder par bail quelque 40 kilomètres en front de mer.

Après avoir exploré à fond son terri-toire, Jacques de Lafontaine s'établit sur la plage de Nantagamiou, où il fait construire cinq bâtiments. Jusqu'à la Conquête, on y traite environ 1 000 loups-marins chaque année.

Site de pêche au phoque du Groenland de Nantagamiou, aujourd'hui déserté. (Inventaire des biens culturels du Québec).

Toiture en rondin écroulée retrouvée lors des sondages de 1973. (Inventaire des biens culturels du Québec).

La capture du phoque du Groenland au filet était alors l'activité principale de toutes les concessions du littoral labradorien. Peaux et huiles étaient acheminées vers Qué-bec, où les tanneurs apprêtaient les peaux destinées aux cordonniers et corroyeurs; l'huile fournissait, entre autres, un combus-tible recherché pour l'éclairage domestique.

Mais Jacques de Lafontaine sera le pre-mier à capturer ces animaux à l'automne, lors de leur migration du Grand Nord vers le golfe. Jusqu'alors, on les capturait au prin-temps, au cours de leur remontée vers le nord, et rares sont les endroits où, dans ce trajet, ils s'approchent assez du littoral pour rentabiliser une pêche côtière. L'innovation de Lafontaine, très certainement fondée sur les observations des Montagnais avec les-quels il commerçait, permit donc d'exploi-ter des «passes» que les bandes de loups-marins empruntaient seulement à l'automne.

Après la Conquête et jusqu'à la fin du XIXe siècle, le poste de Nantagamiou conti-nue d'être exploité, mais à un degré moin-dre. Au XXe siècle, il est pratiquement aban-donné. La plage n'était occupée que l'été par une famille qui, finalement, transporta à Har-rington Harbour la maison qu'elle y avait construite.

C'est cette plage qu'un archéologue du ministère des Affaires culturelles identifia, en 1973, comme le lieu probable de l'établisse-ment de Nantagamiou. Après avoir analysé la documentation historique et les photos aériennes du secteur, l'archéologue vint sur place vérifier le bien-fondé de ses hypo-thèses.

De fait, certaines anomalies du terrain, dans le relief et la végétation herbeuse qui couvre la basse terrasse de la plage, témoi-gnaient d'une occupation ancienne, dont plus aucun élément ne subsistait hors sol. Six sondages suffirent à prouver la richesse du patrimoine enfoui, et le ministère décida alors de procéder au classement du site.

Les vestiges de Nantagamiou sont main-tenant protégés, non plus seulement par le sable et les graminées, mais aussi par la loi et par les communautés de Chevery et de Harrington Harbour, sensibilisées par cette mesure. Il est certain qu'un jour ou l'autre, la recherche et l'aménagement viendront valoriser cet élément majeur de l'occupation historique du golfe du Saint-Laurent.

Françoise Niellon, archéologue

DALE STANDEN, S. «Lafontaine de Belcour», dans *Dic-tionnaire biographique du Canada*, tome III: 365-368.

FORTIN, Pierre. «Rapport annuel [...] pour la protection des pêcheries dans le Golfe St Laurent». Québec, *Jour-naux de l'Assemblée législative*, Appendices aux docu-ments de la session, 1853, 1858, 1868.

NIELLON, Françoise. «Recherches archéologiques sur l'exploitation côtière du loup marin en Basse Côte nord aux 18e et 19e siècles», dans *Traditions maritimes au Québec*. Québec, Éditeur officiel, 1985: 228-244.

Four à chaux

Baie-Sainte-Claire (Île d'Anticosti)

Fonction: aucune
Reconnu monument historique en 1976

D'abord seigneurie concédée à Louis Jolliet en 1680, l'île d'Anticosti passe, au XIXe siècle, entre les mains de plusieurs groupes d'entrepreneurs désireux de la coloniser. Ces tentatives se révèlent infructueuses jusqu'en 1895, moment où le célèbre et richissime chocolatier français Henri Menier se porte acquéreur de l'île. Avant cette transaction, Baie-Sainte-Claire s'appelait Baie-des-Anglais ou English Bay. Henri Menier modifie le toponyme en mémoire de sa mère prénommée Claire.

Village disparu

En comparant les photographies d'époque et le site actuel, on s'étonne de la disparition presque totale du village aménagé par Henri Menier. Situé autour de la baie, dans le triangle formé par les chemins et la bande littorale, en contrebas d'un plateau, cette partie avait été défrichée jadis, ainsi qu'une grande surface comprise entre le village et le lac à la Marne. L'ordre régnait dans ce petit bourg: les immeubles et des clôtures délimitaient soigneusement les emplacements de chacun.

Henri Menier abandonne assez tôt ce site, d'abord choisi en raison de ses qualités de havre naturel, pour créer un nouveau village à la baie Ellis (Port-Menier). À l'exception de deux bâtiments et d'un four à chaux solidement ancré dans le sol, le temps se chargera d'effacer du paysage les vestiges de ce village modèle.

Situé à l'extrémité nord, dans une clairière ouverte sur la mer, à proximité du cimetière de la Pointe-aux-Anglais, le four à chaux se trouve à une soixantaine de mètres du rivage, sur un terrain légèrement surélevé. Grâce au journal du fondé de pouvoir de Henri Menier sur l'île, Georges Martin-Zédé, l'on connaît assez précisément l'époque de sa construction. Érigé vers 1897, ce four répond à des besoins très précis: faire du mortier, blanchir l'intérieur des maisons, les fondations, mais aussi chauler les bâtiments secondaires et les clôtures.

En 1897, l'entreprise de colonisation inaugurée par Henri Menier débute à peine. Pour édifier les installations projetées, il fait appel à des entrepreneurs de Québec, les frères Peters, qui habiteront temporairement sur l'île avec leurs ouvriers. La tradition orale les identifie comme constructeurs du four.

Cet ouvrage forme une masse imposante large de 9 mètres et mesurant 5,5 mètres de profondeur sur 3,5 mètres de hauteur. Sa fonction consiste à transformer de la pierre calcaire en chaux. Il se compose de trois éléments: le corps, où s'effectue la transformation de la chaux, les contreforts, qui soutiennent la partie centrale, et les murs de soutènement, qui protègent le corps et l'isolent pour en conserver la chaleur. À l'extrémité du contrefort sud se trouve un petit réchaud semi-circulaire probablement utilisé par les artisans pour préparer des aliments.

D'après les sources orales, les ouvriers utilisèrent des pierres extraites du sol même d'Anticosti pour construire le four. À l'extérieur, les pierres calcaires sont appareillées de façon irrégulière. Quant au parement intérieur, il se compose de pierres rondes de gneiss ou de granit ramassées sur le «reef».

Ce four à chaux, restauré en 1985, présente un type de construction aujourd'hui très rare au Québec; il rappelle une technologie autrefois fort répandue.

Bernard Genest, ethnologue

Le four à chaux de Baie-Sainte-Claire témoigne de l'existence du village aménagé par Henri Menier en 1895.

BUREAU, Pierre et Claude MICHAUD. *Inventaire et analyse des immeubles anciens de l'île d'Anticosti.* Québec, ministère des Affaires culturelles, 1974. 106 p.

GENEST, Bernard et Françoise DUBÉ. *Anticosti, le four à chaux de la Baie-Sainte-Claire.* Québec, ministère des Affaires culturelles, 1975. 89 p. (Coll. «Dossiers», n° 9).

SALAUN, Jean-Paul. *Le four à chaux de Baie-Sainte-Claire, île d'Anticosti.* Québec, ministère des Affaires culturelles, 1985. 29 p.

Est du Québec

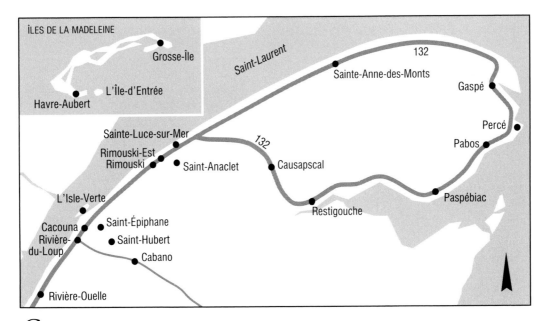

CE qu'on appelle communément l'Est du Québec regroupe en fait les territoires d'au moins quatre régions historiques, voire culturelles: une partie de la Côte-du-Sud, le Bas-Saint-Laurent, la célèbre Gaspésie, et très loin dans le golfe, les Îles-de-la-Madeleine.

Kamouraska: un vieux pays de la Côte-du-Sud

Le pays de Kamouraska s'étend de La Pocatière à Saint-André, sur la côte sud de l'estuaire du Saint-Laurent. L'appellation de ce territoire vient du toponyme donné par les Amérindiens à une rivière et qui signifie «il y a du jonc au bord de l'eau». Avant d'identifier un comté, un district et une Municipalité régionale de comté, Kamouraska a aussi désigné une seigneurie et une paroisse. Le paysage de Kamouraska perpétue celui de la vallée du Saint-Laurent et se divise en deux parties principales: les basses terres en bordure de l'estuaire et, à l'arrière jusqu'à la frontière américaine, une zone plus élevée de plateaux appalachiens. La colonisation s'est d'abord concentrée dans le secteur des seigneuries de La Pocatière (Grande-Anse) et de Rivière-Ouelle. Pendant longtemps, ce seront les établissements les plus orientaux de la Nouvelle-France. On y est d'abord venu pour pratiquer la pêche, la traite des fourrures et ensuite pour s'établir comme agriculteur. Le rythme d'accroissement de la population était tel aux XVIIIᵉ et XIXᵉ siècles que toutes les terres le long du littoral furent bientôt occupées; cela obligea bon nombre de fils de cultivateurs à s'établir, soit encore plus

en aval, dans le Bas-Saint-Laurent, soit au nord du fleuve, au Saguenay. Ainsi, dès les années 1860, la population stagne pour plusieurs décennies autour de 20 000 habitants. C'est après 1920 qu'elle recommence à croître, mais de façon bien lente. De nos jours, le district de Kamouraska est peuplé d'un peu plus de 28 000 personnes.

La région a été, dès le milieu du XIXᵉ siècle, une destination touristique fort courue. Les familles bourgeoises de Montréal et de Québec venaient à Kamouraska pour admirer les beautés du pays, respirer un air pur et prendre des bains d'eau de mer. Au plan culturel, le collège de Sainte-Anne-de-la-Pocatière, fondé en 1827, a été le lieu d'un foisonnement intellectuel qui eut un rayonnement national. Il en va de même pour l'école d'agriculture de Sainte-Anne, aujourd'hui l'Institut de technologie agricole, fondée en 1859; celle-ci a directement contribué à l'élaboration et à la diffusion de connaissances agronomiques au Québec.

Avec un sol assez riche dans la zone des basses terres, c'est l'agriculture qui a constitué pendant longtemps l'épine dorsale de l'économie de Kamouraska. L'industrie n'y a jamais fait de percée significative si ce n'est l'installation à La Pocatière de la multinationale Bombardier dans les années 1970. Aujourd'hui, la population demeure en partie rurale bien que l'économie soit dominée par les activités commerciales et de services surtout concentrées dans des villes et villages comme Saint-Pascal, Saint-Pacôme, Pohénégamook et La Pocatière.

Est du Québec

Le Bas-Saint-Laurent: basses terres, plateaux et vallées

Toujours en bordure sud de l'estuaire du grand fleuve, dont la région tire son nom, le Bas-Saint-Laurent est ce quadrilatère qui s'étire d'ouest en est de Notre-Dame-du-Portage à Capucins et qui inclut les districts de Rivière-du-Loup, Témiscouata, Rimouski, Matane et Matapédia. Ici, les terres basses se rétrécissent petit à petit jusqu'à devenir quasi inexistantes peu après Matane; elles cèdent ainsi l'espace aux terres hautes, cette imposante formation de plateaux appalachiens. Toutefois, la continuité de ce paysage est interrompue par les vallées du Témiscouata et de la Matapédia qui constituent des voies naturelles de communication en direction du Nouveau-Brunswick.

Avant 1650, le Bas-Saint-Laurent était uniquement fréquenté par les Amérindiens. Grâce aux fouilles archéologiques des dernières années, des campements des époques paléo-indienne, archaïque et sylvicole furent mis au jour. Lorsque Jacques Cartier remonte le fleuve, le territoire semble être sous domination iroquoienne. Cinquante ans plus tard, ces derniers ont laissé la place aux Montagnais qui s'impliquent rapidement dans la traite des fourrures. Vers 1750, les témoignages parlent surtout des Micmacs qui traversaient la Matapédia pour aboutir au fleuve par la rivière Matane et des Malécites qui remontaient le fleuve Saint-Jean en direction du Saint-Laurent via le lac Témiscouata. En 1828, une réserve est aménagée sur les bords de la rivière Verte, dans le canton de Viger, afin de sédentariser les Malécites. Mais d'esprit peu sédentaire, ceux-ci ne se sont pas facilement laissé transformer en colons.

Vue des basses terres du comté de Kamouraska, des hauteurs de Saint-Pacôme. Cette partie de la région a été colonisée dès le Régime français. (Archives nationales du Québec à Québec, fonds Office du film du Québec).

Vers 1870, ils sont expropriés lors de la création de la paroisse de Saint-Épiphane. Depuis cette époque, il n'y a plus de concentration de population amérindienne dans la région. Les pêcheurs basques sont les premiers Européens connus à avoir fréquenté les rives bas-laurentiennes. Mais les tout premiers établissements n'y sont implantés qu'à la fin du XVIIᵉ siècle. À partir de 1653, des seigneuries sont concédées, mais il faut attendre la génération des seigneurs colons pour que certaines seigneuries commencent à se peupler. En 1790, le Bas-Saint-Laurent compte environ 1 200 habitants regroupés surtout dans les seigneuries de Rivière-du-Loup, l'Isle-Verte et Rimouski.

C'est entre 1790 et 1830 que la concentration de la population dans les zones frontières bas-laurentiennes devient plus significative. En 1831, la région compte 10 000 habitants. À partir des seigneuries les plus anciennes, une population jeune trouve encore à s'établir dans les espaces vacants sur les bords de l'estuaire. En même temps, un fort courant d'immigration pousse plusieurs habitants de Kamouraska à venir s'établir dans le Bas-Saint-Laurent. Dans les années 1820, les progrès sont assez importants pour justifier la création de plusieurs paroisses. De plus, les communications entre les seigneuries s'améliorent avec le prolongement du chemin Royal. La colonisation se

Est du Québec

poursuit de façon intensive dans le Bas-Saint-Laurent tout au long du XIXᵉ siècle. L'économie repose sur la grande activité d'alors, l'agriculture. Petit à petit, les défrichements augmentent et les surfaces mises en culture s'accroissent. À la fin du siècle, l'agriculture s'est commercialisée et a même amorcé une spécialisation avec la multiplication des beurreries et fromageries. Parallèlement, de nouvelles activités économiques voient le jour, notamment l'exploitation forestière et les transports ferroviaires. Entre 1825 et 1830, William Price, un important marchand de Québec, entreprend l'exploitation des ressources forestières de la région. Bientôt, on fait chantier le long des principaux cours d'eau et des scieries sont construites à l'embouchure des rivières.

Atteignant Rivière-du-Loup en 1860, le Grand Tronc est le premier chemin de fer à pénétrer dans le Bas-Saint-Laurent. Dans la décennie qui suit, le chemin de fer Intercolonial relie Rivière-du-Loup aux provinces maritimes en passant par la vallée de la Matapédia. Ces chemins de fer entraînent un développement sans précédent à Rivière-du-Loup, qu'on appelait alors Fraserville, petit village qui acquiert le statut de ville en quelques années seulement. Des gens d'affaires de Rivière-du-Loup créeront eux-mêmes leur propre chemin de fer dans les années 1880:

le Temiscouata Railway. En 1890, la ville de Rivière-du-Loup est la plus importante agglomération à l'est de Québec avec ses 4 000 habitants.

Bien qu'à la fin du XIXᵉ siècle, le niveau de vie des Bas-Laurentiens se soit amélioré, la structure économique régionale montre des signes de faiblesse. Les terres des paroisses du bord du fleuve et du piémont appalachien ne peuvent plus accueillir de nouveaux colons. L'économie forestière entre dans une phase de ralentissement dans le sillage de la crise qui affecte les échanges internationaux entre 1873 et 1896. En somme, la société régionale ne peut plus absorber les surplus démographiques engendrés par un taux de natalité très élevé. Ainsi, les jeunes gens qui ne peuvent trouver de l'emploi dans la région gagnent en grand nombre les manufactures de la Nouvelle-Angleterre. Au plan migratoire, la décennie 1880 est l'un des moments les plus dramatiques qu'ait connus le Bas-Saint-Laurent. En 1891, la région compte à peine 60 000 habitants alors que son accroissement naturel aurait dû lui en donner au moins 75 000.

L'arrivée de grandes industries forestières dans les décennies qui suivent 1890 donne un nouveau souffle à l'économie du Bas-Saint-Laurent. Des investissements considérables sont consentis grâce à des

La ville de Rimouski, vue du fleuve. (Carte postale, Archives nationales du Québec à Québec, fonds Magella-Bureau).

Est du Québec

*Vue de la scierie Price à Matane
au début du siècle. (Carte
postale, Archives nationales du
Québec à Québec, fonds
Magella-Bureau).*

capitaux qui viennent des grands centres du
Canada et des États-Unis. En peu de temps,
des espaces ignorés jusque-là par la colonisation se peuplent sous l'impulsion des activités de coupe et de sciage. Les vallées de
la Matapédia et du Témiscouata voient passer leur population en quelques années à
plusieurs milliers d'habitants.

Avant la crise économique des années
1930, on estimait qu'entre 10 000 et 15 000
travailleurs dépendaient de l'industrie du
bois.

En quarante ans, de 1891 à 1931, la
population du Bas-Saint-Laurent fait plus que
doubler et passe à environ 130 000 habitants. Tous les autres secteurs de l'économie
ont bénéficié des retombées de l'exploitation industrielle de la forêt. Le secteur agricole est sans doute celui qui en a le plus profité, en raison des débouchés nouveaux pour
ses produits. Par ailleurs, le nombre des
exploitations agricoles s'est multiplié dans
les vallées et dans certaines parties du haut-
pays. Toutefois, l'agriculture des nouvelles
paroisses évolue dans des conditions beaucoup moins propices que dans les plus
anciennes. D'ailleurs, à la fin des années
1920, il n'y a plus de ces activités intensives
de colonisation auxquelles on était habitué

dans les décennies précédentes. C'est la
Grande Dépression des années 1930 qui
vient relancer momentanément la colonisation.

Pendant la Crise, de grandes scieries
cessent toute activité, engendrant ainsi des
conditions de vie difficiles dans les villes et
villages. Cependant, l'impact de la Crise se
fait moins sentir sur les fermes où les cultivateurs peuvent nourrir leur famille. Pour
l'évêque de Rimouski d'alors, mgr Georges
Courchesne, et les membres de son clergé,
l'agriculture et la colonisation constituent
des réponses aux problèmes sociaux créés
par la crise. À l'initiative de missionnaires
colonisateurs, supportés par certains plans
gouvernementaux, à nouveau des dizaines
de colonies de peuplement voient le jour
dans l'arrière-pays de Matane, de Rimouski,
dans la Matapédia et le Témiscouata. Avec
les années, certaines d'entre elles voient leur
population s'accroître et quelques-unes pas-
seront même au statut officiel de paroisse et
de municipalité dans la décennie suivante.

*Vue de Rivière-du-
Loup. (Archives
nationales du
Canada).*

Est du Québec

C'est au cours de ces années que les derniers efforts de colonisation sont constatés dans le Bas-Saint-Laurent. La Seconde Guerre mondiale ramène la prospérité dans la région comme ailleurs au Québec. À ce moment, on voit disparaître en quelques années des milliers de petites fermes établies dans le haut-pays à l'époque de la colonisation dirigée.

Malgré la reprise manifeste des années 1940, l'économie régionale montre des signes d'essoufflement. Les scieries recommencent à tourner, mais l'on sent rapidement que les coupes excessives pratiquées dans les premières décennies du siècle ont lourdement hypothéqué le patrimoine forestier. Vers 1950, il devient évident que la forêt régionale n'est plus en mesure de répondre à la demande. Lentement disparaît

tier ne vienne amoindrir considérablement les échanges nord-sud. Les villes bas-laurentiennes offrent une gamme de services à cette nouvelle région. Les réussites d'hommes d'affaires, comme par exemple celle tout à fait exceptionnelle de Jules-A. Brillant, qui bâtit un véritable petit empire dans le domaine des services et des communications à Rimouski, ne sont pas étrangères à l'essor assez fulgurant de la rive nord. Dans l'esprit de certains éditorialistes des années 1950, le Bas-Saint-Laurent et la Côte-Nord ne semblent former qu'une seule région. Dans les années 1960, la région du Bas-Saint-Laurent connaît un mouvement de sa population qui amène une partie de ses habitants à quitter l'arrière-pays au profit de la zone littorale, quand ce n'est pas pour s'établir ailleurs comme sur la Côte-Nord.

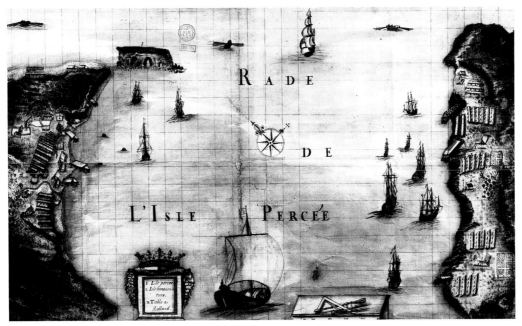

Dès le Régime français, la rade de Percé abrite de nombreux bateaux de pêche. (Archives nationales du Québec à Québec, fonds Office du film du Québec).

un secteur qui avait été l'un des plus structurants dans l'histoire régionale. Les scieries ne sont pas modernisées et sont démantelées les unes après les autres. Ainsi, le paysage économique bas-laurentien change considérablement dans l'après-guerre.

Entre 1940 et 1965, le développement accéléré de la Côte-Nord va profiter grandement au Bas-Saint-Laurent. Un grand nombre de travailleurs du Bas-Saint-Laurent va pouvoir y trouver de l'emploi, d'abord pour le compte de sous-traitants qui décrochaient des contrats auprès de grandes compagnies comme la Quebec North Shore Paper, tout en continuant de résider dans leur paroisse. Le transport et le commerce inter-rives sont pour un temps très florissants. L'agriculture régionale trouve à y exporter plusieurs de ses productions avant que le transport rou-

La Gaspésie: péninsule prise entre mer et montagnes

La frontière occidentale de la Gaspésie a été établie dès 1788 lors de la création du district judiciaire de Gaspé. Étalées en demi-cercle, les municipalités gaspésiennes s'échelonnent de Cap-Chat, du côté nord de la péninsule, à Restigouche, à proximité de la baie des Chaleurs.

Les paysages de la Gaspésie célèbrent l'omniprésence de la mer et de la montagne. En leur point terminal, les Appalaches sortent de leur monotonie pour prendre de l'altitude avant de plonger dans le golfe du

Est du Québec

La transformation du poisson sur la grève de Percé à la fin du XIXᵉ siècle. (Archives nationales du Québec à Québec, fonds Livernois).

L'île Bonaventure constitue un lieu privilégié pour la nidification des fous de Bassan. (Archives nationales du Québec à Québec, fonds Office du film du Québec).

Saint-Laurent. Dans les Chic-Chocs, le mont Jacques-Cartier culmine avec ses 1 262 mètres et constitue le sommet le plus élevé du Québec méridional. L'escarpement de la face nord de la péninsule s'adoucit quelque peu en direction sud vers la baie des Chaleurs.

Peu après la fin de la dernière glaciation, il y a environ 9 000 ans, des peuples amérindiens fréquentent les rives de la péninsule gaspésienne. À Sainte-Anne-des-Monts, Rivière-au-Renard, La Martre et Pabos, des archéologues ont exhumé de nombreux artefacts de sites préhistoriques parmi les plus anciens au Québec. Au cours de la période archaïque gaspésienne, il semble que la présence de pêcheurs-chasseurs se fasse assez fréquente. Mais, pour des raisons encore inconnues, la Gaspésie semble déserte entre les XIIIᵉ et XVᵉ siècles de notre ère. Par contre, à compter du XIᵉ siècle, Iroquoiens, Micmacs, Malécites et Montagnais laissent des signes manifestes de leur présence dans la péninsule. Arrivés des provinces maritimes, les Micmacs furent aussi appelés «Gaspésiens» par les premiers Européens qui les ont rencontrés. Leur culture a subi des transformations radicales au con-

tact des Européens, notamment les Français. Au XIXᵉ siècle, le gouvernement d'Ottawa tente de les cantonner dans les réserves de Maria et de Restigouche dans le but avoué de les transformer en agriculteurs. En 1986, ces deux réserves sont habitées par seulement 1 245 de leurs descendants. Les autres ont été assimilés ou vivent ailleurs au Québec.

À l'époque des grandes découvertes, Jacques Cartier, ce grand explorateur malouin, prend symboliquement possession des terres qu'il vient de «découvrir» au nom de François 1ᵉʳ, roi de France, le 24 juillet 1534, en érigeant une croix dans la baie de Gaspé. Pour important que soit ce geste dans l'histoire du Québec, il n'a pas pour effet d'ouvrir la Gaspésie à la colonisation puisqu'entre 1534 et 1650, aucun établissement permanent n'y est créé. C'est l'époque des pêches saisonnières pratiquées par des marins d'outre-mer. De 1650 à 1713, à l'initiative des Denys et Riverin, les tentatives d'y établir des postes de pêche permanents ne connaissent pas les succès escomptés. Mais au milieu du XVIIIᵉ siècle, malgré les menaces anglaise et américaine, des petites colonies à Mont-Louis, Gaspé, Pabos et Grande-Rivière prospèrent quelques années grâce à la pêche et au séchage de la morue. Elles sont cependant rasées lors de la Conquête.

Est du Québec

Le siècle suivant sera déterminant dans l'histoire gaspésienne puisque c'est au cours de cette période que le peuplement fait des progrès significatifs, presque essentiellement grâce à la pêche intensive et au séchage de la morue. La population atteint environ 3 000 habitants vers 1800 et 18 000, 50 ans plus tard. Peu après la Conquête, plusieurs groupes ethniques viennent rejoindre Canadiens français et Acadiens: ce sont des anglophones venus d'Écosse, des îles britanniques de Jersey et Guernesey auxquels s'ajoutent des loyalistes qui fuient les États-Unis lors de la guerre d'Indépendance. Longtemps, cette nouvelle population vivra dans un isolement quasi complet. L'agriculture, l'exploitation forestière et la construction navale, bien que présentes à quelques endroits, sont loin d'occuper une place importante dans l'économie gaspésienne dominée encore pour longtemps par la morue séchée.

Tout à fait désorganisées après 1760, les activités de pêche vont connaître des changements profonds avec l'arrivée de nouvelles entreprises comme celle du Jersiais Charles Robin. Celui-ci va d'abord éliminer ses principaux concurrents puis établir un véritable empire dont les tentacules vont s'étendre dans presque toute la Gaspésie. Parallèlement, prêtres et missionnaires tentent d'encadrer la population répartie en isolats le long du littoral.

coupe du bois des activités complémentaires à la pêche. L'industrie forestière, principal élément de diversification économique, occupe une plus grande partie de la main-d'œuvre gaspésienne, qui peut dès lors tirer une part de sa subsistance en dehors de la pêche.

Des difficultés de mise en marché entraînent un certain déclin de l'activité des grandes compagnies de pêche de Jersey. En chiffres absolus, la population continue de croître, mais bon nombre de Gaspésiens quittent leur région pour rejoindre la cohorte des émigrants attirés par la prospérité de la Nouvelle-Angleterre. Au début du XX siècle, la Gaspésie ne vit plus dans l'isolement séculaire qui la caractérisait puisque la route et même le chemin de fer la relient au reste du Québec et aux provinces maritimes. Au recensement canadien de 1921, la Gaspésie compte 60 000 habitants.

Encore très importante au début du siècle, la pêche traditionnelle se voit peu à peu marginalisée par rapport aux autres activités économiques. Les pêcheurs sont grandement attirés par les salaires payés dans les chantiers forestiers ou les scieries. Quant à l'agriculture, elle assure d'abord la subsistance de l'unité familiale et ne réussit pas à produire pour des marchés extérieurs. Seul le secteur minier vient offrir un peu d'espoir. Dans les années 1950, on crée de toutes piè-

La vallée de la Matapédia vers 1925.
(Archives nationales du Canada).

Au milieu du XIX siècle, des changements dans l'économie, les transports et les communications vont graduellement modifier cette image de la société gaspésienne bien que la pêche morutière soit à son apogée vers les années 1860. L'agriculture, qui n'avait été jusque-là qu'une activité marginale, connaît un certain essor comme par exemple dans Bonaventure, là ou les conditions climatiques et pédologiques lui sont plus favorables. Toutefois, dans bien des cas, le Gaspésien voit dans l'agriculture ou la

ces Murdochville, une ville bâtie autour d'un important gisement de cuivre découvert en plein centre de la région. Mais ces nouveaux développements sont loin d'endiguer le flot des départs vers l'extérieur. Au tournant des années 1960, la Gaspésie atteint son maximum de population avec environ 100 000 habitants. Depuis ce temps, le total a diminué graduellement pour atteindre en 1986 les 94 000 habitants.

Est du Québec

Vue de l'église et du presbytère de Rivière-Ouelle au début du XXᵉ siècle. (Carte postale, Archives nationales du Québec à Québec, fonds Magella-Bureau).

Avec l'amélioration sensible des voies de communication terrestre, ferroviaire puis aérienne, entre 1920 et 1940, le tourisme saisonnier devient une industrie régionale de premier ordre. On vient du Québec, du reste du Canada et des États-Unis pour admirer la beauté des paysages de la Gaspésie, comme par exemple le site exceptionnel de Percé. Aujourd'hui encore, la Gaspésie demeure l'une des plus importantes destinations touristiques du Québec.

Les îles de la Madeleine: archipel lointain et merveilleux

L'archipel des îles de la Madeleine, situé dans le golfe du Saint-Laurent à 150 kilomètres du continent, réunit l'une des grandes communautés d'insulaires du Québec en dehors de Montréal et de l'île d'Orléans. Là s'arrêtent les ressemblances puisque nous voici isolés en pleine mer sur une dizaine d'îles groupées en forme de croissant dont les plus importantes, comme celles du Havre Aubert, du Cap aux Meules, du Havre aux Maisons et de la Grande Entrée, sont reliées les unes aux autres par de longs et minces bras de sable facilitant les déplacements.

À en croire les vestiges retrouvés aux îles de la Madeleine, il semble que des peuplades amérindiennes les aient fréquentées bien avant la venue de pêcheurs et explorateurs européens. Cette présence amérindienne demeure toutefois énigmatique puisque pour accéder aux îles, ils devaient parcourir de longues distances en mer sur de frêles embarcations. Les îles étaient pour eux une étape obligée pour toute communication dans le golfe. Leurs intérêts ne différent pas de ceux des Basques ou Normands qui viennent, dès la fin du XVᵉ siècle, profiter de l'abondance exceptionnelle des ressources marines du golfe. En 1534 et 1536, Jac-

ques Cartier contourne les îles et nomme l'une d'elles l'île Brion. Mais c'est Samuel de Champlain qui inscrira sur une carte en 1629 le toponyme «La Magdeleine»; cette appellation continuera par la suite à identifier l'archipel.

À l'époque du Régime français, les îles de la Madeleine ne sont pas colonisées. Elles sont abandonnées à divers concessionnaires qui avaient pourtant le mandat d'y créer des établissements, mais qui se sont davantage intéressés aux activités de pêche et de chasse au morse, qu'on appelle aussi vache marine. Ainsi se succèdent, entre 1653 et 1742, les Nicolas Denys, François Doublet, comte de Saint-Pierre et le sieur Haraneder, sans qu'aucun d'entre eux n'envisage sérieusement d'y établir des colons. Il faut attendre la défaite française en Acadie et le «grand dérangement» de 1775 pour qu'on s'intéresse à l'archipel de nouveau. Après plusieurs années d'errance, des Acadiens viennent s'y établir après 1765, engagés pour la pêche par Richard Gridley, un nouveau concessionnaire britannique. D'autres les rejoignent en 1792. Les îles comptent alors une population d'environ 250 habitants. Entre-temps, celles-ci passent sous le joug d'Isaac Coffin, seigneur intransigeant, qui refuse de reconnaître la légitimité de l'installation acadienne. Lui et ses descendants imposent de lourdes redevances aux Madelinots sans jamais accepter de leur vendre le fonds de terre. La querelle perdure jusqu'en 1895 alors que le gouvernement de la province de Québec intervient et passe une loi permettant aux habitants de racheter leurs terres à son héritier.

Est du Québec

La route qui ceinture la péninsule gaspésienne permet d'apprécier les paysages pittoresques des localités du littoral. (Archives nationales du Québec à Québec, fonds Office du film du Québec).

Au cours du XIXᵉ siècle, la population des îles vit des heures difficiles. Le contexte local de la propriété foncière et la pauvreté générale des sols n'invitent pas aux défrichements agricoles. Seule la pêche saisonnière et la chasse au phoque et à la vache marine permettent d'assurer la subsistance de ses habitants. Tout au long de cette période, les pêcheurs doivent endurer une vive concurrence de la part des Américains, depuis longtemps autorisés à pêcher dans le golfe et à venir préparer leurs prises sur les rivages des îles. À la fin du siècle, le gouvernement doit intervenir pour les tenir à distance. Comme le Gaspésien, le Madelinot fait affaire avec des compagnies de pêche qui le maintiennent dans la dépendance par un endettement chronique. Vers 1850, plusieurs quittent les îles pour gagner les États-Unis, Terre-Neuve et le Québec. Au début du XXᵉ siècle, compte tenu de l'émigration, la population n'est que de 6 000 habitants malgré un taux de natalité élevé.

Aux îles de la Madeleine, la période contemporaine est marquée par deux mouvements principaux: d'abord, la fin des grandes compagnies marchandes avec la création d'un réseau structuré de coopératives; ensuite l'amélioration des communications avec le continent. Certains progrès dans l'agriculture insulaire, l'industrie touristique ainsi que l'ouverture récente d'une impor-

tante mine de sel font que la pêche n'a plus la même importance que par le passé. Cependant, la pêche au homard, qui a débuté dans les années 1880, procure encore des revenus importants alors que les Madelinots ont dû abandonner presque totalement la chasse au phoque sous la pression de l'opinion publique internationale et de groupes écologistes.

En 1986, les îles de la Madeleine comptent 14 500 habitants, en hausse légère mais constante depuis les années 1960, contrairement à la Gaspésie. Cette population est surtout concentrée dans huit municipalités, parmi lesquelles Fatima, L'Étang-du-Nord, L'Île-du-Havre-Aubert et Havre-aux-Maisons sont les plus populeuses.

Antonio Lechasseur, historien

BÉLANGER, Jules, Marc DESJARDINS et Yves FRENETTE. *Histoire de la Gaspésie*. Montréal, Boréal Express/Institut québécois de recherche sur la culture, 1981. 797 p. (Coll. «Les régions du Québec»).

LECHASSEUR, Antonio. *Municipalités et paroisses du Bas-Saint-Laurent, de la Gaspésie et des Îles-de-la-Madeleine, Populations et limites territoriales 1851-1981*. Québec, Institut québécois de recherche sur la culture, 1987. 304 p.

RASTOUL, Pierre et Gilles ROUSSEAU. *Les Îles-de-la-Madeleine, Itinéraire culturel*. Québec, France-Amérique/Éditeur officiel du Québec, 1979. 240 p. (Coll. «Guides pratiques», Série «Itinéraires culturels»).

Presbytère de Rivière-Ouelle

Rivière-Ouelle
100, rue de l'Église

Fonction: maison d'habitation
Classé monument historique en 1979

Depuis l'érection canonique de la paroisse de Rivière-Ouelle par mgr François de Laval en 1678, celle-ci a connu trois églises et trois presbytères. Le dernier, toujours existant, s'élève en 1881-1882 selon les plans de l'architecte David Ouellet. Originaire de La Pocatière, cet architecte et sculpteur a laissé une œuvre considérable dans le domaine de l'art religieux au Québec, incluant les églises de Mont-Carmel et de Saint-François-Xavier, dans le Bas-Saint-Laurent, et celle de Saint-Ludger à Rivière-du-Loup.

De style Second Empire, le presbytère de Rivière-Ouelle mesure 13,7 mètres de longueur sur 12,2 mètres de largeur. Ses murs sont en madriers pièce sur pièce. L'entrepreneur de Saint-Antonin, François Soucy, réalise la construction pour la somme rondelette de 1 747,30 $.

Les plans originaux de deux élévations ainsi que ceux du sous-sol et du rez-de-chaussée existent toujours. Les deux élévations se rapportent aux deux façades où figure une porte d'entrée. On y remarque une galerie non couverte qui s'étend à la hauteur du rez-de-chaussée surélevé en façades principale et latérale. Le plan du rez-de-chaussée s'articule autour d'un hall central où se trouvent deux escaliers permettant d'accéder à l'étage des combles, inhabité, et au sous-sol.

Du côté de l'entrée latérale se trouve une cuisine avec un âtre et un four, une petite laiterie, la chambre à coucher du serviteur et du curé, une voûte ainsi qu'un bureau. De l'autre côté se situe le réfectoire, la chambre de l'évêque et un salon.

Entre 1901 et 1904, l'édifice subit certaines transformations qui entraînent un réaménagement du rez-de-chaussée. Ainsi une annexe s'ajoute pour loger la cuisine et des ouvriers relocalisent l'accès menant aux combles. En 1908, une toiture vient coiffer la galerie et un étage s'ajoute à la cuisine pour loger la ménagère. Dix-sept ans plus tard, à la suite d'un tremblement de terre, le presbytère connaît plusieurs réparations. Entre 1935 et 1939, des ouvriers procèdent encore à diverses améliorations, dont le remplacement du système de chauffage et celui du revêtement de planches à clins des murs extérieurs.

En 1978, le presbytère perd sa fonction originelle et, après plusieurs années d'incertitude, on décide de le restaurer et d'y aménager huit logements.

Bien que considérablement modifié à l'intérieur, le presbytère demeure relativement bien préservé à l'extérieur et possède encore la plupart des éléments qui le caractérisaient à l'origine.

Paul Arsenault, urbaniste

CASGRAIN, Henri-Raymond. *Une paroisse canadienne au XVIIe siècle*. Québec, Imprimerie de Léger Brousseau, 1880. 213 p.

HUDON, Michel. *Presbytère de Rivière-Ouelle*. Montréal, ministère des Affaires culturelles, 1978. 5 p.

SALOMON DE FRIEDBERG, Barbara. *Presbytère de Rivière-Ouelle: histoire, description et analyse*. Québec, ministère des Affaires culturelles, 1978. 93 p.

Photographie actuelle du presbytère construit en 1881-1882 d'après les plans de l'architecte David Ouellet.

Banque de Montréal

Rivière-du-Loup
428, rue Lafontaine

Fonction: banque
Reconnue monument historique en 1980

La ville de Rivière-du-Loup, appelée autrefois Fraserville, se situe au carrefour des routes menant en Gaspésie, au Témiscouata et au Nouveau-Brunswick. Cette position privilégiée favorise grandement son développement économique et a contribué à ce qu'elle devienne une capitale régionale.

Croissance économique

Au début du XIXe siècle, à la suite des retombées du blocus napoléonien, Rivière-du-Loup connaît un essor significatif. Privée de ses sources européennes d'approvisionnement en bois, l'Angleterre se tourne vers le Canada, qui possède d'immenses réserves forestières. Ceci entraîne au pays un essor économique sans précédent. L'homme d'affaires Alexandre Fraser, propriétaire de la seigneurie de Rivière-du-Loup, tire profit de la situation en faisant construire plusieurs moulins à scie dans la région.

Plus tard, en 1860, l'arrivée du chemin de fer de la compagnie du Grand Tronc donne un second souffle à l'économie de Rivière-du-Loup. Selon le recensement de 1800, Rivière-du-Loup possède un moulin à farine, deux fabriques de meubles, deux de seaux, tinettes et cuves et une de chaussures. En outre, la compagnie manufacturière de Fraserville s'apprête à y ouvrir une usine de pâtes et papier. Le recensement mentionne aussi l'existence de deux hôtels importants, le Larochelle ainsi que le Fraserville. Par la suite, plusieurs autres industries ouvrent leurs portes. En 1887, la mise en service du chemin de fer du Témiscouata, qui relie Rivière-du-Loup au Nouveau-Brunswick, vient confirmer l'importance stratégique de la ville, qui rayonne également sur l'arrière-pays en voie de colonisation. Entre 1915 et 1931, Rivière-du-Loup abrite même un consulat des États-Unis d'Amérique.

La Banque de Montréal s'établit dans la ville en 1890. Elle s'associe d'abord à la People Bank of Halifax, puis en 1897, elle décide de construire un édifice indépendant. Le directeur local, Howard Reid White, est chargé de trouver un terrain propice. Cependant, il faut attendre le 23 novembre 1908 pour que la transaction soit conclue et le terrain arpenté et borné. L'édifice voit le jour quelque temps plus tard.

Une photo ancienne montre le bâtiment en 1912. Il possède un étage au-dessus du rez-de-chaussée. Une toiture à croupes couverte d'ardoise le coiffe. La banque occupe le rez-de-chaussée et le directeur loge à l'étage. De style néo-colonial, l'édifice se caractérise par ses façades, traitées de façon asymétrique sur le plan des ouvertures. L'étage de soubassement, les encadrements des ouvertures, le cordon délimitant le rez-de-chaussée de l'étage ainsi que le portique sont en pierre de taille. Les autres murs sont en pierre de granit traitée en bossage.

Le bâtiment connaît diverses transformations au cours des ans, particulièrement l'intérieur. Cependant, mis à part le recouvrement de la toiture et la relocalisation de l'entrée principale, il subit peu de modifications.

Lorraine Boivin, géographe et historienne
Andrée Duguay, historienne

La succursale de la Banque de Montréal aujourd'hui.

DENISON, Merrill. *La première banque au Canada. Histoire de la Banque de Montréal*. Volume II. Traduit de l'anglais par Paul A. Horquelin avec la collaboration de Jean-Paul Vinay. Toronto et Montréal, M.S.R.C., McClelland and Stewart Limited, 1967. 453 p.

PARADIS, Magella. *Banque de Montréal, 428, Lafontaine, Rivière-du-Loup, analyse architecturale*. Québec, ministère des Affaires culturelles, 1979. 72 p.

Fort Ingall

Cabano
Rue Caldwell

Fonction: centre d'interprétation
Reconnu site historique et archéologique en 1975

L'implantation d'un poste militaire au lac Témiscouata relève à la fois des domaines politique et économique. En effet, le traité de Versailles de 1783 contient des ambiguïtés en ce qui a trait au tracé de la frontière entre l'Amérique du Nord britannique et les États-Unis. Ces imprécisions amènent les Américains à revendiquer les hautes terres bordant la rive sud du fleuve Saint-Laurent tandis que les Britanniques réclament un territoire s'étendant du fleuve Saint-Laurent jusqu'au sud de la rivière Aroostook. Sur le plan économique, les vastes et riches forêts de la vallée de la rivière Saint-Jean et de ses affluents constituent une ressource très convoitée et très recherchée.

La défense du portage Témiscouata, alors la seule voie de communication intérieure entre le Bas-Canada et les possessions britanniques de l'Est du Canada, constitue une autre raison qui permet d'expliquer la construction du fort Ingall. Le portage permet de joindre le Saint-Laurent, à partir du lac Témiscouata et, en passant par les rivières Madawaska et Saint-Jean, l'océan Atlantique.

Conflit américano-britannique

Le climat de querelles frontalières qui prévaut entre le Nouveau-Brunswick et le Maine s'envenime à la suite d'un incident survenu en février 1839. Un agent des terres du Maine, envoyé dans la région de l'Aroostook avec un corps de milice afin de déloger des habitants du Nouveau-Brunswick, se voit enlevé à son arrivée et conduit à Fredericton. Le Maine ordonne alors la mobilisation de 10 000 hommes et autorise des dépenses de 800 000 $. Une partie de ce corps de milice se dirige vers la région contestée. Le lieutenant-gouverneur du Nouveau-Brunswick, Harvey, considère cette invasion injustifiée et demande la mobilisation des troupes. Ainsi débute la guerre non sanglante de l'Aroostook.

Malgré la signature d'un accord confinant les Américains dans la vallée de l'Aroostook et les Britanniques à la vallée de la rivière Saint-Jean en mars 1838, de nouvelles altercations se produisent. Afin de défendre leurs intérêts dans la région, les autorités britanniques font ériger une série de postes militaires depuis le Témiscouata jusqu'à

Vue du fort Ingall construit par les autorités britanniques entre 1839 et 1841.

Fredericton: fort Ingall, fort Dégelé, le poste du Petit-Sault (Edmunston) et le poste du Grand-Sault. Les Américains dressent également des postes militaires: Fort Jarvis (Kent) et Fort Fairfield.

Ainsi, pour empêcher les Américains de s'infiltrer jusqu'au fleuve Saint-Laurent, un poste s'élève sur la rive ouest du lac Témiscouata, au nord de l'extrémité de la route du portage. Sis sur une terrasse élevée près du lac, le poste du Témiscouata sert à surveiller le cours d'eau et contrôle l'accès du portage conduisant au fleuve Saint-Laurent.

Le lieutenant Lennox Ingall se charge de cet établissement militaire. Comme il s'agit d'un poste temporaire, la construction est de type «fieldworks» ou ouvrage de campagne. Utilisant le bois comme matériau principal, les travaux sont cependant de grande envergure. Ils débutent en mai 1839 et se terminent au printemps de 1841. Des civils participent également à l'élaboration du fort; le maître charpentier Joseph Morin et le marchand Thomas Ely érigent ainsi les casernes.

Le quartier des officiers du commissariat, le magasin du commissariat, une remise à canots et les latrines voient le jour à l'été 1839. L'année suivante viennent s'ajouter la cuisine, le corps de garde et la poudrière. Une palissade dotée de bastions assure la protection des bâtiments.

Un premier détachement, commandé par le major Chambré et appartenant au 24ᵉ régiment, arrive au fort Ingall en juillet 1839. Il participe aux travaux de construction en cours. Par la suite, d'autres régiments envoient des détachements au fort. Il s'agit notamment des 11ᵉ, 17ᵉ, 56ᵉ et 68ᵉ régiments.

Les aménagements sur le site permettent d'accueillir deux cents hommes et officiers. Outre la construction des bâtiments et de la palissade, ces derniers préparent les repas, soignent les chevaux, coupent le bois et réparent le sentier du portage.

Des marchands pacifistes

La construction d'établissements militaires et le déploiement des troupes sur le territoire en litige influencent le règlement du conflit. De plus, les intérêts des marchands britanniques, inquiets pour leurs investissements aux États-Unis, pèsent lourdement dans la balance. Ainsi, un médiateur anglais, Lord Ashburton, tente d'obtenir un règlement rapide sur la délimitation des frontières, et des marchands de la Nouvelle-Angleterre souhaitent éviter toute guerre contre la mère patrie.

Aussi, avant même qu'un seul coup de feu ne retentisse dans les forêts de la région de Madawaska, un accord intervient entre

Le corps de garde à gauche et le dortoir des officiers figurent parmi les six bâtiments reconstruits.

Le fort Ingall pouvait accueillir près de deux cents hommes.

les deux parties. Le traité d'Ashburton, signé le 9 août 1842, détermine le nouveau tracé de la frontière entre l'État du Maine et le Nouveau-Brunswick.

L'Angleterre conserve l'indispensable route militaire, mais elle doit céder aux Américains la moitié du territoire en litige dans la région de Madawaska et une bande de terre le long du 45ᵉ parallèle, correspondant à la rive nord du lac Champlain.

Par suite de la signature du traité, le poste militaire du lac Témiscouata est voué à l'abandon. Les troupes qui circulent dans le portage s'en servent simplement comme poste de relais. En 1856, l'armée britannique remet la propriété du fort Ingall au gouvernement du Canada. Six ans plus tard, le sergent William Purcell obtient la garde des établissements militaires du lac Témiscouata. Celui-ci habite le quartier des officiers du commissariat. En 1875, le gouvernement lui cède la propriété des lieux où il vit avec sa famille. Selon la tradition orale, les gens de la région utilisèrent le bois du fort Ingall pour ériger quelques maisons.

Démantelé petit à petit puis nivelé par les propriétaires successifs, le fort sombre progressivement dans l'oubli. En 1967, des sondages archéologiques préliminaires sont entrepris sur le site. Finalement, en 1972, un projet de développement touristique permet à la Société historique de Cabano d'appro-

fondir la recherche et de procéder à des fouilles archéologiques plus complètes au cours des années 1973, 1974, 1975 et 1978. Lors des fouilles, les chercheurs localisent tous les bâtiments dans l'enceinte du fort et identifiés sur les plans d'époque de même que le périmètre de la palissade et les fossés de ceinture. Les fouilles archéologiques permettent aussi de mettre au jour plusieurs milliers d'artefacts. Ceux-ci se rapportent de près ou de loin à la vie militaire, à l'habitation, au transport, à l'agriculture, à l'alimentation, etc.

La reconstitution de six des onze bâtiments d'origine ainsi que celle de l'enceinte fortifiée permet de prendre conscience de la valeur historique du site du fort Ingall. Celui-ci est devenu au cours des années 1970 et 1980 le centre culturel de la région du Témiscouata. Plusieurs activités s'y déroulent: arts d'interprétation, expositions diverses et rencontres culturelles ou familiales.

Cependant, toutes ces manifestations ne cadrent pas nécessairement avec le caractère du site. Aussi, en 1986, les administrateurs de la Société ont entrepris des démarches auprès des divers paliers gouvernementaux afin de doter le fort Ingall d'un plan détaillé touchant son interprétation historique, archéologique et architecturale.

Réal Soucy, chargé de projet

Presbytère de Saint-Hubert

Saint-Hubert
1, chemin Taché Ouest

Fonction: habitation
Reconnu monument historique en 1983

En 1878, à l'époque de la colonisation du canton Demers, l'évêque de Rimouski autorise l'érection d'une chapelle afin de desservir la mission de Saint-Hubert. L'artisan Thomas Thériault, assisté de Joseph et Napoléon Dubé, entreprend alors la construction d'un bâtiment en pièce sur pièce mesurant 14 mètres de longueur sur 10 de largeur. L'année suivante, l'évêque décide qu'elle n'occupe pas l'endroit convenable et demande son déplacement; la chapelle reste néanmoins sur le même lot, où elle sert à la fois de sacristie et de logement pour le prêtre desservant.

En 1886, l'augmentation du nombre des fidèles amène les paroissiens à transformer l'intérieur. Afin d'agrandir l'espace réservé à la chapelle, une tribune est ajoutée et les combles aménagés afin d'y loger le prêtre et une partie de la sacristie. À la fin du siècle, la chapelle et la sacristie occupent les deux niveaux. Le prêtre réside dans l'ancien presbytère de la paroisse de Saint-François-Xavier, déménagé à proximité de la chapelle.

En 1900, la construction de l'église entraîne le déplacement de la chapelle, mal située par rapport à l'église projetée. Le bâtiment est alors déplacé de 67 mètres vers l'ouest, à son emplacement actuel derrière l'église, puis converti en presbytère. Une photographie du début du siècle nous le montre avec un porche et une galerie non couverte en façade principale.

Il fait office de presbytère jusqu'en 1982. Restauré en 1986, il loge à nouveau le curé et sert encore de presbytère ainsi qu'à des fins communautaires.

Lors de la restauration, on a démoli la cuisine qui se trouvait à angle droit sur l'une des extrémités de la façade postérieure. Le papier brique posé sur le revêtement originel de planches à clins des murs extérieurs a été enlevé et l'intérieur restauré en tenant compte des diverses transformations subies au fil des ans.

Sur le plan stylistique, le bâtiment résulte de plusieurs influences caractéristiques du mouvement éclectique, en vogue au tournant du siècle. Ainsi, le porche de la façade, la tourelle d'angle, de même que les éléments du décor menuisé de la galerie l'apparentent au style néo-reine-Anne. Par contre, plusieurs autres éléments, tels que les retours de corniches en pignons ou les encadrements des ouvertures, de même que leur organisation symétrique en façade, le rapprochent du style néo-classique interprété vraisemblablement ici dans une des versions du style néo-colonial.

Paul Arsenault, urbaniste

LAHOUD, Pierre. *Église, moulin à farine Massé, four à pain, presbytère de Saint-Hubert.* Québec, ministère des Affaires culturelles, 1982. 8 p.

MASSÉ, Antonio. *Histoire de la paroisse de Saint-Hubert 1885-1985.* Saint-Pascal, imprimerie Bellefeuille, 1985. 227 p.

Cette prise de vue actuelle illustre bien les modifications apportées au presbytère.

Photographie prise vers 1930 du presbytère de Saint-Hubert. (Collection de Léo Ouellet).

Four à pain de Saint-Épiphane

Saint-Épiphane
1ᵉʳ Rang

Fonction: aucune
Classé monument historique en 1976

Avant d'atteindre le village de Saint-Épiphane, la route 291 vire à angle droit. Au beau milieu de ce virage s'élèvent les bâtiments de ferme des Paré. À quelques pas de là, derrière la maison, près du fournil et du potager, se dresse le four à pain.

Le défrichement de la terre des Paré remonte aux origines de la colonisation de cette paroisse, soit vers 1850. À cette époque, une petite maison de 8 mètres de côté, coiffée d'un toit à deux versants, s'élevait à une trentaine de mètres au sud de la maison actuelle. Le puits et le four à pain se trouvaient à proximité.

En 1910, le vieux four tombe en ruine. Après avoir récupéré les matériaux encore sains, les propriétaires entreprennent de reconstruire un four semblable: parois de terre glaise et sole de briques.

Suivant l'habitude, les Paré demandent à Louis Dionne, un cultivateur du deuxième rang de la paroisse, de superviser les travaux.

Sa réputation était établie: ses fours chauffaient bien, conservaient la chaleur très longtemps et duraient de longues années.

La construction débute par l'extraction de la glaise près de la rivière Bras-Cacouna, qui traverse la terre des Paré. Le travail prenait généralement la forme d'un «coup de main» entre gens habitués à s'entraider et à partager les corvées.

La gueule du four s'ouvre vers le sud pour éviter que les vents ne s'engouffrent à l'intérieur au moment de l'enfournement de la pâte. Les lambourdes de la sole reposent sur quelques pierres de manière à élever la porte à la hauteur d'une table.

La voûte s'obtient en pétrissant la glaise avec de la paille que l'on dépose sur un gabarit fabriqué à partir de branches d'aulnes. Après quelques jours de séchage, on brûle l'intérieur de la voûte. Aujourd'hui encore, les parois portent l'empreinte des branchages du gabarit. Un abri protège la voûte de la pluie. Une porte de bois, retenue par une baguette, ferme l'entrée du four pendant la cuisson.

Jusqu'en 1966, la famille Paré utilise ce four. La «cuite» hebdomadaire comporte généralement une douzaine de pains. Après la cuisson, la chaleur accumulée pouvait aisément cuire les pâtés, tartes et fèves au lard.

La chaleur du four servait en outre au séchage, soit des plumes de poule entrant dans la fabrication des oreillers, soit encore du lin. Une botte de lin laissée dans le four pendant la nuit était parfaitement utilisable le lendemain pour le brayage.

Autrefois, le four à pain occupait une place privilégiée dans l'ensemble architectural rural. Toutefois, l'abandon progressif de la cuisson domestique du pain a rendu inutiles les fours à pain qui aujourd'hui tombent en ruine.

Régis Jean, ethnologue

Construit vers 1910, ce four fut
utilisé par la famille Paré
jusqu'en 1966.

JEAN, Régis. *Le four à pain Paré, Saint-Épiphane. Dossier ethno-historique et architectural.* [s. l.], Société de sauvegarde du patrimoine du Grand-Portage et Conseil des monuments et sites du Québec, 1979. 41 p.

Église Saint-Georges

Saint-Georges-de-Cacouna
Rue de l'Église

Fonction: lieu de culte
Classée monument historique en 1957

Eɴ 1809, l'évêque de Québec, mgr Joseph-Octave Plessis, autorise les habitants de Cacouna à construire «une chapelle avec un logement à icelle annexé pour la demeure du prêtre qui y fera la mission». Terminé l'année suivante, cet édifice en bois sert à la célébration du culte durant près de 40 ans.

Érigée canoniquement en 1825, la paroisse adopte le vocable de Saint-Georges. Cinq ans plus tard, les marguilliers obtiennent la permission de construire une église et une sacristie en pierre. Les appels d'offres paraissent dès le 2 janvier 1834, mais le choix du site ne fait pas l'unanimité et retarde la mise en chantier. Ainsi, la construction du presbytère actuel commence en 1835, et il faut attendre une décennie de plus pour que débutent les travaux d'érection de l'église, qui accueille ses premiers fidèles à la fin de l'année 1848.

Un architecte inconnu

À l'instar de celui de Sainte-Luce, le plan de l'église de Saint-Georges comporte une nef à un seul vaisseau prolongée par un chœur plus étroit et terminée par un chevet plat auquel s'adosse la sacristie. D'une grande rigueur architecturale, la façade s'apparente à celles conçues par Thomas Baillairgé. Elle comporte des ouvertures disposées de façon à présenter trois divisions horizontales et verticales. Son élégant clocher à deux lanternes, coiffé d'une flèche, rappelle celui de l'église de Lauzon, aussi construite d'après les plans de Baillairgé en 1832. L'auteur des plans de l'église de Cacouna reste cependant inconnu, même si Gérard Morisset estime qu'il s'agit de Louis-Thomas Berlinguet.

Depuis sa construction, l'église a subi de légères modifications. En 1892, un clocheton prend place sur le chevet et la sacristie s'allonge de 7,6 mètres, ce qui permet de la rendre plus spacieuse, mais aussi d'y aménager une chapelle pour la célébration du culte en semaine durant la saison hivernale. En 1896, des ouvriers abaissent les fenêtres de la nef d'un demi-mètre et renouvellent les châssis de toutes les ouvertures. David Ouellet, architecte de Québec, exécute les plans de ces travaux.

En 1852, François-Xavier Berlinguet entreprend la décoration intérieure. Dans un marché du 27 août, il s'engage à faire la voûte, les trois retables, les stalles, la chaire, le banc d'œuvre, les fonts baptismaux ainsi que les deux tribunes arrière. Les travaux s'échelonnent sur cinq ans et se terminent en 1858.

Vue générale de l'extérieur.

Plus étroit que la nef, le chœur de l'église se termine par un chevet plat auquel s'adosse la sacristie.

Pourquoi les fabriciens confient-ils des ouvrages d'une telle envergure à un jeune sculpteur de 22 ans? Simplement parce que son père, Louis-Thomas Berlinguet et son associé, Louis-Flavien Berlinguet, se portent «garants et répondants de l'exécution», s'engageant même à faire ou à parachever les travaux si cela s'avérait nécessaire. Il semble même que les plans du décor aient été dressés par Louis-Thomas.

Par son traitement massif, le retable du chœur, pièce maîtresse de ce décor, annonce l'art néo-classique monumental. Inspiré de ceux de Saint-Rémi de Napierville (1845) et de Saint-Roch de Québec (1848), réalisés par Louis-Thomas et Louis-Flavien Berlinguet, il se compose de deux colonnes en saillie supportant un fronton en segment de cercle et se termine dans les coins par une colonne. Fait exceptionnel: les portes donnant accès à la sacristie, habituellement situées dans les églises à chevet plat de part et d'autre de la partie centrale du retable, se dissimulent derrière ce dernier.

Les trois tabernacles des autels, aussi exécutés par François-Xavier Berlinguet en 1860, présentent de nombreuses similitudes avec celui réalisé vers 1850 par son père et Louis-Flavien pour l'église de Saint-Rémi de Napierville. Quatre magnifiques statuettes

des évangélistes ornent le tabernacle du maître-autel. À l'instar des bas-reliefs de saint Pierre et de saint Paul, ces statuettes illustrent l'immense talent de François-Xavier Berlinguet pour la sculpture figurative.

Somptueux décor

La décoration intérieure a subi très peu de modifications. La plus importante, effectuée en 1892, consistait à ajouter dans la voûte à doubleaux ornée de gloires quatorze trophées aux instruments de la passion, comportant chacun une banderole sur laquelle se retrouve une litanie de la Vierge. La même année, les ouvriers renouvelaient, d'après les plans de David Ouellet, les tombeaux des autels ainsi que l'escalier de la chaire, puis enlevaient le banc d'œuvre. Enfin, en 1897, les fenêtres du chœur accueillaient des vitraux représentant les quatre évangélistes réalisés par la maison Bernard Leonard de Québec.

L'église de Cacouna compte plusieurs tableaux. Réalisés par des peintres romains, ils témoignent de l'importance du commerce d'importation d'œuvres d'art italiennes au Québec à partir de la seconde moitié du XIXᵉ siècle. L'un d'entre eux, exécuté par C. Porta en 1893, orne le maître-autel tandis que la chapelle de droite renferme un

Sacré-Cœur de Jésus réalisé par Vincenzo Pasqualoni en 1877. *L'Assomption* qui lui fait pendant date de la même époque. Les cinq autres tableaux qui ornent les murs de la nef et le dorsal des fonts baptismaux furent acquis par le curé de la paroisse lors d'un voyage à Rome en 1903.

Outre ces tableaux, l'église contient de magnifiques lustres en cristal installés en 1890 et un orgue de grand intérêt. Cet orgue, fabriqué en 1888 par Eusèbe Brodeur, un facteur extrêmement réputé à l'époque, comprend dix-huit jeux et deux claviers. Cette pièce constitue l'un des plus anciens instruments du genre conservés au Québec.

Guy-André Roy, historien de l'art

Lebel, Réal. *Au pays du Porc-Épic, Kakouna 1673-1825.* Cacouna, le Comité des fêtes de Cacouna, 1975. 296 p.

Noppen, Luc. *Les églises du Québec (1600-1850).* Québec et Montréal, Éditeur officiel du Québec/Fides, 1977: 84-85.

Roy, Guy-André. *Inventaire des œuvres d'art et pièces de mobilier religieux de la fabrique Saint-Georges de Cacouna.* Québec, ministère des Affaires culturelles, 1980. n.p.

Presbytère

Saint-Georges-de-Cacouna
Rue de l'Église

Fonction: habitation
Classé monument historique en 1957

D'origine amérindienne, et plus précisément malécite, le toponyme Cacouna, ou «Kakouna», signifie «pays du porc-épic».

À l'origine, Cacouna dépendait de la seigneurie Leparc de Cacouna, octroyée à Dauldier Duparc en 1673. Les premiers colons s'y établissent de façon permanente vers 1750 et, un demi-siècle plus tard, l'augmentation de la population nécessite l'établissement d'un lieu de culte. En 1809, une chapelle et un presbytère voient le jour. Construite entre 1845 et 1848, l'église suit de quelques années le presbytère, érigé entre 1835 et 1841.

La construction du presbytère est confiée à Germain Petit, de Trois-Pistoles, et à Benjamin Rouleau, menuisier et charpentier de L'Isle-Verte. Les spécifications du devis précisent que le bâtiment doit comprendre une cave, un rez-de-chaussée, un comble aménagé et une toiture recouverte de bardeaux. Le rez-de-chaussée doit comporter quant à lui deux portes d'entrée à panneaux, une fenêtre en éventail au-dessus de la porte principale, en plus de douze fenêtres dont quatre dans les murs pignons. Ce plan prévoit trois escaliers pour le rez-de-chaussée: un pour l'entrée, un pour la cave et un pour le grenier. Deux cheminées complètent l'ensemble.

En 1888, le curé Majorique Bolduc effectue certaines rénovations au bâtiment. Les travaux, confiés à Louis-Arsène Cloutier de L'Islet, apportent les changements les plus significatifs à l'intérieur. À l'étage de soubassement, la hauteur est portée à 2 mètres, le mur de refend est démoli et de nouvelles divisions sont faites. L'entrepreneur ajoute également une porte vitrée avec tambour, refait la menuiserie des ouvertures à ce niveau, au rez-de-chaussée puis à l'étage des combles. Le portique et la porte d'entrée de la façade principale sont remplacés et deux lucarnes percent la toiture du côté de la façade. L'artisan refait les joints des murs de pierre à neuf et pose une galerie à balustrade sur les côtés est, sud et ouest. Il change aussi la couverture de bardeaux et la peint en rouge. À cette époque, le curé Bolduc aurait aussi fait ajouter deux tours aujourd'hui disparues: une petite du côté de la façade principale et une autre du côté sud-ouest afin de servir respectivement de solarium et de lieux d'aisance.

En 1915, la couverture de bardeaux cède la place à l'actuel recouvrement de tôle à la canadienne. Entre 1922 et 1944, l'eau courante s'ajoute et on remplace le système de chauffage, jadis au charbon, par un système fonctionnant au mazout. En 1953,

Le presbytère en 1970. (Archives nationales du Québec à Québec, fonds ministère du Loisir, de la Chasse et de la Pêche).

toutes les galeries sont enlevées, sauf celle située du côté du mur latéral est. En façade, un escalier de pierre, localisé vis-à-vis de la porte d'entrée, remplace depuis lors celui qui menait à la galerie. À cette époque, le terrain était fermé par un muret de pierre.

Sur le plan stylistique, le presbytère se rattache au néo-classicisme, auquel s'ajoutent certains éléments pittoresques tels que les corniches cintrées et les murs coupe-feu. Malgré les transformations de 1888, l'intérieur conserve plusieurs éléments menuisés d'origine, notamment des plinthes, des portes, des plafonds lambrissés, des manteaux de cheminée ainsi qu'un escalier tournant à balustres menant du rez-de-chaussée aux combles.

Georges-Pierre Léonidoff,
historien de l'architecture

LEBEL, Réal. *Au pays du Porc-Épic, Kakouna 1673-1825*. Cacouna, Comité des fêtes de Cacouna, 1975. 296 p.

MARTIN, Paul-Louis et autres. *Rivière-du-loup et son portage*. Québec, Beauchemin/Éditeur officiel du Québec, 1977. 181 p.

MINISTÈRE DES AFFAIRES CULTURELLES. *À la découverte de biens patrimoniaux exceptionnels: Saint-Pascal de Kamouraska, Cacouna, Sainte-Luce-sur-Mer*. Québec, ministère des Affaires culturelles, 1986. 21 p.

Moulin Lagacé

L'Isle-Verte
Route 132

Fonction: aucune
Classé monument historique en 1962

À la suite de la subdivision de la seigneurie de L'Isle-Verte, en 1711, un premier moulin à farine voit le jour à la rivière du Petit Sault en 1738. Quelques années plus tard, un autre moulin, à scie celui-là, s'adjoint au premier. En janvier 1823, Chrysostome Dumas, devenu propriétaire des deux moulins, engage deux maîtres charpentiers menuisiers de L'Isle-Verte, Jean-Baptiste Richard et Joseph Rouleau, afin d'ériger l'actuel moulin, à l'emplacement de l'ancien moulin à farine qu'ils devront cependant démolir.

Après l'érection du moulin, Joseph Nadeau, meunier et forgeron de Kamouraska, s'engage à poser la moulange et à construire un bluteau. Il loue le moulin pour une durée de neuf ans en échange de la moitié des moutures. Il s'occupe aussi de construire une étable et une boutique de forge sur un terrain adjacent.

À la mort de Chrysostome Dumas, sa veuve vend les moulins à Bernard Massé, un maître meunier de Beaumont, qui exploite depuis 1842 un moulin à farine à Trois-Pistoles.

Massé élève sa famille au moulin du Petit-Sault à compter de 1850; il enseigne son métier à ses fils qui, à leur tour, exploitent ou construisent d'autres moulins dans la région, notamment à Trois-Pistoles, Saint-Clément, Saint-Hubert, Saint-Épiphane (Rivière-du-Loup) et Notre-Dame-du-Lac (Témiscouata).

Le moulin demeure entre les mains de la famille Massé pendant 30 ans, puis, de 1877 à 1905, il connaît trois nouveaux propriétaires. L'un de ceux-ci démolit le moulin à scie et exploite uniquement le moulin à farine.

En 1905, le moulin passe entre les mains d'Herménégile Saint-Laurent, un meunier de Saint-Fabien; la famille Saint-Laurent exploite l'entreprise jusqu'en 1940, date à laquelle le moulin cesse de tourner. Les Saint-Laurent habiteront le moulin jusqu'en 1959.

Les occupants logent dans la partie ouest du bâtiment. L'autre partie contient les mécanismes, dont la grande roue à godets, située à proximité du mur pignon est. La dalle amène l'eau au niveau du toit, sur la grande roue; un canal de dérivation, installé sous la roue, permet l'écoulement de l'eau jusqu'à la rivière. La grande roue cesse de fonctionner vers 1910-1915, époque à laquelle une turbine hydraulique la remplace.

Deux moulanges de pierre servent à moudre les grains. Une meule sert généralement pour le blé, tandis que l'autre meule écrase le grain destiné à la préparation des moulées.

Avant la réfection de la route 132, le chemin passe tout près du moulin. Les voitures amènent les sacs de grain, montés ensuite à l'intérieur à l'aide d'un palan jusqu'à la lucarne percée dans le toit. Une seconde lucarne, à l'arrière, permet au meunier de surveiller le niveau de l'écluse construite au sommet de la terrasse.

Inoccupé depuis 1959, le moulin se détériore rapidement. La pluie, la neige et aussi le vandalisme endommagent la vieille structure. Les fenêtres sont aujourd'hui disparues, et les portes, maintes fois placardées, sont défoncées par des curieux. À l'intérieur, le spectacle désole: planchers défoncés, murs dangereusement lézardés et toit partiellement éventré.

Dernièrement, le moulin du Petit-Sault a fait l'objet de quelques travaux afin de rendre étanche la toiture et de placarder les ouvertures. Admirablement situé en bordure de la route 132, au beau milieu d'une réserve faunique nationale, le moulin du Petit-Sault pourrait revivre dans le cadre d'une mise en valeur du site naturel sur lequel il s'élève.

Régis Jean, ethnologue

Partiellement abandonné aujourd'hui, le moulin à farine du Petit-Sault voit le jour en 1823. La famille du meunier résidait dans la partie ouest du bâtiment alors que l'autre extrémité abritait les mécanismes.

JEAN, Régis. *Un moulin faisant farine. Étude technique comparée.* [s.l], Musée d'archéologie de l'Est du Québec et ministère des Affaires culturelles, 1978. 341 p.

Ancienne Cour de circuit

L'Isle-Verte
199, rue Saint-Jean-Baptiste

Fonction: aucune
Classée monument historique en 1979

Au centre du village de Saint-Jean-Baptiste-de-l'Isle-Verte, les passants peuvent remarquer un bâtiment coiffé d'un toit à quatre versants surmonté d'un belvédère. Son aspect général et la grandeur des fenêtres qui percent sa façade attirent la curiosité de nombreux amateurs d'architecture. Cet édifice abritait autrefois le palais de justice, où siégeait la Cour de circuit du comté de Témiscouata.

À l'époque, la Cour de circuit constitue un tribunal inférieur chargé de trancher les litiges de dix livres sterling ou moins. Les causes civiles plus importantes et les causes criminelles sont jugées devant la Cour supérieure, qui siège dans les palais de justice des districts judiciaires.

L'organisation de la justice change considérablement au Québec durant tout le XIXᵉ siècle. Pour s'adapter à des conditions démographiques sans cesse changeantes, l'administration doit créer de nouveaux districts judiciaires et décentraliser les tribunaux vers les régions. Cette série de mesures s'amorce dans le Bas-Saint-Laurent, avec la création des districts judiciaires de Kamouraska en 1849, et de Rimouski en 1857. La formation du comté de Témiscouata, à l'intérieur de celui de Rimouski, favorise l'ouverture d'une cour de justice à L'Isle-Verte. Un bureau d'enregistrement, ouvert depuis 1849, dessert déjà la partie ouest du comté de Rimouski.

L'établissement de ce tribunal remonte à 1853, mais la construction du palais de justice débute seulement en 1859. Comme la Cour de circuit ne siège à L'Isle-Verte que quelques jours pendant l'année, entre le 21 et le 25 des mois de mars, juin et octobre, les séances peuvent se tenir dans tout bâtiment public, auberge ou presbytère. Il semble toutefois que le juge entendait les causes au bureau d'enregistrement du comté, où se réunissait déjà le conseil municipal.

Une loi de 1857 accorde un subside de 300 louis pour encourager la construction des différents palais de justice de comté. Au cours des dix années suivantes, le nombre de palais de justice de district passe de 7 à 12, et celui des palais de justice de comté de 2 à 25.

Pour bénéficier de la subvention, le conseil de comté de Témiscouata délègue en décembre 1858 Benjamin Dionne, maire de Cacouna et député de la région, afin de faire les démarches nécessaires à l'obtention des 300 louis pour ériger un palais de justice. Le notaire Louis-Narcisse Gauvreau, greffier de la Cour de circuit, offre gratuitement le terrain pour la construction du nouveau bâtiment.

Construit en 1859, le palais de justice présente un style architectural d'origine anglaise. En plus de loger la cour, on y retrouvait également le conseil de comté du Témiscouata, le conseil municipal de L'Isle-Verte et l'Institut littéraire de cette même localité.

Les travaux débutent au printemps de 1859: le 11 mars, le conseil de comté verse une somme de 374 $ à Louis Bertrand pour les madriers sciés à son moulin et utilisés dans la construction du palais de justice. Un mois plus tard, les fenêtres et les portes sont prêtes et, avant la fin de l'année, l'édifice accueille ses premiers occupants.

Les noms du constructeur et de l'architecte demeurent inconnus. L'allure des palais de justice de comté varie considérablement d'une région à l'autre; seul l'aménagement de l'espace intérieur est soumis à quelques directives. Chaque région érige donc un palais de justice conforme à ses exigences et à ses capacités financières.

D'origine anglaise, le style architectural du palais de justice de Témiscouata rejoint les goûts d'une certaine classe aisée. Aujourd'hui encore, trois autres maisons de style Regency s'élèvent à L'Isle-Verte, et au moins deux de celles-ci sont associées à la famille Bertrand, propriétaire de scieries et de fonderies. En comparant ces maisons avec l'édifice de la Cour de circuit, de nombreux détails laissent croire à l'oeuvre d'un constructeur unique.

Le toit est à quatre versants, et ses avant-toits largement débordants possèdent des égouts retroussés. Une terrasse faîtière, autrefois garnie d'une balustrade, le coiffe. Le centre, surmonté d'un belvédère, est percé d'une porte et de trois fenêtres, formant ainsi un observatoire. Une première lucarne s'ouvre vers la façade tandis qu'une seconde, aujourd'hui disparue, se trouve sur le versant ouest.

Certains documents anciens, notamment une photographie prise vers 1865 et une carte datant de 1906, montrent une annexe d'un seul niveau adossée au mur est.

Cette annexe obstrue deux grandes fenêtres, et aucune porte n'y donne accès par l'intérieur.

Les murs, constitués de madriers sciés, empilés sur le plat et chevillés les uns aux autres, sont assemblés «à boutisse» dans les angles, à la manière des briques dans un mur. Actuellement recouverts à l'extérieur de carreaux d'amiante, ils paraissaient avoir été à l'origine lambrissés avec des planches à clins.

Actuellement, à l'intérieur, seul le rez-de-chaussée est occupé puisque l'étage sert d'entrepôt. Même si toutes les cloisons sont aujourd'hui disparues, on sait qu'une chambre était aménagée pour loger le juge lors de ses séjours périodiques. La salle d'audience servait également au conseil de comté du Témiscouata et au conseil municipal de L'Isle-Verte; en outre, vers 1859, elle abritait l'Institut littéraire de L'Isle-Verte.

Les autorités abolirent la Cour de circuit en 1918, ce qui fit disparaître les tribunaux de comté en faveur de palais de justice centralisés, tel celui de Rivière-du-Loup.

Le conseil municipal continue d'utiliser l'édifice comme salle paroissiale jusqu'en 1971. Depuis lors, il sert d'entrepôt. Cependant, plusieurs projets sont actuellement à l'étude afin de lui trouver une nouvelle vocation.

Régis Jean, ethnologue

ETHNOSCOP. *Projet d'utilisation du Palais de Justice de L'Isle-Verte*. Municipalité du village de L'Isle-Verte, [s.éd.], 1984.

GIGUÈRE, Guy. *Dossier d'inventaire architectural du Palais de Justice de L'Isle-Verte. (1859-1860)*. Québec, ministère des Affaires culturelles, 1980.

Maison Gauvreau

Rimouski
7, rue de l'Évêché Ouest

Fonction: aucune
Classée monument historique en 1985

Au tournant du siècle, Rimouski compte environ 4 000 habitants. L'économie de la ville repose surtout sur l'industrie forestière, mais sa future vocation de ville de services commence déjà à se dessiner à la suite de la construction de l'hôpital, du bureau de poste, de l'évêché, et de l'ouverture de plusieurs banques.

En 1906, le docteur Joseph Gauvreau (1870-1942) revient à Rimouski, sa ville natale, pour pratiquer la médecine. Peu de temps après, il décide de se faire construire une maison et loue à cette fin à la corporation épiscopale de Saint-Germain un terrain situé à l'angle des rues de l'Évêché et de la Cathédrale.

La maison, en plus de servir de résidence et de cabinet médical, abrite une pharmacie et une clinique d'hydrothérapie. Malheureusement, un an plus tard, à la suite d'un accident, le docteur Gauvreau doit subir l'amputation d'un bras, ce qui met prématurément fin à sa carrière de praticien. Il quitte Rimouski en 1909 pour s'installer à Montréal.

À partir de ce moment, il réoriente sa carrière vers l'engagement social. Il est élu gouverneur, puis registraire du Collège des médecins et chirurgiens. Il est également actif dans les mouvements nationalistes, notamment à titre de fondateur de la Ligue des droits du français, à la direction de la Société Saint-Jean-Baptiste de Montréal et en tant que collaborateur de Lionel Groulx à l'*Action française*. Parallèlement, il écrit des livres et des articles sur la santé publique ainsi que plusieurs biographies; il met aussi sur pied l'œuvre de la «Goutte de lait». Ces multiples activités le classent parmi les Québécois les plus appréciés et respectés de la première moitié du XXᵉ siècle.

Le docteur Gauvreau reste propriétaire de la maison jusqu'en 1918. Elle change par

La maison Gauvreau en 1908. (Archives nationales du Québec à Rimouski).

la suite de mains à quelques reprises avant de devenir en 1930 la propriété de Jules A. Brillant. Celui-ci est, à cette époque, le plus important financier-entrepreneur de la région. Il conserve la maison jusqu'en 1947.

En 1950, un promoteur l'acquiert avec l'intention de la démolir pour faire place à une station-service. Il construit cette dernière, mais la maison, pour respecter les baux des occupants, est déplacée dans la partie nord-ouest du terrain, où elle sert à des fins commerciales et résidentielles. En 1984, elle échappe encore une fois à la démolition. Son propriétaire d'alors, une importante compagnie pétrolière, entreprend des démarches pour libérer l'emplacement afin d'y construire un nouveau commerce. Les locataires doivent quitter les lieux à l'expiration de leur bail et un permis de démolition est octroyé. Toutefois, par suite de l'intervention d'un groupe de citoyens et du ministère des Affaires culturelles, la maison a une nouvelle fois la vie sauve.

La maison Gauvreau constitue un exemple d'architecture caractéristique du mouvement éclectique en vogue vers la fin de l'ère victorienne ainsi qu'à l'époque édouardienne. Sa forme et son ornementation la rattachent au style néo-reine-Anne dans sa version nord-américaine.

Malheureusement, au cours de sa relocalisation, la maison subit plusieurs transformations qui altèrent quelque peu l'unité stylistique qu'elle possédait à l'origine. Par exemple, la galerie magnifiquement ornée qui la ceinturait sur trois de ses côtés a été démolie et remplacée partiellement par une autre dépourvue de tout caractère. Une aile, située à l'arrière, a également été rasée à cette occasion et a fait place à une construction basse qui s'harmonise difficilement au corps de logis principal.

Michel Saint-Pierre, architecte

La maison du docteur Joseph Gauvreau lui sert à la fois de résidence privée et de cabinet médical, en plus de loger une pharmacie et une clinique d'hydrothérapie. Elle représente un exemple d'architecture du mouvement éclectique en vogue vers la fin de l'ère victorienne et édouardienne.

East, Marie. *La pharmacie et résidence de Joseph Gauvreau — étude, relevés et analyse*. Rimouski, ministère des Affaires culturelles, 1985.

Lechasseur, Antonio, C. Buffin et M.L. Saint-Pierre. *La maison Gauvreau- étude patrimoniale et prise de position du Comité du patrimoine*. Rimouski, Société d'histoire du Bas-Saint-Laurent, 1985.

Plouffe, Adrien. *Un précurseur en hygiène publique et un défenseur de la langue française: le docteur Joseph Gauvreau*. Ottawa, Mémoires de la Société royale du Canada, 1952.

Maison Lamontagne

Rimouski-Est
707, boulevard du Rivage

Fonction: centre d'interprétation
Classée monument historique en 1974

EN mars 1744, lors du mariage de sa fille Marie-Agnès avec Basile Côté, René Lepage, second seigneur de Rimouski, lui fait don du lot sur lequel une partie de l'actuelle maison sera érigée quelque temps plus tard. Cette terre restera la propriété de la famille Côté pendant près d'un siècle, jusqu'à ce qu'elle soit vendue à Joseph Baquet dit Lamontagne. Lorsque le gouvernement du Québec en fait l'acquisition en 1976, elle appartient à la famille Saint-Laurent depuis 1920.

Érigée en deux étapes qui correspondent chacune à un type de construction différent, la maison mesure 14,6 mètres de longueur sur 7,1 mètres de largeur. En colombage «pierroté», la section la plus ancienne a 10 mètres de longueur sur 7,1 mètres de largeur et daterait de la seconde moitié du XVIII⁰ siècle. La seconde, réalisée en poteaux sur soles, aurait quant à elle été exécutée au tournant du XIX⁰ siècle, dans le but d'agrandir la maison.

Une série de poteaux et de colombes, dont les dimensions varient de 20 à 30 centimètres de largeur sur 30 centimètres de profondeur, dépendamment qu'ils soient porteurs ou non, constituent les murs de la première section. Ceux-ci sont distants d'environ 18 à 23 centimètres. Ils reposent sur une double sole ou sablière basse, posée sur un solin de mur en pierres sèches. Les poteaux et les colombes sont assemblés à tenons et mortaises dans les sablières hautes et basses. Un mélange de petites pierres mêlées à de l'argile compose le hourdis. À l'origine, la face externe des murs était recouverte d'un crépi maintenu sur les parties en bois par un picotis de chevillettes. Celui-ci a été par la suite remplacé par un lambris de planches verticales, sur lequel on a plus tard ajouté des planches à clins puis du bardeau. Les murs intérieurs étaient enduits.

La section ajoutée appartient au même type structural que le colombage. Toutefois, des poteaux disposés l'un contre l'autre y remplacent le hourdis. Le tout est assemblé à coulisse entre les sablières hautes et basses, puis finalement chevillé. À l'origine, la face externe des murs aurait été laissée apparente un certain temps, puis dotée des mêmes revêtements que l'autre section. Quant à l'intérieur, il était aussi enduit.

Les deux sections possèdent une charpente du type à chevrons portant fermes, avec entraits retroussés, poinçons, pannes, ainsi qu'un faîtage et un sous-faîtage. Des bardeaux disposés sur des planches verticales couvrent la toiture à deux versants. Elle est percée de trois lucarnes du côté nord et de deux autres du côté sud. Une souche de cheminée en pierre se trouve sensiblement au centre, à cheval sur la ligne faîtière.

La maison a été restaurée et remeublée en 1980 par le ministère des Affaires culturelles, dans le but de lui redonner l'apparence qu'elle possédait à la fin du XVIII⁰ siècle.

L'aménagement intérieur comprend, au niveau du rez-de-chaussée, la salle commune, où se situe l'âtre qui servait à la préparation des repas, ainsi qu'une autre pièce, qui servait aux gros travaux domestiques. On y trouve aussi le puits et la laiterie. Cette pièce possède également un âtre localisé à l'arrière de l'autre. En outre, une petite chambre s'adosse à l'âtre.

Paul Gagnon

La maison Lamontagne fut construite en deux étapes. La partie gauche en colombage «pierroté» constitue la plus ancienne et date du XVIII⁰ siècle. À droite, la plus petite section remonte au XIX⁰ siècle.

LEFEBVRE, Jean-Charles. *Étude historique sur la maison Lamontagne à Rimouski-Est*. [s. l.]. Ministère des Affaires culturelles, 1977.

LESSARD, Michel et Gilles VILLANDRÉ. *La maison traditionnelle au Québec*. Montréal, Les Éditions de l'Homme ltée, 1974. 493 p.

PROVENCHER, Jean et Marcel MOUSSETTE. *Le mobilier et le mode de vie des habitants de la maison Lamontagne à la fin du XVIII⁰ siècle*. [s. l.]. Ministère des Affaires culturelles, 1981. 174 p.

Maison Côté

Saint-Anaclet-de-Lessard
3ᵉ Rang Ouest

Fonction: maison d'habitation
Classée monument historique en 1977

Cette maison du XVIIIᵉ siècle avec ses murs en poteaux sur sole représente l'un des derniers spécimens du genre au Québec.

Au cours de l'été 1975, une vieille maison en fort mauvais état, construite vers 1790, se voit menacée de démolition. Il s'agit de la maison Côté, une des plus anciennes habitations du deuxième rang de Rimouski. Fort heureusement, un fervent défenseur du patrimoine en fait l'acquisition, la sauvant ainsi d'une disparition certaine. Par la suite, il la transporte non loin de là, dans le troisième rang de l'actuelle paroisse de Saint-Anaclet, et il y réalise d'importants travaux afin de la restaurer. C'est à cet endroit qu'elle se trouve depuis, dans un environnement bâti qui, toutefois, contraste fortement avec le type d'architecture qui la caractérise.

La seigneurie de Rimouski fut octroyée assez tardivement (1688), en raison surtout de son éloignement des centres urbains et de l'absence de voies de communication terrestres permettant de s'y rendre. On n'y observe aucun établissement stable jusqu'à l'arrivée du second seigneur, René Lepage, en 1694. De plus, sa colonisation ne s'effectuera que très lentement. En effet, à la fin du Régime français, sa population n'est que de 72 habitants. L'ouverture des premiers registres paroissiaux s'effectue en 1701, mais il faut attendre 1712 pour y voir la construction d'une première chapelle missionnaire. La paroisse de Saint-Germain ne sera, quant à elle, érigée canoniquement qu'en 1829. Par ailleurs, ce n'est qu'à la toute fin du XVIIIᵉ siècle que l'on commence à occuper le deuxième rang.

En 1798, une lettre de l'inspecteur des chemins, Charles Lepage, nous apprend que les habitants du second rang ne possèdent pas encore de route pour «sortir de chez-eux, soit pour venir à l'église ou aller au moulin». Le croquis qui accompagne cette lettre permet d'identifier l'occupant de la terre, où s'élève jusqu'en 1975 la maison Côté. Il s'agit de George Fraser, laboureur, époux de Constance Bouillon. À sa mort, son fils hérite de la terre et des bâtiments qui s'y trouvent. Il les vendra en 1826 à Julien Collin. En 1834, celui-ci vend à son tour l'ensemble à André Côté. À compter de cette date, cinq générations de Côté vont se succéder dans la maison sur une période de 119 ans.

À l'occasion du mariage de son fils, André Côté lui fait donation de ses biens en échange d'une rente. Il se réserve toutefois, avec son épouse, l'usage de la chambre sud-ouest. L'on désigne alors cette grande pièce sous le nom de «chambre des rentes». Une chambre à coucher attenante communique avec celle-ci.

Depuis ce jour, le bien ancestral se transmet de père en fils; ce dernier, en retour, doit s'engager à loger et à nourrir ses parents. Cette coutume va se perpétuer jusqu'en 1936, date à laquelle Octave Côté fait à son tour donation de ses biens à son fils Elzéar. Selon les derniers occupants de la maison, la chambre des rentes sert de salon, les donateurs ne se réservant plus

qu'une chambre à coucher. Pour le reste, ils partagent la vie familiale.

C'est surtout dans le mode de construction de ses murs en poteaux sur sole, ici recouverts d'un crépi, que réside l'intérêt de la maison Côté. Elle constitue en effet un des derniers spécimens de ce type d'habitation encore existants au Québec. Cette technique a également été utilisée dans la construction d'une partie de la maison Lamontagne à Rimouski.

Les différentes parties constituantes de la charpente de la maison Côté, ainsi que leur mode d'assemblage, sont caractéristiques de l'architecture de la fin du XVIIIᵉ et du début du XIXᵉ siècle. Ils attestent son origine fort ancienne. La charpente appartient au type à chevrons portant fermes avec pannes faîtières, sous-faîtes, poinçons, croix de Saint-André et entraits.

Régis Jean, ethnologue

Fortin, Alphonse. «Les seigneuries du comté de Rimouski». *Revue d'histoire du Bas-Saint-Laurent*, volume I, numéro 1, 1973. p. 10.

Église de Sainte-Luce

Sainte-Luce-sur-Mer
24, chemin du Fleuve

Fonction: lieu de culte
Classée monument historique en 1957

Située en bordure du fleuve, à environ quinze kilomètres à l'est de Rimouski, la paroisse de Sainte-Luce a été érigée canoniquement le 28 août 1829. L'année suivante, désirant bâtir une église et une sacristie en pierre, les paroissiens adressent une requête à l'évêque de Québec. Cependant, il faut attendre jusqu'en 1836 avant que le prélat donne son autorisation. L'architecte Thomas Baillairgé dresse entre 1838 et 1840 les plans de l'église.

Baillairgé s'inspire du plan dit «à la Récollet». Il s'agit d'un type d'architecture inhabituel pour lui: il dote l'église d'une nef à un seul vaisseau, prolongée par un chœur plus étroit et terminé par une abside en hémicycle. Très utilisé sous le Régime français, ce type de plan disparaît presque complètement à la fin du XVIIIᵉ siècle, laissant place à celui en forme de croix latine, privilégié par Baillairgé dans la plupart de ses réalisations, à l'exception cependant des églises de Saint-Germain (1822) et de Saint-Simon (1832) de Rimouski, érigées selon un plan rectangulaire.

Les paroissiens imposent à Baillairgé ce type architectural. Ils souhaitent que leur temple possède une nef et une hauteur de murs similaires à celles de l'église de Saint-Germain de Rimouski. Il fallait néanmoins que le chœur soit plus étroit, comme à Saint-André de Kamouraska, avec deux petits autels de chaque côté et un rond-point. Finalement, ils décident d'«avoir le fond du chœur carré comme donnant une commodité en dedans et présentant à l'extérieur moins de difficulté pour tous les murs».

Modifications aux plans et à l'édifice

Aujourd'hui disparue, la façade ressemblait à celles conçues précédemment par Baillairgé à Saint-Nicolas et à Lauzon, quoiqu'avec des différences importantes. Au-dessus des angles, Baillairgé avait dessiné des corbeaux surmontés de vases venant interrompre la descente du pignon. Le même procédé se répétait plus haut, tandis qu'un amortissement supportant lui aussi un vase soustrayait à la vue le sommet du comble. Ainsi agencée, la façade se présenterait comme un écran. Toutefois, les paroissiens jugèrent superflus ces éléments, qui conféraient une grande originalité au plan.

Le clocher présente un aspect architectural nouveau. À l'exemple du clocher de la

La façade originelle de l'église a été réalisée d'après les plans de Thomas Baillairgé. (Inventaire des biens culturels du Québec).

La façade érigée en 1914 confère à l'église un air grandiose.

Vue latérale de l'église.

cathédrale anglicane de Québec, le premier étage repose sur une base carrée. Une lanterne ouverte, caractérisée par des colonnes fuselées et coiffée d'une flèche, s'ajoute à l'ensemble. Plusieurs personnes n'appréciaient guère ce clocher: certains le qualifiaient de «monstrueux», tandis que d'autres disaient qu'il ressemblait à une bouteille. Mal construit, il laissa place en 1875 à une nouvelle structure, érigée sur le modèle de l'église de Saint-Charles de Bellechasse.

En 1914, l'église de Sainte-Luce subit une autre modification majeure, puisqu'une nouvelle façade remplace l'ancienne. Réalisée d'après les plans de David Ouellet et Pierre Lévesque, architectes de Québec, cette façade de caractère monumental se coiffe d'un clocher massif. Elle emprunte ses éléments décoratifs à diverses sources. L'édifice prend ainsi un air grandiose, plus au goût du jour, mais il perd irrémédiablement son cachet ancien.

Originalité du décor intérieur

Dessiné par Thomas Baillairgé et réalisé sous la direction d'André Pâquet de 1845 à 1850, le décor intérieur architectural, comprenant la voûte, le retable et l'entablement, reprend ceux des églises de Charlesbourg et de Sainte-Croix de Lotbinière.

Cette reprise fut d'ailleurs dictée par la décision des paroissiens de construire un chevet plat plutôt qu'une abside en hémicycle. L'étroitesse du chœur obligea Baillairgé à rétrécir considérablement les côtés de son retable, conférant ainsi une très grande importance à la partie centrale, composée de deux colonnes supportant un fronton en segment de cercle, en plus de donner à l'ensemble un air beaucoup plus élancé.

Le mobilier liturgique et les divers éléments de la décoration intérieure remontent à des époques différentes. André Pâquet exécuta la chaire et le banc d'œuvre en même temps que le décor architectural. Selon le désir des fabriciens, ils s'apparentent à ceux de Charlesbourg et de Saint-Charles de Bellechasse, construits d'après les plans de Thomas Baillairgé. Inspiré lui aussi des œuvres du même architecte, le tabernacle du maître-autel fut réalisé en 1870 par Louis-Adolphe Dion. Quatorze ans plus tard, David Ouellet utilise ses propres plans pour créer les fonts baptismaux, œuvre monumentale comme il s'en retrouve beaucoup à partir de la seconde moitié du XIXᵉ siècle.

Plusieurs tableaux ornent l'intérieur de l'église. Le plus intéressant demeure sans contredit celui du maître-autel représentant sainte Luce priant pour la guérison de sa mère sur le tombeau de sainte Agathe. Peinte en 1842 par Antoine Plamondon, cette «charmante scène, pleine de simplicité et de vérité», constitue la première composition religieuse originale de l'artiste et l'une des rares exécutées au cours de sa très longue carrière. Par contraste, les autres tableaux, presque tous réalisés aux ateliers de Senécal Fréchon entre 1883 et 1890, apparaissent plutôt fades.

L'église de Sainte-Luce possède en outre de nombreux vitraux réalisés par Henri Perdriau, en 1917, et par la maison Perdriau et O'Shea, en 1920. Fait inusité, deux d'entre eux représentent des scènes de notre histoire: l'une montre Jacques Cartier plantant une croix à Gaspé, l'autre Marie de l'Incarnation enseignant aux enfants.

Guy-André Roy, historien de l'art

NOPPEN, Luc. *Le renouveau architectural proposé par Thomas Baillairgé de 1820 à 1850 (L'architecture néo-classique québécoise)*. Thèse de doctorat en histoire de l'art, université de Toulouse-le-Mirail, 1976. 3 volumes.

NOPPEN, Luc. *Les églises du Québec, (1600-1850)*. Québec et Montréal, Éditeur officiel du Québec/Fides, 1977: 222-225.

ROY, Guy-André. *Trésor de l'église Sainte-Luce, comté de Rimouski*. Québec, ministère des Affaires culturelles, 1975. 262 p.

Maison Lamontagne

Sainte-Anne-des-Monts
170, 1ʳᵉ Avenue Est

Fonction: habitation
Reconnue monument historique en 1977

La maison Lamontagne et son site enchanteur.

Le «château Lamontagne», surnommé ainsi par la population de Sainte-Anne-des-Monts, est en fait une demeure bourgeoise. Elle a été érigée entre 1871 et 1873 par Théodore-J. Lamontagne sur un promontoire surplombant le fleuve Saint-Laurent. Ce dernier, originaire de Saint-Gervais de Bellechasse, vient s'établir dans cette région de la Gaspésie en 1852, alors qu'il n'a que dix-neuf ans. À cette époque, il travaille à Cap-Chat pour la compagnie Price. Dès 1860, il travaille à son compte et ouvre plusieurs chantiers forestiers en Gaspésie ainsi qu'aux Escoumins. Il vend une partie de sa production de bois à Québec ainsi qu'en Europe. Il acquiert également plusieurs magasins et entrepôts, de même que l'ancienne seigneurie de Sainte-Anne-des-Monts en 1878. Il occupe aussi le poste de vice-consul de Suède et de Norvège.

La maison Lamontagne se rattache au style Regency. Son revêtement en brique a été recouvert de stuc il y a quelques années.

Son plan en T comprend deux corps de bâtiments dont le plus petit servait vraisemblablement à loger les domestiques. La maison est dotée d'un rez-de-chaussée à la hauteur duquel s'étend une galerie sur trois côtés. La toiture en croupes est couverte de bardeaux d'asphalte qui ont remplacé, il y a quelques années, les bardeaux de cèdre originels; elle possède aussi des avant-toits retroussés qui se projettent au-dessus des galeries. Des lucarnes percent chacun des versants du toit et deux hautes souches de cheminée sont disposées au centre de chacune des croupes latérales.

La famille Lamontagne occupe le bâtiment jusqu'en 1930. À ce moment, il change de vocation et est transformé en hôtel qui porte le nom de Seignory Club. Il conserve cette fonction jusqu'en 1949 alors qu'Anne Lever-Saint-Pierre s'en porte acquéreure. Celle-ci lui redonne un temps sa fonction originelle de résidence. De 1969 à 1975, la maison Lamontagne est louée au ministère

des Affaires sociales, qui l'utilise comme centre de désintoxication et de réhabilitation des alcooliques. Par la suite, elle sert à nouveau d'hôtel ou d'auberge, fonction qu'elle a conservée depuis sa vente en 1986.

Même si ces changements de fonction ont entraîné un réaménagement de son intérieur, l'extérieur de la maison Lamontagne a subi peu de modifications et conserve, à quelques éléments près, l'apparence qu'il avait à l'époque où Théodore-J. Lamontagne l'habitait.

Louise Voyer, historienne de l'art

OUELLET, Cécile. *Rapport sur la maison Lamontagne.* Québec, ministère des Affaires culturelles, 1983.

SOCIÉTÉ D'HISTOIRE ET D'ARCHÉOLOGIE DES MONTS. *Biographie de Théodore-Jean Lamontagne.* Quatre pages dactylographiées.

VOYER, Louise. *Étude historique et évaluation architecturale de la maison Lamontagne. Sainte-Anne-des-Monts.* [s. l.], [s. éd.], 1980. 47 p.

Manoir Le Boutbillier

L'Anse-au-Griffon (Gaspé)
Boulevard Perron

Fonction: centre d'interprétation
Classé monument historique en 1974

Peu de temps après la Conquête, en 1763, des marchands venus des îles anglo-normandes viennent s'établir en Gaspésie. Ces commerçants deviendront les maîtres incontestés de la pêche, notamment par l'utilisation d'un système de gestion basé sur le crédit. John Le Bouthillier est l'un d'eux. Commis et gérant de la compagnie Robin, il décide par la suite de travailler à son propre compte à Percé. Vers 1837, il ouvre des succursales à L'Anse-au-Griffon, Rivière-au-Renard, Mont-Louis et Sainte-Anne-des-Monts. En plus, il possède des entrepôts dans la baie de Gaspé. La morue, le principal produit de la pêche, est exportée principalement en Italie, en Espagne et au Brésil.

En plus d'être un habile commerçant, John Le Bouthillier mènera une vie publique très active. Député de Gaspé et de Bonaventure pendant une trentaine d'années, il occupe aussi les fonctions de commissaire de la paix et de conseiller législatif pour la division du Golfe.

Ayant sa résidence principale à Gaspé, John Le Bouthillier effectue de nombreux séjours à Québec et n'habite que sporadiquement sa maison de L'Anse-au-Griffon. Par contre, celle-ci sert de résidence et de bureau à ses gérants. Entre 1856 et 1872, John William, fils de John Le Bouthillier, et Frederick Veit gèrent à tour de rôle l'établissement.

À sa mort en 1872, John Le Bouthillier lègue son établissement de L'Anse-au-Griffon à deux de ses huit enfants, Charles et Marie-Élisabeth. À partir de 1903, et pendant plus de 66 ans, la maison sert de résidence permanente à la famille Chouinard.

Prise de vue intérieure.

Quelques transformations mineures sont alors apportées à l'intérieur de la résidence afin de l'adapter aux besoins de la famille. Lorsque le ministère des Affaires culturelles en devient propriétaire, en 1977, elle est dans un état de conservation remarquable.

Unique survivante d'un ensemble de neuf bâtiments comprenant, entre autres, des entrepôts de sel, de morue séchée et de farine, un atelier ainsi qu'une étable, la maison Le Bouthillier a également servi pendant deux ans à la célébration de la messe, par suite de la destruction par le feu en 1922 de l'église paroissiale.

Construite vers 1840, la maison mesure 18 mètres de longueur sur 10,8 mètres de largeur. Ses murs, érigés en madriers pièce sur pièce et lambrissés de planches à clins sur leurs faces externes, reposent sur une fondation de maçonnerie. Le bâtiment possède une cave et un rez-de-chaussée surélevé surmonté d'un comble aménagé pour être habité. Une galerie avec balustrade s'étend au niveau du rez-de-chaussée sur toute la longueur de la façade principale. Sa toiture, à deux versants percés de lucarnes, est couverte de bardeaux et dotée d'égouts retroussés ainsi que de corniches cintrées. Ces deux derniers éléments, de caractère pittoresque, appartiennent à l'une des variantes du style Regency; au Québec, ils sont fréquemment associés aux cottages ornés et rustiques. Pour le reste, dans leur ensemble, les diverses composantes extérieures et intérieures de la maison se rattachent au style néoclassique.

L'intérieur de la maison n'a pas subi de transformations importantes depuis l'époque de sa construction. Aussi est-il possible de reconstituer assez exactement son aménagement originel à partir des traces laissées

Cette babitation de 1840 demeure l'unique survivante d'un ensemble de neuf bâtiments. Elle fut la résidence de John Le Bouthillier, commerçant prospère et homme politique.

par d'anciennes cloisons. On constate alors la présence de deux parties bien distinctes: le quartier des maîtres (occupé par le gérant, le capitaine et les invités) et le quartier des domestiques (où se trouve la cuisine et où logent l'homme de service et le menuisier). Toutes les cloisons étaient originellement recouvertes de papier peint collé sur de la jute. Un imposant foyer, toujours existant, situé dans la cuisine, servait à la préparation des repas et au chauffage.

La charpente est du type à chevrons portant fermes avec pannes, entraits retroussés et liens diagonaux entre les chevrons-arbalétriers situés aux extrémités de la maison.

Depuis 1979, la maison a une vocation polyvalente. Alors qu'en été elle se transforme en centre d'interprétation historique et d'animation culturelle, accessible à la clientèle touristique, la population locale l'utilise à des fins communautaires le reste de l'année.

François Ménard, récréologue

BÉLANGER, Jules, Marc DESJARDINS et Yves FRENETTE. *Histoire de la Gaspésie*. Montréal et Québec, Boréal Express/Institut québécois de recherche sur la culture, 1981. 797 p. (Coll. Les Régions du Québec).

ETHNOSCOP. *Anse-au-Griffon — LeBoutillier, Manoir-Diffusion*. Québec, ministère des Affaires culturelles, 1980. 77 p.

LEPAGE, André. *La vie et la carrière de John LeBoutillier, 1797-1872*. Rapport de recherche, Québec, ministère des Affaires culturelles, 1987. 115 p.

Arrondissement naturel

Percé

Fonction: arrondissement naturel
Déclaré arrondissement naturel en 1973

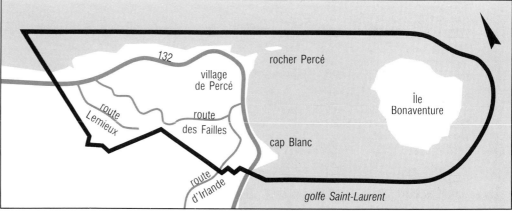

Le seul nom de ce village blotti entre la mer et la montagne, au bout de la péninsule gaspésienne, évoque des images de carte postale, de vacances et de grands vents. Percé paraît ne pas avoir besoin de présentation; pourtant, bien des aspects de ce site demeurent méconnus des visiteurs.

L'arrondissement naturel de Percé couvre un vaste territoire longeant la côte, du cap Blanc au sud jusqu'à Cannes-de-Roches au nord; il englobe également le rocher Percé et l'île Bonaventure. Il est plutôt rare de retrouver dans le même secteur autant de phénomènes naturels. Le développement de ce coin de pays, axé au début sur l'industrie de la pêche, a depuis été fortement influencé par le tourisme. En fait, dans ce décor grandiose, on peut retracer plusieurs éléments de l'histoire de la Gaspésie.

Un paysage surprenant

Percé se révèle un site unique à la fois par ses nombreux attraits naturels et par sa géographie accidentée. Il s'agit d'un vaste amphithéâtre qui convie le spectateur à des paysages éloquents, violents et doux à la fois, où s'amalgament falaises, caps, anses et plages, sans oublier la mer, toujours changeante.

Le village de Percé s'étire dans le creux d'une cuvette naturelle et s'ouvre sur la mer par deux anses: l'anse du Nord et l'anse du Sud. Entre ces anses, le mont Joli présente

à la mer un cap tourmenté, sans cesse menacé par elle. Il offre un lieu privilégié pour embrasser du regard et apprécier l'arrondissement naturel de Percé. Vers le nord, le pic de l'Aurore, les Trois Soeurs et le cap Barré élancent leurs flancs abrupts et presque hostiles; vers le sud s'élève le cap Canon et, plus loin, le cap Blanc. Au pied du mont Joli, le village s'étend le long des anses et de la route principale avec, comme toile de fond, la montagne, dominée par le mont Sainte-Anne et le mont Blanc. Enfin, du côté de la mer, imposant et majestueux, se dresse le rocher Percé. Autrefois relié au mont Joli, il forme aujourd'hui un monolithe de calcaire planté dans la mer et sur lequel la lumière vient composer les plus belles couleurs. Au large, l'île Bonaventure fait

le dos rond et accueille des milliers d'oiseaux marins dans son sanctuaire.

Tous ces phénomènes naturels constituent autant de points de repère dans le paysage et, en même temps, des plates-formes pour scruter la nature environnante. En outre, certains événements historiques ajoutent à la signification de l'arrondissement. Ainsi, le mont Sainte-Anne fut longtemps un lieu de pèlerinage. Le mont Joli, aujourd'hui surmonté d'une croix, renferme probablement le site de la première église construite sous le Régime français et quelques traces amérindiennes laissées par les Micmacs. La zone du cap Canon abrite les vestiges d'une église et d'un ancien cimetière protestant.

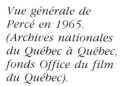

Vue générale de Percé en 1965. (Archives nationales du Québec à Québec, fonds Office du film du Québec).

Histoire méconnue

L'importance du milieu naturel garde dans l'ombre le petit établissement humain qui s'y trouve. Le village de Percé possède pourtant une riche histoire, étroitement liée à la pêche commerciale.

Avant même l'arrivée de Jacques Cartier, les Indiens Micmacs (les premiers Gaspésiens) et les pêcheurs européens sillonnent ce secteur où abonde le poisson. Mais il faudra attendre la seconde moitié du XVIIᵉ siècle pour voir une tentative de peuplement par les Denys, famille française célèbre en Gaspésie. Des entrepôts et magasins d'été s'élèvent alors à Percé, en plus d'une chapelle sur l'île Bonaventure, poste de pêche alors très fréquenté. Pendant tout ce siècle, Percé affirme sa suprématie et devient le principal centre de la pêche en Gaspésie, région où la mer regorge de morues et où les pêcheurs trouvent un abri sûr et protégé.

Dès l'origine, les habitants choisissent Percé pour la valeur de son site. Cependant, la population sédentaire croît lentement et, souvent, les guerres entre la France et l'Angleterre compromettent son développement. Au XVIIᵉ siècle, Percé demeure avant tout le royaume des pêcheurs saisonniers français, basques, espagnols ou anglais. En 1690, la destruction du poste de Percé et de l'île Bonaventure par les Anglais entraîne le déplacement des activités dans la baie de Gaspé, qui se révèle plus facile à défendre. Les habitants en viendront presque à oublier Percé...

Après la Conquête, les activités reprennent à Percé. Les Français, qui avaient fui à l'approche de l'ennemi, reviennent occuper l'anse du Nord, et les nouveaux venus s'installent dans l'anse du Sud, où le Jersiais Charles Robin fonde, en 1781, un établissement de pêche. Des Acadiens, des Loyalistes, des Irlandais et des habitants des îles anglo-normandes de Jersey et de Guernesey peuplent tour à tour Percé.

Certains marchands venus de ces îles marquent profondément le développement de la Gaspésie. Charles Robin bâtit un empire fondé sur la pêche à la morue. Percé constitue son établissement à la fois le plus productif et le plus important de toute la côte.

La Robin's Establishment à Percé. (Archives nationales du Québec à Québec, collection initiale).

Un peu plus tard, vers 1840, d'autres firmes importantes, en majorité jersiaises, s'établissent en Gaspésie; elles dirigent et orientent l'industrie de la pêche morutière de la région. Pendant tout le XIXᵉ siècle, Percé constitue le havre de pêche le plus achalandé de la Gaspésie: «Il y vient des gens de tous les points de la côte, de la province et de l'étranger. Une bonne partie des cargaisons de poisson enregistrées aux deux bureaux de douanes du district émane de Percé». L'île Bonaventure participe à ce bouillonnement et accroît sa prospérité grâce à l'installation de la compagnie jersiaise Le Bouthillier Brothers vers 1845. Toute cette effervescence n'entraîne pas d'accroissement significatif de la population sédentaire, qui demeure peu nombreuse comparativement à la population saisonnière.

Avant les années 1880, la pêche saisonnière caractérise et oriente le développement de Percé. Plus tard, des quais s'élèvent sur plusieurs points de la côte et entraînent la disparition progressive de la pêche nomade. Parallèlement, les fluctuations du marché international du poisson découragent un grand nombre de pêcheurs. Les grandes compagnies jersiaises connaissent de graves crises financières. À l'aube du XXᵉ siècle, l'industrie de la pêche morutière en Gaspésie s'effondre.

L'industrie touristique prend toutefois la relève. Très vite, les charmes de Percé exercent une grande fascination sur les artistes, les naturalistes et les simples vacanciers. L'ouverture de la route 132 en 1929 permet désormais d'accomplir le fameux tour de la Gaspésie. Pour les accueillir, des entrepreneurs construisent des hôtels et des motels qui voisinent les anciens bâtiments désaffectés. Des promoteurs immobiliers et l'État remplacent maintenant les grandes compagnies de pêche. Fidèle à son histoire marquée par la vie saisonnière, Percé se transforme en un centre d'attraction, qui s'anime au début de juin et s'endort l'hiver venu.

La maison Éthier.

Le magasin général.

Un village à découvrir

Le village de Percé s'étend essentiellement le long de la route 132 et reste tributaire du développement du début du XIX⁰ siècle. Des lots, de forme et de superficie très variables, s'alignent perpendiculairement au chemin principal et témoignent des activités liées à l'exploitation commerciale de la pêche. La compagnie Robin influence considérablement le découpage du territoire. Il faut attendre les années 1930 pour assister à la subdivision et au lotissement des terrains en bordure de la route des Failles, de la rue de l'Église et de la rue Saint-Michel. Ce développement à caractère résidentiel s'imprègne d'un nouveau souci de planification urbaine, remarquable par l'uniformité des lots et la similitude des fonctions.

Percé porte encore les traces de sa riche histoire. Trois secteurs retiennent l'attention: la place du quai, avec les bâtiments les plus anciens et les plus remarquables de la ville, qui témoignent de l'intense activité engendrée par la pêche, la rue de l'Église, bordée d'arbres et de belles maisons et, enfin, le secteur du mont Joli, où des bâtiments imposants ajoutent à la grandeur du milieu naturel.

Une promenade dans le secteur du quai plonge le visiteur dans l'ambiance des ports de mer. Les villages gaspésiens s'articulent presque tous autour du quai où se déroule une activité fébrile. À Percé, cette animation est subjuguée par l'histoire qui émane des anciens bâtiments de pêche. Ils comptent parmi les plus beaux vestiges du XIX⁰ siècle, époque où la ville comptait une quarantaine de bâtiments reliés à l'industrie de la pêche. Le chafaud, dans lequel on transformait et entreposait le poisson, demeure le plus imposant. Il est situé sur le bord de la grève et ses trois étages reposent sur des pilotis. Un toit à deux versants brisés à mi-pente le coiffe, et deux conduits d'aération de forme

rectangulaire surmontent le faîte. Les deux murs pignons et les bas murs latéraux présentent une fenestration ordonnée, mais plutôt restreinte pour un si grand bâtiment. Recouverts de bardeaux, les murs étaient chaulés et les parties menuisées des ouvertures peintes en rouge, la couleur caractéristique de la compagnie.

Parmi les autres bâtiments se dresse la saline, qui servait à entreposer le sel nécessaire à la conservation du poisson destiné à l'exportation. De l'autre côté, une glacière et un «cookroom» abritaient les engagés de la compagnie.

Un second groupe de bâtiments patrimoniaux reliés à la pêche se situe à l'ouest de la rue du Quai et comprend le Bell House, l'auberge du Pirate, le magasin de la coopérative et le centre d'art, comme on les appelle aujourd'hui. Le Bell House, de forme rectangulaire, comporte trois planchers et un toit à versants droits le coiffe. La façade principale se trouve du côté de la mer. L'autre façade était autrefois ornée d'une figure de proue récupérée d'un naufrage. Un magnifique clocheton abritant la cloche qui servait à appeler les ouvriers au travail surmonte le toit. Ce bâtiment servait de «cookroom» pour les employés et occasionnellement d'atelier pour la réparation des embarcations et l'entreposage de matériaux. Le toit est recouvert de bardeaux en cèdre et les murs sont tapissés de planches à clins étroites. Très peu de fenêtres percent les murs; le rez-de-chaussée n'en possède aucune. À l'ouest de ce bâtiment, l'ancienne maison du gérant ou de l'agent de la compagnie a été transformée en auberge. Comme le Bell House, l'édifice fait face à la mer. La fenestration a subi d'importantes modifications. Cependant, le bâtiment conserve encore une grande valeur architecturale et historique.

Le magasin de la coopérative abritait autrefois le magasin de la compagnie Robin.

Il se démarque de tous les bâtiments de cette époque par les détails plus soignés de son architecture. Construit au début du siècle, il est de forme rectangulaire et comporte trois étages avec un pignon en façade. Malgré les modifications apportées aux vitrines, il conserve une valeur patrimoniale exceptionnelle. Au même titre que les magasins généraux, il servait de lieu privilégié pour les échanges économiques et sociaux.

La grange de ferme des Robin abrite aujourd'hui un centre d'art. Bâtiment très long, typique des granges québécoises, il se différencie tout de même par la pente brisée du toit à l'arrière, rappelant celle du chafaud. En façade, les ouvertures ont été modifiées lors de son changement de vocation.

Tous ces bâtiments, typiques d'une architecture régionale reliée à l'industrie de la pêche, s'inspirent probablement de Jersey, lieu d'origine des Robin. Un souci d'homogénéité dans l'architecture et les matériaux se remarque tout particulièrement. Érigées par des charpentiers dont les principales occupations étaient la construction et l'entretien des barques de pêche et des goélettes, leurs structures révèlent des techniques de charpenterie maritime fort bien adaptées. Les toits, à deux versants, possèdent un recouvrement de bardeaux, tandis que des planches à clins, généralement peintes en blanc, couvrent les murs. Les fenêtres à carreaux, du type à guillotine, sont peintes en noir ou en rouge sombre. Ces volumes, d'un blanc éclatant, servaient jadis de points de repère aux pêcheurs côtiers.

Les habitants de Percé logent dans des maisons villageoises très simples situées sur un petit lopin de terre. Certains possèdent des maisons plus luxueuses. L'agriculture tenant une place secondaire, quelques fermes seulement s'implantent en périphérie du village.

Le chafaud reste le plus imposant bâtiment de pêche où l'on transformait et entreposait le poisson.

Dans l'architecture domestique, certains types dominent. Tout d'abord, la maison simple au toit à deux versants, parfois agrémenté d'une lucarne pignon en façade. Ce modèle demeure le plus répandu et le plus représentatif de la deuxième moitié du XIXᵉ siècle. Plus tard apparaissent les résidences à deux niveaux d'occupation, avec toit à pente douce, telle la maison avec pignon en façade d'esprit néo-gothique et celle à deux versants possédant un avant-toit retroussé. Au XXᵉ siècle, des maisons plus grandes et plus luxueuses apparaissent et la villégiature se développe. Les nouvelles habitations possèdent des toits à la Mansart d'esprit Second Empire ou encore des toitures à quatre versants. Les visiteurs découvrent plusieurs de ces belles résidences sur la rue de l'Église entre les arbres qui forment une allée ombragée débouchant sur l'église catholique. Construit au début du siècle avec la pierre de Percé, aux couleurs rosées, ce temple surprend par son allure néo-gothique et par ses deux tours d'inégale hauteur. À l'intérieur, le décor traditionnel, tout en finesse et en équilibre, conserve son cachet d'origine. Les curieux peuvent y observer une statue de bois représentant sainte Anne tenant Marie dans ses bras. Oeuvre de Jean-Baptiste Côté, sculpteur québécois du XIXᵉ siècle, elle se situait autrefois au sommet du mont Sainte-Anne. Un peu plus loin, blottie au pied de la montagne, l'église anglicane se dissimule dans la verdure. Toute blanche et en bois, elle forme avec son cimetière un petit îlot bien circonscrit.

Le centre d'art loge dans ce qui était autrefois la grange de la ferme des Robin.

Les aléas du tourisme

La renommée touristique de Percé a entraîné la transformation de certains bâtiments, souvent construits à la hâte, avec des moyens restreints et surtout sans réelle planification: cette architecture influence considérablement l'évolution du coeur du village.

Les premières années de développement touristique ont cependant laissé des équipements bien intégrés au paysage qui font désormais partie du patrimoine de Percé. Le mont Joli, avec son site privilégié, accueille des bâtiments imposants, dont la maison Éthier, construite au siècle dernier par Frederick James, l'un des premiers artistes attirés par les beautés du paysage de Percé; elle allie une implantation spectaculaire à de grandes qualités architecturales.

Abandonnée sur son cap, elle mérite sûrement un meilleur sort, tout comme la vieille auberge au toit à la Mansart implantée un peu plus bas et qui attend, bien solide, qu'on lui trouve une nouvelle vocation.

Sur l'île Bonaventure, il ne reste pratiquement rien des infrastructures de pêche. Le gouvernement québécois, maintenant propriétaire de ce site, entretient certaines maisons et dépendances de conception très simple, recouvertes pour la plupart en bardeaux de bois. Une résidence, jadis propriété du gérant de la compagnie Le Bouthillier Brothers, affiche une architecture plus sophistiquée et s'apparente aux maisons bourgeoises du XIXᵉ siècle.

Percé possède un riche patrimoine bâti. Ce patrimoine présente une architecture sobre, caractéristique de la Gaspésie et bien adaptée. Constamment menacé par son développement mal contrôlé, il devrait faire l'objet d'une protection élargie de la part de toutes les autorités concernées.

Une promenade dans Percé peut réserver des surprises au visiteur. Envahi par des milliers de touristes chaque année, le village représente un ensemble bigarré, loin de l'image traditionnelle d'un havre de pêche.

De beaux ensembles patrimoniaux cohabitent avec des équipements touristiques peu harmonieux. L'intervention massive du gouvernement à partir des années 1970 n'a pas empêché une certaine dégradation du milieu.

Au Québec, Percé demeure pourtant la destination de prédilection pour le voyageur. Les gens y viennent en grand nombre, s'y entassent dans un fouillis général et s'amusent dans une atmosphère relâchée. Les écrits historiques sur Percé soulignent souvent le côté un peu libertaire de ce village où les éléments naturels semblent influencer le comportement des gens. C'est peut-être là une des plus remarquables caractéristiques de Percé...

Euchariste Morin, aménagiste

BÉLANGER, Jules, Marc DESJARDINS et Yves FRENETTE. *Histoire de la Gaspésie*. Montréal et Québec, Boréal Express/Institut québécois de recherche sur la culture, 1981. 797 p. (Coll. Les Régions du Québec).

MARTIN, Paul-Louis et Gilles ROUSSEAU. *La Gaspésie de Miguasha à Percé*. Québec, Éditeur officiel du Québec, 1978. 236 p.

ROY, C.E. *Percé: sa nature, son histoire*. Gaspé, [s.éd.], 1947. 178 p.

Complexe commercial de pêche de Pabos

Pabos Mills
Rang Saint-Hubert Sud

Fonction: aucune
Classé site archéologique en 1977

LE 14 avril 1977, le ministère des Affaires culturelles classe comme site archéologique une partie de l'ancienne seigneurie de Pabos, en Gaspésie. Dans la première moitié du XVIIIe siècle, cette seigneurie, aujourd'hui incorporée dans le territoire des municipalités de Pabos Mills et Chandler, illustre l'un des rares efforts pour coloniser la Gaspésie.

En 1696, les autorités de la Nouvelle-France érigent ce territoire en seigneurie, mais il faut attendre l'année 1729 avant d'y voir apparaître un poste de pêche permanent. Peu d'informations existent sur ce territoire. De 1730 à 1758, la baie du Grand Pabos constitue le fief de la famille Lefebvre de Bellefeuille. De souche normande, cette famille originaire de Plaisance, à Terre-Neuve, exerce son autorité de Port-Daniel jusqu'à Grande-Rivière. Comme subdélégué de l'intendant dans l'étendue de la baie des Chaleurs et de la côte de Gaspé, le seigneur de Pabos ouvre un second port de pêche important à Grande-Rivière.

Dès 1730, une soixantaine d'habitants résident à cet endroit. En 1758, Pabos et Grande-Rivière comptent ensemble plus de cent bâtiments. À l'exception des logements des familles de pêcheurs, les constructions autour de la baie du Grand Pabos forment le centre administratif de la colonie, comprenant une chapelle, un manoir seigneurial, un magasin et des chafauds.

Cette même année, la destruction de l'établissement par l'armée britannique met un terme brutal à ces activités. François Frédérick Haldimand, futur gouverneur de Québec, en fait l'acquisition au lendemain de la Conquête et lui redonne vie pendant quelques années. Malheureusement, à la fin du XVIIIe siècle, les activités de pêche se déplacent ailleurs et peu d'habitants s'établissent autour de la baie.

Au XIXe siècle, l'industrie forestière se développe en Gaspésie. Dans les années 1880, les frères King construisent des installations importantes sur la pointe de Pabos Mills. La population augmente et, en 1915, la ville de Chandler voit le jour; cette dernière constitue actuellement un des centres industriels de la Gaspésie.

La baie du Grand Pabos constitue une rade naturelle destinée à attirer les pêcheurs qui fréquentent les bancs de morue situés à proximité. Un vaste barachois réduit considérablement l'entrée de la baie. Ancrés et protégés, les bateaux peuvent être déchargés ou chargés avec plus de facilité. Les plages de galets et de rochers nus, ainsi que le littoral immédiat, représentent un lieu idéal pour le séchage du poisson.

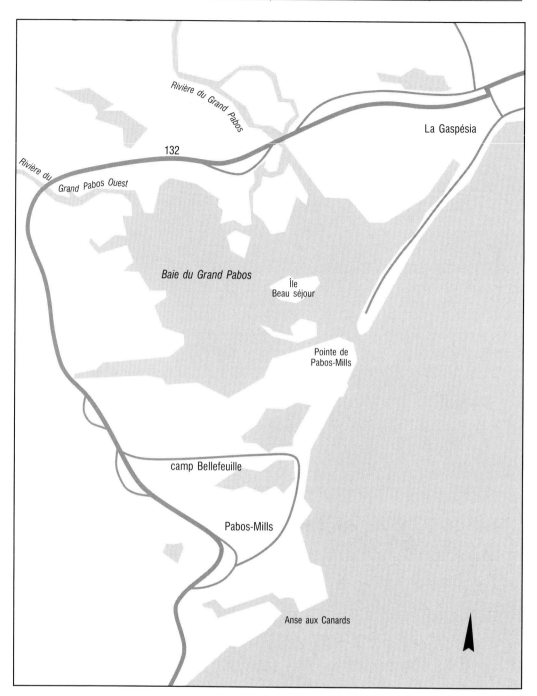

La baie couvre une superficie d'environ trois kilomètres carrés. En son milieu se trouve l'île Beau Séjour, qui mesure environ 500 mètres de diamètre. Alimentée par deux rivières, la baie peut servir de voie de communication vers l'intérieur, sur une distance d'environ 20 kilomètres.

Le classement de ce site archéologique devait stimuler l'intérêt de la population pour l'étude de son patrimoine. En collaboration avec le ministère des Affaires culturelles du Québec et la municipalité de Pabos Mills, un comité de citoyens, la Corporation du bourg de Pabos, entreprend un programme de fouilles qui s'échelonne de 1980 à 1987.

Le mandat de recherches se limite à l'ancienne seigneurie des de Bellefeuille et vise à étudier la culture matérielle de la population gaspésienne sous le Régime français, ainsi que l'articulation du réseau de communication et d'approvisionnement de la Gaspésie au XVIIIe siècle. En définissant la spécificité de Pabos, il paraît possible de comprendre l'organisation sociale et économique d'une seigneurie.

Le schème d'établissement à l'époque des de Bellefeuille consiste dans un éparpillement de maisons autour de la baie, avec la résidence des seigneurs sur l'île Beau Séjour. Les sites les plus riches, datant de l'époque française, se trouvent sur l'île et la pointe de Pabos Mills. Aucun vestige du XVIIIe siècle n'a encore été découvert plus à l'intérieur de la baie, considérablement modifiée depuis un siècle.

Des bâtiments en bois

Sur l'île Beau Séjour, le manoir seigneurial, dont les vestiges se trouvent à moins de 30 centimètres de la surface, a été fouillé au complet par les archéologues. Des soles calcinées ont servi à délimiter ce qui était un bâtiment de deux étages, couvrant une surface de 50 mètres carrés. Ses dimensions s'apparentent à celles de l'ancienne demeure de la seigneurie de Plaisance. Le bâtiment, entièrement de bois, ne possède pas de fondations. Les de Bellefeuille utilisent la technique de construction en pieux verticaux. Les bases d'une double cheminée, mises au jour en même temps qu'une importante quantité d'objets, permettent de délimiter l'utilisation du rez-de-chaussée et de comprendre le quotidien de ses occupants.

La pointe de Pabos Mills abrite les vestiges de plusieurs bâtiments déjà localisés, mais jusqu'à maintenant les recherches se limitent à trois maisons. À partir de poutres pourries et d'éclats de bois carbonisés, l'aire approximative d'une maison de pêcheurs a pu être établie. De dimensions plus modestes que celui des seigneurs, le bâtiment possède un plancher en terre battue et une cheminée en torchis et en argile. À proximité de chaque maison se trouvent des fosses de déchets, qui permettent de reconstituer les habitudes alimentaires des pêcheurs de Pabos.

Déjà fouillé, le magasin de l'établissement des de Bellefeuille s'étend sur une surface de 7 mètres de long sur 5 de large. Il est construit en pieux verticaux coincés à la base par des poutres équarries pour donner plus de solidité au mur.

L'originalité de ce bâtiment demeure son puits intérieur de forme ovale. Érigé en pierre, au centre d'un petit caveau auquel les résidents accèdent par une trappe, ce puits constitue non seulement une source d'eau, mais aussi un endroit où l'on conserve certains aliments au frais.

La qualité et la quantité des artefacts retrouvés sur le site du magasin — plus de 12 000 au total — donnent un aperçu des objets importés à Pabos. Ils permettent de donner davantage de cohérence au passé que les quelques poutres calcinées. Il s'agit dans l'ensemble de restes d'objets utilisés quotidiennement. La permanence de l'établissement suppose une organisation matérielle d'ensemble à l'opposé des artefacts mis au jour sur les sites de pêcheurs itinérants. La présence de femmes et d'enfants, l'élevage d'un cheptel et le jardinage créent des impératifs logistiques différents de ceux des sites où réside une population saisonnière de pêcheurs.

Les produits en céramique, et parmi ceux-ci les terres cuites grossières, forment la plus grande partie de la collection d'artefacts. Il s'agit d'une vaisselle utilitaire employée pour la préparation, la conservation et la consommation des aliments.

En dépit de la très grande fragmentation des objets retrouvés sur ces petits sites d'habitation, les chercheurs ont reconstitué une variété d'objets, tels des jarres, des terrines, des marmites, des plats et des assiettes. L'origine des productions de ces terres cuites demeure encore un des aspects les plus stimulants dans l'analyse des données archéologiques. Elle révèle comment s'articule le réseau de communication et d'approvisionnement de la colonie. En outre, à mesure que l'échantillon augmente, des types particuliers de fabriques se dessinent et permettent de déceler des tendances. Ces terres cuites grossières proviennent presque toutes de France et d'Angleterre, même si à cette époque les potiers en fabriquent dans la vallée du Saint-Laurent.

Les faïences se retrouvent également en nombre important sur le site. Il s'agit de produits de plus haute qualité. Le réseau

Les sondages archéologiques ont permis de repérer une cabane de pêcheurs. (Inventaire des biens culturels du Québec).

Entièrement fouillé, le magasin de Bellefeuille a livré plus de 12 000 artefacts. (Inventaire des biens culturels du Québec).

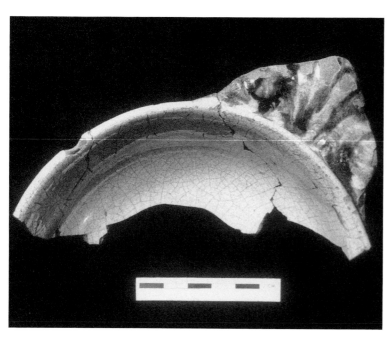

Écuelle de faïence blanche retrouvée lors des fouilles. (Inventaire des biens culturels du Québec).

d'approvisionnement s'étend à l'Espagne et à la Hollande, mais les faïences françaises demeurent sans contredit les plus populaires.

La majorité des pièces retrouvées sont des faïences blanches, même s'il existe une certaine quantité de faïences brunes à pâte rouge brique. Cette faïence, plus résistante et plus facile d'entretien, pouvait aussi bien servir sur la table qu'à la cuisine. Vaisselle idéale pour un site comme Pabos, où les habitants déplacent le mobilier de cuisine à chaque saison.

Là où les chercheurs peuvent reconstituer les décors, deux grands styles sont représentés: le style de Rouen et le style de Bérain; ce sont deux des principaux foyers d'approvisionnement en faïences.

Les objets en grès occupent une place moins importante dans la collection: quelques tessons de grès anglais, de grès allemand, du style décor en relief, rehaussé de bleu et de violet, et de grès normand. Ces derniers se trouvent en moins grand nombre que sur les sites de la Côte-Nord, mais en plus grande quantité que sur d'autres sites du golfe, tels que Roma, sur l'île du Prince-Édouard. Cela confirme l'existence de liens entre la Gaspésie et le nord de l'Europe dès la première moitié du XVIIIᵉ siècle, à la veille de l'arrivée des Jersiais et autres gens des îles de la Manche, qui marquent l'histoire de la Gaspésie après 1760.

À l'époque, la consommation du tabac est l'un des rares divertissements accessibles à tous, ce qui explique la présence d'un grand nombre de fragments de pipes en terre cuite avec des marques bien distinctes, comme celles des manufactures anglaises et hollandaises, les plus populaires de ce temps.

Modes de vie

Sur ce site de pêcheurs, on retrouve de nombreux hameçons barbelés. Une nigog en très bon état constitue une des trouvailles du site. Les couteaux pliants, d'un modèle couramment utilisé au XVIIIᵉ siècle, pouvaient servir aussi bien comme outil de production que comme ustensile de table. Quelques pierres à fusils français, des plombs d'armes à feu, une plaque de couche de laiton et une extrémité de pontet ont aussi été mis au jour.

Les objets de la salle à manger et de la cuisine demeurent les plus représentatifs de l'occupation de la baie du Grand Pabos. Les fragments d'objets trouvés lors des fouilles traduisent à la fois le modèle d'acquisition d'objets des occupants et celui de la diffusion de la culture matérielle en Gaspésie. On peut difficilement parler du style de vie du pêcheur et du style de vie du seigneur, mais certaines particularités les distinguent.

Ainsi, la proportion de poterie en terre cuite grossière est plus élevée sur la pointe que sur l'île. Au risque de simplifier la réalité, ces poteries moins élégantes se rattachent à des traditions de fabrication plus anciennes et correspondent à des pratiques de table plus communes. Inversement, les faïences de plus haute qualité dominent sur l'île.

Mis à part quelques petits gobelets, les objets en verre sont surtout des bouteilles, des flacons et des fioles. À Pabos, il existe un bon nombre de contenants en verre bleuvert, un type de production associé aux petites fabriques. Il reste donc possible d'imaginer des liens commerciaux entre les de Bellefeuille et de petites verreries de France.

Ces contenants à usages variés peuvent contenir de l'huile, du sirop, des liqueurs, du vinaigre ou même du parfum. Compte tenu du prix assez élevé de certains de ces produits, on trouve beaucoup de flacons et de fioles à proximité du manoir.

Si l'on en croit le registre paroissial, les gens de Pabos sont en bonne santé: aucune mortalité des mères à l'accouchement et peu de mortalité infantile à une époque où elle demeure généralement très élevée. Le régime alimentaire expliquerait-il cette caractéristique?

À Pabos, les habitants consomment à l'occasion des viandes domestiques, surtout du porc, ensuite du bœuf et du mouton, mais ils préfèrent généralement la venaison, en particulier la viande d'orignal. Les marques de boucherie sur les os (gibier) ne laissent aucun doute sur l'usage de cette viande. Le phénomène est d'ailleurs constant, peu importe le secteur fouillé sur la pointe.

Selon des sources historiques, les habitants de la pointe de Pabos élèvent des animaux domestiques tels le bœuf, le mouton et le poulet. Comment se fait-il donc que la balance de leur régime alimentaire penche du côté gibier? Ces données, et aussi l'hypothèse que la pointe constitue un habitat estival, laissent penser que l'élevage des animaux domestiques se fait essentiellement au bénéfice du seigneur. Les fouilles sur l'emplacement du manoir indiquent indubitablement que le régime alimentaire des de Bellefeuille ressemble à celui des autres habitants de la Nouvelle-France: les viandes domestiques dominent.

Nous commençons à dresser un bilan de ce que fut la vie d'une communauté en Gaspésie au XVIIIᵉ siècle. En définissant la spécificité de Pabos, les archéologues contribuent à l'histoire de la présence française sur la côte Est à cette époque.

Un plan directeur a été conçu pour mettre en valeur ce patrimoine. Le gouvernement prévoit même mettre sur pied un centre d'interprétation sur la pointe de Pabos Mills. L'animation sur le site, autant autour de la baie que sur l'île Beau Séjour, rappellera non seulement le passé lointain, mais aussi le lien entre ce patrimoine du XVIIIᵉ siècle et le patrimoine actuel de la baie.

Pierre Nadon, archéologue

BÉLISLE, Jean. *Historique de Pabos*. Montréal, ministère des Affaires culturelles, 1980. 156 p.

NADON, Pierre. *L'île Beau Séjour sous les de Bellefeuille*. Pabos Mills, ministère des Affaires culturelles, mars 1985. 58 p.

NADON, Pierre. *Les fouilles archéologiques dans la Baie du Grand Pabos (1987): bilan provisoire de la recherche DbDe 5 et DbDe 6*. Pabos Mills, ministère des Affaires culturelles, 1988. 50 p.

Banc de pêche de Paspébiac

Paspébiac

Fonction: centre d'interprétation
Classé site historique en 1981

Le banc de Paspébiac.

Dans la baie des Chaleurs, au nord-est de la ville de New Carlisle, le site du banc de Paspébiac constitue un important témoin de l'histoire socio-économique de la Gaspésie. C'est à cet endroit que deux des plus importantes sociétés jersiaises installées au Canada, les compagnies Robin et Le Bouthillier, établirent des infrastructures centrées sur la production et le commerce de la morue séchée. En 1964, il y subsistait environ 70 bâtiments, dont certains remontaient à la fin du XVIIIe siècle. Malheureusement, cette année-là, un incendie en détruisit la plus grande partie; il n'en reste que huit, ainsi que plusieurs bâtiments de l'ancienne ferme Robin, adjacente au site.

Les Micmacs pêchaient et chassaient sur le banc de Paspébiac longtemps avant que des pêcheurs basques ne le fréquentent au XVIIe siècle. Peu avant la Conquête, quelques familles acadiennes s'y étaient établies. Mais la véritable histoire débute en 1766, lorsque Charles Robin y fonde un poste de pêche permanent. Natif de l'île anglo-normande de Jersey, dans la Manche, Robin est alors âgé de 22 ans. Il s'adonne au commerce dans la baie des Chaleurs, mais le contexte perturbé qui prévaut en Amérique du Nord et en Europe freine ses projets; il retourne à Jersey en 1778. La paix conclue cinq ans plus tard, il revient à Paspébiac comme directeur et principal actionnaire de la Charles Robin Company et relance l'établissement. Il établit son quartier général à Paspébiac où il construit plusieurs bâtiments. Vers 1790, il implante des succursales à Percé ainsi qu'à Grande-Rivière. En 1791, il fonde un chantier maritime à Paspébiac. Le bois nécessaire à la construction des bateaux provient des importantes concessions forestières qu'il a obtenues dans le canton de Hope. Le chantier, qui sera actif jusqu'au XXe siècle, produira plusieurs bateaux de haute mer ainsi que des goélettes pour la pêche.

En 1802, Charles Robin retourne à Jersey; il continue cependant à superviser les activités de sa compagnie. En 1824, il confie la gestion de l'établissement de Paspébiac à son neveu Philip. À cette époque, la compagnie emploie 180 personnes à Paspébiac, qui compte alors 291 habitants et 42 familles. En 1836, cet établissement de pêche est le plus important de la région. Paspébiac, qui sert à cette époque de dépôt général des marchandises, contrôle la majorité des établissements de pêche de la baie des Chaleurs jusqu'à Percé. Vers le milieu du XIXe siècle, la compagnie ouvre des succursales à Caraquet et à Newport.

L'entrepôt Le Bouthillier Brothers abrite aujourd'hui un centre d'interprétation sur les pêches.

La poudrière.

La forge et les «cook room» ou cuisines.

L'«office» servait de bureau pour l'administration de la compagnie.

Ses bateaux livrent le poisson en Europe (au Portugal, en Espagne, en Grande-Bretagne et en Italie), dans les Antilles (à Saint-Domingue) et en Amérique du Sud (au Brésil). La nature du poisson livré varie suivant les saisons: le «salt fish» est expédié d'avril à juin, le «green fish», de juin à juillet et le «new fish», de juillet à novembre.

À compter de 1838, la compagnie Robin doit affronter la concurrence de plusieurs de ses anciens employés, entre autres celle de la compagnie Le Bouthillier Brothers, également installée sur le banc de Paspébiac qui s'impose rapidement comme la plus sérieuse rivale de Robin. En 1842, la Le Bouthillier Brothers pratique la pêche au Labrador et, en 1845, s'installe à l'île Bonaventure, puis à New Carlisle en 1860, où elle fait construire un magasin. Elle est également présente au Nouveau-Brunswick. À cette époque, plusieurs autres compagnies jersiaises commercent aussi en Gaspésie, comme Janvrin, Fruing ou Hyman.

Vers le milieu du XIXᵉ siècle, devant la demande croissante du poisson et sa raréfaction en Gaspésie, les compagnies de pêche cherchent de nouveaux emplacements sur la Côte-Nord, récemment ouverte à la colonisation. Cette période correspond également à une restructuration de leurs activités. On assiste à une concentration des crédits entre les mains des marchands et des armateurs sur les sites les plus productifs. Le succès des compagnies jersiaises repose en grande partie sur un mode de gestion particulier appelé système à crédit. Vers 1870, la compagnie Robin s'installe à Magpie et Natashquan, sur la Côte-Nord.

En 1886, la faillite de la Banque commerciale de Jersey entraîne la cessation temporaire des activités sur le banc de Paspébiac. Les ouvriers menacés de famine se

révoltent et pillent les magasins Robin et Le Boutillier. Les activités reprennent quelque temps plus tard, mais sur une base plus modeste. Vers la fin du XIXᵉ siècle, la compagnie Robin possède encore 14 voiliers et 300 embarcations pour la pêche. Elle emploie environ 2 000 personnes. Quant à sa rivale, la Le Bouthillier Brothers, elle emploie 1 200 personnes et possède 10 navires et 165 bateaux de pêche.

Au tournant du siècle, les compagnies jersiaises ferment les unes après les autres, sauf quelques-unes, dont la Robin. Vers la fin des années 1930, il ne subsistait plus que cette dernière, devenue la Robin, Jones and Witman Company. Elle avait déménagé son siège social à Halifax en 1908, mais disposait encore de certains établissements à Paspébiac, Port-Daniel, Newport et Grande-Rivière. Les anciennes techniques de pêche et de préparation du poisson avaient alors été délaissées au profit d'autres plus modernes. Vers la fin des années 1950, la compagnie Robin abandonne ses activités maritimes pour ne conserver que ses comptoirs de vente au détail.

Des huit constructions actuelles sur le banc de Paspébiac appartenant à la compagnie Le Bouthillier, quatre ont été à ce jour restaurées. Deux d'entre elles sont en pierre, la poudrière et l'«office». Les autres possèdent des ossatures de bois revêtues de bardeaux, comme de nombreuses constructions de la côte Est du Canada et de la Nouvelle-Angleterre. Le site du banc de Paspébiac est ouvert au public. Soulignons qu'il possède un potentiel archéologique prometteur, comme l'ont révélé quelques récents sondages.

Sylvio Gauthier, historien
Johanne Murray, animatrice-interprète
Gérard Poirier, régisseur

ÉMOND, Michel. *C.R.C. L'empire de Charles Robin.* Inventaire documentaire, Chandler, Cahiers gaspésiens, 1980. 61 p.

LEPAGE, André. *Le Banc-de-Paspébiac, site commercial et industriel.* Paspébiac, Centre de documentation et d'interprétation sur la pêche de Paspébiac, 1980. 112 p.

PLURAM. *Mise en valeur du site historique du Banc-de-Paspébiac.* Québec, [s. l.], 1986, 271 p.

Épave du Marquis de Malauze

Restigouche

Fonction: aucune
Classée bien archéologique en 1965

L E 10 avril 1760, cinq navires de commerce français et une frégate quittent Bordeaux à destination du Canada avec, à leur bord, des vivres, des munitions et quelque 400 hommes de troupe. Le but du voyage: secourir la colonie tombée aux mains des Anglais l'automne précédent.

À la sortie de la Gironde, les Anglais arraisonnent deux navires et un autre fait naufrage. Arrivés dans le golfe Saint-Laurent, les trois derniers bâtiments se réfugient dans la baie des Chaleurs dans l'espoir d'échapper aux ennemis. Mais ceux-ci les y rejoignent et engagent une bataille sans merci. Confrontés à une défaite inévitable, les Français mettent le feu à la frégate *Machault* ainsi qu'au navire le *Bienfaisant*. Ils épargnent le *Marquis de Malauze* par égard pour les 62 prisonniers anglais qui se trouvent à bord. Après avoir repris les leurs, les Anglais livrent le bâtiment aux flammes. La destruction de la flotte de Bordeaux est totale.

Le *Marquis de Malauze* était un navire de 354 tonneaux et d'environ 33,5 mètres de longueur dans lequel prenaient place une centaine de personnes: 40 membres d'équipage et 60 soldats. Pour l'expédition de 1760, le navire était armé de 12 canons installés en batterie sur le pont, mais il pouvait en recevoir jusqu'à 18.

Construit à Bordeaux vers 1745, ce navire servait pour le commerce entre les Antilles, la France et la Nouvelle-France. Le *Marquis de Malauze* vint deux fois à Québec, entre mars 1752 et mai 1754, pour le compte de la compagnie Draveman et Goudal, négociants à Bordeaux. Au cours de son existence, il joint régulièrement les ports de Saint-Domingue et ceux de la Martinique.

Lors de son dernier voyage, il appartenait aux sieurs Lamaletie et Latuillière, négociants, et Antoine Lartigue le commandait. Après la bataille de Restigouche, les troupes s'embarquèrent pour la France à bord d'un navire pris aux Anglais au printemps et rebaptisé *Petit marquis de Malauze*. Celui-ci toucha les côtes de France en décembre de la même année.

Opération de sauvetage

En 1939, les pères capucins de la mission de Sainte-Anne de Restigouche, aidés des Micmacs, tirent du sable de la rivière les restes calcinés du *Marquis de Malauze*. Sous l'instigation du père Pacifique, les pièces de l'épave sont transportées sur le terrain du monastère et assemblées.

Cette épave, de 29,3 mètres de longueur, repose sur le sol depuis ce temps, protégée par un abri ouvert. Même si ses extrémités sont atteintes par la pourriture, son bois demeure dans un état de conservation remarquable. Les pièces de bois, séchées graduellement à l'air libre pendant 45 ans, ne présentent ni distorsions ni fendillements importants.

L'épave du *Marquis de Malauze* se compose des pièces majeures faisant partie de la structure de la coque. Comme l'incendie n'a pas atteint la partie submergée du navire, on retrouve la quille, la carlingue, l'étrave, l'étambot, les varangues ainsi que des bordages qui recouvraient l'extérieur du navire. Malgré son importance, sa valeur historique et son potentiel didactique, l'épave ne fit l'objet d'aucune mise en valeur avant juin 1984.

Toutefois, à la demande du conseil de bande de Restigouche, un comité spécial se constitue pour protéger et mettre en valeur l'épave du *Marquis de Malauze*. Cette action fait partie d'un plan de développement économique et touristique de grande envergure et s'inscrit dans le cadre d'un projet global mis de l'avant par la Réserve amérindienne de Restigouche. Après la réalisation d'une série d'études visant à préciser l'importance historique et architecturale de l'épave, le comité se penche maintenant sur l'élaboration d'un concept d'interprétation pour sa mise en valeur.

Alain Franck, ethnologue

FRANCK, Alain. *Historique et sauvetage du navire le Marquis de Malauze*. Rimouski, ministère des Affaires culturelles, 1985. 86 p.

LANCTÔT, Gustave. «Le dernier effort de la France au Canada», dans *Mémoires de la Société royale du Canada*, section 1, série III, tome XII. (1918): 41-54.

L'ITALIEN, Raymonde. «Le Machault, bateau corsaire du XVIIIᵉ siècle». *Culture Vivante*, n° 24, (1972).

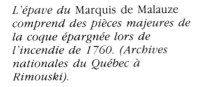

L'épave du Marquis de Malauze *comprend des pièces majeures de la coque épargnée lors de l'incendie de 1760. (Archives nationales du Québec à Rimouski).*

Site de pêche Matamajaw

Causapscal
Route 132

Fonction: centre d'interprétation
Classé site historique en 1984

Bien avant l'arrivée des Européens, les Amérindiens pratiquaient la pêche au saumon de l'Atlantique; ils le capturaient au filet dans les rivières de l'île d'Anticosti et de la Côte-du-Sud et dans les cours d'eau de la Côte-Nord et du golfe.

Le pêche sportive à la mouche artificielle, telle qu'on la connaît aujourd'hui, semble avoir fait son apparition au Québec peu après la Conquête ou au début du XIXe siècle. Mais les amateurs la pratiquaient depuis des siècles en Grande-Bretagne.

Il semble que, dès le début du XIXe siècle, la rivière Jacques-Cartier, près de Québec, attire les premiers pêcheurs sportifs de saumon. Par la suite, les amateurs se déplacent de plus en plus vers l'est, au fur et à mesure que de nouvelles rivières deviennent accessibles.

Sur la Cascapédia, la Bonaventure et la Restigouche, les pêcheurs riverains tendent des filets ou rets avec succès jusque vers 1870, époque où le gouvernement commence à céder ces rivières à de riches concessionnaires, le plus souvent d'origine américaine. En 1871, le gouvernement décide de louer à bail les rivières à saumon qui dépendent de la Couronne. À partir de ce moment, des clubs privés voient le jour.

En 1873, Lord Mount Stephen acquiert ses premières propriétés à Causapscal. Au cours des années suivantes, il fait l'acquisition de tous les droits de pêche sur les terres en bordure de la Matapédia jusqu'à un endroit nommé les Chutes.

Commercialisation du site

Une décision rendue en 1880 par le Conseil privé de Londres accorde les droits de pêche aux propriétaires riverains, ce qui permet aux clubs de s'en porter acquéreur très facilement. Comme les droits deviennent aisément accessibles aux riches amateurs et que les propriétaires ne savent qu'en

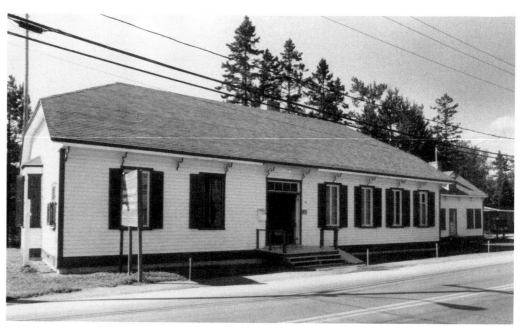

Pavillon principal du club Matamajaw.

faire, la mainmise des clubs privés se confirme. En l'espace de quelques années, les rivières de la Gaspésie sont presque toutes sous bail: on dénombre 30 clubs en 1899 et, quinze ans plus tard, ce nombre grimpe à 70. Parmi ces clubs se retrouve le Matamajaw Salmon Club.

Le club est fondé en 1902 par des gens d'affaires de New York, la plupart impliqués dans l'industrie forestière. En 1905, il achète les propriétés que le Restigouche Salmon Club possède sur la rivière Matapédia, acquises treize ans plus tôt de Lord Mount Stephen. À cette époque, la physionomie des lieux se modifie sensiblement. La plupart des clubs de pêche possèdent un nombre imposant de bâtiments: hangars, remises pour les chaloupes, hangars à bois, glacières, pavillons de logement, etc. Le Matamajaw Salmon Club ne fait pas exception puisque s'y retrouvent un pavillon principal avec ses annexes, la maison du gardien, la neigière, la «cabane des Indiens», l'«office» et les remises. Ces constructions présentent plusieurs similitudes sur le plan architectural: elles sont construites en bois, à claire-voie, et un toit à deux versants les coiffe généralement.

Le pavillon principal, érigé au début du XXe siècle, se distingue par ses dimensions (20 mètres sur 11 mètres) et aussi par le nombre imposant de fenêtres sur les façades avant et arrière, toutes munies de contrevents. Deux larges corridors disposés en forme de croix divisent l'intérieur du pavillon. En plus du salon et de la salle à manger, on retrouve plusieurs chambres et quelques pièces de rangement.

Un décor pittoresque

Dans l'un des corridors, on remarque encore aujourd'hui une rangée d'armoires numérotées qui contenaient autrefois les vêtements et le matériel de pêche de chacun des invités. Sur les portes des armoires figurent les noms des pêcheurs. Autre élément intéressant: la présence du foyer du salon, seul mode de chauffage puisque le club ne servait que du début du mois de juin au début du mois de septembre. Les jambages de la cheminée sont décorés de dessins illustrant des légendes anglaises telles *The old man and his sons, Tom Tucker, The little boy blue, The milk maid and her pug'o milk,* etc.

Les trois annexes et l'appentis qui se greffent au pavillon principal sont plus récents. Les combles des annexes servaient à loger les employés du club tandis que le rez-de-chaussée servait à la préparation des repas, au lavage et à d'autres tâches quotidiennes.

La «maison du gardien», vraisemblablement construite quelques années avant que Lord Mount Stephen achète la propriété en 1873, servait à l'origine de lieu de séjour. Après la construction du pavillon central, au début du XXe siècle, elle devint «la maison du gardien». Elle se compose de quatre sections différentes: la principale est la plus ancienne; la deuxième sise à l'arrière constitue une adjonction qui, selon les témoignages recueillis, aurait été la véritable «maison du gardien»; la troisième et la quatrième sections sont des appentis qui servaient de chambres froides.

La neigière.

La maison du gardien.

*Vue d'ensemble du club
Matamajaw à Causapscal.*

La neigière, construite vers la fin du XIXᵉ siècle, portait plusieurs noms: «shed à neige, shed à paquetage, shed à shippage». Elle se caractérise par une abondance de motifs décoratifs. Un ouvrier y entreposait de la neige afin de conserver le saumon.

La «cabane des Indiens», vraisemblablement érigée au début des années 1890, doit son appellation au fait qu'à l'origine, elle servait à loger durant la saison estivale quelques Amérindiens venus de Restigouche. Ceux-ci servaient de guides à Lord Mount Stephen. Elle porta également le nom de «Bear Camp» («cabane de l'ours») à cause, dit-on, des odeurs nauséabondes qui en émanaient.

Quant aux trois remises qui se trouvent encore sur le site, elles abritaient un atelier de réparation et d'entretien des canots et un entrepôt de matériel divers.

Un autre bâtiment, l'«office», se trouvait sur le site. Déménagé vers 1975, il s'élève aujourd'hui dans le rang 3 de Causapscal. Durant les dernières années d'exploitation du club, l'«office» servait à enregistrer les arrivées et les départs des invités ainsi que les prises de saumon. Il semble aussi avoir été utilisé à des fins administratives, notamment pour remplir les feuilles de temps des guides, des gardiens et des autres employés.

Aux dires de plusieurs informateurs, l'«office» constitue l'un des plus anciens bâtiments du club. À l'origine, en effet, il abritait une étable. Au moment où Lord Mount Stephen devint propriétaire du club et de plusieurs lots environnants, il gardait quelques animaux (deux ou trois vaches, autant de moutons et quelques poules) qui, la saison froide venue, y hivernaient sous la responsabilité du gardien du club.

La vie au club

Parmi les invités du club de Matamajaw se retrouvaient surtout des Américains et des Canadiens anglais, avec quelques Canadiens français dans les dernières années. Plutôt brève, leur visite se limitait à trois ou quatre jours. À leur arrivée, ils s'enregistraient à l'«office» avant d'être conduits au pavillon principal où se tenait généralement un joyeux souper. La pêche débutait le lendemain vers les dix heures. Le plus souvent, les invités embarquaient à bord des canots avec un guide.

Le territoire du club se divisait en six zones distinctes. Chacun des invités tirait au hasard le numéro de la zone où il serait confiné. Selon la patience ou le succès des amateurs, la pêche au saumon pouvait durer quatre ou cinq heures, parfois toute une journée. Le guide jouait un rôle de premier plan: en plus de bien savoir canoter, il devait évaluer à l'intérieur d'une zone désignée l'endroit le plus propice à une pêche fructueuse. Il devait également choisir la mouche qui convenait le mieux à la saison, à l'heure et à la température.

De retour au club, les invités remplissaient, pour chaque saumon capturé, une fiche sur laquelle apparaissaient les renseignements suivants: le poids du saumon, sa longueur, l'endroit où il avait été capturé, le genre de mouche utilisée et le nom du guide. Ces fiches permettaient de compiler des statistiques annuelles et d'attribuer à chaque fin de saison un trophée sur lequel figuraient le nom du pêcheur, le poids du saumon et l'année de la prise.

Le saumon capturé aboutissait à la neigière, où il était déposé dans une boîte de bois contenant de la neige. Presque tous les soirs, à huit heures, de juin à septembre, un guide se rendait avec un cheval et une voiture à la station ferroviaire de Causapscal pour conduire au train une vingtaine de boîtes; un wagon réfrigéré les acheminait ensuite vers leur destination finale, principalement aux États-Unis.

Les habitants s'emportent

Durant la saison de pêche, la population locale ne participait pas aux activités du camp. Cette situation créa de nombreuses tensions dont les premières remontent aux années 1870, époque où la mainmise du club sur les rivières interdit aux habitants de Causapscal d'y construire un moulin à farine.

Dans les décennies suivantes, la population crie à l'injustice et revendique les droits de pêche détenus par le club. Devant l'inertie des gouvernements, le braconnage prend de plus en plus d'ampleur.

Pour atténuer les tensions, les dirigeants du club s'impliquent dans le développement de Causapscal et participent au financement de diverses entreprises: construction de trottoirs, élaboration du réseau d'aqueduc, etc.

Vers 1950, le club délaisse son pavillon principal de Causapscal pour loger ses membres et ses invités dans le camp du club Casault, qui constitue un site plus pittoresque et plus tranquille que celui du village, scindé par le passage de la route.

En 1971, la contestation soutenue des gens du village amène le gouvernement à obliger le Matamajaw Salmon Club à céder une partie de ses droits de pêche. Trois ans plus tard, le ministère du Loisir, de la Chasse et de la Pêche acquiert l'ensemble des droits de pêche et des propriétés afin de concrétiser sa politique de démocratisation de la pêche au saumon.

Aujourd'hui, le site poursuit ses activités de pêche sportive au saumon. Une corporation locale s'occupe de la conservation et de la mise en valeur des installations et un centre d'interprétation fait connaître l'évolution historique du Matamajaw Salmon Club.

Jacques Dorion, ethnologue

ETHNOTECH. *Étude d'ensemble du club de pêche au saumon de Matamajaw.* Québec, ministère des Affaires culturelles, 1982. 361 p.

MARTIN, Paul-Louis. *Histoire de la chasse au Québec.* Montréal, les Éditions du Boréal Express, 1980. 288 p.

Site de La grave

Île du Havre-Aubert
Route 199

Fonction: animation touristique
Classé site historique en 1983

À l'est de l'île du Havre-Aubert se dessine un curieux appendice en forme d'hameçon; on ignore si ses parois étroites s'élèvent au-dessus de la mer ou si elles en constituent les fragiles victimes. Il s'y est formé un petit isthme qui relie la pointe Shea et le cap Gridley au reste du village de Havre-Aubert. Sur cette bande de terre coincée entre deux anses s'élèvent deux magasins généraux, une grande saline, deux petits «magasins de pêche» appelés chafauds, une ferblanterie, un magasin d'agrès de pêche, un comptoir de vente du poisson et d'autres bâtiments de moindre importance. Il faut y ajouter deux quais, incluant les vestiges de l'ancien débarcadère en eau profonde.

Ces constructions forment la grave de Havre-Aubert. Cette appellation désigne une plage de galets ou de sable utilisée pour le débarquement, la transformation, le salage et le séchage du poisson, de même que les structures érigées à cet effet. La grave de Havre-Aubert présente de grands avantages: bordée d'un côté par un long crochet de sable, le Sandy Hook, qui vient protéger le havre contre les courants du golfe, elle possède de l'autre côté une grande anse qui procure un excellent abri aux embarcations de pêche.

La grave constitue donc la partie vitale d'un havre de pêche. Dans le cas de Havre-Aubert, elle regroupe près de 30 bâtiments ou installations liés au secteur des pêches. En fait, le stock immobilier de l'aire protégée renferme 33 structures, dont quinze présentent un intérêt patrimonial. Toutefois, c'est davantage pour ce qu'elles évoquent qu'en raison de leur nombre que ces diverses constructions donnent au lieu sa véritable valeur.

L'arrivée des Acadiens

L'île du Havre-Aubert représente le berceau du peuplement de l'archipel. Depuis longtemps déjà, elle recevait la visite des groupes de Micmacs du continent et des pêcheurs basques, bretons et normands, qui ne s'y installaient toutefois que de façon temporaire. En 1762, Richard Gridley, avec quelques familles acadiennes, vient y établir un poste de pêche et de chasse au morse.

Ce premier noyau de peuplement sédentaire est rapidement rejoint par d'autres rescapés de la grande déportation acadienne. Il semble que Richard Gridley

agisse avec autorité sur ce noyau de pêcheurs et qu'il exerce sur eux un réel contrôle économique au moyen des marchandises qu'il leur fournit en échange de leur production.

À cette même époque, les Américains, en quête de nouveaux secteurs de pêche et grâce à la libre circulation maritime dans le golfe, prennent part à l'exploitation des ressources marines de la région. En 1806, ils s'installent aux îles de la Madeleine.

Au même moment, suite à l'obtention de lettres patentes émises en 1798, l'amiral Isaac Coffin prend possession de l'archipel. Quelque 500 personnes forment alors la population insulaire. La concession des îles, accordée à Isaac Coffin en franc et commun soccage, ne comporte pas les obligations du système seigneurial. Aux demandes répétées de rentes du nouveau seigneur, les Acadiens des îles opposent continuellement une fin de non recevoir. Ils refusent de payer des redevances pour des terres qu'ils occupent depuis longtemps.

Une industrie florissante

Tout au long du XIXᵉ siècle, l'industrie de la pêche continue de se développer aux îles de la Madeleine, particulièrement dans le secteur de Havre-Aubert. Une lithogravure parue en 1866 dans l'ouvrage de Thomas Pye et illustrant la grave fait bien voir l'importance qu'elle a acquise au fil des ans. Elle possède alors l'apparence d'un cordon étroit où s'entassent divers bâtiments, structures et aménagements liés à la transformation et à l'expédition du poisson.

Au début du XXᵉ siècle, les bateaux pêchent plusieurs espèces de poisson dans

le secteur de Havre-Aubert: le hareng, utilisé comme appât en début de saison, le homard de mai à juillet, la morue, le maquereau et l'éperlan en octobre, novembre et décembre. Les pêcheurs possèdent sur la grave leur «magasin» ou chafaud, petit bâtiment servant de logement et de cuisine à l'étage et, en dessous, de lieu de salaison du poisson. Petits, les chafauds mesurent habituellement 4,5 mètres sur 6. Les pêcheurs les occupent à titre de propriétaire ou de locataire. Le terrain, réduit au minimum, se résume dans certains cas à la dimension du bâtiment. Même si la grave est cadastrée, elle appartient d'une certaine façon à tout le monde et chacun accepte sans difficulté le passage du voisin sur son terrain.

Les pêcheurs s'adonnent partiellement à l'agriculture et font également un peu d'élevage. Un établissement permanent de pêcheurs comporte donc des espaces cultivables, quelques bâtiments et un petit cheptel. Les pêcheurs produisent certains aliments essentiels tels le lard, le bœuf, la crème, le lait, le beurre et les pommes de terre. Pour eux, la grave ne sert que de façon temporaire, et ils s'y installent seulement durant le temps de la pêche.

Au XXᵉ siècle, le milieu de la pêche connaît d'importantes transformations: constructions de quais en eau profonde au début du siècle, installation de la compagnie Maritimes Packers sur le cap Gridley dans les années 1930, apparition des coopératives à partir de 1933 et de la National Sea Products en 1965. Pour diverses raisons, l'âge d'or de la grave se termine quelques années après la Seconde Guerre mondiale.

Le village de Havre-Aubert.
(Archives nationales du Québec à Québec, fonds Office du film du Québec).

La grave de Havre-Aubert comporte 33 bâtiments dont 15 présentent un intérêt patrimonial. (Archives nationales du Québec à Québec, fonds Office du film du Québec).

L'abandon de la grave et de ses bâtiments se produit sous l'effet conjugué de plusieurs facteurs. D'abord, vers 1950, la construction d'un entrepôt frigorifique à Havre-Aubert apporte un changement significatif dans le processus de transformation du poisson: le pêcheur de retour d'expédition apporte dorénavant sa cargaison directement à l'usine et à l'entrepôt frigorifique plutôt que de faire lui-même la salaison de son poisson comme le voulait la pratique traditionnelle.

Le progrès des moyens de transport terrestre exerce lui aussi une influence directe. L'utilisation grandissante des véhicules à moteur tels que l'automobile, le camion et le tracteur permet au pêcheur de se déplacer rapidement de la maison à la grave sans avoir à coucher sur place. Il peut ainsi s'adonner aux travaux agricoles et à l'entretien de la ferme pendant certaines journées où il ne pêche pas. Dès lors, la fonction de logement du chafaud disparaît progressivement.

Aux changements technologiques et aux nouveaux impératifs des marchés se greffent des facteurs d'ordre naturel, tels de désastreuses tempêtes. Graduellement des magasins devenus inutiles ou désuets disparaissent.

Rares témoins

L'ensemble de la grave, tel qu'il apparaît aujourd'hui, illustre encore cette période des XIXe et XXe siècles où les mareyeurs (grands marchands) venaient y acheter la production de poisson séché ou salé des pêcheurs. Les deux chafauds encore existants, véritables petits ateliers de transformation, et l'ancien magasin Savage (maintenant le Café de la grave) demeurent malheureusement les seuls exemples qui témoignent de

cette époque. On y comptait alors six établissements de marchands et une quarantaine de chafauds, en plus des vigneaux pour sécher la morue et du treuil pour obtenir la graisse de loup-marin et dont il ne subsiste aucune trace.

La grande saline à l'arrière du quai s'avère un témoin privilégié de la tentative de rationaliser le salage de la morue, demeuré très longtemps artisanal aux îles. La saline, construite par l'ancienne coopérative des pêcheurs de Havre-Aubert, demeure le symbole de la naissance aux îles des coopératives de production. Ces dernières voulaient contrer l'état de dépendance dans lequel les compagnies de pêche maintenaient les insulaires.

Quant au magasin général Savage et à l'ancienne ferblanterie, ils apparaissent comme les constructions les plus exceptionnelles de la grave. Leur gabarit, l'équilibre de leurs proportions et leurs dimensions imposantes leur confèrent une importance indéniable dans le paysage architectural.

D'autres constructions présentent un intérêt certain; il s'agit soit de résidences anciennes et de maisons de pêcheurs, soit de comptoirs de pêche ou de bâtiments d'entreposage. Ces bâtiments, tous reliés à l'industrie de la pêche, affichent une architecture caractéristique des constructions en milieu maritime: ossature de colombage à claire-voie, revêtement extérieur de planches et recouvrement de bardeaux, toit à deux versants couvert de bardeaux. Leur ancienneté demeure assez variable et, dans quelques cas, leurs caractéristiques architecturales s'avèrent plutôt rudimentaires.

D'autres constructions plus récentes, un magasin et une petite remise, possèdent une valeur architecturale ou technologique moindre, mais encore intéressante.

Sur le plan visuel, la grave s'offre à la vue sous forme d'une longue bande horizontale se détachant sur le fond bleu du golfe. Toutefois, son apparence actuelle ne correspond pas à son image antérieure. À l'origine s'y retrouvait un engorgement d'édicules sommaires sans fondations, entassés les uns sur les autres, sans orientation. La plupart comportent des structures de planches et des toits à deux versants ou en appentis, de couleur blanche, verte ou rouge, ou encore ils sont recouverts de planches grises délavées par le temps.

Milieu naturel unique

Aujourd'hui, la disparition de plusieurs constructions confère à la grave une apparence plutôt squelettique. L'attrait du lieu apparaît maintenant beaucoup plus redevable au milieu naturel lui-même qu'aux bâtiments qui y trouvent place. La beauté du site tient à sa géographie unique, à son relief varié, à la diversité des points de vue et à l'omniprésence du sable des îles, fine poussière accumulée au fil des siècles.

Mais l'harmonie du paysage demeure précaire, et des perturbations récentes en ont fait la preuve. Toute structure en hauteur, surtout si elle est érigée sur la partie élevée du relief, peut briser l'harmonie du paysage où dominent les lignes de force basses et presque horizontales. Toute nouvelle construction commanderait une architecture d'intégration qui respecte les particularités propres à la grave, en regard de la volumétrie des constructions anciennes, de leurs matériaux et de leurs caractéristiques d'implantation.

La grave pose donc un défi très particulier de mise en valeur et d'aménagement futurs. Évoluant de nouvelle façon depuis une vingtaine d'années, elle se tourne maintenant vers une source de développement prometteuse: le tourisme.

De nombreux habitants, conscients des possibilités offertes, sont en faveur d'un développement de la grave en fonction de cette nouvelle orientation. Mais les choix d'aménagement qui sous-tendent cette évolution devront tenir compte du riche passé dont ce site demeure le témoin.

Jacques Dorion, ethnologue

ETHNOTECH. *La grave de Havre-Aubert: Bilan et orientations.* Havre-Aubert, Corporation municipale de l'île du Havre-Aubert, 1985. 125 p.

ETHNOTECH. *Les établissements de pêche aux Îles-de-la-Madeleine: Inventaire et évaluation patrimoniale contextualisée.* Québec, ministère des Affaires culturelles, 1981. 246 p.

PYE, Thomas. *Images de la Gaspésie au dix-neuvième siècle.* Traduit et annoté par Jean Laliberté et André Lepage. Québec, Presse Coméditex, 1980. 89 p.

Liste des monuments

Liste des lieux

L'édition originale de
Les chemins de la mémoire
a été composée en Garamond, corps 10 sur 11,
par la maison Mono-Lino inc.
tandis que les séparations de couleurs
ont été faites aux ateliers Point de trame inc.
Le présent tirage
sur papier Baskerville mat 140M
a été achevé le 24 mai 1990, à Ville d'Anjou,
sur les presses de l'imprimeur Boulanger inc.